Zum Buch

Ihren Vater und ihren Onkel holte die See – für die armen Fischer im Umland von Bergen im Westen Norwegens waren solche Tragödien am Ende des 19. Jahrhunderts Teil des täglichen Lebens. Nun müssen sich die Brüder Lauritz, Oscar und Sverre in der Stadt als Lehrlinge eines Seilmachers durchschlagen. Doch das Schicksal will es anders. Durch glückliche Fügung können die Jungen einen reichen Gönner für sich gewinnen, der ihr großes Talent erkennt und fördert. Auf seine Kosten werden sie für das Polytechnikum in Dresden vorbereitet, die angesehenste Technische Universität jener Zeit. Nach Abschluss ihres Studiums sollen sie diese Schuld zurückzahlen, indem sie am ehrgeizigsten Ingenieursprojekt des Landes mitwirken: dem Bau einer Eisenbahnverbindung zwischen Bergen und Oslo. Und tatsächlich, 1901 beenden die drei Brüder ihr Studium mit Auszeichnung. Es ist der Anbruch des großen Jahrhunderts des technischen Fortschritts, und Lauritz, Oscar und Sverre sind bereit, die Welt zu erobern. Aus den drei Fischersöhnen sind Männer von Welt geworden, denen alle Möglichkeiten offen stehen. Doch die Liebe durchkreuzt ihre Pläne.

Zum Autor

Jan Guillou wurde 1944 im schwedischen Södertälje geboren und ist einer der prominentesten Autoren seines Landes. Seine preisgekrönten Kriminalromane um den Helden Coq Rouge erreichten Millionenauflagen. Auch mit seiner historischen Romansaga um den Kreuzritter Arn gelang ihm ein Millionenseller, die Verfilmungen zählen in Schweden zu den erfolgreichsten aller Zeiten. Heute lebt Jan Guillou in Stockholm.

Lieferbare Titel

978-3-453-47095-8 – Der Kreuzritter – Verbannung
978-3-453-47096-5 – Der Kreuzritter – Aufbruch
978-3-453-47094-1 – Der Kreuzritter – Rückkehr
978-3-453-47097-2 – Der Kreuzritter – Das Erbe

Jan Guillou

DIE BRÜCKENBAUER

Roman

Aus dem Schwedischen von Lotta Rüegger
und Holger Wolandt

WILHELM HEYNE VERLAG
MÜNCHEN

Die Originalausgabe erschien unter dem Titel
BROB YGGARNA bei Piratförlaget, Stockholm

Verlagsgruppe Random House FSC®N0011967
Das für dieses Buch verwendete
FSC®-zertifizierte Papier *Holmen Book Cream*
liefert Holmen Paper, Hallstavik, Schweden.

Vollständige deutsche Taschenbuchausgabe 01/2014
Copyright © 2011 by Jan Guillou
Copyright © 2012 der deutschen Ausgabe by Wilhelm Heyne Verlag,
München, in der Verlagsgruppe Random House GmbH
Printed in Germany 2014
Umschlaggestaltung und Motiv: Johannes Wiebel | punchdesign,
München, unter Verwendung von Motiven von shutterstock.com,
© Peter R Foster IDMA und © Artography
Satz: Christine Roithner Verlagsservice, Breitenaich
Druck und Bindung: GGP Media GmbH, Pößneck

ISBN: 978-3-453-41077-0

www.heyne.de

I

DAS WIKINGERSCHIFF

Die Männer blieben auf dem Meer. So war das Leben. Das war früher geschehen, und es würde wieder geschehen, denn dies war das Los der Küstenbewohner, auf Osterøya und anderen Inseln und an anderen Fjorden.

Somit waren die Jungen Lauritz, Oscar und Sverre vaterlos geworden und auch die kleinen Mädchen Turid, Kathrine und Solveig.

Was dort draußen passiert war, wusste keiner, und für gewöhnlich erfuhr man es auch nie. Der Sturm war zwar schwer gewesen, wie das bei späten Februarstürmen manchmal der Fall war, aber Lauritz und Sverre waren fähige Segler, größer und stärker als die meisten und auf See groß geworden. Von ihnen sagte man halb im Scherz, dass sie zweifellos von den Wikingern abstammten. Ihr Vater war ebenso gewesen.

Man konnte es nur vermuten. Das Eis dürfte zu dieser Jahreszeit nicht die Ursache gewesen sein. Auch nicht, dass sie auf Grund gelaufen oder vom Kurs abgekommen und an einer Felswand zerschellt waren, dafür waren sie zu routinierte Seeleute, die die Fjorde und die Seewege aufs offene Meer wie ihre eigenen schwieligen Handflächen kannten. Vielleicht hatten sie Mastbruch erlitten, oder sie hatten unerwartetes Glück beim Fischfang gehabt, und die Ladung war zu schwer geworden und hatte sich verschoben, als sie dem Sturm zu entkommen versuchten. Aber Vermutungen brachten einen auch nicht weiter.

Der Pastor kam nach einer Woche aus Hosanger herüber, als er sicher sein konnte, dass keine Hoffnung mehr bestand und dass die Verantwortung für die beiden Witwen von den Ehemännern an die Kirche übergegangen war. Er traf mit dem Dampfschiff in Tyssebotn ein und fragte sich von dort aus durch.

Frøynes Gård lag im Windschatten eines steinigen Hügels unweit des Dampfschiffanlegers. Auf dem Hof gab es zwei Wohnhäuser, was sehr ungewöhnlich war, einen Stall, zwei Scheunen und alte Vorratsspeicher, die zum Schutz vor Raubtieren auf hohen Pfosten standen. Alles war gut in Schuss und zeugte eher von bescheidenem Wohlstand als von der Armut, die sonst auf den Inseln verbreitet war. Die Brüder Eriksen waren fleißige, gottesfürchtige Männer gewesen und hatten gut für ihre Familien gesorgt. Sie hatten sogar ihr eigenes Fischerboot gebaut mit einem Laderaum, der doppelt so viel Platz für den Fang bot wie üblich.

Der Geistliche suchte die beiden Witwen, die bereits Trauerkleider trugen, in dem etwas größeren der beiden Wohnhäuser auf, in dem Lauritz' Ehefrau Maren Kristine mit ihren drei Jungen wohnte. Die Jungen in ihren Sonntagskleidern saßen mit rot geränderten Augen auf einer der Wandbänke in der Stube und neben ihnen die drei kleinen Mädchen, Sverre Eriksens und Aagots Töchter, in schwarzen Kleidchen. Der Pfarrer vermutete, dass es schwarz eingefärbte Sommerkleider waren. Die sechs Kinder boten einen herzerweichenden Anblick.

Die beiden Witwen saßen aufrecht und starr da, als sie dem Geistlichen zuhörten. Sie waren beherrscht, vergossen keine Tränen. Es war deutlich, dass ihnen ihre Würde wichtig war.

Worte des Trostes fand der Pastor keine, was hätte er auch sagen sollen? Er hielt sich ans Praktische. In Fällen, in denen keine Toten zu begraben waren, fand ein Gedenkgottesdienst statt, in dem am Schluss die Seelen der Verstorbenen gesegnet wurden. Man einigte sich auf den Tag.

Anschließend kam die schwierigere Frage, wie die Familien ohne das Einkommen aus dem Fischfang zurechtkommen würden. Die beiden Witwen waren jung, Anfang dreißig, wenn überhaupt so alt, und insbesondere Maren Kristine war eine auffällige Schönheit, rothaarig, sommersprossig und mit großen blauen Augen. Außerdem besaß sie einen nicht unbescheidenen Hof. Es würde ihr sicher nicht schwerfallen, einen neuen Mann zu finden. Das Gleiche galt für ihre Schwägerin.

Dieses anzusprechen wäre in diesem Moment äußerst unpassend gewesen, weshalb der Geistliche sich nach den in allernächster Zeit zu bewältigenden Aufgaben erkundigte. Zu essen gab es genug auf dem Hof: Schafe, Schweine und Hühner, außerdem vier Milchkühe. Da jetzt weniger Münder satt werden mussten, würden die Witwen Käse zum Verkauf herstellen können. Sie gaben an, auch Stoffe weben und färben zu können.

Wären die drei vaterlosen Mädchen älter gewesen, hätte man sie als Mägde in herrschaftliche Familien in Bergen geschickt. Aber das kam nicht infrage, da die Älteste gerade erst neun Jahre alt war.

Bei den Knaben verhielt es sich anders, obwohl auch sie erst zwölf, elf und zehn Jahre alt waren. Sie konnten sich als Lehrlinge in Bergen verdingen, wo alles, was mit Seefahrt und Fischfang zu tun hatte, produziert, gebaut und repariert wurde.

Diese Möglichkeit hatten die Witwen bereits in Erwägung gezogen. Maren Kristines Bruder Hans Tufte arbeitete als Seiler bei Cambell Andersen in Nordnes. Sie hatte ihm bereits geschrieben. Er war zweiter Werkmeister in der Seilerei, besaß also einen gewissen Einfluss, und so Gott wollte, würden sie bald drei Münder weniger zu stopfen haben. Vielleicht würden die Jungen mit der Zeit sogar etwas dazuverdienen.

Der Geistliche betrachtete die drei Jungen, die mit gesenkten Köpfen auf der Wandbank saßen, ohne ein Wort zu sagen oder zu erkennen zu geben, was sie darüber dachten, als Arbeiter in die Stadt ziehen zu müssen. Mit Sicherheit nicht das, was sich die drei Fischersöhne für ihre Zukunft gewünscht hatten. Aber die Not kannte nun mal kein Gebot.

Sehr viel mehr gab es für den Geistlichen nicht zu sagen. Er deutete an, dass er mit einer wohltätigen Gesellschaft in Bergen Kontakt aufnehmen wolle, aber versprechen könne er natürlich nichts. Mit Trauer im Herzen aß er von ihrem frisch gebackenen Brot, wissend, dass es schlimmer war, abzulehnen, als es den sechs Kindern buchstäblich wegzuessen. Die Fischer am Osterfjord nahmen es mit der Moral und der Würde sehr ernst.

Als er sich zum Dampfschiffanleger begab, um jemanden zu dingen, der ihn nach Hosanger segeln konnte, verspürte er sowohl Erleichterung darüber, die schwere Pflicht hinter sich gebracht zu haben, als auch ein schlechtes Gewissen, weil er solch eine Erleichterung empfand. Es hätte viel schlimmer sein können. Doch die schwere Zeit der Trauer und Armut stand den Witwen noch bevor.

Sie mussten, so schrieb es der Brauch vor, mindestens ein Trauerjahr warten, ehe sie überhaupt daran denken konnten, sich einen neuen Mann zu nehmen, aus Not eher als aus Lust.

*

Jon Tygesen war Maschinist des Dampfschiffes *Ole Bull*, seit es im Frühjahr 1883 in Dienst gestellt worden war. Inzwischen brauchte er nur noch einen kurzen Blick über die Reling zu werfen, um zu wissen, wo auf der Strecke mit den vierzehn Landungsbrücken, die nördlich von Bergen angelaufen wurden, er sich befand. Er war die Aussicht inzwischen leid und fand die Ausländer, die nur zum Vergnügen mit dem Dampfschiff fuhren, ganz und gar unbegreiflich. An der heutigen Fahrt nahmen vier Ausflügler teil, zwei Männer und zwei Frauen, wenn er es richtig mitbekommen hatte, aus England. Draußen auf dem Fjord saßen sie in ihren Ledersesseln im Erste-Klasse-Salon, aber sobald der Dampfer anlegte, kamen sie in dicken Mänteln mit Pelzkragen an Deck, deuteten auf die Gipfel und gestikulierten lebhaft. Die Frauen stießen immer wieder verzückte Rufe aus. Seltsame Leute waren das.

In Tyssebotn war er selbst an Deck gekommen, um frische Luft zu schnappen. Es war sonnig, aber kühl, in der Nacht war oben auf dem Høgefjell viel Schnee gefallen, obwohl es bereits Anfang Mai war.

Unten auf dem Kai fielen ihm drei kleine Jungen auf. Sie trugen handgestrickte Pullover in ungewöhnlich blauen Farbtönen. Aber mehr noch als die Jungen zog ihre schwarz gekleidete Mutter die Blicke auf sich. Sie war eine ansehnliche Frau, selbst in Trauerkleidung. Gefasst verabschiedete sie sich von ihren Söhnen. Sie gab ihnen die Hand, die Jungen machten einen Diener, woraufhin sie sich zum Gehen wandte. Sie ging ein paar Schritte, besann sich dann aber, lief zurück, kniete sich hin und umarmte alle drei kurz und fest. Dann stand sie abrupt auf und ging, ohne sich noch einmal umzusehen.

Jon Tygesen wusste, wer die drei Jungen waren. Er hatte von dem Fischerboot *Soløya* gehört, das mit Mann und Maus untergegangen war. Die armen Teufel, dachte er. Jetzt müssen sie in die Stadt und sich dort abrackern. Es ist kalt, und sie können sich natürlich nur einen Decksplatz leisten. In diesem Augenblick kam der Kapitän und stellte ihm eine Frage, und er verlor die Jungen aus den Augen.

Sie waren an Eikangervåg vorbei und hatten ein gutes Stück der Strecke hinter sich, als er die drei Jungen die hintere Leiter in den Maschinenraum klettern sah. Er stand weiter vorn und schaufelte Kohle hinter dem großen Dampfkessel, wo sie ihn nicht sehen konnten. Er stützte sich auf die Schaufel und betrachtete sie. Wahrscheinlich wollten sie sich einfach nur aufwärmen. Sie waren die einzigen Deckspassagiere, alle anderen hatten die fünfundzwanzig Öre Zuschlag bezahlt, um unter Deck gehen zu dürfen. An Deck war es ungeheuer kalt.

Das verstieß natürlich gegen die Regeln. Den Passagieren war es strengstens untersagt, sich im Maschinenraum aufzuhalten. Er würde sie rauswerfen müssen. Er beschloss jedoch, als Akt der Nächstenliebe sozusagen, noch etwas damit zu warten, damit sie sich zumindest halbwegs aufwärmen konnten. Als er sie so insgeheim beobachtete, schien es ihm, als seien sie gar nicht wegen der Wärme gekommen, sondern wegen des Dampfkessels und der Maschine. Sie gestikulierten lebhaft und mit eifrigen Gesichtern. Jon Tygesen trieb es Tränen in die Augen.

Entschlossenen Schrittes verließ er sein Versteck und fragte mit strenger Stimme, was die Passagiere im Maschinenraum zu suchen hätten. Die beiden kleineren Jungen sahen aus, als wollten sie Reißaus nehmen, aber der älteste blieb stehen und antwortete in nahezu unverständlichem Dialekt, dass er seinen Brüdern nur zeigen wollte, wie eine Dampfmaschine funktioniert. Jon Tygesen geriet ein wenig aus dem Konzept und musste sich ein Lächeln verkneifen.

»Du bist mir ja ein aufgeweckter Bursche, du weißt also, wie eine Dampfmaschine funktioniert?«, fragte er amüsiert nachsichtig. »Ist es dann überhaupt nötig, dass ich sie euch erkläre?«

Die drei Jungen nickten eifrig, und Jon Tygesen begann seine gewohnte Führung, die er manchmal für die vornehmen Leute aus der Stadt machte. Er ging systematisch vor, begann mit der eigentlichen Kraftquelle, dem Kohlenfeuer, dann wandte er sich dem großen Dampfkessel aus Kupfer und Messing zu und erläuterte die Kraftübertragung mithilfe von Kurbelwellen und Zahnrädern, samt den mechanischen Grundsätzen und allem Drum und Dran.

Die Jungen lächelten selig, erstaunlicherweise schienen sie alles zu verstehen. Zwischendurch warf einer von ihnen, anfänglich noch schüchtern, eine Frage ein, wenn Jon Tygesen etwas übersprungen hatte, um die Sache nicht unnötig zu komplizieren. Wie in aller Welt konnte es sein, dass drei kleine Fischerjungen von Osterøya sich derart gut in einem modernen Maschinenraum zurechtfanden, den sie nie zuvor gesehen hatten?

Nein, räumten sie ein, sie seien noch nie an Bord eines Dampfschiffes gewesen. Aber sie hätten etwas über Maschinen gelesen, in einer Zeitschrift. Jedenfalls bestand kein Zweifel daran, dass sie alles verstanden, was er sagte, und ungewöhnlich interessiert waren.

Als die *Ole Bull* an dem neu gebauten Kai an der Murebryggen anlegte, vergewisserte sich Jon Tygesen, dass die drei Jungen auch wirklich von jemandem abgeholt wurden. Er winkte ihnen zu und kehrte dann nachdenklich in seinen Maschinenraum zurück.

*

Sie erkannten ihren Onkel Hans kaum wieder, der schon seit mehreren Jahren in der Stadt wohnte. Er wirkte überraschend schmächtig und hatte, verglichen mit ihrem Vater, kleine Hände. Seine Fragen, wie die Reise verlaufen sei und wie es seiner Schwester Maren Kristine gehe, beantworteten sie schüchtern und einsilbig, während sie durch die Stadt gingen.

Die Jungen waren schon mehrmals in Bergen gewesen, aber nie für eine längere Zeit. Im Sommer, bei gutem Wetter, hatten sie manchmal ihren Vater und ihren Onkel Sverre mit dem Fang begleiten dürfen, der direkt am Kai verkauft wurde, aber bis in die eigentliche Stadt waren sie nie vorgedrungen. Nachdem sie nun ihre erste Unsicher-

heit und Scheu überwunden hatten, fragten sie ihrem Onkel Löcher in den Bauch.

Onkel Hans lebte in einer sogenannten Etagenwohnung
in der Verftsgaten nah am Wasser. Hier wohnte ein Haufen
fremder Menschen in ein und demselben drei Stockwerke
hohen Haus. Die Wohnung bestand aus Zimmer und Küche mit Dienstmädchenkammer. Dort sollten die drei Brüder wohnen. Onkel Hans hatte ihnen eigenhändig drei
kleine Kojen gezimmert.

Onkel Hans stellte sie seiner Frau Solveig vor, und sie
machten einen Diener und gaben ihr die Hand, wie es ihnen ihre Mutter aufgetragen hatte. Solveig lobte ihre schönen Wollpullover und sagte etwas über die Gabe ihrer
Mutter, was sie nicht verstanden.

Zwei Dinge am Stadtleben waren besonders seltsam. Das
Wasser kam aus dem Wasserhahn, obwohl man mehrere
Meter über dem Erdboden wohnte. Das andere Gewöh-
nungsbedürftige war die Art, wie die Stadtbewohner schis-
sen. Neben der Küchentür hing ein Schlüssel, der zu einem
der nummerierten Plumpsklos auf dem Hof passte. Dieses
Klo wurde mit einem Nachbarn geteilt, sonst durfte es
niemand benutzen. Einmal in der Woche kamen die *Nacht-
männer* und holten die Tonnen.

Zu Abend gegessen wurde in der Küche, nach dem
Tischgebet. Meist gab es Fisch und einmal in der Woche
Kartoffeln mit Speck, genau wie zu Hause auf Osterøya.

*

Lauritz, Oscar und Sverre fanden sich in Cambell Andersens Seilerei, die nur zehn Minuten zu Fuß von der Verfts-

gaten, in der sie wohnten, entfernt lag, schnell zurecht. Sie besaßen eine rasche Auffassungsgabe und handhabten Seile und Werkzeuge mit solchem Geschick, dass die anderen Arbeiter und der Vorarbeiter Onkel Hans neugierige, anerkennende Fragen stellten. Die Fischerjungen seien seit ihrem fünften Lebensjahr zur See gefahren und hätten gelernt, überall mit anzupacken, erklärte er. So seien sie auch behilflich gewesen, als ihr Vater und ihr Onkel ein ungewöhnlich großes Fischerboot gebaut hatten.

Bereits nach einer Woche beschloss Vormann Andresen, ohne beim Direktor zu fragen, den Lauritzen-Jungs nach einem Monat einen Vorschuss auf ihren Lohn zu geben, der üblicherweise erst nach drei Monaten ausgezahlt wurde. Zweifellos würden diese Knaben einmal geschickte Seiler werden.

Sonntags promenierte man. Onkel Hans erklärte, das hieße so. Nach dem Gottesdienst ging man in seinen besten Kleidern durch die Stadt, ohne ein bestimmtes Ziel, und unterhielt sich hier und da mit den Leuten, denen man begegnete. Der Weg, der den drei Brüdern am besten gefiel, führte zu dem kleinen künstlichen Fjord, der nicht Fjord hieß, sondern Lille Lungegårdsvann. Sonntags ruderten Männer mit aufgekrempelten Ärmeln, das Sakko neben sich auf der Ruderbank, Damen durch die Gegend, die achtern saßen und einen Schirm über den Kopf hielten, selbst wenn es nicht regnete. Warum sie gerudert wurden, war den Jungen anfänglich vollkommen rätselhaft, wollten sie doch nirgendwohin, und Angeln hatten sie auch nicht dabei. Onkel Hans erklärte, dass man in der Stadt zum Vergnügen herumruderte, etwa so, wie man auch promenierte, allerdings mit einem Boot. Das machte die Sache nicht weniger befremdlich.

Am Nordufer des Lille Lungegårdsvann verlief die Kai-gaten mit großen drei- und vierstöckigen Häusern, deren Fassaden mit Skulpturen und anderem Firlefanz verziert waren. Da diese Häuser aus Stein waren, musste die Belastung des Bodens fürchterlich groß sein, wie die Jungen bereits beim ersten Besuch in dieser vornehmen Straße anmerkten. Sie fragten Onkel Hans, wie dieses Problem gelöst worden sei. Er erwiderte, Stein sei schwer, und lege man Stein auf Stein aufeinander, bekäme das Ganze allein durch das Eigengewicht Stabilität.

Er merkte wohl, dass ihm die Jungen nicht glaubten, aber eine bessere Erklärung hatte er nicht parat, da er selbst noch nie über diese Sache nachgedacht hatte.

Als die Jungen nach einem Monat einen Vorschuss auf ihren ersten Lohn erhielten, konnten sie ihrem Onkel und seiner Frau Solveig das Kostgeld aushändigen und hatten trotzdem noch etwas Geld übrig. Bei einer Abstimmung, die zwei zu eins ausging, wurde beschlossen, dass sie die überschüssigen fünf Kronen der Mutter schicken wollten. Lauritz hätte für das Geld lieber ein Buch über Lokomotiven gekauft.

Alles war so vielversprechend und endete doch bereits vor dem Herbst in einer Katastrophe. Im Nachhinein machte sich Hans Tufte Vorwürfe, weil er nicht wachsamer gewesen war. Aber er wäre doch nie auf die Idee gekommen, dass sich die Jungen in den hellen Juninächten aus einem anderen Grund ins Freie schlichen, als zum Klosett zu gehen. Verzweifelt versuchte er sich damit zu entschuldigen, dass er das unmöglich hätte ahnen können. Nicht einmal ihr zwangsläufiger Schlafmangel war ihm aufgefallen.

Wovor ihm am meisten graute, war, wie er das klägliche Scheitern des Stadtlebens der Jungen seiner Schwester Maren Kristine erklären sollte.

*

Christian Cambell Andresen war achtundzwanzig Jahre alt, er war der älteste Sohn des Seilermeisters Andresen und würde bald das Unternehmen übernehmen. Er war ein gut aussehender Mann mit einem imposanten Schnurrbart und seltsamerweise noch unverheiratet. Man konnte ihn als jüngeres Mitglied der Bergener Gesellschaft betrachten, jedenfalls war er vollwertiges Mitglied des Eisenbahnkomitees, der Theatergesellschaft, der Wohltätigkeitsloge und des Herrenclubs *Die gute Absicht*. Er hatte den Kopf voller Ideen und war überall ein gern gesehener Gast.

Vor dem freien Sankt-Hans-Abend, wo bereits nicht mehr voll gearbeitet wurde, wollte er noch etwas im Büro erledigen. Er begegnete einigen Arbeitern, die auf dem Weg über den Hof zu einem Schuppen waren, der seit anderthalb Jahren leer stand. Er hatte als Reservelager für Hanf gedient.

Als er sich erkundigte, was los sei und warum die Männer große Feuerwehrbeile auf den Schultern trugen, erhielt er nur ausweichende Antworten von wegen eines »Schabernacks dieser Bengel«, den man unverzüglich in Ordnung bringen wollte. Das weckte seine Neugier. Er ging mit den anderen zu dem Schuppen und öffnete selbst die verzogenen Torflügel.

Der Anblick, der sich ihm bot, versetzte ihn anfänglich derart in Erstaunen, dass er mit offenem Mund dastand. In dem Schuppen stand ein mehr als halb fertiges Boot. Kein Ruderboot und keine Segeljolle, sondern das Modell eines Wikingerschiffes.

»Meine Güte«, murmelte er leise, als ihm endlich aufging, was er dort sah. »Das muss das Gokstadschiff sein!«

Ungeduldig riss er einem der Arbeiter den Zollstock aus der Tasche und begann, das Boot zu vermessen. Es war, nach der neuen Maßeinheit, die erst vor Kurzem in Norwegen und Schweden eingeführt worden war, 4,6 Meter lang und mittschiffs 1,02 Meter breit. Das konnte hinkommen.

Er wollte die Sache sofort kontrollieren und eilte über den Hofplatz zum Hauptgebäude, dann überlegte er es sich anders und ging noch einmal zurück.

»Was habt ihr eigentlich mit den Äxten vor, Männer?«, fragte er.

»Der Vormann hat uns angewiesen, den Dreck zu zerhacken und aufzuräumen«, antwortete der Älteste von ihnen verunsichert. Der Feuereifer des Eigentümersohnes war schließlich nicht zu übersehen.

»Fasst da drinnen um Gottes willen nichts an!«, befahl er. »Lasst alles, wie es ist, mit Werkzeug und allem. Und was meint ihr eigentlich mit dem ›Schabernack dieser Bengel‹?«

Die Antwort erstaunte ihn außerordentlich, das konnte doch nicht sein. Oder hatten die drei neuen Lehrlinge, die kaum älter als elf Jahre waren, tatsächlich das hier gebaut? Und überhaupt, wo waren die Jungen jetzt?

Die verzagte, gemurmelte Antwort ließ Böses ahnen. Vormann Andresen habe die drei kleinen Diebe verprügelt und ihnen fristlos gekündigt. Der zweite Vormann, ihr

Onkel, hatte sie daraufhin zum Dampfschiff gebracht und sie nach Hause geschickt.

Wieso sie Diebe seien, hatte Christian Cambell Andersen wissen wollen.

Sie hätten Holz und Sägen von der benachbarten Holzhandlung gestohlen, zwar nur von dem Haufen Abfallholz, aber Diebstahl sei es trotzdem. Das übrige Werkzeug hätten sie in der Reparaturwerkstatt der Seilerei mitgehen lassen.

Diese Erklärung quittierte er mit einem resignierten Kopfnicken. Es hatte keinen Sinn, sich jetzt auf größere Diskussionen einzulassen. Er wiederholte einfach nur seine Anweisung, dass im Schuppen nur ja nichts angefasst werden dürfe. Das gelte vor allem für das »gestohlene« Werkzeug und das Material. Dann eilte er in sein Büro und begann sein Regal mit den Büchern über die Wikinger zu durchsuchen.

Wie etliche seiner Zeitgenossen begeisterte sich Christian Cambell Andersen für die Wikinger. Die *Frithjofssaga* konnte er auswendig, und die Ausgrabung des ersten gut erhaltenen Wikingerschiffes bei Gokstad hatte er seit seinem einundzwanzigsten Geburtstag genauestens verfolgt.

Schließlich fand er, was er suchte, das Buch, in dem die genauen Maße des Gokstadschiffes standen: 23,3 Meter lang und größte Breite mittschiffs 5,2 Meter, wenn man von Fuß und Zoll umrechnete. Er schrieb die Zahlen auf ein Blatt Papier und rechnete rasch. Es stimmte bis auf den Zentimeter. Die Jungen hatten ihr Modell genau im Maßstab 1:5 gebaut.

Er ließ sich auf seinen englischen Bürostuhl sinken und versuchte, sich einen Reim auf das Ganze zu machen, aber in seinem Kopf drehten sich die Gedanken im Kreis. Er musste sich die Arbeit der Jungen eingehender ansehen! Energisch erhob er sich und ging zügig zurück zum Schuppen auf der anderen Seite des Innenhofs. Er öffnete beide Torflügel, um Licht in den Schuppen zu lassen.

Die Klinkerbeplankung war perfekt, was in Anbetracht der kräftig geschwungenen Linien, die im Vorder- und Achtersteven zusammenliefen und mittschiffs am breitesten waren, erstaunte. Außerdem ragten Vorder- und Achtersteven steil auf. Dass es ein paar kleinen Jungen ohne richtiges Werkzeug gelungen war, diese kühnen und eleganten Linien aus einem Holz zu erschaffen, das sie aus dem Abfallhaufen der Holzhandlung gefischt hatten, war das reinste Wunder.

Er strich mit der Hand über die Beplankung. Keine Unebenheit, alles war perfekt geschliffen. Der Vordersteven war beidseits mit einem geschnitzten verschlungenen Drachenornament verziert, das weitgehend fertig war. Für diesen Schmuck gab es kein bekanntes Vorbild, jedenfalls nicht das Gokstadschiff, dessen war sich Christian Cambell Andersen vollkommen sicher, das hätte er gewusst. Aber die Ornamentik sah vollkommen authentisch aus, künstlerisch vollendet.

Die Ruderbänke lehnten an der Längswand des Schuppens, auch sie glatt abgeschliffen. Was für eine Schande, dass die Jungen die Arbeit nicht hatten vollenden können, ehe irgend so ein Idiot sie erwischt hatte!

Schabernack? Verprügelt, entlassen und nach Hause geschickt!

Das Empörendste war nicht, dass das grausam und unchristlich war, sondern die Einfältigkeit hinter der Bestrafung. Seiler waren keine Seeleute oder Bootsbauer, aber den Sinn für ein schönes Schiff konnte man ja wohl durchaus von jedem Bergener erwarten. Nun, er würde das schon wieder in Ordnung bringen. Es fragte sich nur, wie. Darüber musste er nachdenken.

Wie die meisten anderen Stadtbewohner begab er sich wenige Stunden später auf die große Stadtwiese, um sich die Mittsommerfeuer anzusehen, aber er war mit seinen Gedanken anderswo und ging recht früh, weil Regen in der Luft lag und er nicht nass in den Herrenclub kommen wollte. Er wollte an diesem Abend eine Partie Whist mit Halfdan Michelsen spielen, der so alt war wie er und bald den angesehensten Schiffbaubetrieb der Stadt übernehmen würde, sowie mit den Reedern Mowinckel und Dünner, die beide bedeutend älter waren als Christian und Halfdan, aber den Gedankenaustausch mit der jüngeren Generation, die bald alles übernehmen würde, als Vergnügen erachteten. Vorausgesetzt, es wurde nicht über Politik gesprochen.

Christian spielte die ersten Partien lausig, und die anderen merkten, dass er unkonzentriert war, waren jedoch taktvoll und stellten keine Fragen. Vermutlich ging es um irgendeine Herzensangelegenheit, und über so etwas sprach man nicht in der *Guten Absicht*.

Als sie jedoch anschließend beim Cognac mit Soda saßen und der Regen gegen die Bleiglasfenster prasselte, das Feuer im offenen Kamin knisterte und die englischen Ledersessel gemütlich knarrten, rückte er damit heraus, worüber er nachgrübelte.

Er erzählte, dass einige Vorarbeiter der Seilerei drei Lehrlinge gefeuert und sie vorher mit Lederriemen verprügelt hätten, weil sie, man höre und staune, ein exakt maßstabgerechtes und beinahe fertiges Modell des Gokstad-schiffes gebaut hatten.

Die anderen sahen ihn an, als sei er übergeschnappt.

»Und wie alt waren die Lehrlinge?«, fragte Schiffsreeder Dünner vorsichtig.

»Etwa elf Jahre alt, schätze ich«, antwortete Christian zögernd, denn er befürchtete, ausgelacht zu werden.

Und ausgelacht wurde er. Die anderen konnten nicht an sich halten, entschuldigten sich aber rasch und fuchtelten abwehrend mit den Händen. Eine verlegene Stille trat ein.

»Ich habe einen Vorschlag«, sagte Christian hartnäckig. »Ich wette, dass Sie, meine Herren, zum einen verblüfft sein und mir recht geben werden, wenn Sie das Meisterwerk sehen. Als Entschädigung für Ihr Misstrauen müssen Sie mir bis zum Jahreswechsel meinen Cognac Soda ausgeben. Sollten Sie nicht beeindruckt sein, geht der Cognac Soda für den Rest des Jahres natürlich auf mich!«

Auf die angespannte Stimmung folgte ein Lachen, und man bestellte flugs eine Droschke von W. M. Bøschen in der Kong Oscars Gate. Bei diesem Wetter war an einen Spaziergang nicht zu denken, obwohl es zur Seilerei in Nordnes nicht allzu weit war.

Eine halbe Stunde später, die Pferdedroschke wartete vor dem Gebäude, öffnete Christian die Torflügel des alten Schuppens. Er hielt zwei Petroleumlampen in der Hand, um Licht in das Mittsommerdunkel zu bringen. Die anderen schnappten erstaunt nach Luft, sie waren Schiffsleute und begriffen sofort, was sie vor sich hatten.

Sie begannen eine eingehende Untersuchung des Schiffsmodells, wobei sie einander auf verschiedene Entdeckungen und Beobachtungen aufmerksam machten, beispielsweise dass die Jungen keine Nägel verwendet, sondern die Planken allein mittels Holzdübeln befestigt hatten. Wie aber hatten sie diese Dübel ohne eine Drehbank hergestellt? Halfdan, der von Kindesbeinen an Bootsbauer war, untersuchte einen der Holzdübel genauer, nahm Hammer und Keil zur Hand, schlug ihn vorsichtig heraus und betrachtete ihn von allen Seiten, erst mit gerunzelter Stirn, dann mit einem breiten Lächeln. Anschließend hielt er einen munteren Vortrag und versicherte, dass man es mit, gelinde gesagt, genialen Lausebengeln zu tun habe. Sie hatten die Dübel mit der Hand geschnitzt, in Keilform. Dann hatten sie den Teil des Holzdübels, der durch das gebohrte Loch in den Planken geschoben wurde, dünn mit Hanf umwickelt und mit Teer präpariert. Anschließend hatten sie den Dübel mit dem Hammer eingeschlagen, sodass Teer und Hanf zusammengedrückt wurden und das Ganze richtig fest saß. Abschließend mussten sie nur noch die Enden absägen und mit Sandpapier glatt schmirgeln.

Aber wie hatten die Jungen das Holz für die Rundungen von Bug und Heck zurechtgebogen?

Die Männer sahen sich im flackernden Schein der Petroleumlampen nach einer Erklärung um und fanden sie auch. An der hinteren Schmalseite des Schuppens stand ein Wassereimer auf ein paar Steinen. Unter dem Eimer waren noch die Spuren eines Feuers zu sehen. Sie hatten sich mit Wasserdampf beholfen.

Das rührendste Fundstück war die Vorlage. Sie hing an der einen Längswand und bestand aus Bildern des Gokstadschiffes in Farbdruck, wie es zu Beginn und nach Fertigstellung der Restaurierung ausgesehen hatte und wie man sich vorstellte, dass es vor tausend Jahren einmal ausgesehen

hatte. Daneben gab es ein paar einfache Skizzen und Maß-
angaben. Die Bilder stammten aus einer billigen Illustrier-
ten für Haus und Heim und waren als Bauzeichnungen
recht dürftig.

Christian fiel auf, dass die Zeitschriftenbilder keine Vorschläge zur Verzierung von Vorder- und Achtersteven lieferten.

Bester Laune kehrte die kleine Gesellschaft in den Club
zurück, um dafür zu sorgen, dass Christian auf Kosten seiner Kameraden den Club bis Ende des Jahres nicht mehr
nüchtern verließe.

Als sie so zum zweiten Mal an diesem Mittsommerabend
miteinander anstießen, wurden die Freunde von einer feierlichen Stimmung ergriffen.

Was sie gesehen hatten, war einzigartig, da waren sich
alle einig. Drei kleine Jungen, die, wenn es hochkam, vier
oder fünf Jahre die Schule besucht hatten, mehr war draußen auf den Inseln nicht üblich, hatten etwas gebaut, das als
Meisterstück eines Schiffsingenieurs getaugt hätte. Die
Wege des Herrn waren unergründlich. Drei Fischerjungen
von Osterøya, warum hatte der Herrgott ausgerechnet sie
mit solch technischem Genie ausgestattet? Was brachten
ihnen diese Gehirnleistungen ein, wenn sie ihre Netze aus-
warfen, um Dorsche zu fangen?

Christian, der weder an den Herrgott noch an seine
unergründlichen Wege glaubte, wandte trocken ein, dass
diese Jungen keine Fischer werden würden. Nein, diese
Jungen würden Eisenbahningenieure und Brückenbauer
werden.

Die anderen sahen ihn verblüfft an, während sie über
seine Worte nachdachten. Dann nickten sie fröhlich. Die

Idee war genauso brillant wie selbstverständlich. Wer wollte, konnte es auch für einen Fingerzeig Gottes halten.

Bergens Eisenbahnkomitee war 1872 gegründet worden, und sie waren allesamt aktive Mitglieder. Aber die Planungsphase für eine Eisenbahnstrecke war zäh verlaufen, da die Politiker in Kristiania der Meinung waren, dass die Bergener, die schließlich Seeleute waren, weiterhin gut in die Hauptstadt segeln konnten. Soweit sie dort überhaupt etwas verloren hatten. Widerwillig hatte das Storting zugestimmt, eine Eisenbahn zwischen Bergen und Voss zu bauen, und diese war seit einigen Jahren in Betrieb. Aber der große Sprung stand noch aus, von Voss über die ganze Hardangervidda und hinunter nach Kristiania. Die Politiker jammerten und sagten, es sei unmöglich, eine Eisenbahn in solcher Höhe und bei solcher Kälte zu bauen, in solchen Schneemassen und in dem acht Monate andauernden Winter. Außerdem fehlte es in Norwegen an Ingenieurswissen auf diesem hohen Niveau, nicht einmal in der Schweiz sei ein ähnliches Projekt geglückt. Etwas in Angriff zu nehmen, das von Anfang an zum Scheitern verurteilt war, wäre somit, trotz gewisser naiver Optimisten aus Bergen, eine verantwortungslose Verschwendung begrenzter staatlicher Mittel.

Dass die Bergenbahn, wie das Projekt genannt wurde, eine unerhörte technische wie ingenieurwissenschaftliche Herausforderung darstellte, darüber zumindest war man sich einig. Aber unmöglich war sie gewiss nicht.

»Also und folglich«, schloss Schiffsreeder Dünner, nachdem sie hin und her überlegt hatten, »werden wir unsere eigenen Ingenieure ausbilden. Wir bieten ihnen die beste technische Ausbildung der Welt. Für die bezahlen wir. Und sie erstatten uns die Kosten zurück, indem sie unsere Eisenbahn bauen.«

Nachdenkliches Schweigen breitete sich um den Tisch aus. Man bestellte ein letztes Glas Cognac Soda und stieß mit Christian an, der von jetzt an ein halbes Jahr lang auf Kosten der anderen trinken durfte.

»Das ist eine großartige Idee«, meinte Schiffsreeder Mowinckel schließlich. »Ich stimme in der Sache und rein vernunftmäßig Dünner zu, aber Gott allein bestimmt über das Schicksal der Jungen und nicht wir, wie sehr wir ihre Begabung in unser heiß begehrtes Projekt auch einbringen möchten. Lasst es mich so sagen: *Die gute Absicht* sucht immer nach wohlbegründeten Motiven zur Wohltätigkeit. In diesem Fall haben wir eine junge, mittellose Witwe mit drei außerordentlich begabten Söhnen. Genügt das etwa nicht für einen Anfang?«

Die anderen nickten zustimmend und hoben einträchtig ihre Gläser. Man beschloss, dass Christian die Witwe aufsuchen sollte.

*

Es war ausnahmsweise einmal ein vollkommen wolkenloser Junitag. Es hatte zehn Tage lang unablässig geregnet, als Christian von der Murebryggen auf das Deck der *Ole Bull* stieg. An Bord befanden sich an diesem Tag ungewöhnlich viele, vor allem deutsche Touristen. Vielleicht hatte das mit dem Wetterumschwung zu tun. Der Erste-Klasse-Salon war so voll, dass man eng und unbequem saß. Christian wollte eben einen Spaziergang an Deck machen, als ihn die Frau, die neben ihm saß, fragte, ob er Deutsch spreche. Als er bejahte, begann sie ihn über Wikinger auszufragen, und da er sich selbst für dieses Thema begeisterte, konnte er fast alle ihre Fragen beantworten. Ihre Reisebegleiter stellten weitere Fragen, und er fühlte sich fast wie ein Reiseleiter.

Die Ausländer hatten einen Narren an den Wikingern gefressen, und im Sommer strömten sie von nah und fern an die Fjorde. Das war gewöhnungsbedürftig, aber natürlich gut für Norwegen, denn diese Ausländer hatten viel Geld.

Als er sich schließlich loseisen und an Deck gehen konnte, betrachtete er die Aussicht mit anderen Augen. Wer in Westnorwegen geboren war und nichts anderes kannte, für den sah diese Welt natürlich aus. Glitzerndes Wasser, schneebedeckte Berggipfel, Steilhänge, die direkt ins Wasser reichten, und hohe Wasserfälle. Aber für Leute aus einer rußigen Großstadt wie London oder Berlin war das sicher ein besonderes Erlebnis!

Vielleicht sollte er auch in den Tourismus investieren. Die Seilerei in allen Ehren, aber würde sie auch in Zukunft so gewinnbringend sein wie die neuen Hotels für die Touristen? Er nahm sich vor, dieses Thema für eine abendliche Unterhaltung im Club vorzuschlagen.

Als er an dem einfachen Steg von Tyssebotn an Land ging, die Gangway schwankte bedenklich, war ihm etwas beklommen zumute. Er konnte sich nicht länger mit der Aussicht ablenken, jetzt musste er sich auf die beschwerliche Verhandlung konzentrieren, die vor ihm lag.

Es hatte nicht den Anschein, als würde ihn jemand am Anleger erwarten, obgleich er seinen Besuch schriftlich angekündigt hatte. Seltsam. Er musste sich durchfragen.

Als er schließlich in die dunkle Wohnstube des Frøynes

Gård trat, saßen die drei Knaben mit gesenkten Köpfen nebeneinander auf der Wandbank. Sie wagten es nicht, ihn anzusehen.

Die Witwe Maren Kristine nahm verlegen in einem großen, mit Drachenornamenten verzierten geschnitzten Lehnstuhl Platz. Schweigend deutete sie auf einen gleichartigen Stuhl ihr gegenüber. Er hatte noch kein Wort gesagt und war auch nicht von ihr begrüßt worden. Es war gespenstisch.

Christian kämpfte gegen die aufsteigende Panik an. Er fühlte sich wie in einem Albtraum, in dem er äußerst unwillkommen war. Es roch ganz leicht nach Vieh. Außerdem war die Witwe Maren Kristine – und es war natürlich äußerst unpassend, gerade jetzt daran zu denken – eine der schönsten Frauen, denen er je begegnet war. Sie war kaum älter als er selbst, wenn überhaupt. Sie trug ein schwarzes Kleid und ein schwarzes Kopftuch, aber ihr langes, kupferrotes Haar schaute unter dem schwarzen Stoff hervor. Sie betrachtete ihn ruhig, aber nicht freundlich mit ihren hellblauen Augen. Vor ihm auf dem Tisch stand ein kleiner Teller mit Plätzchen. An der Wand aus Holzbalken hingen kunstvoll gewebte Teppiche, wie er sie noch nie gesehen hatte. Er hätte sie gerne näher betrachtet, aber dafür war jetzt nicht der richtige Augenblick. Er musste so schnell wie möglich sein Anliegen vorbringen, da die Familie zu glauben schien, er sei gekommen, um weitere Strafen zu verhängen.

»Ich bin froh, dass Sie und Ihre Söhne mich empfangen konnten, Frau Eriksen«, begann er, seine Kräfte zusammennehmend. »Ich habe ein paar wichtige Dinge zu sagen und will das der Reihe nach tun.«

Er machte eine Pause und schielte zu den Jungen, die immer noch mit gesenktem Blick dasaßen. Sie schienen auf weiteres Ungemach gefasst zu sein.

»Erst einmal«, fuhr er fort, »möchte ich Ihnen gratulieren, Frau Eriksen, dass Sie mit drei so begabten Söhnen gesegnet sind. Ich war ganz verzückt, ja, dieses Wort muss ich einfach verwenden, als ich ihr Modell des Gokstadschiffes gesehen habe.«

Er verstummte und schielte erneut zu den Jungen hinüber, die erstaunt die Köpfe hoben und sich rasch und schüchtern anlächelten, dann aber unverzüglich wieder ernst wurden, aus Angst, ihre Mutter könnte sie sehen. Wie im Gebet senkten sie wieder die Köpfe.

Ihre Mutter verzog noch immer keine Miene. Er war noch nie einem Menschen mit solcher Selbstbeherrschung begegnet. Er war nicht sicher, ob sie auf Angst oder Feindseligkeit zurückzuführen war.

»Als Nächstes möchte ich Folgendes vorbringen«, fuhr er in der Gewissheit fort, bald die gespenstische Stimmung aufheben zu können, »und zwar die aufrichtige Entschuldigung der Firma Cambell Andersen dafür, dass unsere Angestellten die einzigartige Leistung der Jungen so schlecht belohnt haben. Ich kann Ihnen versichern, Frau Eriksen, dass die Geschichte einen glücklicheren und vor allen Dingen gerechteren Verlauf genommen hätte, hätten ich selbst oder mein Vater, die Besitzer der Firma, den fantastischen Schiffbau als Erste entdeckt. Dann hätte es eine Belohnung statt Prügel und Entlassung gegeben.«

Jetzt erst reagierte die Witwe, allerdings umso deutlicher. Sie holte heftig Luft, und das nicht nur einmal, sondern mehrere Male. Ihr schöner Busen hob und senkte sich, und Christian schämte sich der unvermeidlichen wie unpassenden Beobachtung.

»Wissen Sie, Herr Cambell Andersen«, sagte sie gefasst, wenn auch immer noch schwer atmend, »dass keine anderen Worte mich hätten glücklicher machen können. Mehr kann ich nicht sagen.«

Die drei Jungen saßen nicht mehr aneinandergedrängt und mit gesenkten Köpfen da. Sie streckten die Hälse und betrachteten den Gast forschend und erwartungsvoll. Christian Cambell Andersen war erleichtert, dass das Eis endlich gebrochen war, weil er jetzt sein eigentliches Anliegen vorbringen konnte.

»Des Weiteren«, fuhr er fort und lächelte versuchsweise, »habe ich den Lohn der Jungen für die Zeitspanne, in der sie fälschlich entlassen waren, bei mir. Dazu kommt ein Angebot, zu dem Sie bitte Stellung nehmen wollen, Frau Eriksen. Es kommt von der Wohltätigkeitsloge in Bergen, der ich ebenfalls angehöre, die aber nichts mit der Firma zu tun hat. Der Vorstand der *Guten Absicht*, wie wir uns nennen, hat beschlossen, die Ausbildung der Jungen zu finanzieren, zuerst an der Kathedralschule in Bergen, dann an der Polytechnischen Schule für die höhere Ausbildung von Knaben in Kristiania und schließlich zum Ingenieur an der Universität Dresden in Deutschland. Das ist die derzeit beste Universität für Ingenieure.«

Die drei Jungen auf der Wandbank sahen ihn ungefähr so überrascht an, wie er es erwartet hatte. Aber ihre Mutter ließ mit keiner Miene erkennen, was sie dachte. Er verstummte und wartete ihre Antwort ab. Es verging eine ganze Weile, und er fragte sich schon, ob er ihr wohl zu viel auf einmal zumutete. Vielleicht erfasste sie gar nicht, welch großzügigen Vorschlag er ihr unterbreitet hatte?

Die Witwe nickte vor sich hin, als müsse sie sich erst noch ihre Worte zurechtlegen. Schließlich holte sie tief Luft und sprach mit fester Stimme, ohne zu stocken, allerdings in einem breiten Dialekt, den er nur mit Mühe verstand.

»Der Pfarrer hat dasselbe gesagt wie Sie, Herr Andersen, dass die Jungen keine Fischer werden sollten. Deswegen sind sie nach Bergen gezogen, um die große Welt kennenzulernen. Aber ich weiß es jetzt und habe es schon damals gewusst, dass uns diese Schulen die Kinder wegnehmen. Wer solchen Unterricht erhält, kehrt nicht zurück. Nie. Ich habe zum Pastor Nein gesagt. Und jetzt sage ich auch Nein. Weil ich drei kleine Männer brauche anstelle des einen großen Mannes, den ich einmal hier auf dem Hof hatte. Des Mannes, den das Meer uns genommen hat.«

Christian Cambell Andersen war im ersten Moment so verdutzt, dass er nicht wusste, was er antworten sollte. Da kam er mit einer fürstlichen Gabe und legte sie funkelnd der schwarz gekleideten Fischerwitwe in den Schoß. Und sie wies ihn ab, ohne auch nur ein einziges Mal mit der Wimper zu zucken.

Er musste nachdenken. Er schielte erneut zu den Jungen hinüber, die aufrecht auf der Wandbank saßen und ihn und ihre Mutter mit entsetzten Augen ansahen, als hofften sie verzweifelt darauf, dass er jetzt etwas schrecklich Kluges sagen würde. Aber sein Kopf war leer, er war vollkommen überrumpelt.

Schweigen war in diesem Haus offenbar nichts Ungewöhnliches. Sie hatte ihn endlose Minuten warten lassen.

Jetzt ließ er sie warten, während er nach einer passenden Antwort suchte.

»Wissen Sie, Frau Eriksen«, begann er langsam, »jetzt ist Sommer, und an den Hängen wird das Heu gemäht. Die Jungs sind bei Ihnen gut aufgehoben. Der Unterricht in der Kathedralschule beginnt erst nach den sogenannten Sommerferien, und die enden mehrere Wochen nach der Heuernte. Das ist das Erste. Das Zweite ist, dass wir von der Loge *Die gute Absicht* natürlich Ihre schwere Lage, Frau Eriksen, berücksichtigt haben. Wir haben daher beschlossen, Ihnen eine Witwenpension anzubieten, die gut und gerne die Arbeitskraft der drei aufgeweckten Jungen hier auf dem Hof aufwiegt, wenn wir die Jungen ausbilden dürfen, wie ich es vorgeschlagen habe.«

Letzteres entsprach nicht der Wahrheit, es war ihm soeben spontan eingefallen. Aber die wohlhabenden Männer in Bergen hatten also zusammengesessen und nicht überblickt, was es für eine Fischerwitwe bedeutete, ihrer Söhne beraubt zu werden. Diese Dummheit oder zumindest Fantasielosigkeit ließ sich nur mit dem diskreten Beschluss einer Witwenpension aus der Welt schaffen.

Falls ihm irgendein Paragrafenreiter aus dem Vorstand vorwerfen würde, er habe seine Befugnisse überschritten, was tatsächlich zutraf, würde er diese Witwenpension eben aus eigener Tasche zahlen.

Die schöne Witwe war erneut verstummt und sann über ihre Antwort nach. Ihre drei Söhne saßen kerzengerade da und ließen ihre Mutter keine Sekunde aus den Augen. Es bestand kein Zweifel daran, was sie selbst fanden.

»Mutter«, sagte plötzlich einer von ihnen, »verzeiht, dass ich ohne Mutters Erlaubnis spreche, aber eines muss ich sagen. Meine Brüder und ich wünschen uns nichts mehr im Leben als das. Einen größeren Traum könnte man uns nicht erfüllen. Wir versprechen auch, uns immer um dich zu kümmern.«

Die zwei anderen Jungen nickten eifrig.

Christian Cambell Andersen wurde erneut von einem starken Gefühl der Unwirklichkeit ergriffen. Der kleine Ingenieur oder Schiffbauer oder Brückenbauer oder was auch immer er werden wollte, hatte seine Sache kurz und bündig in wenigen Sätzen dargelegt wie der isländische Skalde Snorri Sturluson.

Doch seine Mutter ließ sich Zeit mit ihrer Antwort. Ihr Gesichtsausdruck gab nicht preis, was sie dachte oder wie ihre Antwort ausfallen würde. Dann strahlte sie plötzlich wie die Sonne, die nach einem grauen Tag mit gleißendem Licht über dem Fjord aufgeht.

»Herr Christian Cambell Andersen«, sagte sie. »Mein Vertrauen in Euren guten Willen ist groß. Auch meine Zuversicht ist groß. Mögen Sie sich gut um meine Söhne kümmern.«

Auch sie spricht wie aus einer Wikingersaga, dachte er.

*

Während eines der schlimmsten Stürme des Herbstes fand sich der Rektor der Bergener Kathedralschule bei der Vorstandssitzung der Loge *Die gute Absicht* ein, weil er zu Punkt 18 der Tagesordnung etwas sagen sollte. Es ging um die Beurteilung der ersten Unterrichtsmonate der Lauritzen-Jungs.

Es sei anfänglich schwierig gewesen, sie auf die Klassen

zu verteilen, begann der Rektor. Ihr Wissen variiere sehr stark. Offenbar hätten sie bei dem Pfarrer auf Osterøya Unterricht erhalten, das Übliche also: Rechnen und Schreiben und dann raus auf die See. In manchen Fächern wie deutscher Sprache, Erdkunde und moderner Geschichte lägen sie damit weit hinter ihren Altersgenossen zurück.

In anderen Fächern sei es genau umgekehrt. Ihre Begabung für Mathematik und Physik müsse als einzigartig bezeichnet werden. Der Jüngste besäße außerdem ein augenfälliges künstlerisches Talent. Summa summarum holten sie rasch den Vorsprung sämtlicher Altersgenossen auf, nicht zuletzt, weil sie mit solchem Eifer und solcher Freude lernten, die den Bürgersöhnen der Stadt leider nur selten zu eigen seien. Daran, dass die drei Lauritzen-Jungs außergewöhnlich begabt seien, bestehe kein Zweifel.

»Aber können aus ihnen in Dresden auch diplomierte Ingenieure werden?«, knurrte der Vorsitzende des Vorstands ungeduldig. Es war offenbar, dass der formelle Beschluss so formuliert werden musste.

Eine gespannte Stille breitete sich in dem mit Eichenholz getäfelten Sitzungssaal aus. Nur der Regen, der gegen die Bleiglasfenster peitschte, war zu hören. Die Sitzungsteilnehmer sahen den Rektor auffordernd an, der angesichts der konkreten Frage den Faden verlor.

»Entschuldigen Sie, falls ich mich undeutlich ausgedrückt haben sollte, das war wirklich nicht meine Absicht«, antwortete er schließlich reserviert und presste die Lippen zusammen.

»Gestatten Sie mir einen neuen Versuch, die Sache noch einmal so zu schildern, dass kein Raum für Missverständnisse bleibt«, fuhr er ungehalten fort. »Wenn es drei Jungen in ganz Westnorwegen gibt, aus denen Sie in Dresden Diplomingenieure machen können, dann sind es diese drei!«

Der Vorsitzende ließ sich von dem zurechtweisenden Ton des Rektors nicht provozieren, schlug den Hammer auf den Tisch, dankte Rektor Helmersen für sein Kommen und ging zum nächsten Punkt der Tagesordnung der Wohltätigkeitsloge *Die gute Absicht* über.

II

1901

Die letzten Tage in Dresden

»Sehr verehrte Herren Diplomingenieure, wir bilden in Dresden nun schon seit vielen Jahren die besten Ingenieure Deutschlands und somit der Welt aus. So war es bereits am Königlich Sächsischen Polytechnikum, und so ist es auch heute noch an dieser unserer Technischen Hochschule.

Doch sind die Voraussetzungen für die Absolventen heute besser als je zuvor in der Geschichte unserer schon seit vielen Hundert Jahren existierenden Ausbildungsstätte. Meine Herren, Ihnen liegt die Welt zu Füßen, eine ganz neue Welt. Das zwanzigste Jahrhundert wird nämlich größere technische Fortschritte erleben als irgendeine andere Epoche in der Geschichte der Menschheit. Die moderne Technik wird sich in großen Sprüngen weiterentwickeln und die Welt so gründlich verändern, dass unsere Kollegen, die hier in hundert Jahren ihr Examen ablegen werden, auf unsere Zeit zurückblicken werden wie wir heute auf die Steinzeit.

Was gestern noch als wilde Fantasie abgestempelt wurde, teilweise sogar heute noch, wird morgen Wirklichkeit sein.

Da stellt es dann keine Herausforderung mehr dar, wie bei Jules Verne in achtzig Tagen um die Welt zu reisen. Wir werden die Lüfte erobern, und die meisten in diesem Saal werden Flugverkehr für Passagiere erleben, und zwar nicht nur zwischen Ländern, sondern auch zwischen Kontinenten. Ebenso werden wir die Tiefen der Weltmeere ergründen. Um noch einmal auf Jules Verne zurückzukommen, es wird bald auch eine unterseeische Weltumsegelung möglich sein.

Wir werden im Dunkeln sehen, uns auf Tausende von Kilometern Distanz unterhalten, mit einer Geschwindigkeit von zweihundert Kilometern in der Stunde mit der Eisenbahn reisen und Gebäude errichten, die Hunderte von Metern hoch sind. Es wird Methoden geben, den menschlichen Körper zu durchleuchten und zu untersuchen, ohne ihn zu verletzen, und in Dresden Musik aus Bayreuth zu hören, als säßen wir persönlich im Konzertsaal. Unsere Rechenmaschinen werden hundert-, ja vielleicht tausendmal besser sein als die, die wir heute benutzen. Ich bin mir sicher, dass zumindest Sie, die jüngere Generation, erleben werden, wie der erste deutsche Wissenschaftler den Mond betritt, obwohl Jules Vernes technische Empfehlungen gerade in diesem Punkte nicht viel wert sind.«

An dieser Stelle wurde zum ersten Mal gelacht. Die frischgebackenen Ingenieure hatten bis dahin regungslos und wie verhext dagesessen, ohne einen Laut von sich zu geben. Der Rektor der Technischen Hochschule war als sehr guter Redner bekannt, aber dieses Mal übertraf er sich selbst und die hochgeschraubten Erwartungen.

»Kurz gesagt«, fuhr er fort, »in einigen Jahrzehnten wird die Welt durch unsere technischen Fortschritte vollkommen verändert sein. Wir werden die armen Erdteile mit unserem Wissen bereichern, womit wir in Afrika bereits begonnen haben. Wir werden damit eine Gleichheit der Völker und Rassen herbeiführen, und deswegen ist das, was vor uns liegt, nicht nur ein Projekt für Männer, die als Seele einen Rechenschieber haben, oder eine Frage der physikalischen Gesetzmäßigkeiten und anderer Naturwissenschaften. Es ist auch in hohem Grade ein humanistisches Projekt, das vor Ihnen liegt.

Die umwälzende technische Veränderung, die unsere Welt nun in diesem zwanzigsten Jahrhundert prägen wird, bedeutet für die Menschheit in einer ganz bestimmten Hinsicht eine größere Segnung als alles andere.

Kriegsführung wird nicht mehr als adäquates Mittel zur Lösung politischer Probleme infrage kommen. In einer Welt, die technisch so avanciert ist wie die, an deren Erschaffung Sie von heute an und für den Rest Ihres Berufslebens mitwirken sollen, wird der Krieg in die Rumpelkammer der Geschichte verbannt. Kriege sind primitiv, daher sind hochtechnologische Kriege eine Contradictio in adiecto, ein Widerspruch in sich.

Sie werden nun ausziehen, um diese neue Welt zu zeichnen, zu bauen und zu konstruieren. Ich wünsche Ihnen von ganzem Ingenieursherzen Glück dabei!«

Es folgte ein stürmischer Applaus, der kein Ende nehmen wollte. Es wurde getrampelt, dann erhob sich ein frackbekleideter Examinierter nach dem anderen, bis die Freudenbekundungen in Stehbeifall übergingen.

Als der Applaus verebbt war, wurden die Urkunden überreicht. Die Studenten mit den besten Examensnoten wurden von zehn bis eins aufgerufen. Es war eine unerhörte

Ehre, in Dresden zu den besten zehn zu gehören, das ebnete einem den direkten Weg zu den interessantesten und bestbezahlten Stellungen in ganz Europa. Gehörte man zu diesen zehn, standen einem alle Türen offen.

Ein Engländer belegte den zehnten Platz. Er kam auf die Bühne und nahm zu höflichem Applaus, hauptsächlich von seinen Landsleuten, sein Diplom entgegen. Es hieß, dass reiche Engländer, die in Cambridge nicht angenommen worden waren, in Dresden studierten, was von allen Engländern in der Stadt – die zufälligerweise alle reich waren – mit Nachdruck bestritten wurde.

Nummer neun war ein Berliner, Nummer acht ein Hamburger.

Nummer sieben war ein Norweger, Oscar Lauritzen. Er erhielt einen mäßigen, höflichen Applaus. Die drei Brüder saßen nebeneinander. Sverre war aus dem Rennen, Oscar war erleichtert, und Lauritz wurde immer nervöser, da die Anzahl der ersten zehn Plätze zusehends schrumpfte. Er bemühte sich, ungerührt zu wirken, aber seine Brüder durchschauten ihn natürlich.

»Vergiss nicht, dass es ein Wettkampf ist, Lauritz«, flüsterte sein jüngster Bruder Sverre. »Und wann hast du je einen Wettkampf verloren?«

Damit spielte er auf Lauritz' Karriere als Radrennfahrer an. Im Jahr zuvor war er im Velodrom in Dresden Universitätseuropameister geworden. Die deutsche und die Dresdner Meisterschaft hatte er bereits mehrere Male gewonnen.

Schließlich waren nur noch zwei Urkunden übrig. Als der zweite Platz an einen Leipziger ging, brach Lauritz der kalte Schweiß aus. Er konnte nicht mehr klar denken.

Natürlich hätte er zu den zehn Besten gehören müssen, das wussten alle …

Der redegewandte Rektor zog die Spannung bis ins Unerträgliche in die Länge, ehe er mit der letzten Urkunde vortrat.

»Seltsamerweise«, sagte er, »handelt es sich bei der Nummer eins dieses Jahres um einen Mann, der mit etwas sehr Unmodernem und technisch Primitivem, nämlich mit Fahrrädern, Erfolge erringt!«

Damit war alles klar. Die Brüder klopften ihm auf die Schulter. Er selbst versuchte eine ernste Miene aufzusetzen, als wäre er der Einzige unter den siebenundfünfzig frisch examinierten Diplomingenieuren, der nicht verstanden hatte, wer der Mann mit dem Fahrrad war.

»Darf ich unseren Europameister Lauritz Lauritzen bitten, nach vorne zu kommen!«, rief der Rektor laut, um den bereits aufbrausenden Applaus zu übertönen.

Als die drei Brüder anschließend mit ihren Diplomen unter dem Arm auf der George-Bähr-Straße im Gedränge der frisch Examinierten und ihrer Eltern standen, hatten sie wirklich das Gefühl, dass ihnen die Welt zu Füßen lag. Sie würden sich einige Jahre auf der Hardangervidda abrackern müssen, um ihre Schuld abzubezahlen, aber dann waren sie frei. Sobald die Eisenbahnstrecke fertig war, wollten sie versuchen, eine eigene Ingenieurfirma im Zentrum Bergens aufzubauen, die sie im Scherz Lauritzen & Lauritzen & Lauritzen getauft hatten.

Jetzt würden sie sich aber erst einmal auf den Weg zur Dresdner Bank machen, ihre Diplome vorzeigen und wie vereinbart jeder tausend Mark entgegennehmen. Das war ein Abschiedsgeschenk, eine Art Gratifikation von der

Loge *Die gute Absicht*, die sich ihrer angenommen hatte, nachdem sie als Seilerlehrlinge bei Cambell Andersen in Nordnes entlassen worden waren.

Tausend Mark war ein überaus großzügiges Examensgeschenk, das entsprach etwa achttausend norwegischen Kronen, mehr als der Jahresverdienst eines Eisenbahningenieurs bei der Bergenbahn.

Sobald sie ihr Geld hatten, wollten sie nach Hause gehen und kurz die Fräcke ablegen, um für den Abend ein frisches Hemd anzuziehen. Beim Examensbankett wurde ebenfalls Frack getragen.

Ihr Weg war lang gewesen, aber jetzt waren sie am Ziel. Es hätte also für die drei Brüder der glücklichste Tag ihres Lebens sein sollen, und äußerlich war auch nichts Gegenteiliges zu erkennen.

Aber es gab etwas, das Lauritz seinen Brüdern verschwiegen hatte.

Und etwas anderes, das Oscar nicht ausgesprochen hatte.

Und Sverre hatte ebenfalls ein Geheimnis, das er um nichts in der Welt preisgeben wollte.

*

Oscar saß spätabends, am zweiten Abend nach ihrem Verschwinden, auf der Wache in der Nähe des Hauptbahnhofs in der Südvorstadt, die im Übrigen nicht weit von der Technischen Hochschule entfernt lag.

Er war unrasiert und schwitzte, obwohl es ein milder Maiabend war. Hatte er vor zwei Tagen den glücklichsten Tag seines Lebens erlebt, so war dies sein unglücklichster.

Maria Theresia war definitiv verschwunden. Wie vom

Erdboden verschluckt. Keine Spur, kein Brief, kein Blutfleck, nichts.

Er war zwanzig Minuten vor Abfahrt des Zuges nach Berlin auf dem Bahnhof gewesen. Es hätte der erste Schritt in ihr neues, glückliches Leben sein sollen. Endlich war sie frei, auf dem Weg in ein neues Land mit einer neuen Identität. Er war bis über beide Ohren verliebt und hatte das Glück, das ihn erfüllte, kaum fassen können. Sobald sich der Zug in Bewegung setzte, hätte er die mitgebrachte Flasche Champagner geöffnet.

Drei Minuten vor der Abfahrt hatte er sein Gepäck, zwei volle Reisetaschen, aus dem Abteil geholt. Sie musste aufgehalten worden sein, und da konnte er natürlich auch nicht reisen. Es zerrte an seinen Nerven und war ärgerlich, den Zug zu verpassen und am nächsten Tag erneut den Optimismus für die Flucht in eine neue Welt aufbringen zu müssen, eine vielfältigere neue Welt als jene, die der Festredner am Examenstag vorausgesagt hatte.

Sie war nicht gekommen. Die Lokomotive hatte gepfiffen und sich schwerfällig in Bewegung gesetzt.

Er hatte eine Droschke genommen, um das Gepäck zurück nach Hause zu bringen. Dann hatte er sich zu Madame Freuer begeben, um sie zu fragen, ob sie etwas wisse. Das war peinlich, aber unvermeidlich.

Madame Freuer war wie erwartet unfreundlich. Sie glaubte nicht, dass Maria Theresia durchgebrannt war, eher »verreist«. War sie womöglich auf dem Weg zum Bahnhof entführt, überfallen, beraubt worden? Lag sie verletzt im Krankenhaus?

Er hatte versucht, seine Angst und Unruhe beiseitezuschieben, indem er an all die schönen Stunden mit ihr dachte. Er würde nie mehr eine Frau so lieben, wie er Maria Theresia liebte. Dessen war er sich mit seiner ganzen fünfundzwanzigjährigen Lebenserfahrung gewiss. Es gab keine Frau wie sie, keine war schöner, keine charmanter, geistreicher, fantasievoller … erotischer.

Die Polizei war ihm weder höflich noch professionell begegnet. Zuerst hatte Oscar sich an den Diensthabenden des Dezernats für vermisste Personen gewandt.

Nachdem er dem fetten, uninteressierten und mindestens fünfzig Jahre alten Beamten seine Geschichte erzählt hatte, war er ans Dezernat für Betrugsfälle verwiesen worden. Diese trägen und korrupten Bürokraten wollten einfach nicht den Ernst der Lage erkennen. Und jetzt war er auch noch zum Sittlichkeitsdezernat weitergeschickt worden, als handele es sich um eine ganz normale Bordellangelegenheit!

Ihre Lebensgeschichte war sehr ergreifend. Ihre Mutter war eine spanische Gräfin, von ihr hatte sie die dunklen, fast schwarzen Augen, in denen er sich verlieren konnte, ohne sie vor sich zu haben. Ihr Vater war ein geschiedener Graf aus München, besser gesagt aus der Münchner Umgebung, der ein Schloss auf dem Lande besessen hatte, das seit dem 13. Jahrhundert in Familienbesitz war.

Sie hatten im sonnigen Spanien ganz in der Nähe von Valencia gelebt, inmitten von Orangenhainen, das blaue Mittelmeer am Horizont. Sie hatte mit kleinen weißen Lämmern gespielt, und starke Männer hatten sie in den Sattel gehoben und waren mit ihr über die Besitzungen geritten, auf denen Stiere für Stierkämpfe gezüchtet wurden.

Dann hatte sich das Glück auf einen Schlag in einer gewittrigen Nacht in tiefstes Unglück verwandelt. Ihre Mutter mit den funkelnden schwarzen Augen hatte in rasender Eifersucht (ihr Verdacht erwies sich später als unbegründet) ihren Dolch gezückt. Aus Notwehr hatte ihr Vater seine heiß geliebte Spanierin getötet. Eine Katastrophe!

Im Prozess hatte sich ihr Vater aus Edelmut nicht auf Notwehr berufen. Er brachte es nicht übers Herz, die Eifersucht seiner geliebten Frau bei einer einfachen Gerichtsverhandlung publik zu machen. Folglich hatte man ihn zum Tode verurteilt und garrottiert.

Im Alter von fünf Jahren wurde Maria Theresia zu einer besonders bösartigen Tante auf das Schloss bei München geschickt. Da die Tante ihr Vormund und Maria Theresia die rechtmäßige Erbin des Schlosses war, hatte die Tante sie unter einem Vorwand in ein Kinderheim gesteckt. Anschließend hatte sie die Hexe von Kinderheimvorsteherin dafür bezahlt, das kleine unschuldige Mädchen an ein Bordell in Leipzig zu verkaufen.

Maria Theresia hatte längst die Hoffnung aufgegeben, ihren rechtmäßigen Besitz, das Schloss und die Ländereien, zurückzubekommen, wie sie Oscar unter Tränen erzählt hatte. Aber sie hatte nie die Hoffnung auf ein besseres Leben begraben und jede Gelegenheit genutzt, Geld für die Zukunft beiseitezulegen. Sie verwahrte siebentausend Mark in einer Hutschachtel mit doppeltem Boden.

Er hatte die Hutschachtel mit eigenen Augen gesehen.

Sie hatte gehofft, obwohl diese Hoffnung im Laufe der Jahre immer mehr verblasst war, dass ein junger, schöner, intelligenter und blonder Mann kommen und sie retten würde. Sie würden in sein Land ziehen, und er würde ihr ihre frühere Leidenszeit verzeihen. Sie würden alles hinter sich lassen und glücklich miteinander werden.

Oscar hatte sich die erste Begegnung zwischen Maria Theresia und seiner Mutter Maren Kristine mit reger Fantasie ausgemalt. Seine Mutter würde sich nicht vorstellen können, welche Leiden Maria Theresia durchgemacht hatte, weil sie nicht wusste, was ein Bordell war.

Ein müder Polizeibeamter, ungefähr so unrasiert wie Oscar, erschien und musterte ihn wie einen Schwerverbrecher.

»Sie sind der Mann mit der verschwundenen Hure?«, fragte er wenig einfühlsam. »Kommen Sie rein und erzählen Sie!«

Das Büro war ein kleiner Verschlag mit einem Durcheinander an Ermittlungsakten, einem Schreibtisch und zwei Stühlen, deren Lederpolster aufgeplatzt waren. Die Beleuchtung war schwach, nur eine Glühbirne unter einem grünen Lampenschirm auf dem Schreibtisch.

»Und?«, sagte der Polizeibeamte müde. »Wie heißt sie?«

»Maria Theresia.«

»Aus dem Bordell in der Schmaalstraße oder aus dem eleganteren Etablissement bei der Oper? Wie heißt das noch gleich?«

»Salon Morgenstern.«

»Ich verstehe. Einen Augenblick.«

Der Polizeibeamte verschwand im Nebenzimmer, unterhielt sich halblaut und kehrte mit einer Aktenmappe zwischen zwei Lederdeckeln, die von einem schwarzen Bindfaden zusammengehalten wurde, zurück.

»In Dresden haben wir die Huren ziemlich gut im Griff«, murmelte der Polizeibeamte, während er in den Unterlagen blätterte. »Regelmäßige ärztliche Untersuchungen. Sie gelten deshalb als die medizinisch ungefährlichsten Huren im gesamten Deutschen Reich. Zwangsweise Behandlung, wenn es etwas Einfacheres ist, Ausweisung bei Syphilis. Sagten Sie Maria Theresia?«

»Ja.«

»Ausgezeichnet, hier haben wir sie. Judith Kreissler, geboren achtzehnhundertfünfundsiebzig in Posen, bereits einmal in Hamburg wegen Betrugs verurteilt. Hat eine einjährige Gefängnisstrafe verbüßt. Wurde ein weiteres Mal angezeigt, Verfahren eingestellt, hm. Tja, es sieht so aus, als …«

»Sie heißt Maria Theresia, und ihre Mutter war Spanierin, daher hat sie auch so schwarze Augen!«, fiel ihm Oscar ins Wort.

Der Polizeibeamte holte tief Luft und seufzte, wirkte aber nicht im Geringsten verächtlich.

»Maria Theresia ist natürlich ein sehr schöner Name, der einer Königin gebührt. Entschuldigen Sie, das war nicht ironisch gemeint. Aber das ist nur, wie soll ich sagen, ein Künstlername. Ihre schwarzen Augen haben möglicherweise damit zu tun, dass sie Jüdin ist, denn Spanierin ist sie gewiss nicht. Sie stammt wie gesagt aus Posen.«

Um Oscar herum blieb die Zeit stehen. Er sah alles, was sie ihm erzählt hatte, so deutlich vor sich, als wäre er selbst dabei gewesen. Spanien, die Orangenhaine, das blaue Mittelmeer, die temperamentvolle, schöne Mutter, die das Haar mit einem Kamm hochgesteckt hatte, der edle, distinguierte Vater.

Hatte sie ihn belogen? Das konnte nicht sein! Er hatte doch mit eigenen Augen die Hutschachtel gesehen, in der sie ihr unter großen Aufopferungen verdientes Geld verwahrte.

»Ich muss Sie noch etwas fragen«, meinte der Polizeibeamte beiläufig. »Hat sie möglicherweise unmittelbar vor ihrem geheimnisvollen Verschwinden Geld von Ihnen erhalten?«

»Ja. Und das ist es eben, was mich so beunruhigt. Sie könnte beraubt worden sein. Ich habe ihr tausend Mark gegeben!«

»Darf ich fragen, warum?«

»Sie konnte das Geld in Gold zu einem fünfzig Prozent höheren Wert eintauschen.«

»Wie das?«

»Tja, also, da gab es diesen älteren Kunden, den sie sehr schätzte, zu dem sie aber keine … Beziehung mehr pflegte. Er wollte ihr einen besonderen Rabatt einräumen. Das hatte etwas mit der Buchführung seiner Firma zu tun, wie auch immer, er konnte meine tausend Mark in Papier in Goldmark umwandeln. Diese wollten wir dann mit ihren, darauf muss ich hinweisen, größeren Ersparnissen zusammenlegen. Das sollte das Startkapital für unser neues Leben sein.«

Der Polizeibeamte sah müde aus, aber freundlich. Er hob beide Hände vom Tisch und rieb sich die Augen. Er war glatzköpfig, sein Jackett saß schlecht, sein Schnurrbart war stümperhaft gestutzt, er war, kurz gesagt, wenig vertrauenerweckend.

»Sie sind doch ein intelligenter Mann, Herr Diplomingenieur«, meinte der Polizeibeamte, während er sich immer noch die Augen rieb. »Davon gehe ich zumindest aus, schließlich sind Sie in diesem Abschlussjahrgang die Nummer sieben der zehn weltbesten Ingenieure. Dass Sie gleichzeitig jedoch ein Dummkopf sind, hängt mit Ihrem Alter zusammen. Wie alt sind Sie? Sechsundzwanzig?«

»Ein Jahr jünger, muss ich gestehen.«

»Maria Theresia, vielleicht sollten wir uns ja weiter an ihr Pseudonym halten, hat mit geringen Abweichungen diesen Betrug bereits dreimal verübt. Einmal wurde sie dafür verurteilt, zweimal kam sie davon, weil die Geschädigten die Sache nicht weiterverfolgen wollten. Das ist ja gerade das Raffinierte an dieser Art von Straftaten. Denn, Hand aufs Herz, würden Sie in einer solchen Angelegenheit vor dem Dresdner Stadtgericht aussagen wollen? Wir können sie finden, das ist vermutlich nicht das Problem. Alle Huren der besseren Bordelle im Deutschen Reich sind registriert. Wenn Sie die Sache also weiterverfolgen wollen, können wir sie aufspüren. Aber ist das wirklich Ihr Wunsch? Das Geld können Sie in jedem Fall abschreiben, das hat sie irgendeinem Zuhälter gegeben. Also stellen wir das Verfahren mit unmittelbarer Wirkung ein?«

Oscars Welt brach zusammen. Er konnte weder sprechen noch denken. Als er sich erhob, um dem Polizeibeamten die Hand zum Abschied zu reichen, hatte er so weiche Knie, dass er fast umgefallen wäre.

Es war, als würde er von einer unsichtbaren Strömung und nicht von seinen eigenen Beinen zur Wache hinausgetragen. Sein Gesichtsfeld verengte sich, vor sich sah er nur noch den Polizeibeamten, der das Schönste, das er je im Leben besessen hatte, in den Dreck getreten hatte. Der Polizeibeamte zündete sich eine Zigarette an und klappte die Akte wieder zu, die unter anderem die Papiere über Maria Theresia alias Judith Kreissler aus Posen enthielt.

Er saß auf einer Bank am Terrassenufer und starrte in das dunkle Wasser der Elbe. Die nächtliche Kälte auf der Stirn tat ihm gut, und sein kurzgeschlossenes Gehirn begann wieder zu arbeiten.

Maria Theresia gab es nicht, es war alles nur ein Traum gewesen. Sofern nicht sein momentaner Zustand ein Albtraum war. Nein, die Realität war allzu greifbar. Das Publikum strömte aus der Semperoper. Man hatte Richard Strauss' »Feuersnot« gegeben, laut Sverre nicht sehenswert. Die festlich gekleideten Opernbesucher, die an seiner Bank vorbeigingen, lachten und unterhielten sich laut. Sie waren zweifellos wirklich.

Der Polizeibeamte hatte ihn als Dummkopf bezeichnet. Er musste ihm recht geben. Aber was noch schlimmer war: Er hatte sich selbst etwas vorgemacht. Diese alles übertreffende Liebe hatte es nie gegeben, das Größte und Schönste in seinem Leben war eine Illusion gewesen. Was hatte das Leben noch für einen Sinn?

Als wäre er plötzlich zu einer Einsicht gelangt, erhob er sich und schlenderte auf die Augustusbrücke, blieb auf dem Brückenscheitel stehen, hielt sich krampfhaft am schmiedeeisernen Geländer fest und starrte in den trägen, schwarzen Strom.

Es würde schnell gehen. Er war ein miserabler Schwimmer. Sich jetzt von dem Geländer in die Tiefe zu stürzen wäre eine unwiderrufliche und die einzige ehrenhafte Lösung. Er hatte sich von einer Hure die Examensgratifikation der *Guten Absicht* abluchsen lassen. Er würde seinen Brüdern nie wieder in die Augen schauen können. Er musste weg, weit weg.

*

Als Lauritz an dem kleinen Bahnhof in der Provinz aus dem Zug stieg, warteten bereits Pferd und Wagen von Schloss Freital auf ihn. Der Kutscher teilte ihm mit, dass die Fahrt eine knappe halbe Stunde dauern würde.

Der Weg zum Schloss und zu der wichtigen Entscheidung führte ihn durch eine hübsche, hügelige, überwiegend aus Weinbergen bestehende Landschaft.

Die Sommersaison, in der Familie von Freital samt Dienerschaft ihre Stadtresidenz in der Wigardstraße zwischen der Carolabrücke und der Albertbrücke verließ, um die langen Ferien im Schloss zu verbringen, hatte noch nicht recht begonnen. Der Baron war schon einmal allein vorausgefahren. Er hatte auf Lauritz' höchst formelle Bitte um eine Audienz mit einer Einladung des Freiers auf Schloss Freital mit Abendessen und Übernachtung geantwortet. Die Chancen standen also recht gut. Der Baron konnte kaum die Absicht haben, die große Frage mit einem Nein zu beantworten.

Der Baron war Ehrenvorsitzender des Dresdner Velodromvereins, und Lauritz gehörte zu den erfolgreichsten Radrennfahrern in der Geschichte des Vereins. Auch das sprach für ihn.

Er hatte das beste Examen seines Jahrgangs abgelegt, und die harte Arbeit, die diesem Erfolg vorangegangen war, hatte viel mehr mit Ingeborg zu tun als mit Prestige und Ehrgeiz. Sie hatte ihm versichert, dass es ihren Vater ungeheuer beeindrucken würde, wenn er den ersten Platz errang. Das sei sogar mehr wert als alle Siege im Velodrom.

Es sprach einzig und allein gegen ihn, dass er arm war, vielleicht auch, dass er nicht adlig war, obwohl der Baron bei einem früheren Besuch, als er erfahren hatte, dass der

Frøynes Gård nach dem Wikingergott Frej benannt und schon seit tausend Jahren im Besitz derselben Familie war, sehr beeindruckt gewesen war. In diesem Zusammenhang hatte er erzählt, dass seine eigene Familie erst seit achthundert Jahren auf Schloss Freital wohne.

Danach hatte er Nachforschungen angestellt und dabei alles aus seiner sozialen Perspektive Notwendige in Erfahrung gebracht, nämlich dass die Brüder Lauritzen einer Fischerfamilie entstammten.

Nichtsdestotrotz war er Jahrgangsbester an der Technischen Hochschule, und der Baron hatte ihn nach Freital eingeladen. Wäre seine Absicht gewesen, sich nicht weiter mit der großen Frage zu befassen, wäre es das Einfachste und am wenigsten Peinliche gewesen, die Sache in der Winterresidenz in Dresden zu klären.

Die Allee zum Schloss war von blühenden, mehrere Hundert Jahre alten Kastanien gesäumt. Ein schöner und imposanter Anblick. Angesichts des großen Anwesens kam sich Lauritz jedoch entwürdigend klein vor. Zum ersten Mal während seiner Reise wurde er nervös, als er neben dem Kutscher, der sein Gepäck trug, über den Kiesplatz auf das Hauptportal zuging.

Ein Bediener in Livree öffnete die Pforte, gerade als Lauritz unsicher die Hand hob, um anzuklopfen. Der Bediente hieß ihn willkommen, nahm Lauritz' Reisetasche in Empfang und teilte ihm mit, dass der Herr Baron ihn in einer halben Stunde zum Abendessen in der Küche erwarte. Ländlich einfache Kleidung genüge. Er führte Lauritz eine breite Treppe in den zweiten Stock hinauf und dort einen langen Korridor entlang.

Das pompöse Gästezimmer war mindestens hundert

Quadratmeter groß. Das Himmelbett stand unter eiem hellblauen Baldachin mit Brokatvorhängen aus dunklem Blau und Silber. Vor einem der hohen Fenster standein kleiner, zierlicher Schreibtisch mit geschwungenen Beien. Lauritz hatte vergessen, wie der Stil genannt wurde.

Ländlich einfache Kleidung und Abendessen in der Küche? Wie sollte er diesen Bescheid deuten?

Sverre, der sich mit diesen Dingen bestens auskante, hatte ihm drei Garnituren Kleider eingepackt. In der eien war er gereist: Jackett, Weste aus silbrig schimmernem Stoff und mitternachtsblaue Krawatte. Weiterhin hatt er einen Frack im Gepäck, für den Fall eines Diners mit Gäsen, aber auch einen englischen Anzug aus Tweed mit eier gestrickten Krawatte für »alltäglichere« Gelegenheitenwie offenbar diese.

Bedeutete ein Essen in der Küche eine absichtsvolle Degradierung des Gastes, einen Fingerzeig? Zutiefst verusichert, die Kleidung, die Absichten des Barons und das Esen in der Küche betreffend, stieg er die breiten Kalksteintreppenstufen des Schlosses hinunter.

Der Bediente fing ihn in der Halle ab und zeigte ihm en Weg in die Küche. Dort wartete der Baron, der ganz ricitig ähnlich gekleidet war, wie es Sverre als Reserve empfolen hatte.

Die Küche war riesig. Sie wurde von einem gigantiscen Tisch mit einer Steinplatte dominiert, auf dem sich Töfe aus Kupfer und frisches Gemüse drängten. In einer Eke des Raumes war ein kleiner Alkoven mit vier Fenstrn. Dort war für zwei Personen gedeckt.

»Herr Diplomingenieur!«, begrüßte ihn der Baron nd kam mit ausgestreckter Hand auf ihn zu. »Ich habedie

Neigkeit gehört. Erster Platz, das ist in Anbetracht der Kokurrenz in Dresden wahrhaftig eine Leistung. Darf ich Innen ein Glas Wein anbieten, einen Silvaner? Eigene Erre vom vorletzten Jahr.«

E kam natürlich nicht infrage, abzulehnen. Anschließen würde er genötigt sein, ein Urteil abzugeben. Glücklichrweise hatte Sverre auch diese Eventualität vorausgeshen, dass man ihm einen sächsischen Wein servieren könte, und ihm angeraten, zu sagen, er habe einen interessanen, frischen Geschmack, sei aber vielleicht noch etwas jun. Das genüge, um sich in Sachsen den Anschein eines Manes von Welt zu geben.

Nun wusste er zudem, dass der Wein erst zwei Jahre alt war

Ier Baron hob sein Glas, nachdem sie an dem elegant gedeckten Tisch im Fensteralkoven Platz genommen hatten Lauritz setzte eine nachdenkliche Miene auf, als er getunken hatte. Was ihn betraf, hätte es jeder beliebige Weißwein sein können.

Ier Baron betrachtete ihn erwartungsvoll, nachdem sie sich zugeprostet hatten.

»Hm«, meinte Lauritz. »Interessanter, frischer Geschmack. Vielleicht noch etwas jung. Aber ich muss wirklich sagen, dass er sehr mundet, obwohl ich kein Weinkenner bin.«

Die erste Hürde war genommen.

»Ich glaube auch, dass dieser Wein erst in zwei Jahren seinen Zenit erreichen wird«, teilte der Baron mit und nahm einen weiteren Schluck, um den Geschmack noch einmal zu prüfen.

Lauritz fühlte sich wie in einem seltsamen Traum, in

einem abgelegenen südöstlichen Winkel des Deutschen Reiches, in einer der kleineren Weinbauregionen, ohne das Renommee, wie es Rhein- und Mosel- oder auch Frankenweine besaßen. Hier würde sich seine Zukunft entscheiden, sein Glück oder Unglück, indem er sich über etwas äußerte, wovon er überhaupt nichts verstand.

Sein Gegenüber war offenbar gut gelaunt, ein Mann Anfang fünfzig, leicht kahlköpfig, mit blauen Augen, der rasch zwischen Jovialität und Eiseskälte wechselte und der die Regeln des Spiels bestimmte. Es blieb ihm kaum etwas anderes übrig, als zu praktizieren, was man beim Radrennen im Windschatten fahren nannte: Man folgte dem Erstplatzierten ohne eigene Initiative. Erst wenn sich die Ziellinie näherte, unternahm man etwas.

»Ich habe mir das folgendermaßen vorgestellt«, sagte der Baron recht freundlich, nachdem er einen großen Schluck getrunken hatte. Sogleich eilte ein Bedienter herbei, schenkte nach und zog sich dann blitzschnell zurück, ohne dass ihn der Baron bemerkt zu haben schien. »Da wir nur zu zweit sind und es deshalb nicht ganz so formell sein muss, möchte ich Ihnen ein Gericht servieren, das sich nicht für Frauen eignet: Eisbein mit Knochen. Dazu ein trockener Riesling, wie er leider hier in Sachsen nicht wächst. Also ein Männeressen, nur für den Herrn Diplomingenieur und mich. Sie müssen wissen, dass dieser Alkoven mein Lieblingsplatz hier im Haus ist. Nicht dass Sie glauben, ich wolle Sie kränken, mein verehrter Herr Diplomingenieur, indem ich Ihnen das Essen in der Küche servieren lasse. Ich hoffe, das ist Ihnen recht?«

»Natürlich, vortrefflich, Herr Baron. Ich bin Ihnen sehr

dankbar, dass Sie sich die Zeit für dieses höchst private Gespräch genommen haben …«

»Nur nichts überstürzen, Herr Diplomingenieur!«, unterbrach ihn der Baron. »Ich weiß, warum Sie mit mir sprechen wollen. Meine Tochter Ingeborg hat keinen Zweifel daran gelassen. Aber diese Frage hat vielleicht Zeit, bis wir im Salon Kaffee trinken. Ist Ihnen das recht, Herr Diplomingenieur?«

»Das passt mir natürlich ausgezeichnet, Herr Baron.«

»Sehr gut! Dann wollen wir jetzt dem Essen zusprechen, das Männer genießen können, wenn sich keine Frauenzimmer in der Nähe befinden.«

Warum sollte mit der Frage gewartet werden? Lauritz bewegte sich auf fremdem Terrain, ihm blieb also nichts anderes übrig, als mitzuspielen.

Sie bekamen beide ein riesiges Eisbein mit ein wenig Sauerkraut serviert. Dazu einige Radieschen, vermutlich wegen der Farbe. Zu der riesigen Fleischportion wurde ein trockener Riesling aus dem Rheingau kredenzt, eine für Lauritz nicht ganz nachvollziehbare Wahl.

Der Baron bestimmte das Gesprächsthema. Er wollte alles über Lauritz' Pläne für die Zukunft wissen, der sich genötigt sah, wahrheitsgemäß von den drei armen Jungen von einer Insel vor Bergen zu erzählen, die durch eine Laune des Schicksals Stipendien erhalten hatten, um sich an der renommiertesten technischen Ausbildungsstätte der Welt zu Diplomingenieuren ausbilden zu lassen.

Es war geplant, dass die drei Brüder nach Norwegen zurückkehrten, um am Bau einer der kühnsten Eisenbahnstrecken aller Zeiten mitzuwirken. Allein zu diesem Zweck hätten die Bergener ihre Ausbildung in Dresden bezahlt.

Das bedeutete, dass sie in arktischer Kälte unter primitivsten Verhältnissen leben mussten.

Aber es war eine Ehrensache, eine Schuld, die zurückgezahlt werden musste.

»Ich habe großen Respekt vor Ihrem Ehrgefühl, Herr Diplomingenieur«, meinte der Baron, »aber Sie sind die Nummer eins aller hoch qualifizierten Ingenieure. Ihnen steht eine Welt von Möglichkeiten offen, die bestbezahlten Ingenieursstellen. Ich habe das Terrain etwas sondiert. Schließlich habe ich Kontakte. Sie können wenn auch nicht unbedingt reich, so doch wohlhabend werden, wenn Sie im Deutschen Reich bleiben. Ist Ihnen diese Idee nicht auch schon gekommen?«

»Doch«, gab Lauritz zu. »Und sobald der erste Zug über den Gletscher rollt, was viele Menschen in meiner Heimat für unmöglich halten, ist meine Schuld beglichen. Dann werde ich nach Deutschland zurückkehren.«

»Ich verstehe. Und der Fahrradsport?«

»In einer Welt aus Schnee und Eis werde ich kaum zum Radfahren kommen. Ich habe mein Fahrrad verkauft.«

»Das bedaure ich. Sie hätten noch mindestens fünf gute Jahre vor sich gehabt. Sie stehen ja erst am Anfang Ihrer Wettkampfkarriere.«

Der Baron wirkte mittlerweile etwas düster. Auf ihren Tellern waren nur noch Knochen übrig. Das gepökelte Fleisch hatte sie gezwungen, dem Wein großzügig zuzusprechen.

»Kaffee und Cognac in der Bibliothek!«, kommandierte der Baron plötzlich, und das schwarz gekleidete Personal reagierte, als hätte es einen elektrischen Schlag bekommen. Rege Betriebsamkeit brach aus, während der Gastgeber

Lauritz einen beschützenden Arm um die Schultern legte und ihn von seinem Lieblingsplatz in der Küche wegführte.

Die Bibliothek war zweifellos standesgemäßer. Bis zur Decke waren es fünf Meter. Die Wände waren mit Büchern bedeckt.

»Das Interesse meiner Vorfahren«, erklärte der Baron. »Hier stehen Voltaire und Erstausgaben von Goethe und Schiller und was weiß ich nicht alles. Das Schloss wird, wie Sie sicher wissen, nach meinem Tod in den Besitz meines ältesten Neffen übergehen.«

»Nein, das wusste ich nicht. Wie kommt das?«

Lauritz war so überrascht, dass er die Bedeutung seiner Frage erst erfasste, als es schon zu spät war. Glaubte der Baron etwa, er wolle durch Heirat in den Besitz von Schloss Freital gelangen?

»Doch, so ist es«, erwiderte der Baron, knipste das Ende einer Zigarre ab und reichte sie Lauritz. Ein Bediener, den Lauritz vorher nicht wahrgenommen hatte, zündete sie ihm sofort an.

»Ingeborg ist meine älteste Tochter und noch unverheiratet«, fuhr der Baron fort, während er seine Zigarre anrauchte. »Ihre beiden jüngeren Schwestern haben wir glücklich unter die Haube gebracht, eine in Greifswald, die andere in Hessen. Aber Ingeborg wird dieses Haus trotzdem nicht erben.«

»Darüber haben wir nie gesprochen, daher meine Unkenntnis«, erwiderte Lauritz.

Er kam sich plötzlich wie ein armer Glücksritter vor, der eine feine Dame aus der Oberklasse verführen wollte.

Der Baron schwieg eine Weile, während er zuschaute, wie der Cognac eingeschenkt wurde.

Sie tranken, rauchten ihre Zigarren und schwiegen.

»Nun denn!«, meinte der Baron. »Dann wären wir bei der großen Frage angelangt, die der Herr Diplomingenieur mir stellen will, dem Grund für diese Begegnung. Bitte schön!«

Lauritz fühlte sich, als hätte ihm jemand einen Schlag auf den Kopf versetzt. Alle Formulierungen, die er sich sorgsam zurechtgelegt hatte, waren wie weggeblasen. Der Baron paffte seine Zigarre und sah ihn amüsiert an, als sei alles nur ein böser Scherz.

»Ingeborg und ich, wir lieben uns«, begann Lauritz mit trockenem Mund. Er trank rasch einen Schluck Cognac und fuhr dann fort: »Wir haben daher vereinbart, dass ich bei Ihnen um ihre Hand anhalten soll.«

»Aber Sie haben hoffentlich nicht vor, gemeinsam mit ihr auf einen Gletscher zu ziehen und in einer Gebirgshütte zu wohnen?«, fragte der Baron ohne Ironie, ohne Scherzhaftigkeit, ohne Aggression, als ginge es ihm nur um die Information.

»Nein, das haben wir nicht«, antwortete Lauritz. »Erst müssen meine Brüder und ich unsere Arbeit bei der Eisenbahn zwischen Bergen und Kristiania ableisten.«

Der Baron antwortete nicht. Er rauchte, schaute an die Decke und schien nachzudenken.

»Wenn eine Frau unter ihrem Stand heiraten will«, begann er nachdenklich nach einem quälend langen Schweigen, »gibt es nur zwei Gründe. Der eine ist leicht zu verstehen. Es geht um Geld. Jemand wie ich opfert seine Tochter einem reichen Viehhändler, damit der Familie Kapital zufließt. Das ist rational, und viele Töchter haben ein solches Joch zum Wohle der Familie auf sich genommen. Das ist hier allerdings nicht der Fall. Der zweite Grund für eine Mesalliance ist das, was wir Liebe nennen. Ich bin in diesem Punkt tatsächlich nicht ohne jedes Verständnis, schließlich war ich auch einmal jung. Ich kann Ihnen jedoch versichern, dass Ingeborgs Liebe in Schneestürmen auf einem Gletscher in einer kleinen Hütte oder ähnlich einfachen Wohnstätte nicht lange überdauern würde. Sie würden sowohl Ingeborg als auch sich selbst ins Unglück stürzen.«

»Deswegen wollen wir ja warten, bis ich meine Pflicht erfüllt habe«, antwortete Lauritz.

»Aber dann können Sie ja in vier oder fünf Jahren Ihren Antrag noch einmal vortragen, Herr Diplomingenieur!«, rief der Baron. Seine Überraschung wirkte gespielt.

»Wir würden uns aber gerne jetzt schon verloben«, entgegnete Lauritz. »Wir sehen ein, dass es schwer sein wird, so lange zu warten, aber wir sind beide zu diesem Opfer bereit.«

Der Baron trank langsam und bedächtig seinen Cognac und legte seine Zigarre beiseite. Lauritz blieb nichts anderes übrig, als zu warten.

»Ich habe eine Bedingung«, sagte der Baron schließlich. »Sie müssen Ingeborg ein anständiges Leben bieten können. Wenn Sie sich für eine der vielen Stellungen in der deutschen Wirtschaft entscheiden, die Ihnen durch meine Verbindungen offenstehen, erfüllen Sie diese Bedingung. Lassen Sie Ihre Brüder zu diesem Gletscher zurückkehren. Bleiben Sie in Deutschland. Sie sprechen die Sprache wie einer von uns, Sie sind eine Zier für die germanische Rasse. In Zeiten dramatischer technischer Fortschritte könnten Sie hier zweifellos Ihr Glück machen. Sprechen Sie mit Ihren

Brüdern! Sie müssen doch Verständnis für Ihre Ntlage aufbringen. Ich bin ein moderner Mann, glauben S mir. Ich habe nichts dagegen einzuwenden, dass Sie ein Mann aus dem niedrigeren Stand sind. Im Gegenteil, es fasniert mich, dass eine solche Begabung aus der Volkstiefe afsteigen kann. Aber es gibt eine Sache, die bei der Frage, ie wir gerade diskutieren, absoluten Vorrang hat: das Glüc meiner Tochter. Darüber sollten wir uns einig sein. Spchen Sie mit Ihren Brüdern. Wenn zwei Eisenbahningeieure zurückkehren, sollte das doch wohl genügen?«

»Sie antworten also nicht mit Nein, Herr Baron?

»Nein, das tue ich nicht. Aber auch nicht mit Ja. Af dem Schreibtisch Ihres Zimmers werden Sie, wenn Sie sih zurückziehen, Angebote von einigen der angesehensterdeutschen Firmen finden. Darf ich Ihnen noch einen Ognac anbieten?«

*

Der Zug näherte sich langsam Dresden, und Lauritz urde immer ungeduldiger. Er hatte den Verdacht, dass die Reise mit Pferd und Wagen schneller gegangen wäre. Er ürde noch genügend Zeit zu einem Abschiedsessen be Frau Schultze haben, darüber brauchte er sich keine Gednken zu machen. Er hätte jedoch gerne das Gespräch mit Oscar und Sverre hinter sich gebracht, bevor man zu Tischging.

Es war ihm nicht leichtgefallen, einen Beschluss u fassen, weil so viele starke Gründe dagegensprachen.

Die gute Absicht hatte viel Geld investiert, er wolle lieber nicht ausrechnen, wie viel, um seine Brüder ud ihn zu Eisenbahningenieuren und Brückenkonstrukteuen zu machen. Das Ziel dieser Investition war, den Bau de Bergenban sicherzustellen, die sich so viele Bergener sehnlichstwünschten.

Sie waren moralisch verpflichtet, die Gegenleistung zu erbringen. Man hatte ihnen vor zwei Tagen eine fürstliche Prämie zukommen lassen, die als Kompensation für den mageren Lohn, der sie auf der Hardangervidda erwartete, betrautet werden konnte. Freudig hatten sie das Geld entgegengenommen. Das Mindeste, was man von ihnen verlange konnte, wenn sie sich ihrer Pflicht entzogen, war, dieses Geld zurückzuzahlen.

Die Gründe, die dafürsprachen, eines der vielen unglaublichen Angebote anzunehmen, die ihm der Baron vorgelegt hatte, drei davon sogar in Dresden, waren rein privater und egoistischer Natur.

Er liebte Ingeborg, er zögerte nicht, dieses große Wort zu verwenden, und seine Liebe wurde erwidert. Ihr gemeinsames Leben, ihr für alle Ewigkeit geschlossener Bund konnte sofort beginnen.

Würden Oscar und Sverre überhaupt begreifen, was diese Liebe für ihn bedeutete? Oder noch schlimmer, würden sie respektieren, dass er in vollem Ernst erwog, sich für etwas was sie nur schwerlich nachvollziehen konnten, seiner Pflicht zu entziehen und sie beide im Stich zu lassen?

Sie hatten nie über Liebe gesprochen, höchstens im Scherz oder ironisch aus Anlass eines Bordellbesuchs bei irgendeiner festlichen Gelegenheit. Wie sollte er Oscar und Sverre verständlich machen, dass seine Liebe zu Ingeborg so stark war, dass daneben alles andere verblasste, vor allen Dingen Ehre und Pflicht?

Er musste damit rechnen, dass die Diskussion damit endete, dass er seine Brüder auf Knien anflehte, ihm seinen

Verrat zu verzeihen, wenn sie sich selbst in die eisigen Höhen begaben und er sich seinem privaten Glück zuwandte in einem Land, in dem verglichen mit der Hardangervidda Milch und Honig flossen.

Er konnte dies nicht ohne ihre Zustimmung tun. Zu diesem Schluss war er schließlich gelangt. Er musste sie um Erlaubnis bitten, darum bitten, dass zwei Brüder die Pflichten des dritten übernahmen.

Es war, als würde er eine Münze werfen, er hatte nicht die geringste Ahnung, was sie zu seinem Ansinnen sagen würden. Schließlich hatten sie die große Liebe noch nicht erlebt.

Er eilte durch das Gedränge am Hauptbahnhof, abgelenkt, unaufmerksam, und registrierte nicht wirklich, dass er Oscar auf dem Bahnsteig zu sehen glaubte, von dem die Züge nach Berlin abfuhren.

Er legte die Strecke zur König-Johann-Straße zu Fuß zurück, um noch einmal über alles nachzudenken. Vielleicht war es ja übertrieben, aber entscheidende Gespräche konnte man nicht genau genug planen, wie sich gezeigt hatte, als ihm beim Baron die richtigen Worte nicht eingefallen waren.

Es war halb fünf Uhr nachmittags, als er durch das Tor der großen Villa trat, in der seine Brüder und er die letzten fünf Jahre einen eigenen Flügel bewohnt hatten. Schlafzimmer, Küche und Esszimmer im Untergeschoss, ein riesiges Atelier im Obergeschoss, in dem ihre Zeichentische und ihre Modelleisenbahn standen, eine 25 Quadratmeter große Gebirgslandschaft aus Pappmaschee. Die kunstvolle Ausschmückung, das schneebedeckte Gebirge in der Mitte, die kleinen Bahnhöfe und der täuschend echte Tannenwald, waren Sverres Werk. Oscar und Lauritz waren für die Lokomotiven und Waggons zuständig gewesen.

Als er durch die Tür trat, spürte er sofort, dass etwas nicht in Ordnung war. Vielleicht lag es an der Krawatte, die in der Diele auf dem Fußboden lag, vielleicht aber auch an der kompakten Stille. Das Grammofon in Sverres Zimmer war nicht zu hören. Alle Türen waren geschlossen.

Er klopfte an Oscars Tür, öffnete sie und erstarrte bei dem Anblick, der sich ihm bot. Das Zimmer war, offensichtlich in aller Eile, ausgeräumt worden. Die Schranktüren standen offen, Kleider lagen auf dem Fußboden verstreut, die Reisetaschen fehlten.

War es doch keine Einbildung gewesen, dass er Oscar in der Menge auf dem Hauptbahnhof gesehen hatte?

Erfüllt von einer bösen Vorahnung, eilte er in Sverres Zimmer. Dort herrschte vorbildliche Ordnung, aber die Reisetaschen fehlten ebenfalls. In den Schränken hingen noch etliche Kleider, vermutlich, weil sie nicht mehr der neuesten Mode entsprachen. Aber der größte Teil der Garderobe fehlte. Das Grammofon stand noch da. Im Badezimmer fehlten die Toilettenartikel.

Sie hatten ihre Sachen gepackt und waren abgereist, Hals über Kopf. Er konnte sich das nicht erklären.

Sie mussten doch einen Brief zurückgelassen haben? Oder handelte es sich um einen geschmacklosen Scherz?

Er eilte in sein eigenes Zimmer, aber dort lag kein Brief, worauf er in die Küche rannte, auch dort fand sich nichts. Sollte er die Vermieterin, Frau Schultze, fragen? Sie mussten sich doch von ihr verabschiedet und ihm irgendeine Nachricht hinterlassen haben, falls sie früher abgereist waren?

Vielleicht lag ja ein Brief auf seinem Zeichentisch im Atelier, dort hatten sie immer Mitteilungen füreinander hinterlegt.

Er rannte die Treppe hinauf, drei Stufen auf einmal nehmend. Und tatsächlich, auf seinem Zeichentisch klemmten unter dem langen Winkellineal zwei weiße Umschläge. Der eine war zweifellos von Sverre, die zierliche und elegante Handschrift war unverkennbar. Ebenso die kantige und etwas hastige Schrift Oscars auf dem anderen Kuvert. Beide Brüder hatten dasselbe geschrieben: »An meinen lieben Bruder Lauritz«.

Er zog die beiden Briefe unter dem Lineal hervor und begab sich zu den Sesseln am großen Fenster, wo sie so viele Abende nach getaner Arbeit an den Zeichentischen zusammengesessen hatten. Er wog die Briefe in der Hand. Sie waren beide leicht und enthielten je einen Briefbogen.

Er zögerte, die Umschläge zu öffnen, da sie aller Wahrscheinlichkeit nach doch nur schlechte Nachrichten enthielten. Aber natürlich konnte er sie nicht einfach ignorieren, er musste die Briefe lesen, je früher, desto besser. Welchen zuerst? Den von Oscar oder den von Sverre?

Er warf eine Münze und riss dann Oscars Brief auf. Er war kurz und melodramatisch:

Lieber Lauritz, heiß geliebter Bruder und Freund!
Ich habe heute nicht nur Dresden für immer verlassen. Meine Verzweiflung und meine Schmach sind so groß, dass ich sie kaum in Worte fassen kann. Gestern Abend stand ich lange in der Kälte auf der Augustusbrücke und habe ernsthaft in Erwägung gezogen, diese Welt zu verlassen. Ich war so verliebt, wie Ihr, meine Brüder, es Euch nicht vorstellen könnt, schließ-

lich seid Ihr Ingenieure. Ich wurde bitter enttäuscht und betro-
gen, man hat mich schändlich um meine tausend Mark ge-
bracht. Ich kann keinem von Euch mehr in die Augen schauen.
Ich fliehe ganz weit weg.
Lebt wohl!
Oscar, Euer verzweifelter Bruder

Lauritz versuchte zu begreifen, was er gerade gelesen hatte. Oscar war betrogen worden. Von jemandem, in den er
vernarrt gewesen war. Dafür schämte er sich begreiflicher-
weise.

Wenn das alles war, war das traurig und ärgerlich, aber
wohl kaum ein Weltuntergang. Oscar hatte schon immer
einen Hang zur Dramatik gehabt, aber Lauritz hatte das
nie richtig ernst genommen.

Das Ganze konnte nur eine der Verzweiflung geschulde-
te, impulsive Tat sein. Lauritz war überzeugt, dass Oscar
schon sehr bald mit eingeklemmtem Schwanz zurückkommen und seine Wunden lecken würde. Schließlich war er
erst fünfundzwanzig.

Lauritz wurde verlegen, als er sich seiner gönnerhaften
Gedanken bewusst wurde. Schließlich war er auch erst
sechsundzwanzig. Wie hätte er reagiert, wenn Ingeborg
ihm eröffnet hätte, alles sei nur ein Spiel gewesen und er sei
ganz schön eingebildet, wenn er glaube, sie würde jemanden wie ihn lieben.

Mit Sicherheit hätte er dann auch auf einer der Brücken
über die Elbe gestanden und in den schwarzen Fluss ge-
starrt. Wer war er also, Oscar zu verurteilen?

Doch auch wenn die Wunde frisch und tief war, würde
sie sicher bald verheilen. Irgendwann würde Oscar Frau

und Kinder in Bergen haben, und was sich jetzt wie eine Katastrophe und größte Verzweiflung ausnahm, würde schlimmstenfalls als eine zynisch-amüsante Anekdote über die Torheit der Jugend in Erinnerung bleiben.

Er war gespannt, was ihn in dem zweiten Umschlag erwartete. War Sverre ebenfalls von der großen, unglücklichen Liebe heimgesucht worden?

Sverres Problem war anders gelagert, seine große Liebe wurde erwidert, und er hatte sich jetzt von ihr entführen lassen. Von einem Mann, einem gewissen Lord S.

Homosexualität war nicht nur wider die Natur, sie war auch unbegreiflich. Lauritz hatte frivole Geschichten darüber gehört, was in dem englischen Club, der Theatergesellschaft und der Operngesellschaft in Dresden vor sich ging. An diesen Klatsch hatte er jedoch nie geglaubt, weil er es nicht für eine physische Möglichkeit gehalten hatte, dass … Nein, er wollte diesen Gedanken nicht zu Ende denken.

Aber jetzt hatte er es schwarz auf weiß. Er konnte ja wohl kaum das Bekenntnis seines Bruders infrage stellen. Sverre betonte noch:

Es gibt zwei Dinge, mein lieber Lauritz, die sich nicht allein mit Intelligenz erfassen lassen. Das eine ist die Liebe, die unsere Dichter seit mehr als zweitausend Jahren zu schildern versuchen. Wir sind alle vom Hohen Lied der Liebe beeinflusst. Und doch, wenn wir sie erleben, falls es uns je vergönnt sein sollte, ist das Erlebnis um so vieles größer, als wir es uns je hätten vorstellen können. Dass es so ist, das kann ich Dir versichern. Ich hoffe innerlich, dass Du es eines Tages ebenfalls erleben wirst.

Das andere, was Du Dir mit Deiner Ingenieursseele wahr-
scheinlich nicht vorstellen kannst, was durchaus nicht krän-
kend gemeint sein soll, schließlich sind wir alle Ingenieure, ist,
dass dieses große Gefühl einem Mann gelten kann. Aber so ist
es in meinem Fall.

Lauritz las den Absatz ein zweites Mal und legte den Brief
dann beiseite. Was sein jüngster Bruder beschrieb, war
nicht nur schändlich, sondern ein Verbrechen. Und ein
Vergehen an Gott.

Es war nicht leicht, in dieser schweren Stunde einen kühlen Kopf zu bewahren. Es gab keine Erklärung oder Entschuldigung für eine solche … abartige Neigung.

Dennoch war Sverres Erklärung für seine Flucht leichter
zu akzeptieren:

Du wirst einsehen, mein lieber Bruder, dass ein Mann mit
meiner Veranlagung auf der Hardangervidda Schwierigkei-
ten bekommen würde. Ein Leben in Bergen ist undenkbar. Es
würde unserer Mutter das Herz brechen, wenn sie davon
erführe.
Mit meinem Lord S. kann ich ein ganz normales Leben füh-
ren, weil wir auf seinen Besitzungen abgeschieden leben kön-
nen. Dort wollen wir unsere Pläne für ein effektiveres eng-
lisches Eisenbahnnetz und vieles andere ausarbeiten. Auf die
Hardangervidda passe ich nicht, nach Bergen noch weniger,
und für Mutter wäre es eine Katastrophe.
Ich gehe davon aus, dass in der Zukunft, Du wirst es zwar
nicht glauben, Lauritz, aber ich schreibe es trotzdem, Leute
wie ich entkriminalisiert und gleichberechtigte Mitbürger sein
werden. Wir befinden uns schließlich, wie der Rektor so elo-

quent unterstrichen hat, im umwälzendsten Jahrhundert der
Menschheit.
Dein Dich sehr liebender und ergebener Bruder
Sverre

Lauritz tat etwas, was in seiner Familie ganz unüblich war, er weinte, zum ersten Mal seit Kindertagen.

Vorgestern waren sie noch die glücklichsten Brüder der Welt gewesen, zumindest hatte er es so in Erinnerung.

Er nahm die beiden Briefe und kontrollierte das Datum. Sverres Brief war von vorgestern. Sobald Lauritz in den Zug nach Freital gestiegen war, hatte Sverre in aller Ruhe seine von langer Hand vorbereitete und geordnete Flucht mit dem englischen Homophilen organisiert.

Oscars Brief war vom Vortag. Als er nach oben gegangen war, um seinen Brief unter das Lineal auf dem Zeichentisch zu schieben, musste er also zu seinem Erstaunen festgestellt haben, dass dort bereits ein Brief von Sverre steckte. Er hatte ihn natürlich nicht geöffnet. Keiner der beiden hatte geahnt, dass der andere ebenfalls türmen würde.

Er blieb allein mit der Katastrophe zurück. Eine Konsequenz, das sah er jetzt ein, verstand sich von selbst. Er war zu fünf Jahren Hardangervidda verurteilt worden, während sich die Homophilen mit unaussprechbaren Dingen in London verlustierten und Oscar leidend in die Welt flüchtete.

Das war nicht gerecht. Außerdem war es eine Katastrophe.

Keine Katastrophe war gerecht, das wurde ihm klar, als er sich wieder etwas beruhigt und seine Tränen getrocknet hatte.

So hatte alles begonnen. Mit einer Katastrophe. Ein

Wintersturm hatte ihnen den Vater genommen. Und durch göttliche Intervention waren sie aus ewiger Armut und von der Sklavenarbeit für ein paar Kronen am Tag befreit worden.

Sie hatten ein Diplomingenieurexamen abgelegt, und die Welt lag ihnen zu Füßen. Wäre nicht eine weitere Katastrophe über sie hereingebrochen. Es war wahrhaftig nicht leicht, den göttlichen Plan zu verstehen, der dahintersteckte.

Er ließ den Blick durch das Atelier schweifen, in dem sie so hart gearbeitet hatten. Wunderbare gemeinsame Abende hatten sie hier verbracht! Im Unterschied zu den anderen Studenten hatten sie dankenswerterweise gemeinsam arbeiten, einander um Rat fragen können, immer war es möglich gewesen, alternative Lösungen zu diskutieren, bis Sverre schließlich eine Skizze des Vorschlags anfertigen konnte.

Seine Drachenornamente zierten nunmehr die Fensterbögen. Frau Schultze war begeistert gewesen. Schließlich liebte sie Norwegen. Sie hatte ihm Aufträge bei Bekannten besorgt, die natürlich großzügigst entlohnt worden waren.

Fünf Jahre lang hatten sie jeden Sonntagabend bei Frau Schultze im großen Haus gegessen. Als sie als Gymnasiasten aus Kristiania nach Dresden gekommen waren, hatten sie nur gebrochen Deutsch gesprochen und keinen Benimm gehabt.

Frau Schultze hatte mit den Tischmanieren und ähnlich einfachen Dingen begonnen und war dann zu Kleidung und Konversation übergegangen. Während des Sonntagsessens hatten sie nicht nur geredet, sondern konversiert.

Anfänglich hatte Frau Schultze vertraute Themen gewählt, also solche, die mit Norwegen zu tun hatten.

Sie und ihr seliger Mann zählten zu den frühen Touristen, die bereits um 1880 an die Fjorde gereist waren. Damit hatten die Unterhaltungen stets begonnen. Gleichzeitig hatten sie gelernt, dass die Serviette rechts neben dem Teller lag und das Brot links. Sie hatte unermüdlich ihr Deutsch korrigiert, bis es nicht mehr nötig gewesen war. Sie hatte sie innerhalb von fünf Jahren zu jungen weltgewandten Männern gemacht.

Dies alles hatte nun ein Ende. Dort standen die Zeichentische aufgereiht. Gegenüber schlief die Eisenbahn zwischen den täuschend echten Bergen und Wäldern.

Alles aus und vorbei.

Zwei Dinge musste er unbedingt noch erledigen. Er musste das Abschiedsessen bei Frau Schultze absolvieren. Und er musste seiner Geliebten einen vermutlich sehr langen Brief schreiben.

III

LAURITZ

Hardangervidda, Mai 1901

Er verfluchte laut und verzweifelt seine Skier. Er verfluchte auch seinen Übermut beim Kauf vor vier Tagen in
Kristiania, im Geschäft für Naturfreunde in der Prinsens
Gate. Es hatte für Heiterkeit gesorgt, dass er am Tag vor
dem Freiheitstag, dem 17. Mai, Skier kaufen wollte. Zweifellos war es dafür recht spät im Jahr, in der Hauptstadt
spross schon das erste zarte Grün, Frühlingsblumen
prangten in den Beeten, der Schnee war längst geschmolzen, und Sand und Winterschmutz waren von den Straßen gefegt. Die Karl Johans Gate, auf der die Kinder bald
paradieren würden, war vom Storting bis zum Schloss mit
Fahnen geschmückt.

Jetzt stand er auf einer leeren Eisfläche, und das Wasser
reichte ihm bis über die Knöchel. Die obere Eisschicht war
unter ihm eingebrochen, und einige entsetzliche Sekunden
lang hatte er befürchtet, durchs Eis zu sacken, obwohl man
ihm versichert hatte, dass das Eis oben im Gebirge erst in
einem Monat aufgehen würde.

Im Laden in Kristiania hatte er alle Ratschläge, die das
Skifahren betrafen, abgelehnt. Ski fahren konnte schließ-

lich jeder Norweger, habe man es einmal gelernt, könne man es bis ans Lebensende.

Inzwischen wusste er, dass das nicht stimmte und dass ihn seine Kindheitserinnerungen getäuscht hatten. Hatten sie wegen Packeis an den Ufern des Fjords nicht das Boot nehmen können, waren seine Brüder und er am Sonntag hinter den Eltern her auf Skiern zur Kirche gefahren. Hin und zurück gut und gern dreißig Kilometer. Er hatte es nicht einmal als sonderlich anstrengend in Erinnerung.

Das war damals. Jetzt war er sehr erschöpft. An seiner Kondition war so weit nichts auszusetzen, war er doch noch vor einem Jahr Europameister im Bahnradrennen geworden. Die langen Strecken, die viel Kondition erforderten, waren seine Stärke gewesen. Als er stolz mit den Skiern auf der Schulter die Prinsens Gate entlanggegangen war, hatte man ihn erstaunt angesehen, und er hatte sich auf einen herrlichen, stärkenden Ausflug über den Fjell gefreut.

Jetzt befand er sich mitten auf einem See, von dem er noch nie gehört hatte, Ustavand, und das Wasser reichte ihm bis über die Knöchel. Die Eiseskälte kroch ihm die Waden und Schienbeine hinauf. Doch was schlimmer war: Er sah den Tod in Form eines jähen Wetterumschlags nahen.

Als er am Morgen von Ustaoset aufgebrochen war, hatte die Sonne noch strahlend von einem wolkenlosen Himmel geschienen. Jetzt drängte in rasendem Tempo ein Schneegestöber wie eine Wand heran. Das Sonnenlicht begann bereits zu schwinden, in wenigen Minuten würde er nicht einmal mehr die Hand vor Augen sehen. Hilfe gab es keine, es war kein Mensch in der Nähe und auch keine menschliche Behausung. Nur weiße Gebirgslandschaft und dieses verdammte Eis, das sich unter einer dünnen Schneeschicht verbarg, die ihn nicht trug. Seine Füße fühlten sich schon ganz taub an.

Er war auf dem Meer groß geworden, das Gebirge war ihm fremd. Der peitschende Schnee raubte ihm schon jetzt jede Sicht, und der starke Wind pfiff geradewegs auf ihn zu. Seine Hosenbeine flatterten wie lose Segel.

Der Vater hatte seine drei Söhne vor ähnlichen Gefahren auf See gewarnt. Segelte man im Nebel, musste man einen Orientierungspunkt an Land definieren und den entsprechenden Kompasskurs setzen, bevor die Sicht gänzlich verschwand, und diesen Kurs halten, bis wieder Land in Sicht war. Eigentlich war es jetzt nicht anders.

Seine Skispitzen waren auf sein Ziel gerichtet. In etwa zwölf Kilometern Entfernung war der See zu Ende, und dort wurde er am Ufer erwartet. Er zog seinen Kompass hervor und bestimmte die Richtung. Dann holte er tief Luft und marschierte weiter durch den eisigen Schneematsch. Die dünne Eiskruste barst unter jedem Schritt, der Rucksack fühlte sich an wie mit Blei gefüllt, er schwitzte stark am ganzen Körper, während seine Füße immer gefühlloser wurden. Doch er zwang sich voran. Mit jedem Schritt, den er seinen Ski auf der dünnen Eiskruste vorwärtsschob, nährte er seine Hoffnung. Die jedoch zerplatzte, sobald er den zweiten Fuß nach vorn schob. Alle zehn Meter hielt er inne, überprüfte seinen Kompass, drehte sich um und versuchte seine eigene Spur im Schneegestöber auszumachen, um sich zu vergewissern, dass er auch geraden Kurs hielt. Er erwog, den schweren Rucksack auf dem Eis zurückzulassen, kam aber zu dem Schluss, dass es vermutlich besser war, die Anstrengung auf sich zu nehmen, weil er so seine Körpertemperatur aufrechterhalten konnte und sich keine

Erfrierungen zuzog. Ganz davon abgesehen schien die überschüssige Wärme in die Füße auszustrahlen. Außerdem wollte er nicht wie ein Jammerlappen dastehen, der zu schwach war, sein Gepäck zu tragen.

Plötzlich trug ihn das Eis wieder, die Skier glitten dahin, ohne dass er noch einmal einbrach. Er war unendlich erleichtert, da er nicht wusste, wie viele Kilometer es noch bis zum Ufer waren. Von dort waren es dann noch fünf Kilometer bis Nygård, wo er Quartier nehmen sollte.

Seine Erleichterung war nur von kurzer Dauer. Als die nassen Skier mit dem festen Schnee in Berührung kamen, blieb der Schnee zentimeterdick an ihnen kleben. Nun war es noch schwieriger vorwärtszukommen als vorher. Er musste stehen bleiben. Mit so viel festgepapptem Schnee unter den breiten Hickory-Skiern war kein Vorankommen.

Er könnte die Skier ausziehen und zu Fuß weitergehen. Vielleicht war das für die Füße sogar besser. Aber mit der doppelten Last würde er nur sehr langsam vorankommen, und er war bereits massiv verspätet.

Zu Gott wollte er nicht beten, aus Prinzip. Er wollte Gott nicht mit Dingen behelligen, die man auch allein bewältigen konnte, genauso wenig, wie er Gott jemals um Reichtum bitten würde. Abends, wenn er wohlbehalten an seinem Ziel angelangt war, würde er sehr wohl zu Gott beten, aber in diesem Gebet würde es um Dinge gehen, die er nicht selbst in der Hand hatte: um Ingeborgs und seine gemeinsame Zukunft.

Er hätte schreien mögen, so sehr schmerzten seine eisigen Füße. Obgleich das sicher besser war, als wenn er sie überhaupt nicht mehr spüren würde.

Mit Mühe entledigte er sich seines schweren Rucksacks, der wegen der Bücher dreißig Kilo wog, zog sich die Handschuhe aus und löste mit ungeschickten Bewegungen die vereisten Skibindungen. Er musste eine Weile in seinem kompakt gefüllten Rucksack suchen, bis er ein Messer fand. Dann begann er, die Skier sorgfältig abzukratzen. Daran erinnerte er sich noch aus seiner Kindheit. Man musste die Skier ganz sorgfältig abkratzen, denn übersah man auch nur den winzigsten Eisflecken, entstand sofort eine neue Unebenheit, hinter der sich erneut Schnee und Eis verklebten, und man konnte von vorn beginnen.

Es war nicht sonderlich kalt, vier oder fünf Grad unter null, aber der Wind verdoppelte den Kälteeffekt. Obwohl seine Finger immer steifer wurden, zwang er sich, weiterzukratzen, bis Schnee und Eis gänzlich von beiden Skiern entfernt waren.

Als er die Stöcke endlich wieder in den Schnee stecken konnte, glitt er wunderbar dahin, mit jedem Abstoßen schoss er zwei Meter weit und viel müheloser als vorher vorwärts. Da er endlich wieder richtig ausgreifen konnte, bekamen seine Füße die nötige Bewegung und erwachten wieder zum Leben. Nun beunruhigte ihn nur noch, dass das Eis in Ufernähe aufgegangen oder dünn sein könnte, sodass er kurz vorm Ziel einbrechen würde.

Es war ratsam, das zügige Tempo so lange wie möglich durchzuhalten und regelmäßig den Kompass zu kontrollieren. Sicht gab es nach wie vor keine, und er musste die Augen fest vor den kleinen spitzen Eiskristallen zusammenkneifen, die ihm ins Gesicht peitschten.

War das Wahnsinn oder ein irrsinniger Traum? Er war

allein in dieser Hölle aus Schnee, obwohl eigentlich drei Brüder diesen Marsch hätten antreten sollen. Oscar war desertiert, weit weg, niemand wusste, wohin. Dass man ihn schändlich betrogen hatte, war schlimm, mehr als das. Er versuchte sich an das norwegische Wort für »herzzerreißend« zu erinnern, aber es fiel ihm nicht ein, und er stellte fest, dass er zum ersten Mal wieder auf Norwegisch statt auf Deutsch dachte. Noch vor einer Woche war Dresden seine Heimat gewesen. Jetzt war er unwiderruflich zurück in seiner Heimat Norwegen.

Völlig unvermittelt brach er in Gelächter aus. Er blieb keuchend stehen, beugte sich über seine gekreuzten Skistöcke und schluchzte mehr, als dass er lachte. Er befand sich mitten in einem rasenden Schneesturm auf der Hardangervidda, der ihm kaum Sicht auf die Kompassnadel gewährte, und konnte sich beinahe nicht mehr auf den Beinen halten. Und das im Frühling, der milden Jahreszeit! Verglichen mit dem, was in ein paar Monaten nach dem kurzen Sommer kommen würde. Nur Gott wusste, wie viel Zeit er in dieser weißen Hölle verbringen und für einen lächerlichen Lohn arbeiten musste.

Aber jetzt war er nun mal hier, und daran ließ sich nichts ändern. Der Schneesturm würde ihn nicht hindern und auch nicht die zu erwartenden noch schlimmeren Winterstürme. Es war eine Frage der Ehre. Die wohlwollende Bürgerschaft Bergens hatte seinen Brüdern und ihm die beste Ingenieursausbildung zuteilwerden lassen, die die Welt zu bieten hatte. Und der Preis, den sie dafür zahlen sollten, war so gesehen nicht zu hoch: Brücken bauen, Tunnel bauen, die Bergenbahn bauen.

Oscar, dieser Einfaltspinsel, war wie ein tragischer Held

mit gebrochenem Herzen und verletztem Stolz wie Goethes Werther desertiert.

Auch Sverre war desertiert, und das war auch besser so. Sverre war nicht mehr sein Bruder. Sverre existierte nicht mehr.

Er hatte jetzt ein gutes Tempo. Vielleicht sollte er langsamer fahren und den Kompass häufiger kontrollieren.

Jetzt war es an ihm, die Schuld abzubezahlen. Er würde Brücken für drei bauen. Es stimmte wohl, dass auch er vom Desertieren geträumt hatte, aber da hatte er noch nicht die geringste Ahnung von den Plänen der anderen gehabt. Wie die Dinge nun lagen, hatte er keine Wahl. Die Flucht der Brüder zwang ihn, ebenso wie die harten Bedingungen des Barons, jahrelang von Ingeborg getrennt zu leben.

Die Motive des Barons waren leichter zu verstehen. Sogar leichter zu entschuldigen.

Die Gleitfähigkeit seiner Skier begann erneut nachzulassen. Der Schnee, der ihm ins Gesicht peitschte, ging in Schneeregen über. Aber der Sturm ließ nicht nach. Er blieb stehen und schob die Skier in der Spur vor und zurück, aber Eis und Schnee klebten zu fest. Es blieb ihm nichts anderes übrig, als die Skier wieder auszuziehen und das Messer hervorzunehmen.

Als er die Eiskruste und die Schneeklumpen von den Skiern kratzte, fiel ihm auf, dass er an den Füßen nicht mehr fror. Unter den Kleidern war er schweißnass und wusste, dass er nicht zu lange verweilen durfte, weil sonst der Schweiß einen Eispanzer bildete. Er musste rasch das Eis von den Skiern entfernen. Trotzdem musste er gründlich arbeiten, denn sonst würde er gezwungen sein, bald wieder anzuhalten.

Er hätte reich werden können, vielleicht nicht reich in den Augen des Barons, aber reich genug, um Ingeborg ein anständiges Leben zu bieten, wie der Baron es ausgedrückt hatte. Er hatte diverse, sehr lukrative Angebote erhalten. Wie leicht wäre es gewesen, dieser Versuchung nachzugeben! Und daraufhin mit Ingeborg zu leben, bis dass der Tod sie scheiden würde.

Drei Deserteure, ein Desaster, drei Verräter. Eine Schande, ein unmöglicher Gedanke.

Ein Mann steht zu seinem Wort, sei es ein stillschweigendes Abkommen mit den eisenbahnbegeisterten Bergener Bürgern oder ein explizites Versprechen wie das Ingeborg gegenüber. Er hatte ihr geschworen, nie eine andere zu lieben, nie eine andere zu heiraten. Und dieses Wort würde er halten.

Ingeborg oder seine Ehre, ein unlösbares Dilemma. Nur mit solchen Schwierigkeiten durfte man sich an Gott wenden.

Mit starren Fingern zwang er sich, selbst die allerkleinsten Eiskristalle abzukratzen, murrte darüber, dass er keine dünneren Handschuhe hatte. Die dicken aus Seehundfell, die er in der Prinsens Gate gekauft hatte, waren zu unhandlich. Gerade als er seine Tätigkeit beendet hatte, legte sich der Wind plötzlich, und die Sonne brach durch das Schneegestöber, anfangs als unerwartete Erhellung, dann als weiß schimmernde Kugel hinter aufreißenden Wolkenbänken, die sich in einzelne Wolken auflösten. Erste Flecken blauen Himmels waren zu sehen und schließlich dieselbe strahlende Sonne, die seinen morgendlichen Aufbruch begleitet hatte. Diese magische Verwandlung vollzog sich innerhalb weniger Minuten.

Er drehte sich zu seiner Schneespur in der dünnen Schneedecke auf dem Eis um. Sie verlief in einer Schlangenlinie, mal nach links, mal nach rechts und wieder zurück. Er vermutete, dass er, immer wenn er stehen geblieben war, um auf den Kompass zu schauen, den Kurs korrigiert hatte. Sehr interessant.

Der Sturm zog über den zugefrorenen Ustavand hinweg, mit jeder Sekunde vergrößerte sich der Abstand, und wo eben noch Dröhnen und pfeifender Wind gewesen waren, herrschte jetzt vollkommene Stille.

Als er wieder nach vorn blickte, sah er, dass er nur zehn Meter vom Ufer entfernt war. Etwa hundert Meter weiter weg stand ein Mann, der damit beschäftigt war, einen Windschutz abzubauen. Das musste der Ingenieurskollege sein, der ihm entgegenkommen wollte. Lauritz schnallte seine Skier wieder an und fuhr kräftig ausholend auf den Mann zu.

»Guten Tag. Ich sehe, Ihnen fehlt noch ein wenig die Übung«, begrüßte ihn der Kollege zu Lauritz' Ärger. »Ich bin Daniel Ellefsen, zweiter Ingenieur«, fuhr er fort, nahm seinen breitkrempigen Hut ab und streckte die Hand aus.

»Lauritz Lauritzen, Ingenieur«, erwiderte Lauritz zurückhaltend. In seinen Anstellungspapieren stand keine andere Bezeichnung. Dann ergriff er die ihm entgegengestreckte Hand.

Sie musterten einander. Lauritz' Gegenüber war langhaarig wie eine Frau und braun wie ein Same. Seine Gesichtshaut erinnerte an Leder.

»Wir duzen uns hier oben«, teilte der andere mit.

»Dagegen habe ich nichts einzuwenden«, antwortete Lauritz.

Damit war die Unterhaltung zu Ende. Daniel Ellefsen packte den Windschutz ein, schnallte seine Skier an und stapfte den Weg, den er gekommen war, in seiner teilweise zugeschneiten Spur zurück. Lauritz folgte ihm, so gut es ging. Es kostete sie zwanzig Minuten harte Arbeit, zumindest Lauritz, um den Hang zum im Bau befindlichen Bahnhof von Haugastøl zu erklimmen. Das Fundament war bereits fertig, und etwa ein Dutzend Arbeiter errichtete gerade das Gerüst zum Bau der Wände. Daneben stand eine Baracke. Ein schiefer Schornstein aus schwarzem Blech qualmte anheimelnd.

»Den Rest des Weges zu Fuß«, sagte der andere knapp, schnallte seine Skier ab und deutete auf einen matschigen Pfad, der zu ihrem Quartier in Nygård führte.

»Ich kann deine Skier nehmen, du hast mehr als genug an deinem Rucksack zu schleppen«, fuhr er fort, nahm Lauritz' Skier, warf sie sich ohne weitere Umstände zu seinen eigenen auf die Schulter und begann den steinigen, matschigen Pfad hinaufzugehen.

Lauritz wäre gerne neben ihm gegangen, um sich mit ihm zu unterhalten. Tausend Fragen gingen ihm durch den Kopf. Der andere hielt jedoch ein so zügiges Tempo, dass Lauritz kaum mithalten konnte. In der einen Stunde, die es dauerte, um zu dem Hof hinaufzugelangen, wurde geschwiegen.

Lauritz wusste nicht recht, wie er das Schweigen deuten sollte. War es der Ausdruck eines diffusen Misstrauens gegen ihn als Neuankömmling und möglicherweise auch Vorgesetzten, der einige Jahre jünger war? Vielleicht beruhte die Einsilbigkeit aber auch auf der Umgebung, darauf, dass die übermächtige Natur die Menschen kleiner machte. Schon bald keuchte er hörbar, was der andere nicht zu merken schien. Vielleicht war es ihm aber auch egal. Lauritz begann erneut zu schwitzen.

Nygård bestand aus einer Ansammlung niedriger Häuser mit Ausnahme eines auffallend größeren, zweistöckigen Blockhauses. Dorthin waren sie auf dem Weg.

»Es wird das Ingenieurshaus genannt«, erklärte sein Begleiter, als sie die Stiefel abgeputzt und das Gebäude betreten hatten. »Du kannst die Köchin Estrid begrüßen. Sie serviert uns um sieben Uhr das Abendessen. Ich bin verspätet, da ich unerwartet lang am Ustavand warten musste. Ich muss noch auf eine Baustelle. Gibt es noch Fragen?«

»Ja«, erwiderte Lauritz. »Wie ist es mit der Post hier oben?«

»Um diese Jahreszeit kommt der Briefträger zweimal in der Woche auf Skiern aus Haugastøl. Er trägt zwischen Geilo und Finse die Post aus.«

»Wann kommt er das nächste Mal?«, wollte Lauritz wissen.

»Morgen gegen zwei. Das hängt vom Wetter ab, aber er muss vor Einbruch der Dunkelheit bis nach Finse rauf. Erwartest du bereits Post?«

»Nein, aber ich will einen Brief schreiben. Und dann noch eine Frage: Wo soll ich schlafen?«

Der andere sah ihn entschuldigend an.

»Tut mir leid«, sagte er. »Hier oben hält man irgendwie alles für selbstverständlich. Diese Unsitte wirst du dir schon auch noch angewöhnen. Wie auch immer. Du und ich, wir bewohnen die beiden kleinen Zimmer im Erdgeschoss neben dem Saal mit dem großen Kamin. Der heizt das ganze Haus. Im Winter müssen wir abwechselnd nachts aufstehen und Holz nachlegen. Im Obergeschoss haben wir unser Büro. Bis heute Abend.«

Daniel drehte sich um und ging.

Lauritz nahm das »Selbstverständliche« in Angriff und stellte fest, dass eines der beiden Schlafzimmer im Parterre leer stand, das andere nicht. Er trug seinen Rucksack hinein und sah sich in dem Raum um, der auf unbestimmte Zeit, zumindest aber für einige Jahre, sein Zuhause sein würde. Das Zimmer war etwa drei mal vier Meter groß. Wände aus dicken Balken, breite Dielen, die Ritzen mit Moos abgedichtet. Ein Fenster, ein Tisch, ein Stuhl, ein wackliger Kleiderschrank und ein breites, etwas zu kurzes Bett im Bauernstil. Im Zimmer duftete es nach Holz und Teer.

Ihn fröstelte vor Kälte, und ihm fiel ein, dass er ja völlig durchnässt war. Er warf seinen Rucksack auf das breite Bett und suchte trockene Kleider heraus. Dann überlegte er es sich jedoch anders und ging in den Flur und von dort in die Küche. Die Köchin Estrid saß neben dem wärmenden Eisenherd und flatterte wie ein kleiner, unruhiger Vogel von ihrem Platz auf, als er eintrat. Sie war beim Kartoffelschälen gewesen.

»Entschuldigen Sie!«, rief sie, unbegreiflicherweise errötend. Es war auch unklar, was er entschuldigen sollte.

»Guten Tag, Estrid«, grüßte er. »Ich bin Lauritz, der neue Ingenieur. Sie dürfen mich gerne mit meinem Vornamen ansprechen, Estrid. Ich frage mich, ob Sie mir bei einer Kleinigkeit behilflich sein könnten?«

Sie nickte, schien es aber nicht zu wagen, zu antworten. Sie war hübsch, fast weißblond und trug ihr Haar in einem dicken Zopf, der ihr ein gutes Stück auf den Rücken herabhing. Sie mochte zwischen achtzehn und zwanzig Jahre alt sein.

»Ich bräuchte eine Wanne warmes Wasser«, fuhr er fort. »Außerdem habe ich einen Haufen verschwitzter Kleider, die gewaschen werden müssten, obwohl es damit keine sonderliche Eile hat. Ließe sich das machen?«

»Natürlich, Herr Ingenieur. Soll ich das Wasser in den Saal vor den Kamin tragen?«, erwiderte sie rasch und mit zu Boden gerichteten Augen.

»Ja, das wäre ganz ausgezeichnet. Vielen Dank, Estrid«, sagte er und ging.

Eine halbe Stunde später, nachdem er sein Gepäck sortiert und Schreibzeug, Bücher und Zeitschriften auf den wackligen Schreibtisch gelegt hatte, stand er nackt in einer Zinkwanne vor dem großen offenen Kamin und versuchte, sich von Kopf bis Fuß zu waschen. Als Erstes hatte er sich vor die Wanne gekniet, sein Haar mit Schmierseife eingeseift und dann ausgespült. Dann hatte er sich in die Wanne gestellt und sich von oben bis unten gewaschen. Danach hatte er sich, die Füße in der Wanne, vor dem Kamin trocknen lassen. Seine Haut brannte und kribbelte.

Er zog frische Kleider an, wichste seinen Schnurrbart, der bedenklich nach unten hing, setzte sich mit einem weißen Blatt Papier vor sich an den Schreibtisch, glättete es und tauchte die Feder in sein Tintenfass. Ihm fiel auf, dass er zu wenig Tinte mitgenommen hatte. Ob man beim Briefträger Tinte bestellen konnte?

Was sollte er ihr, abgesehen von den rein faktischen Umständen, schreiben? Er war angekommen. Die Reise von Dresden nach Kristiania hatte drei Tage gedauert. Die Reise von Kristiania auf die verschneite Hochebene vier. Es war also eine Woche vergangen, seit sie sich vor dem Hauptbahnhof – einem im Übrigen sehr schönen Gebäude – voneinander verabschiedet hatten. Irgendwann einmal wollte er etwas Ähnliches bauen, allerdings nicht barock, sondern im nordischen Stil.

Zurück zur Sache. Er war am Ziel, die Reise war ohne Komplikationen verlaufen, nur ein kleiner Schneesturm auf dem letzten Wegstück auf Skiern, aber der war rasch vorüber gewesen. Auf der Reise hatte er viel Zeit zum Nachdenken gehabt. Zweifellos würde seine Gefangenschaft in der Welt der Gletscher etliche Jahre währen. Aber nichts, nicht einmal die bittersüße Sehnsucht währte ewig. Wenn man es genau bedachte, war er schließlich erst sechsundzwanzig Jahre alt und sie drei Jahre jünger. Wenn sie ihr Gelöbnis hielten, würden sie am Ende siegen. Die Landschaft, die ihn umgab, war einsam, aber wunderschön.

Im Schneesturm und vor den hohen, schneebedeckten Gipfeln und den zugefrorenen Seen hatte er ihr Gesicht vor sich gesehen. Er dachte immer an sie, sehnte sich in jeder Sekunde nach ihr und sendete ihr tausend verbotene Küsse. So in etwa.

Er schrieb seinen Brief sehr sorgfältig und achtete darauf, die Konjunktive richtig zu verwenden, weil er trotz des sehr bodenständigen Umfelds, in dem er sich ab jetzt befand, eine gewisse Eleganz bewahren wollte.

Auf den Umschlag schrieb er Namen und Adresse ihrer besten Freundin Christa mit einem geheimen Zeichen, das die wirkliche Empfängerin verriet. Dann verschloss er den Umschlag und wischte die Schreibfeder ab.

Er legte sich aufs Bett und merkte erst jetzt, nachdem er alle Pflichten des ersten Tages in der Strafkolonie absolviert hatte, dass ihm sämtliche Glieder wehtaten. Er hatte große Blasen an beiden Fersen, dazu einen so heftigen Muskelkater in den Oberschenkeln und Hüften, wie er es noch nie erlebt hatte.

Er zog ein paar Schafsfelle über sich und schlief ein und wachte von Geschirrgeklapper im Saal wieder auf. Spätnachmittagslicht fiel durch das kleine Fenster aus mundgeblasenem, trübem Glas. Dann fiel ihm ein, dass die Abende im Norden länger waren, es vermutlich auf sieben Uhr zuging und es Zeit zum Abendessen war.

Als er aus seinem Schlafzimmer kam, saß sein Kollege Daniel bereits am Tisch, auf dem eine dampfende Schüssel stand. Im Raum roch es stark nach Hammelfleisch.

»Setz dich und bedien dich, Lauritz«, sagte Daniel mit vollem Mund. »Die Zeit der Konserven ist endlich vorbei. Du hast dir also die richtige Jahreszeit ausgesucht, um hier raufzukommen.«

»Die Zeit der Konserven?«, sagte Lauritz erstaunt.

»Ja, und des Stockfischs. Zwischen November und März gelangen keine Transporte zu uns herauf. Da kommt nur der Briefträger. Dann gibt es Konserven und getrockneten Fisch. Willst du ein Glas Wein, weil es der erste Abend ist?«

»Gibt es Wein?«, fragte Lauritz erstaunt.

Wenig später stellte Estrid eine Flasche auf den Tisch, auf der einfach nur *Rotwein* stand. Schweigend prosteten sie sich zu und aßen ebenfalls schweigend.

»Du bist nicht sonderlich gesprächig, Daniel, das kann man dir wirklich nicht vorwerfen«, meinte Lauritz schließlich. Etwas musste er ja sagen, um das Schweigen zu brechen, das ihn zunehmend störte.

»Nein«, erwiderte der andere zögernd, legte sein Besteck beiseite und schien nachzudenken. »So ist das hier oben«, fuhr er fort. »Man wohnt so lange unter einem Dach, bis man irgendwann alle Geschichten des anderen gehört hat. Die Arbeit ist auch recht eintönig, weil wir im Großen und Ganzen dauernd das Gleiche tun, darüber gibt es also auch nicht viel zu sagen. Und schließlich verstummt man. Ohne es selber zu merken, gleitet man gewissermaßen in die Stille hinein.«

»Aber ich bin doch gerade erst angekommen und kann dich mit meinen Geschichten noch nicht ermüdet haben!«, wandte Lauritz ein.

»Das stimmt.«

»Und ich bräuchte deinen Rat bei so einigem.«

»Das stimmt auch.«

»Und ich habe viele Fragen.«

»Das weiß ich. Die hatte ich auch, als ich neu war. Lass uns also dort ansetzen. Was willst du wissen?«

Lauritz aß ruhig weiter und dachte nach. Das Hammelgericht schmeckte wie in seiner Kindheit und erinnerte ihn an seine Mutter und das Sonntagsessen in der guten Stube.

»Zuerst zu meiner persönlichen Ausrüstung«, begann Lauritz energisch. »Was fehlt mir, was hätte ich mitbringen sollen?«

Der andere lächelte und schüttelte den Kopf. Dann holte er Luft und hielt einen Vortrag, der vermutlich aus mehr Wörtern bestand, als er im ganzen letzten Monat geäußert hatte, wenn man seiner Beschreibung der großen Fjellstille Glauben schenken wollte.

Eine Pelzmütze mit Ohrenklappen war gut zu gebrauchen, wenn im Winter der Nordwestwind wehte. Die Mütze, die Lauritz bei seiner Ankunft getragen hatte, würde sich dann ausgezeichnet bewähren. Jetzt jedoch konnte er sie beiseitelegen, jetzt bräuchte er einen Hut mit breiter Krempe als Augenschutz und eine Sonnenbrille, natürlich. Mit Schneeblindheit war nicht zu spaßen. Viele Arbeiter, die im Frühjahr heraufkamen, insbesondere in der Zeit von März bis Ende Mai, die weißer Frühling hieß, besaßen keine Sonnenbrille. Sie lagen dann oft wochenlang mit verbundenen Augen und starken Schmerzen in der Krankenbaracke.

Das seien für den Anfang die wichtigsten Dinge, die sich am einfachsten besorgen ließen, denn man könne sie in den Läden der Eisenbahngesellschaft kaufen, der nächste liege unten in Haugastøl.

Mit den Skiern sei es da schon komplizierter. Der Schnee veränderte sich ständig: vom Wind zusammengepresste Schneewehen, Eiskrusten, die morgens noch trugen, gegen Nachmittag aber barsten, bis hin zu tiefem Neuschnee, in den man bis zur Taille einsank, wenn man die falschen Skier hatte. Für letztere Art von Schnee eigneten sich seine Hickory-Skier bestens. Im Moment seien sie jedoch nicht zu gebrauchen. Jetzt benötige er schmalere Skier aus Birken- oder Eschenholz. Die Rentierzüchter, die regelmäßig beim Hof vorbeikamen, um ihre Erzeugnisse zu verkaufen, stellten diese Art von Skiern selbst her und verkauften sie nur zu gerne.

Für dicke Kleidung habe man kaum Verwendung, die war nur hinderlich, wenn man es eilig hatte. Und sollte man einmal in einen Schneesturm geraten, was hin und wieder vorkam, war ein Schutz gegen den Wind in einer solchen Situation wichtiger. Er benötigte also einen Anorak. Die wurden ebenfalls in den Läden der Eisenbahngesellschaft verkauft.

Es konnte aber auch passieren, dass man in einem Schneesturm stecken blieb und sich in den Schnee eingraben musste. Dann waren dicke Kleider gar nicht schlecht. Noch besser ein Schlafsack aus Rentierfell. Verließ man bei unsicherem Wetter das Haus, sollte man solche Dinge tunlichst im Rucksack mitführen. Das hatte Oberingenieur Skavlan verfügt.

Das waren, soweit Daniel es überblickte, die wichtigsten Informationen, die er Lauritz hinsichtlich der Ausrüstung geben konnte. Einkaufen sei kein Problem, alle erhielten in den Läden Kredit.

Lauritz musste beschämt einräumen, dass seine Planung, sein Gepäck betreffend, einige Lücken aufwies. Auch wenn die notwendigen Ergänzungen sich rasch und mühelos besorgen ließen.

Nach seinem erstaunlich munteren Vortrag schüttelte Daniel Ellefsen amüsiert den Kopf über sich selbst.

»So viel am Stück habe ich verdammt noch mal seit einem Jahr nicht mehr geredet«, meinte er.

»Ich hätte auf ein halbes Jahr getippt«, erwiderte Lauritz trocken. »Und ich hoffe, es folgen weitere Gespräche. Was muss ich eigentlich über die Arbeit wissen?«

»Meinst du das rein Technische, Zeichnungen, Konstruktionen und Messungen?«

»Nein, das kann ich mir vorstellen, sofern die Theorie halbwegs mit der Praxis übereinstimmt. Aber ich nehme an, dass ich etlichen Arbeitern vorstehen werde, und darin besitze ich ehrlich gesagt keine Erfahrung. Ich möchte mich schließlich nicht gleich zu Anfang blamieren. Verstehst du ungefähr, was ich meine?«

»Ja, ich glaube schon. Ich bin jetzt seit drei Jahren in Nygård, und die Jahre hier oben sind viel länger als im Flachland. Irgendwie merke ich gar nicht mehr, was hier so besonders ist, ich muss erst ein wenig darüber nachdenken.«

Sie stießen mit ihren Weingläsern an und setzten die Mahlzeit unter Schweigen fort, bis Lauritz schon fast glaubte, sein Kollege habe seine Frage vergessen. Erst als Estrid schüchtern und still abgeräumt, aber Wein und Gläser stehen gelassen hatte, bereitete sich Daniel Ellefsen auf eine neuerliche verbale Kraftanstrengung vor. Er begann damit, ihnen beiden nachzuschenken. Dann lehnte er sich zurück, betrachtete die breiten Balken an der Decke und schien geistig Anlauf zu nehmen.

Das Besondere, begann er, war das Verhältnis zwischen dem Ingenieur und dem Vormann einer Arbeitergruppe. Diese Gruppen bestanden in der Regel aus zwölf bis sechzehn Mann, die ihren Vormann sowohl auf der Baustelle als auch in der Baracke selbst wählten. Der Vormann entschied in allen Fragen, angefangen damit, wer bei der Köchin liegen dürfte, bis hin zur Festlegung der verschiedenen Arbeitsschritte. Der Vormann verhandelte auch über den Akkord, und alle Arbeit sei Akkordarbeit.

Der Vormann war sozusagen der eigentliche Chef. Formal unterstand er natürlich dem Ingenieur, aber in der Praxis leitete er die gesamte Arbeit. Das müsse man akzeptieren. Die Männer, die als Vorarbeiter gewählt wurden, besaßen langjährige Erfahrung, und ein Blick genüge ihnen, um zu sagen, wie lange der Bau eines Einschnitts dauerte, und sie wussten auch, wann der Einsturz einer Tunneldecke zu erwarten war. Kurz und gut, die Vormänner waren unentbehrlich.

Der Ingenieur war für die Mathematik zuständig, für die Höhe, Breite und Richtung eines Tunnels. Er entschied, welche Brückenkonstruktion verwendet werden sollte, und Ähnliches. Wenn die Vorarbeiter Fragen hatten, stellten sie diese. Es mache hingegen keinen Sinn, ihnen bei der eigentlichen Arbeit dauernd über die Schulter zu schauen, am allerwenigsten, wenn man jung und ein Neuling war.

Das sei alles. Zumindest, wenn es darum ging, zu beschreiben, was die Arbeit an der Bergenbahn von anderen Arbeitsplätzen im Land unterscheide.

Daniel Ellefsen verstummte, als wäre damit alles gesagt. Lauritz saß mit gerunzelter Stirn da und legte sich seine erste Frage zurecht.

»Was ist ein Einschnitt?«, begann er und kam sich unerhört dumm vor.

Statt einer Antwort tauchte Daniel Ellefsen den Zeigefinger in sein Weinglas und zeichnete einen weiten Bogen auf den Tisch.

»Berghang«, sagte er knapp und malte ein großes L in diesen Berghang.

»Einschnitt. Der Zug muss den Berghang auf ebenem Grund umrunden.«

»Ja, natürlich«, erwiderte Lauritz verlegen. »Mir sagte das Wort nur im ersten Moment nichts. Und nun zu einer schwierigeren Frage. Wie in aller Welt verhandele ich mit dem Vormann über den Akkord?«

»Das ist zu Anfang in der Tat schwer«, gab sein Kollege zu. »Der Vorarbeiter unterbreitet dir einen Vorschlag, der etwas über dem Preis liegt, den er für die Arbeit haben will. Dann feilschst du ein wenig, ihr gebt euch die Hand, und der Handel ist perfekt. Du kannst auch sagen, dass du erst einmal darüber nachdenken müsstest, und fragst mich. Irgendwann hast du es raus, schwerer ist es nicht. Der Vorarbeiter, den du morgen kennenlernst, heißt Johan Svenske. Er ist einer der besten, seit achtzehnhundertfünfundneunzig hier oben. Aber jetzt muss ich wirklich ins Büro!«

Er stand hastig auf und signalisierte Lauritz, ihm ins Obergeschoss zu folgen. Die Dämmerung hatte eingesetzt, und sie zündeten eine Petroleumlampe an. Lauritz bekam eine Ledermappe mit Papieren ausgehändigt, auf der sein Name stand.

Sie enthielt Entwürfe für drei Brücken, seine erste Aufgabe. Er konnte keinen Fehler entdecken, beschloss aber, sich erst einmal die Bauplätze anzusehen, ehe er dazu Stellung nahm. Jetzt konnte er nicht viel tun. Also entschuldigte er sich und ging zu Bett. Daniel Ellefsen war tief in seine Baupläne versunken und führte auf einem Papier, das er neben sich liegen hatte, Berechnungen durch. Er schien gar nicht zu bemerken, dass Lauritz ging, und erwiderte auch nichts, als dieser ihm eine gute Nacht wünschte.

In seinem Schlafzimmer war es eiskalt, aber er hoffte, dass die Schafsfelle warm genug sein würden. Erneut spürte er seinen Muskelkater. Es fiel ihm schwer, eine Liegeposition zu finden, die nicht schmerzte.

Dies war seine Betstunde. Aber er betete nicht auf gewöhnliche Weise zu Gott. Er faltete nicht die Hände und schloss nicht die Augen. Er argumentierte mit Gott. Er dankte ihm für seine glückliche Ankunft, ohne die Schwierigkeiten, die ihn nach der Beschreibung von Kollege Ellefsen zu urteilen, erwarteten, zu erwähnen. Das Wesentliche war die Prüfung, die ihm Gott nun auferlegte. Wie lange sie dauern würde, war ungewiss, er wusste nur, dass er sie bestehen musste. Gott prüfte alle Menschen. Wer diese Prüfungen bestand, konnte möglicherweise, aber auch das war unsicher, mit einer Belohnung rechnen. In Lauritz' Fall ging es einzig und allein um Ingeborg und sonst nichts. Für sie würde er alles ertragen.

IV

OSCAR

Deutsch-Ostafrika, Mai 1902

Als der lange Regen endlich versiegte, kam es ihm vor, als wäre die Nässe bis in seine Seele gekrochen. Die feinkörnige Erde, aus der die Afrikaner Lehmziegel herstellten, hatte sich in roten Morast verwandelt, und die Rückkehr der Sonne verwandelte das Lager in eine Dampfsauna oder ein türkisches Bad.

Er hatte darauf bestanden, vor Ort zu sein, als der Regen am stärksten, der Wasserstand der drei Flussarme des Msuri am höchsten und die Strömung am stärksten war. Das war eine Frage des gesunden Menschenverstandes. Er musste auf einer Strecke von weniger als zwei Kilometern drei Brücken bauen und wollte um jeden Preis den Fehler seines Vorgängers vermeiden, dessen Konstruktionen zu niedrig gewesen und bereits nach den ersten zwei Wochen der langen Regenzeit weggerissen worden waren. Ein nachvollziehbarer Fehler, der die Arbeiten allerdings um zwei Monate zurückgeworfen hatte, da sie wieder von vorn hatten anfangen müssen.

Afrikanische Flüsse unterschieden sich von den Flüssen der zivilisierten Welt darin, dass sie den größten Teil des

Jahres harmlos aussahen, wie das Adernetz einer Sandwüste, ohne einen sichtbaren Tropfen Wasser. Aber in der Regenzeit verwandelten sie sich in reißende, alles zerstörende Stromschnellen. Das war eine sehr lehrreiche Erkenntnis. Er fühlte sich an Herrn Dr. Fichte erinnert, der in seinen Vorlesungen in Mechanik immer betonte, das Geheimnis des Erfolges eines wahrhaften Ingenieurs und eben das, was ihn vom Durchschnitt unterscheide, seien Fantasie und Improvisation, also das, was einen die Praxis und nicht das Studium der physikalischen Gesetze lehre.

Jetzt konnte er also damit beginnen, die Betonfundamente der Brücken zu gießen, die sich über die launenhafte Zerstörungskraft des Wassers erheben sollten. Die fünfzig anstrengenden Tage, an denen er sich mehr wie eine nasse Katze denn wie ein deutscher Ingenieur im Dienste der Zivilisation gefühlt hatte, hatten sich gelohnt.

Damit hätte alles in bester Ordnung sein können, aber zur gleichen Zeit nahm der Albtraum seinen Anfang.

Zunächst waren die Ereignisse eher eigentümlich als erschreckend. In der zweiten regenfreien Nacht verschwanden zwei Swahili-Arbeiter aus dem Trupp, der für die Imprägnierung der Schwellen mit Kreosot zuständig war. Es schien keine natürliche Erklärung dafür zu geben. Man hatte aber gehört, dass die Engländer weiter im Norden beträchtliche Probleme mit desertierenden Arbeitern hatten, was begreiflich war, da die Engländer Barbaren waren, die Sklaven einsetzten, die sie aus Indien und anderen Kolonien in Asien importierten. In regelmäßigen Abständen wurden ganze Schiffsladungen dieser mageren, seekranken armen Teufel angeliefert. Er hatte selbst gesehen, wie eine solche Ladung in Mombasa gelöscht worden war. Ein empörender Anblick! Überdies schienen die Engländer der Meinung zu sein, dass Chinin gegen Malaria sowie die Pockenimpfung nur etwas für Weiße war, da es ohnehin genügend Eingeborene gebe. Dass Arbeiter unter solchen Bedingungen um ihr Leben liefen, war nicht weiter erstaunlich.

Aber dieser Bahnabschnitt war deutsch und somit zivilisiert. Weshalb also sollte jemand von einer deutschen Baustelle desertieren? Drei Nächte hintereinander verschwanden Arbeiter aus dem Lager.

Auch den Eingeborenen war dies zunächst ein Rätsel, da man 236 Kilometer von Daressalam entfernt war und es außer den Gleisen, die sie selbst gebaut hatten, keinen Weg dorthin gab. Außerdem begann nur zwanzig Kilometer vom Lager entfernt eine Wüste ohne einen Tropfen Wasser. Die verschwundenen Männer hatten sich zudem den ihnen zustehenden Lohn nicht auszahlen lassen. Und ein 236 Kilometer langer Marsch auf Eisenbahnschwellen unter brennender Sonne, ohne Wasser und Proviant, erschien vollkommen unmöglich.

Daher war es nicht verwunderlich, dass die Eingeborenen, auch die getauften, rasch zu dem Schluss kamen, dass es sich um die Schandtaten böser Geister handelte.

Oscar musste sich widerstrebend eingestehen, dass ihm diese Art des Aberglaubens seiner Arbeiter eine noch größere Verantwortung aufbürdete. Er war wahrlich kein Missionar, obwohl er immer der Meinung gewesen war, dass diese eine großartige Arbeit leisteten, indem sie Licht ins Dunkel brachten. Sein Auftrag war jedoch, eine Eisenbahn und Brücken zu bauen und das Land dem Handel und der Verbreitung von Wissen zu öffnen, nicht die reine protestantische Lehre zu verbreiten, an die er selbst nicht glaubte. Aber jetzt tangierten seine moralischen Verpflichtungen plötzlich doch die Theologie, da er die entsetzten Eingeborenen davon überzeugen musste, dass es keine bösen Geister gab. Vor allen Dingen musste er eine rationale Erklärung für das nächtliche Verschwinden der Arbeiter finden.

In einem der rasch austrocknenden Flussarme, der sich in eine Ansammlung grüner, schleimiger Tümpel verwandelt hatte, in denen gefangene Fische verzweifelt mit den Schwanzflossen schlugen, während ihnen die Fischadler aus den Bäumen an den Ufern genüsslich zuschauten, fand man die erste konkrete Spur. Einen blutigen, zerfetzten roten Fes und die Reste eines Armes.

Das machte das Ganze nicht leichter. Die Swahili vermuteten sofort Kannibalen, was für die Arbeitsmoral genauso verheerend war wie die Vorstellung von bösen Geistern.

Was Oscar anging, so zog er Kannibalen bösen Geistern vor. Sie waren ins Innere Tanganjikas vorgedrungen und hatten eine Gegend erreicht, in der es möglicherweise immer noch Kannibalen gab, obwohl die Verwaltung in Daressalam empört versichert hatte, diese Unsitte sei ausgerottet.

Kannibalen waren immerhin Menschen aus Fleisch und Blut, die man bekämpfen konnte. Im Lager gab es zehn gut bewaffnete Soldaten, Askaris, was eine nicht unerhebliche Feuerstärke bedeutete. Kannibalen konnten sie aufspüren und unschädlich machen.

Als er jedoch den im ausgetrockneten Flussbett aufgefundenen, zerfetzten Arm eingehender betrachtete, stellte er fest, dass es sich um etwas ganz anderes handeln musste. Er rief seinen Assistenten Hassan Heinrich zu sich und bat ihn, den Jäger Kadimba zu holen. Gemeinsam suchten sie dann weiter den Flussarm ab. Oscar hatte sein Mausergewehr unter dem Arm und Kadimba sein Reservegewehr, eine Mannlicher. Sie brauchten nicht weit zu gehen, bis sie den Leichnam eines der verschwundenen Kreosot-Arbeiter gefunden hatten. Es war fast kein Fleisch mehr an den Knochen. Kadimba erklärte, was geschehen war. Seine Schilderung des Vorfalls war sachlich und äußerst glaubwürdig. Außerdem wurde seine Erklärung von den Spuren im Sand untermauert, die er als Spuren zweier älterer Löwen beschrieb. Kadimba las die Spuren in der Natur mit derselben Selbstverständlichkeit, mit der andere Bücher lasen.

Bwana Oscar müsse wissen, sagte er, dass ältere Löwen von den jüngeren aus dem Rudel verstoßen würden, das sei unvermeidlich. Hier hatten sie es mit zwei alten Brüdern zu tun, die eigentlich nicht ohne ihre Frauen jagen konnten, die jetzt aber anderen Herren dienten. Sie holten keine Zebras mehr ein, und Antilopen noch viel weniger. Wenn sich Menschen in der Nähe befanden, jagten sie diese, da Menschen leicht zu töten waren, insbesondere bei Dunkelheit. *Simba* wisse, dass Menschen im Dunkeln nicht so gut sahen wie er. Diese beiden Brüder hatten nun eine Vorliebe für Menschenfleisch entwickelt und würden wiederkehren, um zu töten, bis sie selbst getötet würden.

Das war eine entscheidende Erkenntnis, die sofort gewisse organisatorische Maßnahmen erforderlich machte. Sämtlichen Arbeitern musste der Grund für das nächtliche Verschwinden der anderen, wie unbehaglich die Wahrheit auch war, erklärt werden. Obgleich sie wahrscheinlich weniger unbehaglich war als die Vorstellung von Kannibalen und bösen Geistern.

Außerdem konnten die Zelte an der Baustelle nicht mehr in preußisch-geraden Linien stehen bleiben. Stattdessen sollten sie in kleinen Kreisen angeordnet und jede Zeltgruppe von einer *Boma* aus Dornenbüschen umgeben werden. Diese Arbeit musste sofort beginnen und hatte Vorrang vor dem Brückenbau.

Zudem musste die Jagd auf die beiden menschenfressenden Löwen organisiert werden. Das war zweifellos seine Aufgabe. Als stellvertretender Chefingenieur mit besonderer Verantwortung für den Brückenbau, wie sein Titel lautete, war er im Lager auch für Ordnung und Disziplin zuständig. Um die Ordnung aufrechtzuerhalten, hatte er bislang vier Nashörner geschossen, die das Lager angegriffen und nach Nashornart für Unordnung gesorgt hatten. Sie hatten den vom Regenwasser aufgeweichten Bahndamm zertrampelt und sehr viel Extraarbeit verursacht. Was die lästigen Giraffen anging, die ständig die Telegrafenleitung herunterrissen, hatte er aufgegeben. Es gab einfach zu viele von ihnen.

Auf Anraten des Jägers Kadimba hatte er den einen oder anderen Elefanten getötet und liegen gelassen, um seine Artgenossen davon abzuhalten, sich der Eisenbahn zu nähern. Der Verwesungsgeruch schreckte sie ab. Vereinzelte Nashörner auf dem Bahndamm waren schlimm genug, eine Elefantenherde wäre eine reine Katastrophe. Kadimba und er hatten kontinuierlich *Hartebeests* und Impalas gejagt sowie andere kleinere Antilopen, um den Speisezettel des Lagers zu verbessern. Aber ein besonders talentierter Jäger war er nicht. Er konnte zwar schießen und war als Student in Dresden Mitglied der städtischen Scharfschützenkompanie gewesen, aber das war etwas ganz anderes. Und es war auch nur ein schwacher Trost, dass sein Mausergewehr zweifellos das beste Gewehr der Welt war, dessen Durchschlagskraft jener der englischen Gewehre weit überlegen war. Denn jetzt ging es nicht um physikalische Gesetze, sondern um die Jagd auf Simba. Und das im Dunkeln.

Während das Lager nach seinen Anweisungen umorganisiert wurde, er hatte alle anderen Arbeiten an diesem Tag einstellen lassen, saß er mit seinem Grammofon allein im Zelt. Unter den neuen Schallplatten, die er bei seinem letzten Urlaub in Daressalam gekauft hatte, war Schuberts »Unvollendete«, die er sich in melancholischen Phasen, oder wenn er wie jetzt über ein ernsthaftes Problem nachdenken musste, anhörte.

Neben Dr. Ernst war er der einzige zivilisierte Mann im Lager und derjenige, der alle Beschlüsse fassen musste, die nichts mit Medizin oder Gesundheit zu tun hatten. Solange es darum ging, Brückenbogen zu vermessen oder Plätze zu bestimmen, an denen Brückenfundamente gegossen werden konnten, war es kein Problem. Seine Autorität wurde nicht angezweifelt. Kein Neger hatte je Veranlassung, ihn zu hinterfragen. Und nun gingen sie davon aus, dass er ihre einzige Rettung vor einem grauenvollen Tod zwischen Simbas Reißzähnen war.

Er hatte einmal miterlebt, wie vier Löwen ein Zebra in Stücke gerissen hatten. Es lebte noch, als sie mit ihrem Mahl begonnen hatten. Erst hatten sie ihm den Bauch aufgerissen. Es gab keinen Grund zur Annahme, dass sie menschliche Beute anders behandeln würden.

Viel Gutes konnte er aus der zivilisierten Welt herüberbringen, um den Schwarzen Kontinent zu verwandeln, er wie alle anderen Weißen. Aber jetzt war er sich nicht sicher, ob er den Ansprüchen seiner Arbeiter Genüge leisten könnte.

Es gab nur eine vernünftige Lösung, ganz gleichgültig, wie sich das auf den Respekt der Eingeborenen ihm gegenüber auswirken würde. Sich zu drücken wäre reiner Irrsinn.

Er verfluchte seine Nachlässigkeit bei den spätabendlichen Sprachübungen mit Hassan Heinrich, bei denen er Deutsch geredet, Hassan Heinrich seine Worte wiederholt und dann auf Swahili geantwortet hatte. Er hätte sich jetzt nämlich gerne unter vier Augen mit Kadimba unterhalten, damit im Lager so wenige wie möglich mitbekamen, dass er sich Rat bei einem Neger holen musste. Aber das ging jetzt nicht, die Sache war zu ernst, als dass er sich auch nur das kleinste sprachliche Missverständnis erlauben konnte. Er stellte das Grammofon ab und schlug auf den Gong neben der Zeltöffnung. Sofort trat Hassan Heinrich ein.

»Bring Kadimba so schnell wie möglich zu mir!«, befahl er. »Ich will, dass du bei dem Gespräch dabei bist, damit wir beide ganz sicher sein können, was der andere sagt.«

Kadimba war noch nie in Oscars Zelt gewesen und sichtlich verlegen, als er hinter Hassan Heinrich eintrat. Sie waren zwar zusammen auf die Jagd gegangen, um Nashörner und andere Störenfriede zu dezimieren oder die Fleischvorräte aufzufüllen, aber sie hatten sich noch nie in so einem privaten Rahmen getroffen.

Wie die meisten Eingeborenen im Busch besaß Kadimba mehr oder weniger groteske Tätowierungen und rituelle Ritzungen auf der Haut. Das war nichts Ungewöhnliches. Aber die Narbenlinien auf Kadimbas Wangen sahen aus, als wären sie Krallenspuren wilder Tiere nachempfunden.

Oscar erkundigte sich danach, und es zeigte sich, dass er richtig geraten hatte. Die Narben sollten aussehen, als stammten sie von Löwenkrallen.

Kadimba war Mitglied eines Stammes, der in der Nähe des Sees lebte, den die *Mzungi* Victoriasee nannten. Wie auch für die Massai weiter im Norden hatte Simba als Feind und auch als übersinnliches Wesen mit magischen Kräften eine große Bedeutung. Um in die Gemeinschaft der Jäger und erwachsenen Männer aufgenommen zu werden, mussten die jungen Männer mit Speer und Schild bewaffnet einen Löwen töten. Wer im Kampf keine Kratzwunden davontrug, bekam sie beim Initiationsfest in die Wangen geritzt. Es war ehrenvoller, wenn Vater oder Onkel dem jungen Mann bei dem großen Fest die Wunden beibrachten, denn das zeigte, dass man die Begegnung mit Simba unbeschadet überstanden hatte und zu den Jägern mit Glück gehörte.

Oscar bat Kadimba um die Ausarbeitung einer Strategie für die bevorstehende Jagd. Sollte man versuchen, die Löwen zu schießen, wenn sie zurückkamen, um weitere Menschen zu erlegen, oder sollte man versuchen, sie vorher aufzuspüren? Oscar versuchte, die Fragen selbstsicher vorzutragen.

Während Hassan Heinrich dolmetschte, war Kadimbas Gesichtsausdruck zu entnehmen, dass die Fragen wichtig und schwierig zu beantworten waren. Kadimba dachte eine Weile nach und begann dann, eine Antwort zu formulieren.

»Simba weiß, wo wir sind, aber wir wissen nicht, wo er ist. Das müssen wir zuallererst bedenken, Bwana Oscar«, begann er. »Ich kann die beiden Brüder für euch aufspüren, und wir haben zehn Askaris im Lager. Das sind zehn Gewehre, außerdem haben wir ein Mausergewehr, und ich könnte mir vielleicht Ihre Mannlicher borgen. Trotzdem wäre es keine gute Idee. Es ist besser, zu warten, bis die zwei Brüder kommen, denn sie kommen ganz sicher.«

»Warum?«, fragte Oscar verblüfft, ohne abzuwarten, bis Hassan Heinrich fertig gedolmetscht hatte.

Kadimba erklärte, er kenne diese zwei alten Löwen, möglicherweise sei er ihnen schon einmal in einer anderen Welt oder zu einer anderen Zeit begegnet. Wie dem auch sei, er spürte sie in sich. Ihre Spuren, ihre Vorsichtigkeit und ihr Appetit auf Menschenfleisch hatten ihm verraten, wer sie waren und wie sie dachten. Sie waren beide sehr alt, vielleicht neun oder zehn Jahre, und vollkommen kahl, ohne Mähne. Vielleicht konnten die beiden noch immer *Mbogo*, den alten einsamen Büffel, töten, aber nicht einmal das sei sicher. In ein paar Jahren, wenn ihre Zeit gekommen war, würden die Hyänen sie einen nach dem anderen reißen. Vorher jedoch stand ihnen noch ein großer Vorrat an leicht zu erbeutenden Menschen zur Verfügung, um sich zu stärken und ihr Leben zu verlängern. Sie waren beide geübte und listige Jäger und wussten, dass sie nur bei Dunkelheit jagen konnten. Tagsüber schliefen sie in einem guten Versteck. Das bedeute, dass, wenn man sie schließlich aufspürte, was nach dem langen Regen und bei der feuchten Erde nicht so schwer sein dürfte, jedes Gestrüpp ihr Lager sein konnte. Und zehn Askaris in Lederstiefeln und Gamaschen und mit einem Gewehr auf dem Rücken, die durchs Gebüsch streiften, würden den Brüdern auf einen Abstand von fünf weiten Speerwürfen verraten, dass Menschen kamen, um sich zu rächen. »Junge Löwen würden vermutlich angreifen, wenn sie sich verfolgt fühlten. Das ist bei diesen zwei Brüdern anders. Sobald sie uns hören, werden sie sich verstecken. Ich verfolge ihre Spur weiter, und sie weichen erneut aus. Sie warten auf die Dunkelheit, und wir müssen vor Einbruch der Dunkelheit umkehren. Wenn wir wüssten, wo sie ihr Lager haben, und wenn wir diesem nahe genug kommen könnten, wenn sie jeden Tag zum selben Platz zurückkehrten, dann könnten wir sie einkesseln, den Kreis langsam verkleinern und sie schließlich bei ihrem Versuch, auszubrechen, erschießen. Aber wir wissen noch nicht genug, um sie auf diese Weise zu töten. Wir müssen das anders angehen, sie erschießen, wenn sie nachts ins Lager kommen. Aber das kann dauern. Wenn Simba heute Nacht kommt, wird er verwirrt und misstrauisch sein, weil wir das Lager verändert haben. Wenn Ihr mich fragt, wird er heute Nacht nicht kommen und auch nicht morgen, obwohl wir sicher frische Spuren in der Nähe finden werden. Er wird erst kommen, wenn er hungrig ist. Aber dann hat er sich die Boma bereits ausgesucht, die er angreifen will. In der dritten Nacht nach heute müssen wir Wachen aufstellen, am besten an einem hohen Platz mit Überblick, vielleicht auf dem Dach eines der Vorratswaggons, wo das Gleis endet.«

Kadimbas Worte erwiesen sich als zutreffend. In der dritten Nacht, nachdem das Lager umgestellt und mit zusätzlichen Feuern und Verschanzungen aus Dornengestrüpp um die inzwischen aufgeteilten Zeltgruppen ausgerüstet worden war, kehrten die beiden Löwen zurück.

Am frühen Abend saß Oscar auf dem Dach eines Vorratswaggons bequem in einem Sessel aus seinem Zelt mit einer Decke über den Beinen und seinem Mausergewehr auf dem Schoß. Solange es hell genug war, um zu schießen, fühlte er sich zuversichtlich. Kadimba hatte ihn beruhigt, dass Löwen schnell starben, wenn man sie am Rumpf und nicht an den Extremitäten traf. Traf man Schulter, Herz oder Lungen, starb die Bestie sofort. Ein Löwe bot eine große Angriffsfläche, und Bwana Oscar war schließlich ein guter Schütze.

Der Sonnenuntergang war seit dem Ende der Regenzeit vor einigen Wochen wieder ein rot glühendes Schauspiel. Die Geräusche der Dämmerung im Busch waren ihm inzwischen vertraut, auch wenn er die deutschen Namen der Vögel und Frösche nicht kannte. Eine Lemurenart, die sich durch ein eigentümlich klägliches Plärren auszeichnete, kannte er nur bei ihrem englischen Namen: *Bush Baby*. Die deutsche Akademie der Wissenschaften hatte sich noch nicht zu einem Namen durchringen können.

Die Feuer loderten hoch auf, und er hörte die gedämpften Stimmen der Arbeiter, die sich in ihren Burgen aus Dornenreisig zur Ruhe begaben. Er empfand in diesem Moment fast so etwas wie Wohlbehagen. Dass die Nächte im Mai manchmal noch recht kühl waren, machte dem Norweger nichts aus, der von den feuchtkalten Nächten zu Hause am Fjord ganz anderes gewohnt war.

Zu Hause am Fjord. Er hatte diese Worte auf Norwegisch gedacht, was ihn erstaunte. Er dachte sonst immer auf Deutsch, wenn er sich nicht gerade Vokabeln auf Swahili vorsagte, um die abendliche Unterrichtsstunde mit Hassan Heinrich zu rekapitulieren.

Er sah den Fjord vor sich, jede Landzunge, die Wiesen an den Hängen, die weißen Nachbarhäuser und die vereinzelten Segel draußen auf dem dunkelblauen Wasser, Freunde, Verwandte oder zumindest Bekannte auf dem Weg, um *Skrei* zu fangen, den laichenden Kabeljau, der einen besonders hohen Preis erzielte. Vielleicht segelten sie auch nach Bergen, um einen großen Fang zu verkaufen.

Ein überwältigendes Gefühl der Unwirklichkeit befiel ihn. Dort, am Fjord oder in Bergen, hätte er sich jetzt eigentlich befinden sollen. Stattdessen saß er in Afrika, an dem Punkt, an dem die Zivilisation endete, an dem die nächste Brücke errichtet werden sollte. Am anderen Ufer des ausgetrockneten Flusses lag das dunkle Afrika. Langsam, aber unaufhörlich kämpfte sich die Eisenbahn voran, durch meilenweite Malariasümpfe und Wüsten, sie überwand scheinbar undurchdringliches Gebüsch und undurchdringliche Wälder.

Sein Leben war also nicht ganz verfehlt. Er war ein Zahnrad in einer gigantischen Maschinerie, die den ganzen dunklen Kontinent der Zivilisation erschließen würde, eine historische Aufgabe unvorstellbaren Ausmaßes.

Auf persönlicher Ebene allerdings war sein Leben ganz klar verfehlt. Außerdem war er ein Verräter.

Eigentlich hätte er jetzt zusammen mit seinen Brüdern die Eisenbahnlinie zwischen Kristiania und Bergen bauen sollen. Auch dort mangelte es sicher nicht an Herausforderungen, einige Brücken auf der Hardangervidda waren mindestens so kompliziert wie die, an denen er gerade arbeitete. Die Herausforderungen dort oben, zehntausend Kilometer weiter nördlich, waren Schnee, Eis und starke Winde und nicht launische, reißende Flüsse oder Löwen, die Menschen fraßen, weiße vermutlich mit demselben Appetit wie schwarze.

Der Löwe. Simba.

Plötzlich befand er sich wieder in der Wirklichkeit, die jetzt kohlschwarz war. Er sah kaum die Hand vor Augen. Es war vollkommen still, sowohl im Wald als auch im Lager. Kadimba saß nur zehn Meter entfernt in derselben Position wie er auf dem anderen Eisenbahnwaggon, aber sie konnten sich nicht verständigen, nicht einmal flüsternd. Löwen hörten das Flüstern der Menschen, als würde man aus vollem Hals schreien, hatte Kadimba gesagt.

Die Feuer vor den Schutzwällen aus stacheligen Büschen glommen nur noch. Er hatte vollstes Verständnis dafür, dass keiner in die schwarze Nacht hinausschleichen wollte, um Holz nachzulegen. Aber das bedeutete auch, dass er bald praktisch blind und nur auf sein Gehör angewiesen sein würde. Er hatte zwar nicht so viel Schießerfahrung wie einige der alten Veteranen aus dem törichten, aber vermutlich auch letzten Krieg zwischen Deutschland und Frankreich, die mit gewichsten Knebelbärten preußisch-streng die Dresdner Scharfschützen kommandiert hatten. Andererseits war er aber auch nicht so taub wie die meisten von ihnen.

Aber das Gehör des Menschen war nichts verglichen mit dem der wilden Tiere Afrikas. Und die großen weichen Tatzen Simbas auf der feuchten roten Erde des Lagers waren für seine Ohren nicht zu hören.

Kadimba und er saßen in nur drei Metern Höhe ohne Rückendeckung da. Konnten Löwen so hoch springen? Vermutlich.

Vor der nächsten Nacht mussten sie Vorkehrungen treffen und ein Alarmsystem installieren. Sie könnten beispielsweise hinter den Waggons dünne Drähte spannen und leere Konservendosen daran befestigen. Die brillante Lösung eines findigen Ingenieurs, die leider zu spät kam, wie er sich mit Galgenhumor aufzumuntern versuchte.

Es herrschte vollkommene Stille und vollkommene Finsternis, ein paar nachzüglerische Regenzeitwolken verdeckten den Sternenhimmel. Außerdem war abnehmender Mond. Kadimba und er waren in diesem Augenblick definitiv die einzig sichtbare Beute im Lager, zwei Lockvögel sozusagen.

Oscar dachte sich noch weitere Sicherheitsvorkehrungen aus, die sich aber auch allesamt nicht mehr realisieren ließen.

Offenbar war er eingeschlummert, nachdem er einige Stunden abwechselnd über Verbesserungen des Hinterhalts nachgedacht und seine Todesangst zu bezwingen versucht hatte.

Plötzlich waren aus dem hinteren Teil des Lagers Schreie und lautes Klappern von Kochgeschirr zu hören, dazu das Gebrüll eines wilden, sehr großen Tieres. Bald waren die herumirrenden Lichter von Fackeln zu sehen, und das aufgeregte Geschnatter der Eingeborenen stieg zum Nachthimmel empor. Ein Schrei, der Todesangst ausdrückte, dann das Gebrüll eines Löwen und das eines zweiten.

Erst in der Morgendämmerung ließ sich feststellen, was geschehen war. Beide Löwen waren zurückgekehrt und hatten einen schmalen Tunnel oder Gang durch einen Wall aus Dornenbüschen gefunden. Dort waren sie eingedrungen, hatten ein nicht ganz geschlossenes Zelt entdeckt, einen Mann ins Freie geschleppt und ihn erst getötet, nachdem sie die Boma verlassen hatten. Das war der Todesschrei, den sie gehört hatten.

Kadimba schilderte Oscar die Ereignisse kurz und bündig beim Frühstück. Die Löwen hatten das Lager gründlich untersucht, vielleicht zwei Nächte lang, und dann zugeschlagen. Sie hatten die Zelte gewählt, die am weitesten von den beiden Schützen entfernt lagen. Das hatte mit Glück nichts zu tun, das war List.

Dass sie sich durch die Dornenbüsche hatten zwängen können, beruhte darauf, dass sie, was Kadimba von Anfang an gewusst hatte, vollkommen kahl waren. Ein Löwe mit üppiger Mähne hätte nicht durch das Loch gepasst, durch das die Brüder eingedrungen waren.

»Bwana Oscar«, seufzte Kadimba eher verlegen als beunruhigt. »Diese Löwen werden uns noch viel Ärger machen. Bald werden die Männer, die keine Jäger sind wie Bwana Oscar und ich, wieder an böse Geister glauben.«

*

Der Glaube an Zauberei und böse Geister schien unbezwingbar. Warum sonst konnte nichts diesen Dämonen in Löwengestalt etwas anhaben, ließen sie sich durch nichts überlisten? Bald würde Panik ausbrechen. Eines Abends lief ein Mann laut schreiend aus dem Lager in den Wald und ward nie mehr gesehen. Er war von den bösen Löwengeistern verhext worden, die sich dafür rächten, dass man es ihnen immer schwerer machte.

Das war die allgemeine Auffassung im Lager, und Oscar blickte mit Besorgnis der Ankunft des nächsten Transports mit Material und neuen Arbeitskräften von Daressalam entgegen. Vermutlich musste er seinen Askaris befehlen, die Eisenbahnwaggons mit aufgepflanzten Bajonetten zu bewachen und scharf zu schießen, falls seine Arbeiter versuchten, den Zug zu kapern und zu fliehen.

Kadimba und er hatten nichts unversucht gelassen. Sie hatten die Boma um die Zelte mit einer Palisade verstärkt, damit die Bestien nicht unter den Dornenbüschen hindurchkriechen konnten. Kadimba und er litten unter Schlafmangel wegen der Nachtwachen, die jetzt einfacher waren, da der Himmel inzwischen wolkenlos war und der Mond zunahm. Aber nichts half. Mit jedem neuen Hindernis ersannen die Löwen eine neue Taktik.

Sie wurden auch immer dreister. Sie kündigten ihre Besuche mit einem Gebrüll an, das einen Kilometer durch die afrikanische Nacht zu hören war, einem dumpfen, grollenden Geräusch, bei dem sich bei Schwarzen wie Weißen die Nackenhaare sträubten. Kadimba sagte, Simba signalisiere auf diese Weise, dass er sich seinem Jagdrevier nähere, und warne alle davor, ihm dieses Recht streitig zu machen. Die beiden Löwen hatten begonnen, das Eisenbahnerlager als ihre private Fleischfarm zu betrachten, in der die Tafel immer gedeckt war. Oscars Gefühl der Ohnmacht ging allmählich in Verzweiflung über.

Was den zunehmenden Aberglauben betraf, war es nicht sehr hilfreich, dass sich die beiden Löwen am helllichten Tag zeigten. Im Gegenteil.

Gegen zwei Uhr nachmittags griffen sie die Arbeiter am ersten Brückenfundament an. In der Tat wie böse Geister stürzten sie blitzschnell aus dem frischen, hohen Gras neben dem Fundament am Flussufer hervor, rissen einen der Arbeiter um, der ein paar Schritte entfernt sein Geschäft verrichtete, und verschwanden ebenso schnell mit ihrer Beute im hohen Gras. Nach wenigen Sekunden war alles vorbei.

Sie hatten sich jedoch lange genug gezeigt, damit alle sich ein erschreckend deutliches Bild von ihnen machen konnten. Sie waren sehr wuchtig und größer als das durchschnittliche Löwenmännchen. Außerdem waren sie vollkommen kahlköpfig, nicht einmal die Andeutung einer Mähne war an Kopf, Hals oder Schultern zu erkennen. Sie boten einen grotesken Anblick, löwenhaft und auch wieder nicht.

Oscars Mausergewehr hatte nur wenige Meter entfernt an einem Brückenpfeiler gelehnt, aber er hatte keinen Schuss abfeuern können, weil alles so schnell gegangen war. Er gab den naheliegenden Befehl, um den Brückenpfeiler herum in einem Fünfzigmeterradius das Gras mit Pangamessern zu mähen. Sensen standen ihnen leider keine zur Verfügung.

Am nächsten Tag saß er, das Mausergewehr im Anschlag, auf dem Brückenfundament und hoffte vergeblich. Die Löwen wiederholten ihre Überraschungstaktik nicht.

Stattdessen schien sie der Geruch menschlicher Exkremente auf eine Idee gebracht zu haben. An zwei aufeinanderfolgenden Spätnachmittagen stellten sie ihre Beute in hockender, schutzloser Position in nächster Umgebung des Lagers.

Die Angewohnheit der Eingeborenen, ihre Notdurft in der Natur zu verrichten, hatte die Eisenbahngesellschaft stillschweigend geduldet. Man hatte dies nicht als sonderliches Problem erachtet, da das Lager der Eisenbahnbauarbeiter normalerweise nach kurzer Zeit weiterzog. Aber an dieser Brückenbaustelle hielt man sich aufgrund der andauernden Verspätungen nun schon einen ganzen Monat auf. Als sich die Einsicht unter den Arbeitern durchsetzte, dass jeder, der sich zwecks Verrichtung seiner Notdurft zu weit vom Lager entfernte, sein Leben riskierte, verwandelte sich die nähere Umgebung des Lagers innerhalb weniger Tage in eine stinkende Kloake.

Dieser Umstand war für Dr. Ernst, der sonst eher verschlossen und zurückhaltend war und sich mit seiner Malariaforschung beschäftigte, der Tropfen, der das Fass zum Überlaufen brachte. Als Lagerarzt war er für die sanitären Verhältnisse verantwortlich. Der hagere Mann war zwar doppelt so alt wie Oscar, aber nur halb so schwer und wesentlich kleiner, und er hatte noch nie die Stimme erhoben. Jetzt marschierte er ohne vorherige Ankündigung in Oscars Zelt und deutete stumm und blass auf seine rechte Stiefelspitze. Er war ganz offensichtlich in Exkremente getreten.

Oscar versuchte die Situation mit Humor zu entschärfen und wies mit gespielter Strenge darauf hin, dass er ja durchaus Verständnis für Dr. Ernsts Lage habe, es ihm aber dennoch unpassend erschien, das Problem so handgreiflich zu illustrieren, indem er es ins Zelt mitbringe. Oscars Scherz hatte keinerlei beruhigende Wirkung, schien den sagenhaften Wutausbruch des kleinen Mannes im Gegenteil nur anzufachen.

Als wären die zu erwartenden Malariaprobleme nicht schlimm genug! Sollte man sich jetzt auch noch eine Choleraepidemie auf den Hals laden oder die Ruhr? Eine fast unvermeidliche Folge dieser sanitären Nachlässigkeit! Man sei nicht in Afrika, um sich wie die naiven Wilden aufzuführen, sondern um die deutsche Zivilisation zu verbreiten, und dazu gehöre die Cholera nun einmal nicht!

Gegen Dr. Ernsts Proklamation war nichts einzuwenden, nicht einmal was die Sache mit der deutschen Zivilisation betraf. Oscar bat Herrn Dr. Ernst, sich zu beruhigen, Platz zu nehmen und Maßnahmen vorzuschlagen.

Das weitere Gespräch verlief gemäßigter. Afrikanische Gewohnheiten hin oder her, man müsse funktionale Latrinen errichten, am besten nach militärischem Vorbild, eine tiefe Rinne, darüber ein Sitzbalken und das Ganze von geflochtenen Schilfwänden umgeben.

Die erste und wichtigste Maßnahme am nächsten Tag, noch vor Beginn der Bauarbeiten, müsse die Errichtung der Latrine sein. Vor der Latrine würde es Waschgelegenheiten geben, und wer sich nach Verrichtung seiner Notdurft nicht die Hände wusch, erhielt einen strengen Verweis. Diese hygienischen Maßnahmen seien ungemein wichtig, da die Gesundheit aller im Lager davon abhänge. Andernfalls wäre das Malaria-Forschungsprojekt gefährdet. Alle noch herumliegenden Exkremente mussten beseitigt und vergraben werden, notfalls mit bewaffneter Eskorte der Askari-Krieger!

Oscar hatte nichts einzuwenden. Er war Ingenieur und in den modernen Naturwissenschaften beheimatet, die mehr als alle anderen Wissenschaften die neue, friedliche Welt erschaffen würden. Was die Medizin betraf, war er, wenn auch nicht ganz ungebildet, kaum ein Experte. Die persönliche Hygiene war für ihn eher eine Frage der Ästhetik als eine Frage der allgemeinen Gesundheit. Er hatte jedoch keinen Grund, Dr. Ernsts Fachkenntnisse anzuzweifeln oder gar zu bestreiten.

Es würde nicht leicht werden, den ganzen nächsten Arbeitstag auf die Lösung der sanitären Probleme zu verwenden, statt den Brückenbau fortzusetzen. Allen war daran gelegen, die Brücken so schnell wie möglich fertigzustellen, um diesen verfluchten Ort endlich verlassen zu können. Einige Arbeiter glaubten nämlich zu wissen, dass die bösen Geister ortsgebunden seien und sich gegen das Eindringen in ihr Revier zur Wehr setzten. Doch laut Kadimba war es zwecklos, das Lager einige Kilometer zu verlegen. Die Löwen würden ihnen mit derselben Selbstverständlichkeit folgen wie normale Löwen den Zebras oder Büffeln.

Das Hauptproblem waren also die scheinbar unbesiegbaren Löwen. Bislang waren ihnen fünfzehn Arbeiter aus dem Lager zum Opfer gefallen. Man harrte also sehnsüchtig der Verstärkung aus Daressalam.

Er musste sich etwas einfallen lassen, wie er die beiden Bestien zur Strecke bringen konnte. Das war ebenso sehr eine Frage des Prinzips wie eine Frage der Menschlichkeit. Er war Bwana Oscar und der Vormann. Dieser Verantwortung musste er sich stellen.

Am nächsten Tag errichteten die Arbeiter murrend und schwitzend die Latrine nach seiner Zeichnung im Sand. Äußerst widerwillig wurden auch die Exkremente weggeschafft. Währenddessen unterbreitete Oscar Kadimba seinen neuen Plan.

Einer der beiden Waggons war in der Mitte durch ein stabiles Gitter abgetrennt, zum Transport von Löhnen, wissenschaftlichen Instrumenten, Waffen und Munition.

Man könnte doch zwei Askaris hinter das Gitter setzen, die gegenüberliegende Schmalseite des Waggons öffnen und die Soldaten als Lockvögel verwenden?

Kadimba war verdutzt, als er diese Idee hörte. Er sann lange darüber nach und versuchte dann, eine Antwort zu formulieren. Sein Swahili war jedoch so schlecht oder zumindest so unverständlich, dass Oscar Hassan Heinrich rufen musste, damit dieser übersetzte.

»Ich glaube«, sagte Kadimba, »dass Bwana Oscar eine gute Idee hat. Ich hätte selbst darauf kommen müssen. Ich entschuldige mich. Bei normalen Löwen würde so eine Falle nie funktionieren, aber diese Brüder sind keine normalen Löwen. Es könnte also gelingen. Wenn Simba kommt, um seine Beute zu holen, schließen unsere Askaris die große Falltür, die wir am Ende des Waggons anbringen. Simba wird rasend werden und uns alle wecken, bevor unsere Männer ihn erschießen. Wir werden Simba dabei behilflich sein, in die Falle zu tappen, und ich weiß auch schon, wie.«

Sie schlachteten eine der letzten Ziegen, die im anderen Waggon gehalten wurden, schleiften Lungen, Herz und Gedärme der Ziege um das Lager und ließen die Duftspur an dem Waggon mit der Falle enden.

Die Idee war zweifellos gut, aber es erwies sich als schwierig, zwei Freiwillige unter den normalerweise tapferen und mutigen Askari-Soldaten zu finden. Ihr erster Einwand war, die Jäger sollten die Lockvögel abgeben und nicht die Soldaten. Oscar gab sein Ehrenwort, dass er persönlich die Aufgabe nach zwei Nächten übernehmen und sich dann mit Kadimba abwechseln würde, aber er habe jetzt so viele Nächte gewacht, dass er ganz einfach schlafen müsse.

Wie die bewaffneten Schwarzen sein Ehrenwort auffassten, war unergründlich. Soweit er wusste, war die allgemeine Einstellung in Afrika, dass auf das Wort eines *Mzungu* ohnehin kein Verlass war. Wie auch immer, ihm als Chef vor Ort fiel die oberste Befehlsgewalt zu, und wer sich widersetzte, konnte bestraft werden und anschließend seine

Arbeit verlieren. Bei der Begutachtung des Eisengitters im Eisenbahnwaggon, der als Falle dienen sollte, waren sich alle einig, dass kein normaler Löwe ein solches Gitter durchbrechen konnte. Aber gegen böse Geister konnte kein Gitter dieser Welt etwas ausrichten, nicht einmal wenn es aus Gold war.

Oscar bemerkte trocken, dass die Goldvorräte im Lager äußerst begrenzt seien und Stahl fünfmal so widerstandsfähig sei. Ein Hinweis, der trotz seiner wissenschaftlichen Eindeutigkeit niemanden zu überzeugen schien.

Mehr oder weniger unter Zwang wurden zwei »Freiwillige«, die Oscar selbst ausgesucht hatte, im Waggon eingeschlossen. Er hatte sich vorher davon überzeugt, dass die Gewehre der beiden Männer, die außer sich vor Entsetzen waren, funktionierten. Dann drückte Oscar ihnen das Seil in die Hand, an dem sie ziehen sollten, wünschte ihnen eine gute Nacht und ging in sein Zelt.

Sobald er sein Moskitonetz geschlossen und seinen Kopf aufs Kissen gelegt hatte, schlief er ein.

Er hatte keine Ahnung, wie lange er geschlafen hatte, weil sein Schlaf der eines Bewusstlosen gewesen war. Erst begriff er nicht, warum er wach geworden war oder wo er sich befand. Dann hörte er Gewehrsalven und das Gebrüll eines Löwen.

Als er im Nachthemd, eine Petroleumlampe über den Kopf erhoben, zur Falle im Eisenbahnwaggon kam, sah er die Falltür schief hängen. Und im Waggon war es beunruhigend still.

Von bösen Ahnungen erfüllt, holte er tief Luft und versuchte, sich zu beruhigen. Kein Löwe konnte zwei Daumen dicke Gitterstäbe durchbrechen.

Er schob die kaputte Falltür beiseite und leuchtete in den Waggon. Er sah nur das Weiß von Augen hinter dem Gitter.

»War Simba hier?«, fragte er, obwohl er die Antwort kannte.

Die beiden Männer waren vor Schreck wie gelähmt und konnten nicht antworten.

Am nächsten Morgen rekonstruierte Oscar den Verlauf. Er hatte nicht gewusst, dass Schwarze blass werden konnten. Mithilfe Hassan Heinrichs musste er immer wieder nachfragen, bis er endlich wusste, was eigentlich geschehen war.

Simba, ob einer oder alle beide, war unklar, hatte sich plötzlich im Waggon befunden. Die beiden Askaris hatten, möglicherweise beeinflusst durch die mentale Kraft der bösen Geister, mit einer gewissen Verzögerung getan, was man ihnen aufgetragen hatte: Sie hatten an dem Seil gezogen, und die Falltür war zugeschlagen. Anschließend hatten sie in tiefster Finsternis losgefeuert. Sie hatten vielleicht ein Dutzend Schüsse ins Dunkel abgegeben und dabei versehentlich das Schloss der Falltür getroffen. Durch die Öffnung war Simba dann in die Nacht verschwunden. Das war alles.

Mit Tränen in den Augen verfasste Oscar seinen Bericht. Er war der Lösung dieses teuflischen Problems so nahe gewesen und hatte versagt. Wenn er es nicht besser wüsste, hätte er auch bald an Zauberei und böse Geister geglaubt.

Er erwog, aufzugeben, mit dem nächsten Transport nach Daressalam zu fahren, sich seinen Lohn auszahlen zu lassen und nach Norwegen zurückzukehren, um dort das zu tun, was er von Anfang an hätte tun sollen. Diesem schwarzen Übel hatte er nichts entgegenzusetzen, er war ein schlechtes Beispiel dafür, wie der weiße Mann Zivilisation und Fortschritt in Afrika verbreiten sollte. Zum zweiten Mal in seinem Leben hatte er versagt.

Kaum hatte er diesen quälenden Gedanken zu Ende gedacht, hörte er, wie Kadimba vor dem Zelt nach ihm rief. Mutlos ging er nach draußen und sah mit Erstaunen, dass sein Jagdgefährte überraschend fröhlich war.

»Bwana Oscar, wir werden einen Löwen töten, bevor die Sonne untergeht«, versicherte Kadimba mit einem strahlend weißen Lächeln.

Oscar konnte sich nicht beherrschen und umarmte ihn, fing sich aber rasch wieder und entschuldigte sich.

Kadimba führte ihn mit federnden, optimistischen Schritten zu dem ramponierten Waggon und erzählte ihm, was er in den Spuren lesen konnte. Jetzt brauchten sie Hassan Heinrich nicht, denn wenn sie sich über die Jagd unterhielten, verstanden sie einander mühelos.

Im Waggon war Blut, frisches Blut, sowohl auf dem Fußboden als auch an der Stelle, wo sich Simba ins Freie gezwängt hatte.

Kadimba kratzte mit dem Zeigefinger etwas Blut ab, hielt ihn hoch und leckte ihn dann triumphierend ab.

»Es ist seine Leber, Bwana Oscar, jetzt können wir ihn finden und töten, wenn er nicht schon tot ist«, sagte Kadimba mit einem strahlenden Lächeln. Dann trat er ins Freie und deutete auf die rote Erde und auf Blutspuren, die für Oscar nicht zu sehen waren. Er streckte den Arm in die Richtung, in die Simba geflüchtet war.

Nach einem soliden Frühstück bewaffneten sie sich, füllten ihre Wasserflaschen und folgten der Spur. Anfänglich hatte der Löwe noch meterweite Sätze gemacht, dann hatte er sich beruhigt und seinen Weg langsamer fortgesetzt. Nach einigen Hundert Metern wurde Oscar unruhig und hielt an, um zu beratschlagen. Soweit er sehen könne, erklärte er, folgten sie jetzt einem unverletzten Löwen, der sich ohne sonderliche Eile fortbewege. Kadimba schüttelte den Kopf und deutete auf den deutlichen Abdruck einer Hinterpfote.

»Seht, Bwana Oscar! Er läuft mit gespreizten Klauen.«

Die Bedeutung dieses Umstands war Oscar nicht recht klar, aber er schob seinen Verdruss über seine Unwissenheit beiseite und fragte nach. Es bedeute, dass Simba Schmerzen hatte, dass er sterben würde, erklärte Kadimba. Simba sei sich dessen bewusst, und das mache ihn noch gefährlicher. Die Spuren, die sie vor sich hatten, waren höchstens fünf Stunden alt. Kadimba hob einen Brocken roter Erde vom Boden auf und verrieb ihn auf Oscars weißem Handgelenk. Ein deutlicher roter Blutfleck.

Sie waren jetzt eine Stunde gegangen, für ein schwer verletztes Tier eine sehr lange Strecke, fand Oscar. Ihm fiel auf, dass auch Kadimba zögerte. Er schlug vor, eine Pause zu machen. Kadimba nickte lächelnd, sie setzten sich und öffneten ihre Wasserflaschen.

Oscar versuchte, seine Gedanken zu ordnen. Der Löwe war von einer Kugel getroffen worden, die die Leber durchstoßen und wieder aus dem Rumpf ausgetreten war. Ein Mensch wäre unter diesen Umständen schon längst ohne Bewusstsein oder tot gewesen, dieser Löwe war jedoch mindestens eine Stunde auf der Flucht.

»Kadimba, weißt du, wo er ist?«, fragte er.

Kadimba sah ihn erstaunt an und deutete dann auf ein dichtes Gestrüpp in fünfzig Meter Entfernung.

»Er liegt dort, wir sind am Ziel, Bwana Oscar. Ich dachte, dass wir deswegen hier pausieren«, antwortete Kadimba achselzuckend. »Vielleicht ist er tot, vielleicht auch nicht. Jedenfalls ist er dort.«

»Was machen wir jetzt?«, fragte Oscar.

Kadimba lächelte und entsicherte seine Mannlicher. Er gab Oscar ein Zeichen, sein Mausergewehr ebenfalls zu entsichern.

Sie legten die halbe Strecke zum Gestrüpp zurück und blieben stehen. Kadimba bedeutete Oscar, sehr niedrig in das Gestrüpp hineinzuschießen und dann rasch nachzuladen. Oscar folgte Kadimbas Anweisung, wobei ihn der Gedanke streifte, dass er noch nie einen Befehl von einem Eingeborenen bekommen hatte. Er schoss sehr tief und lud rasch nach.

Der Löwe schnellte wie ein graugelber Blitz und mit lautem Gebrüll direkt auf sie zu. Sie schossen gleichzeitig, und das Tier brach einige Meter vor ihnen zusammen, versuchte sich aufzurichten, wurde dann aber von zwei weiteren Kugeln getroffen. Die Hinterbeine zuckten ein paarmal, dann blieb er reglos liegen.

»Es war nicht leicht, ihn zu erlegen, aber jetzt ist er tot«, sagte Kadimba.

Wie ein böser Geist, dachte Oscar und berührte sicherheitshalber mit dem Lauf seines Gewehrs das Auge des Löwen, dessen Lid sich nicht bewegte.

Erst jetzt konnten sie das Monster genauer in Augenschein nehmen. Kadimba versicherte, dass das der größte Löwe sei, den er je gesehen habe.

Sechs Männer waren nötig, um den Löwenkadaver zurück zum Lager zu tragen. Die Arbeiten wurden an diesem Tag eingestellt und die letzten bayerischen Biervorräte ausgetrunken. Die Männer tanzten im Kreis um den toten Löwen herum, während sie besangen, wie tapfer sie waren, als sie Simba getötet hatten.

Oscar trank sich zum ersten Mal im Busch mit lauwarmem Bier einen Rausch an, war aber geistesgegenwärtig genug, dem Löwen das Fell abziehen zu lassen, bevor es Schaden nahm. Dieses Mal meldeten sich viele Freiwillige.

Er wollte das Fell als Beweis aufheben, einerseits für die Direktion in Daressalam, aber hauptsächlich als Beweis für die Männer im Lager, dass es keine bösen Geister gab, die der weiße Mann nicht besiegen konnte.

Er war sich jedoch, ehe er mit einer Mischung aus Glücksgefühl, Rausch und Ermattung einschlief, bewusst, dass der Kampf nicht vorüber war. Der zweite Bruder Simba war unverletzt.

V

LAURITZ

Hardangervidda, Mai 1901

Lauritz' Gliedmaßen und Muskeln fühlten sich steif an und
schmerzten, als er davon erwachte, dass Estrid in der Stube
für das Frühstück deckte. Er quälte sich aus dem Bett und
sah ein, dass die einzigen Lockerungsübungen, die er kannte, die für Radfahrer nach hartem Training waren. Besser
als nichts, dachte er und begann mit den Übungen.

Das Frühstück bestand aus Sauerrahmbrei, Fladenbrot,
Ziegenkäse und Speck. Es war wichtig, vor einem harten
Arbeitstag ordentlich zu frühstücken.

Daniel brütete wieder vor sich hin, und Lauritz fiel auch
nichts ein, womit er die Unterhaltung hätte ankurbeln
können.

Die technische Ausrüstung wurde im Büro aufbewahrt.
Lauritz holte sich einen Theodoliten der Marke Zeiss, wie
er zufrieden feststellte, Messlatten, ein Stativ, die Pläne und
Millimeterpapier, um direkt auf der Baustelle an der Strecke nach Ustaoset Skizzen anfertigen zu können.

Sie würden sich in verschiedene Richtungen begeben,
Daniel hinauf zur Tunnelbaustelle bei Vikastølen und er
selbst den Hang hinunter. Es war kurz nach sechs Uhr mor-

gens, die Nacht war kalt gewesen, und die vereiste Schneedecke trug.

Er kam rasch voran, fast zu schnell, sodass er einige Male beinahe gestürzt wäre. Aber selbst nachdem er sein Tempo gedrosselt hatte, ging es rasch und mühelos voran, denn Messinstrumente, Messlatten und Schreibzeug wogen nicht einmal die Hälfte von dem, was er am Vortag in seinem Rucksack mit sich geschleppt hatte.

An dem Platz, wo die erste Brücke errichtet werden sollte, lag die Arbeiterbaracke. Sämtliche Arbeiter waren mit Schneeschaufeln beschäftigt. Der Weg von der Baracke zur Baustelle war bereits freigeschaufelt, jetzt waren sie damit beschäftigt, die beiden Bauplätze für die Brückenpfeiler freizulegen, die fünfzehn Meter voneinander entfernt beidseitig einer Schlucht lagen, durch die in acht Meter Tiefe ein Bach lief, der noch gefroren war.

Lauritz fuhr auf dem Eis den Bach hinunter, blieb in etwa zwanzig Meter Entfernung stehen und betrachtete den Bauplatz. Die Arbeiter über ihm schienen keine Notiz von ihm zu nehmen und arbeiteten weder schneller noch langsamer. Eine steinerne Bogenbrücke ist genau das Richtige, dachte er, legte seinen Rucksack ab und suchte die Pläne heraus. Das meiste wirkte logisch und verwendbar, ihm fielen jedoch auf Anhieb einige Verbesserungsvorschläge ein. Er schulterte seinen Rucksack und mühte sich in einem Bogen aufwärts durch den Tiefschnee zu dem Platz, an dem gerade der Schnee für den Bauplatz des Brückenpfeilers weggeschaufelt wurde. Der Hang schien aus solidem Granit zu bestehen, was seinen Plänen sehr zustattenkam.

Einer der Männer mit Schlapphut und langem schwarzem Bart rammte seine Schaufel in den Schnee und trat energisch auf Lauritz zu. Er nahm seinen Hut ab und hielt Lauritz eine Hand hin, die die Größe einer Bratpfanne hatte.

Lauritz nahm seine viel zu warme Wolfspelzmütze ab und ergriff die ausgestreckte Hand.

»Sind Sie der Vormann Johan Svenske?«, fragte er.

»Derselbige, und Sie sind der neue Ingenieur, angenehm«, erwiderte der Riese und drückte Lauritz' Hand, sicher mit Absicht, viel zu hart.

Sie musterten sich einige Sekunden lang gegenseitig. Die anderen Männer kümmerten sich nicht um sie und schaufelten im selben Takt weiter wie vorher.

»Hier soll, soweit ich informiert bin, eine Bogenbrücke errichtet werden«, sagte der Vormann in einer eigenwilligen Mischung aus Schwedisch und Norwegisch. »Eigentlich hätte heute früh das Material für die Gerüste kommen sollen, aber die Lieferung scheint sich zu verspäten. Vermutlich trifft sie am Nachmittag ein.«

»Heißen Sie wirklich Svenske, oder werden Sie nur so genannt?«, fragte Lauritz.

»Ich heiße Johansson, Svenske ist mehr ein Ehrenname«, grinste der Vormann und schob sich eine große Prise Snustabak unter die Oberlippe. »Der Steinbruch liegt nur fünfhundert Meter von hier entfernt, falls Sie das interessiert.«

»Gut«, sagte Lauritz. »Ich würde Ihnen gerne die Pläne zeigen und über ein paar Änderungen sprechen. Können wir uns in die Baracke setzen?«

Der Vormann zuckte mit den Schultern und bedeutete Lauritz, dass er auf Skiern vorausfahren sollte.

Er hatte bereits die Pläne auf einem der vier Esstische

ausgebreitet, als Johan Svenske eintrat, Platz nahm, ohne Weiteres die Pläne in seine Richtung drehte und eine Weile studierte.

»Das Übliche, nichts Neues, nichts Außergewöhnliches«, stellte er fest und schob die Pläne mit fragender Miene beiseite, als sei alles von Anfang an und noch ehe er die Pläne gesehen hatte sonnenklar gewesen.

Lauritz zögerte kurz, überlegte, wie er seine Änderungsvorschläge vortragen sollte, ohne sich eine Blöße zu geben.

»Hier«, sagte er, drehte die Pläne so, dass beide sie sehen konnten, und deutete mit einem Bleistift, »gibt es einen schwachen Punkt. Der Fels, an dem wir den westlichen Pfeiler des Gewölbes ansetzen wollen, neigt sich nach außen. Das ist ungünstig. Wir benötigen einen sieben Meter breiten Absatz, den wir mit Steinen auffüllen, damit der Pfeiler horizontal wie vertikal abgestützt wird. Was halten Sie davon?«

Er wartete, ohne seine Nervosität zu zeigen, während der Vormann neugierig die Pläne studierte, sich den Bart kratzte und nachdachte.

»Das ist eine gute Idee«, sagte er schließlich. »So hätten wir auch an den anderen Plätzen vorgehen sollen, aber das wird natürlich teurer. Und erhöht den Akkord. Ich hatte schon einen Vorschlag, muss jetzt aber noch mal nachrechnen. Wir müssen sprengen und uns mindestens einen halben Meter in den Fels bohren. Mal sieben Meter, mal fünf Meter, das ergibt etliche Kubikmeter.«

»Ja«, erwiderte Lauritz, »aber es wird eine viel sicherere Brücke.«

»Stimmt, Sie scheinen sich auszukennen, Herr Ingenieur. Aber erst müssen wir den Schnee wegschaufeln, dann erledigt die Sonne den Rest.«

»Die Sonne?«

»Ja. Wenn der schwarze Granit zum Vorschein kommt, wird er von der Sonne aufgeheizt. Innerhalb weniger Tage ist alles sauber und trocken, und wir können mit dem Sprengen anfangen. Aber nur wenn das Wetter so bleibt, und das weiß man nie.«

Sie schienen einander gefunden zu haben. Lauritz war eher froh als erleichtert, es reizte ihn, mit jemandem zusammenzuarbeiten, der sich sein Wissen in der Praxis und nicht im Vorlesungssaal angeeignet hatte.

Er ließ sich ein paar Männer zuteilen, die die Messlatten halten konnten, da er jetzt genaue Messungen auf dem Bauplatz vornehmen wollte.

Diese Männer hatten zweifellos schon früher assistiert, sie stellten seine Anweisungen nicht infrage und harrten geduldig aus, bis er ihnen ein Zeichen gab, dass sie mit den Latten wieder einige Meter zurücktreten sollten.

Als Lauritz etwa die Hälfte der Messungen durchgeführt und notiert hatte, trafen die beiden verspäteten Schlitten mit dem Material für die Gerüste aus Ustaoset ein. Die Pferde, kleine und zähe Fjordpferde, strengten sich an, der Atem stand ihnen wie weißer Dampf vor den Nüstern. Die Hälfte der Arbeiter ließ ihre Schaufeln fallen und begann die Schlitten abzuladen. In diesem Moment fielen die ersten Schneeflocken.

Lauritz schaute in den Himmel. Er war so sehr mit seinem Messinstrument beschäftigt gewesen, dass er den Wetterumschwung nicht bemerkt hatte. Der Himmel war dunkelgrau, der Wind frischte auf, und der Schnee fiel dichter. Ohne dass der Vormann etwas sagte, schulterten die Arbeiter ihre Schaufeln und gingen auf die Baracke zu. Die beiden Männer mit den Messlatten sahen ihn ungeduldig und fragend an.

Sie haben natürlich recht, dachte Lauritz, als er sah, wie sich das Okular mit nassen Schneeflocken füllte. Bei diesem Wetter konnte man weder Messungen durchführen noch Zahlen niederschreiben. Er bedeutete ihnen mit der Hand, dass sie sich ebenfalls in die Baracke begeben sollten. Auf den wenigen Metern dorthin ging der Wind in Sturm über.

Die Männer machten es sich in der Baracke bequem. Die meisten legten sich auf ihre Pritschen, einige zogen ein Kartenspiel aus der Tasche und setzten sich an einen Tisch, einer saß vor dem Ofen und fettete seine Stiefel ein. Johan Svenske lud die beiden Kutscher und Lauritz an seinen Tisch ein und bot ihnen Kaffee an, da man nicht wisse, ob dieses Unwetter in zwanzig Minuten vorüber sei oder erst in zwanzig Tagen. Die Kutscher machten sich Sorgen wegen ihrer Pferde. Nasser Schnee und harter Wind seien das Schlimmste, besonders nach einem so schwierigen Transport wie dem von Ustaoset. Der Schneematsch lege sich wie eine dicke nasse Decke auf den Rücken der Tiere und kühle sie viel zu schnell aus. Schlimmstenfalls bekämen sie eine Lungenentzündung und stürben.

Lauritz schielte zum Vormann hinüber, dem nicht anzusehen war, was er zu diesem Thema dachte. Der Sturm nahm an Stärke zu. Der Wind pfiff um die Ecken und Dachtraufen, und ab und zu zitterte die ganze Baracke.

»Können wir die Pferde nicht reinholen?«, fragte Lauritz. Er fürchtete zwar, sich lächerlich zu machen, aber die

Pferde taten ihm leid. Und im Mittelteil der Baracke, direkt beim Eingang, war genügend Platz.

Johan Svenske grinste breit. Eher freundlich als höhnisch, hoffte Lauritz.

»Tja«, meinte der Vormann und kratzte sich den Bart. »Ich dachte, es schickt sich nicht mit Pferden unter einem Dach mit dem Herrn Ingenieur, aber wenn Sie es selbst vorschlagen …«

Er nickte den beiden Kutschern fröhlich zu, die angespannt die Reaktion auf Lauritz' Vorschlag abgewartet hatten und jetzt blitzschnell aufsprangen und sich in den Sturm hinausbegaben. Die Tür schlug im Wind, bis jemand murrend aufstand und sie wieder schloss.

Wenig später standen zwei sehr nasse, sehr friedliche Fjordpferde mit hängenden Ohren im Flur, während ihre Besitzer mit Händen und Armen eine dicke Schicht schweren, nassen Schnees von ihren Rücken strichen. Die Köchin kam aus der Küche, machte große Augen und schimpfte lauthals, sie werde nicht dafür bezahlt, Pferdemist zu beseitigen. Ihr Ausbruch sorgte für allgemeine Heiterkeit. Man versicherte ihr, dass es in der Baracke den einen oder anderen gebe, der sich um den Pferdemist kümmern würde. Man müsse ihn einfach nur in den Ofen schaufeln.

Der Kaffee war heiß und erstaunlich stark und gut. Lauritz war behaglich zumute. Hier waren alle gleich, Ingenieur, Kutscher, Vormann und Arbeiter. Und würde er über Nacht bleiben müssen, so war weiter nichts dabei. Hier gab es zwar kein Telefon wie im Ingenieurshaus, aber das Wetter war Erklärung genug, warum er nicht zum Abendessen in Nygård erschien.

Er begann Johan Svenske über die besonderen Fähigkeiten der verschiedenen Arbeitergruppen auszufragen und erkundigte sich, welche Arbeiten Svenske selbst am liebsten ausführte. Das war nicht nur höfliche Konversation, er wollte sich schnellstmöglich alles Wissenswerte aneignen, was in Dresden nicht gelehrt worden war. Die notwendigen theoretischen Kenntnisse besaß er bereits, davon war er überzeugt. Aber etwas ganz anderes – Dinge, die Daniel Ellefsen angedeutet und von denen ihn Johan Svenske anhand einfacher Maßnahmen rasch und beiläufig überzeugt hatte – waren die Kenntnisse, für die er am meisten Verwendung hatte.

Johan Svenske ließ sich nicht zweimal bitten. Er war stolz auf seinen Beruf und ein guter Erzähler. Tunnel und Brücken waren sein Ding, Brücken im Sommer und Tunnel im Winter. Bei Tunneln sei es besonders schwer, den Akkord einzuschätzen. Anfangs schaffte man vielleicht drei Meter pro Tag, aber dann stoße man plötzlich wie aus reiner Teufelei auf anderes Gestein, und es ging nur noch einen halben Meter pro Tag voran. Wusste man, mit welcher Granitart man es zu tun hatte, ließ sich leicht berechnen, wie schnell oder langsam er sich brechen ließ. Am besten sei der rote Granit, am schlimmsten der hellgraue, durch den könne man sich kaum hindurchsingen. Ja, er hatte richtig gehört, singen. Das war die beste Methode. Zwei Mann drehten den Steinbohrer, zwei Mann schlugen die Hämmer. Zwei Schläge, eine Umdrehung, zwei Schläge, eine Umdrehung, das ergab einen besonderen Rhythmus.

Er klatschte in die Hände und forderte ein paar Männer auf, den Höllengesang vorzutragen, den man anstimmte, wenn es am schwersten war. Einige Männer begannen zurückhaltend. Sie waren es nicht gewohnt, vor Ingenieuren oder anderen Außenstehenden aufzutreten. Bald stimmten andere ein, und schließlich wurde die Baracke von einem, wie Lauritz fand, erstaunlich wohlklingenden, dreistimmigen Gesang erfüllt. Er konnte es richtig vor sich sehen, wie es um die niedersausenden Vorschlaghämmer staubte und wie verschwitzte Arme langsam und unerbittlich den Bohrer immer weiter in den widerspenstigen Granit trieben, bis man schließlich weit genug vorgedrungen war, um Dynamit in das Loch schieben zu können.

Am anstrengendsten waren die Tunnel, am gefährlichsten die Einschnitte im Hang, weil es hier zu Erdrutschen kommen konnte. In diesem Fall musste man sich gegen den Hang werfen, um nicht zerschmettert oder, was häufiger vorkam, grün und blau geschlagen zu werden. Die Lösung war, die Arbeiter oberhalb des Einschnitts mit Hämmern auf alles einschlagen zu lassen, was ins Rutschen geraten konnte, auf diese Weise wurden zumindest die erkennbaren Gefahren beseitigt. Aber der Berg war trügerisch, oberflächlich unsichtbare Risse konnten plötzlich aufklaffen, wenn ihnen durch den Einschnitt gewissermaßen die Grundlage entzogen würde. Dann konnte ein Donnerwetter losbrechen, wenn man es am wenigsten erwartete.

Brücken zu bauen war die angenehmste Arbeit, fand Johan Svenske. Weil es Sommerarbeit war und weil sie, im Unterschied zur Arbeit an Tunneln und Einschnitten, mit jedem Tag schneller voranginge. Aber es gebe noch einen anderen Grund, Brücken seien obendrein schön. Wie diese schöne Bogenbrücke, die sie nun in Angriff nehmen würden. Endlich hatte er die Bauzeichnung zu sehen bekommen, und sie sah genau so aus, wie er sie sich vorgestellt hatte, zumindest fast. Wo doch als Neuerung eine horizontale Stütze für die Konstruktion in den Fels gesprengt werden sollte. Das war wirklich keine dumme Idee! Man konnte über Ingenieure sagen, was man wollte, aber manchmal hatten auch sie lichte Augenblicke.

Lauritz war Lob von seinen Dozenten und Fahrradtrainern gewohnt und hatte gelernt, dass man sich vor Hochmut in Acht nehmen musste. Aber bei Johan Svenskes Worten wurde ihm ganz warm ums Herz. Immerhin hatten sie drei Brücken vor sich, und er war ein Grünschnabel. Diplomingenieur mit einem Examen aus Dresden, aber dennoch ein Grünschnabel.

Das Unwetter hatte nachgelassen. Einige Männer stellten sich auf die Veranda, spähten in den Himmel und riefen, man könne wieder zu den Schaufeln greifen. Dreißig Zentimeter nasser, schwerer Schnee waren gefallen. Alles, was man an diesem Tag weggeschaufelt hatte, lag in doppelter Menge wieder da.

Die Kutscher führten die widerwilligen Pferde, die ganz offensichtlich die Stubenwärme nicht verlassen wollten, ins Freie. Sie hatten sich vorbildlich verhalten und keine Pferdeäpfel zurückgelassen.

Lauritz beschloss, nach Nygård zurückzukehren, um die Zeichnung für den Brückenpfeiler für den nächsten Tag fertigzustellen. Danach wollte er wiederkommen und das andere Brückenfundament vermessen. Er erkundigte sich nach dem Wetter, woraufhin Johan Svenske einen hinkenden kleinen Mann herbeirief, der eine Weile in den Himmel schaute und dann sagte, ein Hochdruck sei im Anzug und es werde kälter und klar werden. Lauritz bedankte sich und stellte sich auf seine Skier. Es war erst vier Uhr nachmittags, und er würde wohl rechtzeitig zum Abendessen zu Hause sein.

Bergab auf dem überfrorenen Schnee hatte es eine Stunde gedauert, für den Rückweg kalkulierte er drei Stunden.

Bereits nach einer halben Stunde kamen ihm Zweifel hinsichtlich seiner Einschätzung. Der Schnee war schwer und nass, bot keinen Widerstand und trug nicht. Selbst seine breiten Hickory-Skier sanken dreißig Zentimeter ein. Es war, als wate er durch dicken Brei. Da das Abstoßen besonders beschwerlich war, wurden ausgerechnet jene Muskeln am stärksten beansprucht, die vom Muskelkater des Vortags betroffen waren. Er erwog kurz, zur Arbeiterbaracke zurückzukehren, wo er sicher einen Winkel finden würde, in dem er übernachten konnte.

Aber das war ihm zu peinlich. Ein Ingenieur, noch nicht trocken hinter den Ohren, der nicht wie alle anderen nach dem Arbeitstag auf Skiern nach Hause fahren konnte. Er biss die Zähne zusammen und setzte seinen Weg fort.

Schmerzende Muskeln in Schach zu halten war er gewohnt. Wer die Laktate beim Spurt am besten zu handhaben wusste, gewann. Und er gewann meistens, er war Europameister.

Aber das galt nur, wenn ihm das Publikum zujubelte und applaudierte. Außerdem ein Publikum mit einer Zuschauerin, die ihm mehr bedeutete als alle anderen Menschen auf der Welt. Und mit noch einem Menschen, ihrem Vater, der Lauritz' Glück und Verderben mehr als alle anderen in der Hand hatte.

Er versuchte sich mit Erinnerungen an Dresden vom Schmerz in seinen Oberschenkeln abzulenken und ließ eine Szene nach der anderen vor seinem inneren Auge Revue passieren.

Das Velodrom. Der eigentümliche Geruch von Gummi,

Öl, Schweiß und Lack. Der rötliche Lack, der eine Oberfläche bildete, die glatt wie Glas war. Die ovale, nach innen geneigte Bahn aus Buchenholz, die Bohlen penibel zugeschnitten und ohne die kleinste Kerbe oder Unebenheit ineinandergefügt.

Er musste stehen bleiben und durchatmen. Erst jetzt begriff er, dass es eine einfache, logische Erklärung für seine Atemnot gab. Er befand sich auf über tausend Meter Höhe, und sein Organismus hatte sich noch nicht angepasst.

Das würde im Laufe der nächsten Tage sicher besser werden, aber diese Einsicht war im Augenblick kein Trost. Er schnallte die Skier ab, wuchtete sie auf die Schulter und kämpfte sich neben dem zukünftigen Bahngleis durch den Schnee aufwärts. Bereits nach wenigen Minuten stellte er fest, dass das eher noch schwieriger war.

Der eisige Nordwestwind ließ den Schneematsch blitzschnell gefrieren. Krachend brach er immer wieder bis zu den Waden durch die obere Schneeschicht. Keine Wolke war am Himmel, die Sonne versank hinter den Gipfeln, und der Weg nach oben verwandelte sich in riesige Spiegelflächen, als das Licht schräg auf die Bergwände fiel. Er kniff die Augen zusammen, denn er hatte nicht vergessen, was Kollege Ellefsen über die Schneeblindheit gesagt hatte.

Die Sächsische Staatsoper, so nannte sie kein Dresdner, obwohl dies der offizielle Name war. Alle sagten Semperoper. Richard Wagner hatte dort dirigiert. Und wie der Architekt der Oper, Gottfried Semper, war auch er aus politischen Gründen des Landes Sachsen verwiesen worden. Sie waren angeblich für die Demokratie gewesen. Das wurde ihnen beiden, insbesondere Wagner, später verziehen. Und der Baron liebte den »Ring« und besonders »Die Walküre«.

Eine gute Art der Ablenkung. Lauritz versuchte, sich den eindrucksvollen »Walkürenritt« zu vergegenwärtigen, der wunderbar in diese Landschaft passte. Jotunheimen war nicht allzu weit entfernt. An Ragnarök, die »Götterdämmerung«, konnte er sich nicht mehr so gut erinnern und wandte sich daher wieder den Walküren zu.

Nein, so ging das nicht. Er musste sich wieder auf die Bretter stellen. Vielleicht hatte die schnell sinkende Temperatur nach den letzten wärmenden Sonnenstrahlen ja zur Folge, dass der Schnee wieder überfror und die Skier nicht mehr einbrachen.

Gold und Elfenbein, der große violette oder, vornehmer ausgedrückt, purpurne Vorhang. Die Farbe, mit der römische Kaiser und Feldherren ihre Umhänge färben ließen, die aus kleinen im Meer lebenden Schnecken gewonnen wurde, die kostbarer war als Gold. Ein gigantischer Kronleuchter schwebte über dem Parkett.

Seine regelmäßigen Opernbesuche in Dresden waren ein reines Täuschungsmanöver gewesen, für das es eine einfache Erklärung gab. Der Baron hatte ein Abonnement. Eine Loge im ersten Rang. Der erste Rang war mit Ausnahme der Königsloge der sächsischen Oberklasse vorbehalten. Der Baron besuchte jedoch nur die Vorstellungen, die er als kerndeutsch betrachtete, kurz und gut: Wagner.

Nachdem Lauritz seine erste Universitätsmeisterschaft gewonnen hatte, erhielt er als besondere Prämie einen Platz in der Loge des Barons für den Rest der Spielzeit. Der Baron war Ehrenvorsitzender im Velozipedclub der Universität.

Als ihm das Angebot unterbreitet wurde, hatte er anfänglich nicht gewusst, wie er, ohne unhöflich zu wirken, diese zeitaufwendige Gunst ausschlagen konnte. Er trainierte viel und studierte eifrig. Was die Oper seiner Meinung nach hauptsächlich auszeichnete, war, dass sie ungeheuer viel Zeit verschlang.

Die Eisschicht wurde zunehmend stabiler, er sank nicht mehr so tief ein. Wenn er sich an den Rand des matschigen Transportweges hielt, würde er vielleicht sogar so etwas wie eine Spur zustande bringen. Auch wenn ihm das im Augenblick nicht viel nützte, könnte die Spur eine große Hilfe sein, wenn er am nächsten Tag zurückmusste.

Ein grauenvoller Gedanke, mit dem er sich abfinden musste. Diese kräftezehrende Anstrengung war nur das Ende des ersten Arbeitstages. Morgen würde er wieder dieselben Strapazen durchmachen müssen.

Zurück zur Oper. Was der Baron nicht mitbekam, als er sich beim Siegesbankett über den Tisch beugte, um ihm das großzügige Angebot eines Platzes in seiner Opernloge zu machen, war die Miene seiner Tochter zu seiner Linken. Ingeborg hatte Lauritz eifrig zugenickt und dann rasch in eine andere Richtung geschaut. Und er hatte sich überschwänglich für das Angebot bedankt und es angenommen.

Stand Wagner auf dem Spielplan, saßen auch der Baron und seine Gattin in der Loge. Das erforderte List, Kaltblütigkeit und Diskretion. Eine flüchtige Berührung hier und da, rein zufällig, wenn er Ingeborg zur Pause seinen Arm reichte und sich die Gesellschaft zu den Erfrischungen ins Foyer begab. Sie schob unbeobachtet ihren Fuß an seinen, vorzugsweise während eines dröhnenden Crescendos, das die Aufmerksamkeit ihres Vaters vollkommen gefangen nahm, eine kurze, flüchtige Berührung, bei der ihm das Blut in den Schläfen rauschte.

Wurden französische oder italienische Opern gespielt, erschienen weder der Baron noch seine Gattin. Dann saßen Ingeborg und er ganz hinten in der Loge, so weit wie möglich von der Balustrade entfernt. Dort gaben sie sich zur Ouvertüre der »Diebischen Elster« den ersten Kuss.

Der Baron durchschaute sie viel zu schnell. Jedenfalls ergriff er Vorsichtsmaßnahmen. Ingeborg durfte nur noch mit der Haushälterin oder einer Freundin in die Oper. Die Haushälterin konnte sich jedoch nicht beliebig für die Oper freinehmen. Hatte der Baron Gäste, was häufig der Fall war, wenn er sich in der Stadt aufhielt, war ihre Anwesenheit im Haus erforderlich.

Plötzlich trugen die Skier wieder. Von der Sonne war hinter den hohen Bergen im Westen nur noch ein rotgoldener Streifen zu sehen. Er stellte fest, dass er das Abendessen verpasst hatte. Er hatte einen solchen Hunger, dass ihm fast schon übel war. Die Skier glitten jedoch voran, er hinterließ zwei zehn Zentimeter tiefe Spuren, die nass, aber vollkommen glatt waren. Im Laufe der Nacht würden sie sich in Eisrinnen verwandeln, die zu glatt waren, um bergauf zu kommen, und die zu rasch bergab führten. Jetzt aber kam er besser voran als während der vergangenen Stunden, die er durch den Schneematsch gewatet war.

Sobald er sich nicht mehr in seine Erinnerungen flüchtete, kehrten die Schmerzen in den Oberschenkeln und in der Hüfte zurück. Und, was fast noch schlimmer war, er spürte die Blasen an den Fersen. Er musste sich wieder in seine Dresdner Träume vertiefen.

Sie hatten es so eingerichtet, dass sie sich vor der Vorstellung auf der Augustusbrücke oder am Terrassenufer trafen, um von dort zum Theaterplatz zu spazieren. Ingeborg hatte mit einer Freundin aus gutem Hause, die nichts für die Oper übrighatte, Pläne geschmiedet. Da der Baron Ersteres, aber nicht Letzteres wusste, setzte er in die Tugendhaftigkeit der Freundin unbegrenztes Vertrauen. Er hatte keine Ahnung, dass sie neben anderen empörenden Ansichten wie Ingeborg Befürworterin des allgemeinen Wahlrechts war, das es auch Frauen ermöglichen sollte, an Abstimmungen teilzunehmen.

Christa entfernte sich diskret aus der Loge, sobald der zweite Akt begann, und kehrte erst vor der nächsten Pause zurück. Sie nahm jene Art von Literatur in die Oper mit, die heimlich gelesen werden musste, und begab sich zu diesem Zwecke auf die Damentoilette. Sie versicherte, dass ihr dieses Arrangement ausgezeichnet passe. Niemand, nicht einmal ihr eigener Vater, der mindestens so streng und verstockt war wie Ingeborgs, hätte sich vorstellen können, dass Christa auf der Damentoilette der Semperoper saß und verbotene Bücher las. Außerdem sei es eine Frage des Prinzips, die Intrige zu unterstützen, erklärte sie. Der modernen Frau, die nun in ein Jahrhundert des Fortschritts eintrete, stehe nicht nur das Stimmrecht zu, sondern ebenso das Recht auf selbstbestimmte Liebe. Auch wenn sie nicht von religiösen Ritualen abgesegnet worden sei.

Hätte der Baron gewusst, welch skandalöse Auffassungen die vertrauenswürdige Freundin seiner Tochter vertrat, hätte er die Sache rasch beendet. Aber wie hätte er sich etwas so zutiefst Anstößiges im Zusammenhang mit einer so wohlerzogenen Dame vorstellen können? Freundin Christa düpierte ebenso gekonnt wie Ingeborg, wenn es darum ging, ein feines Fräulein aus dem vorhergehenden Jahrhundert zu spielen.

Lauritz war auf Umwegen zu dem Schluss gekommen, dass er im Unterschied zu seinen Brüdern und den meisten Männern, die er kannte, durchaus Befürworter des Frauenwahlrechts war. Für das Wahlrecht der Fischer und Bauern war er schon immer gewesen. Oder sollten etwa nur dicke Bäckermeister, Droschkenbesitzer, Bankiers und Seilermeister in Bergen wählen dürfen, aber Männer wie sein Vater oder sein Onkel Sverre nicht?

Das war der erste Schritt einer Argumentationskette, wie sie Aristoteles vorführte. Der zweite Schritt ergab sich zwangsläufig. Wenn alle Bahn- und Tunnelarbeiter, die Johan Svenske unterstanden, diese vortrefflichen Männer, wählen durften, was war dann mit Frauen wie Ingeborg und Christa, die so unendlich viel gebildeter in geistigen Dingen waren? Die Logik war bestechend, aber kein Thema, das er mit anderen Männern diskutieren wollte.

Es dämmerte, als er Nygård erreichte.

Als er sich im Vorraum Schnee und Eis von den Stiefeln trat, erschien Estrid und fragte schüchtern und verschreckt wie zuvor, ob etwas geschehen sei.

Er antwortete ohne Umschweife, dass er ein lausiger Skifahrer sei und dass es viel länger als erwartet gedauert habe, nach Hause zu kommen. Er würde ihr jedoch bis in alle Ewigkeit dankbar sein, wenn es noch etwas zu essen gäbe.

Estrid nickte wortlos und verschwand in der Küche. Daniel Ellefsen saß offenbar im Büro, denn oben brannte die Petroleumlampe. Er erschien nicht, um Oscar zu begrüßen oder zu fragen, was vorgefallen war, aber das erwartete Lauritz auch gar nicht.

Wenig später saß er bei Tisch. Eine kräftige Suppe aus Stockfisch und Kartoffeln, gepökeltes und geräuchertes

Rentierfleisch, Fladenbrot, Butter, Ziegenkäse und mit Trockenmilch vermischtes Wasser. Er aß konzentriert und rasch.

Als er sich mit schmerzenden Oberschenkeln, die Pläne unter dem Arm, die Treppe zum Büro hinaufquälte, sah sein Kollege, der auf einem Zettel neben seinen Plänen Berechnungen anstellte, nur kurz auf und nickte.

»Offenbar war die Heimfahrt beschwerlich«, sagte er nach einer Weile.

»Allerdings«, gab Lauritz zu. »Schneematsch fast bis zu den Knien. Im Nachhinein ist man immer klüger. Ich habe blutende Blasen an beiden Fersen.«

»Desinfektionsalkohol steht im Schrank da drüben. Die weiße Flasche mit dem roten Kreuz drauf. Lüfte die Füße, damit die Blasen trocknen können. Zieh dir saubere und trockene Strümpfe an. Vergiss nicht, den Whisky mitzunehmen, wenn du morgen wieder runterfährst.«

»Welchen Whisky?«

Die Eisenbahngesellschaft gab jeder Baracke jeden Samstagabend zwei Flaschen Whisky aus, White Horse, der fassweise geliefert und in den Ingenieursquartieren in Flaschen umgefüllt wurde.

Der nächste Morgen war anstrengender als alles in seinem Leben zuvor. Obwohl er todmüde gewesen war, hatte er sich am Vorabend dazu gezwungen, noch anderthalb Stunden am Zeichentisch zu sitzen, bis er die Augen beim besten Willen nicht länger offen halten konnte.

An seinen Schlaf konnte er sich nicht erinnern, nur daran, dass er in dem kalten Schlafzimmer zu Bett gegangen war und die Schafspelze bis ans Kinn gezogen hatte. Jetzt schmerzte der ganze Körper, selbst die Bauchmuskeln und die Rückseiten der Oberarme. Er fühlte sich wie ein Invalide und nicht wie ein norwegischer Diplomingenieur aus Dresden.

Er quälte sich durch die Dehn- und Lockerungsübungen, die er als Radrennfahrer immer gemacht hatte. Alles tat weh. Außerdem brannte sein Gesicht.

Als er sich wenig später mit Mühe angekleidet hatte, stellte er sich vor den Rasierspiegel und erkannte sich kaum wieder. Sein Gesicht war gerötet und über den Augenbrauen geschwollen. Auf Stirn, Nase und Wangen hatte er wässrige Blasen. Die Sonne hatte ihm sein Gesicht verbrannt. Die Strahlung wurde von der funkelnden weißen Landschaft vermutlich um ein Vielfaches verstärkt. Und der kalte Wind auf der Haut führte dazu, dass man die Gefahr unterschätzte.

Beim Frühstück wartete er so lange wie möglich damit, das Thema anzuschneiden. Er hatte gehofft, sein Kollege Daniel würde von sich aus etwas sagen, jedoch vergebens.

»Die Sache ist die«, sagte er, als sie beim Kaffee angelangt waren. »Wie du siehst, hat die Sonne mein Gesicht ziemlich übel zugerichtet.«

»Deine Haut wird sich dreimal schälen, dann hast du es überstanden. Weihnachten siehst du dann aus wie ich«, antwortete Daniel zerstreut, als wäre das die selbstverständlichste Sache der Welt.

»Gut zu wissen«, murmelte Lauritz säuerlich. »Aber bevor ich im Laden in Ustaoset meine Ausrüstung ergänzen kann, wollte ich dich fragen, ob du mir einen Hut und eine Sonnenbrille leihen könntest. Falls das nicht zu viel verlangt ist. Vielleicht sollten wir einige Worte darüber wechseln.«

»Aber sicher«, antwortete Daniel, scheinbar ohne die Ironie zur Kenntnis zu nehmen.

Dann verstummte er und starrte in seinen Kaffee. Lauritz seufzte demonstrativ, was auch nicht half.

»So geht das nicht«, sagte er, seine Geduld war am Ende. »Ich bin dir sehr dankbar, dass du bereit bist, mir Sonnenbrille und Hut zu leihen, aber du erwartest doch nicht, dass sich diese Gegenstände von selbst bei mir einfinden?«

»Entschuldige, du hast natürlich recht«, sagte Daniel, erhob sich und ging in sein Zimmer. Wenig später kehrte er mit einem Hut und einer Schutzbrille, wie sie in Deutschland die Automobilfahrer verwendeten, zurück. In Lauritz machte sich leise Verzweiflung breit.

»Und den Whisky, den ich in die Bahnarbeiterbaracke mitnehmen soll, wo finde ich den?«, wollte er wissen.

»Im kalten Vorratsraum hinter der Speisekammer bei der Küche. Whisky gefriert nicht.«

»Danke für die Information. Aber sag, wenn die Bahnarbeiter am Samstagabend eine Zuteilung Whisky bekommen, genießen die Ingenieure dasselbe Privileg?«

»Nein. Wir bezahlen drei Kronen pro Flasche.«

»Verstehe. Dann hätte ich einen Vorschlag. Ich erwarte natürlich nicht, dass du dich dazu äußerst. Ich gebe heute Abend eine Flasche Whisky aus, natürlich nicht ohne Hintergedanken. Ich will meinen nächsten Arbeitskollegen damit ermuntern, sich in Konversation zu üben.«

Daniel Ellefsen sah von seiner Kaffeetasse auf, die er höchst eingehend gemustert hatte. Plötzlich war er sehr gegenwärtig.

»Kein dummer Vorschlag«, meinte er. »Du hast sicher

recht, es täte mir gut, mich in Konversation zu üben. Aber ich bezahle die Hälfte.«

Er trank den letzten Schluck Kaffee, ging in den Vorraum, zog seinen Mantel an und wuchtete sich seinen Rucksack auf den Rücken. Dann schlug die Haustür zu, und wenig später war das knirschende Geräusch von Skiern auf einer gefrorenen Schneedecke zu hören.

Lauritz lächelte und schüttelte den Kopf, trank seinen Kaffee aus und erhob sich stöhnend, um die beiden Whiskyflaschen für Johan Svenskes Arbeitertrupp aus der Küche zu holen.

Es wurde eine grauenvolle Fahrt zur Baustelle. Die Spur, die er am Vorabend im Schneematsch gezogen hatte, hatte sich in Eis verwandelt, das eine dünne Schicht weicher Schneekristalle noch glatter machte. Ein geübter Skiläufer brauchte vermutlich nicht mehr als eine halbe Stunde, um nach unten zu gelangen, er selbst hatte jedoch allergrößte Schwierigkeiten. Bereits am ersten Hang setzte er sich aufs Hinterteil, als es zu schnell ging, und bekam manchen Stoß ab. Jetzt tat ihm auch noch der einzige Teil des Körpers weh, der bislang nicht geschmerzt hatte. Glücklicherweise hatte er die Whiskyflaschen vorausschauend in dicke Wollpullover gewickelt.

Wurde es zu steil, nahm er die Skier auf die Schulter. An mäßigen Hängen und auf ebenen Wegabschnitten schnallte er die Skier wieder an. Schließlich wurde er immer kühner und erprobte sich auch an steileren Hängen. Bis er sich in seine Skier und Stöcke verheddertte und in einer Wolke aus aufgewirbeltem Schnee liegen blieb. Der Rucksack lag glücklicherweise oben. Er stellte fest, dass er sich nichts gebrochen hatte und dass die Whiskyflaschen heil geblieben waren. Aber die Sonnenbrille mit den blauen Gläsern war ihm vom Kopf gerutscht, und er brauchte ziemlich lange, bis er sie gefunden hatte.

Als er den Bauplatz unten bei der Baracke erreichte, waren die Flächen für die Brückenpfeiler bereits so gut wie schneefrei, und der Räumtrupp war inzwischen ein gutes Stück von der Baracke entfernt. Wahrscheinlich schaufelten sie einen Weg zu dem Steinbruch frei, von dem Johan Svenske gesprochen hatte.

Er fuhr auf die Männer zu, hielt inne, rief und winkte mit den Skistöcken. Der Mann mit dem großen grauen Schlapphut, zweifellos der Vormann, stieß seine Schaufel in den Schnee und ging auf die Baracke zu. Lauritz fuhr voraus.

Beim Eintreten stampfte sich Johan Svenske den zuckerartigen Schnee von den Stiefeln. Lauritz saß bereits mit den beiden Whiskyflaschen und den Plänen am Tisch.

»Wollt ihr den ganzen Weg zum Steinbruch räumen?«, fragte Lauritz. »Sagten Sie nicht, das seien fünfhundert Meter?«

»Durchaus«, antwortete der Vormann und warf seinen Hut neben die Zeichnungen auf den Tisch. »Aber wir können schließlich nicht hier rumsitzen und Däumchen drehen, bis der Frühling seine Arbeit tut, denn dann wird nichts aus dem Akkord.«

»Auf den Frühling ist hier oben ohnehin kein Verlass, oder?«

»Nein, wirklich nicht. In zwei Tagen haben wir den Steinbruch erreicht. Dann fällt wahrscheinlich über Nacht wieder ein Meter Schnee, und wir müssen von vorn anfangen. Danke für den Whisky. Am Montag brauchen wir Dynamit.«

»Wie viel?«, fragte Lauritz unsicher.

»Zehn Kilo braucht es schon, um den Steinbruch zu öffnen und den Grund für die Pfeiler zu ebnen. Den Rest erledigen wir mit der Hand, mit Hammer und Stemmeisen.«

»Dann bringe ich am Montag Dynamit mit«, erwiderte Lauritz, als sei das vollkommen selbstverständlich. In Wirklichkeit hatte er keine Ahnung, wie die Gepflogenheiten aussahen, wo man das Dynamit bezog, wie es geliefert wurde und wer es quittierte. Er konnte es nur vermuten. Der Vormann schien zu erwarten, dass er lieferte. Wurde das Dynamit im Ingenieurshaus aufbewahrt? War das nicht sehr riskant? Vielleicht lagerte es ja in einem ehemaligen Vorratsschuppen, der etwas entfernt von den anderen Gebäuden in Nygård stand? Oder ganz woanders. Wie auch immer. Johan Svenske hatte nicht weiter auf die Information reagiert, dass er das Dynamit persönlich liefern wollte. Zehn Kilo Dynamit im Rucksack! Offenbar wurde es so gehandhabt.

Lauritz zog seine neuen Zeichnungen hervor, auf denen deutlicher zu sehen war, wie die größten Blöcke des Brückenbogens und das Gerüst aussehen sollten. Johan Svenske studierte die Zeichnungen mit gerunzelter Stirn. Etwas schien ihm nicht zu passen. Lauritz tat sein Bestes, sich seine Unsicherheit nicht anmerken zu lassen. Er konnte sich nicht verrechnet haben, obwohl er sehr müde gewesen war, als er am Vorabend ins Büro getaumelt war. Irgendetwas schien dem Vormann jedoch zu missfallen.

»Ich muss Ihnen sagen, Herr Ingenieur, dass das gar nicht schlecht aussieht, überhaupt nicht«, begann der große Mann und kratzte sich seinen buschigen Bart. »Sie wissen wirklich, wie man eine Brücke baut, Herr Ingenieur. Aber das weiß ich auch, und was Sie zeichnen, Herr Ingenieur, sehe ich vor Ort vor mir. Das hier wird meine sechzehnte Steinbrücke.«

»Ich verstehe«, erwiderte Lauritz abwartend, obwohl er überhaupt nichts verstand.

»Dann sind wir uns also einig?«, meinte Johan Svenske nach langem Schweigen.

»Einig worüber?«, fragte Lauritz, weil er nicht länger so tun konnte, als begreife er, was er nicht begriff.

Johan Svenske starrte auf den Tisch und lächelte. Er hatte verstanden.

»Sie sind ja neu hier, Herr Ingenieur«, sagte er freundlich mit leiserer Stimme. »Die Verbesserung des westlichen Brückenpfeilers, die Sie gezeichnet haben, ist wirklich sehr gut, das war mir sofort klar, als ich sie gesehen habe. Darin sind wir uns also von Anfang an einig, und das ist nicht das Schlechteste. Aber wir sind uns auch darin einig, dass Sie sich um den Theodoliten kümmern und dass ich baue. Umgekehrt würde es ja nicht funktionieren. Sie, Herr Ingenieur, messen und errechnen die Winkel und Abstände, aber um den Bau kümmere ich mich. Ist das in Ordnung?«

»Ich denke schon«, antwortete Lauritz. »Sechzehn Brücken, das ist wirklich allerhand. Wollen Sie wissen, wie viele ich gebaut habe?«

»Nein, aber vermutlich keine hier oben im Schnee.«

»Überhaupt keine!«

Johan Svenske war erst verblüfft, dann lachte er. Sie gaben sich herzlich die Hand. Sie waren sich einig.

Ohne die unerträglichen Schmerzen wäre seine Heimfahrt angenehm gewesen wie ein Sonntagsspaziergang an der Elbe. Die Sonne schien von hinten, und auf ebenen Wegabschnitten kam er vorwärts, ohne Hüfte, Oberschenkel und seine Blasen an den Füßen übermäßig zu belasten. Auch bergauf war es nicht so schwierig, wie er befürchtet hatte. In der Eisrinne, die am Vortag aus Schneematsch bestanden hatte, arbeitete er sich mithilfe der Skistöcke vorwärts, außer an den ganz steilen Stellen. Dort musste er die Skier abschnallen und mit quer gestellten Stiefeln bergauf gehen, wie man es bei Bergwanderungen tat. Diesmal hatte er es nicht eilig, er würde so zeitig zurück sein, dass er bis zum Abendessen noch ein wenig ausruhen konnte. Und bis zum Whisky, dachte er erwartungsvoll. Den Daniel hoffentlich nicht auch nur schweigend genießen würde.

Trotz idealer Schneebedingungen wankte er völlig zerschlagen aufs Bett zu und lag erst einmal sehr lange da, unfähig, sich die Stiefel auszuziehen. Noch einmal bei Morgengrauen aufstehen zu müssen, um sich wieder auf den Weg zu machen, hätte er nicht geschafft. Zum Glück war der nächste Tag der Ruhetag des Herrn, und das wollte er buchstäblich nehmen. Er würde keinen Muskel bewegen und nur lesen.

Er hatte nur wenige Bücher mitgenommen, aber Shakespeares gesammelte Werke in einem Band auf Bibeldruckpapier und das dicke Buch über Shakespeare von Georg Brandes würden eine Weile vorhalten. Über Shakespeare wusste er nicht einmal ein Zehntel so viel wie über Goethe und Schiller, weil er sich fürs Englische nie sonderlich interessiert hatte.

Stöhnend und jammernd und dankbar, dass ihn niemand

sah oder hörte, zwang er sich schließlich, aufzustehen, um Stiefel und Kleider auszuziehen. Kurz darauf schlief er tief und fest.

Estrid hatte ein Festmahl zubereitet mit Dörrfleisch als erstem Gang und anschließend dem Paradegericht auf der Hardangervidda, Schneehuhn à la Ingenieur, was hieß, in Sahnesoße, mit Kartoffeln und Möhren, und dazu gab es einen Rotwein. Lauritz kam das wie eine göttliche Belohnung nach bestandener Prüfung vor. Da wurde sogar Daniel Ellefsen munter und bemühte sich, noch vor dem Whisky eine Unterhaltung in Gang zu bringen. Lauritz ermunterte ihn mit allerlei Fragen.

Daniel antwortete einsilbig, aber Lauritz gab nicht klein bei, sondern fragte hartnäckig weiter, während er mit dem Rotwein das delikate Schneehuhn hinunterspülte. Dabei erfuhr er von Daniel eine seltsame, aber vielleicht auch typische Geschichte über Nygård.

Der Bauer, dem Lauritz noch nicht begegnet war, obwohl er formell der Hauswirt der beiden Ingenieure war, hieß Tollef Nygård und war der leidenschaftlichste und sicher auch beste Jäger der Gegend, besonders was wilde Rentiere betraf. Den größten Teil vom Rentierfleisch und den Schneehühnern verkauften er und sein Sohn Ole in Geilo und deckten sich dort mit Mehl- und Kaffeevorräten ein.

Tollefs bester Freund und Jagdkumpan hieß Gjert Kaardal. Die harte Jagd im Winter hatte die beiden im Laufe der Jahre zusammengeschweißt. Irgendwann gelangten sie zu der Überzeugung, dass es der gemeinsamen Jagd zuträglich wäre, wenn Gjerts Tochter Sigrid und Tollefs Sohn heirateten. Also wanderte Gjert eines schönen Som-

mertages mit seiner Tochter und einer prächtigen Milch-
kuh den mit einer dünnen Schneedecke überzogenen elf
Kilometer langen Weg nach Nygård. Dort angekommen,
übergab er die Kuh und schob seine heftig errötende Tochter zur allgemeinen Betrachtung vor. Alles lief nach Plan.
Ole, der Sohn, verliebte sich auf der Stelle. Dass an dieser
Geschichte etwas dran sein musste, konnte man daran erkennen, dass die Nygård-Bäuerin Sigrid immer noch ein
stattliches Frauenzimmer war.

All dies erzählte Daniel Ellefsen bereits beim Rotwein,
wenn auch nur auf gezielte Fragen hin, die schon den Cha-
rakter eines Verhörs annahmen.

Der Whisky löste seine Zunge dann noch mehr. Er stellte sogar Gegenfragen, beispielsweise zu Lauritz' Ingenieurexamen. Als Lauritz nicht ganz ohne Stolz, den er
jedoch sogleich bereute, erzählte, er habe in Dresden studiert, verfinsterte sich Daniels Miene, und er erklärte, das
würde so manches erklären.

»Und zwar?«, wollte Lauritz erstaunt wissen.

»Dass ich nur zweiter Ingenieur bin, obwohl du jünger
bist und außerdem neu. Meine Familie konnte sich so ein
teures Studium nicht leisten. Ich musste mich mit der
Technischen Hochschule in Kopenhagen begnügen.«

»Meine Familie konnte sich nicht einmal meine Schul-
ausbildung leisten«, erwiderte Lauritz leise und schaute
verlegen auf die Tischplatte. Er ahnte, wo Daniel der Schuh
drückte. Vermutlich hatte das Schweigen nicht nur etwas mit der Bergeinsamkeit zu tun, sondern ganz simpel
mit Neid.

»Die Wohltätigkeitsloge *Die gute Absicht* in Bergen hat,
begonnen mit der Kathedralschule, meine Ausbildung und

die meines Bruders Oscar bezahlt«, fuhr er fort. »Mein Vater war Fischer. Er und sein Bruder kamen bei einem Schiffbruch ums Leben. Anschließend waren wir bettelarm. Zum Dank für diese Ausbildung und um meine Schuld abzubezahlen, bin ich jetzt in Nygård. Alle Knochen tun mir weh, und ich habe keine Haut mehr im Gesicht und an den Fersen. Dabei könnte ich in der großen Welt viel Geld verdienen.«

»Als Dank für die Ausbildung?«, wollte Daniel mit einem Anflug echten Interesses und einer gewissen Neugier wissen.

»Ja, das war die unausgesprochene Bedingung. Die Herren der Loge sind begeisterte Anhänger des Bergenbahn-Projekts. Das Storting hatte eingewendet, Norwegen habe dafür nicht genügend gute Ingenieure. Daraufhin beschlossen die Bergener, ihre eigenen Ingenieure auszubilden. Deswegen bin ich jetzt hier. Skål!«

»Unglaublich!«, rief Daniel und hob sein Glas so ruckartig an, dass der Whisky überschwappte. »Du bist also ein Fischersohn aus Westnorwegen. Auf die Idee wäre ich nie gekommen!«

»Wieso nicht?«, fragte Lauritz aufrichtig erstaunt. »Ich spreche schließlich keinen Kristiania-Dialekt.«

»Nein, aber schau dich mal im Spiegel an! Der Schnurrbart, die feine Frisur, der Kurzhaarschnitt, wie du am Tisch sitzt, wie du mit unserer Köchin redest. Ich war mir sicher, du stammst aus einer Reederfamilie in Bergen. Mit den Dialekten kenne ich mich ohnehin nicht aus. Ich komme aus Hamar. Nochmals skål!«

Er leerte sein Whiskyglas, streckte die Hand nach der Flasche aus, hätte sich beinahe zuerst eingegossen, entschuldigte sich dann mit einer Verbeugung und goss stattdessen Lauritz bis zum Rand ein.

»Dann kannst du also fischen?«, fragte er, als sei das nach der unerwarteten Wendung der Unterhaltung die natürlichste Fortsetzung.

»Aber sicher. Und segeln.«

»Kannst du auch eisfischen? Forellen? Wollen wir das morgen tun?«

»Ein reizvoller Vorschlag, mein Lieber«, antwortete Lauritz mit übertrieben vornehmer Stimme und zwirbelte seinen Schnurrbart.

Ihr Lachen war befreiend.

Den restlichen Abend betranken sie sich und erzählten sich Geschichten.

Am nächsten Morgen standen sie vier Stunden später als gewöhnlich auf, und wie zu erwarten mit Kopfschmerzen. Trotzdem waren sie fest entschlossen, auf Forellenfang zu gehen.

Sie holten sich ein paar Netze aus einem der Nygård-Schuppen, Äxte und Seile fanden sie im Lager. Lauritz band vier Skistöcke aus Bambus zu einer langen Stange zusammen. Dann begaben sie sich mit Netzen und Schneeschaufeln bewaffnet an den See hinunter, die Strecke war zu kurz, als dass es sich gelohnt hätte, die Skier anzuschnallen. Außerdem hätte es Lauritz' Ruhetagslaune verdorben, seine Skier auch nur anzuschauen.

Sie postierten sich nahe der Mündung des Nygårdsvand in den Ustavand. Lauritz erklärte, dass es an solchen Stellen immer eine Strömung gebe und dass die Fische in strömenden Gewässern ihr Futter fänden.

Mit den Äxten schlugen sie ein großes Loch ins Eis und

legten ihre Bambusstange aus, um den Abstand zum nächsten Loch abzumessen. Insgesamt schlugen sie fünf Löcher für ihre Netze. Lauritz schob die Bambusstange durch das erste Loch, befestigte ein Seil an der Öse im Griff, dann schob er die Konstruktion in Richtung des nächsten Loches, wo Daniel das Ganze in Empfang nahm. Nachdem sie das Seil vom ersten bis zum letzten Loch gespannt hatten, zogen sie daran drei Netze unter das Eis. Jetzt war der gesamte Bereich abgesperrt, in dem Lauritz Fische vermutete. Schließlich schoben sie über den Netzen so viel Schnee wie möglich beiseite, damit Licht unter das Eis drang. Lauritz erklärte, dass das Licht Libellenlarven und andere Fischnahrung anlockte.

Zufrieden mit dem bisherigen Tag, legte er sich eine halbe Stunde später auf seine Schafsfelle, um Shakespeare in Angriff zu nehmen. Wenn es schon nicht aufs Skifahren zutraf, so war zumindest Fischen wie Fahrradfahren, dachte er. Das verlernte man nie. Vermutlich war es mit dem Segeln ebenso.

Die Netze waren voller Fische, als sie sie gegen Abend einholten. Sie händigten der Köchin aus, was sie für zwei Tage benötigte, den Rest vergruben sie in einer Schneewehe vor dem Haus. Sie hatten jetzt genug Forellen für mehrere Wochen.

VI

OSCAR

Deutsch-Ostafrika, Juni 1902

Die Falle im Eisenbahnwaggon funktionierte kein zweites Mal. Nachdem sich Oscar und Kadimba eine gute Woche lang abgewechselt hatten, als bewaffnete Lockvögel hinter dem Eisengitter zu sitzen, gaben sie auf. Kadimbas Erklärung für den Misserfolg war höchst plausibel. Beide Brüder Simba waren anwesend gewesen, als der eine tödlich verwundet wurde. Der überlebende Bruder wusste also, dass es sich bei dem Waggon um eine Falle handelte.

Was ihn jedoch nicht abschreckte, und auch dafür gab es laut Kadimba eine Erklärung. Für die beiden alten Löwen sei es schon schwierig gewesen, Nahrung zu besorgen, weshalb sie sich auf Menschen spezialisiert hatten. Ein Männchen allein hatte es in diesem fortgeschrittenen Alter noch schwerer. Es hatte keine Wahl, musste sich weiter von Menschenfleisch ernähren, das einfach zu beschaffen war.

Und in der Tat waren Menschen leichte Beute, das erkannte Oscar nun. Der übrig gebliebene Simbabruder besaß eine erstaunliche Improvisationsgabe und entwickelte ständig neue Jagdmethoden. Jeder neue Angriff erforderte eine neue Verteidigungsstrategie, woraufhin die heimtückische Bestie wieder eine neue Taktik erfand.

Sie kam morgens und riss einen der Männer aus der Kolonne auf dem Weg zur Brückenbaustelle. Anschließend verließ niemand mehr das Lager ohne bewaffnete Eskorte. Was den Askaris nur recht war, die viel lieber als Soldaten Dienst taten, als solch entwürdigende Arbeiten auszuführen, wie Schienen, Schwellen oder Balken für die Brücke zu tragen.

Damit sank das Arbeitstempo noch mehr. Einundzwanzig Männer hatten die Löwen inzwischen gerissen, und jetzt fielen auch noch viele Arbeitsstunden der zehn Askaris weg. Die Freude darüber, dass einer der Dämonen sich als gewöhnlicher Löwe entpuppt hatte, wich rasch. Ebenso rasch stellte sich bei Oscar auch das verzweifelte Gefühl der Ohnmacht wieder ein. Dass sich ihm unerwartet die Gelegenheit, den zweiten Löwen zu schießen, bot, er diesen aber verfehlte, machte die Sache nicht besser.

An einem freien Sonntagnachmittag, im Lager herrschte behaglicher Müßiggang, waren auf einmal Schreie der Wasserträger zu hören, die mit fuchtelnden Armen und den Rufen, Simba sei zurückgekehrt, ins Lager gerannt kamen.

Oscar war rasch auf den Beinen und lief zu dem Brunnen, der in einem der versiegten Flussarme gegraben worden war. Dort sah er zu seiner mit Schrecken gemischten Erleichterung, dass der Löwe einen der Esel, die als Wasserträger dienten, gerissen hatte. Merkwürdigerweise suchte die Bestie nicht das Weite, als sie einen Menschen mit Gewehr auf sich zukommen sah. Stattdessen hob Simba den Kopf, fletschte die Zähne und brüllte lauter, als Oscar je einen Löwen hatte brüllen hören.

Oscar blieb stehen, ging in die Knie und zielte. Aber aufgrund seiner Atemlosigkeit und vielleicht auch seiner Furcht oder beidem wackelte der Gewehrlauf. Er schoss und verfehlte den Löwen.

Der Löwe verschwand blitzschnell, und Oscar verfluchte seine Ungeschicklichkeit und Unbedachtsamkeit. Natürlich wusste er, was er falsch gemacht hatte. Er hätte warten und stillhalten müssen, bis er sich beruhigt hatte und der Löwe sich erhob und ein größeres Ziel abgab. Er hätte einen stabileren knienden Anschlag einnehmen müssen. Er hätte alles Mögliche unternehmen können, nur das nicht, was er dann getan hatte. In Gedanken hatte er den Löwen mindestens hundertmal erschossen, als Kadimba erschien und ihn fragte, was geschehen sei. Er erwiderte knapp, er habe danebengeschossen, ohne etwas zu erklären oder zu beschönigen. Kadimba untersuchte den Boden und folgte dann ein Stück der Löwenspur, aber offenbar fand er nichts. Langsamen Schrittes kehrte er zurück, wobei er eher nachdenklich als enttäuscht wirkte.

»Es sieht gut aus, Bwana Oscar«, sagte er. »Die Kugel hat die Bauchdecke durchschlagen und ist hinten aus dem linken Oberschenkel wieder ausgetreten. Ich weiß nicht, ob der Knochen verletzt ist oder ob es sich nur um eine oberflächliche Wunde handelt. Die Blutspur gibt darüber keine Auskunft, und ich habe keine Knochensplitter gefunden.«

»Aber ihm war nicht anzumerken, dass ich ihn getroffen habe!«, wandte Oscar ein. »Das hätte ich doch sehen müssen. Ich hätte genauso gut Platzpatronen verschießen können. Er ist einfach nur wie der Blitz verschwunden.«

»Da er auf dem Esel lag, als Bwana Oscar ihn angeschossen hat«, stellte Kadimba fest, »kann es durchaus so ausgesehen haben.«

Oscars Verzweiflung wurde von Hoffnung abgelöst.

»Du hast gesagt, ich hätte ihn in der hinteren Bauchregion getroffen. Dann wird er also sterben?«, fragte Oscar, obwohl er die Antwort eigentlich kannte.

»Ja. Er ist am Ende. Er wird nicht wiederkehren. Die Hyänen erwischen ihn in ein paar Tagen«, bestätigte Kadimba. »Wir brauchen uns keine Sorgen mehr zu machen.«

Einen angeschossenen Löwen zu verfolgen war das Gefährlichste, was man in Afrika unternehmen konnte, so viel hatte Oscar inzwischen gelernt. Aber er wollte das Fell als Beweis dafür, dass auch der zweite Dämon vernichtet worden war. Alle im Lager sollten es mit eigenen Augen sehen, weil sonst das Gerede von den unsterblichen Geisterwesen nur von Neuem anheben würde.

Also beschloss er, Simba aufzuspüren und sein Leben zu beenden. Kadimba ließ sich nicht anmerken, was er davon hielt, und holte kommentarlos das Mannlichergewehr und etwas Reservemunition aus Oscars Zelt.

Sie folgten der Fährte. Oscar ging neben Kadimba, sein Mausergewehr in Höhe der Hüfte schräg nach vorn gerichtet. Sie mussten nicht lange gehen, als die Fährte plötzlich in einem undurchdringlichen Gebüsch verschwand.

Kadimba umrundete das dichte Gebüsch in einem weiten Bogen, immer noch mit Oscar als Leibwache in höchster Alarmbereitschaft neben sich. Als sie zum Ausgangspunkt zurückkamen, erklärte Kadimba, der Löwe liege in dem Gebüsch, weniger als zwanzig Meter von ihnen entfernt. Dass er noch nicht angegriffen habe, könne an zwei Dingen liegen. Entweder habe ihn das Wundfieber seiner Kräfte beraubt, oder er sei bereits tot.

Aber vielleicht fühlte er sich dort im Gebüsch auch einfach sicher und wartete nur darauf, dass sich ihm seine Verfolger näherten. Was sie jedoch nicht vorhatten. Es galt, den Löwen auf offenes Terrain zu locken, aber dazu brauchten sie die Hilfe aller verfügbaren Askaris.

Sie kehrten ins Lager zurück, trommelten die Soldaten zusammen und statteten sie mit Petroleumkanistern und Fackeln aus. Als sie wieder bei dem Gestrüpp anlangten, überzeugte sich Kadimba als Erstes davon, dass der Löwe nicht entkommen war. Oscar wartete unter einem riesigen Baobab, dessen Stammesumfang mindestens zwölf Meter betrug.

Kadimba nahm neben Oscar Platz und flüsterte ihm zu, was als Nächstes zu tun sei. Die Befehle musste Bwana Oscar geben, da die Askaris nur ihm gehorchten.

Der Plan war simpel, aber gefährlich. Zehn Askaris sollten das Gebüsch mit Fackeln umzingeln und nur dort, wo der Löwe in das Gebüsch eingedrungen war, eine Lücke lassen. Davor würden Oscar und Kadimba ihn in einem Abstand von fünfundzwanzig Metern mit den Gewehren im Anschlag erwarten.

Auf Oscars Zeichen hin zündeten die Askaris das Gebüsch von allen Seiten an und schossen dann in die Richtung, in der sie Simbas Versteck vermuteten. Anfänglich geschah nichts, und alle atmeten auf. Der Löwe war offensichtlich tot.

Dann ereignete sich alles mit ungeheurer Geschwindigkeit. Der Löwe war bereits fünf Meter aus dem Gestrüpp heraus, als Oscar ihn bemerkte. Er schoss, der Löwe stürzte, erhob sich aber sofort wieder und setzte seinen Angriff fort. Oscar schoss erneut, konnte aber nicht mehr für einen dritten Schuss nachladen, da war die Bestie schon über ihm. Sein letzter Gedanke war, dass er seinen Hals mit dem Gewehr vor dem weit aufgerissenen Maul schützen musste.

Im nächsten Augenblick drückte ihn das enorme Gewicht zu Boden, und er hatte nicht einmal Zeit, sich zu fürchten, da war auch schon alles vorüber. Kadimba schob die Mannlicher wie einen Speer unter den Löwen und schoss ihm direkt ins Herz.

Das riesige Gewicht rollte seitlich von Oscar, der sich schnell aufrichtete, damit die herbeieilenden Askaris nicht Zeugen seiner misslichen Lage wurden. Der Löwe zuckte ein letztes Mal.

Erst auf dem Heimweg zum Lager – es waren auch dieses Mal sechs Männer nötig, um den riesigen, mähnenlosen Löwen zu tragen – bemerkte er, dass sein Hemd von Blut durchtränkt war und dass seine rechte Wange blutete. Seine Hand war blutverschmiert, nachdem er sich ins Gesicht gefasst hatte.

»Das waren Simbas Krallen«, erklärte Kadimba mit einem breiten Lächeln. »Bwana Oscar und ich sind jetzt Brüder. Wir haben beide die Spuren von Simbas Krallen im Gesicht und gehören damit zum selben Stamm.«

»Mehr als das, Kadimba«, erwiderte Oscar so leise, dass nur Kadimba es hörte. »Du hast mir das Leben gerettet. Du und ich, wir werden immer wissen, dass es so war.«

*

Dr. Ernst war auf eine Art geschwätzig munter, die Oscar geradezu unpassend fand. Der sonst so ernste Wissenschaftler trat in gewienerten hellen Lederstiefeln, Schlips und Jackett ins Zelt, hielt eine Flasche Rotwein in die Höhe und erklärte feierlich, dass nun gefeiert werden müsse. Das war so untypisch für ihn, dass Oscar den Verdacht hegte, er habe den Rest des medizinischen Alkohols getrunken.

Oscar hatte Dr. Ernst zum Essen eingeladen, nachdem dieser zehn Tage lang äußerst gewissenhaft die Verletzung auf seiner rechten Wange versorgt hatte. Anfänglich hatte sie erschreckend ausgesehen, aber der Arzt hatte sie jeden Abend mit einer gewissen Brutalität ausgewaschen, Eiter und Schorf beseitigt und die frische Wunde an der Luft trocknen lassen. Die bösartige Infektion rühre daher, dass Raubtiere, insbesondere die Aasfresser unter ihnen, eine besonders interessante Bakterienflora unter ihren Krallen hatten.

Sie hatten das Lager auf die andere Seite des Flusses hinter die drei neu gebauten Brücken verlegt und die Zelte wieder wie früher aufgestellt, in geraden Reihen statt im Kreis mit Schutzwällen aus Dornengestrüpp. Die Luft war klarer, und es lag eine einmonatige, verhältnismäßig unkomplizierte Bauetappe bis zum nächste Waldgebiet vor ihnen. Oscar und Kadimba hatten Gelegenheit zum Jagen gehabt, es gab also reichlich Fleischvorräte im Lager. Heute sollte Dr. Ernst in den Genuss eines *Duiker*-Steaks kommen, das so lange abgehangen war, wie Oscar es bei der Hitze verantworten konnte. Er wollte sich damit für die sorgfältige und erfolgreiche Verarztung bedanken.

Aber Dr. Ernst hatte etwas anderes und, wie sich zeigen sollte, bedeutend Wichtigeres zu feiern als die inzwischen infektionsfreien Löwenschrammen auf einer Ingenieurswange.

»Diesen Burgunder, von dem ich im Übrigen glaube, dass er sehr gut zu Wild passt, habe ich für eine besondere Gelegenheit aufgehoben. Und die ist jetzt, Gott sei's gedankt, endlich gekommen!«, rief er und hob die vermutlich allerletzte Weinflasche des Lagers in die Höhe, ehe er sich plötzlich besann, steif verbeugte und an den gedeckten Tisch setzte.

»Erlauben Sie mir, Ihnen zu gratulieren, Herr Doktor, aber ich wüsste natürlich gerne, worum es geht. Wohl kaum um meine entzündete Wunde?«

»Nein, wirklich nicht, Herr Diplomingenieur, bei allem Respekt, auch wenn man kleine Verletzungen natürlich nicht unterschätzen sollte, am allerwenigsten in Afrika. Aber in diesem Fall geht es um etwas viel Wichtigeres. Wir stehen nämlich vor einem ersehnten wissenschaftlichen Durchbruch.«

Dr. Ernst erhob sich leichtfüßig und holte aus dem Mahagonischrank, der seinem eigenen glich, vermutlich an der gleichen Stelle wie in seinem eigenen Schrank, den Korkenzieher, entkorkte die Flasche und erklärte, besser gesagt dozierte eifrig:

Die zur Familie der Chinarindenbäume gehörenden Cinchona calisaya und die eng verwandten Cinchona succirubra und ledgeriana wuchsen eigentlich überwiegend in den Regenwäldern der Anden. Bereits um 1820 sei es Chemikern geglückt, das Alkaloid Chinin aus der Rinde dieser südamerikanischen Bäume zu isolieren. Diese Expedition habe jedoch nun ergeben, dass sich auch in Afrika ein verwandter Baum finde, bislang noch ohne lateinischen Na men. Er beabsichtige nun, bei der deutschen Akademie der Wissenschaften zu beantragen, die neu entdeckte Art nach sich selbst benennen zu dürfen.

Nach kurzem Zögern wurde Oscar plötzlich die Bedeutung des Gesagten bewusst.

»Wollen Sie damit etwa sagen, Herr Doktor, dass wir jetzt auch in Afrika Chinin herstellen können?«

»Ganz richtig, Herr Diplomingenieur!«, erwiderte der Arzt euphorisch, dann rückte er seinen Zwicker zurecht und hob sein Weinglas.

»Das wäre ja großartig, in wissenschaftlicher wie in praktischer Hinsicht«, meinte Oscar, während Hassan Heinrich den Braten mit einer »Sahnesoße« servierte, die tatsächlich nach Sahne schmeckte, aber aus *Nava* gemacht war, einer Flüssigkeit, die aus einer Kaktuspflanze gewonnen wurde.

In der Tat, fuhr Dr. Ernst fort, handele es sich um einen sehr wichtigen Durchbruch. Er hatte lange und intensiv an diesem Projekt gearbeitet, ohne ein Wort darüber zu verlieren, wollte nicht voreilig sein, obwohl er die ganze Zeit überzeugt davon war, auf der richtigen Spur zu sein.

Seine rein botanischen Beobachtungen, die er vor zwei Jahren angestellt hatte, waren abgesichert, ebenso die ersten chemischen Tests. Während des letzten Monats habe er nun auch klinische Tests durchgeführt, zu Beginn der Malariazeit eine besonders dankbare Aufgabe.

Er hatte die Neger in drei Gruppen eingeteilt. Eine Kontrollgruppe, die ein Placebo erhielt, und die Gruppen A und B, die je eine Variante des von ihm hergestellten Präparats erhalten hatten. Das Ergebnis sei eindeutig, obwohl die verdammten Löwen alles durcheinandergebracht hätten, weil sie die Neger nicht den Einteilungen gemäß ausgewogen gefressen hätten. Der Schwund durch die Löwen sei seltsamerweise in der Placebo-Gruppe am größten gewesen, wofür es möglicherweise eine interessante Erklärung gäbe. Die Hauptsache sei jedoch, dass die Versuchskaninchen in Gruppe A und Gruppe B keinerlei Malariasymptome aufwiesen. Der Placebo-Gruppe ging es entsprechend schlecht, sie würde bei der nächsten Lieferung größtenteils durch neue Arbeitskräfte ersetzt werden müssen.

Jetzt musste man nur noch das ideale Gleichgewicht zwischen den Varianten A und B finden, aber das sei eine spätere Frage, die sich nur mithilfe besserer Labors klären ließe. Summa summarum besaßen sie jetzt also ein wirkungsvolles Mittel gegen Malaria, das sich auch mit relativ einfacher Ausrüstung im Feld herstellen ließe.

Das war zweifellos ein großer wissenschaftlicher Erfolg, so viel war auch Oscar klar. Und es stellte eine wirtschaftlich wichtige Veränderung dar. Malaria verursachte den größten Ausfall an Arbeitskräften im Eisenbahnbau, was mehrere Schwierigkeiten zur Folge hatte, hauptsächlich, dass die neuen Arbeiter, die die verstorbenen ersetzten, immer angelernt werden mussten. Oscar hob erneut sein Glas.

»Auf die Wissenschaft zum Aufbau Afrikas!«, schlug Dr. Ernst vor.

»Und auf die Eisenbahn, die das Wissen im Land verbreitet«, ergänzte Oscar.

Es wurde ein munterer Abend. Der Braten war zart und wohlschmeckend, und sie tranken ihren Burgunder ganz andächtig, damit er so lange wie möglich vorhielt. Die Stimmung war ungewohnt und etwas befremdlich, da die beiden Männer noch nie so entspannt miteinander umgegangen waren. Nachdem Dr. Ernst wiederholt und mit geringen Abweichungen dieselben medizinischen Erkenntnisse dargelegt hatte, kam er auf andere botanische Beobachtungen zu sprechen.

Eine davon bezog sich auf die Edelholzbäume entlang der Bahnlinie, die gefällt wurden. Auf Wunsch des Militärs, das Eingeborenenaufstände fürchtete, sollte auf beiden Seiten des Bahndamms fünfundzwanzig Meter freie Sicht herrschen. Man hoffte dadurch auch, die Wildschäden begrenzen zu können, wenn die Bahnlinie besser zu sehen war. Das hatte laut Dr. Ernst zur Folge, dass Tausende von Mahagonigewächsen neben den Gleisen herumliegen, verrotten oder von Termiten zerfressen würden.

An diesem Punkte seiner Darlegung schweifte er ein wenig ab und kam darauf zu sprechen, dass es sich mit Mahagoni wie mit den Bäumen der Familie Cinchona verhalte. Auch Mahagoni sei erstmals in Amerika entdeckt worden, es komme aus Nordamerika oder Honduras, aber es gebe also auch Mahagoni in Afrika.

Er kam wieder auf die infolge des Eisenbahnbaus gefällten Bäume zurück und wies darauf hin, dass die Zerstörung von Mahagoni eine Sünde sei, und obendrein unvernünftig und unwirtschaftlich. Dass nach jeder Vorrats- und Materiallieferung leere Waggons nach Daressalam zurückgingen, könnte man doch sinnvoll nutzen, anstatt der Zerstörung eines solchen Kapitals einfach weiter zuzusehen. Die Eisenbahngesellschaft hatte zwar die Konzession, jeden Baum auf der Strecke zu fällen und den Insekten zu überlassen, aber es könnte der Gesellschaft einen hübschen Nebenverdienst einbringen, diese Bäume einzusammeln, sie auf die leeren zurückfahrenden Waggons zu verladen und in Dar zu verkaufen. Das sei allemal besser, als sie verrotten zu lassen.

Nachdem die Flasche Wein geleert war, wurde Dr. Ernst schlagartig sehr müde. Er wirkte geradezu angetrunken, was nach einer halben Flasche Wein seltsam anmutete.

Oscar fiel es schwer, einzuschlafen, nachdem Dr. Ernst aufgebrochen war. Seine Gedanken sprangen zwischen den beiden großen Neuigkeiten hin und her. Offenbar war es Dr. Ernst also gelungen, das mit Abstand größte Problem mit den afrikanischen Arbeitskräften, nämlich die Verluste durch Todesfälle, zu lösen. Menschenfressende Löwen gehörten trotz allem zu den eher ungewöhnlichen Schwierigkeiten, auch wenn die Verluste der letzten Monate massiv gewesen waren.

Die andere große Neuigkeit war, dass Edelholz für Hunderttausende – vielleicht Millionen? – von Mark neben der Bahnlinie einfach herumlag und verrottete. Wem gehörte dieses Mahagoni? Der Eisenbahngesellschaft oder dem Protektorat Deutsch-Ostafrika? Oder etwa dem Deutschen Reich? Andere Möglichkeiten fielen ihm nicht ein.

Oder denjenigen, die die Aufräumarbeiten übernahmen? Darüber musste er noch ernsthaft nachdenken.

*

Der Empfang, der Oscar bei seiner Ankunft in Daressalam bereitet wurde, war ebenso überraschend wie peinlich. Er hatte kein Empfangskomitee erwartet, noch viel weniger einen solchen Aufstand. Nach mehreren Monaten im Busch hatte er keine Ahnung davon, dass er als germanischer Held betrachtet wurde. Vor allen Dingen wusste er nichts von der Berichterstattung der beiden städtischen Zeitungen über seine Jagd auf die menschenfressenden Löwen, die er eher als eine quälende Aneinanderreihung von Niederlagen erlebt hatte, die damit endete, dass ihm Kadimba das Leben gerettet hatte. Außerdem hätte Dr. Ernsts wissenschaftlicher Durchbruch all dies in den Schatten stellen müssen.

Er reiste immer in der »Lok-Klasse«, wie der Platz neben dem Lokführer scherzhaft genannt wurde, teils für den Fall, dass plötzlich Tiere auf dem Gleis auftauchten, die geschossen oder verscheucht werden mussten, teils aus Geselligkeit. Dieser Lokführer mit dem adäquaten Namen Schnell war ein sorgloser Bayer, der einen breiten Dialekt sprach. Sie hatten immer etwas, worüber sie sich unterhalten konnten. Meist ging es um die Bürde, die Europa auf sich geladen hatte, Afrika zu zivilisieren.

Als der Zug in den Bahnhof der Stadt einfuhr, dankte Oscar dem Lokführer für die kurzweilige Gesellschaft, sprang noch während der Fahrt ab und ging zum letzten Waggon, in dem er außer dem Mausergewehr, das er über der linken Schulter trug, und Dr. Ernsts versiegelter Aktentasche, sein Gepäck verwahrte. Er hatte Dr. Ernst sein Ehrenwort gegeben, die Tasche nur dann aus der Hand zu legen, wenn es unvermeidbar war, beim Angriff aggressiver Eingeborener oder eines Nashorns beispielsweise. Die Tasche enthielt, soweit er wusste, Berichte an die Direktion der Eisenbahngesellschaft und an die deutsche Akademie der Wissenschaften.

Im letzten Waggon lagen zwei präparierte Löwenfelle, die er der Eisenbahngesellschaft übergeben wollte. Er hatte zwei Askaris organisiert, die sie in die Direktion tragen sollten. Als sie die beiden starren und unhandlichen Felle ausgeladen hatten, übernahm er die Führung und schickte sich an, die Bahnhofsbaustelle zu überqueren. Aus den Augenwinkeln sah er, dass vor dem Bahndamm ein Blasorchester wartete, ungefähr dort, wo einmal das Hauptportal des Bahnhofs liegen würde. Die große Basstuba funkelte in der Abendsonne. Er schenkte der Tatsache keine weitere Beachtung.

Er und seine Träger waren auf dem unordentlichen Bauplatz jedoch noch nicht weit gekommen, als ein Bahnbediensteter in grauer Uniform und mit weißem Tropenhelm zwischen den herumliegenden Brettern und Armierungseisen herbeieilte.

»Herr Diplomingenieur Lauritzen! Dürfte ich um Ihre Aufmerksamkeit bitten!«, keuchte der Mann.

Oscar wurde zu der Blaskapelle eskortiert und zwischen den Askaris, die je ein steifes Löwenfell vor sich hielten, platziert. Eisenbahngeneraldircktor Dorffnagel eilte auf Oscar zu, um ihm die Hand zu schütteln, sodass dieser die Aktentasche in die linke Hand nehmen musste.

Das Händeschütteln zog sich in die Länge. Alle mussten stillstehen, ohne auch nur eine Miene zu verziehen, während zwei Fotografen Bilder machten, erst mit, dann ohne Magnesiumblitz.

Anschließend spielte die Blaskapelle »Die Wacht am Rhein«. Eisenbahngeneraldirektor Dorffnagel nahm seinen Tropenhelm ab und klemmte ihn unter den rechten Arm. Oscar klemmte sich seinen breitkrempigen Hut ebenfalls unter den Arm, ohne Dr. Ernsts Aktentasche loszulassen.

Der weiße Tropenhelm war Teil der deutschen Uniform. Er selbst trug einen breitkrempigen Hut aus grobem, einer Plane ähnlichem Stoff, was zweifellos gegen das Reglement verstieß. Obendrein war er auch noch mit einem Band aus Leopardenfell verziert. Als Angestellter der Eisenbahngesellschaft hätte er korrekterweise einen Tropenhelm tragen müssen, den er nicht besaß. Es blieb ihm nichts anderes übrig, als bei der Nationalhymne besonders Haltung anzunehmen.

Ein Tropenhelm war im Busch eine lächerliche und unbequeme Kopfbedeckung, aber die herrschende Wissenschaft hatte festgestellt, dass der Kopf des weißen Mannes zu empfindlich für die starken und vertikalen Sonnenstrahlen am Äquator war. Man nahm an, das Gehirn des weißen Mannes liefe Gefahr, zu zerkochen, wenn es nicht von einem Tropenhelm bedeckt würde. Man erzählte sich über die Engländer, dass sie sogar mit dem Tropenhelm schliefen.

So weit, so gut, Oscar stand stramm und bemühte sich, während der Nationalhymne an andere Dinge zu denken, um während der absurden Zeremonie nicht grinsen zu müssen.

Aber damit war es nicht überstanden. Im Gegenteil.

Askaris mit Tragestühlen wurden herbeigerufen, und eine Prozession wurde vorbereitet. Oscar machte den Anfang, dann kamen die beiden Männer mit den Löwenhäuten, hinter ihnen die Blaskapelle, anschließend eine zehn Mann starke Delegation der Eisenbahngesellschaft und des Generalgouverneurs und schließlich Askaris mit geschulterten Gewehren. Alles in guter deutscher Ordnung.

Die Prozession führte ins Zentrum der Stadt, die Blaskapelle spielte natürlich Marschmusik. Es ging zum Deutschen Haus, in dem der Club, das Restaurant und ein Teil der örtlichen Verwaltung untergebracht waren.

Im großen Saal war alles für ein Fest vorbereitet. Die Blaskapelle hörte auf zu spielen, als sie eintrafen, aber stellte sich, was nichts Gutes verhieß, hinten im Saal auf. Oscar wurde zusammen mit den Herren Generalgouverneur und Eisenbahngeneraldirektor auf das Podium geschoben. Offenbar sollten Reden gehalten werden. Das Raunen im Publikum, das vielleicht hundertfünfzig Personen zählte, verstummte langsam. Peinlicherweise trug Oscar immer noch sein Gewehr über der Schulter und die Tasche mit Dr. Ernsts wertvollem wissenschaftlichen Material in der rechten Hand.

Der Generalgouverneur hielt eine kurze, markige Rede. Er erklärte, was man gerade erlebt habe, sei eine der vielen Prüfungen Gottes gewesen. Man habe nie die naive Vorstellung gehegt, dass es einfach sein würde, den afrikanischen Kontinent auf ein gleichberechtigtes menschliches Niveau zu heben. Es lägen unerhörte Herausforderungen hinter und vor ihnen. Unter eine der grausamsten und brutalsten Prüfungen bei dem großen Eisenbahnprojekt konnte man nun endlich einen Strich ziehen.

Der germanische Geist habe die Prüfung bestanden. Dafür gebührte Herrn Diplomingenieur Lauritzen von der Eisenbahngesellschaft der größte Respekt.

Dann hielt Generaldirektor Dorffnagel in etwa dieselbe Rede mit der Ergänzung, dass es auch um die germanische Gesinnung der Eisenbahngesellschaft gehe.

Das Fest konnte beginnen, sobald sich der stürmische Applaus gelegt hatte.

Oscar wurde immer verlegener. Die Männer in der großen Gesellschaft waren hyperkorrekt gekleidet. Er selbst trug ein zu weites Khakihemd mit kurzen Ärmeln und großen Schweißflecken unter den Achseln, einen Hut mit einem Band aus Leopardenfell und Stiefel, die nicht geputzt waren. Nur seine deutsche Uniformhose, die Reithosen ähnelte und die er im Busch nie trug, entsprach einigermaßen der Kleiderordnung.

Als er vom Podium herabstieg und während noch applaudiert wurde, brachte er vor dem höchsten Eisenbahnchef den Wunsch vor, sich einen Moment in sein Zimmer im Gasthaus der Eisenbahngesellschaft zurückziehen zu dürfen, um sich zu waschen und insbesondere umzukleiden.

»Kommt nicht infrage, Herr Diplomingenieur. Sie sind der Held des Tages, und es ist doch sehr passend, dass Sie auch so aussehen. Darf ich Ihnen, bevor wir uns zu Tisch setzen, schon einmal ein ausgezeichnetes Weißbier anbieten, das gerade aus Dortmund geliefert worden ist? Es muss umgehend getrunken werden, bevor es verdirbt!«

Damit war zumindest ein Problem aus der Welt geschafft, aber nur eins. Er erdreistete sich daher, dem höchsten Direktor einen weiteren Wunsch zu unterbreiten. Er wollte die Aktentasche von Dr. Ernst übergeben und bei dieser Gelegenheit gleich sein Mausergewehr in der Direktion deponieren, da er es unpassend fand, bewaffnet zu dinieren.

Eisenbahngeneraldirektor Dorffnagel erwiderte seinen bescheidenen Wunsch mit einem Lachen, dann rief er einige Untergebene herbei, die eine bewaffnete Eskorte ins Tresorgewölbe der Direktion organisierten.

Wenig später hatte Oscar ein großes Glas schäumendes, trübes und kellerkaltes Weißbier in der Hand. Es schmeckte himmlisch und war, wenn er die Augen schloss, wie eine Blitzreise in die zehntausend Kilometer entfernte Heimat. Wenn Deutschland als Heimat zu bezeichnen war.

Norwegisches Bier war jedenfalls nicht so gut.

Das Fest nahm sofort sehr deutsche Formen an. Die Blaskapelle spielte gnadenlos und hörte gar nicht mehr auf. Der Geräuschpegel stieg. Es wurden Unmengen Bier getrunken, und alle sangen mit, sogar Oscar, wenn er die Lieder kannte. Der Schweiß stand den in Uniform Gekleideten auf der Stirn, denn die trägen Ventilatoren an der Decke waren eher Dekoration. Oscar fühlte sich in seiner leichten Buschkleidung sehr wohl.

Als Ehrengast saß er zwischen dem Generalgouverneur und dem Eisenbahndirektor, für einen einfachen Ingenieur eine erstaunliche Ehre. Der abgehackten Unterhaltung, die ständig von grölendem Gesang gestört wurde, entnahm er allmählich, was eigentlich gefeiert wurde. Etwas ganz anderes als das, was wirklich geschehen war.

Da die Telegrafenverbindung dank der verfluchten Giraffen die meiste Zeit unterbrochen gewesen war, hatte die Direktion recht rhapsodische Berichte über die Löwenplage am Msurifluss erhalten. Dazu kam, dass der Telegrafenmeister Wilhelm Bodonya offenbar eine literarische Ader besaß. Seine Berichte über die Löwenjagd enthielten scheinbar ungeahnte Dramatik.

Und dann waren da noch die beiden Zeitungen in Dar, die *Deutschen Nachrichten* und das *Tanganjika Abendblatt*, die sich einen Wettstreit geliefert hatten, wer die bereits übertriebenen Berichte der Direktion am besten ausschmücken konnte.

Die Erzählung von seiner missglückten Löwenjagd, die

er ohne Kadimba vermutlich nicht überlebt hätte, hatte herkulische Dimensionen angenommen. Danach war er den Löwen im Dunkeln hinterhergeschlichen, hatte ihr Versteck in einem Dornengebüsch aufgespürt, sich hineingezwängt, den einen Löwen getötet und mit dem anderen gerungen, daher auch die Krallenspuren auf seiner Wange. Diese halb verheilte Wunde diente allen als Beweis dafür, dass die Geschichte der Wahrheit entsprach. Die beiden großen Löwenfelle würden bald eine Wand in der Direktion zieren und stellten ebenfalls einen unwiderlegbaren Beweis für seine unglaubliche Heldentat dar. Vielleicht mit Ausnahme des vernachlässigbaren Details, dass das Fell kein Einschussloch zwischen den Augen aufwies.

Letztendlich war die Direktion für die Übertreibungen verantwortlich. Sie hatte einen Fotografen ins Lager geschickt, um die Löwenfelle zu verewigen. Oscar hatte sich vor den Fellen aufgebaut und die Sache dann vergessen, die für ihn nur eine ärgerliche Unterbrechung seines Tagewerks gewesen war.

Blasmusik, Bier und Gesang boten kaum den richtigen Hintergrund, um die Legende zu korrigieren oder zu nuancieren. Man hätte ihm das nur als falsche Bescheidenheit oder bestenfalls übertrieben gute Erziehung ausgelegt. Also spielte er das Theater mit und stimmte den Erzählungen zu.

Dahingegen nutzte er die ausgelassene Stimmung nach acht Krügen Bier dazu, ein Anliegen vorzubringen, das ihm unter den Nägeln brannte.

»Herr Generaldirektor, ich habe eine Frage!«, schrie Oscar, um die Blaskapelle zu übertönen.

»Fragen Sie, was Sie wollen, Herr Diplomingenieur!«, schrie sein höchster Chef zurück.

In diesem Augenblick setzte die Kapelle zum Schluss-crescendo an. Oscar wartete ab, bis es vor dem nächsten Stück still wurde.

»Ich habe auf dem Heimweg einiges Edelholz an der Bahnlinie aufgelesen, Bäume, die wir zum Bau der Gleise fällen mussten«, sagte er in normalem Konversationston. »Ist es in Ordnung, wenn ich die Baumstämme verkaufe, statt sie im Busch verrotten zu lassen?«

»Herr Lauritzen, Sie haben der Eisenbahngesellschaft einen enormen Dienst erwiesen. Nehmen Sie von diesen Bäumen, so viele Sie wollen, und verkaufen Sie sie. Betrachten Sie es als Gratifikation«, konnte der höchste Chef gerade noch sagen und Oscar auf die Schulter klopfen, bevor die Musik erneut losdröhnte.

Der Abend endete damit, dass sich der Generalgouverneur mit seinem Bierkrug erhob und für ein glänzendes Fest dankte. Er unterstrich noch einmal die Bedeutung guter Vorbilder für den germanischen Einsatz bei der Verbreitung der Zivilisation in Deutsch-Ostafrika.

Die Blaskapelle spielte ein weiteres Mal »Die Wacht am Rhein«, und alle erhoben sich und standen stramm. Damit war das Fest zu Ende.

Der nächste Morgen war hart. Oscar konnte seinen Rausch nicht ausschlafen, da er wie im Busch vor Sonnenaufgang wach wurde. Feuchtfröhliche Abende und auch Nächte hatte er in Dresden etliche mitgemacht, und etwas Weißbier machte ihm eigentlich nichts aus. Aber vielleicht passte Bier einfach besser zum kühlen Klima des Nordens als in den Süden? Da fiel ihm wieder ein, dass sie zum Schluss noch einige Schnäpse getrunken hatten. Und das war in Afrika vermutlich genauso fatal wie in Deutschland.

Er stand auf und ging zu seinem nummerierten privaten Spind, um Kleider und Toilettenartikel, Rasiermesser, Bürste und Seife zu holen. Jeder Angestellte hatte einen eigenen Spind, der in den Keller getragen wurde, sobald man wieder ins Lager fuhr. Beim nächsten Besuch im Gasthaus fand man ihn wieder in dem Zimmer vor, das einem zugeteilt wurde.

Er fuhr mit der Hand über das glänzend braune Holz des Schranks. Mahagoni, zweifellos aus deutscher Herstellung. Er kannte diese Art von Schlössern und Messingbeschlägen.

Er suchte eine Weile und fand auf der Unterseite des Schranks den Firmennamen. Eine Fabrik in Frankfurt am Main. Das entbehrte nicht einer gewissen Komik. Laut Dr. Ernst kam Mahagoni vorwiegend aus Nordamerika. Amerikanische Arbeiter hatten die Bäume für diesen Schrank gefällt und zu Brettern zersägt. Anschließend waren diese über den Atlantik nach Rotterdam oder Hamburg verschifft worden. Eine Firma in Frankfurt hatte die Bretter gekauft und daraus Schränke hergestellt, die sie wiederum nach Deutsch-Ostafrika verkauft hatte!

Am Bahnhof stand nun eine ganze Ladung Mahagoni, die zwei Tage lang ohne Zusatzkosten transportiert worden war. Er zuckte mit den Achseln und begann, sein Rasiermesser an einem Lederriemen zu schärfen.

Nach einem ausgiebigen Frühstück im kleinen Speisesaal des Gasthauses, das aus Roggengrütze, Eiern mit Speck und Kaffee bestand, unternahm er in einfacher Khakikleidung und normalen Schuhen statt Stiefeln, aber mit dem breitkrempigen Hut auf dem Kopf einen Spaziergang. Es bestand keine Veranlassung, sich vor dem Mittagessen formell zu kleiden.

Wie immer, wenn er in Dar war, lenkte er seine Schritte

zum Hafen. Das Meer und Schiffe übten immer eine besondere Anziehung auf ihn aus. Es herrschte Hochwasser, die dickbauchigen Schiffe, die *Dhaus*, lagen am Kai und wurden be- und entladen. Verschifft wurden Sisalballen, *Kopra* und vereinzelte Elefantenstoßzähne. Möbel, Baumwollstoffe und Kisten mit Glasperlen wurden entladen. In Deutschland war eine ganze Glasperlenindustrie entstanden, da sie das begehrteste Zahlungsmittel in Ostafrika darstellten. Schweißglänzende Rücken in der Sonne, hart arbeitende Männer, an dem Gerücht von den faulen Afrikanern war wirklich nichts dran.

Die Afrikaner besaßen keine Ausbildung und waren europäisches Werkzeug nicht gewohnt. Deswegen konnten sie trotzdem arbeiten. Sie handhaben ihre Seile und *Pangas*, die Buschmesser, die sie für alles Mögliche verwendeten, mit großem Geschick.

Mühsam beim Eisenbahnbau war vor allen Dingen, dass die Arbeiter ungefähr so schnell an Malaria starben, wie ihre Ausbildung dauerte.

Von Neuem machte er sich die enorme Bedeutung der Entdeckungen Dr. Ernsts klar, nicht nur für den Eisenbahnbau, sondern für jede organisierte Tätigkeit in dem bislang unzugänglichen Herzen Afrikas. Damit ließ sich die Zahl geologischer Forschungsexpeditionen vervielfachen. Schließlich musste das afrikanische Gold irgendwo herkommen.

Die ersten Fischerboote, Auslegerboote, die mithilfe von Paddeln oder eines Lateinsegels vorwärtsbewegt wurden, waren auf dem Weg in den Hafen. Er liebte den Geruch von frischem Fisch, vielleicht weil er ihn an seine Kindheit und sein eigenes Zuhause erinnerte. Kein Fisch in Afrika duftete so wunderbar wie Dorsch, aber oft waren die Fische viel schöner. Bei manchen lief einem das Wasser im Mund zusammen, etwa bei der blauen Variante der Meerforelle. Sie schmeckte wie eine Mischung aus Seewolf und Seeteufel. Die Garnelen hatten allerdings trockenes Fleisch und schmeckten holzig, obwohl sie viel größer waren als ihre norwegischen Verwandten.

Er schwitzte stark, was nichts mit der Hitze zu tun hatte, die ihm normalerweise nichts ausmachte. Etliche Swahili und Inder, die an ihm vorbeigingen, grinsten ihn breit an. Sie glaubten, dass Mzungi keine Hitze vertrugen. Das war Unsinn, genauso wie das Gerede von den faulen Afrikanern. Sich gegen Kälte zu schützen, besonders feuchte Kälte, war wesentlich schwieriger. Mit Wärme ließ sich viel leichter umgehen, man musste nur einen Hut aufsetzen und viel Wasser trinken.

Das Mittagessen würde vermutlich eine etwas ruhigere Wiederholung des Vorabends werden. Vielleicht bot man ihm ja eine Gehaltserhöhung an. Er durfte nicht vergessen, die Bedeutung von Dr. Ernsts fantastischen Erkenntnissen hervorzuheben. Die Löwenlegende war gestern, heute musste es um Dr. Ernst gehen.

Bevor er ins Gasthaus der Eisenbahngesellschaft zurückkehrte, war er mehrere Stunden lang planlos auf der großen Landzunge im Norden herumgestrolcht. Es war Ebbe, und die großen Dhaus lagen, wie zweimal im Laufe eines Tages, seitlich auf dem Trockenen. Ihr Rumpf erinnerte an eine riesige Walnuss und verhinderte, dass in der Seitenlage die Spanten brachen, selbst bei voller Ladung. Eine interessante, aber logische Art, das Problem der Gezeiten im Indischen Ozean zu lösen. In Westnorwegen hatte man einen anderen Weg beschritten, vielleicht hatten die Wikingerschiffe deshalb so hoch im Wasser gelegen, als hätten sie einen flachen Rumpf.

Er bestellte beim Portier eine Dusche, ging in sein Zimmer hinauf, entledigte sich seiner Kleider und warf sie in den Wäschekorb. Am nächsten Morgen würden sie sauber und gebügelt vor seiner Tür hängen, genau wie im Busch. Ordnung musste sein.

Die Frage war, ob er seine deutsche Eisenbahneruniform oder einen weißen Leinenanzug anlegen sollte. Das war schwer zu entscheiden.

Es war Sonntag, und er war nicht im Dienst, sondern befand sich zu einem zehntägigen Urlaub in der Stadt. Das sprach für zivile Kleidung.

Andererseits legte der Eisenbahngeneraldirektor großen Wert auf Form und Akkuratesse, bis hin zu seinem buschigen roten Schnurrbart, bei dem jedes Haar an seinem Platz lag. Ob er seine Uniform je ablegte?

Doch. Er war protestantisch, sehr protestantisch. Am Sonntag würde er sie ausziehen. Oscar entschied sich für den Leinenanzug mit einer schwarzen Krawatte. Seine Erleichterung war groß, als er sich Punkt ein Uhr im Speisesaal erster Klasse im Clubhaus einfand und feststellte, dass Eisenbahngeneraldirektor Dorffnagel genauso gekleidet war wie er selbst.

Das Mahl wurde mit einem großen Glas Bier eingeläutet. Einige der ganz Frommen tranken am Ruhetag des Herrn keinen Alkohol, nicht einmal Bier. Das Christentum in Afrika zu verbreiten war eine der großen Aufgaben, einer der Gründe, warum sich das Deutsche Reich der humanistischen Aufgabe angenommen hatte, Afrika zu retten.

Oscar begann die Unterhaltung mit einem überschwänglichen, ergebenen Dank für den großartigen Empfang am Vortag, obwohl sein bescheidener Einsatz am Msurifluss einen solchen Aufwand kaum rechtfertigen würde. Frau Schultze wäre stolz auf ihn gewesen.

Als das gesagt war, wies er seinen Gesprächspartner darauf hin, dass es eine viel wichtigere Neuigkeit aus Msuri gebe, die einstweilen aber vielleicht noch diskret behandelt werden sollte.

Sein höchster Chef brachte ihn mit einer raschen Handbewegung zum Schweigen.

»Ich danke Ihnen, dass Sie darauf hinweisen, Herr Diplomingenieur«, flüsterte er und beugte sich in einer Geste kollegialen Einvernehmens vor. Er machte eine Kunstpause und sah sich um. Es gab niemanden in Hörweite, die beiden saßen etwas abseits am besten Fenstertisch mit Meerblick. Sie hatten also eigentlich keinen Grund zu flüstern.

»Ich befürchtete schon, Sie könnten sich, bei allem Respekt für Ihren Einsatz, daran besteht schließlich kein Zweifel, nicht bewusst sein, was Sie in dieser Aktentasche mit sich führten. Doch nun beweisen Sie mir, dass Sie über Diskretion und Urteilsvermögen verfügen. Respekt!«

»Sie haben also den wissenschaftlichen Bericht von Dr. Ernst gelesen, Herr Generaldirektor?«, fragte Oscar, jetzt ebenfalls flüsternd.

»Ja. Die Neugierde übermannte mich, als ich gestern Nacht nach Hause kam. Unser sittenstrenger Freund Generalgouverneur Schnee hat das Fest ja gestern sehr früh beendet, vielleicht in der Hoffnung, dass wir heute zum Gottesdienst alle in guter Verfassung erscheinen. Übrigens habe ich Sie gar nicht gesehen. Haben Sie verschlafen?«

»Durchaus nicht, Herr Generaldirektor«, antwortete

Oscar und schaute zu Boden. »Die peinliche Wahrheit ist schlicht und einfach die, dass ich vergessen habe, dass Sonntag ist. Bei meinem Morgenspaziergang im Hafen waren alle wie gewöhnlich bei der Arbeit. Ich dachte natürlich nicht daran, dass sie Mohammedaner sind. Das war ungeschickt von mir. Ich bitte um Entschuldigung, aber so war es.«

Sein höchster Chef nickte nachdenklich.

»Ehrlichkeit ist eine unserer wichtigsten Tugenden«, sagte er. »Leider gibt es sie viel zu selten. Ich weiß sie jedoch sehr zu schätzen. Dr. Ernst hat Sie also in seine Erkenntnisse eingeweiht? Ich habe gestern wie gesagt aus reiner Neugier mit der Lektüre begonnen, aber ich muss zugeben, dass dazu eigentlich ein nüchternerer Kopf erforderlich gewesen wäre. Danach konnte ich nicht einschlafen. Verzeihen Sie mir die Indiskretion, aber uns hört ja sonst niemand zu. Heute Morgen bin ich früh aufgestanden und habe den Bericht noch einmal gelesen. Sie verstehen natürlich, was das bedeutet?«

»Natürlich!«, erwiderte Oscar. Die großen Verluste an Menschenleben, die den Eisenbahnbau erschwerten, da die Gleise durch ein Malariagebiet nach dem anderen führten, ließen sich jetzt effektiv begrenzen oder gar gänzlich abstellen.

Ermuntert von der Miene seines Gegenübers, die sowohl Erstaunen wie auch Respekt ausdrückte, kam Oscar auf die nächste Schlussfolgerung zu sprechen. Er war sich bewusst, dass er sich damit als loyaler, patriotischer und einsichtiger darstellte, als er eigentlich war. Dr. Ernsts Entdeckung brächte, fuhr er fort, wahrscheinlich enorme Konkurrenzvorteile mit sich.

Das war ein Wort, das er zum ersten Mal in den Mund nahm. Eigentlich verachtete er Finanzleute und Politiker. Gerade daher, fuhr er im selben Stil fort, habe er so ein gewichtiges Thema nicht auf einem munteren Fest anschneiden wollen.

Das war natürlich Heuchelei, kam ihm aber mühelos über die Lippen. Der Grund, warum er Dr. Ernst am Vorabend nicht erwähnt hatte, war recht einfach. Er war selbst zu geschmeichelt und viel zu betrunken für eine anspruchsvollere Unterhaltung gewesen.

»Wissen Sie, Herr Lauritzen, Sie dürfen mich in Zukunft übrigens auch gerne nur mit dem Nachnamen ansprechen … Sollen wir darauf anstoßen?«

»Danke, Herr Dorffnagel, es ist mir eine große Ehre«, sagte Oscar und hob gleichzeitig mit seinem Gastgeber und Vorgesetzten sein Bierglas.

Sie sahen einander durchdringend an, verbeugten sich steif und tranken.

»Was ich, Herr Lauritzen, gerade sagen wollte, ist, dass Sie ein junger Mann sind, dem alle Möglichkeiten offenstehen. Ich weiß es sehr zu schätzen, dass Sie in meinen Diensten stehen, obwohl es eigentlich eher Glück als Überlegung war, als ich Sie eingestellt habe. Es kommt sehr viel Gesindel hierher. Als ich mir Ihre Bewerbung jedoch näher angesehen habe, sah ich, dass Sie zu den zehn Besten in Dresden gehört haben, und damit war natürlich alles klar. Wie wollen Sie eigentlich Ihre freien Tage in Dar verbringen?«

»Ich will fischen, Herr Dorffnagel, ich stamme ja aus einer norwegischen Fischerfamilie.«

»Ausgezeichnet. Sie können jederzeit an Bord eines

unserer Fischerboote gehen. Das sind diese blauen Auslegerboote. Richten Sie einfach Grüße von der Direktion aus. Sie stechen in See, wenn die Flut … aber das wissen Sie vermutlich selbst. Noch einmal auf Ihr Wohl!«

Nachdem sie angestoßen hatten, wurde nachgeschenkt. Oscar war es recht, denn die nächste Flut kam erst nach Einbruch der Dunkelheit, und dann war es zu spät, noch rauszufahren. Das Fischen musste bis zum nächsten Tag warten.

Sie genossen ein wunderbares Mittagessen mit Fisch und Garnelen.

VII

LAURITZ

Hardangervidda, Juni bis Juli 1901

Segeln war ein wunderbares Glück. Er brauchte nur den Wind zu prüfen und wusste, wie viele Schläge er von Ustaoset nach Haugastøl benötigte. Segeln war für ihn genauso selbstverständlich wie Atmen oder Gehen. Beim Segelsetzen wusste er sofort, ob die Segelfläche zu groß war und ob gerefft werden musste, damit das Segel nicht flatterte und das Boot an Fahrt verlor. Oder umgekehrt.

Die Eisenbahngesellschaft hatte in Ustaoset drei Boote liegen, zwei Arendal-Jachten und eine Hardanger-Jacht, alle besaßen ein Großsegel mit Sprietbaum und einem Vorsegel. Für Fahrten auf dem offenen Fjord waren sie zu schmal und hoch, aber oben im Fjell hatte man die Boote immer so gebaut. Beladen wurden sie bedeutend stabiler.

Es war schönes Wetter und Sommer. Es hieß, einen solchen Sommer habe es schon seit vielen Jahren nicht mehr gegeben, denn sonst verschwand der Schnee in den Tälern und an den Hängen immer erst im Juli. Es hatte jedoch seit Wochen nicht mehr geschneit, und die Blumenpracht auf den Matten war förmlich explodiert, zuerst die weißen Eisranunkeln, die in langen Streifen wuchsen und an Schneewehen erinnerten, die nicht schmolzen, und deren Farbe jetzt ins Violette changierte. Gräser, Flechten, gelber und purpurner Steinbrech und Moose färbten die Täler und die Hänge abwechselnd gelb, violett, rosa, tiefblau und grün, hin und wieder sogar schwarz oder grau.

Lauritz saß an der Ruderpinne einer Arendal-Jacht und genoss das Dasein wie schon lange nicht mehr. Beim Segeln verflüchtigten sich alle düsteren Gedanken, wie lange seine Gefangenschaft im Fjell wohl noch dauern mochte. Oder wie lange Ingeborgs Vater ihre Ausflüchte, noch eine weitere Ausbildung zu benötigen, ehe sie einen passenden Mann heiraten konnte, noch tolerieren würde. Gelegentlich grübelte er auch darüber nach, wie es seiner Mutter Maren Kristine in Tyssebotn wohl ging – ihre Briefe waren nicht sehr aufschlussreich –, oder in welcher Hütte man ihn im kommenden Winter einsperren würde.

In diesem Augenblick jedoch waren seine Gedanken nur mit dem Segeln beschäftigt und mit der Frage, ob sein Talent dafür möglicherweise genetisch bedingt war. Konnte er segeln, weil er bis zu seinem zwölften Lebensjahr in einer Welt gelebt hatte, in der alle segeln konnten? Oder lag es in den Genen und hatte sich über Jahrhunderte vererbt? Zu Hause auf Frøynes segelte man seit tausend Jahren. Genügten tausend Jahre für eine genetische Mutation, von der Darwin sprach, und um eine besondere, segelnde Menschenrasse zu schaffen? Er hatte ehrlich gesagt keine Ahnung, Genetik war nicht sein Fach, er beschäftigte sich nur mit Fragen, die sich mithilfe eines Rechenschiebers beantworten ließen.

Es wurde jedenfalls skeptisch beäugt, dass sich ein Ingenieur um die Segelboottransporte für den Eisenbahnbau kümmerte, als wäre diese Arbeit, ungefähr wie die Kutscherdienste, unter seinem Niveau. Also hatte er das Ganze als Wette getarnt und gesagt, dass er allen anderen davonsegeln würde, um sich dieses Vergnügen zu gönnen. Von Wettsegeln konnte jedoch nicht die Rede sein, da er die andere Arendal-Jacht bereits nach zwei Wenden abgehängt hatte. Aber eine Wette war eine Wette, und so segelte er zufrieden mit einem begeisterten Lehrling, der Trygve hieß und an den Mast gelehnt selig strahlte. Trygve sollte segeln lernen, um eines Tages diese Arbeit zu übernehmen, aber eigentlich war nicht vorgesehen, dass er von einem Ingenieur unterrichtet wurde.

Das Schwere am Unterrichten war, sein Wissen in Worte zu fassen. Ruderführung und Handhabung der Schot geschahen automatisch, ohne dass er hätte erklären können, warum er was machte. Wenn er den Kurs änderte, um härter am Wind zu segeln, ging es natürlich schneller voran. Aber war ihm das in diesem Augenblick bewusst? Er segelte instinktiv und nicht anhand theoretischer Kenntnisse. Er musste an Johan Svenske denken, der noch nie einen Rechenschieber oder Theodoliten in der Hand gehalten hatte und trotzdem wusste, wie man eine Brücke baute oder Granit brach.

Mit dem Boot wurden vorrangig schwere Güter transportiert, beispielsweise Werksteine aus den Steinbrüchen, Zement und Sand. Das bedeutete viel Ballast und ein langsames Vorankommen, insbesondere beim Kreuzen nach Haugastøl. Auf dem Rückweg mit leerem Boot und achterlichem Wind ging es dafür umso schneller. Ein schlechtes Gewissen, dass er seine Ingenieursarbeit vernachlässigte, brauchte er nicht zu haben. Das milde Frühjahr und das beharrlich gute Sommerwetter hatten zur Folge, dass die drei Brücken, für die er verantwortlich war, einen Monat früher als berechnet fertig werden würden. Johan Svenske und sein Trupp konnten mit einem strahlenden Akkord rechnen und vor Anbruch der Wintersaison sogar noch eine weitere Arbeit unter freiem Himmel ausführen. Wohin und für welche Arbeit entlang der Bahnstrecke er selbst abkommandiert werden würde, wusste Lauritz nicht.

Für Sankt Hans war eine Inspektion angekündigt. Oberingenieur Harald Skavlan würde sich in höchsteigener Person einfinden. Dann würde er wohl Bescheid erhalten. Bei Daniel Ellefsen sah es anders aus. Er arbeitete an den Einschnitten weiter westlich und würde mit dem ersten Schnee wieder zur Tunnelarbeit am Vikastøltunnel zurückkehren.

Die beiden kamen inzwischen gut miteinander aus, da wäre es doch schade, wenn sie an unterschiedlichen Stellen eingesetzt würden und mit neuen Kollegen das Winterquartier teilen müssten.

*

Oberingenieur Skavlan und Abteilungsingenieur Olav Berner kamen, in eine Unterhaltung vertieft, ohne einen Schweißtropfen auf der Stirn oder im Geringsten erschöpft auf der Bahnhofsbaustelle in Haugastøl anspaziert. Skavlan war mit Stock und Rucksack im zwanzig Kilometer entfernten Voss aufgebrochen. Bei Hallingskeid hatte sich Berner zu ihm gesellt. Von dort aus hatten sie nur zwei Tage bis nach Haugastøl gebraucht.

Die beiden Chefingenieure befanden sich auf Inspektionsreise von Voss bis Geilo, gingen also die gesamte Baustelle ab. In Haugastøl hatten sie nichts zu beanstanden gehabt, der Bahnhof war mehr als halb fertig, die Wände standen, und der Dachstuhl wurde gerade aufgerichtet. Das Gebäude würde rechtzeitig vor Wintereinbruch fertig werden. Dort würden dann die neuen Ingenieure einquartiert werden. Daniel Ellefsens Arbeiten an den Einschnitten und dem Tunnel bei Vikastøl ließen nichts zu wünschen übrig, hatten die beiden Chefs konstatiert und waren unbeschwert Richtung Ustaoset weitergezogen, wo man Mittsommer feiern wollte. Aber vorher wollten sie noch die drei Brücken des neuen Ingenieurs Lauritzen inspizieren. Sie ließen Lauritz holen, der sein Segelboot nur widerwillig verließ, aber Befehl war Befehl.

Sie hatten ihn zu der ersten Brücke bestellt. Bereits aus der Entfernung sah Lauritz sie gestikulieren. Sie schienen sich nicht einig zu sein. Das verhieß nichts Gutes.

Als er sich zu ihnen gesellte, hatten sich die beiden Männer wieder beruhigt und begrüßten ihn höflich und förmlich. Sie sprachen ihn mit Herr Lauritzen an, was angestrengt klang. Dass die Ingenieure sich untereinander duzten, galt offenbar nicht für die höchsten Chefs. Andererseits war es auch ihre erste Begegnung. Lauritz hatte seinen Vertrag bei einem Abteilungsdirektor in Kristiania unterschrieben.

»Hier sind einige Veränderungen gegenüber den Originalzeichnungen erfolgt«, kam Skavlan nach der Begrüßung und nachdem sie der Sonne wegen ihre Hüte wieder aufgesetzt hatten, ohne Umschweife zur Sache.

»Ja, das ist vollkommen richtig«, antwortete Lauritz defensiv und so zackig, als stünde einer seiner Dresdner Professoren vor ihm.

»Vielleicht können Sie uns ja erklären, was diese Veränderung veranlasst hat, Herr Lauritzen?«, sekundierte Berner.

Lauritz sah von einem zum anderen. Sie sahen sich erstaunlich ähnlich, beide in Tweed und mit Schlips, Wanderstiefeln und Stöcken, groß und schlank, ohne ein Gramm Fett auf den Rippen, graue Schnurrbärte, die borstig kurz geschnitten waren.

Er begann Zahlen aus dem Gedächtnis abzuspulen. Den Neigungswinkel, der eine horizontale Sprengung nötig gemacht hätte, um das westliche Brückenfundament zu verstärken. Die Extrakosten, die sich mit erheblich verbesserter Stabilität begründen ließen. Dazu trug er eine so überzeugte Miene wie möglich zur Schau. Anfänglich fiel ihm nicht auf, wie amüsiert die älteren Kollegen wirkten.

»Einige der Werksteine im unteren Teil sehen nicht aus wie auf der Zeichnung, wie erklären Sie das, Lauritzen?«, fragte Skavlan.

Diese Frage wiederum war schon nicht mehr so einfach mithilfe von Physik und Mathematik zu beantworten. Lügen kam aber auch nicht infrage.

»Das hat mit meinem eigensinnigen … eigensinnigen, aber sehr kompetenten Vormann zu tun«, erwiderte Lauritz vorsichtig.

»Sie beugen sich also Anweisungen eines Vormannes, Herr Lauritzen. Ist das nicht leichtsinnig?«, wollte Skavlan wissen.

»Nein, das finde ich nicht«, verteidigte sich Lauritz.

»Schließlich handelt es sich um eine Steinkonstruktion ohne Zement, alles muss genau zusammenpassen, wie auch immer man gerechnet haben mag. Wenn Stein drei im Verhältnis zur Zeichnung etwas zu groß ausfällt, muss Stein vier eben etwas kleiner ausfallen. Außerdem habe ich größtes Vertrauen zu diesem Vormann, ich finde ihn geradezu bewundernswert. Wir haben über jeden Stein gesprochen, ich war praktisch täglich hier.«

»Wie heißt der Vormann?«, fragte Skavlan kurz.

»Johan Svenske.«

»Ach so, das erklärt alles. Nun denn, dann können wir ja zu den anderen beiden Baustellen weiterwandern.«

Die beiden Chefs wandten ihm fast demonstrativ den Rücken zu und gingen, sich leise unterhaltend, voraus. Sie wollten ganz offensichtlich nicht, dass Lauritz ihnen zuhörte. Von bösen Ahnungen erfüllt, hielt er sich respektvoll auf Abstand. Nach nur zwanzig Minuten waren sie bei der nächsten Brücke angelangt. Hier fand ungefähr die gleiche Diskussion statt wie bei der ersten Brücke. Danach setzten sie ihren Weg wie gehabt fort.

An der dritten Brücke wurde noch gebaut, ein Bogen war fast bis zum Scheitelpunkt gediehen, und das Gerüst war größtenteils bereits abgebaut worden. Aber vom nächsten Begegnungspunkt und Richtung Osten stand das Gerüst noch. Gerade wurde ein Werkstein nach oben gehievt, um ihn an seinen Platz zu legen.

Aber jetzt kam die Arbeit zum Erliegen, was nicht geschehen wäre, wäre Lauritz allein gekommen. Die Arbeiter stellten sich in einer Reihe auf und nahmen die Hüte ab. Johan Svenske trat vor und gab den beiden Chefs die Hand und verbeugte sich. In der Eile vergaß er Lauritz.

Mit einem Mal war die Strenge der beiden Inspektoren wie weggeblasen. Skavlan klopfte Johan Svenske auf die Schulter, gratulierte ihm und erkundigte sich, ob er mit seinem Arbeitertrupp nach einer kurzen Sommerpause einen neuen Akkord übernehmen könnte, da diese Brücke ja vermutlich bereits Anfang Juli fertig wäre. Johan Svenske sagte zu, mit der Einschränkung, dass er nicht über die Pläne aller Männer seines Trupps Bescheid wisse. Er würde die eventuell frei werdenden Stellen jedoch rasch wieder besetzen können. Ein wenig hinge das natürlich auch davon ab, worin die neue Arbeit bestehe und welchen Ingenieur man am Hals habe.

Skavlan deutete mit dem Daumen über die Schulter auf Lauritz. Johan Svenske war erst verdutzt, und einige schreckerfüllte Sekunden konnte Lauritz seine Reaktion nicht deuten, aber dann strahlte der große Vormann, spuckte seinen Kautabak aus, der fast Lauritz' Schuh traf, trat vor, legte Lauritz seine riesige rechte Pranke auf die Schulter, schüttelte ihn liebevoll und wandte sich an die beiden Chefs, ohne Lauritz loszulassen.

»Der Junge sieht vielleicht unscheinbar aus, das gebe ich zu«, grinste Johan Svenske fröhlich, »aber eines kann ich den Herren Oberingenieuren sagen, dumm ist er nicht. Rechnen und messen kann er, und mit Gestein kennt er sich aus. Erstaunlicherweise, da er nur die Theorie gelernt hat. Wir arbeiten sehr gut zusammen.«

»Das ist ja ausgezeichnet«, meinte Skavlan trocken. »Diese Brücke ist dann also in … vierzehn Tagen fertig?«

»In zehn Tagen«, berichtigte ihn Johan Svenske, schüttelte Lauritz ein weiteres Mal, ehe er ihn losließ, und wandte sich dann an die beiden höchsten Chefs. »Zehn Tage, dann zehn Tage Sommerferien, ungewohnter Luxus, und dann was?«

»Vierzehn Tage Urlaub«, korrigierte ihn Skavlan. »Wir müssen eine Baracke versetzen, genauer gesagt eine größere bauen. Für vierzig Mann. Aber die Baracke hier muss verlegt werden. Also vierzehn Tage. Dann findet ihr euch in Finse ein. Abgemacht?«

»Abgemacht!«, sagte Johan Svenske, gab den beiden Chefs die Hand und kehrte an seine Arbeit zurück.

Wenige Augenblicke später war alles wieder wie zu dem Zeitpunkt, als sie auf der Baustelle eingetroffen waren. Ein großer Werkstein wurde mit einem Flaschenzug hochgehievt, und Flüche hallten durch die dünne Gebirgsluft. Die drei Ingenieure machten kehrt und marschierten Richtung Ustaoset. Sie würden einige Stunden unterwegs sein.

Skavlan legte Lauritz kurz seinen Arm um die Schultern und zog ihn zwischen sich und Abteilungsingenieur Olav Berner, den Chef von Hallingskeid. Damit war offenbar aufgehoben, dass Lauritz ihnen in respektvollem Abstand folgte.

Fünf Minuten schritten sie schweigend aus. Lauritz musste sich anstrengen, um auf dem Geröll und den nassen Felsen, über die das Wasser in Rinnsalen und kleinen Bächen hinabfloss, Schritt halten zu können. Der Pfad war heimtückisch glatt, aber das schien den beiden Chefingenieuren nicht das Geringste auszumachen.

»Sie haben, was Brücken und Tunnel betrifft, die beste Ausbildung der Welt genossen«, brach Skavlan genauso plötzlich wie überraschend das Schweigen.

»Das stimmt. Es gibt, soweit ich weiß, keine Universität, die die Dresdner überträfe«, antwortete Lauritz vorsichtig.

»Ja, so ist es«, fuhr Skavlan fort. »Das wussten wir in der Theorie auch, jetzt haben wir den Beweis erhalten. Diese drei Brücken waren sozusagen die Einstandsprüfung, wir wollten etwas Konkretes sehen. Ich habe Freunde bei der *Guten Absicht* und kenne die ganze Geschichte von Anfang an. Sie haben die drei besten Brücken der gesamten Strecke gebaut.«

»Nicht ich allein. Johan Svenske hat einen mindestens genauso großen Anteil an der Arbeit«, wehrte sich Lauritz verlegen. Er errötete unter seinem Schlapphut, und das passierte ihm nicht oft.

»Das stimmt natürlich«, erwiderte Olav Berner. »Aber das gehört dazu hier oben, anders als im Tiefland. Hier muss man mit den Vorarbeitern auskommen, und Johan Svenske ist einer unserer allerbesten. Sie müssen wissen, dass er sonst sehr zurückhaltend ist, wenn es darum geht, Ingenieure zu loben. Er hat seinen Berufsstolz. Er ist der Meinung, dass sein Trupp und er die Arbeit machen und dass wir nur stören und außerdem noch unverschämt gut bezahlt werden.«

»Stimmt das denn nicht?«, erdreistete sich Lauritz zu erwidern. »Es geht ja nicht nur darum, zu bauen, zu rechnen und zu zeichnen, hier muss man vor allem die Natur aushalten.«

»Natürlich«, pflichtete ihm Skavlan bei. »Schnee und Wind sind unsere größten Feinde.«

»Diese drei Brücken waren nicht sonderlich schwierig«, meinte Lauritz ausgelassen über die Anerkennung der Kollegen. »Bereits zur Römerzeit hätte man diese Brücken ungefähr auf diese Weise gebaut, zumindest im Tiefland. Es war also eigentlich nicht viel dabei, ich meine, was die Konstruktionstechnik angeht.«

Die beiden anderen erwiderten darauf nichts. Lauritz bereute seine neunmalkluge Betrachtung, aber gesagt war gesagt.

Die beiden Chefs gingen scheinbar langsam und ruhig weiter und waren trotzdem viel schneller als Lauritz. Die Sonne stand inzwischen so tief, dass sie ihre Hüte abnehmen konnten. Nur auf den höchsten Gipfeln lag noch Schnee. Es war bereits im Juni so warm wie nie zuvor, zumindest konnte sich niemand erinnern. An den Sommer 1901 würde man noch lange denken.

»Wir haben ein äußerst schwieriges Bauprojekt vor uns, das einige Leute als undurchführbar betrachten«, sagte Skavlan nach einer guten halben Stunde des Schweigens unvermittelt.

»Wir wollten also wissen, ob du der richtige Mann dafür bist. Und das bist du«, ergänzte Berner und ging nahtlos zum vertraulicheren Du über.

Lauritz verschlug es die Sprache. Seine Fantasie erlebte Höhenflüge. Es musste sich um etwas völlig Neues handeln, etwas, das es auf der gesamten Strecke noch nicht gegeben hatte.

Die anderen sagten nichts mehr, sie warteten offenbar seine Reaktion ab. Wie er von Daniel gelernt hatte, durfte man sich mit der Antwort Zeit lassen. Aber seine Neugier veranlasste ihn dann doch zu einer Frage.

»Und was soll ich Ihnen bauen?«

»Eine Brücke. Aber nicht irgendeine Brücke. Ein Bogen mit einer Spannweite von fünfunddreißig Metern über einen Wasserfall mit einer recht großen Fallhöhe«, antwortete Skavlan.

»Eine Gewölbebrücke also«, stellte Lauritz fest.

»Ja. Eine Gewölbebrücke zwischen zwei Tunneln«, bestätigte Olav Berner. »Entweder dieses Bauwerk gelingt, oder wir müssen den gesamten Streckenverlauf ändern, was eine Verzögerung von mehreren Jahren zur Folge hätte.«

»Verstehe«, sagte Lauritz. »Und wo soll diese Brücke errichtet werden?«

»Am Kleivevand, über den Kleivefoss«, meinte Skavlan. »Ich schlage Folgendes vor: Erst einmal wandern wir nach Ustaoset und feiern Mittsommer, und ich kann dir versichern, dass wir hier oben zu Sankt Hans noch nie so gutes Wetter hatten. Danach begleitest du uns über Finse zum geplanten Bauplatz und schaust dir alles an. Im Übrigen solltest du dich darauf einstellen, in ein paar Wochen nach Finse umzuziehen.«

»Was soll ich dort tun?«

»Zu Anfang nicht viel. Wir benötigen einige Hundert Meter westlich vom Bahnhof eine kleinere Brücke über den Finseå. Die Brücke wird benötigt, um mit den Arbeiten am Tunnel beginnen zu können. Ein Haus für die Ingenieure steht bereits, und wie du gehört hast, wird dort zusätzlich eine Baracke für zwei Arbeitertrupps errichtet, sodass im Winter Schicht gearbeitet werden kann. Von dort kannst du dich zu Fuß oder auf Skiern zu der achtzehn Kilometer entfernten Brückenbaustelle begeben. Aber genug davon, jetzt wollen wir den schönen lauen Sankt-Hans-Abend genießen.«

Es war 21 Grad warm, als die acht Ingenieure der Strecke Geilo–Hallingskeid die drei Segelboote bei Ustaoset ins

Wasser schoben, um über den spiegelblanken See zu einer kleinen Insel zu segeln. Sie hatten eine ansehnliche Menge Dörrfleisch, Bier, Branntwein und Whisky an Bord. Von der Insel aus konnten sie fast die ganze Strecke sehen, die der Zug einmal am Ustavand entlang zurücklegen würde. In diesem Augenblick kam ihnen alles möglich, geradezu selbstverständlich vor. Vor ihrem inneren Auge sahen sie eine Dampflokomotive am Ufer entlangfahren und die überdachten Einschnitte passieren. Meist fuhr sie jedoch unter freiem Himmel. Je mehr sie tranken, desto überzeugter waren sie, dass die Bergenbahn kein unmögliches Unterfangen war, wie einige Unken in Kristiania und im Storting meinten. Viel schlimmer sei es, scherzten sie, dass kaum einer der neunhundert mit dem Bau beschäftigten Arbeiter daran glaubte, dass die Eisenbahnverbindung je Wirklichkeit werden würde. Gegen die Arbeit hatten sie trotzdem nichts, weil sie gut bezahlt war. Nicht einmal die besten Vorarbeiter, unter ihnen auch Johan Svenske, glaubten wirklich an die Durchführbarkeit des Projekts. So erzählte man sich zumindest an dem verglimmenden Lagerfeuer auf der Insel.

Lauritz bezweifelte im Stillen, dass Johan Svenske zu den Skeptikern gehörte. Könnte dieser Riese von Mann, der die perfekte Rundung eines Bogens im Gefühl hatte und seine Arbeiter mit Vertrauen und fester Hand antrieb, seine Arbeit so gut verrichten, wenn er nicht an sie glaubte? Lauritz erschien das undenkbar. Kein Mensch konnte Derartiges leisten, wenn er nicht von der Durchführbarkeit überzeugt war.

Ein Lied über die Selbstständigkeit Norwegens wurde angestimmt. Einer nach dem anderen fiel ein, und bald hallte das Lied über das weiße Wasser in die Mittsommernacht.

Lauritz sang pflichtschuldig mit. Norwegens Unabhängigkeit von Schweden interessierte ihn nicht weiter. Norwegen war Norwegen, und Schweden war Schweden, und sein Zuhause war Osterøya, die weder mit Kristiania noch mit Stockholm etwas zu tun hatte. Was hatte es je auf Osterøya oder gar auf dem Frøynes Gård für eine Rolle gespielt, dass man etwa vierhundert Jahre lang einen dänischen König und fast hundert Jahre lang einen schwedischen König gehabt hatte?

Diese möglicherweise ketzerische Ansicht behielt er in Gesellschaft seiner singenden Ingenieurskollegen lieber für sich, eine diesbezügliche Äußerung hätte diese sagenhafte Mittsommernacht mit Sicherheit zerstört.

*

Er hatte das Vergnügen, die beiden Chefingenieure von Ustaoset nach Haugastøl zu segeln. Ausnahmsweise kam der Wind nicht von Westen oder Nordwesten, sondern von Südosten, sie kamen also bei raumem Wind rasch voran. Die beiden Älteren genossen das Segeln und die Abwechslung, schienen es aber nicht nachvollziehen zu können, als Lauritz ihnen erklärte, wie bequem es war, auf diese Weise die Fußwanderung um fünfzehn Kilometer zu verkürzen.

Sie hatten großzügige Mengen Proviant, einschließlich Bier, und schwere Schlafsäcke aus Rentierfell dabei.

Nachdem sie in Nygård angelegt hatten, setzten sie sofort ihre Rucksäcke auf und marschierten bergauf Richtung Finse. Lauritz kannte diese Gegend nicht und schritt zunächst gut gelaunt und neugierig dem Ort entgegen, an dem er den nächsten Winter verbringen würde. Er wurde jedoch zusehends nachdenklicher.

Nach etwa einer Stunde passierten sie die Baumgrenze, nach einer weiteren Stunde wateten sie durch Schneematsch. Lauritz ärgerte sich darüber, dass es ihm solche Mühe bereitete, Schritt zu halten. Die beiden anderen machten kurze Schritte und gingen ohne sichtbare Anstrengung im Takt. Peinlicherweise sorgten sie sich väterlich um Lauritz. Sie wechselten sich ab, vorauszugehen, damit in dem immer tieferen Schnee eine Spur entstand, die ihm das Vorankommen erleichtern sollte. Sie unterhielten sich nicht miteinander und auch nicht mit Lauritz. Alle waren in Gedanken versunken.

Nach drei Stunden kamen sie an einen Platz, an dem ein paar flache, schwarze Felsen aus dem Schnee ragten. Sie blieben stehen, nahmen die Rucksäcke ab und packten den Proviant und das Bier aus. Die Aussicht war fantastisch, rundherum baumloses Gebirge, kein menschliches Leben, so weit das Auge reichte, und ganz in der Ferne ein blauer Gletscher.

»Das ist der Hardangerjøkul«, sagte Skavlan. »Bis dorthin wollen wir heute kommen.«

Lauritz kam resigniert zu dem Schluss, dass das noch mindestens anderthalb Stunden dauern würde, aber er sagte nichts. Lieber würde er laufen, bis er umfiel.

Sie aßen Ziegenkäse, Fladenbrot und Rentierwurst. Dazu tranken sie jeder eine Flasche Bier, bis es an der Zeit war, sich wieder auf den Weg zu machen. Jetzt waren sie gezwungen, sich an den von Packpferden und Schlitten aufgewühlt-schlammigen Transportweg zu halten. Neben dem

Weg war der Schnee zu tief, und die Eiskruste trug nicht mehr. Bisher war es leicht bewölkt gewesen, jetzt brannte die Sonne von einem vollkommen blauen Himmel. Das grelle Licht, das von den schneebedeckten Hängen und Gipfeln reflektiert wurde, war schmerzhaft. Sie setzten ihre Sonnenbrillen auf.

In Finse gab es außer zwei Baracken nicht viel zu sehen. Die eine für die Arbeiter war bereits fertig, an der kleineren für die Ingenieure wurde noch gebaut. Daneben stand eine verschneite Jagdhütte aus Stein. Die Sonne hatte bislang erst das Dach freigelegt.

In der nächsten Stunde wurde Lauritz dann von dem großartigsten Anblick verzaubert, der sich ihm je geboten hatte, dem des enormen Gletschers Hardangerjøkul. Wie eine blau schimmernde Raubtierpfote schob er sich vom Fjell an das Ufer eines graufleckigen Sees heran, auf dem das Eis gerade aufging. Die Müdigkeit nach dem langen Marsch beflügelte Lauritz' Fantasie. Mehrmals drohte er zu stolpern, weil er seinen Blick nicht von dem Gletscher losreißen konnte. Der Gletscher verwandelte sich von einer Raubtierpfote in ein Märchenschloss für Fantasiewesen oder eher in ein Domizil der Götter, je nachdem, was die tief stehende Sonne im Westen für Schatten und Licht-skulpturen entstehen ließ. Wie alt war der Gletscher? Er hatte keine Ahnung, aber er musste mindestens aus der letzten Eiszeit stammen, die zehntausend Jahre zurücklag. Oder hatte er schon mehrere Eiszeiten erlebt?

Je näher sie dem kleinen Arbeiterlager bei Finse kamen, desto breiter und zerwühlter von Pferdehufen und Schlit-tenkufen war der Transportweg. Das letzte Stück kamen sie vergleichsweise bequem vorwärts.

Keiner der drei Männer hatte in der letzten Stunde ein Wort gesagt. Jetzt sah Skavlan zur Sonne hoch und fragte Berner, ob sie nicht doch gleich bis Hallingskeid weiterlaufen sollten, statt zu übernachten. Lauritz hielt das erst für einen schlechten Scherz, aber Berner schien das nicht so zu verstehen. Er dachte eine Weile nach und meinte dann, es sei vermutlich besser, die zwei Bauprojekte, die in der Nähe von Finse als Nächstes anstünden, zu besichtigen, dann zu Abend zu essen und am nächsten Morgen sehr zeitig aufzubrechen. Skavlan seufzte demonstrativ, bestand aber zu Lauritz' Erleichterung nicht auf seinen Vorschlag. Er hätte keine weitere Stunde durchgehalten, und er begriff nicht, woher die beiden älteren Herren so ein Durchhaltevermögen hatten. Er hatte sich schon lange an die Höhenluft gewöhnt, daran konnte es also nicht liegen, an seiner Lungenkapazität war nichts auszusetzen. Die Schmerzen, mit denen er nach den Skitouren der ersten Wochen gekämpft hatte, waren verschwunden. Jetzt tat ihm trotzdem alles weh, wenn auch ganz andere Muskeln und außerdem die Knie. Aber hätten die beiden Chefs gesagt, dass man am selben Tag noch nach Hallingskeid weitermarschieren würde, wäre er, ohne eine Miene zu verziehen oder Einwände zu erheben, mitgegangen. Möglicherweise wäre er unterwegs gestorben oder zumindest ohnmächtig geworden. Aber lieber das als klagen.

Sie richteten sich in der fertigen Hälfte der Ingenieursbaracke ein und begrüßten den Vormann, der aus Haugesund stammte.

Von einer Pause konnte nicht die Rede sein. Skavlan zog Zeichnungen und Landkarten aus seinem Rucksack und bat Lauritz, einen Theodoliten mit Stativ mitzunehmen. Dann begaben sie sich wieder in den Schneematsch.

Der schmale Finseå war teilweise noch von Eis bedeckt, aber dort, wo die Brücke geschlagen werden sollte, strömte das Wasser schon. Ein Brückenbau an dieser Stelle war unproblematisch und auch vor Ende des Sommers zu bewerkstelligen, vorausgesetzt, das gute Wetter hielt an. Sie vermaßen ein paar Punkte, um zu überprüfen, ob die Zeichnung stimmte, aber es schien nicht viel zu besprechen zu sein. Dann gingen sie ein Stück flussauf, bis sie den Eindruck hatten, das Eis sei dick genug, um ihn überqueren zu können. Lauritz fand trotzdem, dass es beunruhigend knackte, als er als der Schwerste der dreien den Fluss überschritt.

Mühsam wateten sie durch den Schnee zum nächsten Bauprojekt, das bedeutend komplizierter war als die kleine Brücke. Die geplante Bahnlinie führte ein paar Kilometer von Finse entfernt direkt in den Berg. Hier würde ein Tunnel gebaut werden, der bereits auf den Namen Torbjørnstunnel getauft worden war.

Bei Tunneln hing der Schwierigkeitsgrad normalerweise von der Dichte des Granits ab. Hier bestand ein zusätzliches Problem darin, dass eine beachtliche Schneemenge zu durchdringen war, ehe man überhaupt den Tunnelanfang erreichte. Da der Berghang Richtung Finse ein Osthang war und Schnee und Wind in der Regel von Westen kamen, lag am Fuß des Berges im Windschatten eine riesige pyramidenförmige Schneewehe, die auch im Sommer nicht abschmolz. Das hieß, dass sie sich bis zum Berg vorgraben mussten. Das konnte unerwartet schwierig werden. In den Schneemassen herrschte Permafrost. Hatte man Pech, war der Schnee mit Sand und Steinen vermischt. Mit Schneeschaufeln war gegen solch betonharten Schnee nichts auszurichten, da musste man schon zu Spitzhacken und Brechstangen greifen. Das konnte seine Zeit dauern.

Lauritz baute das Stativ mit dem Theodoliten auf, bestimmte den höchsten und den niedrigsten Punkt der pyramidenförmigen Schneewehe und anschließend die Punkte, die am nächsten und am weitesten entfernt lagen. Anschließend zog er seinen Rechenschieber aus der Tasche und stellte eine rasche Berechnung an. Die anderen sahen ihm schweigend dabei zu, was ihn nervös machte. Sicherheitshalber und entgegen seiner Gewohnheit rechnete er zweimal nach, kam aber wie zu erwarten zum selben Ergebnis.

»Ich komme auf eine Schneemenge von neunzigtausend Kubikmeter«, teilte er mit. »Ein Arbeitertrupp von sechzehn Leuten würde etwa … wenn wir berücksichtigen, dass es sich um ungewöhnlich hart gefrorenen Schnee handelt … zwölftausend Kubikmeter in einem Sommer, also in ungefähr sechzig Arbeitstagen, schaffen. Im nächsten Winter fällt wieder Schnee. Die gesamte Schneemenge lässt sich also nie ganz beseitigen.«

»Nein, das versteht sich«, meinte Skavlan. »Jetzt stell dir einen sechs Meter breiten Einschnitt in der Schneewehe vor, was ergibt sich dann?«

Lauritz griff erneut zum Rechenschieber. Er war ungewohnt verlegen, als würde er von einem Lehrer geprüft.

»Dann könnte es gehen«, meinte er nach einer Weile. »Für einen solchen Hohlweg durch den Schnee müsste man zwischen elf- und zwölftausend Kubikmeter Schnee wegräumen. Vorausgesetzt natürlich, dass einen im Innern der Schneewehe nicht irgendwelche Überraschungen erwarten.«

»Lustig«, meinte Skavlan. »Du kommst zu demselben

Ergebnis wie wir bei der Direktion. Mit dem Unterschied, dass wir sehr viel länger gebraucht haben.«

Sie packten ohne weitere Kommentare ihre Ausrüstung zusammen und kehrten zu der halb fertigen Baracke in Finse zurück.

»Was ist mit Dynamit? Man könnte eine Lawine auslösen«, meinte Lauritz, nachdem sie eine Weile durch den Tiefschnee gestapft waren.

»Eher nicht«, erwiderte Skavlan keuchend, was Lauritz erstaunt, aber mit einer gewissen Schadenfreude registrierte. »Das Problem ist, dass der Schnee an manchen Stellen zu hart ist, an anderen wieder zu porös. Solchen Schnee kann man nicht sprengen, weil sich die Wirkung der Sprengladung nicht berechnen lässt, und dieser Bau hat bereits ein Dutzend Menschenleben gekostet. Ich wünsche bei Gott, dass es dabei bleibt.«

Am Hang Richtung Finse und in den Tälern sahen sie Kolonnen von Pferdeschlitten. Zur Mittsommerzeit erfolgten die Transporte meist nachts, weil dann der Schneematsch gefror und die Schlitten besser vorankamen. Lauritz erfuhr, dass es sich um Baumaterial handelte, Bretter, Ziegel für Hausfundamente, Zement und Sand. Dazu Lebensmittel. Später im Sommer, wenn man trockenen Fußes nach Finse gehen konnte, kamen die Hausierer und Branntweinhändler.

Es hatte zu dämmern begonnen, die schwache Dämmerung Ende Juni, und sie wollten in der Arbeiterbaracke nicht stören, obwohl sie dort sicher ein Abendessen bekommen hätten. Stattdessen betraten sie ihre Ingenieursbaracke, in der es still und kalt war, und rollten, jeder in einem Winkel, ihre Rentierschlafsäcke aus. Dann setzten sie sich an einen provisorischen Tisch, den ihnen die Arbeiter freundlicherweise zusammengezimmert hatten, bevor sie zu Bett gegangen waren. Sie aßen dasselbe wie zuvor, Rentierwurst und Fladenbrot, dazu tranken sie Bier.

Erst aßen sie eine Weile schweigend, dann begannen die beiden Chefs, Lauritz vorsichtig über seine deutsche Ingenieursausbildung auszufragen. Sie selbst hatten um 1870 ihr Examen in Kopenhagen abgelegt und zweifelten nicht daran, dass seither Fortschritte gemacht worden waren, insbesondere in Deutschland.

Da Lauritz über keine andere Ausbildung Bescheid wusste als seine eigene und sich auch nicht vorstellen konnte, wie es in Kopenhagen um 1870 zugegangen war, war er unsicher. Er wusste nicht, was er erzählen sollte. Er bat seine älteren Kollegen daher, Fragen zu stellen. Als Erstes wollten sie wissen, wie er bei der Schneewehe seine Berechnung angestellt habe. Er beschloss, die Frage ernst zu nehmen, obwohl er fand, dass es sich um eine Selbstverständlichkeit handelte. Er griff zu Bleistift und Papier und rechnete rasch und nachvollziehbar die Gleichungen vor. Die beiden Männer lehnten sich neugierig über den Tisch.

Sie brachen früh am Morgen in Finse auf. Lauritz hatte seine schmerzenden Glieder fast fünf Stunden lang ausruhen dürfen. Olav Berner hatte die anderen beiden weiterschlafen lassen, vor dem Haus Feuer gemacht und Kaffee gekocht. In der Ingenieursbaracke stand noch kein Herd.

Dieser Tag war harmloser als der Vortag, an dem sie die Strecke Nygård–Finse zurückgelegt hatten. Anfänglich ging es ein Stück bergauf, aber dann wurde das Terrain ebener, als sie in das Moldaadalen kamen, in dem kein Schnee mehr lag. Anschließend ging es durch eine wüstenähnliche Steinlandschaft nach Hallingskeid, wo Olav Berner und sein Ingenieurskollege Ole Guttormsen bereits seit mehreren Jahren wohnten. Von dort aus überwachten sie den westlichen Streckenabschnitt nach Myrdal und zum Gravehalstunnel.

Sie legten bei dem kleinen, solide aus Stein erbauten Haus, in dem die Ingenieure wohnten, eine Pause ein und ergänzten ihren Proviant.

Es vergingen noch einige Stunden, bis sie an zwei Seen vorbei, dem Grøndalsvand und dem Kleivevand, ans Ziel gelangten.

Der Anblick war atemberaubend. Lauritz schnappte nach Luft, als Skavlan auf die Stelle etwa hundert Meter die Felswand hinauf deutete, an der die Brücke gebaut werden sollte. Er überspielte seine Bedenken, indem er auf die fantastische Aussicht von der fertigen Brücke verwies.

Sie gingen das Ostufer des Flusses hinauf und setzten sich auf einen Felsen, so nahe wie möglich an der Stelle, an der das Brückenfundament in ungewisser Zukunft einmal stehen sollte. Vermutlich würden bis dahin noch mehrere Jahre vergehen. Weit unter ihnen dröhnte der Kleivefossen. Olav Berner kochte erneut Kaffee, und Skavlan zog die Pläne aus seinem Rucksack. Daneben legte er eine Landkarte der Umgebung und erklärte.

Sie befanden sich 6,5 Kilometer östlich von Myrdal, und hier, am westlichen Berghang, würde der Kleivevandstunnel enden. Dort würde sich der Brückenbogen anschließen.

Der einzige Transportweg zur Baustelle, das Kleivegjelet, war für Erdrutsche berüchtigt, es gab aber keine andere

Möglichkeit. Man würde mit Pferden und kleinen Fuhrwerken zurechtkommen müssen.

Die Steine kamen aus einem zwei Kilometer entfernten Steinbruch, der Sand vom Ufer des Grøndalsvand, bis zu dem es drei Kilometer waren, der Zement aus Flaam (Distanz 25 Kilometer), und das Material für die Gerüste aus Kaupanger in Sogn, das noch weiter entfernt lag. So viel zur Logistik. Was hielt Lauritz von der Aufgabe?

Die beiden Männer sahen ihn gespannt und neugierig an.

Lauritz fiel keine kluge, vertrauenerweckende oder humorvolle Entgegnung ein.

»Das wird natürlich die Herausforderung meines Lebens«, sagte er vorsichtig. »Und die größte Schwierigkeit stellt die enorme Höhe dar.«

»Ja. Nichts auf der gesamten Bahnstrecke ähnelt dieser Herausforderung auch nur ansatzweise«, meinte Berner nachdenklich. »Wir wissen zum Beispiel nicht, wie unsere Arbeiter reagieren, wenn wir sie in diese Höhe schicken.«

»Das ist nicht das eigentliche Problem«, wandte Lauritz vorsichtig ein. »Das Gerüst wird so konstruiert sein, dass man gar nicht in den Abgrund schauen kann. Das Problem ist Folgendes.«

Er deutete auf den Bauplan.

»Diese Gerüste werden nicht sehr viele Schneestürme überstehen.«

»Hast du einen besseren Vorschlag?«, fragte Skavlan.

Lauritz meinte eine gewisse Verärgerung aus der Stimme herauszuhören, sah aber ein, dass er keinen Rückzieher mehr machen konnte.

»Ja, das hoffe ich zumindest«, erwiderte er. »Wir fangen

mit dem Bau doch wohl erst nächsten Sommer an, habe ich das richtig verstanden? Bis dahin haben wir viel Zeit, die offenen Fragen zu klären. Ich werde der Direktion meine Vorschläge vorlegen.«

»Gut«, erwiderte Skavlan und reichte ihm die Hand zum Abschied. »Behalte die Pläne und die Landkarte. Jetzt gehe ich nach Hause nach Voss.«

Er gab Berner genauso kurz die Hand, hängte sich seinen Rucksack über die Schulter und marschierte den Hang hinunter.

»Wahrscheinlich hat er vor, noch heute Nacht, ohne irgendwo zu übernachten, in Voss einzutreffen«, murmelte Berner. »Vielleicht sollten wir auch zurückgehen?«

Sie gingen denselben Weg an den beiden Seen vorbei zurück nach Hallingskeid und unterhielten sich über Baugerüste, Winterstürme und den dramatischen Wasserfall Kleivefossen. Eines Tages würden Touristen dorthin strömen, glaubte Berner.

Lauritz machte eine Kaffeepause beim Ingenieurshaus in Hallingskeid, lehnte es aber beharrlich ab, dort zu übernachten, weil er noch vor Einbruch der kurzen Mittsommernacht nach Finse kommen könne. Berner runzelte die Stirn, widersprach aber nicht.

Die ersten Stunden marschierte Lauritz in einer Art Glücksrausch, bis ihm aufging, dass es sich tatsächlich um so etwas wie einen Rausch handelte.

Es war das erste Mal, dass er diese Halluzinationen hatte, die entstehen, wenn man sich lange in großer Höhe aufhält. Erst hörte er Musik in seinem Kopf, sehr wirkliche Musik, als säße er mitten in einem Sinfonieorchester. Es wurde immer wieder dasselbe Stück gespielt, und es ließ sich nicht abstellen. Es war ein sehr bekanntes Stück aus einer Orchestersuite von Bach, und es irritierte ihn ungemein, dass ihm nicht einfiel, wie das Stück hieß.

Ingeborg und er gingen in Dresden die Uferpromenade entlang. Sie trug einen grafitgrauen Hut mit Schleier und breiter Krempe und ein knöchellanges lila Samtkleid. Ausnahmsweise unterhielten sie sich nicht über Politik, sondern sie scherzte, dass sie Andromeda sei und er Perseus. Das sei mehr als nur eine Allegorie, behauptete sie mit Nachdruck.

Dieses Stück, das sich in seinem Kopf festgesetzt hatte und immer wieder von Neuem begann, war natürlich das »Air«, lächerlich, dass er nicht eher draufgekommen war.

Der Held Perseus eilt Andromeda im letzten Augenblick zur Hilfe, gerade als das Ungeheuer aus dem Meer steigt, um sie zu verschlingen. Kurz darauf hält er das abgeschlagene Medusenhaupt in der Hand, und das Ungeheuer versinkt wie ein Stein im Meer. Andromeda und Perseus leben glücklich bis ans Ende ihrer Tage.

Der Felsen, an den ihr Vater seine Tochter kettete, war die jährlich wiederkehrende Regatta in Kiel, eines der wichtigsten Ereignisse der vornehmen deutschen Gesellschaft. Heiratsmarkt nannte Ingeborg die Veranstaltung verächtlich. Dort wurde sie nämlich vorgeführt, wie schon ihre jüngeren Schwestern präsentiert worden waren, und zwar einem Mann in passender Stellung nach dem anderen. Die größte Hoffnung setzte ihr Vater auf einen bayerischen Prinzen. Das wäre ihm natürlich sehr recht gewesen, schrieb Ingeborg ironisch. Ein bayerischer Prinzentitel entschuldigte in Kiel jedes Meeresungeheuer, auch solche Unsitten, wie Adelsfräulein ganz zu verschlingen.

Das Schlimmste war laut Ingeborg nicht, wie beim Mädchenhandel vorgeführt zu werden, das Demütigendste sei, dass ihr Vater sie nicht ernst nehme.

Das Tal lag hinter ihm, er kam in größere Höhen, und plötzlich lief in seinem Kopf eine andere Grammofonscheibe. Das Stück war ebenso bekannt wie das vorige. Chopin. Der Titel fiel ihm wieder nicht ein, obwohl er jede Note auswendig kannte.

Immer wieder hatte sie ihrem Vater zu erklären versucht, dass er sie nie würde zwingen können, in einer Kirche vor Gott gegen ihren Willen das Jawort zu geben. Dass sie an keinen Gott glaubte, hatte sie ihm verschwiegen. Und zu einem anderen als Lauritz Lauritzen würde sie ohnehin nie Ja sagen, das hatte sie sich geschworen.

Wie er geschworen hatte, dass er Ingeborg heiraten würde und sonst keine.

»Nocturne Nr. 2« hieß das Stück, eines ihrer Lieblingsstücke innerhalb der von ihr so genannten bürgerlichen Musik. Ihr Vater nannte es Frauenzimmermusik.

Lauritz ging sehr langsam, er schleppte sich fast vorwärts. Der Höhenrausch hatte zur Folge, dass er nicht einmal mehr die Schmerzen in den Knien spürte. Er sehnte sich nach der Dunkelheit, der wenigen Dunkelheit, die zu dieser Jahreszeit geboten wurde. Der Himmel war vollkommen klar, die Temperatur sank, vielleicht würde er irgendwann nach Mitternacht sogar die Sterne sehen. Bei seinem Tempo würde er ohnehin erst nach Mitternacht in Finse eintreffen. Es war sensationell, dass man Erschöpfung als körperliches Glück empfinden konnte.

Die Direktion vertraute ihm. Sie hatte ihm das größte, gefährlichste und schwerste Projekt auf der gesamten

Bahnstrecke übertragen. Er würde seine Pflicht tun, seine Schuld zurückzahlen. Dann war er frei. Die Brücke würde sein Meisterstück werden. Die Leistung würde etwa dem Abschlagen eines Medusenhaupts entsprechen.

Vielleicht war das ein weit hergeholter Vergleich, vielleicht auch Hybris.

Gott strafte Hybris, sein Gott aber nicht, zumindest nicht, wenn es die wahre Liebe war, die ihn antrieb. Oder? Debattierte er etwa gerade mit Gott?

Gott konnte wohl kaum behaupten, dass er überheblich war. Gott musste einsehen, dass er sich dieser harten Prüfung seiner Ehre und seines Anstands wegen unterzog.

Meist, wenn er mit Gott debattierte, dachte er nicht in Worten, weil er es vermessen fand, auszusprechen, wonach er sich am meisten sehnte. Und so dachte er auch jetzt in Bildern, als er in dem tiefer werdenden Schnee langsam bergauf stapfte. In der immer dünner werdenden Luft verschwammen die Bilder Ingeborgs und die Musik.

Er saß am Ruder, Wind blies durch ihr blondes Haar, sie waren allein an Bord und endlich frei. Das Boot hieß *Ran* nach der Frau des Meeresgottes. Oder sollte er es als Zugeständnis an den Baron nach dem Wikingerschiff in der *Frithjofssaga* benennen? Auch an diesen Namen erinnerte er sich im Augenblick nicht.

Der Anblick der *Ran* war so wirklich, dass ihm das Schiff eher wie eine Erinnerung vorkam als wie ein utopischer Wunschtraum. In diesem Augenblick war er sicher, dass er diesen Traum eines Tages leben würde.

Als hätte Gott sein Gebet erhört und es mit einem Bild beantwortet. Verlor er gerade den Verstand?

Er befand sich auf der Höhe und sah unten in Finse ein

schwaches Licht. Jetzt war es nicht mehr weit. Es war das Halbdunkel der Mittsommernacht. Vielleicht würde er heute Nacht endlich das Sternbild sehen, von dem Ingeborg in ihrem letzten Brief erzählt hatte. Sie habe es in Dresden mehrmals beobachtet. Dort waren die Sommernächte allerdings auch viel dunkler. Ihr Interesse an den Naturwissenschaften hatte teilweise etwas Aufgesetztes, als sei es eine Prinzipiensache, denn die Naturwissenschaften galten allgemein, insgeheim auch in Lauritz' Augen, als Männerdomäne. Das männliche Gehirn eignete sich besser für Mathematik und somit auch für Ingenieurwissenschaften, Physik, Chemie und Medizin. Er geriet immer etwas in Verlegenheit, wenn sie solche Selbstverständlichkeiten infrage stellte.

Zugleich war es aber auch das, was er am meisten an ihr liebte, neben allem anderen, was eine Frau anziehend machte, ihrem Duft, ihrer Attraktivität, ihrem Humor, dem, was man ihre weibliche Intelligenz nennen konnte, der Gabe, immer ein Gegenargument zu finden.

Konnte man mit einer Frau wie Ingeborg, die man so reinen Herzens liebte, das tun, was man mit den Frauen im Bordell tat?

Das war der verbotenste Gedanke, so schändlich, dass er ihn nie zu Ende gedacht hatte. Erst jetzt, in diesem eigentümlichen Zustand des Rausches, konnte so eine Frage wie eine hässlich nach Luft schnappende Brachse an die Oberfläche gelangen.

Er setzte sich, aufgewühlt von seinen verbotenen Fantasien, auf einen Felsblock und sah auf den Hardangerjøkul hinunter. Sein Kopf schwirrte, er rang nach Luft.

Sein einziger Zeuge war Gott. Niemand würde je erfahren, was er in diesem Moment dachte.

Sie hatten sich dreimal physisch geliebt. Er hatte sich immer Mühe gegeben, vorsichtig und maßvoll zu sein und mit der Würde aufzutreten, die diese privateste aller Situationen erforderte. Es war jedes Mal ein himmelstürmendes Erlebnis gewesen. Ein Wunder, ein unmöglicher Traum, etwas, das nicht geschehen konnte und doch geschah.

Nicht er hatte darauf gedrungen, er verachtete die Prahlerei seiner Kommilitonen über diese Dinge, er hatte im Gegenteil alles getan, um ihr zu beweisen, dass er sie tief, innigst und für alle Ewigkeit liebte und darüber hinaus mehr respektierte als jede andere Frau auf Erden.

Wenn er sich selbst befleckte, eine Erniedrigung, der sich offenbar alle Männer hier oben hingaben, hatte er Bilder bestimmter Huren aus Dresden im Kopf, aber nie Bilder von ihr, das hätte ihre Liebe besudelt.

Ihre engagierten Vorträge über die freie Liebe konnte er, jedenfalls auf einer theoretischen Ebene, mühelos akzeptieren. Frauen hatten das Recht, zu wählen, und folglich auch dasselbe Recht auf Liebe wie Männer. Die christliche Vorstellung der Sünde diente nur der Unterdrückung der Frau.

Auch mit dieser Argumentation war er einverstanden, sie war logisch und demokratisch.

Beim dritten Mal, als sie sich aus dem Sommerhaus, das Christas Familie südlich von Dresden besaß, hatten davonschleichen können, hatte sie auf ihm reiten wollen. Das hatte ihn entsetzt und verlegen gemacht.

Das war eine im Bordell gängige Zerstreuung, die man aber ja wohl kaum mit dem Menschen vollzog, dem man in reiner Liebe zugetan war.

Er bildete sich ein, zu hören, wie Gott ihn auslachte. Verrückt. Gott lachte ihn aus!

Es war bald dunkel. Er erhob sich und ging weiter bergab.

Natürlich war er erschöpft, aber gleichzeitig seltsam glücklich, als er auf die Tür der neuen Ingenieursbaracke in Finse zutaumelte.

Der frostige Schnee knirschte unter seinen Schritten. Er erwog, seinen Schlafsack aus dem Rucksack zu nehmen, um unter freiem Himmel auf die Sterne zu warten. Aber vermutlich würde er erschöpft einschlafen wie ein Stein und am nächsten Morgen taunass erwachen. Er wollte noch etwas bis zur dunkelsten Stunde der Nacht warten.

Es war typisch für Ingeborg, dass sie sich mit Themen beschäftigte, die nicht als besonders weiblich galten. So auch ihre Begeisterung für Astronomie.

Erst hatte sie durchgesetzt, das Lehrerinnenseminar zu besuchen, um der Bedrohung, verheiratet zu werden, zu entgehen. Dann hatte sie eine Ausbildung zur Krankenschwester begonnen. In Deutschland galten die Töchter der Oberklasse im Kriegsfall als besonders geeignet für die Krankenpflege.

Das war ihrerseits jedoch pure Berechnung gewesen. Als Lehrerin mit einem Krankenschwesterexamen verfügte sie über die formalen Qualifikationen, um sich an der medizinischen Fakultät in Dresden zu bewerben. Ein unerhörter Gedanke. Sie hatte noch nicht gewagt, ihrem Vater diesen empörenden Plan zu offenbaren.

Ingeborg hatte Lauritz alle Sternbilder gezeigt, das gesamte Himmelsgewölbe schien sie zu kennen. Andromeda und Perseus waren ihre Lieblingssternbilder, und er fand sie fast immer.

Er legte sich in den Schnee, verschränkte die Arme im

Nacken und begann mit den Augen den nördlichen Sternhimmel abzusuchen.

In ihrem Brief hatte sie von einer wundersamen Erscheinung am Firmament geschrieben. Sie hatte über dieses Wunder gescherzt, vielleicht war es aber auch kein Scherz gewesen. In diesem Jahr, 1901, war ein neuer Stern im Sternbild Perseus aufgetaucht, der heller leuchtete als alles in seiner Umgebung. Sie hatte Erklärungen dafür gehabt, etwas mit Supernova, explodierenden Sonnen und anderem, aber dort sollte es also einen neuen, hell strahlenden Stern geben, der zeigte, dass Perseus, also er, Lauritz, ein Zeichen von dem Gott erhalten habe, an den er selbst glaubte.

Mitten im Sternbild Perseus gab es wirklich einen neuen Stern, der viel heller strahlte als alle Sterne in seiner Umgebung.

»Danke, lieber Gott«, murmelte Lauritz ganz entgegen seiner Gewohnheit, Gott nicht direkt anzusprechen.

VIII

OSCAR

Deutsch-Ostafrika, November 1902

Nach Kilimatinde hatten sie eine lange Strecke durch einen Miombowald vor sich, unkompliziertes Terrain also. In den nächsten Wochen konnten sie mühelos einen Kilometer Schienen am Tag verlegen.

Andererseits war die schlimmste Zeit des Jahres angebrochen. Die Hitze war im November am Nachmittag unerträglich, und Oscar hatte sich widerwillig einverstanden erklärt, dass sich seine Arbeiter in den Schatten verzogen und drei Stunden einfach verschliefen. Es würde fast einen Monat dauern, bis es nach der kurzen Regenzeit erträglicher wurde.

Für die Jagd hatte die Hitze Vorteile, insbesondere wenn sie über eine Lokomotive und einen abgedeckten Eisenbahnwaggon verfügten, die nach jedem Transport von Dar für einen Tag zur Verfügung standen.

Er hatte Kadimba mitgenommen, und unter angeregter Unterhaltung mit dem Lokomotivführer waren sie etwa fünfzehn Kilometer weit die Strecke entlanggedampft und an dem Platz vorbeigekommen, an dem das Missionarspaar Zeltmann gerade seine Missionsstation errichtete. Ziel ihrer Fahrt war eine Landschaft, die aus Savanne und Wald bestand. Dort gab es Impalas, Elenantilopen und Büffel. In nur wenigen Stunden hatten sie so viel Wild geschossen, dass sie für zehn Tage Frischfleischvorräte hatten, plus einen Reservevorrat an Dörrfleisch. Dazu wurde das Fleisch in Streifen geschnitten und in den Zweigen der Bäume um das Lager herum zum Trocknen aufgehängt. In der afrikanischen Hitze trocknete alles so schnell, dass sich Fliegenlarven nicht einnisten konnten.

Das Ehepaar Zeltmann hatte den Platz, von dem sie hofften, dass sie ihn mit Genehmigung der Eisenbahngesellschaft Missionsstation würden nennen dürfen, mit einem einfachen Kreuz aus zwei groben Akazienstämmen markiert. Sie hatten mit dem Bau der Gebäude begonnen, einer Kirche und einer Schule, etwa einen Kilometer von der Bahnlinie entfernt. Dort gab es einen Fluss, der nicht einmal im November austrocknete. Oscar hatte sie vor dem Fluss und insbesondere vor den Flusspferden, die nachts zum Grasen an Land kamen, gewarnt. Diese Gefahr wurde immer wieder unterschätzt. Alle Menschen nahmen sich vor Krokodilen in Acht, dabei stellten Flusspferde die viel größere Bedrohung dar. Deswegen lagerten Afrikaner nur sehr ungern nachts an einem Gewässer.

Sie hatten die Jagd in den Morgenstunden hinter sich gebracht und fuhren mit der Lokomotive und ihrer Beute in der Mittagshitze zurück, in der sich die Landschaft in eine Traumwelt aus zitternden Luftspiegelungen verwandelte. Der Fahrtwind brachte kaum Kühlung, obwohl die Lok mit mutigen vierzig Stundenkilometern vorwärtsstrebte.

Ihre Unterhaltung war eingeschlafen, und sie hatten Mühe, die Augen offen zu halten. Fast wären sie an dem

Akazienkreuz vorbeigefahren, aber Kadimba bemerkte etwas und hob die Hand, um dem Lokführer zu signalisieren, dass er anhalten sollte. Die Spuren über den Bahndamm sprachen eine deutliche Sprache. Eine große Menschenmenge war hier, vermutlich irgendwann am Morgen, vorbeigezogen.

Kadimba ging vornübergebeugt hin und her und murmelte vor sich hin, während er die Spuren untersuchte. Oscar empfand ein zunehmendes Entsetzen, ohne recht zu begreifen, warum. Schließlich holte Kadimba tief Luft und begann zu erzählen, was er auf dem Bahndamm und in der trockenen, verbrannten Erde gelesen hatte.

»Kinandi-Krieger«, sagte er in einem Tonfall, als sei damit der Umfang der Katastrophe umrissen. »Sie sind vor sechs Stunden in der Morgendämmerung hier vorbeigekommen, etwa hundert Mann, unmittelbar nachdem wir hier vorbeigefahren sind. Sie müssen uns gesehen oder zumindest gehört und dann gewartet haben, bis wir weg waren.«

»Woher weißt du, dass es Krieger waren?«, fragte Oscar, ohne seine Unsicherheit verbergen zu können.

»Sie sind gerannt. Außerdem waren es nur Männer, im Kriegeralter. Sie sind bewaffnet«, erklärte Kadimba.

Erst stand alles still in Oscars Kopf. Vermutlich konnte er wegen der Hitze nur langsam denken. Dann wurde das Entsetzen, das er bereits empfunden hatte, größer.

»Die Missionare?«, fragte er, und Kadimba nickte mit abgewandtem Blick fast unmerklich.

»Warum fallen Krieger über ein armes, unbewaffnetes Missionarspaar her?«, fragte Oscar mit vor Verzweiflung brüchiger Stimme. Er wollte es eigentlich nicht wissen.

»Kinandi-Krieger gehören zur Geisterwelt, ihre Männer besitzen magische Kräfte, Mzungi nennen sie Medizinmänner, Bwana Oscar. Sie hassen den Gott des weißen Mannes. Sie wollen ihre Stärke zeigen.«

Verzweifelt rechnete Oscar nach. Die Kinandi-Krieger hatten fünf Stunden Vorsprung. Elise, Joseph, ihre kleine Tochter und die fünf weiblichen Angestellten wohnten nur einen Kilometer entfernt. Er musste sich zusammennehmen und die Situation wie auch sich selbst in den Griff bekommen.

Er ging zum Bahnwaggon zurück, wo die vier Askari-Soldaten zwischen ausgeweideten Antilopen und Büffelkälbern schliefen. Er befahl dreien von ihnen, ihre Waffen schussbereit zu machen und ihm zu folgen, der vierte sollte den Lokomotivführer in der Lok mit seinem Leben verteidigen.

Anfänglich gingen sie rasch, aber bald sah Oscar ein, dass sie das Tempo verringern mussten. Es war keine gute Idee, in der mörderischen Hitze so zu hetzen. Elise und Joseph lebten vielleicht noch, es war möglicherweise noch nicht alles verloren. Das letzte Stück des Weges mussten sie genauso leise wie auf der Jagd zurücklegen.

Hundert Meter vor ihrem Ziel sah Oscar ein, dass das unnötig war. In den Baumwipfeln um Elises und Josephs Lager herum, wo einmal eine Missionsstation hätte entstehen sollen, um Licht im dunkelsten Afrika zu verbreiten, hatten sich bereits die Aasgeier niedergelassen. Oscar versuchte sich einzureden, dass nur die Ziegen der Missionare tot herumlagen, aber die Vernunft sprach schonungslos gegen eine solche Hoffnung.

Trotzdem arbeiteten sie sich das letzte Stück mit schussbereiten Gewehren zum Lager vor. Die einzigen Lebewesen waren jedoch die Geier, die schwerfällig von der Erde aufflogen und sich in den Baumkronen niederließen.

Büsche umgaben die halb fertigen Häuser aus Lehmziegeln in einem weiten Kreis wie eine Boma. Durch eine große Öffnung in der natürlichen Barriere sahen sie schon von Weitem, dass sie zu spät kamen, dass dort keine lebende Menschenseele mehr anzutreffen war. Elise und Joseph lagen auf der Erde festgezurrt vor einem noch schwelenden Feuer. Vermutlich hat es vor drei Stunden lichterloh gebrannt, dachte Oscar, während er unvorsichtig das letzte Stück Weg rennend zurücklegte. Die anderen gingen langsam und mit gesenkten Köpfen hinter ihm her.

Dass sie tot waren, war nur zu offenbar. Sie waren auf die Erde genagelt, Arme und Beine wie bei einem Andreaskreuz gespreizt. Elise hatte man bei lebendigem Leib die Brüste abgeschnitten, registrierte Oscar und versuchte verzweifelt, sich gegen das aufsteigende Grauen zu wehren. Joseph hatte man Penis und Hoden abgeschnitten und ihm alles in den Mund gestopft. Die beiden waren vollkommen nackt, und die Geier hatten sich bereits über sie hergemacht.

Oscar war wie gelähmt, wie in einem Albtraum. Erneut versuchte er sich in den Griff zu bekommen, indem er seine Beobachtungen rein wissenschaftlich anzugehen begann.

Die Köpfe von Elise und Joseph waren mit in die Erde gehämmerten Pflöcken fixiert, ihre Münder mit Keilen aus Akazienholz aufgerissen worden. Ihre Nasenlöcher waren mit schwarzem Lehm verschlossen.

Die anderen Männer standen reglos in einem Halbkreis um ihn herum. Niemand sagte etwas.

»Warum?«, fragte Oscar an Kadimba gewandt und deutete auf seine eigenen Nasenlöcher.

»Damit sie ertrinken, Bwana Oscar«, flüsterte Kadimba. »Kinandi bringen ihre Feinde langsam um, vorzugsweise durch Ertrinken.«

Oscar brauchte eine Weile, bis er begriff, was das bedeutete.

Sie waren mit Urin ertränkt worden. Der Gestank war eindeutig. Deswegen hatte man ihnen den Mund aufgesperrt und die Nasenlöcher mit Lehm verschlossen.

Er sah die grinsenden, triumphierenden, tanzenden Krieger einen nach dem anderen vortreten und unter fröhlichen, aufmunternden Zurufen der anderen in die Münder ihrer Opfer urinieren. Er wollte schreien, laut heulen, und weinte dann doch nur leise, weil er sich in Gesellschaft seiner Untergebenen befand.

Aber das war noch nicht alles, das Schlimmste hatte er noch nicht gesehen.

Als er sich von dem unerträglichen Szenario abwandte, fiel sein Blick auf etwas, das sich ihm zuerst nicht erschloss. Auf der improvisierten Feuerstelle vor den toten Eltern lag der Kopf der kleinen Tochter, verkohlte Haare klebten an verkohlter, sich schälender Haut. Ihre Augenhöhlen gähnten leer und verbrannt. Auf einem Rost über dem Feuer lag der Rest der Leiche, aber Oscar musste sehr lange hinschauen, um zu begreifen, was er dort sah. Den Rumpf, verkohlte Rippen, einen kleinen Fuß. Arme und Beine fehlten.

Nein, sie fehlten nicht. Die Knochen lagen verstreut herum, abgekratzt, genauer gesagt abgenagt.

Bei dieser Einsicht hatte er das Gefühl, sein Kopf würde

platzen. Der Sinn dieses grauenhaften Rituals konnte nur gewesen sein, vor den Augen der Eltern die Tochter zu verspeisen und sie dann ebenfalls zu massakrieren.

Er rannte weg, würgte, aber seine Verzweiflung war größer als sein Ekel. Die Bilder ätzten sich in sein Gehirn ein, er konnte ihnen nicht entkommen. Als er sich in eine der Lehmhütten flüchtete, damit die anderen ihn in diesem Zustand nicht sahen, kam der nächste Schock. Dort hingen die geschlachteten Überreste dreier Frauen, der ersten drei, die Elise und Joseph zur reinen evangelischen Lehre bekehrt hatten. Ihre Brüste waren ebenfalls abgeschnitten worden, Arme und Beine fehlten, die Rümpfe waren blutüberströmt. Er stellte sich vor, was die Frauen hatten erleiden müssen, als sie noch am Leben waren, und versuchte verzweifelt, sich gegen die Bilder zu wehren. Er schlug die Hände vors Gesicht und schrie hemmungslos.

Möglicherweise wurde er sogar ohnmächtig. Das Nächste, was er bewusst wahrnahm, war, dass Kadimba neben ihm saß, ihm einen Arm unter den Nacken gelegt hatte und ihm Wasser einzuflößen versuchte, das aber größtenteils auf sein verschwitztes Khakihemd floss.

»Wir befinden uns in einer gefährlichen Situation, Bwana Oscar. Wir müssen rasch denken und klug handeln«, flüsterte Kadimba.

Es war, als hätte ihm jemand einen Eimer kaltes Wasser über den Kopf gegossen. Es ging um Leben und Tod.

»Du hast recht, mein Freund Kadimba«, sagte er, stand hastig auf, holte einige Male tief Luft und ballte seine Rechte immer wieder zur Faust, um zu sehen, ob er noch immer als Mensch funktionierte, zumindest rein mechanisch.

»Kadimba, sag mir die Wahrheit, auch wenn sie schrecklich ist«, sagte er dann und atmete erneut laut ein. »Sind die Kinandi-Krieger auf dem Weg zu unserem Basislager?«

»Ja, Bwana Oscar, das glaube ich. Die Spuren führen in die Richtung.«

»Wann können sie dort sein? Und wann sind wir dort, wenn wir die Toten mitnehmen? Denn den Geiern können wir sie nicht überlassen.«

Kadimba dachte sorgfältig nach.

»Wenn wir die Toten mitnehmen, kostet uns das eine Stunde. Wir könnten eine Stunde vor Einbruch der Dunkelheit dort sein. Wenn die Kinandi-Krieger, ohne zu rasten, zum Lager gehen, treffen sie gleichzeitig mit uns dort ein.«

Oscar rechnete nach. Sein Kopf war wieder klarer, seine Gedanken von weißglühender Wut gesteuert. Er ging auf den Hof, wo die drei Askari-Soldaten vor den Leichen standen und eher neugierig als schockiert darüber diskutierten, was sie sahen. Als sie merkten, dass Oscar sich ihnen außer sich vor Wut näherte, nahmen sie sofort Haltung an und setzten eine militärisch-gefühllose Miene auf. Rasch und mit lauter Stimme gab er seine Befehle. Die Toten sollten in eine der Lehmhütten gebracht und eine Wand niedergerissen werden, um sie provisorisch darunter zu begraben und zu schützen. Danach sollten sich alle im Eilmarsch zum Zug begeben.

Die Toten mussten nicht nur vor den Geiern in Sicherheit gebracht werden, sondern auch vor den Hyänen, die noch schlimmer waren. Alles musste sehr schnell gehen.

Anschließend rannten sie zum Zug zurück.

Als sie sich anderthalb Stunden später, der Himmel begann bereits, sich blutrot zu verfärben, dem Lager näherten, erhielt der Lokführer die Anweisung, die Dampfpfeife zu betätigen, damit sich alle bei den anderen Waggons der zweiten Lok versammelten.

Es lag auf der Hand, wie die Verteidigung organisiert werden musste. Die eine Stunde, die ihnen bis zum Einbruch der Dunkelheit blieb, verbrachten sie damit, Dornenbüsche herbeizuschleppen und beidseitig in fünfzig Metern Abstand vom Gleis eine Barriere zu errichten. Das würde die Kinandi-Krieger zwar nicht abhalten, ihnen aber zumindest einen Überraschungsangriff unmöglich machen.

Oscar war Schütze und Jäger, aber kein Soldat. So viel begriff er jedoch, dass etwa hundert schwarze, mit Speeren und *Assagais* bewaffnete Krieger alle im Lager töten konnten, wenn sie bei einem nächtlichen, chaotischen Überfall die Oberhand gewannen.

Bei Tageslicht wären die Rollen umgekehrt. Zehn von der deutschen Schutztruppe ausgebildete Askaris, dazu Kadimba und er selbst, die bedeutend besser trafen, würden hundert Mann mit blanken Waffen vermutlich standhalten können. Überlebten sie bis zur Morgendämmerung, war die Schlacht gewonnen.

Während der größere Teil des Arbeitertrupps verzweifelt um die zusammengeschobenen Waggons herum die Dornenbuschbarrikade errichtete, schichteten Oscar und Kadimba Mahagonistämme auf die offenen Waggons, auf denen die Schützen ihre Ellbogen stützen und hinter denen sie Schutz finden konnten. Vermutlich war das die teuerste Palisade, die jemals errichtet wurde, überlegte Oscar, schämte sich dann aber sofort für diesen Zynismus. Erneut überkamen ihn die albtraumhaften Bilder des

Ortes, der Gott und dem Guten im Menschen hätte geweiht werden sollen.

Verzweifelt entfloh er diesen Gedankengängen in praktische Fragen. Vor der Barriere aus Dornenbüschen mussten Feuer entzündet werden, damit sie die Kinandi-Krieger, wenn diese angriffen, sehen konnten. Niemand durfte in dieser Nacht im Zelt schlafen, weil man dort wie in einer Mausefalle gefangen war. Brannte im Zelt Licht, gab man eine ideale Zielscheibe für einen Speer ab. Und vor den Speeren der Afrikaner hatte Oscar allergrößten Respekt, sowohl vor den Wurfspeeren als auch vor den kürzeren Assagais, den Waffen der Krieger.

Er wollte die Nacht auf einem der offenen Waggons in der Mitte verbringen, um ein so großes Schussfeld wie möglich zu haben. Er holte eine Matratze und ein paar Kissen aus seinem Zelt und riet Kadimba, es ihm nachzutun. Die Arbeiter mussten sich in den geschlossenen Waggons, in denen ihnen die Speere nichts anhaben konnten, zusammendrängen.

Als alles organisiert war, saßen zwei Mann mit Gewehren und viel Munition in jedem offenen Güterwagen. Der Bahndamm war anderthalb Meter hoch, dazu kamen dann noch einmal etwa anderthalb Meter bis zu den Gewehrläufen der Schützen hinter der Barrikade. Es war wieder, als würden sie auf Simba warten, mit dem Unterschied, dass Simba sich lautlos anschlich und im Dunkeln sehen konnte.

Die Nacht war fast vollkommen still. Nur das Heulen einiger Hyänen war in der Ferne zu hören. Kadimba lag ausgestreckt, die Hände unter dem Nacken gefaltet, am anderen Ende des Waggons, was unpassend entspannt wirkte.

»Glaubst du, sie kommen, Kadimba?«, flüsterte Oscar.

»Ja, Bwana Oscar, sie kommen ganz sicher. Vielleicht nicht heute Nacht, aber sie kommen«, antwortete Kadimba in normaler Lautstärke. Flüstern war unnötig. Schließlich waren sie nicht auf der Jagd. Falls hundert Mann sie angriffen, würde das keinesfalls lautlos geschehen.

»Wie kannst du dir so sicher sein, dass sie kommen?«, fragte er.

»Sie haben bald Hunger. Sie haben nur Waffen dabei, aber keinen Proviant. Und bei den Medizinmännern Gottes haben sie nur ein paar Frauen und das Kind gegessen«, antwortete Kadimba und unterdrückte ein Gähnen.

Mit kurzer Verzögerung dämmerte Oscar, was Kadimba gesagt hatte. Die Kinandi mussten schon allein deswegen angreifen, um ihren Hunger zu stillen. Man hatte ihm gesagt, eine der Segnungen der Zivilisation sei es, dass der Kannibalismus wie die Sklaverei in Afrika ausgerottet wären. Jetzt hatte er mit eigenen Augen gesehen, dass es nicht stimmte.

»Dein Volk, Kadimba, und euer Brudervolk, die Massai, essen keine Menschen. Warum also die Kinandi?«, fragte er, als er das Schweigen nicht länger ertragen konnte.

»Die Kinandi kommen von weit her. Sie legen rasch große Strecken zurück und tragen nur ihre Kriegswaffen bei sich. Wenn sie so unterwegs sind, können sie nicht jagen. Vielleicht ist das der Grund dafür, dass sie ihre Feinde essen. Oder ihre Anführer haben gesagt, dass die Stärke des weißen Mannes auf sie übergeht, wenn sie seine Kinder essen. Vielleicht ist es deswegen«, antwortete Kadimba und drehte sich auf seiner Matratze um, als sei das Thema erschöpft. Offenbar wollte er lieber schlafen als sich unterhalten.

In der Stille begann es, in Oscars Kopf zu schwirren. Die Verwirrung und Angst, die er durch die Unterhaltung mit Kadimba hatte vertreiben wollen, kehrten zurück. Dazu kamen die Bilder der Gräueltaten, die er bei der Missionsstation gesehen hatte. So hatte Gott die belohnt, die ihm am meisten zugetan waren und unschuldig an ihn geglaubt hatten.

Als er neun Jahre alt gewesen war, hatte er Gott gehasst, aber nicht gewagt, es jemandem zu erzählen, weil er wegen einer so gotteslästerlichen Äußerung vermutlich Prügel und Schelte bezogen hätte. Aber Gott hatte ihm, seinen Brüdern und Cousinen Vater und Onkel genommen. Sechs Kinder hatten ihre Väter und zwei Witwen den Ernährer verloren. Obwohl sie jeden Sonntag zur Kirche gerudert waren oder sich auf Skiern durch den Schneesturm gekämpft hatten, wenn das Rudern unmöglich gewesen war, um Gottes Wort zu hören, hatte Gott sie mit der grausamsten aller Ungerechtigkeiten bestraft.

Seit dem Tage, an dem sein Vater auf dem Meer verschollen war, hatte Oscar nicht mehr zu Gott gebetet. War er an einem Sonntag in Daressalam, fand er sich ordentlich gekleidet zum Hauptgottesdienst in der evangelischen Kirche ein. Alles andere hätte unnötiges Gerede provoziert. Und wenn man von den Segnungen sprach, die die Missionare den Negern brachten, ein Wort, das er nicht mehr verwendete, nickte er nur. Natürlich gehörte die Verbreitung der reinen Lehre zu den guten Dingen, die die germanische Zivilisation Afrika schenkte. Manchen Leuten war dieses Projekt sogar wichtiger als die Eisenbahn.

Er hörte draußen in der Dunkelheit Geräusche, nein, mehr als das, Lärm. Die Kinandi machten kein Geheimnis aus ihrer Ankunft. Oscar schaute an den Nachthimmel. Es war Halbmond und sternklar, hell genug, um nachts unterwegs zu sein, wenn man vorsichtig war. Offenbar schlugen die Kinandi auf der anderen Seite der Dornenbuschbarriere ein Lager auf. Wenig später erscholl ein rhythmischer Gesang aus vielen Männerkehlen. Oscar verstand einzelne Wörter, konnte sich aber auf den Inhalt keinen Reim machen.

»Verstehst du, was sie singen?«, fragte er Kadimba.

Kadimba hatte sich ebenfalls aufgesetzt, um zu lauschen. Er schüttelte den Kopf, sprang dann mit einem Satz über die Mahagonistämme hinweg, landete geschmeidig wie ein Leopard auf dem Bahndamm und verschwand. Nach einer Weile kehrte er mit einem Arbeiter zurück, den er wie ein Katzenjunges im Genick gepackt hielt, und warf ihn, ohne sich um den Lärm zu kümmern, auf den Waggon.

»Er ist Kinandi, fast jedenfalls, er gehört zu den Nandi aus dem Norden«, erklärte Kadimba und packte seinen Gefangenen erneut im Nacken. Dieser lauschte mit verängstigten Augen in die Nacht, um den Inhalt des Gesangs zu verstehen. Jetzt waren auch Trommeln zu hören. Kadimba und sein Gefangener begannen eine intensive geflüsterte Unterhaltung. Gelegentlich packte Kadimba den anderen fester im Nacken. Schließlich durfte er gehen, und Kadimba dachte wie auch sonst eine Weile nach, ehe er beschloss, was er sagen wollte.

»Das waren gute Neuigkeiten, Bwana Oscar«, begann er. »Sie wollen heute Nacht die letzte der Frauen verspeisen, und zwar nicht, um satt zu werden, sondern um stärker zu werden. Jeder bekommt ein kleines Stück. Und morgen, wenn es hell wird, wollen sie uns angreifen, damit sich alle satt essen können. Die Tapfersten dürfen das Herz des weißen Mannes essen.«

»Was sind daran gute Neuigkeiten?«, fragte Oscar ohne jede Ironie, denn Ironie ging an Kadimba vorbei.

»Das sind in der Tat gute Neuigkeiten«, antwortete Kadimba ernst, »denn hätten sie im Dunkeln unser Lager gestürmt, hätten wir sicher viele von ihnen getötet, aber am Ende hätten sie uns doch alle getötet. Aber jetzt, wenn sie uns bei Tageslicht angreifen, wird ihnen das nicht gelingen. Ihr Gesang erzählt alles.«

»Was erzählt ihr Gesang?«

»Dass sie einen großen Häuptling mit magischen Kräften haben, dem prophezeit wurde, dass eine schwarze Schlange mit weißen Männern von der Küste kommen wird. Die schwarze Schlange wird alles auf ihrem Weg verschlingen, wenn sie der große Kinandi-Häuptling nicht daran hindert. So stehen die Dinge. Sie haben magische Stärke dadurch erworben, dass sie eine weiße Unschuld verzehrt haben. Deshalb können ihnen unsere Kugeln nichts anhaben, da sie sich in Wasser verwandeln, wenn wir sie auf sie abfeuern. Das hat ihnen ihr großer Häuptling versichert. Damit auch alle seine große Kraft bewundern können, warten sie mit dem Angriff bis morgen.«

»Und wie wird der ablaufen?«

»Das geht aus dem Gesang nicht klar hervor, Bwana Oscar. Aber ich glaube trotzdem, begriffen zu haben. Sie werden jetzt mit dem letzten Fleisch eine Beschwörungszeremonie durchführen. Dann schlafen sie bis zur Morgendämmerung, beseitigen unsere Barriere aus Dornenbüschen, stellen sich vor uns auf und stimmen erneut ihren Kriegsgesang an, damit sie von Mut und wir von Furcht erfüllt werden. Auf ein Zeichen des großen Häuptlings hin stürmen sie auf uns zu, werfen ihre Speere und laufen weiter, um auch die zu töten, die sie nicht mit ihren Assagais getroffen haben.«

Kadimba verstummte und wartete. Er hatte alles Wesentliche gesagt.

Oscar dachte über das nach, was er erfahren hatte, und kam zu dem Schluss, dass Kadimba mit seiner Beurteilung vollkommen recht hatte. Es waren wirklich gute Neuigkeiten. Sie konnten überleben.

Unter der Voraussetzung, dass alle ihre Waffen so abfeuerten wie abgesprochen. Er versuchte die Wirkung eines Frontalangriffs von hundert afrikanischen Kriegern bei Tageslicht zu berechnen, gegen den sich zwölf Gewehrschützen in einem Abstand von fünfzig Metern verteidigen mussten. Das war nicht leicht. Alles hing davon ab, wie die Kinandi-Krieger reagierten, sobald sie merkten, dass sich die Kugeln des weißen Mannes mitnichten in Wasser verwandelten. Wenn sie dennoch weiterstürmten, konnten sie trotz großer Verluste, Gefallener und Verletzter, siegen. Gerieten sie aber in Panik und ergriffen die Flucht, waren sie verloren. Zumindest sah Oscar die Situation so vor sich.

Aus der Richtung Kadimbas war leises Schnarchen zu vernehmen. Er war sich der bevorstehenden Ereignisse offenbar so sicher, dass er sich unbekümmert gestattete einzuschlafen, obwohl sie sich in einer viel gefährlicheren Situation befanden als bei der nächtlichen Löwenjagd.

Etwas Schlaf konnte natürlich nicht schaden, falls man sich dazu überwinden konnte. Irgendwann nach Sonnenaufgang mussten Kadimba und er zusammen etwa vierzig Krieger töten, wenn sie überleben wollten. Jeder Schuss musste treffen. Wenn jeder zweite Schuss ihrer Askari-Soldaten traf, war das viel, sie schienen der Meinung zu sein, das Knallen der Gewehre sei entscheidend. Und wo war überhaupt Dr. Ernst?

Oscar schob sich über die Mahagonistämme und glitt zu Boden. Sein Versuch, genauso lautlos wie Kadimba auf der Erde zu landen, misslang. Er ging von einem Waggon zum nächsten und sprach mit den Askari-Soldaten, die, wie von Oscar befürchtet, bereits mit der Waffe im Anschlag warteten, weil Kadimba es für ausreichend gehalten hatte, nur ihn vom Stand der Dinge zu unterrichten. Er erklärte ihnen, dass sie versuchen sollten zu schlafen, der Angriff erfolge erst nach Sonnenaufgang. Anschließend ging er mit energischen Schritten zu Dr. Ernsts Zelt.

Der Wissenschaftler schlief mit einer Nachtmütze unter einem Moskitonetz. Er war sehr aufgebracht, dass Oscar mitten in der Nacht in seine private Domäne eindrang. Oscar entschuldigte sich mehrfach und wies mit einer Ironie, die auf taube Ohren stieß, darauf hin, dass es schließlich nur um ihrer aller Leben ginge. Er bat Dr. Ernst eindringlich, sich kurz vor Sonnenaufgang auf dem mittleren Güterwagen oben auf dem Bahndamm einzufinden, machte einen Diener, wünschte eine gute Nacht und entschuldigte sich ein weiteres Mal für die Störung. Er habe nur die Absicht gehabt, den momentan vielleicht wichtigsten Wissenschaftler Deutschlands in Afrika zu schützen.

Diese Schmeichelei zeitigte erstaunlicherweise Wirkung. Dr. Ernst strahlte und versprach, »wie befohlen« am angegebenen Ort zu erscheinen.

Wieder auf seinem offenen Güterwagen, deckte sich Oscar mit einer Decke zu, aber eher, um sich vor den Insekten zu schützen, denn kalt war es nicht. Er dachte noch, dass dieser Tag der fürchterlichste seines Lebens gewesen war, schlimmer noch als jener Tag, an dem sie vom Tod ihres Vaters und Onkel Sverres erfahren hatten. Wider Erwarten schlief er mitten in diesem Gedankengang ein.

Trommeln weckten ihn. Anschließend hörte er, wie die Dornenbuschbarrieren hinter den längst verglühten Feuern beiseitegeschleppt wurden. Er setzte sich auf und kontrollierte sein Mausergewehr. Es war durchgeladen und das Magazin voll. Drei volle Reservemagazine sowie geöffnete Patronenschachteln lagen in Reichweite.

»Hast du nicht gesagt, die Kinandi führten nur Waffen und Schilde mit, Kadimba? Ich höre Trommeln.«

»Kinandi im Krieg setzen auch Trommeln als Waffen ein, Bwana Oscar. Sie glauben, dass sie mit den magischen Kräften des großen Mannes siegen werden und weniger mit ihren Speeren«, murmelte Kadimba.

Oscar gefielen die ungezwungenen Unterhaltungen von Gleich zu Gleich mit Kadimba immer besser. Im nächsten Augenblick rügte er sich für diesen trivialen Gedanken. Er würde an diesem Morgen Menschen töten, was er noch nie zuvor getan hatte. Er hatte sich nicht einmal vorstellen können, dass er dazu überhaupt fähig war. Noch nie hatte er jemanden so sehr gehasst. Die Krieger dort draußen waren Gottes Geschöpfe wie er, theoretisch sogar vom selben Gott geschaffen. Aber laut der reinen evangelischen Lehre würden sie nicht in den Himmel kommen, wenn er sie erschoss, sondern in die Hölle, da sie, statt sich freiwillig von Elise und Joseph bekehren zu lassen, diese zu Tode gefoltert hatten, nachdem sie ihre kleine Tochter vor ihren Augen verspeist hatten.

Er umfasste den Kolben seines Gewehrs fester und spürte, wie der Hass wärmend durch seine Adern pulste.

Weniger als siebzig Meter vor ihm begannen die Kannibalen zu tanzen und zu singen. Er hätte sie mühelos abschießen können, aber das wäre taktisch äußerst unklug gewesen.

Kadimba gab ihm ein unverständliches Zeichen und sprang ein weiteres Mal geschmeidig über die Barrikade. Oscar lauschte, hörte Kadimba aber nicht auf dem Bahndamm landen. Er schaute zu den tanzenden Kriegern und dachte, dass sie vermutlich noch eine Weile weitertanzen würden, um sich in Ekstase zu versetzen, sich Mut zu machen oder was auch immer.

»Ich finde mich laut Befehl hier ein, Herr Diplomingenieur«, verkündete Dr. Ernst und kletterte mit Mühe über die Baumstammbarrikade.

Er trug die offizielle graue Uniform der deutschen Schutztruppe mit seltsamen Rangabzeichen, die ihn als Leutnant auswiesen, sowie einen weißen Tropenhelm. Über seiner Schulter hing ein Gewehr, das Oscar noch nie gesehen hatte. Er hätte nicht gedacht, dass der friedliche Wissenschaftler eine Waffe besaß.

»Was haben Sie für ein Gewehr, Dr. Ernst?«, fragte Oscar.

»Eine Mannlicher-Schönauer, dasselbe Kaliber wie Sie, wie ich sehe, Herr Diplomingenieur«, antwortete der kleine Mann und reckte sich.

»Sehr gut, Herr Doktor. Wären Sie so freundlich, in der Mitte Platz zu nehmen, sodass Sie zum Nachladen an die Munitionsschachteln kommen? Feuern Sie erst nach meinem Befehl.«

»Verstanden!«, sagte Dr. Ernst, kniff die Lippen zusammen und nahm sofort den angewiesenen Platz ein. Er lud sein Gewehr rasch und routiniert.

Gleichzeitig kehrte Kadimba mit seinem sich sträubenden Dolmetscher, den er wie am Vorabend am Nacken gepackt hielt, zurück und zwang ihn neben seinem Platz in die Knie. Er schob dem Dolmetscher ein paar Kissen zu und legte sich dann selbst zum Feuern auf Kissen bequem in Position.

Im roten Sonnenaufgang nahmen die Tänze geordnetere Formen an. Anfänglich nahmen nur etwa zehn Männer teil, wenig später waren hundert auf den Beinen, die sich in ineinanderliegenden Kreisen gegenläufig bewegten. Ab und zu schaute Oscar zu Kadimba hinüber, aber dieser schüttelte nur den Kopf. Noch war es nicht so weit.

Oscar erhob sich und rief den Askari-Soldaten, so laut er konnte, zu, dass er das Feuer eröffnen würde und sie dann so rasch und so viel wie möglich hinterherfeuern sollten.

»Sie singen dasselbe wie gestern Abend«, teilte Kadimba nach einer Weile mit. »Sie wollen dich und den Doktor zuerst essen«, fügte er mit einem zögernden Lächeln hinzu. Oscar fand es überflüssig, Dr. Ernst diese Worte zu übersetzen.

Der Tanz hielt über eine Stunde lang unverändert an. Kadimba und sein zwangsverpflichteter Dolmetscher hatten unterdessen nichts Neues zu erzählen. In Oscars Augen verschwendeten die Krieger ihre Kraft.

Als die Sonne ihre rote Farbe verlor und sich schleichend die erste Wärme ausbreitete, erfolgte endlich eine Veränderung. Ein Mann, der auffallend größer und dicker war als die anderen Krieger und einen Kopfschmuck aus weißen

Straußenfedern trug, tanzte aus einem äußeren Ring in die Mitte. Seine Krieger wichen ihm aus und begannen sich nebeneinander in langen Reihen zu formieren. Triumphierend hoben sie ihre Schilde im Takt der Trommeln. Hinter dem stattlichen Mann bildete sich eine Reihe von Männern, die einen ähnlichen, allerdings kleineren Straußenfederkopfschmuck trugen.

Plötzlich verstummten Gesang und Trommeln. Der Medizinmann mit den weißen Straußenfedern schüttelte zwei Speere über seinem Kopf, kreuzte sie, schlug sie dreimal auf die Erde und schüttelte sie dann dreimal zum Himmel.

»Nimm ein Vollmantelgeschoss, Bwana!«, forderte ihn Kadimba auf. »Schieß, wenn er den ersten Schritt nach vorne macht!«

Oscar tat, was Kadimba sagte. Der Medizinmann stand direkt vor ihm, und die anderen Männer mit den Straußenfedern hatten in einer so geraden Linie hinter ihm Position bezogen, dass er sie kaum noch sehen konnte. Schoss er mit einem soliden Projektil auf die hintereinanderstehenden Männer, könnte er mit einem einzigen Schuss zehn Männer töten, zu Fall bringen oder verletzen. Kadimbas Idee ist brillant, dachte er, als er seine Waffe nachlud.

Der Medizinmann begann plötzlich, breitbeinig und wiegenden Schrittes auf sie zuzugehen, und die anderen folgten ihm. Die straußenfedergeschmückte Kolonne befand sich rasch einige Schritte vor der übrigen Truppe, die sich offenbar darauf vorbereitete, auf breiter Front anzugreifen.

Oscar zielte auf die Brust des Medizinmanns. Aus den Augenwinkeln sah er, dass alle anderen Gewehrläufe in dieselbe Richtung zeigten, auch der von Dr. Ernst. Trotzdem zögerte er. Wenn er noch länger wartete und die Kannibalen ihren Angriff starteten, würde Chaos ausbrechen. Er musste also jetzt schießen, nicht später.

Dann tat er etwas, wovon er meinte, er hätte es sich schon vor Jahren abtrainiert. Er schloss die Augen, bevor er abdrückte. Als er den Rückstoß spürte, wurden alle Gewehre um ihn herum abgefeuert, eine Kanonade, die kein Ende nahm, alle hatten mit schweißbedeckter Stirn und angespannt gewartet und jetzt endlich ein Ventil für ihre Anspannung.

Oscar hatte mit seinem ersten Schuss tatsächlich mindestens zehn Männer erschossen, die solide Kugel war nicht abgebremst worden, als sie das Herz des Medizinmannes durchschlug, sondern hatte sich geradewegs durch alles Fleisch und alle Knochen hinter ihm gebohrt.

Innerhalb weniger Sekunden verwandelte sich die Fläche vor ihm in ein blutiges Chaos aus Toten, Verwundeten und Männern, die brüllend den Rückzug antraten und von denen einer nach dem anderen in den Rücken geschossen wurde. Die Sicht war recht weit frei, und Oscar und Kadimba konzentrierten sich darauf, auf die Fliehenden zu schießen, die am weitesten entfernt waren, um keinen Einzigen entkommen zu lassen. Alle anderen halbherzigen Angreifer, die in die falsche Richtung rannten, und die Verletzten, die versuchten, sich davonzuschleppen, wurden von den Askari-Soldaten schonungslos über den Haufen geschossen.

Als Oscar sein viertes Magazin ins Gewehr geschoben hatte und hinter den dicken Mahagonistämmen hervorschaute, war es unheimlich still. Niemand rannte mehr, und die unbeschreibliche Masse aus Toten und Verletzten bewegte sich kaum noch. Er sah sich um. Im Holzboden des

Waggons und in der Barrikade hinter ihm steckten etliche Speere.

Er befand sich in einer Art fieberhafter Trance. Die Ohren dröhnten ihm von den vielen Schüssen. Ein Durcheinander aus Bildern schwirrte ihm im Kopf herum. Er hatte mit jedem Schuss getroffen, nachgeladen und wieder geschossen. Es war widerwärtig. Er wollte nie mehr aufstehen, nie mehr ein Wort sagen, er wollte einfach überhaupt nichts mehr, nur noch mit geschlossenen Augen still dasitzen. Hier und jetzt war sein Afrika gestorben.

Plötzlich hörte er wieder, und damit auch das Geschrei der vielen Verwundeten. Er musste sich zusammenreißen. »Dr. Ernst!«, brüllte er. »Es gibt Verletzte, kümmern Sie sich um sie.« Schwerfällig erhob er sich, als würde sein Körper Hunderte von Kilo wiegen. Dr. Ernst kletterte unverzüglich von dem Eisenbahnwagen herab und befahl in einem erstaunlich verständlichen Swahili zwei Askaris, ihm zu helfen, die Verletzten ins Arztzelt zu bringen.

Oscar nahm Kadimba und vier Askaris mit aufs Schlachtfeld. Niemand versuchte mehr zu fliehen. Die Schwerverwundeten erschossen sie mit Kopfschüssen. Einige Leichtverletzte wurden in Fesseln gelegt, unter ihnen zwei mit weißen Straußenfedern. Der mächtige Medizinmann, den Oscars Vollmantelgeschoss als Ersten getroffen hatte, war mausetot. Er war der Mann, der die Kugeln der Weißen in Wasser verwandeln wollte.

Sie hatten acht Gefangene gemacht, die überleben würden, und etliche, die aller Voraussicht nach sterben würden. Die Anzahl der Toten belief sich auf siebenundachtzig. Sie untersuchten das Lager und fanden Reste einer rituellen Mahlzeit, zwei menschliche Oberschenkelknochen.

Das ist unmenschlich, dachte Oscar. Und doch sind die Kannibalen Menschen. Vor dem Gott, zu dem Elise und Joseph verzweifelt gebetet haben mussten, bevor sie einen grauenvollen Tod gestorben waren, waren alle gleich. In diesem Augenblick war das ein abstoßender Gedanke. Er schoss einem weiteren schwer verletzten Kannibalen in den Kopf.

Sie sammelten alle Waffen und Schilde ein, die auf dem Schlachtfeld herumlagen, und stapelten die Toten auf zwei Eisenbahnwagen, von denen sie zuvor die Mahagonistämme abgeladen hatten. Zwei Gefangene, die so schwer verletzt waren, dass Dr. Ernst sie nicht zusammenflicken konnte, wurden vors Lager getragen und ebenfalls erschossen, ehe sie zu ihren Stammesbrüdern auf einen der Leichenwagen geladen wurden.

Dann stellte sich die Frage, was aus den Überlebenden und Leichtverletzten werden sollte, unter denen sich zwei Straußenfederträger befanden, die als Anführer gelten konnten.

Dr. Ernst hielt es für das Vernünftigste, sie ebenfalls zu erschießen, obwohl er sich mit ihren Verletzungen abgemüht hatte. Dazu verpflichtete ihn sein hippokratischer Eid, jetzt war er nicht mehr für sie verantwortlich.

Ein Massenbegräbnis für fast hundert Tote war kaum zu bewältigen. Aber natürlich konnten sie auch nicht beim Basislager liegen bleiben und dort verwesen. Oscar musste die nötigen Beschlüsse fassen.

Die Beseitigung der Leichen war die einfachste Frage. Man würde sie einige Kilometer die Bahnstrecke entlangtransportieren und dann in einen der noch Wasser führenden Flussarme werfen. Die Krokodile würden sich um den

Rest kümmern. Was ans Ufer trieb, würden Geier, Hyänen, Marabus, Schakale und schließlich Insekten beseitigen.

Die Toten waren nicht das Problem. Aber was sollten sie mit den Überlebenden tun?

Kadimba meinte, entscheidend sei, dass keiner der Kinandi-Krieger lebend zu seinem Stamm zurückkehrte. Ihre Medizinmänner hatten einen großen Sieg vorhergesagt. Sie wollten den weißen Mann vernichten und aufessen. Dann aber hatten sich die Zauberkräfte des weißen Mannes als so stark erwiesen, dass kein einziger Kinandi-Krieger überlebt hatte. Das hatte sicher eine beachtliche pädagogische Wirkung auf andere Medizinmänner in spe.

Kadimba brachte es in brutaler Kürze auf den Punkt. Kein Medizinmann der Kinandi durfte je behaupten können, man müsse nur eine weiße Unschuld essen, damit sich Kugeln in Wasser verwandelten. Folglich mussten die Überlebenden erschossen werden. Sie waren Krieger und hatten den Krieg verloren. Das sei gerecht.

Oscar graute vor einem solchen Beschluss. Angreifer zu erschießen, die einen nach der eventuellen Gefangennahme foltern, einem womöglich das Herz herausreißen und dieses aufessen würden, war moralisch zu begründen.

Kriegsgefangene zu ermorden war etwas anderes. Der weiße Mann war nach Afrika gekommen, um diesen Erdteil von der Barbarei zu befreien. Diese Bürde hatte er auf sich genommen. Die Weißen wollten Zivilisation, Recht und Ordnung, Moral und eventuell eine Religion, die weniger blutrünstig war, etablieren. Das war ihr heiliger Auftrag, auf diese Art sollte die Menschheit auf dem Weg zu einer besseren Welt voranschreiten.

Also konnte man Kriegsgefangene nicht hinrichten. Das war barbarisch. Die Gerechtigkeit musste ihren Gang nehmen.

Oscar zog sich in sein Zelt zurück, um zu überlegen, was getan werden musste. Auf dem Weg bat er seinen Diener Hassan Heinrich um einen starken Kaffee.

Er öffnete seine Schreibschatulle und nahm Papier, Tinte und Feder heraus.

*

Der Gottesdienst in der Frauenkirche in Daressalam zog sich in die Länge. Der Bischof hatte viel Gutes über Elise und Joseph Zeltmann zu sagen, über ihre heilige Berufung und ihr großes Opfer, über die Berufung aller, die Bedeutung der Anwesenheit aller im Dunkel, die mit unermüdlicher Energie Schritt für Schritt und mit Gottes Hilfe unwiederbringlich der Zivilisation in Afrika zu ihrem Recht verhalfen.

Das alles war für Oscar nichts Neues. Er hatte gar nichts dagegen einzuwenden, im Prinzip war das auch seine Meinung. Das Ganze zog sich nur so in die Länge. Außerdem ärgerte es ihn, dass die fünf afrikanischen Frauen von der Missionsstation, die ebenfalls für die heilige Sache einen grauenvollen Märtyrertod gestorben waren, nicht dort vorn lagen.

Vor dem Altar standen nur die zwei weißen Särge der Erwachsenen und der kleine Sarg mit den kläglichen Überresten ihres Töchterchens Roselinde.

Da die Zeltmanns keine Verwandten in Daressalam hatten, fand nach der Beerdigung kein Empfang statt. Die Menge zerstreute sich. Oscar hatte die Anweisung erhalten, sich zum Mittagessen bei Dorffnagel einzufinden, wie er mittlerweile seinen höchsten Chef ansprach, am üblichen Tisch im Deutschen Club.

Er hatte sonst niemanden erwartet, aber Dorffnagel befand sich in Gesellschaft eines Offiziers, als Oscar auf die Minute pünktlich eintraf. Die anderen mussten früher gekommen sein. Die beiden Herren erhoben sich, als er an den Tisch trat. Dorffnagel stellte Oscar Oberst Paul von Lettow-Vorbeck vor, der mit seinem dünnen Schnurrbart und seiner schmächtigen Figur wenig stattlich wirkte.

Oscar wartete damit, Platz zu nehmen, bis sein Chef mit der Hand auf einen Stuhl deutete. Die Sonne wurde vom Meer reflektiert und fiel grell in den Raum. Dorffnagel bemerkte das erst, nachdem sich Oscar gesetzt hatte, weil diesem die Sonne direkt ins Gesicht schien. Er signalisierte den Kellnern, Markisen aufzuhängen.

»Herr Ingenieur! Wären Sie so freundlich, uns kurz, aber präzise zu berichten, was Sie gerade erlebt haben?«, forderte ihn der Oberst auf.

Das hier ist keine Unterhaltung, sondern eine Vernehmung, dachte Oscar. Aber da Dorffnagel das Treffen anberaumt hatte, blieb ihm nichts anderes übrig, als mitzuspielen. Er sammelte sich ein paar Sekunden und dachte, dass sich die Geschichte, rein sachlich gesehen, recht einfach erzählen ließ, und hatte sie nach fünf Minuten dann auch beendet. Die beiden hohen Herren schwiegen nachdenklich, bis der Oberst das Wort ergriff.

»Mein Kompliment, Herr Ingenieur, nicht nur für Ihren vorbildlichen Vortrag, sondern auch für das, was mir aus naheliegenden Gründen mehr am Herzen liegt: eine strategisch einwandfrei durchgeführte Operation. Ein einziger kleiner taktischer Fehler, und Sie alle hätten Ihr Leben verloren. Ich gratuliere.«

»Wirklich zu freundlich, Herr Oberst, ich habe nur getan, was die Umstände erforderten. Ich bin Techniker und kein Soldat«, antwortete Oscar unsicher, ohne es zu zeigen.

»Ganz und gar nicht!«, brüllte der Offizier beinahe. »Sie sind ein Ingenieur mit einer einzigartigen Naturbegabung für taktische, militärische Planung. Sie haben uns einen unschätzbaren Dienst erwiesen. Wenn eine dieser Räuberbanden Erfolg hat, führt das zu einem Flächenbrand. Durch Ihr beherztes Eingreifen haben Sie möglicherweise einen Aufstand im Keim erstickt. Ich komme gerade aus Deutsch-Westafrika. Dort waren wir gezwungen, Zehntausende Aufrührer vom Herero-Stamm zu liquidieren, um die Ordnung wiederherzustellen. Keine angenehme Beschäftigung. Aber zur Sache! Ich habe die Absicht, Sie zum Leutnant unserer Schutztruppe zu ernennen!«

Der groteske Vorschlag überrumpelte Oscar vollkommen. Außerdem hatte es mehr nach einem Befehl als nach einem Vorschlag geklungen. Als er nachdachte, um sich eine so höfliche Ablehnung wie möglich einfallen zu lassen, deuteten die beiden älteren Herren sein Zögern offenbar so, dass er von der Ehre und von Nationalgefühl überwältigt worden sei, ganz zu schweigen von seiner zivilisatorischen Mission, jetzt allerdings mit der Waffe in der Hand.

»Darf ich, Herr Oberst, mit Verlaub darauf hinweisen, dass ich ein überzeugter Zivilist bin«, begann Oscar zögernd, »was mich zum Soldaten ausgesprochen untauglich macht. Meine Aufgabe, die ich als mindestens so wichtig empfinde wie die, der Sie sich beim Militär widmen, ist der

Eisenbahnbau. Wie ich es sehe, stellt die Eisenbahn den wichtigsten Teil unserer Mission dar.«

»Natürlich, natürlich«, schmunzelte der Oberst. »Aber Ingenieure gibt es zuhauf, verzeihen Sie mir, Dorffnagel, aber das ist eine Tatsache. Leute wie Sie, Herr Lauritzen, sind jedoch außerordentlich ungewöhnlich. Neun von zehn Ingenieuren hätten Ihre Situation nicht überlebt, und mit Ihnen alle anderen im Lager. Ich habe daher als höchster Befehlshaber der Schutztruppe in Deutsch-Ostafrika beschlossen, Sie schlicht und einfach zum Offiziersdienst einzuteilen. Vielleicht werden Sie anfangs noch etwas fremdeln, aber ich kann Ihnen versichern, dass das Ihr rechter Platz ist.«

»Ich fühle mich geschmeichelt, fürchte jedoch, dass ich trotzdem ablehnen muss«, antwortete Oscar mit dem Gefühl, dass sich die Schlinge um seinen Hals zusammenzog.

»Unerhört!« Der Offizier lachte. »Junger Mann, Sie scheinen nicht zu verstehen, dass Sie einen solchen Befehl von mir in Deutsch-Ostafrika gar nicht ablehnen können. Ein Befehl von mir, das ist ein Befehl des Deutschen Reiches.«

»Das ist mir klar, Herr Oberst, aber …«

Oscar war sich unsicher, ob sein letztes Argument stichhaltig war. Aber jetzt blieb ihm keine andere Wahl, als es vorzutragen.

»Es ist nämlich so, dass ich kein Deutscher bin«, fuhr er fort. »Ich bin Norweger, genauer gesagt Bürger der Union Schweden-Norwegen.«

Die beiden anderen starrten ihn verblüfft an. Dann lächelte der Offizier breit und brach in schallendes Gelächter aus.

»Dann muss ich Ihnen erneut gratulieren, Herr Lauritzen, zu Ihrem außerordentlich guten Deutsch. Ich hoffe, dass wir uns trotzdem das Essen schmecken lassen.«

»Davon gehe ich aus«, meinte Dorffnagel. »Auf meine Rechnung. Das ist es mir schon wert, Lauritzen in meinen Diensten behalten zu dürfen!«

Den Nachmittag und frühen Abend verbrachte Oscar fischend auf einem der Auslegerboote der Eisenbahngesellschaft. Nass und seelisch durchgespült kehrte er, als die Sonne über der Stadtsilhouette rot unterging, zurück.

Als er sich das Salzwasser vom Körper geduscht hatte, zog er seinen frisch gewaschenen und gebügelten Leinenanzug an und ging mit knurrendem Magen in den Club.

Vor dem Haupteingang war ein Tumult ausgebrochen, offensichtlich sollte jemand aus dem Lokal geworfen werden. Grobe Flüche und einige der schlimmsten Beleidigungen der deutschen Sprache hallten durch die heiße Nacht. Ein kleiner Inder kam buchstäblich aus dem Lokal geflogen. Einer der vulgär fluchenden Schläger ging zu dem auf dem Boden liegenden schmächtigen Mann und trat ihn.

»Stopp!«, rief Oscar und eilte hinzu, um dem verängstigten Mann auf die Beine zu helfen. Er klopfte ihm die Erde von dem ins Auge fallenden teuren Seidenanzug indischen Schnitts.

Woher der Einfall kam, der sein ganzes Leben verändern sollte, wusste er nicht. Vielleicht war es einfach Trotz und das Gefühl, dass hier gegen die Regeln des Fair Play verstoßen wurde.

»Herr Singh ist mein Gast. Es scheint ein ernstes Missverständnis vorzuliegen«, sagte er absichtlich ruhig, fast schon kalt.

Es wurde vollkommen still. Die vier Rüpel, die den Inder aus dem Lokal geworfen hatten, zwei Kellner und zwei »Freiwillige« germanischen Typs, starrten schweigend zu Boden. Sie traten zurück, während Oscar freundschaftlich seinen Arm um die Schultern des Inders legte und ihn ins Lokal zurückführte.

»Verzeihen Sie, dass ich Sie als Herr Singh bezeichnet habe, aber ich weiß leider nicht, wie Sie heißen. Verstehen Sie Deutsch?«

»Nur wenig, aber durchaus genug. Vielen Dank!«, flüsterte der andere.

»Sprechen Sie Swahili?«

»Ja, viel besser.«

»Gut. Und wie heißen Sie.«

»Mohamadali Karimjee Jiwanjee.«

»Ich heiße Oscar Lauritzen.«

»Ich weiß. Ich kann es aber nicht aussprechen.«

Würdig schritten sie Seite an Seite in das Lokal, und alle Gespräche verstummten, als man sie zum besten Tisch führte. Als sie sich gesetzt und die Speisekarte erhalten hatten, hoben an den anderen Tischen des Clubs die Unterhaltungen wieder an.

»Sie heißen also nicht Singh, sondern Mohamadali. Ich vermute, Sie trinken weder Wein noch Bier«, meinte Oscar. »Wie wäre es mit Eiswasser?«

»Vielen Dank. Kühe esse ich allerdings.«

Sie lachten über diesen Scherz. Oscar bestellte zwei scharfe indische Currys mit in Streifen geschnittenem Rinderfilet und dazu Eiswasser.

»Jetzt sitzen wir hier und müssen versuchen, das Beste aus der Situation zu machen«, meinte Oscar. »Was führt Sie nach Dar, Mohamadali?«

»Geschäfte. Ich versuche es zumindest, obwohl es nicht so leicht ist, auf dem deutschen Markt Fuß zu fassen. Meine Familie besitzt ein Handelshaus auf Sansibar. Jetzt hat man mich mit dem unseligen Unterfangen beauftragt, hier eine Filiale einzurichten.«

Oscar begann neugierig zu werden. Der Mann sprach ausgezeichnet Swahili, war elegant gekleidet und gebrauchte das Wort Handelshaus, um die Geschäfte seiner Familie auf Sansibar zu beschreiben. Es handelte sich also ganz offensichtlich um mehr als einen Stand für getrocknete Melonenkerne.

»Und was verschlägt Sie nach Dar?«, fragte Mohamadali zurück.

»Ich bin bei der Eisenbahn, baue Brücken und Gleise, und ab und zu schieße ich einen Elefanten. Außerdem verkaufe ich Mahagonistämme, die beim Eisenbahnbau abfallen«, antwortete Oscar absichtlich beiläufig. Er wollte auf keinen Fall auf das Thema Kannibalen zu sprechen kommen.

»Ich weiß«, sagte Mohamadali. »Was zahlt man Ihnen für eine Tonne Mahagoni?«

»Fünfundzwanzig Pfund.«

»Da zieht man Sie über den Tisch.«

»Schon möglich, aber für mich ist es wie Manna vom Himmel. Außerdem bin ich kein Geschäftsmann«, antwortete Oscar leichtfertig und probierte sein Currygericht.

»Aber ich bin Geschäftsmann«, erwiderte Mohamadali. »Wie lange haben Sie Urlaub?«

»Alles in allem zehn Tage, ab heute sind es noch neun. Wieso?«

»Eines unserer Schiffe segelt morgen früh nach Sansibar. Begleiten Sie mich, dann kann ich Ihnen schöne Dinge zeigen, und wir können Geschäfte machen, von denen wir beide profitieren.«

So einfach hatte es angefangen. Und so schwer war es zu erklären, wie es eigentlich zugegangen war. Ein Grund war vielleicht, dass Oscar nach einigen Monaten in Afrika die erste Lektion des weißen Mannes gelernt hatte: Nicht alle Ureinwohner waren Kinder, nicht alle stahlen, es waren auch nicht alle abergläubisch oder gänzlich unwissend.

Kadimba war sein enger Freund geworden, nachdem Oscar erst einmal seine ersten irrigen Vorurteile hinter sich gelassen hatte.

Als er also Mohamadali zum ersten Mal begegnete, hatte er in ihm nicht einen elenden Inder gesehen, der höchstens dazu taugte, seine Rikscha zu ziehen. Er sah einen gut gekleideten, gebildeten und intelligenten Mann. Einen Mann, der, davon ging er aus, eine Menge wichtige Dinge wusste, von denen er nicht die geringste Ahnung hatte.

Der Monsun war herrlich erfrischend und die Überfahrt nach Sansibar recht kurz. Bereits am ersten Abend aßen sie am Hafen ein ausgezeichnetes Mahl, gegrillte Schalentiere und frisch gefangenen Fisch.

Die Stadt war komplett weiß und sauber, wie aus einem Märchen. Mohamadalis Familie war sehr groß. Sie besaß tatsächlich ein imposantes Handelshaus, ein großes Bürogebäude in der Stadt, in dem westliche Ordnung herrschte mit Sekretären, Telefonen und Putzpersonal. Das Wohnhaus war ein Palast am Stadtrand, ein weißes Gebäude in einem Stil, den Mohamadali als südarabisch oder omanisch bezeichnete.

So charmant Mohamadali und seine Brüder auch waren, so hart, geradezu deutsch-effektiv waren sie, als sie den Gesellschaftervertrag skizzierten.

Oscar sollte sechzig Prozent der Aktien erhalten, dadurch wäre das Unternehmen »deutsch«, und das war in Dar wichtig.

Sie selbst würden dreißig Prozent besitzen, einen wesentlichen Anteil also, aber nur so viel, dass die Firma noch »deutsch« blieb.

Der Eisenbahngesellschaft wollten sie, als großzügige Geste, zehn Prozent der Aktien anbieten, um so die Geschäfte zu legitimieren. Und um vorzubeugen für den Fall, dass die Eisenbahngesellschaft früher oder später bemerkte, welche Einnahmen ihr entgingen, und alle mündlichen Versprechen zurücknahm.

Welchen Vorteil aber hatte die Handelsgesellschaft Karimjee & Jiwanjee, obwohl ihr nur dreißig Prozent der Aktien der gemeinsamen Firma gehörten?

Sie hatten endlich einen Fuß in Deutsch-Ostafrika, und das war einiges wert.

Sie mussten es wissen. Zu diesem Schluss kam Oscar. Sie unterhielten Handelsverbindungen in die ganze Welt, überwiegend wurden Gewürze, Kopra und Elfenbein verkauft, und bald also auch Mahagoni.

Die neu gegründete Firma sollte Lauritzen & Jiwanjee heißen. Das gesamte Mahagoni und sämtliches Elfenbein, dessen Oscar in Zukunft habhaft wurde, würde auf diesem Weg veräußert werden. Die Eisenbahngesellschaft dürfte sehr zufrieden sein und damit auch die deutschen Behörden in Dar.

Die Geschäfte waren rasch geregelt. Die restliche Zeit auf Sansibar verbrachten Mohamadali und Oscar damit, sich die Insel und die Architektur anzusehen, gut zu essen und eiskaltes Wasser zu trinken.

Der Sultan, der inzwischen britischer Untertan war – oder Partner, Kollaborateur und Gefangener –, besaß, um zu seinem Sommerhaus zu kommen, eine eigene Schmalspurbahn, die lange vor sämtlichen deutschen Eisenbahnen in Afrika gebaut worden war.

IX

LAURITZ

Finse/Bergen/Frøynes, Dezember 1902 bis Juni 1903

An der zweiten Weihnacht in Finse kam er nicht nach Hause zu seiner Mutter nach Osterøya. Das war unmöglich. Nicht einmal der Briefträger kam durch. Der Schneesturm hatte begonnen, als er sich am 23. Dezember auf den Weg machen wollte, und hörte bis März nicht auf. An keinem einzigen Tag war schönes Wetter.

Zwei Ingenieure in Finse, das war einer zu viel. Die einzigen Arbeiten, die im Winter verrichtet werden konnten, waren die Sprengungen im Torbjørnstunnel. Im Sommer hatte Daniel Ellefsen den Bau eines zweihundert Meter langen Schneetunnels geleitet, der bis zum Berg führte, dorthin, wo der richtige Tunnel beginnen sollte. Der mit Balken und Brettern gestützte Schneetunnel war zehn Meter länger als der eigentliche Tunnel durch den Berg, aber eine andere Methode, dieses Problem zu lösen, war weder Daniel noch Lauritz eingefallen. Der Tunnel im Berg war noch zu kurz, um die weggesprengten Steinmassen darin zu lagern, also mussten sie in den Schneetunnel transportiert werden.

Für die beiden Arbeitertrupps in der Baracke stellte der

Schnee kein größeres Problem dar. Ihre Behausung war komplett eingeschneit, nur der schwarze Schornstein ragte hervor. Sie hatten jedoch einen eigenen Transporttunnel unter dem Schnee gegraben, direkt von der Baracke zum Anfang des Torbjørnstunnels. Einziges Problem bei der Arbeit war die Ventilation.

Nach jeder Sprengung im Tunnel dauerte es bis zu einer Stunde, bis die Rauchgase durch den langen Schneetunnel abgezogen waren. Vorher konnte niemand in den Tunnel zurückkehren. Einer der Arbeiter wäre beinahe an den Gasen gestorben. In letzter Minute hatten sie ihn hinaus an die frische Luft getragen.

Lauritz, dem das Nichtstun schwer zu schaffen machte, setzte sich an den Zeichentisch im Obergeschoss. Dort war vor den Fenstern der Schnee weggeschaufelt, damit man zumindest einige Stunden Tageslicht hatte. Auch die Ingenieursbaracke war völlig eingeschneit.

Theoretisch war das Problem einfach. Es musste ein Luftschacht von der Mündung des Torbjørnstunnels nach oben durch den achtzehn Meter tiefen Schnee gegraben werden. Anfänglich erschien ihm das unmöglich. Grub man den Schacht so steil wie möglich, also in einem Winkel von 45 Grad, würde er so lang werden, dass er keine Wirkung mehr hatte. Einen Kanal senkrecht zu graben war praktisch unmöglich. Außerdem würde diese schornstein-ähnliche Konstruktion recht bald von den Bewegungen innerhalb der Schneemassen zusammengedrückt werden.

Er löste das Problem schließlich recht simpel, glaubte er zumindest. Im Schneetunnel lagen unzählige leere Zementfässer. Entfernte man ihren Boden und montierte man sie aufeinander, ergab das einen funktionierenden Schornstein. Optimistisch erklärte er das seinem Kollegen, der nicht sehr begeistert war und jede Menge Einwände vorbrachte. Es sei schwierig, im Schnee senkrecht nach oben zu graben. Noch schwieriger sei es umgekehrt. Außerdem besäßen Fässer, die einfach aufeinandergestapelt würden, keinerlei Stabilität.

Lauritz kehrte gekränkt an seinen Zeichentisch zurück. Am nächsten Abend glaubte er, das Problem gelöst zu haben.

Man würde von unten eine Wendeltreppe mit Stufen aus Brettern um die aufeinandergestapelten Fässer graben. So würde die ganze Konstruktion durch die spiralförmige Schneewand, die den Fässerstapel umgab, stabilisiert werden.

Misstrauisch betrachtete Daniel Ellefsen Lauritz' Skizze und schien erst weitere Einwände vorbringen zu wollen. Dann hellte sich seine Miene plötzlich auf, und er meinte, dass diese Idee in der Tat funktionieren könne. Er sähe jedenfalls keinen Grund, warum es nicht gehen sollte.

Nach drei Tagen war die Konstruktion fertig. Durch die vereisten und mit Sand vermischten untersten Schneeschichten, die gut und gern Zehntausende von Jahren alt sein mochten, war es nur langsam aufwärtsgegangen. Je weiter sie nach oben gekommen waren, desto leichter war es geworden, und die letzten acht Meter hatten sie an einem Tag bewältigt. Die Ventilation funktionierte vermutlich aufgrund des Temperaturunterschieds besser, als sie zu hoffen gewagt hatten. Im Berg war es sommers wie winters, auch wenn oben Frost herrschte, immer 18 Grad warm. Die warme Luft unten erzeugte einen Sog nach oben.

Was sie beim Schornsteinbau an Arbeitsstunden verloren

hatten, würden sie mühelos wieder hereinholen, da sich die Wartezeit nach Sprengungen auf weniger als die Hälfte reduzierte. Außerdem war die Luft im Stollen besser geworden, was nicht zu unterschätzen war. Die Arbeiter hatten, bis sie neue Aufgaben an der frischen Luft in Angriff nehmen konnten, noch zwei Monate ihrer Maulwurfexistenz vor sich.

Während einiger Tage im März hatte es den Anschein, als würde sich der Schneesturm, der bereits drei Monate gewütet hatte, legen. Ihre Zeit in Gefangenschaft schien endlich vorüber zu sein, und nicht nur ihre. Die Köchin Estrid hatte die Baracke in der gesamten Zeit nicht verlassen, von ihren kurzen Spaziergängen in den Schneetunnel zum Kohlevorrat einmal abgesehen.

Lauritz und Daniel waren zumindest gelegentlich auf Skiern zum Tunnel gefahren, um Kontrollmessungen vorzunehmen. Sie verließen das Haus durch das Fenster im Büro, das vier Meter über dem Boden lag. Hier steckten auch ihre Skier im Schnee.

Drei Tage lang schaufelten sie das Küchenfenster und die Haustür frei, damit sich Estrid nicht in ständiger Dunkelheit aufhalten musste. Das war eine monotone und schwere Arbeit, aber sie hatten ohnehin nichts Besseres zu tun. Lauritz las Shakespeares gesammelte Werke und Georg Brandes' gelehrten Kommentar dazu bereits zum zweiten Mal. Daniel vertrieb sich die Zeit mit einem Konversationslexikon und war bereits beim Buchstaben E angekommen. Sie scherzten, dass Daniel sich nach Aneignung des gesamten Wissens des *Nordisk Familjebok* als gebildeter Mann bezeichnen könnte, der ein wenig über alles wusste. Das Problem war, dass man sich bei der Lektüre leicht in Details verlor. Trotzdem ließ sich die eine oder andere Erkenntnis gewinnen, beispielsweise berichtete Daniel, wie Frithjofs Wikingerschiff geheißen hatte, nämlich *Ellida*. Das war ein isländischer Frauenname.

Lauritz hatte an einem Abend von seiner Traumprophezeiung erzählt, wie er die optimistische Illusion nannte, dass er irgendwann einmal auf einem schönen, in seinem Besitz befindlichen Segelboot segeln würde, Ingeborg neben sich im Cockpit. Dieses Segelboot sollte entweder nach der Frau des Meeresgottes Ægir oder nach Frithjofs Wikingerschiff benannt sein, dessen Name er zwischenzeitlich vergessen hatte.

Der Name Ellida enttäuschte ihn. Sie waren sich einig, dass der Name Ran schöner und kraftvoller klinge.

Nachdem der Sturm eine fast dreitägige Pause eingelegt hatte, begann der Wind erneut aufzufrischen. Schlimmstenfalls würde dieselbe Schneemenge, die sie vor Haustür und Küchenfenster weggeräumt hatten, innerhalb einer Nacht erneut fallen. Am nächsten Tag war Sonntag, und da mussten sie, egal, wie das Wetter war, in den Tunnel. Nur am Sonntag zwischen sechs und achtzehn Uhr konnten die Ingenieure Messungen im Tunnel durchführen, ohne die Bohrarbeiten, Sprengungen und den Abtransport der Abraummassen zu behindern. Um sechs und um achtzehn Uhr war Schichtwechsel. Unter der Woche kam die eine Schicht in die Baracke, wenn die andere gerade gegessen hatte und sich auf den Weg machte, um ihrerseits bis sechs Uhr am nächsten Morgen zu arbeiten. Das Frühstück der einen wurde so zum Abendessen der anderen. So stand die Arbeit nie still.

Der Schneesturm wütete ab etwa drei Uhr nachts.

Irgendwie hatte es etwas Gemütliches, wenn der Wind um die Hausecken pfiff und es im Gebälk knarrte. Sie hatten sich während des ewig langen Unwetters seit Weihnachten daran gewöhnt. In den drei stillen Nächten war es ihnen regelrecht schwergefallen, zu schlafen, aber jetzt war also alles wie immer.

Schneesturm hin oder her: Sie mussten mit ihren Messgeräten in den Tunnel. Die Haustür ließ sich, wie befürchtet, nicht mehr öffnen, ihr beharrlicher Einsatz mit den Schneeschaufeln war somit sinnlos gewesen. Wie immer mussten sie das Haus durch das Fenster im Obergeschoss verlassen.

Ein wütendes Unwetter war also erneut über sie hereingebrochen, aber nicht so schlimm, dass sie nicht vorwärtsgekommen wären. Bis zur Tunnelbaustelle waren es nur knapp zwei Kilometer, und als sie den Windschatten des Hauses verließen, hatten sie den Wind im Rücken und segelten buchstäblich den Hang hinauf.

Schlimmer war, dass der Eingang des Schneetunnels eingestürzt war. Man sah nicht einmal mehr, wo er gewesen war, der Schneesturm hatte alle Spuren beseitigt. Bis zum Eingang der Wendeltreppe des Lüftungskamins waren es vielleicht zweihundert Meter. Der Eingang war mit einer Holztür verschlossen, und der Schornstein aus Zementfässern ragte ein gutes Stück über den Schnee auf und war nicht zu verfehlen. Mit den Händen gruben sie nach der Tür, gingen die Wendeltreppe hinunter und zündeten ihre Grubenlampen an.

Im Tunnel trafen sie die letzten Arbeiter, die von der Schicht kamen, und der Vormann Ole Lænes wollte wissen, wie draußen das Wetter sei. Nach dem Pfeifen im Schornstein der Baracke zu urteilen, habe es wohl wieder aufgefrischt. Falls sie nach den Messarbeiten nicht nach Hause kämen, waren die Herren Ingenieure herzlich eingeladen, in der Arbeiterbaracke zu übernachten. Sie bedankten sich und sagten, dass sie das später entscheiden wollten, wenn sie wieder aus dem Ventilationsschacht kamen.

Sie verbrachten einige Stunden mit Kontrollmessungen und schrieben ein paar Anweisungen für den Vormann der nächsten Schicht. Dann packten sie ihre Ausrüstung wieder ein und begaben sich zum Lüftungsschacht. Im Schneetunnel war zunehmend schwer voranzukommen, weil überall Abraum lag. So war es immer am Ende des Winters, bevor man das, was man weggesprengt und weggehackt hatte, abtransportieren konnte.

Sie ließen ihre Instrumente ordentlich in Sackleinen verpackt im Lüftungsschacht zurück und kletterten ins Freie.

Als sie die Luke über der Wendeltreppe aufklappten, sahen sie sofort, dass das Unwetter schlimmer geworden war. Sie zogen ihre Kapuzen über, setzten ihre Schneebrillen auf und diskutierten gegen den Wind anbrüllend, ob es der Mühe wert sei, sich zur eigenen Baracke zu begeben, oder ob sie das Ende des Unwetters bei den Arbeitern abwarten sollten. Sie kamen zu dem Schluss, dass sie dort vermutlich sehr lange warten müssten. Außerdem würde Estrid unruhig werden, wenn sie sie allein ließen. Überdies waren es nur zwei Kilometer bis nach Hause. Sie sahen so gut wie nichts, konnten sich aber auf ihren Kompass verlassen. Nein, sie wollten nach Hause!

Die Diskussion führten sie einander zugewandt, auf den Knien und schreiend. Vermutlich sahen sie aus wie zwei bellende Hunde. Als sich Daniel erhob, um zu seinen Skiern und Stöcken zu greifen, wurde er vom Sturm sofort wieder zu Boden gerissen. Er schlitterte einige Meter weit über das Eis, ehe er resolut einen Stock in den Schnee hieb, um sich zu verankern und zu Lauritz zurückzukriechen. Er rief, dass sie die Skier hinter sich herziehen und auf dem Eis kriechen müssten.

Wenig später krochen sie im Sturm auf der Eiskruste, über die der Schnee getrieben wurde, dahin. Daniel vorweg, Lauritz direkt hinter ihm, die Skier an einer Bugsierleine hinter sich herziehend. Es zeigte sich bald, dass sie so unmöglich vorankamen, unter diesen Wetterverhältnissen wurden zwei Kilometer endlos. Sie versuchten sich aufzurichten und vornübergebeugt gegen den Sturm anzukämpfen, aber die nächste Bö warf sie um, und sie taumelten auf dem eisigen Schnee etliche Dutzend Meter zurück.

Erneut beratschlagten sie schreiend und kamen zu dem Schluss, dass ihre Skier sie nur aufhielten. Sie wussten aber nicht, wo sie sie unterstellen konnten, da ihnen nicht klar war, wie weit sie sich inzwischen vom Luftschacht entfernt hatten. Sie nahmen ihre Skier ins Schlepptau, und Lauritz übernahm die Führung, da er den besseren Kompass mit einer mit Leuchtstoff präparierten Kompassrose besaß.

Obgleich es erst in einigen Stunden dunkel wurde, machte das Schneegestöber sie genauso blind wie Dunkelheit.

Aber sie waren beide hartnäckig und dachten nicht daran, aufzugeben. Außerdem hatten sie gar keine andere Wahl. Den Weg nach Hause konnten sie mithilfe des Kompasskurses finden, den Luftschacht aber nicht.

Sie banden sich mit einem Seil zusammen, um sich nicht zu verlieren.

Auf diese Art krochen sie vielleicht eine Stunde lang dahin. Es ließ sich schwer feststellen, wie viel Zeit vergangen war, und noch schwerer, wie weit sie gekommen waren. Der Sturm ging in einen Orkan über. Bei den kräftigsten Böen konnten sie nicht einmal mehr weiterkriechen, da sie dem Wind eine zu große Angriffsfläche boten und drohten, Hunderte von Metern mitgerissen zu werden. Ab und zu legten sie sich, die Arme vorgestreckt und auf die Ohren gedrückt, ganz flach hin.

Langsam dämmerte es Lauritz, dass sie in Todesgefahr waren und um ihr Leben kämpften. Riss der Sturm sie über das Eis mit sich, waren sie verloren. Sie hatten keine Schaufel dabei und konnten sich nicht eingraben. Die Temperatur sank, das spürte er an den Wangen, der Wind verdoppelte den Kühleffekt.

Er hatte dem Tod nie mehr als einen flüchtigen Gedanken gewidmet. Der Tod war etwas, das am Ende des Lebens kam, und zwar in einer sehr fernen Zukunft. Er war siebenundzwanzig Jahre alt, Sportler, Diplomingenieur mit einem Examen aus Dresden und folglich unsterblich.

Ingeborg würde ihm nie verzeihen, dachte er in einer Anwandlung von Galgenhumor. Ihr langjähriges Projekt, sich dem Baron zu widersetzen, wäre umsonst gewesen, weil der, den sie heiraten wollte, aus reiner Dummheit auf dem Fjell umgekommen war. Wenn es zumindest eine Steinlawine gewesen wäre oder eine einstürzende Brücke. Aber reine Dummheit! Das war unverzeihlich.

Gott wollte er in dieses Problem nicht reinziehen, obwohl er schon wieder das Gefühl hatte, dass Gott ihn auslachte. Man sollte Gott nicht mit so selbstsüchtigen Dingen belästigen.

Bei den schlimmsten Orkanböen lagen sie still und pressten sich wie Flundern auf den Schnee. Sobald sie auch nur ahnten, dass der Wind einen Moment nachließ, um vor dem nächsten Angriff innezuhalten, krochen sie ein paar Meter weiter. Linker Arm, rechtes Knie, linkes Knie, dann die Skier hinterher und das Ganze von vorn.

Plötzlich ließ die Wucht des Windes nach, obwohl der Lärm derselbe blieb. Sie befanden sich in einem Windschatten: ein Vorrat Grubenbahnschienen unter einer festgezurrten Persenning. Hier konnten sie ihre Skier zurücklassen. Jetzt wussten sie auch, dass sie sich auf dem richtigen Kurs befanden. Auf dem Hinweg waren sie an dem Vorratsplatz vorbeigekommen. Das bedeutete aber auch, dass sie erst die halbe Strecke bewältigt hatten. Aber ohne die Skier hinter sich herziehen zu müssen, würden sie bedeutend schneller vorankommen.

Hinter dem Schienenstapel konnten sie einen Moment aufstehen und den Rücken strecken. Sie schoben ihre Skier unter die Persenning und die Schienen und traten dann wieder in den Sturm. Er warf sie sofort um.

Sie krochen den Kompasskurs weiter. Der Wind kam ungewöhnlicherweise aus Südwesten, was auf dem Hinweg zur Tunnelbaustelle von Vorteil gewesen war.

Nach einer Viertelstunde, vielleicht waren es aber auch zwanzig Minuten oder zehn oder dreißig, wurde die harte, vereiste Schneedecke weicher und gab unter ihnen nach. Sie befanden sich in einer Senke, die sich mit Neuschnee gefüllt hatte, der immer tiefer wurde. Bald konnten sie nicht mehr weiterkriechen, weil sie sonst im Schnee versunken wären. Sie mussten sich aufrichten, so weit wie möglich in den Gegenwind lehnen und durch den Neuschnee waten, in dem sie bald bis über die Taille verschwanden.

Der Orkan konnte sie jetzt nicht mehr packen und durch die Luft schleudern, aber es dauerte lange, sich im Tiefschnee vorzuarbeiten. Jetzt hätten sie ihre Skier gebraucht, aber sie konnten nicht umkehren, hätten sie nicht wiedergefunden und wären außerdem vom Kompasskurs abgekommen.

Es gab nichts zu sagen, auch wenn sie miteinander hätten sprechen können. Sie arbeiteten sich schweigend Meter für Meter voran und begannen zu schwitzen. Blieben sie jetzt stehen, würde der Schweiß auf ihrer Haut zu Eis gefrieren, was auch ihr Tod wäre.

Lauritz stellte sich vor, wie er in seinem nächsten Brief an Ingeborg diesen gefährlichen Heimweg beschreiben würde. Das war beruhigend. Da er Ingeborg schreiben musste, würde er nicht sterben. Er beschloss, einen humoristischen, angemessen selbstkritischen Bericht zu verfassen. Vom jungen Diplomingenieur, dessen Unsterblichkeit auf die Probe gestellt oder der an seine Sterblichkeit erinnert wurde. Oder musste die interessante Schlussfolgerung lauten, dass für den Bau der Bergenbahn gar nicht die beste theoretische Ausbildung erforderlich war? Die technischen Probleme waren eher belanglos, es gab nur eine einzige Brücke, die technisch anspruchsvoll war. Alles andere, Brücken, Tunnel, Einschnitte und Bahndämme, beruhte auf Kenntnissen, die bereits ein halbes Jahrhundert alt waren. Alle, die gesagt hatten, es gebe keine ausreichend fähigen Ingenieure in Norwegen, um die Bergenbahn zu bauen, hatten unrecht gehabt. Es hing nicht von den theoretischen Kenntnissen der Ingenieure ab, sondern von ihrer praktischen Fähigkeit zu überleben. Eine Eisenbahn war eine Eisenbahn. Der Unterschied war, dass man hier oben bei Orkanwinden und in achtzehn Meter hohen Schneewehen baute.

Vielleicht sollte er sich beim Schreiben nicht allzu sehr in Einzelheiten verlieren, um Ingeborg nicht zu langweilen.

Plötzlich stießen sie gegen den Giebel der Ingenieursbaracke direkt unter dem Dachfirst. Als Lauritz seine Schneebrille auszog, entdeckte er, dass diese ganz mit Eis bedeckt war. Es war noch nicht einmal vier Uhr, und im Schneesturm war es immer noch hell. Das war ihm nicht klar gewesen, denn er war in der letzten Stunde halb blind gewesen.

Sie krochen um das Haus herum. Das Fenster des Büros war von innen verriegelt. Wie sollten sie jetzt ins Haus gelangen? Daniel klopfte so fest, wie er es wagte, an das geschlossene Fenster, und Lauritz kroch zum Schornstein hoch. Er nahm sein Messer und schlug damit an das Blech. Wenig später hörte er Daniel rufen, dass Estrid das Fenster geöffnet hatte.

Sie hatte ein Essen gekocht, das sich lange warm halten ließ, und nie die Hoffnung aufgegeben, dass sie nach Hause kommen würden. Es gab Erbsen und Speck und dazu einen großen Schnaps.

*

Die Zeit im Frühling zwischen März und Mai, wenn auf den Bauernhöfen das Futter knapp wurde, ließ sich am schwersten ertragen. Transporte waren nur eine kurze Zeit im April möglich, dann bahnten sich Packpferde, Schlitten und Arbeitssuchende in dem festen Schnee breite Pfade.

Die ersten Transporte zu Pferde trafen aus Taugevand ein, anfänglich kamen jedoch nur Brennstoff und Holz, sodass man in Finse weiterhin von Stockfisch, Konserven und Kondensmilch leben musste.

Bei gutem Wetter konnte man in der Ferne eine schwarze Schlange sehen, die sich durch den funkelnd weißen Schnee wand. Das waren Männer auf Arbeitssuche. Dass sie für die Arbeiten an Brücken, Bahndämmen und Einschnitten – die Tunnelarbeiter waren ja bereits vor Ort – viel zu früh dran waren, hatte einen einfachen Grund: Je früher man kam, desto sicherer war einem eine Stelle.

Auf dem Weg ins Fjell übernachteten die Männer in den leeren Arbeiterbaracken. Die Nächte waren immer noch sehr kalt, und das Wetter war zu dieser Jahreszeit unzuverlässig, oft gab es Temperatureinbrüche mit Schneefall. Die Eisenbahngesellschaft hatte zwar vor jeder Baracke Brennholz aufstapeln lassen, aber die Arbeiter, die sehr früh unterwegs waren, fanden die Brennholzstapel oder Kohlehaufen unter dem Schnee oft nicht. Um in den kalten Frühlingsnächten nicht zu erfrieren, verheizten die Männer daher alles, was sie fanden, Tische, Stühle und Betten.

Deswegen brachten die ersten Packpferde auch Kohle und Brennholz statt Proviant. Die Baracken mussten bewohnbar gemacht werden. Die Fracht auf einem Packpferd nach Finse wurde mit fünf Öre pro Kilo bezahlt. Wer kein Pferd besaß, konnte Brennholz und Kohle auf dem eigenen Rücken tragen. Ein Mann namens Lærdalsborken konnte fünfzig bis sechzig Kilo tragen, also fast so viel wie ein Pferd. Daniel Vidme aus Flaamsdalen war ebenfalls ein Riese. Er trug genauso viel, behauptete man zumindest.

Die Bahnarbeiter waren zu dünn gekleidet und erschöpft,

wenn sie durch den hohen Schnee auf das Kontor in Finse zustapften. Gelegenheitsarbeiten gab es reichlich, auch wenn man um diese Jahreszeit nur Schnee räumen musste, davon aber umso mehr. Darüber hinaus waren Reparaturen und Tischlerarbeiten in den teilweise demolierten Baracken an der Bahnlinie auszuführen.

Daniel Ellefsens und Lauritz' zäher Arbeitsrhythmus des Winters fand ein abruptes Ende. Jetzt mussten sie sich um die Neuanstellungen kümmern und den Arbeitern, die nach der Tunnelarbeit des Winters nach Hause wollten, den Lohn auszahlen. Die beiden Gruppen, die im Torbjørnstunnel in zwei Schichten tätig gewesen waren, verloren die Hälfte ihrer Arbeiter. Für diese übernahmen die Vorarbeiter Johan Svenske und Ole Længs die Neuanstellungen. Wen sie empfahlen, akzeptierten die Ingenieure ohne weitere Diskussion, ob sie nun ein Arbeitsbuch besaßen oder nicht.

Das Arbeitsbuch stellte eine Art Ausweis dar, in dem alle bisherigen Arbeitsverhältnisse verzeichnet waren. Die meisten trugen es bei sich, wenn sie auf der Suche nach Arbeit durchs Land zogen, aber einigen Männern fehlte dieses wertvolle Zeugnis. Dafür gab es viele Gründe, solche, die sich erklären ließen, und solche, die die Betroffenen lieber verschwiegen. Die Vorarbeiter Johan Svenske und Ole Længs behaupteten jedoch, sie könnten auf einen Blick sehen, ob ein Mann etwas tauge. Nach dem Arbeitsbuch fragten sie nicht einmal.

Diejenigen, die eingestellt worden waren, erhielten Kredit in Kaufmann Klems Laden in Finse. Aber Arbeiter ohne Arbeitsbuch bekamen Probleme mit Klem. Als Lauritz in den Laden kam, um eine verloren gegangene Sonnenbrille zu ersetzen, geriet er in einen unvergesslichen Streit über das Thema Kredit. Einem großen, mageren Schweden war der Kredit verweigert worden:

»Ich war in Luleå und Haparanda. Ich habe das Heilige Land gesehen und Christi Grab. Ich habe im Jordan gebadet und bin zweimal im Götakanal auf Grund gegangen! Und trotzdem lässt du mich nicht anschreiben, du verdammter Geizkragen!«

Der Mann erhielt seinen Kredit. Daniel amüsierte sich köstlich, als Lauritz bei ihrem einfachen Abendessen den Ausbruch deklamierte.

Die Arbeiter, die nicht das Glück hatten, von Johan Svenske oder Ole Lænes angestellt zu werden, landeten in der Schneeräumkompanie. Damit war ihnen zumindest Arbeit für zwei Monate sicher. Einer nach dem anderen wurden sie in die große Vierzigmannbaracke geschickt, die man in Finse gebaut hatte. Dort wurden sie von Kristin, der gefürchtetsten Köchin der Eisenbahngesellschaft, in Empfang genommen. Sie war ebenso stämmig wie unleidlich, und selbst die Vorarbeiter wagten es kaum, ihr zu widersprechen. In ihre Baracke aufgenommen zu werden war kein Zuckerschlecken. Jeder neue Arbeiter stellte sich mit dem Hut in der Hand bei ihr vor. Daraufhin wurde ihm befohlen, sich auf der Stelle nackt auszuziehen. Männer, die Kristin nicht kannten, zögerten oder glaubten vielleicht, sich verhört zu haben. Aber Kristins Regiment galt kompromisslos für alle, ob Norweger, Schwede oder Finne: Runter mit den Kleidern und diese auf einen Haufen gelegt!

Wenig später erschien sie mit einem Bottich Wasser und Schmierseife und gab mit lauter Stimme Anweisungen. Gewaschen wurde vom Kopfhaar nach unten, insbesondere der Schritt, und zwar ordentlich. Sie warf frische Kleider neben den Waschzuber, und die alten trug sie mit zwei Stöcken zu einem der großen Kupferkessel, in denen sie die Decken aus der Baracke als auch die Kleider der neu angestellten, verlumpten Arbeiter wusch. In ihrer Baracke war keine einzige Laus willkommen.

Was die Läuse jedoch nicht zu interessieren schien.

Das gängigste Mittel der Arbeiter gegen die Läuseplage war Snustabak, der auf der Pritsche verteilt wurde, oder etwas Dynamit von der Baustelle unter der Matratze. Einige Läuse schienen jedoch auch gegen diese Hausmittel resistent.

Lauritz erfuhr von Kristins Prozedur, als ein wütender Finne ins Kontor zurückkehrte und sich beschwerte, dass eine männergeile Alte ihn daran hinderte, die Pritsche zu beziehen, die ihm rechtmäßig vom Herrn Ingenieur zugewiesen worden war. Das kam ihm merkwürdig vor, und er begab sich zu der großen neuen Baracke, um eventuelle Missverständnisse aus dem Weg zu räumen. Lauritz hatte gegen Kristins Prozedur, der sie alle Neuankömmlinge unterzog, jedoch nichts einzuwenden, als er begriffen hatte, was sie damit bezweckte.

Man hatte auch einen Stall für über hundert Pferde gebaut, und dort fanden die Männer Platz, die nur zum Schneeräumen für zehn Öre den Kubikmeter angestellt worden waren. Das war nicht das Schlechteste. Einige von ihnen brachten es auf sieben Kronen am Tag.

Als sich das frisch eingetroffene Bataillon Schneeräumer in Bewegung setzte, um den Transportweg nach Taugevand passierbar zu machen, glaubte Lauritz nicht an ihren Erfolg. Der Schnee bildete stellenweise drei Meter hohe massive Schneewehen. Wo der Schnee am höchsten war, wurde nicht geräumt, sondern Sand und Asche gestreut, und die Frühlingssonne erledigte den Rest. Im Sommer wurden die Wege mit langen Stangen markiert, damit man sie im Winter wiederfand.

Nachdem zehn Tage lang hektisch Neuanstellungen vorgenommen worden waren, wurde es ruhiger. Lauritz fuhr auf Skiern zum Torbjørnstunnel, um mit Johan Svenske die Arbeiten für den Sommer zu planen. Er hatte einige neue Zeichnungen dabei, an denen er im Winter gearbeitet hatte.

Wenn Johans Arbeitergruppe die Winterarbeit im Tunnel beendete, musste er als Erstes die Arbeiter ersetzen, die nach Hause oder in die nächste Stadt in die Kneipe wollten, und zwar durch Männer, die nicht nur im Winter im Tunnel arbeiten, sondern auch im Sommer in schwindelnder Höhe auf einem Gerüst herumklettern konnten. Mit dem Brückenbau über den Kleivefossen war nicht zu spaßen, im vergangenen Sommer hatten sie beinahe zwei Männer verloren.

Deswegen begann Lauritz damit, über die von ihm geplanten Sicherheitsvorkehrungen zu sprechen. Die Arbeiter sollten das Gerüst nur mit einem kräftigen Lederhaltegurt betreten dürfen. Auf jedem Stockwerk des Gerüsts war ein Drahtseil gespannt. Drahtseil und Ledergurt waren mit einer an beiden Enden mit Karabinerhaken ausgerüsteten Leine verbunden. Wer stolperte, würde im schlimmsten Fall eine Weile über dem Abgrund baumeln, was sicher unbehaglich war, aber überleben.

Die zusätzlichen Ausgaben dafür hatte er sich von der Direktion in Voss genehmigen lassen. Skavlan hatte die

Idee gefallen. Die Karabinerhaken wollte er selbst demnächst bei einem Besuch in Bergen kaufen. Stahlseile würden zusammen mit den normalen Materiallieferungen aus Sogn kommen.

Johan Svenske schien von Lauritz' Vorschlag nur mäßig beeindruckt zu sein. Er murmelte, es sei feige, angeleint wie ein Kind herumzulaufen. Andererseits war nicht von der Hand zu weisen, dass das mit der Höhe für viele ein Problem darstellte. Das führte bei Neuanstellungen zu Schwierigkeiten, denn da müsse er schließlich darauf hinweisen, dass seine Arbeitergruppe auf dem Gerüst hoch über dem Kleivefossen arbeitete. Auf die Frage, wer von ihnen Bedenken hätte, auf einem himmelhohen Holzgerüst zu arbeiten, würden wohl die meisten mit einer Lüge antworten.

Wenn man bedachte, wie viele furchtsame Männer es auf der Welt gab, die sich aber schließlich auch irgendwie versorgen mussten, seien Haltegurte und Karabinerhaken ein guter Vorschlag.

Dabei interessierte ihn viel mehr, ob es sich wirklich gelohnt hatte, das Gerüst zu verstärken, meinte Johan Svenske mit einem amüsierten Grinsen.

Darüber war lange diskutiert worden, nachdem Lauritz die Pläne für das Gerüst so geändert hatte, dass die Materialkosten um fast achtzig Prozent gestiegen waren. Die Arbeitsstunden hatten sich in der Folge um die gleiche Quote erhöht. Was wiederum Auswirkungen auf den Akkord hatte. Diese Fragen waren in einem langen Briefwechsel mit der Generaldirektion geklärt worden, aber der Brückenbau war dadurch bereits sehr viel teurer geworden als ursprünglich kalkuliert.

»Es gab einige üble Stürme im Winter«, meinte Johan Svenske vielsagend. »Es könnte also so gegangen sein wie mit unserem Schneetunnel vor dem Torbjørnstunnel. Hinausgeworfenes Geld, aber schließlich trifft es keinen Armen, die Gesellschaft hat Geld. Möglicherweise muss sich der Ingenieur ja einiges anhören, falls alles im Tal liegt, wenn wir hochkommen.«

Das war nicht böse gemeint, vermutete Lauritz. Eine Frotzelei unter Freunden, denn Freunde waren sie.

»Also gut, Johan, wir machen es folgendermaßen«, erwiderte er. »Wir wetten um einen Wochenlohn. Ich habe verloren, wenn das Gerüst eingestürzt ist, du, falls es noch steht. Traust du dich?«

Johan Svenske hätte natürlich nie zugegeben, sich nicht zu trauen. Sicherheitshalber betonten sie noch, dass der Verlierer seinen eigenen Wochenlohn zahlen würde, also einen Ingenieurslohn oder einen Vorarbeiterlohn. Als sie sich die Hand gaben, konnte Johan Svenske es nicht lassen, Old Shatterhand zu spielen. Lauritz unterdrückte den Schmerz, den ihm der Händedruck verursacht hatte, und tat so, als sei nichts. Das durchschaute sein Freund und wusste es zu schätzen.

Anschließend sahen sie sich die neuen Pläne für den Brückenüberbau an. Wenn alles glattging und das Wetter im Sommer nicht zu launisch war, konnten sie im Herbst fertig sein. Dann würden sie zwei weitere Sommer brauchen, um den eigentlichen Bogen über den Abgrund zu bauen.

»Du musst eins wissen, Lauritz«, sagte Johan Svenske, als sie sich verabschiedeten. »Das ist verdammt noch mal die beschissenste Arbeit auf der ganzen Strecke. Und die beste. Sie ist einfach grandios.«

Als Lauritz anschließend über das Eis zum »Bahnhof Finse«, wie er bereits im Scherz genannt wurde, hinunterschlitterte, grübelte er über das nach, was Johan Svenske zuletzt gesagt hatte. Grandios. Das stimmte natürlich. Aber es war die Wortwahl eines gebildeten Mannes, ein Wort, wie er selbst es hätte gebrauchen können. Aus Johans Mund klang es verkehrt, obwohl es so treffend war.

Wenn Johan durch Zufall nach Dresden geraten wäre, so wie er und sein Bruder Oscar? Und wenn er und sein Bruder Oscar als Bahnarbeiter gearbeitet hätten, statt in einer Seilerei anzufangen, wären die Rollen dann vertauscht gewesen?

Ja, zweifellos.

Die Männer in den Baracken waren Sozialisten. Seit zwei Jahren demonstrierten sie am 1. Mai. Sie sangen Kampflieder und ließen Agitatoren Reden halten. Das war vollkommen in Ordnung, solange es die Arbeit nicht störte. Hingegen störte es ihn, dass sich die Demonstrationen gegen die Ingenieursbaracke richteten, weil sonst weit und breit kein Klassenfeind zu finden war. Lauritz gefiel es nicht, als Klassenfeind betrachtet zu werden. Dummerweise hatte er versucht, mit einem der Agitatoren darüber zu diskutieren, jedoch den Zeitpunkt schlecht gewählt.

Das Schneeräumen war im Gang, die meisten Baracken waren instand gesetzt, Kohle war genug da, und die Transportpferde brachten endlich Lebensmittel, Fleisch, Käse, Brot und sogar Whisky und Branntwein.

Anfang Juni machte sich Lauritz auf den Weg. Er hatte Schneematsch unter den Skiern und sank zwanzig Zentimeter ein, trotz der breiten Hickory-Skier. Es war eine beschwerliche Tour, aber wenn er wegwollte, war dies die einzige Gelegenheit, da Johan Svenske, sein neuer Arbeitertrupp und die Köchin sich frühestens in einer Woche zum Kleivefossen auf den Weg machen würden.

Dem Eis war um diese Jahreszeit nicht mehr zu trauen, es hatte hier und da große graue Flecken. Er umging die Gewässer also, so gut es ging.

Unten im Moldaadalen musste er die Skier abschnallen und auf der Schulter tragen. Dasselbe im Raundalen. Aber da er mit leichtem Gepäck reiste, war das kein großes Problem.

Er deponierte seine Skier im Kontor in Voss und löste eine Fahrkarte nach Bergen. Diesmal hatte seine Reise bislang vierundzwanzig Stunden gedauert, und er hatte auf dem Fjell übernachtet. Das hätte er im Leben nicht geschafft, als er seinen Dienst als Ingenieur bei der Bergenbahn angetreten hatte.

Es war ein nur schwer erklärbares, schwindelerregendes Gefühl, den Zug nach Bergen zu nehmen. Das würde auch irgendwann einmal oben im Fjell möglich sein. Obwohl die Unterschiede in der Natur so groß waren, dass man sich in verschiedenen Welten wähnte. Recht bald war der Schnee verschwunden, und der Zug dampfte durch eine grüne Landschaft. Auch hier waren die Hänge weiß, allerdings von blühenden Apfelbäumen. Kinder badeten in einem kleinen Tümpel und bespritzten sich mit Wasser. Kühe weideten auf den Wiesen.

Als er an dem unordentlichen und offenbar provisorischen Bahnhof in Bergen ausstieg, war sein erster Gedanke, dass dieser den Fahrgästen, die eines Tages die erste Fahrt von Kristiania hierher unternehmen würden, einen viel zu kläglichen Empfang bot. Er hegte nach wie vor den Traum, einmal einen neuen Hauptbahnhof in Bergen zu bauen.

Sein nächster Gedanke war, dass eine Ewigkeit vergangen war, seit er hier die Kathedralschule besucht hatte. Es gab so viel Neues. Straßenbahnen rumpelten wild klingelnd vorbei und vertrieben die Fußgänger. Er sah zwei Automobile, und die Gehsteige wurden neuerdings wie in jeder anderen anständigen europäischen Stadt von Gaslaternen beleuchtet. Es war wie damals, als er von Osterøya in die große Stadt gekommen war. Nachdem er Berlin gesehen und fünf Jahre in Dresden gelebt hatte, hatte er geglaubt, er würde in ein Dorf zurückkehren. Aber Bergen war kein Dorf mehr. Das 20. Jahrhundert war wahrhaftig das Jahrhundert der großen, nein der enormen Entwicklungen.

Er hatte schriftlich ein Zimmer im Missionshotel bestellt, in dessen Erdgeschoss sich ein Friseursalon befand. Die junge Frau am Empfang zögerte, als er seinen Namen nannte und um den Schlüssel bat. Als er fragte, ob etwas nicht in Ordnung sei, errötete sie, schaute zu Boden und antwortete, das Missionshotel sei vielleicht wegen des strikten Verbots nächtlicher Besuche auf den Zimmern nicht das richtige Quartier für einen Bahnarbeiter. Als er sie fragte, woher sie wüsste, dass er beim Eisenbahnbau arbeite, starrte sie auf ihr Pult. Er versicherte ihr, er habe weder vor, sich zu betrinken, noch, auf dem Zimmer nächtlichen Besuch zu empfangen.

Vor dem Spiegel im Friseursalon wurde ihm dann alles klar. Er sah aus wie ein Wilder. Sein Haar reichte bis zu den Schultern, der Bart war ebenso struppig wie der von Johan Svenske, und das wenige, was von seinem Gesicht zu sehen war, war braun wie Leder. Er sah aus wie ein Bahnarbeiter, der in die Stadt gekommen war, um seinen Lohn zu vertrinken.

Anderthalb Stunden waren nötig, um ihn wieder in einen Diplomingenieur zu verwandeln, zumindest was Kurzhaarschnitt und Schnurrbart betraf. Vermutlich wirkte der Kontrast seiner rotbraunen Nase und der Wangen zu seiner bleichen, jetzt vom Bart befreiten unteren Gesichtshälfte etwas seltsam.

Er ging in die Stadt, um sich einzukleiden, da er seine Mutter nicht in abgetragenen Arbeitskleidern aufsuchen wollte. Er war noch nicht weit gegangen, da schmerzten ihn schon die Waden und Fußsohlen. Zuerst begriff er gar nichts, zwei Jahre lang hatte er alle Schmerzen nach dem Skifahren niedergekämpft. Ski fahren machte ihm mittlerweile nichts mehr aus, auch nicht die letzte 70-Kilometer-Tour von Finse nach Voss. Dann sah er ein, dass er in den letzten zwei Jahren meist Ski gelaufen, aber nur sehr wenig gegangen war, wie man in Städten oder in der Ebene ging. Er war das Spazierengehen einfach nicht mehr gewohnt.

Das Einkleiden ging besser. Sein kurzes Haar, sein frisch gewichster Schnurrbart und seine Haltung sprachen eine deutliche Sprache. Er benahm sich, als sei er wieder in Dresden, und wurde sehr zuvorkommend bedient.

Auch der Einkauf einer Reisetasche, so hieß das inzwischen, bereitete keine Schwierigkeiten.

Er aß in einem Restaurant zu Abend, da im Missionshotel in der Strandgaten kein Wein zum Essen serviert wurde. Zu seinem Schweinebraten mit knusprig gebratener Schwarte trank er eine Flasche Rheinwein und träumte still von Ingeborg und Deutschland.

Trotzdem schlief er in dieser Nacht schlecht. Er war unruhig wegen der Begegnung mit seiner Mutter. Sein Besuch vorvorige Weihnachten war eine Enttäuschung gewesen. Für seine Mutter war Weihnachten kein Fest der Freude, sondern eine Zeit strikten Schweigens. Bebend und mit gesenktem Blick hatten sie der Geburt des Erlösers geharrt und über die Ewigkeit nachgedacht. Etwas, das eigentlich besser zum Osterfest passte. Er konnte sich nicht erinnern, dass es in seiner Kindheit an Weihnachten so zugegangen war. Sie waren arm gewesen, allerdings nicht so arm wie ihre Nachbarn, aber sie hatten Weihnachten nie mit niedergeschlagenen Augen gefeiert und nur geflüstert.

Wie es wohl jetzt Anfang Juni, zum Pfingstfest, der Zeit der religiösen Verzückung, zu Hause auf Osterøya war?

Er schlief trotz des Weins sehr spät ein, aber das machte nichts, weil das Schiff erst mittags fuhr. Trotzdem erwachte er früh.

Spazieren gehen konnte er nicht, da er vom gestrigen Herumlaufen einen fürchterlichen Muskelkater bekommen hatte. Er hatte nichts zu lesen und kein Schreibzeug dabei. Die Zeit nach dem üppigen Frühstück mit Grütze, Eiern und Speck versuchte er sich dadurch zu vertreiben, dass er mit unter dem Kopf verschränkten Armen auf dem Bett lag und ab und zu seinen Schnurrbart zwirbelte. Seine Gedanken schweiften zwischen Kindheitserinnerungen auf Osterøya und Dresden hin und her, Fahrten zum Fischen mit Vater und Onkel Sverre, sein erster Besuch des Marktes in der großen Stadt Bergen, aber jeder zweite Gedanke galt Ingeborg.

Das Dampfschiff nach Osterøya legte genau um zwölf Uhr von der Tyskebryggen ab.

Es rührte ihn merkwürdig an, das Dampfschiff *Ole Bull* wiederzusehen. Es kam ihm so vor, als wäre es geschrumpft. Er hatte es bedeutend größer in Erinnerung. Als er sah, wie sich die deutschen Touristen im Erste-Klasse-Salon breitmachten, löste er eine Fahrkarte für eine Deckspassage, obwohl er zweifellos wie ein Erste-Klasse-Passagier gekleidet war. Aber er hatte das Gefühl, nicht dazuzugehören, jedenfalls nicht hier und jetzt auf der *Ole Bull* auf dem Weg nach Tyssebotn. Außerdem war ausnahmsweise gutes Wetter, da konnte es geradezu angenehm sein, in dem lauen Sommerwind draußen zu sitzen. Damit war er mittlerweile nicht mehr verwöhnt.

Bei jedem Steg, an dem die *Ole Bull* anlegte, kamen die Touristen an Deck und bewunderten lautstark die Aussicht. Wenn der Dampfer wieder ablegte, verschwanden sie im Salon. Ihr Verhalten wirkte befremdlich und komisch, und Lauritz musste jedes Mal lächeln, wenn sich die Szene wiederholte.

Je näher sie dem Landungssteg in Tyssebotn kamen, desto bedrückter wurde er. Natürlich wollte er seine Mutter wiedersehen, er liebte sie, wie jeder gute Sohn seine Mutter liebt, und er bewunderte ihre stoische Stärke. Ihm traten immer Tränen in die Augen, wenn er an die Tragödie dachte, die sie heimgesucht hatte.

Es war auch nicht diese naturgegebene Liebe zu seiner Mutter, die das beklemmende Gefühl in ihm auslöste, vermutlich war es eher die Unruhe oder geradezu Angst davor, mit ihr zu reden. Er wusste nicht, was er über Oscar und Sverre sagen sollte, gestand er sich schließlich ein, als das Schiff an dem Steg anlegte, der einmal sein Heimathafen gewesen war. Gewesen war?

Ja, das war nicht mehr sein Zuhause, und wo auch immer er in Zukunft wohnen würde, in Bergen, Dresden oder Berlin, Frøynes würde nie mehr etwas anderes sein als der Ort, an dem er wie jetzt seine Mutter besuchte.

Wenn sie dieses Mal miteinander sprechen würden, und das erschien ihm unausweichlich, was sollte er dann über Oscar und Sverre sagen, seine Brüder, die ihn im Stich gelassen hatten? Das, genau das war der springende Punkt, dort fand sich der Grund für sein Unbehagen. Er war fast erleichtert, als er das Problem so klar benennen konnte.

Als die Laufplanke angelegt wurde, geriet er in die Schlange der deutschen Touristen, die hier offenbar alle an Land gehen wollten. Der Grund war ein kleiner Stand am Ende des Landungsstegs mit einem handgeschriebenen Zettel mit der kryptischen Botschaft »Trøjen und Lusekoften«.

Hinter dem Tisch stand eine junge blonde Frau in einer Tracht, die er noch nie in Tyssebotn gesehen hatte, mit schwarzer statt grüner Weste und kurzen Ärmeln. Auf diese Frau hielt die Touristenherde zu. Sofort wurde gehandelt, Geldscheine und »Trøjen und Lusekoften« wechselten unter eifrigem und immer lauterem Feilschen rasch den Besitzer. Als er näher kam, erkannte er die junge Frau, die für den Verkauf verantwortlich war, es war seine Cousine Solveig, die er seit zehn Jahren nicht mehr gesehen hatte. Damals war sie noch ein Kind gewesen, jetzt war sie eine bildhübsche junge Frau.

Er stellte seine Reisetasche ab und betrachtete das Schauspiel. Die Käufer drängten sich um den Stand. Die gestrickten Pullover und Jacken waren sehr schön, die kunstvollen Muster und die kobaltblaue Farbe sprachen eine deutliche Sprache. Das waren die Arbeiten seiner Mutter, um die sich die Touristen rissen.

Bald war nur noch eine Kundin übrig, die sich am letzten Pullover festklammerte, während die übrige Gesellschaft fröhlich zum Dampfer zurückkehrte und ihre Einkäufe miteinander verglich. Als er neugierig näher trat, stellte er verblüfft fest, dass die Frau feilschte. Sie wollte nur zwanzig Kronen statt fünfundzwanzig zahlen, was nur knapp vier Mark entsprach! Das machte ihn wütend.

»Entschuldigen Sie, dass ich etwas spät zu dem Handel dazukomme«, sagte er zu der deutschen Dame, die in seinem Alter und ziemlich elegant gekleidet war. »Ich biete vierzig Kronen für diesen ausgezeichneten Pullover.«

Er öffnete sein Portemonnaie, zog langsam vier Zehnkronenscheine heraus und legte sie auf den provisorischen Tresen vor seine Cousine, die ihn nicht erkannt zu haben schien.

Die deutsche Frau hielt ihre Beute noch fester.

»Mein Herr, Sie sind nach mir gekommen, Sie sollten daran denken, was die Höflichkeit fordert«, sagte sie.

»Und Sie, gnädige Frau, bieten nur zwanzig Kronen für ein hübsches Kleidungsstück, das bei Ihnen in Berlin hundertfünfzig Kronen kosten würde«, sagte er mit einer höflichen Verbeugung.

»Woher wissen Sie, dass ich aus Berlin komme?«

»Das hört man, gnädige Frau.«

»Und Sie, mein Herr, sind aus Sachsen. Und wieso mischen Sie sich ein?«

»Warum versuchen Sie, einen ohnehin zu niedrigen Preis herunterzuhandeln?«

»Man darf die Naturbevölkerung nicht verwöhnen, das ist unsere Verantwortung!«

Naturbevölkerung? Er war so verblüfft und sprachlos, dass die Frau aus Berlin bereits glaubte, sowohl den Disput als auch den Pullover gewonnen zu haben. Verächtlich warf sie zwei Zehnkronenscheine auf den Tresen und wollte gehen.

»Der Pullover gehört Ihnen, wenn Sie mich überbieten«, sagte Lauritz kalt.

Er schielte zu Solveig hinüber, die ihn immer noch nicht erkannt hatte, aber verstanden zu haben schien, worum es ging, und der deutschen Unterhaltung gespannt folgte.

Die Frau aus Berlin zögerte, schnaubte verächtlich, griff in ihre Handtasche und suchte in ihrer Geldbörse, bis sie einen Fünfzigkronenschein fand, den sie demonstrativ langsam auf den Tresen legte und ihre Zehner zurücknahm.

»Ich gratuliere Ihnen, gnädige Frau, Sie haben soeben ein sehr gutes Geschäft gemacht«, sagte Lauritz.

»Kann schon sein, aber wenn Sie sich nicht eingemischt hätten, mein Herr, wäre es ein noch besseres Geschäft gewesen«, erwiderte sie ungnädig. »Was sollte das überhaupt?«

»Diese junge Dame, die Sie so verächtlich zu benennen die Freundlichkeit hatten, ist meine liebe Cousine. Und ich gehöre selbst zur hiesigen Naturbevölkerung.«

Lauritz hob seinen Hut und verbeugte sich zum Abschied. Beide Frauen starrten ihn an, die Berlinerin bestürzt über ihre peinliche Fehleinschätzung von Lauritz und Solveig, weil ihr erst jetzt aufging, dass der Fremde mit dem Städterschnurrbart, dem hohen schwarzen Hut und dem eleganten Mantel ihr Cousin Lauritz war.

Die Deutsche drehte sich auf dem Absatz um und ging zum Dampfer zurück, Solveig trat verblüfft auf Lauritz zu, der sie umarmte.

»Hat die Nordhordlandtracht nicht eine grüne Weste? So habe ich es zumindest aus meiner Kindheit in Erinnerung«, murmelte Lauritz noch in der Umarmung begriffen, verlegen wegen der Intimität und wegen seiner wenig geistreichen ersten Bemerkung.

»Nein, mein lieber Cousin Lauritz, wir haben vor drei Jahren zu Schwarz gewechselt.«

Damit kam ihre Unterhaltung zum Erliegen, vielleicht aus Verlegenheit oder weil es schwierig war, das seltsame Thema fortzusetzen. Lauritz half seiner hübschen Cousine dabei, den Stand in einem kleinen Schuppen beim Landungssteg zu verstauen. Er unterdrückte den Impuls, ihr zu sagen, was in korrektem Deutsch auf dem Schild stehen müsste. Es hatte so, wie es war, seinen Charme. Und die Touristen hatten ja offenbar keine Mühe, die Botschaft zu deuten.

Sie gingen nebeneinander zum Frøynes Gård, erst schwiegen sie und schauten zu Boden, dann begann Lauritz, seine Cousine über die Geschäfte auszufragen.

Alle Frauen auf dem Frøynes Gård strickten mittlerweile Pullover für die Touristen. Damit würde viermal so viel verdient wie mit der Fischerei ihrer Väter, als die noch am Leben waren. Nach der Schur der Schafe im Sommer beginne die Arbeit, erst das Spinnen der Wolle, anschließend das Färben des Garns. Den ganzen Herbst und Winter säßen sie am offenen Kamin und strickten, dann werde im kurzen Sommer alles verkauft.

Solveig hatte sich eine Methode einfallen lassen, immer

alles zu verkaufen, sodass sie nichts zum Hof zurückzutragen brauchte. Eine Stunde, bevor die *Ole Bull* anlegte, warf sie einen Blick in den Himmel. Bei strömendem Regen und Sturm blieb sie zu Hause, bei grauem Wetter nahm sie drei oder vier Pullover mit, meist vier, zwei von jeder Sorte. An einem sonnigen Tag wie diesem hatte sie so viele Pullover dabei, wie Passagiere im Erste-Klasse-Salon der *Ole Bull* Platz fanden, nämlich zwanzig. An einem solchen Tag kam sie gut und gern mit fünfhundert Kronen im Portemonnaie nach Hause.

Solveig erzählte lebhaft und fröhlich, und Lauritz war froh, nach seiner unbeholfenen Gesprächseröffnung endlich das richtige Thema gefunden zu haben. Dann fragte er aber doch, warum sie die Pullover zu solchen Schleuderpreisen verkaufe. Wie sie gerade gesehen habe, könne sie genauso gut fünfzig Kronen statt zwanzig Kronen für einen Pullover verlangen.

Darauf wusste Solveig keine Antwort, sie zuckte mit den Achseln und murmelte, Mutter Maren Kristine würde alles bestimmen, sie lege die Muster fest und die Schafe gehörten ihr.

Sie trennten sich auf dem Hof des Frøynes Gård, und Solveig eilte leichtfüßig auf das kleinere Wohnhaus zu. Lauritz blieb stehen, holte ein paarmal tief Luft und ging dann auf die Haustür des Haupthauses zu.

Als er klopfen wollte, wurde geöffnet. Seine Mutter stand in der altmodischen Nordhordlandtracht, so wie er sie kannte, vor ihm. Sie sagte nichts, nahm ihn in die Arme und hielt ihn eine Weile ganz fest.

Schließlich schob sie ihn, immer noch ohne etwas zu sagen, von sich weg und schaute ihn lange an. Ihr warmer

Blick trieb ihm Tränen in die Augen. Ihre Augen blieben trocken, er hatte sie noch nie weinen sehen.

»Du hast ebenfalls Tracht angelegt, Mutter. Sind das die neuen Sitten hier in der Gegend?«, sagte er schließlich und sah ein, dass er schon wieder eine sehr einfältige Frage gestellt hatte.

»Ja«, erwiderte sie. »Seit drei Tagen ziehe ich mich vor dem Eintreffen des Dampfers um, ich wusste schließlich nicht, wann genau du vom Fjell kommst. Auf Osterøya tragen wir immer diese Kleider, wenn jemand, der lange fort war, zurückkehrt. Und jetzt, wo die anderen fort sind, bist du der Mann in diesem Haus.«

Sie sagte nichts mehr, sondern bedeutete ihm nur mit der Hand, er solle eintreten. Auf dem Tisch standen eine funkelnde Kupferkanne mit Kaffee und ein sehr großer Teller Gebäck.

Er hatte eine Frau vor sich, die – anders gekleidet als in der Nordhordlandtracht – in der Semperoper in Dresden sehr elegant gewirkt hätte. Er bemerkte ihren Wohlstand, die sechs silbernen Hakenverschlüsse an ihrer grünen Weste, die vermutlich den Jahresverdienst eines Fischers gekostet hatten. Dazu trug sie einen silberdurchwirkten Gürtel mit zwei bestickten Zipfeln, die über die gestreifte Schürze herabhingen und zu erkennen gaben, dass sie eine verheiratete Frau war. Die sternförmige Perlenstickerei unter ihrem Busen ließ ebenfalls ihren Wohlstand erkennen. Ihr kupferrotes Haar unter der weißen Haube war von einigen silbernen Strähnen durchzogen. Sie war fünfundvierzig Jahre alt, und es gab sicherlich viele Männer, die sie gerne geehelicht hätten.

Sie hatte einen jungen, kräftigen Mann in den Kleidern

eines Städters vor sich, mit dem Haarschnitt und Schnurr-bart eines Bergener Bürgers, einen Mann, den das Schick-sal nicht zum Fischer bestimmt hatte, sondern zu etwas Größerem in der Welt, genau wie sie es damals befürchtet hatte, als sie gekommen waren, um ihr ihre Jungen wegzu-nehmen. So war es gekommen, zwei waren verschwunden. Er war der eine verlorene Sohn, der zurückgekehrt war.

Sie goss ihm Kaffee ein und schob ihm schweigend den Teller mit dem Gebäck zu.

»Erzähl!«, befahl sie dann. »Erzähl mir von der Bergen-bahn. Davon ist hier ja viel die Rede. Manche Leute be-haupten, es sei unmöglich, eine solche Eisenbahn zu bauen. Aber du, der du diese Bahn baust, musst es doch wissen.«

Er war heilfroh, dass die Unterhaltung an diesem Ende begann, und verlor sich fast in dramatischen Details über Schneestürme und einstürzende Tunneldecken, bevor er seinen Bericht halbwegs in eine Ordnung gebracht hatte. Für jemanden, der vom Frøynes Gård stammte, sprach er lange, aber soweit er es sah, hörte ihm seine Mutter die ganze Zeit aufmerksam und interessiert zu. Er schloss mit der Prognose, dass er in vier Jahren ein freier Mann sein würde, vielleicht schon früher, das hinge von den Wetter-göttern ab. Vier Jahre, dann habe er seine Schuld zurück-gezahlt. Und auch die von Oscar und Sverre.

Sofort bereute er den Schluss seines Berichts. Damit hat-te er das eigentliche Thema angeschnitten.

»Was war mit Oscar? Warum ist er nicht mitgekom-men?«, fragte seine Mutter wie erwartet und schenkte ihm Kaffee nach. Obwohl die Kanne schwer war, blieb ihre Hand ganz ruhig. Ihre Miene verriet nichts als stille, müt-terliche Liebe. Aber die einfache Frage, der er am vergangenen Weihnachtsfest ausgewichen war, war für ihn nur mit unerträglichen Schwierigkeiten zu beantworten.

»Oscar ist vor der Welt geflohen, weil seine große Liebe ihn verraten hat. Das hat ihn sehr getroffen. Ich kann ihm diese Flucht verzeihen, sein langes Schweigen aber nicht«, antwortete Lauritz.

»Lebt Oscar, und wo, glaubst du, lebt er?«, fragte sie.

»Er lebt, das spüre ich. Ich glaube, er ist in Afrika, um sich in den Kolonien ein neues Leben aufzubauen und den Eingeborenen dabei zu helfen, so zu werden wie wir. Viele Studenten in Dresden hatten diesen Plan. Oscar gehörte auch dazu«, antwortete Lauritz.

Sie nickte nachdenklich, als sei das, obgleich er den Bruder und die Bergenbahn im Stich gelassen hatte, nicht ganz so schlimm.

»Und Sverre?«, fragte sie tonlos.

Das war die Frage, die er am meisten von allen gefürchtet hatte. Er konnte seine eigene Mutter nicht anlügen. Die Wahrheit konnte er ihr aber auch nicht sagen.

»Sverre ...«, begann er unsicher, »Sverre wurde ebenfalls von einer Art Liebeskummer heimgesucht, der schwere soziale Konsequenzen hat ...«

Soziale Konsequenzen? Was für eine idiotische Formulierung.

»Also er ... Es gab so etwas wie einen Skandal und, ja. Er reiste jedenfalls nach London. Und ... ja, also nach London. Das ist alles, was ich weiß.«

Sie sah ihn ruhig und ungerührt an und sagte dann etwas höchst Unerwartetes.

»Ich weiß alles über Sverre. Du musst ihn seiner eigenen Mutter gegenüber nicht besser machen, als er ist. Er hat mir geschrieben und mir alles gestanden. Darüber habe ich sehr viel nachgegrübelt.«

»Worüber hast du nachgegrübelt?«, fragte Lauritz leise und schaute zu Boden.

»Über diese Abart. Er ist einer von uns, dasselbe Fleisch und Blut. Warum wurde er so? Warum zieht er Gottes ewiges Strafgericht auf sich? Warum nicht du? Oder ich?«

»Frauen können nicht … das musst du verstehen …«, wandte er ein.

»Doch!«, fiel sie ihm ins Wort. »Auch Frauen kann dieser Fluch heimsuchen. Ich weiß das. Ich habe das schon erlebt. Ganz in der Nähe.«

»Ich verstehe«, erwiderte Lauritz, obwohl er überhaupt nichts verstand.

»Die Liebe ist eine Naturgewalt«, fuhr seine Mutter langsam fort. »Eine größere Kraft als alles, was ich kenne. Dein Vater lebt noch immer in mir. Nachts träume ich von seinen Umarmungen. Die Liebe ist der Vernunft nicht zugänglich. Auch nicht irgendwelchen sozialen Konsequenzen. Wir wollen hoffen, dass Sverre sein Glück zumindest in diesem Erdendasein gefunden hat. Auch wenn ich ihm nicht verzeihen kann.«

Sie schwiegen eine Weile. Aber das Gespräch war noch nicht vorbei, das war Lauritz vollkommen klar.

»Und du?«, fragte seine Mutter schließlich.

Er konnte sich nicht dumm stellen. Die Reihe war jetzt an ihm, über sich und seine Liebe Auskunft zu geben. Davon war nicht leicht zu erzählen, aber zumindest leichter als von den fürchterlichen Dingen, die Sverre betrafen.

Es handelte sich trotz allem um eine bekannte nordische Saga, die so war wie viele andere Sagas, eine Geschichte, die die meisten Menschen auf Osterøya kannten und mit der sie mitempfinden konnten, einschließlich seiner Mutter.

Der junge Held von geringer Geburt. Seine geliebte Ingeborg. Der strenge Patriarch, ihr Vater, der eine solche Ehe nicht billigte. Zwei junge Menschen, die sich ewige Liebe schworen. Der junge Held, der sich aufs Meer begab und … Ungefähr an dieser Stelle befanden sie sich jetzt in der Saga von Ingeborg und Lauritz.

Seine Geschichte war schnell erzählt. Er war erstaunt, dass Mutter Maren Kristine immer strahlender lächelte, während er durch seine Liebesgeschichte galoppierte: heimliche Stelldicheins in der Oper in Dresden und sogar der erste Kuss. Sie lächelte und nickte, fast so, als würde sie sich selbst wiedererkennen.

»Das wird sich klären«, sagte sie. »Wenn ihr euch so liebt, wie du sagst, dann wird sich alles klären. Falls du dich irrst, werdet ihr im Leben getrennte Wege gehen, aber dann ist kein großer Schaden entstanden. Also wird es sich klären. Die Liebe ist größer als alles.«

Sie hatte in wenigen Worten das zusammengefasst, worüber er den größten Teil seiner wachen Zeit nachgrübelte. Die Liebe war größer als alles. Und die Liebe von Ingeborg und ihm war die wahre Liebe. Deswegen waren sie unbesiegbar. Er zweifelte genauso wenig an Ingeborg wie an sich selbst.

»Wir werden heute Abend ein Willkommensfest veranstalten«, sagte seine Mutter in einem ganz anderen, sachlicheren Ton, als sei jetzt alles gesagt, was hatte gesagt werden müssen. »Die Cousinen und Mutter Aagot kommen zu uns. Wir tragen alle Tracht. Du kannst entweder die Kleider anziehen, die du jetzt trägst, oder Vaters Tracht, ich habe sie ausgebessert.«

»Ich werde mit Ehrfurcht und Stolz Vaters Tracht tragen«, antwortete er mit heiserer Stimme.

»Das ist gut. Hast du in deinem Koffer deine Arbeitskleidung dabei? Was du anhast, ist ja neu. Es gibt hier nämlich für einen geschickten Burschen viel zu tun. Und sogar für einen Diplomingenieur aus Dresden.«

X

OSCAR

Daressalam, Dezember 1902

Gottfried Goldmann war den größten Teil seines Lebens Professor für Straf- und Verfahrensrecht an der Universität Heidelberg gewesen. Er war als Emeritus nach Deutsch-Ostafrika gegangen, um seine letzten Lebensjahre dem großen Projekt, der Verbreitung der Zivilisation in Afrika, zu widmen.

Zweifellos war er der begabteste Jurist in Daressalam, es war also kein Zufall, dass Generalgouverneur Schnee ihn zum Vorsitzenden des Gerichts ernannt hatte, das die Kannibalen aburteilen sollte. In der Verwaltungsbürokratie war die Sache eingehend diskutiert worden, und man war zu dem Schluss gekommen, dass ein Prozess unvermeidlich war.

Der Verantwortliche der Eisenbahngesellschaft war mit sechs Gefangenen in die Hauptstadt zurückgekehrt, worüber natürlich überall gesprochen wurde. Mit einem normalen, diskreten »Vogelbegräbnis« im Busch wäre das Problem viel einfacher gelöst gewesen.

Aber daran war nachträglich nichts mehr zu ändern. Jetzt waren die Gefangenen in Dar, und die Sache musste ihren Lauf nehmen. Ein funktionierendes Rechtssystem gehörte zu den wichtigsten Veränderungen, die die deutsche Verwaltung im Protektorat einführen wollte. Ein solches zivilisatorisches Prinzip durfte nicht einfach geopfert werden.

Trotz guter Vorsätze und gründlicher Vorbereitungen nahm der Prozess einen enttäuschenden Anfang. Der Vorsitzende, Dr. Goldmann, fand es unakzeptabel, dass die Übersetzung von Kinandi ins Deutsche nicht funktionierte. Die Angeklagten schienen den Inhalt der Anklage nicht zu verstehen und konnten deswegen die Frage nicht beantworten, ob sie das, was ihnen zur Last gelegt wurde, akzeptierten oder abstritten. Die Verhandlung wurde um drei Tage verschoben, damit die Dolmetscherfrage gelöst werden konnte.

Oscar war nicht wohl in seiner Haut, als er sich zur Wiederaufnahme der Vorstellung begab. Er hielt die Verhandlung nicht für einen richtigen Prozess, sondern für ein Schauspiel fürs Publikum.

Der Ausgang war seines Erachtens von vornherein entschieden. Die Wartezeit in Dar war außerdem außerordentlich einförmig gewesen. Er hatte versucht, sich einen Teil der Zeit in seinem neuen Büro zu vertreiben, aber der Chef vor Ort, Mohamadali Karimjee Jiwanjee, befand sich geschäftlich auf Sansibar, und deswegen ließen sich ohnehin keine wichtigen Entscheidungen treffen. Um den Deutschen Club machte er weitestgehend einen Bogen, dort wollten ihn allzu viele Leute zu einem Bier oder Schnaps einladen und ihn wie eine Trophäe an ihrem Tisch festhalten. Er war es gründlich leid, immer nur über Löwen und Kannibalen zu sprechen.

Vergeblich hatte er den Staatsanwalt, Hauptmann Eberhardt Schmid, aufgesucht. Er wollte eine schriftliche Zeugenaussage einreichen, statt den Prozess abzuwarten. Der Staatsanwalt hatte gemeint, er verstehe seine Ungeduld, könne schriftliche Zeugenaussagen jedoch nicht akzeptieren. Die Rechtssicherheit lasse ein solches Prozedere nicht zu. Er müsse seine Zeugenaussage vor dem hohen Gericht machen und es der Verteidigung gestatten, dem einzigen Zeugen der Staatsanwaltschaft Fragen zu stellen.

Schließlich war es so weit. Man trat im großen Saal des Clubhauses, der zum Gerichtssaal ummöbliert worden war, zusammen. Es gab ungewöhnlich viele Plätze für das Publikum, das von nah und fern gekommen war, um echte Kannibalen zu sehen.

Diese sahen jedoch nicht besonders merkwürdig aus, fand Oscar. Sie wurden zwei und zwei in Fußketten, die nur kurze Schritte gestatteten, und zur Wahrung des Anstands in grauer Sträflingskleidung hereingeführt. Einem Gericht konnte man keine nackten Krieger vorführen.

Oscar trug eine Kolonialuniform aus dickem grauen Stoff, Koppel und einen zu engen Kragen. Die Dezemberhitze war unerträglich, die Ventilatoren an der Decke waren wirkungslos, und er sehnte sich intensiv nach dem Busch, wo er sich zumindest hätte nützlich machen können. Außerdem konnte er dort bedeutend bequemere Kleidung tragen.

Er saß ganz hinten und betrachtete die sechs Gefangenen. Ihre Gesichter waren unbeweglich. Was sie dachten, war nicht zu erkennen.

Mit den Ketten um die Fußgelenke sahen sie aus wie Sklaven, dachte Oscar. In Afrika gab es immer noch ausreichend Fußketten für Sklaven. In diesen Ketten wurden sie aus dem Hinterland an die Küste geführt und hatten dabei manchmal noch Elefantenstoßzähne, die bis zu sechzig Pfund wogen, auf den Schultern tragen müssen. Eine Ware trug die andere Ware. Vor weniger als zwanzig Jahren waren solche Transporte noch ein alltäglicher Anblick in Dar gewesen. Jetzt fanden diese widerwärtigen Eisenketten wieder Verwendung, allerdings im Dienste der Zivilisation und des deutschen Rechts.

Staatsanwalt Hauptmann Schmid begann mit der Verlesung der Anklageschrift. Oscar hörte nicht sehr aufmerksam zu, da er wusste, was gesagt werden würde. Daher überraschte es ihn, als er bereits nach wenigen Minuten nach vorn zitiert wurde.

Verlegen wischte er sich den Schweiß von der Stirn, ging nach vorn und verbeugte sich vor dem hohen Gericht. Wahrscheinlich war er rot geworden, was hoffentlich wegen seiner tiefen Sonnenbräune nicht zu sehen war. Man wies ihm einen Tisch und einen Stuhl an, die als Zeugenbank dienten. Er schwor einen Eid auf die Bibel. Mit Gottes Hilfe wollte er die Wahrheit sagen, nichts als die Wahrheit. Daraufhin erteilte der Vorsitzende dem Staatsanwalt das Wort.

Hauptmann Schmid trat vor und bat ihn, erst einmal die ganze Geschichte vorzutragen, bevor man zu den Fragen übergehen würde. Aus dem erhitzten Publikum, fast alle hielten einen Fächer in der Hand, war erwartungsvolles Murmeln zu hören.

Er versuchte so knapp und korrekt wie möglich zu berichten, von seinen Beobachtungen bei der geplünderten Missionsstation, dann vom Kampf beim Eisenbahnerlager.

Die fürchterlichsten Details versuchte er auszulassen und hatte das Gefühl, dass darüber sowohl Staatsanwalt als auch Publikum enttäuscht waren. Das hätte ihm klar sein müssen. Warum sonst waren so viele gute Bürger gekommen, wenn nicht wegen der Schauergeschichten? Dafür war der Staatsanwalt zuständig, fand er, er wollte sich an die Wahrheit halten.

»Ihr Bericht war vorbildlich kurz und sachlich, Herr Diplomingenieur Lauritzen«, begann der Staatsanwalt sein eigentliches Zeugenverhör und trat in seinem roten Umhang vor die Richterbank. »Es bleiben trotzdem noch einige Fragen offen. Sie sagten, Sie hätten die Eheleute Joseph und Elise Zeltmann sowie ihre Tochter Roselinde ermordet und an Pflöcke gefesselt vorgefunden. Ich muss Sie leider fragen: Wie wurden sie ermordet?«

Oscar schluckte und holte tief Luft. Im Saal wurde es vollkommen still, und nur das leise Quietschen der Deckenventilatoren war zu hören.

»Elise und Joseph wurden zuerst gefoltert und dann verstümmelt, da haben sie noch gelebt. Ich meine, sie haben auch noch gelebt, als sie verstümmelt wurden, beim Foltern sowieso …«, antwortete er nervös und etwas wirr.

»Ich verstehe, dass es Ihnen schwerfällt, Herr Diplomingenieur«, sagte der Staatsanwalt milde, fast mitfühlend. »Ich bitte Sie trotzdem, sich zusammenzunehmen. Wie wurden sie verstümmelt, und wie können Sie wissen, ob das vor oder nach ihrem Tode geschehen war?«

Oscar schwindelte. Er wollte nicht daran denken, hatte aber den Befehl erhalten, sich zusammenzunehmen. »Elise hat man bei lebendigem Leib beide Brüste abgeschnitten und Joseph seinen … seine Genitalien, während er noch lebte, und sie ihm nach seinem Tod in den Mund gestopft.«

»Was veranlasst Sie zu diesem Schluss?«

»Ich habe es mit eigenen Augen gesehen.«

»Ich meine, wie können Sie feststellen, was vor und was nach dem Tode geschah?« Die Stimme des Staatsanwalts klang plötzlich scharf, als verhöre er einen Verdächtigen. Oscar musste sich anstrengen, korrekt und sachlich zu antworten.

»Wenn man einen lebenden Menschen verstümmelt, blutet es sehr stark«, antwortete er verbissen. »Nach dem Tod, wenn das Herz nicht mehr schlägt und es keine Blutzirkulation mehr gibt, bluten auch sehr große Wunden kaum noch. Das lernt man bei der Jagd. Und da sowohl Elise als auch Joseph ertrunken sind, können Josephs Geschlechts… Genitalien erst nach seinem Tode in seinem Mund platziert worden sein.«

Im Saal hinter ihm entstand ein Tumult. Eine Frau schrie auf, eine andere wurde ohnmächtig und fiel zu Boden. Eine tiefe Männerstimme forderte, diese verdammten Hunde sofort zu erschießen.

Der Vorsitzende Dr. Goldmann, der ebenso wie der Staatsanwalt einen roten Umhang trug, schlug energisch mit seinem Hammer auf den Tisch und drohte, den Saal räumen zu lassen, wenn Störungen, Meinungsäußerungen oder die unangemessene Geräuschkulisse nicht aufhörten. Rasch wurde es still, und der Staatsanwalt konnte fortfahren.

»Sie sagen, Herr Diplomingenieur, das Ehepaar sei ertrunken«, fuhr der Staatsanwalt fort. »Mitten auf einem Hofplatz? Wie soll das zugegangen sein?«

»Die Köpfe der Ermordeten waren mit Pflöcken am Boden fixiert worden …«, begann Oscar, musste jedoch innehalten und sich sammeln, ehe er fortfahren konnte. »Ihre Münder waren mit Keilen aus hartem Akazienholz aufgesperrt und ihre Nasenlöcher mit Lehm verschmiert. Die Kinandi haben ihren Opfern in die geöffneten Münder uriniert …«

Wieder gab es einen Tumult im Saal. Einige Frauen mussten ins Freie geführt werden, es wurde jedoch nicht wieder das sofortige Lynchen gefordert, und der Vorsitzende des Gerichts begnügte sich damit, die Versammelten streng anzusehen.

»Damit kämen wir zu Ihren Beobachtungen, den Kannibalismus betreffend, Herr Diplomingenieur?«, fuhr der Staatsanwalt geradezu genüsslich mit der Vernehmung fort.

»Herr Vorsitzender. Ich beantrage eine Unterbrechung!«, wandte der Verteidiger Leutnant Vortisch ein, der zum ersten Mal das Wort ergriff. »Diese Frage entbehrt jeglicher rechtlicher Relevanz.«

»Wie meinen Sie das, Herr Leutnant?«, fragte der Vorsitzende interessiert.

»Die Beklagten sind nicht des Kannibalismus angeklagt, da dieser Straftatbestand im deutschen Gesetzbuch nicht existiert, Herr Vorsitzender«, antwortete der Leutnant mit einer Selbstsicherheit, die großen Eindruck auf Oscar machte. »Diese Frage dient einzig und allein dazu, die feindselige Einstellung den Angeklagten gegenüber zu verstärken, und ist daher unzulässig. Allein aus Rücksicht auf die Opfer und das Gericht sollte man davon absehen«, schloss der Verteidiger mit ebenso großer Sicherheit.

Enttäuschtes Gemurmel im Saal. Alle Blicke waren auf den Vorsitzenden gerichtet, der seltsamerweise fast amüsiert wirkte. Er dachte nach, kratzte sich am Bart und formulierte dann seine Antwort.

»Ihrem Einwand fehlt es nicht an juristischem Scharfsinn, Herr Anwalt«, begann er nachdenklich. »Die Straftat Kannibalismus existiert nicht im deutschen Recht, folglich liegt auch keine Anklage in diesem Punkte vor. Rein juristisch kann es daher den Anschein haben, als hätten Sie einen relevanten Einwand gefunden. Außerdem ist Ihr Hinweis auf das Taktgefühl sympathisch. Hingegen sind Fragen, die das Motiv der Mörder oder ihre besondere Rücksichtslosigkeit betreffen, in hohem Grade bei der Bemessung der Strafe von Bedeutung. Ich werde diese Frage daher zulassen. Bitte fahren Sie fort, Herr Staatsanwalt!«

Es hatte erst den Anschein, als wollte der Verteidiger weitere Einwände vorbringen, dann aber schaute er resigniert auf seine Papiere. Der Staatsanwalt wirkte umso zufriedener, als er sich wieder an Oscar wandte.

»Wir sind also bei Ihren Beobachtungen angekommen, die den Kannibalismus betreffen, Herr Diplomingenieur. Was können Sie darüber erzählen?«

Beifälliges Gemurmel im Saal. Die Spannung stieg. Oscar war gar nicht wohl in seiner Haut. Eine solche Wendung hatte er nicht erwartet. Nur die Wahrheit sagen war offenbar nicht so einfach. Erneut sammelte er sich, so gut es ging.

»Die Kleine … entschuldigen Sie, wie hieß das Mädchen noch gleich?«, begann er nervös.

»Roselinde Zeltmann.«

»Roselinde, ja. Sie lag auf einem Rost vor ihren Eltern. Der Leichnam war zerteilt, Kopf und Rumpf waren getrennt, die Augen entfernt. Die Tote war ausgeweidet. Arme und Beine waren separat geröstet worden, die Knochen lagen abgenagt herum.«

Der Richter schlug immer wieder mit seinem Hammer auf den Tisch, um dem Aufruhr, der im Saal auszubrechen drohte, zuvorzukommen.

»Haben Sie andere Anzeichen für Kannibalismus entdeckt, Herr Diplomingenieur?«, fragte der Staatsanwalt weiter, als wieder Stille eingetreten war.

»Ja. Ähnliche Beobachtungen machte ich bei den Dienstmädchen des Missionarspaares. Die Kinandi haben einzelne Körperteile von der Missionsstation in ihr Heerlager an der Eisenbahnlinie mitgenommen. Dort fand ich Reste einer ähnlichen Mahlzeit.«

»Dann denke ich, wir ersparen der Öffentlichkeit weitere Details zu diesem Thema«, stellte der Staatsanwalt fest, beugte sich einen Augenblick über sein Pult und wandte sich dann wieder an Oscar.

»Nur noch ein paar Kleinigkeiten«, fuhr er dann freundlich fort, als hätten sie jetzt alles Qualvolle und Schwierige hinter sich. »Sie haben also sechs Mann gefangen genommen, von Anfang an war die Banditenschar aber viel größer?«

»Ja. Es handelte sich um etwa hundert Mann.«

»Und warum haben Sie die sechs, die hier im Saal sitzen, gefangen genommen?«

»Weil sie überlebt hatten. Sie hatten nur geringfügige Verletzungen, die Dr. Ernst behandeln konnte.«

»Warum haben Sie sie nicht erschossen?«

»Entschuldigen Sie, was meinen Sie, Herr Staatsanwalt?«

»Sie haben gehört, was ich gefragt habe. Warum haben Sie sie nicht erschossen, statt sie zusammenzuflicken und sie hier vor Gericht zu bringen?«

»Weil sie keine kämpfenden Feinde mehr waren. Sie waren Gefangene. In unserer Kultur richtet man keine Gefangenen hin.«

»Eine ausgezeichnete Einstellung, Herr Diplomingenieur. Und was wurde aus den getöteten Feinden?«

»Wir haben sie der Natur überantwortet. Alles andere wäre unter Seuchengesichtspunkten unverantwortlich gewesen.«

»Ich verstehe. Ausgezeichnet. Dann habe ich nur noch eine letzte Frage, die zwei der Angeklagten betrifft, die wir als Nummer eins und Nummer zwei bezeichnen. Können diese als hauptverantwortlich für den Vorfall gelten?«

»Ja. Meiner Meinung nach führten sie den Befehl.«

»Können Sie das näher erklären?«

»Ja, das hoffe ich. Die Kinandi wurden von einem Medizinmann angeführt, der einen großen Straußenfederschmuck auf dem Kopf trug. Er war zweifellos der Anführer. Er wollte durch schwarze Magie unsere Kugeln in Wasser verwandeln. Das ging aus ihren Schlachtgesängen in der Nacht vor ihrem Angriff auf uns hervor. Ich hatte einen Dolmetscher, der mir die Gesänge übersetzen konnte. Bei dem Anführer befand sich eine Gruppe von etwa zehn jüngeren Männern, die ebenfalls Straußenfedern trugen und innerhalb der feindlichen Truppe eine Sonderstellung einzunehmen schienen. Außer ihnen war niemand so geschmückt, weshalb ich vermute, dass die Straußenfedern als Rangabzeichen dienten.«

»Ausgezeichnet, danke! Herr Vorsitzender, ich habe keine weitere Fragen«, schloss der Staatsanwalt, nahm zufrieden Platz und flüsterte seinem Assistenten mit einem unpassend breiten Grinsen etwas zu.

Der Vorsitzende ordnete eine Pause an und erinnerte Oscar daran, dass er sich anschließend wieder einzufinden habe, da die Vernehmung noch nicht abgeschlossen sei. Oscar, der geglaubt hatte, die Anstrengung sei vorüber, trat auf den Staatsanwalt zu und fragte, was als Nächstes kommen würde. Er erhielt den herablassenden Bescheid, dass die deutsche Rechtsordnung der Verteidigung gestatte, den Zeugen der Anklage ins Kreuzverhör zu nehmen.

Oscar folgte dem Strom des Publikums nach draußen, um frische Luft zu schnappen. Eine schwache Brise wehte vom Meer, eine Vorahnung des kommenden Monsunregens. Er bereute jedoch sogleich, ins Freie gegangen zu sein, als er die Zeitungsfotografen mit ihren sperrigen Kästen auf dreibeinigen Stativen entdeckte. Plötzlich wurden die sechs Kettensträflinge nach draußen geführt und hinter ihm wie Jagdtrophäen aufgestellt. Das war abscheulich. Trotzdem brachte er es nicht über sich, einfach wegzugehen.

Als die Verhandlung fortgesetzt wurde, war der Verteidiger Leutnant Vortisch an der Reihe, den Zeugen zu verhören. Da Oscar glaubte, sie hätten alles Wesentliche bereits angesprochen, war er auf nichts anderes als eine langweilige Wiederholung vorbereitet. Anschließend verfluchte er seine Naivität in dieser Frage.

»Lassen Sie uns mit der Frage der Straußenfedern beginnen, Herr Diplomingenieur«, begann der Anwalt freundlich und unbeschwert wie bei einer beiläufigen Unterhaltung. »Zwei der Angeklagten trugen also den zeremoniellen Kopfschmuck aus Straußenfedern, als Sie sie gefangen nahmen?«

»Ja, das stimmt.«

»Und Ihre Schlussfolgerung lautet, dass die Straußenfedern eine Art Rangabzeichen darstellen, dass die so geschmückten Krieger als Truppenführer anzusehen waren?«

»Ja, das war meine Schlussfolgerung.«

»Es handelt sich also nur um eine Schlussfolgerung? Sie wissen es nicht sicher?«

»Nein, aber es handelt sich um eine plausible Schlussfolgerung.«

Der Anwalt machte eine Pause, während er seinen Zeugen nachdenklich betrachtete. Oscar schielte nervös und wie Hilfe suchend zum Vorsitzenden hinüber. Dr. Goldmann schien sich aber ganz auf das, was er hörte, zu konzentrieren. Auch die drei anderen Richter schienen ihn nicht weiter zu beachten.

»Wenn ich Ihnen jetzt sage, was meine Mandanten selbst für eine Erklärung für ihren Kopfschmuck angeben, wären Sie dann bereit, diese ebenfalls auf ihre Plausibilität zu prüfen, Herr Diplomingenieur?«, fragte der Anwalt langsam, sehr deutlich und verdächtig freundlich.

»Ich will es versuchen«, erwiderte Oscar und merkte, dass er stark schwitzte.

»Die beiden Angeklagten, von denen hier die Rede ist«, begann der Anwalt und schaute in seine Papiere, »also die zwei, die wir hier Nummer eins und Nummer zwei nennen, obwohl ihre Namen, und ich bitte das hohe Gericht, das zu notieren, folgendermaßen lauten: Kiskunta und Kiskinte, also, Kiskunta und Kiskinte geben an, dass sie am Angriff auf die Eisenbahnbaustelle unbewaffnet teilnahmen, da die Magie ihrer gerade erfolgten Initiation sie gegen die Kugeln des weißen Mannes abgehärtet hatte. Falls diese Magie jedoch nicht ausreichte, hätten sie sich geopfert, um die magische Kraft ihres Anführers zu stärken. Was halten Sie von dieser Erklärung, Herr Diplomingenieur? Ist sie ebenfalls plausibel?«

Oscar zögerte. Er kam sich vor, als sei er in eine Falle getappt. Seine Gedanken gingen im Kreis.

»Ich muss den Zeugen dazu auffordern, die Frage zu beantworten«, erklärte der Vorsitzende streng. »Sie stehen immer noch unter Eid, Herr Diplomingenieur.«

»Ja, das ist ebenfalls eine plausible Erklärung, ich kann diese Deutung nicht von der Hand weisen, Herr Anwalt«, erwiderte Oscar schließlich.

»Ausgezeichnet«, fuhr der Anwalt fort. »Und wie sah es mit ihrer Bewaffnung aus? Haben Sie mit eigenen Augen gesehen, dass die beiden Angeklagten Kiskunta und Kiskinte Waffen in den Händen hielten, als der Angriff auf die Eisenbahn begann?«

»Das ist nicht der Fall. Die Männer mit den Straußenfedern standen in einer Reihe hinter ihrem Anführer, der ein sehr großer Mann war. Auf ihn habe ich meinen ersten Schuss abgegeben. Danach brach recht bald Chaos aus«, antwortete Oscar, während er darüber nachdachte, ob das, was er eben gesagt hatte, wahr war oder nicht. Doch, es entsprach der Wahrheit.

»Haben Sie gesehen, ob andere dieser besonders geschmückten Männer, die Sie also erschossen haben, Waffen in den Händen hielten?«, fragte der Anwalt ruhig weiter.

»Ihr Anführer trug zweifellos Waffen, einen Assagai in

jeder Hand. Wie gesagt war er sehr groß, sodass die anderen, die hinter ihm standen, nicht zu sehen waren.«

»Sie haben also nicht gesehen, ob irgendeiner der übrigen mit Federn geschmückten Männer hinter dem Anführer eine Waffe trug?«, erkundigte sich der Anwalt mehr konstatierend als fragend.

»Nein, aber alle anderen Krieger um sie herum trugen Speere und Schilde, ich nahm also an, dass …«

»Ich darf Sie, mit allem Respekt natürlich, daran erinnern, dass Sie unter Eid stehen und dass es hier nicht um Mutmaßungen geht«, unterbrach ihn der Anwalt. »Sagen Sie bitte nur, was Sie wissen und wirklich gesehen haben! Wir können also zur nächsten Frage übergehen. Haben Sie gesehen, dass einer der Angeklagten hier im Saal eine Straftat begangen hat?«

»Sie haben alle an dem Überfall teilgenommen«, wandte Oscar etwas lahm ein.

»Ich fürchte, dass es sich dabei auch um eine Mutmaßung handelt. Meine Frage ist sehr präzise. Hier auf der Anklagebank sitzen sechs Männer. Haben Sie gesehen, dass einer von ihnen eine Straftat begangen hat?«

»Aber alle …«, versuchte es Oscar erneut.

»Herr Diplomingenieur, Sie müssen schon entschuldigen, es ist auch nicht persönlich gemeint, ich will Sie nicht zurechtweisen. Aber mit Erlaubnis des hohen Gerichts, davon gehe ich jedenfalls aus, muss ich Sie davon in Kenntnis setzen, dass das deutsche Strafgesetzbuch die Kollektivschuld nicht kennt. Das bedeutet, dass man jedem einzelnen der Angeklagten seine Straftaten nachweisen muss. Ich frage Sie also erneut. Haben Sie einen dieser Männer dabei beobachtet, wie er eine Straftat begangen hat?«

Oscar warf dem Vorsitzenden Dr. Goldmann einen flehenden Blick zu. Dieser saß gespannt vorgebeugt da, seinen Blick auf den Verteidiger gerichtet. Als er merkte, dass ihn der Zeuge um Hilfe bat, setzte er sich rasch auf, räusperte sich und sah Oscar an.

»Herr Diplomingenieur, der Anwalt hat vollkommen recht. Ich muss Sie bitten, die Frage zu beantworten.«

Oscar hatte das Gefühl, sich verteidigen zu müssen, als würde man seine Aussagen plötzlich in Zweifel ziehen. Die Wut darüber ließ ihn wieder klarer denken. Alle Angeklagten hätten nachweisbar an dem entscheidenden Angriff teilgenommen, sagte er, als Beweis gab er ihre Verletzungen durch die Kugeln an, gleichgültig, wie schwer sie waren. Anschließend seien sie auf dem Schlachtfeld gefangen genommen worden. Also seien sie Banditen.

Der Richter schien zufrieden zu sein. Er lächelte sogar darüber, wie Oscar sich aus seiner Verlegenheit befreit hatte. Der Verteidiger gab jedoch nicht so schnell klein bei.

»Sagen Sie mir, Herr Diplomingenieur«, begann er mit etwas lauterer Stimme, denn im Saal wurde unruhig gemurmelt. Das Publikum fand offenbar, dass die juristischen Haarspaltereien allmählich zu weit gingen.

»Sagen Sie mir, Herr Diplomingenieur«, wiederholte der Anwalt, »fühlen Sie sich wirklich ernsthaft von einem Mann bedroht, der unbewaffnet mit einem Federbusch auf dem Kopf auf Sie zuläuft, weil er glaubt, dass er Ihre Kugeln in Wasser verwandeln kann?«

»Ich weiß nicht, worauf Sie mit dieser Frage hinauswollen, Herr Leutnant«, erwiderte Oscar ausweichend.

»Ich will versuchen, es einfacher zu formulieren«, fuhr der Verteidiger fort. »Sie sind Naturwissenschaftler. Halten Sie es für möglich, dass sich Gewehrkugeln in Wasser verwandeln?«

»Natürlich nicht!«

»Ein Mann, der Sie in dieser Überzeugung angreift, wird also wie alle anderen erschossen?«

»Ja, natürlich!«

»Nicht einmal der Umstand, dass der Betreffende seine magische Widerstandskraft durch das Verspeisen einer weißen Unschuld gestärkt hat, kann die Situation beeinflussen?«

»Herr Vorsitzender!«, flehte Oscar inzwischen ernsthaft erzürnt. »Diese Frage finde ich unverschämt. Muss ich sie ebenfalls beantworten?«

»Ja, denn dieser Gedanke hatte mich auch schon gestreift«, gab Dr. Goldmann mit einer nach Oscars Geschmack zu amüsierten Miene zu. »Ich möchte Sie allerdings bitten, Herr Anwalt, zu erklären, was Sie mit Ihren Fragen bezwecken.«

»Ich kann diese Frage nicht beantworten, Herr Vorsitzender, ohne dem Zeugen unnötigerweise Unterricht in der Lehre vom Vorsatz zu erteilen«, antwortete der Anwalt mit treuherziger Miene.

»Nur das nicht, Herr Anwalt! Das habe ich schon zu oft erlebt«, sagte der Richter verächtlich. »Um auf meine Frage zurückzukommen, worauf wollen Sie mit Ihren, wenn ich es so ausdrücken darf, Hexenkünsten hinaus?«

»Ich will zeigen, dass zwei der Angeklagten, Kiskunta und Kiskinte, nicht den Vorsatz hatten, zu töten«, antwortete der Anwalt, ohne eine Miene zu verziehen.

»Erklären Sie mir das!«, brummte der Richter.

»Meine Mandanten hatten nach geltendem deutschen

Recht nicht den Vorsatz zu töten und noch viel weniger, jemanden zu verletzen, als sie mit ihrem Kopfputz aus Straußenfedern und ihrem Aberglauben als einziger Bewaffnung angriffen. Ihre subjektiven Hoffnungen spielen hier keine Rolle, es handelte sich in juristischer Hinsicht um einen untauglichen Versuch, darauf will ich hinaus. Der Zeuge hat meiner Beurteilung bereits zugestimmt, ich würde mich jetzt also gerne wieder dem Thema Kannibalismus zuwenden, falls Sie es gestatten, Herr Vorsitzender.«

Erwartungsvolles Gemurmel breitete sich im Saal aus. Der Richter schüttelte lächelnd, ohne dieses Lächeln nur im Mindesten zu verbergen, den Kopf und bedeutete dem Anwalt, fortzufahren.

Der Albtraum begann für Oscar von Neuem. Er sah sich gezwungen, zuzustimmen, dass die kannibalistischen Widrigkeiten vermutlich eher die Funktion eines magischen Rituals hatten als einer Mahlzeit. Was so nicht korrekt war. Die Kinandi-Krieger lebten von Menschenfleisch, wenn sie sich auf dem Kriegspfad befanden. Zumindest laut Kadimba, der es besser als alle anderen im Gerichtssaal wissen musste. Kadimba erhielt aber nie die Gelegenheit, sich ausführlich zu äußern, weil der Anwalt ihm alle möglichen Hindernisse in den Weg legte und ihn dazu zwang, nur mit Ja oder Nein zu antworten und von »Mutmaßungen« Abstand zu nehmen.

Nicht einmal nach dieser Tortur war alles vorbei.

»Zum Schluss habe ich noch eine sehr simple Frage, Herr Diplomingenieur, anschließend sind Sie entlassen«, begann der Anwalt in seiner unangenehm freundlichen Art. »Warum haben diese Männer die Missionsstation und das Eisenbahnerlager überfallen?«

»Weil sie uns töten wollten«, antwortete Oscar verärgert. Er hatte inzwischen gelernt, dass ihn ausführliche, differenzierte Antworten nicht weiterbrachten.

»Zweifellos wollten sie Sie töten. Aber warum? Ich gebe zu, dass die Antwort schwieriger ist als die Frage. Ich bitte Sie trotzdem, zu antworten, Herr Diplomingenieur.«

»Der Medizinmann hatte seine Männer davon überzeugt, dass es nötig ist, uns zu töten«, antwortete Oscar und kniff dann die Lippen zusammen. Im Saal war das Gemurmel vollkommen verstummt, und alle warteten auf Oscars Fortsetzung. Der Anwalt ebenfalls. Er wiederholte seine Frage nicht, sondern zog nur freundlich die Brauen hoch und bewegte seine Hand im Kreis, als könne er Oscar damit wieder in Gang bringen.

»Es war nötig, uns zu töten«, zwang sich Oscar nach einem lauten Räuspern fortzufahren, »nachdem der Medizinmann prophezeit hatte, dass eine große schwarze Schlange kommen und das ganze Land verschlingen würde. Die Schlange des weißen Mannes ist die Eisenbahn. Sie würde die geheiligten Stätten der Kinandi, die Plätze, an denen ihre Ahnen begraben sind, und ihre Weiden fressen. Sie wollten nicht mit uns verhandeln, sondern uns bekämpfen, solange es nur eine geringe Hoffnung auf einen Sieg gab. Ich vermute, der Medizinmann begründete das damit, dass auf ein Ehrenwort eines Mzungu ohnehin kein Verlass sei. So jedenfalls haben meine Mitarbeiter und ich die Motive der Banditen verstanden, falls Ihre Frage darauf abzielte.«

»Ganz ausgezeichnet, Herr Diplomingenieur, mein Kompliment«, erwiderte der Anwalt. »Ich möchte das hohe Gericht darauf hinweisen, dass das fast wörtlich dem entspricht, was die Angeklagten als Motiv vorgebracht haben. Ich werde in meinem Plädoyer noch darauf eingehen. Noch einmal vielen herzlichen Dank für Ihre Teilnahme, Herr Diplomingenieur! Ich habe keine weiteren Fragen, Herr Vorsitzender.«

»Der Zeuge ist entlassen und darf die Zeugenbank verlassen«, sagte Dr. Goldmann und schlug mit seinem schweren Holzhammer auf den Tisch.

Oscar stand hastig auf, verbeugte sich steif und verlegen vor den Mitgliedern des hohen Gerichts und verließ den Raum. Er wollte nicht sitzen bleiben und sich die Fortsetzung ansehen, dafür schämte er sich zu sehr. Er kam sich gedemütigt und der Lächerlichkeit preisgegeben vor.

Wenig später riss er sich in seinem Zimmer im Gästehaus der Eisenbahngesellschaft zornig die dicke, unvorteilhafte Uniform herunter und warf sie auf den Fußboden. Eine Weile lang saß er nackt auf dem Bett und starrte apathisch auf den Kleiderberg. Dann nahm er sich zusammen, nahm einen Kleiderbügel, hängte die Uniform ordentlich in den Kleiderschrank und warf einen Blick aus dem Fenster, um zu sehen, wie spät es war und wie lange es noch hell sein würde. Als er vom Gericht gekommen war, hatte er gesehen, dass gerade die Flut auflief. Bald würden die Fischerboote der Gesellschaft in See stechen. Rasch zog er seine Buschkleider an und begab sich zum Strand. Er kam gerade noch mit einem der blauen Auslegerboote mit.

Man verwendete lange Angelleinen aus grobem Garn, große Haken und kleine Makrelen als Köder. Die Fischer der Gesellschaft wussten seit Langem, dass sie ihm nichts zu erklären brauchten und dass er nicht wie einige andere Gäste auf dem Boot nur im Weg war. Er war ein genauso guter Fischer wie die anderen, weil er das Fischen schon als Kind gelernt hatte.

Ich hätte Fischer werden sollen, dachte er, als er sich mit den Fersen am Bootsboden abstemmte, um einen ungewöhnlich schweren Fang einzuholen. Jetzt im Dezember war das Leben auf den Fjorden am schwersten. Der Dorsch nahm keine Rücksicht auf Stürme, Dunkelheit und feuchte Kälte.

Sein Fang versuchte zu entkommen. Der Fisch an seiner Leine, offensichtlich ein Einzelkämpfer, schien keiner der Speisefische zu sein, der Barrakudas oder kleineren Thunfische mit den gelben Flossen, die sie sonst fingen. Die anderen Männer lachten und ermunterten Oscar, den Kampf fortzusetzen, und holten rasch ihre eigenen Angelleinen ein, damit sich Oscars Fisch nicht darin verhedderte. Jetzt kam es zur allgemeinen Belustigung zum Zweikampf.

Als der erste leere Haken auftauchte, begann der anstrengendste Teil des Kampfes. Es galt, die verbleibende zwanzig Meter lange, mit Haken versehene Angelleine vorsichtig einzuholen und aufzupassen, dass sie nicht hochschnellte und sich jemand an den Haken verletzte.

Nachdem auch der zweite Haken eingeholt war, schoss der Fisch erst zehn Meter zur Seite und dann mehrere Meter hoch in die Luft, ein fantastischer Anblick. Im Licht der tief stehenden Sonne funkelte er vor den schwarzen Wolken golden und smaragdgrün. Es war eine Dorade!

Es gab keinen schöneren Fisch, auch nicht in Norwegen. Der spulenförmige, kräftige Körper schimmerte golden, smaragdgrün und azurblau. Es war erstaunlich, dass ein so massiger Fisch so viel Kraft besaß und ein solches Tempo vorlegen konnte.

Schließlich ermüdete der Fisch und gab auf. Oscar konnte ihn an die Reling heranziehen. Die anderen meinten, die Dorade sei ungewöhnlich groß und wiege sicher an die zwanzig Kilo. Zwei Männer hoben sie mit Haken an Bord und töteten sie mit einem Stich hinter den Kiemen. Die Dorade schlug noch ein letztes Mal mit ihrer elegant lang gezogenen Schwanzflosse und lag dann ganz still im Boot. Sie funkelte wie ein riesiger Edelstein.

Unter fröhlicher Unterhaltung ließen die Männer ihre Angelleinen wieder ins Wasser gleiten. Oscar zögerte. Er konnte seinen Blick nicht von dem Fisch abwenden, da er wusste, was jetzt geschehen würde. Die Dorade war der schönste Fisch, solange sie lebte. Nach ihrem Tod verblichen ihre Farben rasch. Bald würde sie grau sein und hässlicher als alle anderen Fische, eine Prinzessin, die sich in einen Troll verwandelte.

Seine Euphorie verschwand genauso schnell wie die Farben der Dorade. Die Metamorphose erinnerte ihn unangenehm an das Erlebte im Gerichtssaal. Er hatte den Saal als Prinz betreten, von der Sensationspresse in leuchtenden Farben beschrieben, und hatte ihn als getretener, schmutziger Hund mit eingeklemmtem Schwanz verlassen.

Das Schlimmste war, dass er nicht wusste, was er falsch gemacht hatte. Er hatte unter Eid gestanden, vereidigt auf einen Gott, den er nicht sonderlich achtete, aber auch auf Deutsch-Ostafrika, auf die Mitbürger und auf das Gericht. Obgleich er nach bestem Wissen und Gewissen die Wahrheit gesagt hatte, war er zu ihrem Spielball geworden. Sie hatten ihn wie ein naives Kind gönnerhaft zurechtgewiesen. Juristen waren wirklich abscheulich, sie waren Wortklauber, die mit Tricks, Finten und Bagatellen Schwarz in

Weiß verwandelten. Hätte er nur die Gefangenen an Ort und Stelle erschossen.

Nein! Dieser Gedanke erfüllte ihn mit Entsetzen, noch ehe er ihn zu Ende gedacht hatte. In der germanischen Zivilisation erschoss man keine Gefangenen, am allerwenigsten, um die eigene Unzulänglichkeit zu kaschieren.

Jetzt war die Dorade grau.

Er warf erneut seine Angelleine ins Wasser, musste sich aber jetzt mit einigen Barrakudas begnügen, die das Personal essen würde, und einigen kleinen gelbflossigen Thunfischen, die im Restaurant des Clubs serviert werden würden.

Sie kehrten mit der letzten auflaufenden Flut kurz vor Einbruch der Dunkelheit an den Strand zurück. Nachdem sie das Boot an Land gezogen hatten, verabschiedete er sich von den Männern mit dem Swahili-Händedruck, bei dem man sich die Hand gab und sie dann rasch drehte, sodass sich die Daumen verhakten. Die Männer lächelten und nannten ihn zum Abschied »Bwana Dorade«.

Er war gerade ein paar Schritte gegangen, da donnerte es. Ein Wolkenbruch setzte ein. Er ging schneller. Seine Kleider waren mit Fischschuppen bedeckt und mussten ohnehin in die Wäsche. Der lauwarme Regen war wie ein reinigendes Bad, und seine Laune wurde besser.

Er war vollkommen durchnässt, als er das Gästehaus der Gesellschaft betrat. Auf dem Weg hoch in sein Zimmer ließ er eine Wasserspur zurück. Er legte alle Kleider in einen Wäschesack, zog einen Bademantel über und ging in den Duschraum. Nachdem er lange geduscht und die Haare gewaschen hatte, rasierte er sich gründlich und genüsslich beim Schein einer flackernden Petroleumlampe. Draußen blitzte es, und der Regen prasselte.

Er zog seinen weißen Leinenanzug an, wählte einen smaragdgrünen Schlips, der an die Dorade erinnerte, und ging dann durch den schmalen Korridor, die Abkürzung hinunter ins Restaurant des Clubs. Erst jetzt fiel ihm auf, dass er seit seinem zeitigen Frühstück nichts mehr gegessen hatte. Er war hungrig wie ein Wolf. Wie ein Löwe, berichtigte er sich selbst.

Der große Speisesaal war ungewöhnlich gut besucht. Es war nicht schwer zu erraten, was das große Gesprächsthema war: der Prozess gegen die Kannibalen. Seine hart erkämpfte gute Laune verpuffte rasch. Er würde keinen Tisch für sich allein bekommen, und egal, wo er Platz nahm, würde man ihn über die Kannibalen, das Gefecht, Leichen, die an Krokodile verfüttert worden waren, und schlimmstenfalls über das Verspeisen von Roselinde vor den Augen ihrer Eltern ausfragen. Die Deutschen waren in dieser Hinsicht erstaunlich unsensibel, insbesondere die afrikanischen Deutschen.

Er blieb unschlüssig stehen und sah sich um. Man winkte ihm von mehreren Tischen zu, dass er doch Platz nehmen solle. Da kam ihm einer der indischen Kellner zu Hilfe. Er eilte auf ihn zu und flüsterte ihm ins Ohr, Dr. Goldmann speise in einem der Separees im Obergeschoss und lade den Herrn Diplomingenieur ein. Die Entscheidung fiel ihm nicht schwer. Der alte Richter hatte hoffentlich noch andere Themen auf Lager als die Essgewohnheiten der Kinandi. Oscar verbeugte sich kurz und entschuldigend in Richtung einiger Leute, die ihn an ihren Tisch bitten wollten, und eilte hinter dem Kellner her.

Dr. Goldmann saß allein zwischen zwei Petroleumlampen in einem kleinen Zimmer mit Blick aufs Meer. Das

Gewitter hatte in einem Teil des Hauses die Elektrizität lahmgelegt. Als Oscar eintrat und sich verbeugte, gingen seine begrüßenden Worte in einem längeren Donnergrollen unter. Gleichzeitig blitzte es mehrmals vor dem Fenster, und das Zimmer wurde blendend weiß erleuchtet. Von dem, was der alte Richter sagte, verstand er ebenfalls kein Wort, deutete seine Geste jedoch so, dass er Platz nehmen solle.

»Es freut mich sehr, Sie zu sehen, Herr Diplomingenieur«, begrüßte ihn der Richter, nachdem der Donner verklungen war. »Mir ist nicht entgangen, dass Ihnen im Gerichtssaal nicht recht wohl in Ihrer Haut war. Wir haben also das eine oder andere zu besprechen. Aber, was meinen Sie, sollten wir nicht zuerst etwas zu essen bestellen?«

Oscar murmelte zustimmend, und der Kellner, der, die Hände auf dem Rücken, im Zimmer geblieben war, nahm ihre Bestellung entgegen. Kalbshaxe mit Kohlrübenpüree und bayerisches Bier für Dr. Goldmann, dasselbe Bier, aber gebratener Thunfisch für Oscar. Wenn er an der Küste war, aß er jeden Tag Fisch, Fleisch bekam er im Busch mehr als genug.

»Dieser Leutnant Vortisch, der Ihnen solchen Ärger gemacht hat …«, begann Dr. Goldmann nachdenklich, »wird sicher einmal ein ganz ausgezeichneter Richter oder Anwalt. Schade nur, dass er bei der Schutztruppe ist. Wir Pioniere hier in der Barbarei könnten mehr Leute wie ihn gebrauchen.«

»Sie müssen entschuldigen, Dr. Goldmann, aber von Jura verstehe ich nichts«, antwortete Oscar reserviert. Für Leutnant Vortisch hatte er nichts übrig.

Der alte Professor betrachtete ihn mit unergründlicher Miene, während er sich umständlich und ächzend eine große weiße Serviette umband. Sein Bauch zwang ihn dazu, ein Stück vom Tisch entfernt zu sitzen, sodass zwischen Teller und Mund ein großer Abstand war, was ein Abenteuer bei der Essensaufnahme darstellte.

»Sie haben den Gerichtssaal verlassen, ohne sich das Plädoyer anzuhören, Herr Diplomingenieur. Wollen Sie nicht wissen, wie es gelaufen ist?«, fragte der Richter fast treuherzig.

»Natürlich will ich wissen, wie es gelaufen ist …«, antwortete Oscar. »Aber ehrlich gesagt war mir, genau wie Sie sagen, nicht ganz wohl in meiner Haut, obwohl ich nicht recht weiß, warum. Vielleicht kam ich mir ganz einfach dumm vor.«

»Dazu haben Sie nun wirklich keinen Grund. Ihre Aufgabe war es, die Wahrheit zu sagen, und das ist Ihnen ganz famos gelungen. Aber jetzt will ich Ihnen doch erzählen, was weiter geschehen ist, denn ich finde, dass Sie das wissen sollten. Schließlich haben Sie diesen Prozess ausgelöst.«

»Indem ich die Gefangenen am Leben gelassen habe?«

»Genau …«

Dr. Goldmann wurde unterbrochen, als er gerade zu einem längeren Vortrag ansetzte. Zwei Kellner brachten Essen und Bier, eine gigantische Portion Kalbshaxe mit Kohlrübenpüree und eine ebenfalls große Portion gebratenes Thunfischfilet.

Die Höflichkeit verlangte, mit dem Essen anzufangen, ehe die Vorlesung beginnen konnte. Oscar erhielt einen kurzen, ihm sehr genehmen Aufschub. Der Thunfisch war fangfrisch, vielleicht ja sogar aus seinem Fang. Dr. Goldmann aß rasch und energisch, dann wurde er langsamer, um gleichzeitig essen und seinen Vortrag halten zu können.

Er begann mit einer erneuten Eloge auf Leutnant Vortisch, der sicher mal ein ausgezeichneter und hier im wilden Osten händeringend benötigter Anwalt werden könne. Oscar fand diese Einleitung ziemlich ernüchternd, aber bald wurde sein Interesse von der Begeisterung und Eloquenz des alten Juristen geweckt. Dr. Goldmann unterstrich seine Ausführungen durch lebhafte Gesten mit Messer und Gabel. Er schien seine Argumente mit kleinen Stücken Kalbshaxe auf der einen Seite des Tellers und kleinen Häuflein Püree auf der anderen zu ordnen. Dann arbeitete er seine Portion systematisch ab. Jedes Mal, wenn er zum Kauen innehielt, entstand eine Pause zum Nachdenken.

Die Verteidigung hatte hoch gepokert, indem sie Freispruch für die Straußenfedermänner gefordert hatte. Die Argumentation war so einfach wie logisch. Sie hatten keine Waffen getragen, deswegen hatten sie sich nach deutschem Recht auch nicht des Mordversuchs schuldig gemacht. Ihr Versuch, mit magischen Straußenfedern zu töten, war untauglich und blieb deswegen straffrei, da objektiv zu konstatieren war, dass Straußenfedern und Zauberei der Mannschaft im Eisenbahnerlager nichts anhaben konnten.

Dr. Goldmann schob ein großes Stück Kalbshaxe in den Mund.

Die anderen vier Angeklagten hatten sich, so sah das auch die Verteidigung, des Mordversuchs schuldig gemacht. Speere seien ohne Zweifel lebensgefährliche Waffen, fuhr Dr. Goldmann fort. Wegen Mordes könnten sie jedoch nicht angeklagt werden, denn was die Morde bei der Missionsstation anginge, gab es etwa hundert Verdächtige, von denen über neunzig Prozent tot seien. Und es gab keine Beweise, dass ausgerechnet die vier Angeklagten schuldig waren.

Dr. Goldmann spülte die Kalbshaxe mit großen Schlucken aus seinem Bierkrug hinunter, während Oscar langsam von seinem Fisch aß. Thunfisch sättigte rasch.

Die Verteidigung habe also Mordversuch eingeräumt, was strategisch sehr klug war. Aus diesem Sachbestand hätte man sich ohnehin nicht herausreden können, und es sei immer besser, mildernde Umstände geltend zu machen, wenn es sich um einen Versuch und nicht um eine vollendete Straftat handelte, obwohl das Urteil in beiden Fällen gleich ausfiel.

Die mildernden Umstände – kurze Pause, um die letzten Stücke der Kalbshaxe vom Teller zu räumen – seien interessanterweise politischer Art. Die Verteidigung vertrat den Standpunkt, die Kinandi hätten gute Gründe für ihre Befürchtung gehabt, dass der weiße Mann auf unakzeptable Weise in ihr Territorium eindringen würde. Damit lag also eine Art moralisches Recht auf Notwehr vor. Diese entband sie zwar nicht von der Verantwortung, aber Notwehr stelle einen mildernden Umstand dar.

Jetzt verschwanden auch noch die letzten Krümel von Dr. Goldmanns Teller. Er kaute energisch, wischte sich mit der Serviette den Mund ab, legte diese dann beiseite, nahm seinen Bierkrug und sah Oscar durchdringend an.

»Nun, mein junger Eisenbahnbauer, was halten Sie von dieser Argumentation?«, fragte er, leerte den Bierkrug und winkte damit dem Kellner, der neben der Tür wartete und sofort herbeieilte, um ihm den Krug aus der Hand zu nehmen. Weitere Blitze erleuchteten das Zimmer. Alles wurde eine Sekunde lang weiß. Oscar kam die Situation so unwirklich vor. Er wusste nicht recht, was er sagen sollte.

»Ich bin wie gesagt Eisenbahnbauer, auf die Auslegung von Gesetzen verstehe ich mich nicht«, versuchte er sich aus der Affäre zu ziehen.

»Genau das macht Ihre Meinung ja so interessant für einen alten Hasen wie mich«, meinte Dr. Goldmann und öffnete mit einem zufriedenen Seufzer zwei Knöpfe seiner schwarzen Weste. »Juristerei ist nicht nur ein Spiel, Juristerei ist, das sagen wir selbst zumindest, eine Mischung aus Moral und gesundem Menschenverstand. Möglicherweise auch aus den Zehn Geboten, was das Strafgesetz angeht. Was sagen also Ihr Instinkt und Ihr persönliches Rechtsgefühl, wenn Sie das hier hören? Das würde ich gerne wissen.«

Oscar sah ein, dass es kein Entrinnen gab. Er musste eine Antwort auf eine Frage formulieren, von der er nichts verstand.

»Wahr ist …«, begann er zögernd, »dass Straußenfedern und Hexenkünste gegen Waffen wie Mauser- und Mannlichergewehre nichts ausrichten können. Die Kinandi unternahmen also einen untauglichen Versuch, war das nicht der juristische Ausdruck?«

»Ganz korrekt. Bitte sprechen Sie weiter!«

»Wenn untaugliche Versuche laut unserem Gesetz straffrei bleiben …«, tastete sich Oscar weiter vor, »ist also das Argument logisch, dass sie keine Straftat begangen haben.«

»Gut! So viel also zu dieser Frage«, konstatierte Dr. Goldmann, ohne erkennen zu lassen, was er selbst darüber dachte. »Wir wollen uns also vorsichtig weiter vorarbeiten.

Was halten Sie als Laie von dem Argument, dass ein mildernder Umstand vorliegt, weil die Kinandi davon überzeugt sind, ihr eigenes Land mit Waffengewalt verteidigen zu dürfen?«

Oscar schwieg einen Augenblick, starrte auf den Tisch und zeichnete mit dem Zeigefinger Kreise auf die weiße Tischdecke. Aus einer plötzlichen Eingebung heraus fasste er einen Entschluss und sah hoch.

»Das stimmt!«, erwiderte er, ohne länger zu zögern. »Die Kinandi fühlten sich im Recht, weil sie ihr Land verteidigten. Die Frage muss jedoch lauten, ob wir dieses Recht anerkennen. Das tun wir natürlich nicht, wir sind hier aufgrund eines Beschlusses der Völkergemeinschaft, und das wiegt schwerer. Aber ... als mildernder Umstand kann das doch wohl gelten?«

Dr. Goldmann antwortete eine Weile lang nichts, da wieder Bier serviert wurde. Vorausschauend hatte man für Oscar ebenfalls einen Krug gebracht. Dr. Goldmann trank durstig, wischte sich mit seiner Serviette den Mund ab, legte sie beiseite, griff zu seinem Zigarrenetui und bot Oscar eine an, der ablehnte. Anschließend erhöhte Dr. Goldmann die Spannung noch weiter, indem er sich an der Zigarre zu schaffen machte und genüsslich den ersten Zug inhalierte. Kritisch betrachtete er die Glut seiner Zigarre und wandte sich erst dann wieder an Oscar.

»Wissen Sie, mein junger Freund, entschuldigen Sie diese familiäre Anrede, wissen Sie, dass Sie mich sehr glücklich machen, indem Sie das sagen?«

»Das war vermutlich mehr Glück als Geschick, aber warum?«, wollte Oscar wissen.

»Wie eben schon bemerkt«, meinte Dr. Goldmann und

blies mit erstaunlichem Talent einen großen Rauchring an die Decke, »handelt es sich bei der Juristerei vorwiegend um Moral und gesunden Menschenverstand. Das wollte ich durch Ihren Instinkt beweisen. Und natürlich durch Ihr Rechtsempfinden, das Sie unter Beweis gestellt haben, als Sie sich weigerten, die Gefangenen zu töten. Nun gut. Wollen Sie wissen, was für ein Urteil ich bei diesem Prozess gesprochen habe?«

»Natürlich, Herr Doktor.«

»Erst wollte ich die Männer mit den Straußenfedern tatsächlich freisprechen. Rein rechtlich wäre das durchaus möglich gewesen. Aber das hätte Anstoß erregt und dem allgemeinen Rechtsempfinden widersprochen. Ich weiß, das ist ein diffuser Begriff. Trotzdem muss ich als Richter darauf Rücksicht nehmen. Ich entschied mich also für einen Kompromiss und verurteilte die Straußenfedermänner wegen versuchter Plünderung zu einem Jahr Gefängnis. Diesen Vorsatz kann man ihnen nämlich unterstellen. Also, ein Jahr für zwei der Männer. Was halten Sie davon?«

»Was soll ich schon sagen? Ich werde einem Fachmann auf diesem Gebiet wohl kaum widersprechen können.«

»Dann kommen wir zu den vier weiteren Angeklagten. Ich habe sie wegen Mordversuchs verurteilt, aber unter Berücksichtigung der mildernden Umstände, die Sie auch akzeptiert haben, nicht zum Tode, sondern zu sechs Jahren Gefängnis. Was halten Sie davon, und zwar nicht als Fachmann, sondern als Mitbürger und Kolonisator, wenn ich bitten darf?«

»Das scheint mir vernünftig und richtig«, meinte Oscar nachdenklich. »Die Argumente entsprechen dem Gesetz, und unsere Aufgabe ist es, die Zivilisation zu verbreiten, und dabei geht es nicht nur um Eisenbahnen und das Christentum, sondern in allerhöchstem Grade um ein Gesetz, vor dem alle gleich sind. Ich habe keine Einwände gegen Ihr Urteil, Dr. Goldmann, obwohl ich leider zugeben muss, dass ich davon ausgegangen bin, sie würden zum Tode verurteilt.«

»Das wurden sie auch, alle sechs sind zum Tode verurteilt worden!«, unterbrach ihn Dr. Goldmann und zog wütend an seiner Zigarre.

»Entschuldigen Sie, aber haben Sie nicht gerade gesagt ...?«

»Wir waren wie bekannt vier Richter. Ich wurde drei zu eins überstimmt, obwohl eines der geehrten Mitglieder des hohen Gerichts bis zum Schluss zögerte. Das Leben der sechs Männer hing also an einem sehr dünnen Faden. Hätte er sich meinem Votum angeschlossen, dann hätte es zwei zu zwei gestanden, wäre meine Stimme ausschlaggebend gewesen. Das ist leider die hässliche Seite der Rechtsprechung, dass belanglose Argumente schwerer wiegen können als das Gesetz.«

»Welche belanglosen Argumente?«, fragte Oscar enttäuscht. Im Verlauf des Gesprächs waren seine Sympathien für den alten Herrn, der in mehr als einer Hinsicht aus einer anderen Welt als er selbst kam, immer größer geworden.

»Ich muss mir etwas die Beine vertreten, das hat mit der Verdauung zu tun«, murmelte Dr. Goldmann, richtete sich mühsam auf und trat in die Mitte des Zimmers. Er hob wie ein Hund ein Bein und ließ die Gase entweichen. Dann ging er mit großen Schritten einige Male vor dem Fenster auf und ab, während die fernen Blitze ihn wie einen Scherenschnitt erscheinen ließen.

»Das nennt sich Realpolitik. Das bedeutet, dass es politische Gründe gibt, die schwerer wiegen als beispielsweise Gesetz und Moral. Eine Art Nützlichkeitsphilosophie der zynischen Art. Meine verehrten Beisitzer bei Gericht meinten also, dass ich rein juristisch im Recht sei, wie sie respektvoll anmerkten, aber was die Realpolitik beträfe, irre ich mich. Das bedeutet im Klartext: Die Neger sind noch nicht reif für die wahre deutsche Rechtsordnung. Erst einmal müssen wir für Ruhe und Stabilität sorgen und zu diesem Zwecke Exempel statuieren. Eingeborenenaufstände sind eine mühsame Angelegenheit, darum müssen wir der Negerbevölkerung mit Nachdruck einschärfen, dass die Macht und Herrlichkeit uns alleine gehört. Und jetzt, mein zweifellos moralischer als auch intelligenter Herr Eisenbahnbauer: Was halten Sie von dieser Argumentation?«

Dazu hatte Oscar nun wirklich nichts zu sagen, zumindest anfänglich nicht, bevor er verstanden hatte, worum es überhaupt ging. Dr. Goldmann war in Rage geraten, nachdem er erneut einige Male mit wehenden Rockschößen im Zimmer auf und ab gegangen war. Er kehrte an den Tisch zurück und zog seine dicke Jacke aus, er hatte bereits große Schweißflecken auf dem Hemd. Er bestellte umgehend zwei Flaschen Riesling aus dem Rheingau und zündete seine fast erloschene Zigarre wieder an.

Das Thema von jetzt an und in den folgenden Stunden lautete: Deutschlands hohe Mission auf dem dunklen Kontinent. Beim Wettlauf nach Afrika sei Deutschland zu spät gekommen. Bismarck sei lange gegen solche Abenteuer gewesen, weil sie mehr kosteten, als sie einbrächten. Vielleicht hatte er recht, bisher sprach nicht viel für das Gegenteil. Aber das sei nicht die Hauptsache, zentral sei die moralische Verantwortung für die Verbreitung der Zivilisation, darin seien sich vermutlich ein alter Jurist und ein junger Eisenbahnbauer einig. Aber hatte es etwas mit Zivilisation zu tun, wenn Afrikaner hingerichtet wurden, die von Rechts wegen nicht hingerichtet werden sollten? Nein, natürlich nicht. Durch solche Dinge wurde die Zivilisation korrumpiert. Dadurch wurden den Negern falsche Werte vermittelt. Danach war der weiße Mann nach Afrika gekommen, um zu herrschen und zu stehlen, die Unterdrückung einzuführen.

Dass die englischen Grobiane sich so verhielten, sei eine Sache. Etwas anderes sei von denen schließlich nicht zu erwarten. Aber wenn auch die Deutschen damit begannen, sich wie Imperialisten aufzuführen, dann sei etwas fundamental falsch.

Für den Bau der Eisenbahnen galten diese Einwände nicht, tröstete sich Oscar. In Afrika drang die Eisenbahn noch vor jeder anderen Zivilisation ins dunkle Herz Afrikas vor. Erst wenn sie fertig war, reisten die Siedler und Missionare bequem nach und brachten die Segnungen der Technik und des modernen Ackerbaus mit sich.

Dr. Goldmann gab zu, möglicherweise zu optimistisch gewesen zu sein, als er darauf verzichtete, seinen Lebensabend als Professor emeritus im schönen Heidelberg zu genießen, und stattdessen Gesetz und Ordnung in das deutsche Protektorat habe bringen wollen. Ein Land müsse mit Gesetzen aufgebaut werden, hieß es schon vor Hunderten von Jahren bei den nordgermanischen Nachbarn, und diese Weisheit gelte noch immer. Ohne Gesetz keine Ordnung, kein Land, keine Zivilisation.

Inzwischen war er sich seiner Sache nicht mehr so sicher. Todesurteile, die aus realpolitischen Gründen ausgesprochen wurden, waren kein gutes Omen. Es gab Leute, die ihren Zivilisationsauftrag in Afrika offenbar missverstanden hatten.

Oscar schlief in dieser Nacht schlecht. Es war sehr spät geworden, und die Gesellschaft Dr. Goldmanns war, wenn auch unterhaltsam und inspirierend, der Gesundheit nicht sonderlich zuträglich gewesen. Sie hatten nicht nur weiteren Wein aus dem Rheingau bestellt, er hatte sich auch die eine oder andere Zigarre aufdrängen lassen. Außerdem gewitterte es, und die feuchtschwüle Hitze verwandelte seine anfangs kühlen und frisch gemangelten Leintücher auf der harten Kapokmatratze in nasse Stoffwülste. Jedes Mal, wenn er einzunicken begann, drängten sich ihm die Hinrichtungsbilder auf. Er sah, wie die sechs Männer in ihren Fußketten auf den Kaiser-Wilhelm-Platz geführt wurden, wo sechs Galgen und ein gut gekleidetes und sensationshungriges Publikum sie erwarteten. Es gelang ihm nicht, diese Bilder zu verdrängen, nicht einmal, als er sich Erlebnisse wie die Löwenjagd oder den Angriff der Kinandi-Krieger auf das Eisenbahnerlager in Erinnerung zu rufen suchte. Die Hinrichtungsbilder überdeckten alles andere.

Die Dämmerung war eine Befreiung. Sein Zug würde bei Sonnenaufgang abfahren.

Als er sich im Rasierspiegel anschaute, schämte er sich für seine mitgenommene Erscheinung: blutunterlaufene, umschattete Augen und wirres Haar. Sein schwerer Ölhautmantel und Südwester würden hoffentlich das Ärgste kaschieren. Eine Rasur wäre ebenfalls hilfreich, da er noch zur Direktion musste, um dort eine ungewöhnlich große Zuweisung neuer Munition sowie Glasperlen und die Post für Dr. Ernst in Empfang zu nehmen, Letztere hoffentlich mit einer guten Nachricht von der deutschen Akademie der Wissenschaften. Der Brief ließ auf sich warten, ein Umstand, der Dr. Ernst jedes Mal von Neuem enttäuschte, wenn er rasch seine Korrespondenz durchschaute.

Man hatte begonnen, Fahrgäste bis nach Dodoma und Kilimatinde zu transportieren, Bauern mit sperrigem Gepäck von Spaten über gusseiserne Herde bis zu Ziegen und Hühnern. Alle Passagiere sahen gleichermaßen erwartungsvoll dem großen Abenteuer entgegen, das sie vor sich zu haben glaubten. Dabei war die Regenperiode der denkbar schlechteste Zeitpunkt, um sich ins Hinterland zu begeben, da sich die meisten Äcker, die man diesen Bauern zugeteilt hatte, in Morast verwandelten.

Er beaufsichtigte die fünf neuen Askari-Soldaten, die die Munition und Glasperlen in den geschlossenen Güterwagen verluden, in dem sie selbst auf Stroh und Zelttuchballen Platz nehmen würden. Er wollte ihnen Gesellschaft leisten, statt im Passagierwagen zu sitzen und dort auf Tausende haarsträubende und naive Fragen antworten zu müssen, über Afrikaner, Löwen, die Fruchtbarkeit des Bodens und die Voraussetzungen für den Anbau von Sisal-, Kaffee- oder Kakaopflanzen.

Er schob an dem einen Ende des Güterwagens einige Ballen Zelttuch zu einem bequemen Sitzplatz zusammen, zog sich den nassen Südwester in die Stirn und hörte eine Weile dem Regen zu, der auf das Blechdach prasselte. Er war eingeschlafen, noch ehe sich die Lokomotive ächzend in Bewegung setzte, und schlief einige Stunden traumlos.

In Kilimatinde, wo die letzten Fahrgäste ausstiegen, zog er mit seinem Gewehretui in die Lokomotive um. Ab hier wuchs das Risiko, auf ein zorniges, altes Nashorn zu stoßen, das sich lieber erschießen ließ, als das Gleis zu verlassen, oder gar versuchte, die Lokomotive anzugreifen. Nashörner waren mit Abstand die dümmsten Tiere Afrikas.

Aber mit etwas Glück kam es auch vor, dass in günstigem Abstand ein Hundertpfundelefant passierte. Seine Jagdlizenz erlaubte ihm, in diesem Jahr noch zwei Tiere zu erlegen, bevor seine Quote ausgeschöpft war. Die Begrenzung der Elefantenjagd durch bürokratische Regeln und angedrohte Bußgelder war eine neue Erscheinung. Man berief sich auf den Tierschutz, einer der Verantwortungsbereiche des weißen Mannes in Afrika, der die Jagd einschränken musste, um das Überleben der Arten zu sichern, oder wie immer man es ausdrückte. Das galt natürlich nicht für Nashörner, die als Ungeziefer galten und im Unterschied zu den Elefanten praktisch wertlos waren.

Die Eisenbahngesellschaft besaß eine Generallizenz für Elefanten, weil diese gewissermaßen eine ständige Bedrohung darstellten. Die Elefanten, die er im Namen der Gesellschaft schoss, brachten nicht ganz unbeträchtliche Nebeneinnahmen ein. Um das Elfenbein kümmerte sich die Firma Lauritzen & Jiwanjee. Da die Eisenbahngesellschaft zehn Prozent der Aktien besaß, partizipierte sie ebenfalls in Form jährlicher Dividenden ganz bequem an diesen Einnahmen, ohne sich mit den zeitraubenden Details des Elfenbeinhandels herumschlagen zu müssen, und dafür war die Generaldirektion sehr dankbar. Im Übrigen schien sich niemand Gedanken darüber zu machen, dass Oscar im Vergleich zur Eisenbahngesellschaft an jedem Stoßzahn das Sechsfache verdiente. Mohamadalis Idee, die Eisenbahngesellschaft zur Minderheitsaktionärin der Firma zu machen, war geradezu genial gewesen.

Nachdem sie Kilimatinde verlassen hatten, war das Wetter einige Stunden klar und angenehm. Die für diese Jahreszeit typischen, bedrohlich dunklen Wolken befanden sich noch in weiter Ferne am südöstlichen Horizont. Auf der Savanne erblickte er weit weg vereinzelte Elefanten, jedoch hauptsächlich Kühe und Kälber, die die Mühe nicht gelohnt hätten. Die Fahrt wurde bald langweilig, und der neue Lokführer wirkte unwirsch und an einer Unterhaltung vollkommen uninteressiert. Oscar döste vor sich hin und schaute verträumt Richtung Norden, als die Lok auf einmal kreischend bremste.

Und dort stand er, der große Elefantenbulle, mitten auf dem Gleis, mit drohend aufgestellten Ohren und offenbar ohne die Absicht, auszuweichen. Die Stoßzähne wogen je hundertzwanzig Pfund, wenn nicht mehr. Oscar beherrschte leider nicht die Kunst, anhand von Länge und Umfang das Gewicht zu berechnen. Aber der Elefant war groß, er stand in geringer Entfernung vollkommen still da. Es würde ein kinderleichter Schuss sein, der Abstand betrug weniger als fünfzig Meter.

Ungeschickt öffnete er sein Gewehrfutteral und nahm eine Schachtel Vollmantelgeschosse heraus. Diese Chance wollte er sich nicht entgehen lassen. Übereifrig legte er sein Gewehr auf den Fensterrahmen, entsicherte und zielte recht hoch zwischen die Augen des Tieres.

Im letzten Moment besann er sich. Die Kugel würde in

das Gehirn des Elefanten einschlagen. Die Hinterbeine würden als Erstes nachgeben, und dann würde er weich auf den Schienen zusammensacken. Ein sechs Tonnen schwerer Elefant ließ sich nicht ohne Weiteres mit Tauen und der Hilfe einiger Askaris bewegen. Eine elend lange Verspätung wäre die Folge gewesen.

Der Elefant schien angreifen zu wollen. Er bewegte sich einige Schritte auf sie zu und legte die Ohren an. Jetzt war guter Rat teuer.

Oscar schoss absichtlich zu hoch, damit die Kugel nur in die dicke Fettschicht auf der Oberseite des Kopfes, aber nicht in das Gehirn eindrang und den Elefanten tötete.

Der Bulle knickte leicht ein und schwankte verwirrt zur Seite wie ein um Gleichgewicht bemühter Boxer. Dann taumelte er zwei Schritte vorwärts. Gleich würde er davongaloppieren. Oscar schoss erneut auf den Kopf, dieses Mal von der Seite zwischen Auge und Ohr, und hatte Glück. Die Vorwärtsbewegung, die der Bulle begonnen hatte, genügte. Beide Hinterbeine hatten die Gleise verlassen, als er nach vorn und den Bahndamm hinunterkippte. Er lag einige Sekunden still, dann streckte er ein zitterndes Hinterbein in die Luft, wo es stocksteif verharrte. Das war ein unverkennbares Zeichen. Er war tot.

Oscar musste niemanden um Hilfe bitten, alle, die sich im Zug befunden hatten, waren herbeigestürzt, um zu sehen, was geschehen war. Er befahl, ein paar Äxte zu holen und die schärfsten Panga oder Assagais, dann zeigte er, wie der Schnitt im Halbkreis um den Rüsselansatz herum und dann beidseitig in gerader Linie abwärts ausgeführt werden sollte. Mithilfe der Äxte wurde die gesamte Rüsselpartie abgelöst, in der die Stoßzähne wurzelten. Der unter der

Haut verborgene Teil der Stoßzähne machte bis zu einem Viertel ihres Gewichts aus, unvorsichtige, schlampige Axthiebe waren also nicht angezeigt. Elfenbein war hart, aber spröde, jeder falsche Axthieb konnte den Jahresverdienst eines Askari-Soldaten kosten.

Die Verspätung betrug nicht mehr als zwanzig Minuten. Das ganze Paket mit den beiden Stoßzähnen und der blutigen Rüsselpartie war auf einen der offenen Güterwagen verladen und festgezurrt worden. Am Himmel waren bereits die Geier zu sehen, und Oscar erteilte den Befehl, das tote Tier an einigen Stellen aufzuhacken, damit sich die Aasfresser nicht durch die fünf Zentimeter dicke Haut kämpfen mussten. Auf diese Weise wäre der Kadaver weitgehend verschwunden, wenn der Zug einen Tag später zurückkehrte. Nur die sauber abgenagten Knochen würden noch übrig sein und kaum noch stinken.

Er schätzte das Gewicht jedes Stoßzahns, nachdem er versucht hatte, sie mit beiden Händen zu umfassen, auf mehr als hundertvierzig Pfund. Bescheiden gerechnet bedeutete das den dreifachen Jahresverdienst eines einfachen Diplomingenieurs und Brückenbauers.

XI

LAURITZ

Finse, 1905

Wenn man eine Weile an den Bauplätzen der Bergenbahn auf der Hardangervidda gearbeitet hatte, verlor man jegliches Zeitgefühl. Im Winter in den Tunneln, dann beim Brückenbau, wieder in den Tunneln und immer so weiter. Die Zeit bewegte sich nicht mehr vorwärts, sondern verwandelte sich in einen einzigen endlosen Moment.

Eintönig und langweilig war es im Gebirge, das wohl, aber den Bahnarbeitern stand es frei, jederzeit die Hacke niederzulegen und sich nach Hause zu begeben. Das traf im Prinzip auch für Lauritz zu. Es war nicht nur die Pflicht, seine Schuldigkeit, einen Vertrag zu erfüllen, die ihn auf der Hardangervidda hielt. Möglicherweise ebenso schwer wie sein Pflichtgefühl wog der Wunsch, nicht aufzugeben, ehe die Züge fuhren, ehe die Brücke fertig war, bis das Baugerüst endlich abgebaut werden konnte. Dem Vormann Johan Svenske ging es ebenso. Sie hatten sich oft darüber unterhalten. Die Brücke über den Kleivefossen war ihre Brücke, niemand sollte sich kurz vor der Fertigstellung noch einmischen, letzte Hand anlegen und die Ehre einheimsen. Sie würden ihre Brücke nicht im Stich lassen. Sie war das schwierigste Projekt der gesamten Bahnlinie, das Juwel in der Krone, und würde noch Hunderte von Jahren dastehen, wenn Ingenieur und Vorarbeiter schon lange nicht mehr am Leben waren. Das war ein schwindelerregender Gedanke.

Das Gerüst war nunmehr stabil, zwei harte Winter hatten ihm dank Lauritz' Neukonstruktion nichts anhaben können.

In diesem Sommer wollte man mit dem Steingewölbe beginnen, solide und sicher wie eine riesige Wiege. Zwei Jahre hatten die Vorbereitungen gedauert, aber jetzt war es endlich so weit.

Anfang Juni richteten sich Johan Svenske und seine Arbeiter in der neuen Baracke ein, die nur wenige Hundert Meter von der Baustelle entfernt an einem Hang lag. Dort bezog auch Lauritz ein kleines Zimmer, um nicht ständig zwischen dem Ingenieurshaus in Hallingskeid, in dem er im Sommer eigentlich wohnte, und der Baustelle hin- und herlaufen zu müssen. Er wollte so viel wie möglich anwesend sein, wenn endlich der Brückenbogen über den Abgrund geschlagen wurde.

Am ersten Arbeitstag wurde das Gerüst vom Schnee befreit, der noch in den Ecken lag, in die die Sonne nicht drang.

Als Nächstes wurden sämtliche Sicherheitsdrahtseile überprüft. Lauritz hatte stur darauf beharrt, dass niemand ungesichert das Gerüst betrat. Zwei Jahre lang hatten sich die Unfälle auf vereinzelte Arm- und Beinbrüche beschränkt; Todesfälle hatte es keine gegeben, und so sollte es auch im dritten Jahr bleiben.

Und so würde auch dieser Sommer vergehen, ohne besondere Ereignisse, genau wie der vorhergehende Sommer und der kommende. Wenn sie sich dann zu Beginn des Herbstes vor den ersten Schneestürmen zurückziehen mussten, würden sie erstaunt einen letzten Blick zurückwerfen und feststellen, dass dort eine halb fertige Brücke stand.

Aber an diesem Junitag brachen binnen weniger Stunden die Ereignisse mehrerer Jahre über Lauritz herein. Am Abend war er nicht mehr derselbe Mann, der morgens Johan Svenske auf der Baustelle die Hand geschüttelt hatte.

Es begann mit der Ankunft mehrerer Männer in Wanderstiefeln, englischen Tweedjacken, Hemd und Krawatte, die Lauritz auf den ersten Blick für einen Inspektionstrupp aus Myrdal hielt. Sie hatten einen Fotografen dabei, der sich mit Kamera und Stativ abkämpfte.

Es erwies sich, dass die Herrschaften nichts mit der Eisenbahngesellschaft zu tun hatten, sondern mit dem größten Bauunternehmen Bergens, Horneman & Haugen. Seit 1895 hatte diese Firma einige richtig große Projekte durchgeführt. Ihr beeindruckendster Bau, sowohl Geld als auch Zeit betreffend, war der Gravehalstunnel mit einer Länge von 5300 Metern zu einem Preis von 2,8 Millionen Kronen gewesen, und an zweiter Stelle die Bahnstrecke von Opset zum Kleivevand, zehn Kilometer für sechs Millionen Kronen. Ihr Verantwortungsbereich endete also genau dort, wo Lauritz und Johan Svenske ihre Brücke bauten, und jetzt wollten sie sich diese Baustelle wie Touristen ansehen.

Lauritz fand dieses Ansinnen etwas seltsam, sah aber keine Veranlassung, Einwände zu erheben. Er führte die Gesellschaft den Hang hinunter, damit sie das Bauwerk von unten betrachten konnten. In der Tat ein imposanter Anblick, dachte Lauritz, als er seinen soeben eingetroffenen

Kollegen die Brücke zeigte – zumindest ging er davon aus, dass es sich um Kollegen handelte.

Sie wollten ein paar Fotos machen, wuchteten die Kamera auf das Stativ des Fotografen und bauten sich fröhlich davor auf, was Lauritz auf eine spontane Idee brachte. Er fragte, ob man nicht ein Foto von ihm machen könne, das er seiner Verlobten in Deutschland schicken könnte. Alle waren sofort einverstanden.

Anschließend erklommen sie die Leitern des Baugerüsts. Lauritz erläuterte alle Geländer und Sicherheitsleinen und beantwortete Fragen zu seiner neuen Gerüstkonstruktion. Oben angelangt, konnte man sehen, wo sich einmal der Gewölbebogen von einem Hang weit unten bis zu dem höchsten Punkt, an dem sie standen, und dann wieder hinunter zum gegenüberliegenden Hang erstrecken würde. Die Besucher unterhielten sich angeregt, schienen sehr angetan von dem, was sie sahen, und sagten dann etwas von einer Wette. Weitere Fotos wurden gemacht, auch von Lauritz vor dem Abgrund mit meilenweiter Aussicht hinter sich.

Wieder unten angelangt, verlieh Lauritz seinem Bedauern Ausdruck, dass es noch keine richtige Küche gebe und dass er ihnen daher nichts Anständiges anbieten könne. Die ausgelassenen Besucher winkten gelassen ab, sie seien schließlich Norweger, noch dazu bald freie Norweger, was auch immer sie damit meinten, und deswegen hätten sie ihre eigene Verpflegung ins Fjell mitgebracht.

Sie nahmen vor der Baracke Platz und holten den Proviant aus ihren Rucksäcken hervor. Währenddessen unterhielten sie sich angeregt, aber gedämpft und warfen immer wieder Seitenblicke auf Lauritz, die ihn verunsicherten und in Verlegenheit brachten. Bei näherem Hinsehen wirkten die anderen doch nicht wie Ingenieure, einige ihrer Fragen auf der Baustelle zeugten selbst für Ingenieure, die um 1870 in Kopenhagen studiert hatten, von ungewöhnlicher Naivität. Er selbst hatte zum Imbiss nichts beizutragen und wusste nicht recht, ob er sich aus Höflichkeit zu ihnen gesellen oder einfach weggehen sollte.

Der jüngste Besucher, der Einzige in Lauritz' Alter, befreite ihn aus dieser Verlegenheit, indem er auf ihn zutrat, ihm jovial einen Arm um die Schultern legte – für Lauritz' Geschmack etwas zu intim –, ihn ein paar Schritte beiseiteführte und aufforderte, Platz zu nehmen.

»Ich bin Kjetil Haugen«, sagte er. »Wie leicht zu vermuten ist, bin ich der Erbe des einen Teils von Horneman & Haugen. Ich soll Sie übrigens von Oberingenieur Skavlan grüßen. Auf sein Anraten hin haben wir den Ausflug hierher unternommen. Er spricht in den höchsten Tönen von Ihnen.«

»Das freut mich«, erwiderte Lauritz reserviert. »Und wer sind die anderen Herren in deiner Gesellschaft? Entschuldige, aber hier in den Bergen duzen wir uns alle …«

»Das passt mir ausgezeichnet. Die anderen Herren in meiner Gesellschaft sind der Vorstand von Horneman & Haugen. Wir sind hier, um es uns mit eigenen Augen anzusehen.«

»Und zwar was?«

»Was Skavlan erzählt hat, und nicht nur er: dass du der beste Ingenieur der ganzen Bergenbahn bist und eine ganz andere Ausbildung genossen hast als alle anderen. In Dresden, habe ich mir sagen lassen.«

»Ja, ich habe fünf Jahre in Dresden studiert.«

»Begreifst du jetzt, warum wir hier sind?«

»Ich vermute, um euch eine ungewöhnlich interessante Brückenbaustelle anzusehen?«

Dies war zumindest Lauritz' erster Gedanke. Schließlich handelte es sich in der Tat um einen ungewöhnlich interessanten Bau. Aber die erwartungsvolle Miene des anderen legte nahe, dass es um etwas anderes ging.

Kjetil Haugen sah ungefähr so aus wie er selbst, wenn er an der Küste und in der Zivilisation gelebt hätte. Sie waren gleich alt und hätten Cousins sein können. Oder vielleicht auch nicht, denn Kjetil Haugen sprach den Dialekt der Bergener Oberklasse. Beide stammten sie also aus Westnorwegen, waren aber nicht verwandt, sann Lauritz.

»Die Sache ist die«, fuhr der Bergener fort, »dass wir dir eine Stellung in unserer Firma anbieten wollen. Unsere Direktion besteht aus inzwischen älteren Ingenieuren. In Zukunft werden viele Brücken und Tunnel in Westnorwegen gebaut werden. Ich denke, dass die Firma zwecks Modernisierung Leute wie dich braucht. Sieh dir doch nur unseren überalterten Vorstand an, wie eifrig sie sich unterhalten. Sie sind ganz meiner Meinung, und außerdem habe ich eine Wette gewonnen.«

»Es ist mir unmöglich, meine Arbeit hier vorzeitig abzubrechen«, antwortete Lauritz verbissen.

Der Gedanke, sich irgendwann in der Zukunft, wenn die Züge ganz regulär über die Hardangervidda verkehrten, bei einem Bauunternehmen zu bewerben, war ihm nicht fremd, obwohl er bislang nie weiter als bis zur nächsten Brücke oder bis zum nächsten Tunnel gedacht hatte.

Den anderen bekümmerte seine ablehnende Antwort jedoch nicht.

»Du bist neunundzwanzig Jahre alt, habe ich mir von Skavlan sagen lassen«, fuhr der Erbe fort. »Ich selbst bin erst achtundzwanzig. Die Zukunft liegt vor uns. Aber ich wollte rechtzeitig anfragen, denn wenn diese Eisenbahn fertig ist und alle aus dem Gebirge zurückkehren, dann wird man sich um dich reißen. Wir haben Konkurrenten, und die Möglichkeit, genauer gesagt das Risiko, dass sie uns zuvorkommen könnten, gefällt mir nicht.«

»Und was hast du mir Besonderes anzubieten, damit ich mich nicht von einem Konkurrenten anheuern lasse?«, fragte Lauritz, ohne nachzudenken. Und erkannte im nächsten Augenblick, dass es vielleicht gar nicht so ungeschickt gewesen war.

»Die Teilhaberschaft!«, antwortete Kjetil Haugen blitzschnell.

»Ich soll Teilhaber von Horneman & Haugen werden?«

»Ja. Das macht unseren Vorschlag attraktiver als alles, was dir unsere Konkurrenten anbieten können. Horneman & Haugen ist das älteste, größte und, um es diplomatisch auszudrücken, das erfolgreichste Bauunternehmen in ganz Westnorwegen. Und wir wollen dich. Das macht uns besser und dich reicher.«

»Ich vermute, dass du im Unterschied zu mir kein Ingenieur bist«, meinte Lauritz, um Zeit zu gewinnen.

»Nein, wirklich nicht, ich bin Betriebswirt, ein neuer Beruf, dem die Zukunft gehören wird. Ich kann nicht zeichnen und Winkel ausrechnen, aber mit Geld kenne ich mich aus.«

»Ich verstehe«, erwiderte Lauritz, »um beim Geld zu bleiben, wie viel würde mich meine Teilhaberschaft bei Horneman & Haugen kosten?«

»Wir stellen uns fünfzehntausend Kronen für zwanzig Prozent der Aktien vor. Das ist ein sehr kulanter Preis. Einer der älteren Teilhaber will verkaufen. Wir entschädigen ihn anderweitig.«

»So viel Geld habe ich nicht.«

»Das ist mir klar. Skavlan hat mir erzählt, was Ingenieure hier oben verdienen. Aber dass du im Augenblick kein Geld hast, ist kein Problem.«

Lauritz bemühte sich, seine Enttäuschung darüber zu verbergen, dass er sich diese großartige Gelegenheit entgehen lassen musste, und seine Verblüffung, wie unbekümmert Kjetil Haugen über seinen Geldmangel hinwegsah.

»Wieso ist es kein Problem, dass ich mir das nicht leisten kann?«, fragte er so ruhig und gleichmütig wie möglich.

»Du kannst dir das Geld leihen, und auch das ist kein Problem.«

»Und wer würde mir so viel Geld leihen?«

»Bergens Privatbank. Ich bestätige dir schriftlich, dass wir dir eine Anstellung bei Horneman & Haugen garantieren. Sicherheiten sind keine erforderlich.«

An diesem Abend kehrte er leichten Schrittes nach Hallingskeid zurück. Das Wetter war ungemütlich, nur wenige Grad über null und Schneeregen, aber er hatte das Gefühl, durch strahlende, milde Junisonne zu spazieren, nachdem das grelle Frühlingslicht endlich verschwunden war.

Immer wieder dachte er über das Angebot nach, ohne einen Haken zu entdecken. Was geschehen war, kam ihm wie ein Geschenk des Himmels vor. Endlich konnte er Ingeborg in seinem nächsten Brief eine wirklich gute Neuigkeit überbringen. Er würde Teilhaber des führenden Bauunternehmens in Bergen werden. Sein Leben hatte sich im Laufe eines kurzen Gesprächs verändert. Das war ein seltsames Gefühl.

Ingeborgs Vater, der Baron, hatte mit gewisser väterlicher Logik, das musste man zugeben, Lauritz' Armut als Hinderungsgrund für eine Eheschließung genannt. Keine derer von Freital vermählte sich derart weit unter ihrem Stand. Nicht nur aus historischen Gründen, davon könne man absehen, Wikingerblut sei ebenso gut wie blaues Blut, vielleicht sogar besser und überlebensfähiger. Armut jedoch sei unverzeihlich. Auf Dauer könne nicht einmal die verzückteste jugendliche Liebe eine solch kalte Wirklichkeit überdauern.

Der Baron war ebenso unerbittlich wie freundlich gewesen, als er seine Ansichten zu diesem Thema unterbreitet hatte.

Die Teilhaberschaft an einem Bauunternehmen im exotisch fernen Bergen entsprach wohl kaum den Vorstellungen des Barons von geordneten Finanzen, war jedoch schon einmal etwas ganz anderes als seine bisherige Armut.

Wieder hatte er dieses Gefühl, ein Wunder erlebt zu haben. Er war in der Früh als ein Mann aufgestanden, der kaum mehr als die Kleider auf dem Leib und 1800 Kronen auf einem Sparbuch besaß. Als zukünftiger Großbürger Bergens mit geordneten Finanzen würde er zu Bett gehen. Dazu kamen seine Zukunftsaussichten. Die Behauptung Kjetil Haugens, dass in den kommenden Jahren in der Region Bergen sehr viel gebaut werde und ihm dann zwanzig Prozent des erwirtschafteten Gewinns zufallen würden, zuzüglich seines vermutlich großzügigen Gehalts, traf sicherlich zu.

Er konnte sich keine konkrete Vorstellung davon machen, was das bedeutete, da er bislang keine Veranlassung gehabt hatte, in solchen Bahnen zu denken. Aber vermutlich würde es selbst einem Adelsfräulein aus Sachsen ein angemessenes, »anständiges Leben«, wie es der Baron mit Vorliebe ausdrückte, ermöglichen.

Unbewusst hatte er seine Schritte beschleunigt. Er wollte seine neuen Zukunftsaussichten sehr gerne noch mit Olav Berner beim Abendessen in Hallingskeid diskutieren. Berner war viele Jahre als Bauingenieur in Westnorwegen tätig gewesen und kannte Horneman & Haugen natürlich sehr gut. Er würde vielleicht konkretisieren können, was sich Oscar hinsichtlich seiner Teilhaberschaft an einer so angesehenen Firma nur ausmalen konnte.

Oder sollte er lieber schweigen?

Seine Bedenken meldeten sich vollkommen überraschend. Schweigen? Warum denn? Er verlangsamte seine Schritte.

Es könnte vermessen wirken, an einem ganz normalen Abend nach Hause zu kommen und damit zu prahlen, wie er mit einem einzigen riesigen Schritt alle anderen Ingenieure der Bergenbahn hinter sich lassen würde. Das war ungerecht. Es gab keinen guten Grund, warum gerade er nach nur wenigen Berufsjahren so viel mehr bekommen sollte als alle anderen. Möglicherweise hätte der assistierende Ingenieur in Hallingskeid Ole Guttormsen nichts dagegen einzuwenden, aber der Abteilungsingenieur Olav Berner, der ein gutes Stück über fünfzig war?

Er wurde immer langsamer. *Der angebornen Farbe der Entschließung wird des Gedankens Blässe angekränkelt*, dachte er. Skakespeare hatte ihm zwei Winter lang Gesellschaft geleistet, bevor in Finse das Hotel eröffnet worden war und die Abende geselliger geworden waren.

Als er die Frage, ob er es den Kollegen erzählen sollte oder nicht, einige Male hin und her gewendet hatte, fiel ihm eine einfache Testfrage ein. Wenn Ole Guttormsen eines Abends freudestrahlend ins Ingenieurshaus zurückkehren und ihm erzählen würde, was er nun erzählen wollte, könnte er sich dann aufrichtig mit Ole freuen?

Aber sicher doch, dachte er zuerst, zog seine reflexmäßige Antwort aber sofort in Zweifel. Neid war eine Todsünde, kein Mensch wollte sich Neid nachsagen lassen. Deswegen würde jeder diese Frage mit »aber sicher doch« beantworten.

Er beschloss zu schweigen.

Seine moralischen Grübeleien erwiesen sich als bedeutungslos, als er in Hallingskeid das Haus betrat. Beide Kollegen diskutierten wild und mit vor Aufregung geröteten Gesichtern und tranken Whisky. Lauritz hatte kaum Zeit, sich die Schuhe abzutreten, da stürzten sie schon durcheinanderredend auf ihn zu. Der eine faselte, Norwegen sei endlich frei, der andere von Revolution und Krieg.

Nachdem Lauritz am Tisch Platz genommen und ein großes Glas Whisky eingeschenkt bekommen hatte – laut Berner sollte der Whisky den nicht vorhandenen Champagner ersetzen –, gelang es ihm endlich, der Sache halbwegs auf den Grund zu gehen. Die Generaldirektion hatte angerufen.

Das Storting hatte beschlossen, die Union mit Schweden aufzulösen. Norwegen war damit in jeder Hinsicht ein souveräner Staat. Die Generaldirektion hatte mitgeteilt, dass von nun an keine Schweden mehr beschäftigt werden dürften. Im gleichen Atemzug hatte man etwas widersprüchlich darauf hingewiesen, dass die bereits eingestellten Schweden weiterbeschäftigt werden würden. Auf der gesamten Strecke handelte es sich um etwa hundert Männer.

Die Anweisung von der Generaldirektion hatte so spät im Jahr keine praktischen Konsequenzen, da alle Neuanstellungen bis Weihnachten oder zumindest bis zu den ersten Winterstürmen bereits erfolgt waren.

Das Thema Krieg und Revolution, das seine beiden Kollegen so aufgeregt diskutierten, hielt Lauritz für übertriebene Spekulationen. Berner glaubte, dass sich die Schweden nie mit dem Beschluss des Stortings abfinden, sondern sofort mit ihrer Armee angreifen würden. Und dann würde es laut Ole Guttormsen zur Revolution kommen.

»Das bezweifle ich sehr«, meinte Lauritz gelassen. »Wir leben schließlich im zwanzigsten Jahrhundert, im Jahrhundert der großen Fortschritte. Krieg gehört auf den Kehrichthaufen der Geschichte, nicht einmal die Schweden ziehen jetzt noch in den Krieg. Und was die Revolution betrifft: Glaubt ihr etwa, dass sie auf der Karl Johan Gate eine Guillotine aufstellen?«

Lauritz ließ sich von der Aufregung der anderen nicht anstecken. Schweden und Norwegen waren bis zum Beschluss des Stortings an diesem Tag eine Union gewesen, was jedoch nicht bedeutet hatte, dass Norwegen den Schweden gehört hatte. Norwegen war ein Land, und die Norweger waren seit tausend Jahren ein Volk mit einer eigenen Sprache. Wenn sich die eine Hälfte trennen wollte, was konnte die andere Hälfte dann schon unternehmen? Jedenfalls konnten die Schweden nicht in den Krieg ziehen.

Dieser und ähnliche nüchterne Einwände erweckten bei

den Kollegen Zweifel an Lauritz' Patriotismus. Es blieb ihm also nichts anderes übrig, als auf das freie Norwegen zu trinken. Dann versuchte er, von seiner Unbedachtsamkeit abzulenken.

»Jetzt haben wir also keinen König mehr«, sagte er gespielt nachdenklich. »König Oscar muss sich damit begnügen, Schweden zu regieren. Aber was wird aus uns? Sollen wir uns einen neuen König suchen? Und wie soll das zugehen?«

Olav Berner meinte, man könne auf genealogischem Wege einen König bestimmen. Man könne jemanden ausfindig machen, der direkt vom letzten norwegischen König, wer auch immer das gewesen sei, abstamme. Ole Guttormsen fand, dass ein König auf dem Thing gewählt werden müsse, wie die Vorväter das getan hätten.

Es gab eine längere Diskussion. Wieder tranken sie einige Male auf das Wohl Norwegens und leerten dabei fast eine zweite Flasche. Schließlich konnte Lauritz sich entschuldigen und ins Büro zurückziehen, ohne unpatriotisch zu wirken. Die Post des Tages hatte einen Brief von Ingeborg enthalten.

In der Tat lag dieser Brief neben einer deutschen Ingenieurszeitschrift, die er abonniert hatte, auf seinem Zeichentisch. Unter der Zeitschrift lag noch ein weiterer Brief, ebenfalls in Dresden abgestempelt. Er kannte die eckige, energische Schrift nicht, aber als er den Umschlag umdrehte, konnte kein Zweifel daran bestehen, wer der Absender war. Die Rückseite wies ein goldgeprägtes Monogramm mit einer siebenzackigen goldenen Krone darüber auf. Es war ein Brief von Ingeborgs Vater, Manfred Baron von Freital.

Sein Kopf schwirrte, was nicht nur dem Whisky geschuldet war. Welchen Brief sollte er zuerst lesen? Er wählte Ingeborgs und öffnete ihn vorsichtig, da er noch etwas anderes als nur ein paar Briefbögen zu enthalten schien.

Es handelte sich um eine Fotografie von Ingeborg, eine ungewöhnliche Fotografie, steif und arrangiert, ohne jegliche Fröhlichkeit. Er betrachtete das Bild und überlegte angestrengt, was sie damit bezweckte. Sie trug eine uniformähnliche Jacke, bis zum Hals geknöpft, einen hohen weißen Kragen und eine weiße Fliege. Sittsamer wäre nicht möglich gewesen.

Und auch nicht aufreizender, dachte er. In ihrem Blick las er so etwas wie provozierende Ironie, als wollte sie sich im nächsten Augenblick die Uniformjacke und weiße Fliege vom Leib reißen. Sie lächelte, als wollte sie ihm sagen, das hier ist deine geliebte Zukünftige, die immer ihren Willen durchsetzt. Denn darum ging es natürlich. Sie war jetzt ausgebildete Krankenschwester und trug eine Schwesternuniform. Ein weiterer Schritt auf ihrem Weg zum Medizinstudium.

Gerührt legte er das Foto auf seinen Zeichentisch, überlegte es sich dann anders, hob es an die Lippen und küsste es vorsichtig.

Dann holte er tief Luft und entfaltete ihren Brief. Enttäuscht stellte er fest, dass er viel kürzer war als sonst.

Dresden, den 2. Juni 1905

Mein geliebter Lauritz!
Diesen Brief schreibe ich Dir in großer Eile, weil etwas sehr Ungewöhnliches, um nicht zu sagen Rätselhaftes geschehen ist, das im Augenblick unsere gesamte Konzentration und möglicherweise auch List und Überlegung erfordert.

Ich habe erfahren, wie, spielt im Augenblick keine Rolle, dass Vater die Absicht hat, Dich zur Kieler Woche auf seine Jacht einzuladen, damit Du bei der Regatta mithilfst. Offenbar habt ihr euch übers Segeln unterhalten. Was auch immer Du ihm über Deine Fähigkeiten erzählt hast, es muss großen Eindruck auf Vater gemacht haben. Entschuldige, Liebster, ich habe gar nicht die Absicht, ironisch zu sein. Vielleicht ist es ja nur die Tatsache, dass Du Norweger bist und damit ein Wikinger, dem das Segeln im Blut liegt. Vater begeistert sich ja, wie Du weißt, wie viele andere in unseren Kreisen für Norwegen.

Zurück zum Thema. Ich bin heute in meiner sachlichen Laune und fühle mich so, wie ich auf dem Foto aussehe, das ich diesem Brief beilege (gib zu, dass es ein lustiges Foto ist, so hast Du mich noch nie gesehen).

Ich frage mich, was Vater mit diesem nach außen hin großzügigen Angebot bezweckt, das er einem Mann macht, den er so energisch zurückgewiesen hat. Will er Dich demütigen – und damit auch mich – in einer Situation, von der er vermutet, dass Du sie nicht bewältigst? Dieser Gedanke entspringt der misstrauischen Seite meines Wesens, aber irgendwie kann ich ihn doch nicht glauben. Dass Du nicht segeln kannst und Dich an Bord lächerlich machst? Nein, wieso sollte er, dessen Familie seit siebenhundert Jahren in Sachsen lebt und das Segeln wirklich nicht im Blut hat, glauben, dass Du, der Du am Meer aufgewachsen bist, mit eventuellen Schwierigkeiten in der Kieler Bucht nicht genauso gut fertigwerden würdest wie mit allen anderen Schwierigkeiten? Diese Möglichkeit können wir also ausschließen.

Glaubt er, dass Du bei den steifen Galadiners und ähnlichen Anlässen nicht standesgemäß auftreten und Dich in unseren

Kreisen unmöglich machen würdest? Dich also neben diesen Stenzen mit den langen Nachnamen, mit denen er mich während der Kieler Woche stets verkuppeln will, schlecht ausnehmen würdest?

Vielleicht, aber ich bin mir nicht sicher. Während Deiner Jahre in Dresden boten sich Dir ja, nicht zuletzt durch Deine sportlichen Erfolge und die darauf folgenden Zeremonien und Bankette, vielleicht auch weil Deine Brüder und Du in einem so gediegen bürgerlichen Heim wie dem von Frau Schultze wohntet, reiche völkerkundliche Möglichkeiten, Dir die Sitten der höhergestellten Eingeborenen anzueignen.

Das wäre ein unlogischer Versuch, Dich zu diskreditieren. Nichtsdestotrotz habe ich gewisse Vorsichtsmaßnahmen ergriffen, zumindest soweit es mir meine begrenzten finanziellen Möglichkeiten erlauben. Wenn Du nach Kiel kommst – ich gehe nämlich davon aus, dass Du das tust, mein Geliebter, Du musst! –, wirst Du zuerst Boysens Schifferkleidung in der Uferstraße aufsuchen (alle wissen, wo dieser Laden liegt). Die Kleider, die ich für Dich bestellt habe, sind eine Matrosenuniform mit schwarz-weißer Standarte und ein blaues Jackett, wie es hier in Kiel während der Regattawoche getragen wird, und zwar immer, wenn nicht ausdrücklich Frack verlangt wird. So gekleidet kann Dich zumindest niemand als einen Wilden aus Nordgermanien bezeichnen.

Bei näherem Nachdenken muss ich zugeben, dass mein Misstrauen möglicherweise übertrieben wirkt. Aber die Einladung meines Vaters, die Du vielleicht schon erhalten hast, ist die Folge eines heftigen Streites zwischen uns beiden, so würde mein Vater es formulieren, oder einer intensiven Debatte, wie ich es nenne. Es ging ganz richtig um die Kieler Woche, zu der er mich jetzt zum zigsten Mal wieder hinschleppen will. Erst weigerte ich mich und sagte, jetzt sei es genug, und sosehr er sich auch anstrenge, würde ich doch niemals eine der Bekanntschaften von dort heiraten. Ich heirate Dich oder niemanden!

Er wartet auf Deine Antwort, und wenn er sie erhalten hat, wird er, gewissermaßen nebenbei, erwähnen, dass er dieses Jahr bei der Regatta einen neuen Mitsegler an Bord hat …

Damit hat er mich natürlich an der Angel, und dessen ist er sich natürlich sehr bewusst. Aber was bezweckt er damit? Hier schließt sich also der Kreis meiner Überlegungen. Ich gehe davon aus, dass während der Kieler Woche meine Sittsamkeit genauestens überwacht wird. Wir werden im Hotel keinesfalls Zimmer nebeneinander bekommen. Aber Christa kommt auch, und ihre Kammerzofe Bärbel ist nicht nur eine unserer Vertrauten im geheimen Frauenclub, sondern auch sehr listig. Auf mindestens eine gemeinsame Nacht werden wir in Kiel wohl hoffen können.

Eine Weile lang habe ich erwogen, mit Deinem freundlichen Beistand schwanger zu werden. Damit wären einige Probleme gelöst, aber es würde auch ein neues Problem entstehen, da Du noch auf zwei Jahre verpflichtet bist. Aber anschließend, mein Geliebter! Es wäre wunderbar, Dich heiraten zu müssen. Außerdem wäre es nur zu gerecht, wenn ich mich auf diese Weise an meinem verstockten Vater rächen könnte. Ich möchte Dich mit diesem Vorschlag ganz zum Schluss noch in Versuchung führen, damit mein in aller Hast hingeschmierter Brief nicht nur aus Intrigen und Verhaltensmaßregeln besteht.

Ich schicke Dir tausend Küsse, sehne mich wie immer und freue mich sehnsüchtigen Herzens auf die Eventualität einer

baldigen Begegnung, sei es auch nur in Kiel, einem der trost-
losesten Orte Deutschlands. Aber solltest Du kommen, so
wird sich Kiel in den wunderbarsten Ort überhaupt verwan-
deln.
Für ewig die Deine,
Ingeborg

Lauritz' Hände zitterten vor Aufregung, als er den Brief beiseitelegte. Er hatte den Brief so konzentriert gelesen, wie es ihm sein Rausch erlaubte, bis zum Schluss mit den erotischen Avancen. Natürlich wünschte er sich mehr als alles, Kinder mit Ingeborg zu haben! Aber er pflichtete ihr bei, dass das in den nächsten zwei Jahren eine Unmöglichkeit war. Kein Ingenieur hatte im Fjell eine Frau dabei.

Aber in zwei Jahren in Bergen. Er würde für sie eine große Wohnung in einer der vornehmsten Straßen in Nordnes mieten, eine Bleibe, wie sie einem Teilhaber von Horneman & Haugen angemessen war.

Gleichermaßen berauscht vom Whisky wie vom Glück, musste er das Bedürfnis unterdrücken, sein Schreibzeug hervorzuholen, um Ingeborg eine innige Liebeserklärung zu schicken und ihr von den Möglichkeiten zu berichten, die sich ihm seit heute eröffneten.

Er sah jedoch ein, dass er zu betrunken war, um sich angemessen auszudrücken. Außerdem war da noch der Brief des Barons.

Dieser war knapp und formell:

Sehr verehrter Herr Diplomingenieur Lauritzen,
ich habe hiermit das Vergnügen, Sie als Mitsegler auf meine
Jacht einzuladen, um an den Regatten bei der Kieler Woche

teilzunehmen. Ich muss gestehen, dass diese Einladung sehr
kurzfristig erfolgt, aber es verhält sich so, dass einer meiner
Helfer überraschend absagen musste. Ich wäre Ihnen außer-
ordentlich dankbar, wenn Sie sich die Zeit nehmen könnten.
Für Ihre Unterbringung wird selbstverständlich gesorgt.
Meine Telegrammadresse lautet: Freital.
Ihr Manfred Baron von Freital
PS: Ingeborg wird ebenfalls zugegen sein. Wie ich verstan-
den habe, freut sie sich sehr, Sie wiederzusehen.

Lauritz saß eine Weile da, wog den Brief des Barons in der
Hand und wippte auf seinem Stuhl, bis er schließlich hin-
tenüberfiel. Damit war die Sache entschieden. Zuallererst
musste er schlafen. Es war ihm nicht mehr möglich, seine
Gedanken zu sammeln. Warum hatte der Baron dieses
Postskript an seinen im Übrigen so formellen Brief ange-
fügt?

Er wollte jeden von ihnen als Lockvogel nutzen, so viel
war klar. Aber genauso wenig wie Ingeborg verstand Lauritz den Grund dafür. Hatte sich der Baron etwa erweichen
lassen und brachte er plötzlich ein romantisches Verständnis für die unwiderstehliche junge Liebe auf, der selbst die
Götter angeblich nichts entgegenzusetzen hatten? Nein,
unmöglich. Nicht dieser Mann.

Im Untergeschoss des Ingenieurshauses in Hallingskeid
sangen seine Kollegen immer noch das Loblied des freien
Norwegen, eher laut als gut. Offenbar hatten sie auch noch
eine dritte Flasche geöffnet.

Er musste schlafen, berauscht vom Alkohol, aber mehr
noch von den dramatischen Vorfällen des Tages. Dies war
der wichtigste Tag seines Lebens, aber schlafen musste er.

Am nächsten Morgen hatte er sowohl ein Telegramm zu verschicken als auch Briefe zu schreiben und ein Telefongespräch zu führen, ehe er sich zur Brückenbaustelle begab.

Am Tag darauf traf er erst spät bei der Arbeiterbaracke nahe der Brückenbaustelle ein. Er hatte erwartet, dass es dort still sein würde, weil sich alle Arbeiter auf dem Gerüst befanden oder mit dem Transport von Steinen beschäftigt waren, aber es fand eine erregte politische Versammlung statt. Die Männer bildeten einen Kreis um Johan Svenske, der auf ein Fass geklettert war und dort einem Agitator gleich eine Rede hielt. Immer wieder unterstrich er seine Worte mit erhobener Klassenkämpferfaust, eine Geste, die bei Lauritz ein Gefühl des Unbehagens hervorrief. Immerhin stellte er in Ermangelung anwesender Kapitalisten den Klassenfeind dar.

Die Arbeiterdemonstrationen und Agitationsreden am 1. Mai fanden jetzt immer vor dem Ingenieurshaus in Finse statt. Die Ingenieure wussten nie so recht, wie sie sich verhalten sollten. Sie konnten schließlich nicht vors Haus treten und den Klassenkämpfern ermunternd zuwinken. Aber sich drinnen zu verstecken, bis alles vorüber war, kam ihnen ebenfalls unangebracht vor. Lauritz war sich höchst unsicher, ob er Johans Erklärung glauben sollte, Ingenieure seien die einzigen Personen, die dem Bürgertum und der Obrigkeit in Finse noch am ehesten entsprachen. Deswegen sei die Demonstration eher als symbolischer Akt und nicht so sehr als ernst gemeinter Klassenkampf aufzufassen.

Aber der Stimmung vor der Baracke nach zu urteilen, befand er sich auf direktem Weg in den Klassenkampf. An Weglaufen und Verstecken war nicht zu denken, die anderen hatten ihn bereits gesehen. Er schluckte und näherte sich energischen Schrittes der Versammlung.

»Gut, dass du kommst, Lauritz!«, rief Johan. »Kameraden! Ich überlasse das Wort sofort dem Kameraden Ingenieur Lauritzen, damit er uns über die jüngsten Ereignisse in Kenntnis setzen kann.«

Es wurde still, und alle drehten sich erwartungsvoll zu Lauritz um, der nicht die geringste Ahnung hatte, was er sagen sollte, und noch viel weniger, was von ihm erwartet wurde. Hoffentlich keine Agitationsrede. Es ging doch wohl nur darum, über die Lage zu informieren?

Johan sprang von dem Fass, und starke Arme hoben Lauritz auf die improvisierte Rednertribüne.

»Kameraden Arbeiter«, begann er zögernd. »Wie ihr bereits zu wissen scheint, hat das Storting gestern erklärt, dass wir die Union mit Schweden verlassen …«

»Das wissen wir! Aber was passiert mit all unseren schwedischen Kameraden hier oben?«, rief jemand.

Darüber konnte er problemloser sprechen. Er erzählte von der Mitteilung, die sie gestern erhalten hatten, dass die bereits bei der Bergenbahn beschäftigten Schweden ihre Arbeit behielten, jedoch keine weiteren Schweden eingestellt werden würden. Am Morgen war dann eine neue Mitteilung eingegangen, dass alle Schweden, die in ihre Heimat zurückkehren wollten, um sich dort einberufen zu lassen, dies tun konnten und keinesfalls Schikanen ausgesetzt werden würden.

Auf diesen Bescheid hin wurde höhnisch gelacht.

In Johans verstärktem Arbeitertrupp gab es neun Schweden, von denen keiner die Absicht hatte, nach Hause zurückzukehren, um sich einberufen zu lassen. Ein Krieg, falls es denn einen geben würde, war keine Sache der Arbeiterklasse. Ein Krieg sollte nicht zwischen Schweden und Norwegern ausgetragen werden, dieser Krieg wäre ein Krieg der schwedischen Bourgeoisie – möglicherweise im Verbund mit der norwegischen Bourgeoisie – gegen alle Arbeiter, die ohnehin nur als Kanonenfutter dienen würden. Der proletarische Internationalismus würde alldem ein Ende bereiten, denn weder norwegische noch schwedische Kameraden würden sich einem Krieg der Bourgeoisie anschließen.

Sollte es wirklich zu einem Krieg kommen, hatte die norwegische Mehrheit der Arbeiter hier oben entschieden, die Schweden höchstens zu verprügeln, aber nicht zu feuern. Und zwar nicht nur wegen des proletarischen Internationalismus, sondern weil das den Akkord verderben würde. Die Lage war also nicht so kritisch, wie Lauritz erst befürchtet hatte. Die Arbeit würde wie normal fortschreiten, Krieg hin oder her. Und bis nach Finse und Hallingskeid kamen erst einmal keine Soldaten und am allerwenigsten schwedische.

Sehr viel mehr war nicht zu sagen. Die Versammlung wurde beendet, und alle kehrten an ihre Arbeit zurück.

Lauritz nahm Johan Svenske beiseite, um ihn darauf vorzubereiten, dass er während der nächsten zehn Tage die alleinige Verantwortung für die Baustelle übernehmen musste, da er in einer dringenden Angelegenheit verreisen würde.

Es kam ihm fast wie Fahnenflucht vor, die Arbeit in dieser kritischen Phase zu verlassen. Daher leitete er die Unterhaltung mit einem ganz anderen Thema ein.

»Kamerad Johan«, begann er halb im Scherz. »Da ist

etwas am Sozialismus, was ich nicht begreife. Bin ich wirklich dein Klassenfeind?«

Johan lächelte breit und musste nicht einmal sonderlich lange nachdenken. Das Thema schien ihm zu gefallen. Er antwortete:

»Du bist Ingenieur, gehörst also dem Bürgertum an«, begann er.

»Aber ich bin in einer Fischerfamilie zur Welt gekommen, einer armen Fischerfamilie, und die muss doch wohl zur Arbeiterklasse gehören«, fiel ihm Lauritz ins Wort, ohne seine Verärgerung zu verbergen.

»Natürlich. Aber jetzt gehörst du zur Bourgeoisie«, grinste Johan amüsiert. Er schien die Frage nicht so ernst zu nehmen wie Lauritz.

»Irgendwann also, genauer gesagt während meines Studiums habe ich mich also in deinen Klassenfeind verwandelt?«, hakte Lauritz nach.

»Jetzt reg dich nicht auf, Kamerad Ingenieur. Ich will dir die Sache erklären«, fuhr Johan fort, ohne sich um Lauritz' Verärgerung zu kümmern. »Man wird in eine Klasse hineingeboren, die Arbeiterklasse oder das Bürgertum. So weit ist alles einfach. Aber wenn man wie du eine Ausbildung erhält, kann man aufsteigen. Immer mit der Ruhe! Das ist nicht das Entscheidende, denn es besteht ein Unterschied zwischen Klassenzugehörigkeit und Klassenstandpunkt. Ein Arbeiter kann seine Klasse verraten und für die Bourgeoisie und die Streikbrecher Stellung beziehen. Insbesondere wenn er zu diesen scheinheiligen Sektenanhängern gehört und glaubt, dass es Gerechtigkeit erst nach dem Tod gibt. Gott steht nämlich auf der Seite des Bürgertums. Ein Ingenieur kann auf dieselbe Art Klassenverrat begehen, insbesondere wenn er aus der Arbeiterklasse stammt und sich für die Linke einsetzt. So einfach ist das.«

»Das ist ja tröstlich zu hören«, murmelte Lauritz. »Dann könnten wir ja vielleicht jetzt, gewissermaßen von Kamerad zu Kamerad, über die eigentliche Arbeit sprechen?«

Johan schob sich als Antwort eine große Prise Snus unter die Oberlippe, das tat er immer vor wichtigen Beschlüssen. Lauritz rollte seine Pläne aus und erklärte gewissermaßen nebenbei, dass sie die nächsten zehn oder zwölf Tage planen müssten, da er so lange verreist sei.

Johan Svenske verzog bei diesem Bescheid keine Miene und wirkte nicht im Mindesten besorgt, was Lauritz erleichterte, aber auch etwas kränkte.

Am nächsten Morgen begab sich Lauritz direkt nach dem Frühstück nach Voss. Die Schneeschmelze war in diesem Jahr ungewöhnlich früh, an Skilaufen war nicht zu denken. Er würde die ganze Strecke zu Fuß gehen müssen und wieder Muskelkater in den Waden und schmerzende Füße haben, weil er in den letzten sieben Monaten sehr wenig zu Fuß gegangen, aber umso mehr Ski gelaufen war.

Als er gegen Abend bei der Direktion in Voss eintraf, holte man gerade vorschriftsmäßig die Fahne ein. Irgendetwas kam ihm an der Fahne ungewohnt vor, und dann sah er auch, was es war. Die schwedischen Farben in der oberen linken Ecke fehlten, sie waren weggeschnitten oder übernäht worden. Eine Kleinigkeit, konnte man meinen, ein kleines trotziges Detail, aber doch etwas, was in ihm ein Gefühl der Feierlichkeit auslöste. Norwegen war frei.

Oberingenieur Skavlan lud ihn zu einem großartigen

Abendessen ein. Es wurde Milchlamm serviert. Die Steaks waren so winzig und schmackhaft, dass es einem wie eine Sünde vorkam, dass die Tiere so früh geschlachtet worden waren. Lauritz, der immerhin auf einem Hof aufgewachsen war, auf dem auch Schafe gehalten wurden, hatte noch nie so etwas Feines gekostet. Sie aßen in der Küche, Skavlan, seine Frau und Lauritz. Es gab Wein und warmen Apfelkuchen zum Dessert. Skavlan bestand darauf, dass bei Tisch nicht über Politik gesprochen wurde.

Nach dem Essen lud Skavlan Lauritz ein, ihn zu einem Glas Whisky mit Soda in die Bibliothek zu begleiten. Jetzt war es ihm umso wichtiger, über Politik zu sprechen. Lauritz fiel auf, dass die Ingenieure vor dem 7. Mai 1905 nur ausnahmsweise über Politik gesprochen hatten. Jetzt taten sie nichts anderes mehr.

Skavlan glaubte genauso wenig wie Lauritz an einen bevorstehenden Krieg, aber aus ganz anderen Gründen. Er meinte, dass ein Land wie Norwegen unmöglich von einem feindlichen Heer eingenommen werden könne, noch unmöglicher sei es, Norwegen dauerhaft zu besetzen. Wenn es selbst den Norwegern schwerfalle, sich wegen der Gebirge und Fjorde im eigenen Land fortzubewegen, wie sollte es dann erst den armen schwedischen Soldaten ergehen?

Sie verbrachten einige Zeit mit militärisch-strategischen und politischen Betrachtungen, dann wechselte Skavlan endlich das Thema und kam sofort zur Sache. Ob ihm Horneman & Haugen ein Angebot unterbreitet hätte?

Lauritz konnte das nur bestätigen, versicherte aber, dass er zur Bedingung gemacht habe, in den Betrieb erst einzutreten, wenn die Bergenbahn fahrplanmäßig verkehre.

Skavlan schien dies sehr zu erleichtern, was Lauritz nutzte, um ihm mitzuteilen, dass er dieses Mal einen längeren Urlaub als sonst nehmen müsse, nämlich fast zwei Wochen.

Skavlans Miene verfinsterte sich.

»Man reicht ein Urlaubsgesuch ein, man teilt das nicht einfach mit, als wäre es ein eigener Beschluss«, sagte er streng. »Stehen die eigentlichen Steinarbeiten des Brückenbogens nicht unmittelbar bevor?«, fuhr er fort. »Das scheint mir ein äußerst unpassender Zeitpunkt für einen verlängerten Urlaub zu sein. Ich hoffe, du hast einen triftigen Grund.«

»Allerdings«, erwiderte Lauritz.

»Ach?«

»Zweifellos.«

»Na, lass hören!«

»Ich will nach Kiel, um die Frau zu treffen, die ich liebe und heiraten will und die ich seit vier Jahren nicht mehr gesehen habe«, antwortete Lauritz verbittert und langsam.

Er wollte einen ablehnenden Bescheid nicht akzeptieren.

»Ich werde auch ihren Vater treffen«, fuhr er fort. »Mit etwas Glück ist jetzt endlich der Zeitpunkt gekommen, um ihre Hand anzuhalten.«

Skavlan verzog erst keine Miene. Er schien immer noch erzürnt darüber zu sein, dass sich Lauritz seinen Urlaub selbst genehmigt hatte. Dann heiterten sich seine finsteren Züge jedoch auf, was sein mageres, zerfurchtes, braun gebranntes Gesicht vollkommen veränderte.

»Dann wünsche ich dir viel Glück!«, sagte er. »Auf diese gute Nachricht sollten wir mit einem weiteren Glas anstoßen.«

Lauritz nahm den frühen Zug nach Bergen.

Die Stadtkleider, die ein Jahr lang in der Verwaltung im Schrank gehangen hatten, in den er jetzt seine Arbeitskleidung gehängt hatte, rochen nach Mottenkugeln. Die Reisetasche, die er mitgenommen hatte, war leer, er musste vor seiner Weiterreise ein Paar schwarze Schuhe kaufen, die er abends tragen konnte, Wäsche, ein paar gestärkte Kragen des neuen, nicht ganz so hohen Typs, mindestens drei weiße Hemden, einige neue Krawatten, dünne Strümpfe für abends und eventuell eine Weste für tagsüber und eine für abends. Rechnete man dazu noch die Fahrtkosten nach Kiel, so verschwand die Hälfte der bescheidenen Summe, die er auf einem Konto bei Bergens Privatbank zusammengespart hatte.

Der Dampfer nach Jütland lief am nächsten Morgen aus, ihm stand also nur dieser eine Tag zur Verfügung, um alles zu erledigen – und auf die Bank zu gehen. Vorher musste er sich noch im Friseursalon im Missionshotel rasieren und die Haare schneiden lassen. Wie immer um diese Jahreszeit sah er aus wie ein Wilder. Im Fjell und in der Direktion in Voss fiel das niemandem auf, aber in Bergen war das etwas ganz anderes.

Bald glitt vor dem Fenster die sommergrüne Fjordlandschaft vorbei. Die Blüten der Apfelbäume hingen über den Hängen wie weiße Wolken, Kühe grasten auf den Weiden, und Kinder hüteten Ziegen. Jedes Mal war diese Verwandlung gleichermaßen wunderbar, obwohl er wusste, dass sie kommen würde.

Im Unterschied zu seinen letzten Reisen hatte er jetzt das Gefühl, dass sein Herz heftiger klopfte. Er war auf dem Weg zur Kieler Woche. Dort würde er Ingeborg treffen und vielleicht sogar eine Nacht mit ihr verbringen. Hätte ihm das jemand vor vier Tagen erzählt, wäre es ihm so unwahrscheinlich wie eine Reise zum Mond vorgekommen. Ob wohl wirklich ein Deutscher vor Ende des Jahrhunderts auf dem Mond landen würde, wie der Rektor der Ingenieurhochschule das in seiner Rede am Examenstag vorhergesagt hatte? Das kam ihm noch unwahrscheinlicher als seine eigene Reise nach Kiel vor.

Wie man mithilfe von Maschinen das Luftmeer bezwingen wollte, war eine Sache. Die Theorien waren einfach. Entweder bediente man sich des Prinzips »leichter als Luft« wie bei Heißluftballons, eine Methode, die bereits seit dem 18. Jahrhundert bekannt war, oder man machte sich den Luftwiderstand mithilfe mechanischer Kraft zunutze. Dasselbe Prinzip wie bei einer Schiffsschraube, auch das war nicht schwer zu verstehen.

Aber wie war es im luftleeren Weltraum? Jules Verne hatte sich eine gigantische Kanone vorgestellt. Aber wie um alles in der Welt sollte der Mensch, der durch alle Luftschichten der Erde in die Schwerelosigkeit geschossen worden war, wieder zurückkehren? Er hatte vergessen, wie Jules Verne dieses Problem gelöst hatte, vermutlich, weil der Vorschlag des Autors unmöglich funktionieren konnte.

Der Bahnhof von Bergen war nach wie vor ein hässliches Provisorium. Hier harrte der Firma Horneman & Haugen wirklich eine Aufgabe.

Das erste und, wie sich bald zeigen sollte, noch vergleichsweise harmlose Ungemach bestand darin, dass der Friseur anderweitig beschäftigt war, als Lauritz im Missionshotel eintraf, und niemand wusste, wann er wieder auftauchen würde.

Es wäre Zeitverschwendung gewesen, auf seine Rückkehr zu warten. Lauritz eilte also in die Stadt, um seine
Einkäufe zu erledigen. Die Besprechung mit der Bank war
für drei Uhr vereinbart.

Als er mit seiner inzwischen immerhin halb vollen Reisetasche ins Hotel zurückkehrte, war der Friseur immer
noch nicht erschienen, aber die junge Frau am Empfang
versicherte, dass er jeden Augenblick kommen müsste.

Darin irrte sie, wie Lauritz viel zu spät erkannte. Wenn er
sofort wieder in die Stadt gegangen wäre, hätte sich das Problem sicher lösen lassen, jetzt hatte er seine kostbare Zeit
mit Warten verschwendet. Er musste also mit einem Bart
und einer Frisur wie ein Bahnarbeiter die Bank aufsuchen.

Der Chefprokurist Michal Mathiesen hatte sein großes
Büro im zweiten Stock. Lauritz musste vor der großen
braunen Flügeltüre warten. Eine Viertelstunde nach der
vereinbarten Zeit erschien ein Bedienter, öffnete und ließ
ihn ein.

An den Wänden des großen Raumes hingen gigantische
Marinemalereien, und neben den drei Doppeltüren standen mit Marmormalerei versehene Holzsäulen.

Mathiesen, der etwa zehn Jahre älter als Lauritz sein
mochte, trug einen Gehrock, eine Seidenweste, eine Krawatte mit einer kleinen Perlennadel sowie sehr spitze, glänzende schwarze Schuhe. Seine Hosen hatten messerscharfe
Bügelfalten, und sein Händedruck war etwas weich, fast
verängstigt, als befürchte er, sich schmutzig zu machen,
indem er diesem Strolch die Hand reichte. Sein gezwir-
belter und gewachster Schnurrbart stand in zwei Spitzen
seitlich ab, und seine Augen ließen offen Verachtung erkennen.

Lauritz verfluchte den saumseligen Friseur und versuchte sich einzureden, dass es genüge, sich seinem Städter-Ich gemäß zu verhalten.

»Bitte, nehmen Sie Platz, Herr Diplomingenieur«, sagte Mathiesen und deutete auf einen kleinen, mit hellblauer Seide bezogenen Stuhl, der vor dem dunklen, auf Hochglanz polierten Schreibtisch stand. »Ich hoffe, Sie hatten eine angenehme Reise von der … Vidda? Heißt es nicht so in Ihren Kreisen? Vidda?«

»Ja, das hat seine Richtigkeit.«

Der Bankmann bündelte sorgfältig einige Papiere vor sich auf dem Schreibtisch und tat so, als studierte er sie eine Weile lang interessiert, bevor es ihm behagte, aufzuschauen und sich erneut zu äußern. Er strahlte etwas Feindseliges und vage Befremdliches aus. Die zierlichen Handbewegungen und die zarten Hände erinnerten Lauritz an die lächerlichen Engländer, mit denen sein jüngster Bruder in Dresden verkehrt hatte.

»Nun gut, dann wollen wir doch mal sehen, was wir in dieser Angelegenheit für Sie tun können«, sagte der Bankmann schließlich. Lauritz war klar, dass das dasselbe Spiel war, wie ihn vor der Tür warten zu lassen. Es verhieß nichts Gutes.

»Mir liegt hier ein überschwängliches Empfehlungsschreiben von Horneman & Haugen vor, in der Tat von Herrn Haugen persönlich«, fuhr der Bankmann fort. »Man bietet Ihnen eine Stelle an, eine alles andere als untergeordnete Position, und außerdem Teilhaberschaft in der Firma. Gar nicht übel. Sagen Sie mir, Herr Lauritzen, sind Sie ein sehr fähiger Ingenieur?«

»Dem wird wohl so sein. Sonst hätte ich dieses sehr

großzügige Angebot wohl nicht erhalten«, antwortete Lauritz, wobei er geflissentlich seine Wut zügelte. Dieser Geck machte sich über ihn lustig.

»Ja, so kann man das sehen ... vielleicht. Aber, Herr Lauritzen ... ich habe hier auch Ihr Konto bei der Bank vor mir. Nachdem Sie heute Morgen Geld abgehoben haben, erscheint Ihr Kontostand eher mager. Es handelt sich, um genau zu sein, um achthundert Kronen. Darf ich fragen, was die Horneman-&-Haugen-Aktien kosten, die man Ihnen zum Kauf angeboten hat?«

»Fünfzehntausend«, antwortete Lauritz verbissen.

»Oho! Fünfzehntausend? Das ist natürlich ein sehr kulanter Preis. Aber darf ich Sie fragen, wie Sie den Kauf zu finanzieren gedenken? Im Hinblick auf Ihren Kontostand?«

»Ich wollte die gesamte Kaufsumme bei der Bank leihen«, antwortete Lauritz und versuchte sich verzweifelt vorzustellen, dass er wie ein moderner junger Mann aussah und nicht wie ein bodenständiger Bahnarbeiter.

»Was Sie nicht sagen!«, rief der Bankmann mit gespieltem und übertriebenem Erstaunen. »Sie wollten sich also die gesamte Kaufsumme leihen? Ich vermute, bei uns?«

»Ja, natürlich«, antwortete Lauritz knapp.

Der lächerliche Geck zog die Sitzung genießerisch in die Länge. Er fingerte an einer Zigarettenspitze herum, zog ein silbernes Zigarettenetui aus der Tasche und bot Lauritz eine an. Dieser schüttelte den Kopf. Dann schob er mit abgespreiztem kleinen Finger eine Zigarette in die Zigarettenspitze, riss ein Zündhölzchen an, inhalierte und schaute an die Decke, als er den Rauch entweichen ließ.

»Natürlich könnte man sich einen Kredit vorstellen«,

sagte der Bankmann überraschend. »Vorausgesetzt, es gibt eine Sicherheit für den Kredit? Gibt es die?«

»Ja, beispielsweise die Aktien von Horneman & Haugen, die ich damit kaufen würde«, antwortete Lauritz. »Sie sind mehr wert als das Darlehen, glaube ich zumindest.«

Der Bankmann deutete ein Lachen an, ohne wirklich zu lachen, und schüttelte gleichzeitig den Kopf.

»Wissen Sie, Herr Lauritzen, das ist wirklich eine pfiffige Idee. Leider verstößt das gegen das Gesetz. Außerdem wäre es kein seriöses Geschäft. Ich meine, jeder könnte halb Bergen aufkaufen, wenn das Kaufobjekt die Sicherheit darstellte.«

»Ich stelle die Sicherheit dar«, versuchte Lauritz. »Das Gehalt, das ich bei Horneman & Haugen zu erwarten habe, reicht, soweit ich weiß, für ein gutes Leben und dazu, den Kredit innerhalb weniger Jahre abzubezahlen.«

Der Bankmann schüttelte mitleidig den Kopf.

»Lieber Herr Lauritzen, bei allem Respekt vor Ihrer Tüchtigkeit und Ihrer Jugend, aber davor macht das Schicksal keinen Halt, sie stellen in finanzieller Hinsicht keine Sicherheiten dar. Eine der neuen Straßenbahnen in Bergen könnte, wenn Sie auf der Straße nur ein wenig unvorsichtig wären, Herr Lauritzen, diese Sicherheit definitiv und tragisch zunichtemachen. Gibt es denn nichts anderes als Sicherheit?«

»Soweit ich weiß, nicht«, antwortete Lauritz resigniert. Er hielt die Schlacht bereits für verloren.

»Das ist dann doch etwas bedauerlich«, meinte der Bankmann und legte den Kopf zur Seite. »Aber sagen Sie mir, Herr Lauritzen, Sie sind doch der älteste Sohn der Familie?«

»Ja, das stimmt«, antwortete Lauritz mit einem Funken Hoffnung. Das war immerhin einmal eine Frage, die er mit Ja beantworten konnte.

»Ich sehe hier in den Papieren … mal sehen, ja, hier! Frøynes Gård, hm, der Grund für diesen Hof wird mit achtzig Morgen angegeben. Dazu kommen zwei Wohnhäuser. Mit diesem Besitz als Pfand könnten wir möglicherweise … mit diesem Besitz als Pfand könnten wir einen Kredit über die gesamte Summe, fünfzehntausend Kronen, einräumen. Damit wäre das Problem gelöst!«

»Meinen Sie, ich soll das Heim meiner Mutter und meiner Cousinen verpfänden?«, fragte Lauritz empört und unternahm nicht einmal mehr den Versuch, seinen Zorn zu verbergen.

»Genau das meine ich«, antwortete der Bankmann, sog an seiner Zigarette und sah maßlos zufrieden aus.

»Kommt nicht infrage«, knurrte Lauritz und verspürte dabei fast körperliche Schmerzen.

»Ich bedaure es außerordentlich, Herr Lauritzen, aber dann ist unsere Unterredung leider zu Ende, zumindest für dieses Mal.«

Lauritz erhob sich und verließ wortlos das Zimmer. Als er zwei Stunden später in den Spiegel des Frisiersalons schaute, sah er sein wiederhergestelltes Städter-Ich oder zumindest das Ich, das in Kiel auftreten würde. Er bildete sich ein, dass alles die Schuld des saumseligen Friseurs sei. Wenn er in der Bank so ausgesehen hätte und nicht wie ein Arbeiter, wäre alles anders gekommen.

Diese Ausrede befriedigte ihn jedoch nicht ganz. Dieser verdammte Päderast hatte schon vorher seinen Entschluss gefasst, und keine Bartwichse der Welt hätte daran etwas ändern können. Im Übrigen verstand er sich ohnehin nicht auf finanzielle Dinge. Er war wahrhaftig kein Betriebswirt, keiner von denen, denen laut Kjetil Haugen die Zukunft gehörte.

Die wunderbare Neuigkeit, die er nach Kiel hatte mitbringen wollen, hatte sich in Luft aufgelöst. Er hatte Ingeborg bereits eine verheißungsvolle Zukunft in Aussicht gestellt, die es jetzt nicht mehr gab. Aber nach Kiel musste er unter allen Umständen, unter anderem, weil er dem Baron versprochen hatte, als Mitsegler bei der Regatta einzuspringen, aber hauptsächlich, weil er Ingeborg treffen wollte.

XII

OSCAR

Deutsch-Ostafrika, 1905

Die Regenzeit war die Phase des Jahres, die man mit Lesen verbringen konnte. Es regnete so stark, dass keinerlei Arbeit möglich war. Man konnte sich nur in seinem Zelt auf den Rücken legen und abwarten. Ohne Lektüre wurde das schnell eintönig, und im Gegensatz zur heißen Jahreszeit konnte man sich nicht einfach aufs Bett werfen und einschlafen.

Oscar las mit Vorliebe Fachbücher, eines komplizierter als das andere, insbesondere über die moderne Betontechnik, die er bei seinen Brückenbauten verwendete. Zwischendurch lieh er sich bei Dr. Ernst auch Bücher über die Flora und Fauna Afrikas. Das Buch, das er sich von Hassan Heinrich ausgeliehen hatte, versetzte ihn wie das Wiedersehen mit einem alten Freund aus Kindertagen zurück in die Jahre auf der Technischen Knabenrealschule in Kristiania, auf die *Die gute Absicht* die drei Brüder Lauritzen geschickt hatte.

Soviel er wusste, war Karl May der zum Verdruss der Schulmeister meistgelesene Autor Deutschlands. Nach Ansicht der Lehrer sollten kleine Jungen, selbst jene von den

Fjorden Westnorwegens, Goethe und Schiller lesen. Vielleicht auch einen so modernen Autor wie Heinrich Heine, aber sicher nicht diesen vulgären Wildwestautor, der im Übrigen nie amerikanischen Boden betreten hatte.

Es war ein faszinierender Gedanke, dass er selbst und seine Brüder dieses Abenteuer ebenso begeistert gelesen hatten wie Hassan Heinrich und seine Mitschüler an der Missionsschule in Daressalam. Oberlehrer Mortensen in Kristiania hatte Karl Mays *Der Sohn des Bärenjägers* unter der Hand als Zusatzlektüre im Deutschunterricht verwendet. Old Shatterhand und Winnetou waren ein weitaus größerer Erfolg in der Klasse gewesen als Faust. Nicht nur die Sprache war einfacher, es blieben einem obendrein die Verse erspart, und außerdem war die Geschichte spannend und begreiflich. Und wenn man auf ein Wort stieß, das man nicht kannte, schlug man es mit größerem Interesse nach als eine Vokabel aus dem *Faust*. Mit einem Lächeln auf den Lippen las er die Geschichte, an die er sich noch in groben Zügen erinnerte, obwohl inzwischen über fünfzehn Jahre vergangen sein mussten, seit er sie zum ersten Mal gelesen hatte. Ganz wie beim Autor lagen seine Sympathien bei den Indianern, und er hatte bei den Cowboy-und-Indianer-Spielen immer der Indianer sein wollen.

Kurz vor dem Höhepunkt, dem Sieg Old Shatterhands und des Häuptlings der Apachen Winnetou, begünstigt durch einen Vulkanausbruch, der im letzten Augenblick die Feinde vernichtet, stellt der Held eine Überlegung an, die jemand, vermutlich Hassan Heinrich, dem das Buch gehörte, unterstrichen hatte:

»Der rote Mann kämpft den Verzweiflungskampf; er muss

unterliegen; aber jeder Schädel eines Indianers, welcher später aus der Erde geackert wird, wird denselben stummen Schrei zum Himmel stoßen, von dem das vierte Kapitel der Genesis erzählt.«

Er konnte sich nicht mehr konzentrieren, legte das Buch beiseite, faltete die Hände hinter dem Kopf und starrte auf die gerundete Zeltwand. Der Regen wollte nicht nachlassen.

Sehr merkwürdig. Das hatte er als Dreizehnjähriger, dreizehnjähriger Weißer, neuntausend Kilometer nördlich von hier in Kristiania gelesen, und vermutlich hatte er mit dem Gedanken sympathisiert. Er war ein edler weißer Dreizehnjähriger aufseiten der Indianer gewesen.

Woran hatte aber Hassan Heinrich gedacht, als er diesen Satz – es handelte sich um die einzige Unterstreichung des Buches – unterstrichen hatte? Dass jeder Schädel eines Schwarzen, der unter dem Pflug der Siedler zum Vorschein kam, ein stummer Zeuge der Schuld der Deutschen war?

Der Unterschied zwischen Amerika und Afrika war ungeheuer groß.

Oder etwa nicht?

Doch, so musste es sein. Wir sind in Afrika, um Licht und technischen Fortschritt zu verbreiten. Wir bauen Eisenbahnen für die Afrikaner, dachte er. Die Siedler in Amerika hatten nur ein Interesse, den Indianern so viel Land wie möglich zu stehlen. Wir stehlen kein Land. Außerdem haben wir die Sklaverei abgeschafft.

Anfangs fiel ihm gar nicht auf, dass der Regen aufhörte, weil es von den Bäumen, die das Lager umstanden, noch heftig tropfte. Aber plötzlich schien die wiedergekehrte Sonne so grell, dass er geblendet wurde, obwohl er sich in seinem Zelt befand. Er hatte das deutliche Gefühl, dass die Regenzeit für dieses Mal vorüber war. Sie endete ebenso abrupt, wie sie begonnen hatte. Nach einigen Jahren entwickelte man einen Spürsinn dafür, ob es sich nur um eine Unterbrechung oder wirklich um das Ende handelte.

Die Augen mit der Hand beschattend, trat er aus dem Zelt in das grelle und ungewohnte Sonnenlicht. Eine mehrere Monate lang andauernde Periode üppiger Vegetation erwartete sie. Und die Malaria, da mit den steigenden Temperaturen in den Sümpfen Milliarden Moskitos kamen.

Den Rest des Tages wollte er damit zubringen, Messungen am Brückenfundament vorzunehmen. Jetzt beim höchsten Wasserstand war der Zeitpunkt für solche Berechnungen ideal. Er plante, eine Reihe von Brücken über das gesamte Sumpfgebiet zu bauen. Das würde zwar Zeit beanspruchen und Kosten verursachen, aber diese Zeit konnte man in Zukunft sparen, weil keine weggespülten Bahndämme mehr zu reparieren waren. Es war der letzte Sumpf auf dem Weg zur Endstation bei Kigoma am Ufer des Tanganjikasees. Das Terrain hinter den Sumpfgebieten bestand aus lichtem Wald und Savanne, die mit keinen Hindernissen aufwarteten. Die Reise näherte sich ihrem Ende, und das kam ihm fast unwirklich vor. Vielleicht hatte er den Gedanken daran in sein Unterbewusstsein verbannt, weil er nicht darüber nachdenken wollte, wie es danach für ihn weitergehen würde?

In nicht allzu ferner Zukunft würde die Bahn Kigoma erreichen, die letzten Schienen würden am Seeufer verlegt werden, und irgendein hohes Tier, vermutlich Generaldirektor Dorffnagel oder sogar Generalgouverneur Schnee, würde in Galauniform erscheinen und den letzten Schwellennagel einschlagen. Die Blaskapelle würde »Die Wacht am Rhein« spielen, und danach wäre alles vorüber.

Was würde er dann tun? Nach Norwegen zurückkehren und zusammen mit Sverre und Lauritz auf der Hardangervidda arbeiten? Falls sie überhaupt dort waren, was er streng genommen nicht wusste.

Auf dem Weg zum Brückenfundament, mit schmatzenden Stiefeln im aufgeweichten Boden und seinen Messinstrumenten auf der Schulter, beschloss er, sich nicht um die Zukunft zu scheren und einfach die Bahnstrecke fertig zu bauen.

Die Messungen am ersten Brückenpfeiler waren rasch beendet. Es waren nur ein paar kleinere Änderungen nötig. Die Verschalung für den Gussbeton hatte dem Regen und der Überschwemmung sehr gut standgehalten. Die Armierung war bereits angebracht, am nächsten Tag würde man mit dem Gießen beginnen können. Die Kieshaufen lagen bereit, und der Zement sollte am nächsten Tag auf einem flachen, offenen Güterwagen angeliefert werden. Die Sonne wärmte bereits. Am Spätnachmittag wollte er mit Kadimba auf die Jagd gehen, da jetzt, wo der Regen aufgehört hatte, überall Wild äste.

Kurz darauf kam Kadimba, als hätte er Oscars Gedanken gelesen, angeschlendert. Aber er wollte nicht über die Jagd sprechen und wirkte seltsam verlegen. Oscar bat ihn, auf einem der schweren Balken auf der Verschalung Platz zu nehmen. Unter Schwindel litten sie beide nicht.

»Jetzt ist die Regenzeit vorbei«, stellte Kadimba fest.

»Danke für die Auskunft, mein Freund, auch ich habe Augen im Kopf. Warum teilst du mir diese Selbstverständlichkeit mit? Willst du auf die Jagd gehen? Mir selbst kam gerade diese Idee«, erwiderte Oscar.

»Gerne, Bwana Oscar, aber nicht heute. Vielleicht morgen. Nein, morgen auch nicht, denn morgen sind wir keine guten Jäger. Übermorgen vielleicht. Das ist der erste Abend nach der Regenzeit.«

»Ja, Kadimba, darauf hast du bereits hingewiesen. Und?«

»Königin Mukawanga vom Volk der Barundi hat uns eingeladen«, sagte Kadimba. Es schien ihn in Verlegenheit zu bringen, daran erinnern zu müssen. »Ich will dich gerne begleiten, Bwana Oscar, und Hassan Heinrich ebenfalls. Sie holen uns eine Stunde vor Sonnenuntergang mit dem Boot ab.«

Genau! Deswegen hatte er auch einen besonders großen Vorrat Glasperlen dabei. Die Barundi waren der letzte Stamm, mit dem sie vor Ende der Strecke noch verhandeln mussten. Mit größeren oder kleineren Mengen Glasperlen und Ballen gewebter Baumwollstoffe hatten sie mit jedem Volk entlang der Bahnstrecke verhandelt und waren sich auf eine höchst zivilisierte und geschäftsmäßige Art und Weise mit allen Völkern außer den Kinandi, die den Krieg vorgezogen hatten, einig geworden.

Königin Mukawanga hatte, so hieß es, über ein reiches und mächtiges Volk geherrscht, solange der Sklavenhandel noch der Haupterwerbszweig war. Die neue Eisenbahnstrecke folgte im Großen und Ganzen der alten Sklavenhandelsstraße. Um die Sümpfe, die jetzt als letztes größeres Hindernis vor Kigoma vor ihnen lagen, zu überwinden, waren auch die Sklavenhändler abhängig vom Wohlwollen der Barundi gewesen. Offenbar hatten beide Seiten von den Geschäften profitiert, Sklaven gegen Glasperlen, indische Stoffe oder Waffen. Herrschte gerade Sklavenmangel, nahmen die arabischen Händler auch gerne Elfenbein.

Aber jetzt, in modernen Zeiten, durfte Oscar ausschließlich mit Glasperlen und Baumwollstoffen handeln. Außerdem oblag es ihm, auf die Segnungen der Eisenbahn hinzuweisen und gegebenenfalls in Aussicht zu stellen, dass inmitten des Sumpfes ein Bahnhof errichtet würde, im angemessenen Abstand zur Hauptstadt der Barundi, falls das die passende Bezeichnung für diesen Ort war.

»Soll ich Waffen tragen, wenn wir Königin Mukawanga besuchen?«, fragte Oscar.

»Nein, Bwana Oscar«, antwortete Kadimba im selben sachlichen Ton, in dem Oscar gefragt hatte. »Die Barundi sind Krieger. Wenn sie uns töten wollen, werden wir mit einem Mausergewehr nichts dagegen ausrichten können. Es ist mutiger, ohne Waffen zu ihnen zu kommen. Darf Hassan Heinrich uns begleiten? Ich habe ihm versprochen, dir seine Bitte vorzutragen.«

»Ja, wenn ihm so sehr daran gelegen ist«, antwortete Oscar zögernd, da er den Unterton der Unterhaltung nicht richtig einordnen konnte. Wenn das alte Kriegervolk so gefährlich war, warum legte dann ein getaufter Hausneger wie Hassan Heinrich so viel Wert darauf, sie zu begleiten? Hausneger war im Übrigen kein gutes Wort, er musste sich ein neues einfallen lassen.

Dr. Ernst lehnte vehement ab, als hätte man ihn beleidigt, und errötete obendrein, als Oscar ihn beiläufig einlud, sie zu dem Fest der Barundi zu begleiten. Oscar beschlich das vage Gefühl, dass der andere etwas wusste, was ihm selbst verborgen war.

Eine Stunde vor Sonnenuntergang glitten zwei große

Kanus auf den Brückenpfeiler zu. In dem einen saßen zwölf Männer. Sie waren wie Krieger gekleidet, mit großen Halsringen aus Büffelhaut, die mit Glasperlen verziert waren, mit einem Kopfschmuck aus Fischadlerfedern und Kleidern aus Leopardenfell. Das andere Kanu mit Platz für die Gäste wirkte weniger kriegerisch. Aber auch hier trugen die Männer Assagai, und ihre angespitzten Paddel dienten zweifellos auch als Waffen. Sie paddelten ruhig und zielgerichtet, während sie einen Gesang anstimmten, der mehr an eine Kriegserklärung als an ein Willkommenslied erinnerte. Die Zeremonie am Ufer wurde rasch mittels Verbeugungen und Hand-aufs-Herz-Gesten zum Zeichen friedlicher Absichten absolviert. Wenig später glitten Oscar, Kadimba und ein sichtlich beeindruckter Hassan Heinrich in die Sumpflandschaft, die aus kleinen Inselchen mit vier, fünf Meter hohen Papyrusbüschen bestand und in der sich ein Fremder innerhalb weniger Minuten rettungslos verirrt hätte.

Die Kanus waren aus ausgehöhlten Baumstämmen gefertigt, deren Außenseite glatt abgeschliffen worden war, um den Widerstand des Wassers zu reduzieren, wie Oscar feststellen konnte, als er die Hand im Wasser über den Rumpf des Kanus gleiten ließ. Sie passierten mehrere Flusspferdfamilien, die keinerlei Anstalten machten, anzugreifen. Hier und da lagen Krokodile in der untergehenden Sonne an den Ufern. Auch sie schienen von den vorbeigleitenden Menschen keine Notiz zu nehmen. Die Sonne nahm in Höhe der Baumwipfel die Form einer roten Kugel an. In zwanzig Minuten würde es stockdunkel sein, und man würde sich in dem Labyrinth aus Inseln und Inselchen nicht mehr orientieren können.

Als die Dunkelheit über sie hereinbrach, waren große Feuer in der Ferne zu erkennen. Kurz darauf näherten sie sich einer großen Insel mit einer Palisade, die ein ganzes Dorf zu umschließen schien. Die Feuer, die in Eisenschalen an dem Bollwerk angebracht waren, spiegelten sich in dem vollkommen schwarzen Wasser. Nur mit Mühe konnte man die Öffnung zwischen zwei Torflügeln erkennen.

Die Kanus glitten durch die Öffnung, dann wurden die Flügel zugezogen. Sie befanden sich nun in einem Hafen, in dem Hunderte festlich gekleideter Menschen warteten, die bereits zu singen begonnen hatten.

Als die Kanus angelegt hatten, wurden die Gäste von starken Armen an Land gehoben und samt Gepäck zu einem Haupthaus oberhalb des Hafens getragen. Die Fassade war mit gebleichten Büffelschädeln dekoriert. In der Mitte fand sich ein vier Meter hohes Portal, das mit einer Vielzahl von Reliefs und Skulpturen geschmückt war, die Menschen, vermutlich Ahnen, Tiere und Fantasiewesen, die nichts anderes als Geisterwesen sein konnten, darstellten. Zwischen zwei Reihen von Tänzern, die einen Kopfschmuck aus langem weißen Haar hin und her warfen, wurden sie zum Tor getragen, das sich vor ihnen öffnete. Er wurde mit Kadimba und Hassan Heinrich in einen großen Saal getragen, in dem die Königin auf einem hohen, reich mit Ebenholzskulpturen geschmückten Thron saß, der von zwei riesigen Elefantenstoßzähnen flankiert wurde. Sie trug ein Gewand, das aus indischer Seide zu bestehen schien, und ebenso überraschend eine Goldkrone. Sie sah uralt aus, ihr genaues Alter war jedoch unmöglich zu schätzen. Aber sie war noch im Besitz ihrer Zähne, denn ihr weißes Lächeln leuchtete im Dunkel.

Vor ihrem Thron lagen drei Sitzkissen arabischen Typs, mit arabischen Schriftzeichen geschmückt, wie Oscar feststellte, als er und seine beiden Begleiter abgesetzt wurden. Der Gesang im Saal schwoll zu einem zitternden Crescendo an.

Dann wurde es schlagartig still. Die Königin betrachtete ihre Gäste, aber vielleicht waren sie ja auch ihre Gefangenen, und machte keinerlei Anstalten, etwas zu sagen. Oscar sah sich verstohlen um. Alle mit Speeren bewaffneten Männer um ihn herum standen reglos da wie Skulpturen aus Ebenholz. Für gewöhnlich pflegten Gastgeber Willkommensworte an ihre Gäste zu richten. Wenn sie nichts sagt, was mache ich dann?, überlegte Oscar nervös.

Die Königin schwieg, kein Mensch im Saal regte sich oder verzog eine Miene. Oscar schwitzte unter seiner grauen Uniformjacke.

»Königin Mukawanga«, begann er mit leiser Stimme und musste sich räuspern, ehe er fortfahren konnte. »Es ehrt uns drei Eisenbahnbauer aus der großen Stadt Daressalam, als Ihre Gäste hierherkommen zu dürfen. Entschuldigen Sie, aber darf ich Swahili sprechen?«

Königin Mukawanga starrte ihn verdutzt an, als hätte sie seine Frage nicht verstanden.

»Verehrter Gast und Eisenbahnbauer«, erwiderte sie ruhig, und ihre Stimme war fast so tief wie die eines Mannes. »Ihr könnt mit mir Swahili, Arabisch oder Englisch sprechen. Aber Ihr Swahili ist gut. Ich freue mich über Ihren Besuch.«

Oscar vermutete, dass nun der Zeitpunkt für die geschäftlichen Verhandlungen gekommen war, da die Königin nicht weitersprach. Aber da er nicht wusste, wie das

Treffen verlaufen würde, hatte er keinen Plan. Er unternahm einen Versuch auf gut Glück.

»Der Bau der Eisenbahn zwischen dem Meer und dem großen See ist fast abgeschlossen«, begann er. »Eine Reise, die früher zwei oder drei Monate gedauert hat, lässt sich nun in zwei Tagen bewältigen. Ihr Volk wird selbstverständlich kostenlos mit dieser Eisenbahn reisen. Denn es ist auch Ihre Eisenbahn, eine Gabe meines Volkes aus dem hohen Norden, viel nördlicher als Ägypten.«

»Sie meinen Europa, Sie meinen Deutschland«, unterbrach ihn die Königin. »Ich war noch nie in Deutschland, aber ich freue mich, erstmals einen deutschen Gast bei mir begrüßen zu dürfen.«

Mehr sagte sie nicht. Darüber, was sie von der Eisenbahn hielt, hatte sie kein Wort verloren.

»Wir werden in der Nähe eine Station bauen, damit Sie und Ihr Volk zu dem großen See, bis ans Meer oder an jeden anderen Ort auf der Strecke reisen können«, fuhr Oscar fort. Die Königin zeigte nach wie vor weder Freude noch Dankbarkeit. Er sann verzweifelt darüber nach, wie er fortfahren sollte, aber es fiel ihm nichts ein, was er noch sagen konnte. Stattdessen deutete er auf die Kisten mit den Glasperlen, die man neben den großen arabischen Sitzkissen abgestellt hatte.

»Hier ist unsere Gabe, Königin Mukawanga, als Dank dafür, dass wir unsere Eisenbahn durch Ihr Land bauen dürfen!«

Er gab Hassan Heinrich ein Zeichen, die großen Kisten zuerst und danach die kleinere mit den blauen Glasperlen zu öffnen.

Ein Raunen des Entzückens ging durch die Versammlung, als Hassan Heinrich die Kisten öffnete, insbesondere beim Anblick der blauen Perlen. Als wären sie aus Gold und Silber, dachte Oscar. Königin Mukawanga jedoch schien nicht sonderlich beeindruckt zu sein.

»Keine schlechte Gabe, Bwana Deutsch«, sagte die Königin, nachdem es wieder still geworden war. »Aber die Mzungi geben manchmal, und manchmal nehmen sie. Sie geben uns die Eisenbahn, aber nehmen uns den Sklavenhandel, der uns die besten Einnahmen sichert. Ich habe daher eine Forderung.«

»Ich bin bereit, Ihre Forderung anzuhören, Königin Mukawanga«, antwortete Oscar so beherrscht wie möglich. Er hatte seine Befugnisse voll ausgeschöpft und konnte darüber hinaus eigentlich keine Zugeständnisse machen.

»Meine Forderung ist folgende«, fuhr Königin Mukawanga fort und hielt einen Moment inne, bis es vollkommen still geworden war.

»Sie bringen jedes Jahr um diese Zeit zum Ende des Regens«, fuhr sie fort und machte erneut eine Pause, »eine ebensolche Gabe wie diese. Dann sind wir uns einig, Ihre Bahnlinie darf mein Land durchqueren, und ich erhalte Ihren Schmuck.«

Oscar überlegte kurz. Formell lag ein solches Versprechen außerhalb seiner Befugnisse. Einerseits. Andererseits waren die Glasperlen, die vor der Königin ausgebreitet lagen, höchstens hundert bis hundertfünfzig Reichsmark wert. Für eine Konzession für die siebzig Kilometer lange Eisenbahnstrecke durch das Land der Königin Mukawanga war das wenig. Außerdem handelte es sich um einen Friedensvertrag, das lag in der Natur der Sache. Schlimmstenfalls, falls man ihn für nicht genehmigte Ausgaben verantwortlich machte, würde er die Perlen aus eigener Tasche bezahlen.

»Sie haben mein Wort, Königin Mukawanga, dass Ihre Wünsche erhört werden«, erwiderte er feierlich.

»Ihr Wort reicht nicht, Bwana Deutsch«, antwortete die Königin rasch und hart. »Wir müssen einen Vertrag aufsetzen, jetzt unverzüglich. Erst anschließend beginnt das Fest!«

Oscar nickte überrumpelt. Sofort wurden Papier und Schreibzeug gebracht. Hassan Heinrich schrieb den Text auf Swahili nach Oscars Diktat:

Vertrag betreffend den Eisenbahnverkehr

§ 1: Dieser Vertrag wird zwischen dem Vertreter der Eisenbahngesellschaft, dem Ersten Ingenieur Oscar Lauritzen, und der Vertreterin des Volkes der Barundi, Königin Mukawanga, geschlossen.

§ 2: Der Vertrag betrifft das Recht auf unbehinderten Zugverkehr auf der Eisenbahnstrecke, die sich durch das Land der Barundi erstreckt.

§ 3: Das Volk der Barundi und Königin Mukawanga verpflichten sich, den Eisenbahnverkehr nicht zu behindern oder zu stören.

§ 4: Die Eisenbahngesellschaft verpflichtet sich, als Gegenleistung für diese Konzession jährlich nach Ende des langen Regens das Volk der Barundi und Königin Mukawanga mit 500 weißen, 500 roten, 500 grünen und 50 blauen Glasperlen zu entschädigen.

Hauptstadt der Barundi, den 3. Mai 1905

Königin Mukawanga   Erster Ingenieur Oscar Lauritzen

Es fiel Oscar nicht schwer, den Vertrag zu diktieren. In seinen drei Jahren als Inhaber einer Handelsgesellschaft in Dar hatte er das eine oder andere gelernt.

Als er der Königin den Vertrag vorlas, hörte sie aufmerksam zu und nickte vor sich hin, als sei sie mit allem einverstanden. Bei einem Blick durch den Saal stellte sie fest, dass sich unter den Kriegern eine gewisse Unruhe breitmachte.

Oscar fertigte rasch zwei Exemplare in deutscher Übersetzung an, während Hassan Heinrich den Swahili-Text abschrieb. Anschließend unterzeichnete Oscar die vier Dokumente und wollte sie der Königin reichen. Da sprang einer der Krieger vor, schnappte sich die Papiere und trug sie feierlich zum Thron. Zu Oscars Erstaunen deutete die Königin mit gebieterischer Geste auf sein Schreibgerät, und ein weiterer Krieger eilte herbei, nahm es ihm ab und trug es wie einen magischen Gegenstand zum Thron. Mit ausdrucksloser Miene unterschrieb die Königin die Dokumente und hielt dann jeweils eine Fassung auf Deutsch und eine auf Swahili in die Höhe, die Oscar übergeben wurden.

Die Königin hatte an der dafür vorgesehenen Stelle unterschrieben, vollkommen leserlich und in lateinischer Schrift. Konnte diese Frau lesen und schreiben?

Anschließend klatschte die Königin befehlend in die Hände und sprach ein paar Worte in ihrer eigenen Sprache. Die Krieger verließen den Saal. Einen Augenblick später wurden vier Kalebassen hereingetragen und erst der Königin und dann den Gästen dargeboten.

»Meine Freunde und ich haben einen guten Vertrag geschlossen!«, rief die Königin. »Ein guter Vertrag, so sagen die Araber, die sich am besten mit solchen Dingen auskennen, ist ein Vertrag, mit dem beide Seiten zufrieden sind. Darauf wollen wir trinken!«

Sie sah wirklich sehr zufrieden aus, als sie trank.

»Trink vorsichtig, Bwana Oscar«, flüsterte Kadimba, der hinter ihm saß.

Oscar vermutete, dass die Warnung sich auf den hohen Alkoholgehalt des öligen, etwas zähflüssigen Palmweins bezog. Wie das Getränk zum Gären gebracht worden war, wollte er gar nicht so genau wissen. Im Übrigen schmeckte Palmwein recht gut, sofern man nicht darüber nachdachte, wie … Es war unmöglich, nicht daran zu denken. Die alten Frauen kauten die überreifen Früchte und spuckten sie dann in große Bottiche.

»Sie sind eine kluge Geschäftsfrau, Königin Mukawanga«, sagte er, nachdem er seine Kalebasse abgestellt hatte.

»Ich blicke auf ein langes Leben zurück und habe viele Geschäfte mit arabischen Händlern gemacht. Ich habe viel gelernt, Gold und Glasperlen verdient und Sklaven und Elfenbein verkauft«, erklärte die Königin knapp.

»Verkaufen Sie immer noch Elefantenstoßzähne?«, fragte Oscar spontan, ohne zu überlegen, ob es in diesem offiziellen Rahmen angebracht war, an eigene Geschäfte zu denken.

»Wenn Sie gut zahlen«, räumte die Königin ein.

»Was verlangen Sie?«, fragte Oscar rasch.

»Ein Stoßzahn, den ein Mann weit tragen kann, kostet so viel blaue Perlen, wie dort liegen«, antwortete die Königin sichtlich interessiert und deutete auf das kleine Kästchen mit den fünfzig Glasperlen in der schönen blauen Farbe, fast wie Lapislazuli.

Oscar rechnete im Kopf nach. Was ein Mann weit tragen

konnte, das bedeutete ein Gewicht von mindestens fünfzig Pfund. Eine blaue Glasperle pro Pfund. Jede investierte Reichsmark würde tausend Mark Gewinn abwerfen.

»Ich bin mir sicher, dass wir gute Geschäfte machen werden, Königin Mukawanga«, meinte Oscar.

»Jetzt begeben wir uns zum Fest!«, brach die Königin die geschäftlichen Verhandlungen ab und erhob sich.

Draußen dröhnten die Trommeln. Mehrstimmiger Gesang ertönte unter dem Sternenhimmel. Kadimba flüsterte, das sei die Willkommenszeremonie, und die Königin werde den Zug anführen.

Der große Platz mitten im Dorf unweit des Hafens wurde von Feuern in hängenden Eisenkörben und -schalen hell erleuchtet. Über einigen Feuerstellen wurden Fische und Spanferkel gebraten, sorgfältig mit Kräutern bepinselt und geduldig am Spieß gedreht. Eine Gruppe stattlicher Frauen, einzig mit Lendentüchern und Silberreifen an den Oberarmen und Fußgelenken bekleidet, tanzte in einer langen Reihe vor einer Art Ehrentribüne mit vier arabischen Sitzkissen. Um die Tribüne herum lagen große, weiche Bananenblätter auf der Erde.

Die Königin und ihre Gäste wurden von den Kriegern begrüßt, die in breiter Front einen Scheinangriff mit Schlachtrufen ausführten, im letzten Moment aber abbremsten und ihre Köpfe so bewegten, dass ihr besonderer Kopfschmuck einen weißen Wirbel in der Luft erzeugte.

Die Königin nahm als Erste Platz und forderte ihre Gäste mit einer großzügigen Armbewegung auf, sich ebenfalls zu setzen. Der Gesang wurde auf einmal feierlich und langsam. Wie eine Nationalhymne, dachte Oscar.

Der Gesang verstummte, und die Trommeln erklangen

von Neuem. Die Frauen tanzten immer wilder und, wie er peinlich berührt bemerkte, immer aufreizender. Oscar starrte die Tänzerinnen auf eine Weise an, die in der zivilisierten Welt als sehr unpassend gegolten hätte.

Das Essen wurde auf Palmenblättern von jungen, fast nackten Frauen serviert, und es wurden weitere Kalebassen mit Fruchtwein gereicht. Dabei wurde unentwegt getanzt. Die knusprige Haut des Spanferkels knackte wundervoll zwischen den Zähnen, einen solchen Kräutergeschmack hatte Oscar noch nie auf seiner Zunge verspürt, scharf und süß zugleich, einfach himmlisch. Der arabische Einfluss aus den Zeiten des Sklavenhandels hatte nicht dazu geführt, dass die Barundi den Genuss von Schweinefleisch und Wein ablehnten. Aber er war an ihrem Äußeren zu erkennen. Die tanzenden Frauen, deren Körper mittlerweile von Schweiß glänzten, glichen eher schwarzen Europäerinnen als Afrikanerinnen, etliche hatten schmale und spitze, nicht breite Nasen. Oscar nahm an, dass es sich um eine arabisch-afrikanische Mischung handelte. Aber wie war es dazu gekommen?

Als er die Königin darauf ansprach, lachte diese und sprach ausweichend von Gastfreundschaft und Gästen, die lange verweilt hätten.

Oscar stiegen die Getränke zunehmend zu Kopf, doch nicht wie bei einem normalen Rausch. Er träumte und hatte Visionen, war aber gleichzeitig hellwach, den Blick auf die wunderbaren, verschwitzten Frauenkörper gerichtet. Ihre Haare waren zu kleinen Zöpfchen geflochten, ihre Brüste bewegten sich beim Tanz, und ihre runden Hinterteile, die sie ab und zu alle zugleich den Gästen zuwandten und auf eine Art bewegten, die starke Gefühle bei ihm hervorriefen, ihre strahlenden Augen, die ständig seinen Blick suchten, die Kräuter, die ihn auf diese fremdartige Art berauschten, der Wein, der ihn auf die bekannte Art berauschte, all das vereinte sich zu einem halluzinatorischen Wachtraum. Er empfand eine unbezwingbare, aber natürlich höchst unpassende Lust, über der seine Uniformhose ausbeulte.

Zwei der Frauen bewegten sich rhythmisch, aber zielstrebig auf Hassan Heinrich zu, packten ihn und zogen ihn mit sich in den nicht erleuchteten Teil des Dorfes, während die übrigen Tänzerinnen lachten und applaudierten und dann in den Rhythmus zurückkehrten. Kein Schauspiel hatte Oscar jemals so beeindruckt, das war nicht die Semperoper, das war ein wunderbar wirklicher Traum.

Eine der Frauen war schöner als alle anderen. Anhand welcher Kriterien er dies für sich entschied, hätte er nicht sagen können, aber es war seine feste Überzeugung. Recht bald hatte er nur noch Augen für sie, und sie begegnete seinem Blick ohne Scheu und lächelte ihn an, während sie, ohne aus dem Takt zu geraten, den komplizierten Bewegungen der Tanztruppe folgte. Ihre Füße waren klein und schmal und ihre Fußsohlen fast weiß.

Nach einem letzten Stück Spanferkel mit reichlich grüner Gewürzpaste hörte er auf zu essen. Glücklich legte er den Kopf in den Nacken und sah, wie die Sterne über ihm sich bewegten und wie sich das Kreuz des Süden langsam wie ein Riesenrad drehte. Zwei der Tänzerinnen holten Kadimba ab, der sich nicht zweimal bitten ließ und bei dem sich, wie Oscar verlegen registrierte, eine riesige Erektion unter dem Stoff seiner Hose abzeichnete, als er sich fröhlich ins Dunkel entführen ließ. Er selbst hatte auch eine heftige Erektion. Unkontrollierbare Traumbilder blitzten im Takt der Trommeln und des Gesangs vor seinem inneren Auge auf. Er sah den Fjord zu Hause in Norwegen, oder war es das smaragdgrüne Wasser bei Sansibar?

Sie war eine der beiden Frauen, die ihn abholten, und begleitet vom an- und abschwellenden Jubel der Tänzerinnen führten sie ihn ins Dunkel und in eine leere Hütte mit einer breiten Pritsche, die mit weichen Fellen bedeckt war und nicht mit dem sonst in Afrika üblichen harten, kurzhaarigen Pelz. *Sitatunga*, Sumpfantilope, war sein letzter Gedanke.

Denn danach dachte er nichts mehr, alles war nur noch ein Traum, seine Hände auf ihren geschmeidigen Körpern wie aus einem Märchen, ihre Rundungen, die schweißglänzende Haut, der runde, muskulöse Po, ihre Brüste, die breiten, weichen Lippen. In seinem Traum machte er alles mit ihnen, immer wieder, mit unerschöpflicher Kraft. Und sie waren ebenso unersättlich wie er, und er verließ die Welt, in der er bisher gelebt hatte, in der er alles über das Benehmen eines wohlerzogenen Mannes gelernt hatte. Er flog, ja er hatte das Gefühl, in rasendem Tempo in geringer Höhe über die mondbeschienene Savanne hinwegzufliegen, über fliehende, laut trompetende Elefanten hinweg, über eine Herde Zebras, die in alle Richtungen auseinanderstob, an den Köpfen von Giraffen vorbei, die sich mit langsam wiegendem Schritt in Bewegung setzten, über brüllende Büffelherden hinweg, die in einer Staubwolke davonrasten, über einzelne Kudubullen mit hoch erhobenen Häuptern hinweg, die nicht flohen, weil sie glaubten, unsichtbar zu sein, über eine Gruppe Löwen hinweg, die erstaunt aufschauten und ihre Aufmerksamkeit von dem gefällten Büffelkalb abwandten, worauf sich ein paar Hyänen über ihre Beute hermachten. Und dann flog er in die Hütte zurück, und seine Hände liebkosten die Wirklichkeit, die himmlisch duftenden Frauen. Es war ein Traum, der von Neuem begann und nie enden zu wollen schien.

Als er im ersten Licht der Morgendämmerung erwachte, wusste er nicht, wo er sich befand. Er stellte fest, dass er nackt dalag, mit einer gazellenschlanken Frau an seiner Seite. Er hielt sie mit beiden Armen umfangen, und sie schlief wie ein Kind. Vorsichtig löste er sich von ihr, stützte sich auf den Ellbogen und betrachtete sie.

Er versuchte sich zu erinnern oder zumindest einzelne Erinnerungsfragmente zusammenzufügen. Zum ersten Mal, seit Maria Theresia ihn betrogen und verlassen hatte, hatte er besinnungslosen Sex mit einer Frau gehabt und war somit in einen Bereich des Lebens zurückgekehrt, von dem er geglaubt hatte, er sei ihm für immer verschlossen.

Ihr Gesicht glich dem einer klassischen Skulptur, eine Nofretete, aber mit schöneren und volleren Lippen. Er beugte sich vor, küsste sie, eher zurückhaltend als leidenschaftlich, als wolle er sich bedanken. Sie schlug die Augen auf und lächelte mit funkelnden weißen Zähnen, dann rekelte sie sich wollüstig wie eine Katze und erwiderte rasch und fast wie im Scherz seinen Kuss.

»Verstehst du mich, wenn ich Swahili spreche?«, flüsterte er.

»Fast alle hier sprechen Swahili«, antwortete sie leise. »Und Arabisch.«

»Und wie heißt du?«

»Aisha Nakondi. Und wie heißt du?«

»Oscar.«

Sie kicherte, und er fragte, warum.

»In unserer Sprache bedeutet das großer Schwanz.«

»In unserer Sprache bedeutet es Gottes Speer, was ja fast dasselbe ist.«

Beide lachten. Er war jedoch zu verlegen, um die Unterhaltung fortzusetzen. Tausende von Fragen schwirrten wie Moskitos in seinem Kopf herum, da er nicht recht fassen konnte, was er erlebt hatte, und auch nicht, wieso er mit dieser sagenhaft schönen Frau in den Armen daliegen konnte, ohne von hundert Speeren getötet zu werden. Auch sie stellte keine Fragen und musterte ihn nur schweigend. Sie zögerten eine Weile und sahen einander an, beide gleichermaßen erstaunt über die Augenfarbe des anderen, seine hellblau, ihre schwarz. Plötzlich drehte sie sich zu ihm um und fasste um sein Geschlecht, und sein Begehren flammte auf wie während des Rausches am Vortag. Er beugte sich vor und küsste sie leidenschaftlich und hungrig. Und dachte, dass der Traum zumindest in einer Hinsicht wahr gewesen war. Sie küsste genauso wie er.

*

Bei allem, was er tat, sah er ihr Gesicht vor sich. Nicht ständig, es kam und verschwand ohne Vorwarnung und ohne besondere Veranlassung. Beispielsweise, als er bei seinem höchsten Vorgesetzten Dorffnagel mit den neuen Plänen vorsprach, die dieser dann verwarf.

Das traf ihn nicht persönlich, da die Einwände der Direktion nicht technischer, sondern finanzieller Natur waren: Verspätungen, die bereits geplante Einweihung, das Budget, die Kosten.

Als der Vorsitzende des Aufsichtsrats, Generalgouverneur Schnee, über die geplante Einweihung sprach und betonte, wie wichtig es sei, dass diese nicht in die Regenzeit fiele, da die Uniformen der Honoratioren wenig regentauglich seien, ganz zu schweigen von der festlichen Garderobe ihrer Gattinnen, sah Oscar Aisha Nakondis Lächeln vor sich, ihre vollen Lippen, ihre weißen Zähne.

Direktor Franken von der Buchhaltung sprach ein zweites Mal und jetzt eingehender über die finanziellen Dinge. Oscar sah vor sich, wie sie den Kopf in den Nacken legte und ihre unzähligen Zöpfe schüttelte. Dann brachte er selbst einen Kompromissvorschlag vor und wunderte sich, dass er deutlich und klar sprechen und anhand der Pläne und Landkarten Dinge erklären konnte, während er ihr Gesicht vor sich sah.

Den Buchhaltern widersprach er für gewöhnlich nie, da er es für sinnlos hielt. Jetzt erklärte er jedoch kurz angebunden, damit habe er gesagt, was zu sagen sei. Die Direktion kam seinen Forderungen teilweise entgegen und beschloss, eine deutlich größere Lieferung Korallenkalkstein für die Bahndämme anzufordern. Er verbeugte sich und ging, ohne ein Gefühl der Enttäuschung oder des Triumphs zu empfinden. Man hielt ihn für ein Genie, was Brücken betraf, das war ihm mittlerweile klar. Er hatte lange geglaubt, die erlegten Löwen und die nicht geringen Nebeneinnahmen der Eisenbahngesellschaft durch den Mahagonihandel hätten ihm trotz seines geringen Alters eine gewisse allgemeine Achtung eingebracht. Aber da man ihm bereits nach zwei Jahren die Hauptverantwortung für alle Streckenabschnitte mit Brückenbauten übertragen hatte, hatten also seine Fähigkeiten als Ingenieur seine Stellung in der Gesellschaft gestärkt und nicht die Löwenjagd oder seine Fähigkeiten, der Eisenbahngesellschaft Nebeneinnahmen zu verschaffen.

Als er die Besprechung verließ, dachte er ironisch, dass er vermutlich nur mithilfe solch eitler Überlegungen Aisha Nakondi für länger als eine Minute aus seinen Gedanken verbannen konnte.

Kein Stück anders war es ihm in der letzten harten Woche ergangen, die er damit zugebracht hatte, mit Kadimba zu jagen und Mahagoni zu beschaffen. Die Brückenpfeiler waren fertiggestellt, und der Bau der beiden Holzbögen war eine so einfache Aufgabe, dass er die Oberaufsicht getrost seinem Vertreter, einem Ingenieur namens Hans Zimmermann, dem Bauzeichner-Hans, überlassen konnte, während er sich selbst scheinbar unqualifizierten Arbeiten widmete, wie dem Fällen von Bäumen an der Bahnstrecke und dem Zusammentragen von Brennholz, das im Abstand von einem Kilometer zwei Meter hoch und gut sichtbar in Einmeterlängen gesägt aufgestapelt wurde. Dass er bei den Holzarbeiten an sie dachte, war nachvollziehbar. Aber er konnte auch an nichts anderes denken, wenn er mit Kadimba mit dem Gewehr über der Schulter in den Wald ging oder nach Dr. Ernsts Bäumen suchte, deren Rinde das malariatötende Alkaloid enthielt, oder wenn er ein Mahagonigewächs fällen ließ, das weiter als die erlaubten fünfzig Meter von der Strecke entfernt stand. Was auch immer er unternahm oder dachte, sie war stets bei ihm. Die Arbeit mit den Bäumen erinnerte an die Jagd. Sein Puls beschleunigte sich, wenn er die typischen beflügelten Kapseln der Mahagonisamen auf der Erde entdeckte oder eben die Bäume für die Malariamedizin. Das war fast so, als würde man einen Leoparden beobachten, der aus unerfindlichen Gründen am helllichten Tage unterwegs war und die Nähe der menschlichen Jäger nicht bemerkte, was allerdings nicht sonderlich oft vorkam.

Nicht einmal als er bei der Jagd einen im Gebüsch verborgenen Leoparden mit einem einzigen gezielten Schuss in den Bauch tötete, war das Jagdfieber stärker als das Bild von ihr.

Kadimba und er zogen dem Leoparden schweigend und routiniert das Fell ab, vorsichtig, damit der Balg nicht beschädigt wurde.

»Kadimba, mein Freund«, sagte Oscar und betonte dabei wie immer das letzte Wort. »Du hast mir einiges über die Barundi verschwiegen. Unter anderem, warum Hassan Heinrich und dir so viel daran gelegen war, mich zu begleiten.«

»Bei uns sagt man, dass man eine gute Überraschung nicht durch zu viel Wissen verderben soll«, antwortete Kadimba, blickte auf und lächelte vielsagend.

»Dann wusstest du also, dass sie Männer dazu bringen, Frauen zu …?«

Er suchte nach dem passenden Wort, lieben war falsch, ficken auch. Beherrschen, besitzen, reiten, flachlegen, Umgang pflegen, enge Freundschaft pflegen? Sein Swahili-Wortschatz war inzwischen recht groß, wie er feststellte. Trotzdem konnte er seine Frage nicht formulieren. Aber Kadimba schien seine Verlegenheit nicht zu bemerken oder zu verstehen.

»Die Barundi besitzen magische Tränke und Kräuter, die einen Mann so groß machen können«, meinte er lachend und führte es mit den Händen vor. »Das weiß außer den

Mzungi jeder. Ich war mir sicher, dass es für Bwana Oscar eine freudige Überraschung werden würde.«

»Warum gibt es bei den Barundi diese Sitte?«

»Warum? Es gibt kein Warum. Menschen sind, wie sie sind. Die Massai können uns eine ähnliche Freude bereiten wie die Barundi. Bei den Kinandi wären wir eines furchtbaren Todes gestorben, wenn wir ihre Frauen nur zu lange angesehen hätten. Niemand weiß, warum das so ist. Vielleicht, weil wir verschiedene Götter haben.«

»Und wie ist es bei dir zu Hause, Kadimba?«

»Eher wie bei den Kinandi als bei den Barundi oder Massai, aber mit Freunden ein wenig so wie bei den Massai. Die Menschen sind verschieden.«

Kadimba sah ihn erwartungsvoll an, aber Oscar wusste nicht, wie er die Frage formulieren sollte. Können sie einen Mann vor Liebe verrückt machen?, wollte er fragen, aber er wagte es nicht.

»Sehnst du dich zu den Frauen zurück, mit denen du bei den Barundi zusammen warst?«, tastete er sich stattdessen vorsichtig vor.

»Ja. Aber was war, ist vorbei. Jetzt sind wir hier«, antwortete Kadimba achselzuckend und schnitt die Zehenballen und Krallen von der linken Vorderpfote des Leoparden. Oscar fiel nichts ein, wie er das Gespräch fortsetzen konnte.

Die folgende Woche rackerte er sich mit den Holzarbeiten ab, aber es ließ nicht nach. Aisha Nakondi hatte sich auf seiner Netzhaut eingebrannt.

Und sie begleitete ihn bei seinen geschäftlichen Verhandlungen in Dar. Er beschaffte Glasperlen und kaufte sicherheitshalber noch Messerklingen sowie zehn Ballen

Baumwollstoff, und während er die Akazienallee entlangging, wie die Hauptgeschäftsstraße hieß, dachte er mehr an sie als an irgendetwas anderes.

Er überwachte das Abladen der Mahagonilieferung an seine eigene Firma, die, weil er es mit der Fünfzigmeterregel nicht so genau genommen hatte, ungewöhnlich groß ausgefallen war. Mohamadali stand neben ihm, um das Registrieren und den Weitertransport der Stämme in die neuen, größeren Lagerhallen zu beaufsichtigen. Der Kompagnon pries die dicken und geraden Stämme und Oscars ungewöhnlich große Elefantenstoßzähne, die mit derselben Lieferung eingetroffen waren. Aber Oscar war in Gedanken ganz woanders.

In gemächlichem Tempo spazierten sie zu ihrem Kontor, und Mohamadali deutete stolz auf das neue Schild, das nicht mehr rot auf weiß war. *Lauritzen & Jiwanjee AG* stand jetzt in goldglänzenden Reliefbuchstaben auf ebenholzschwarzem und vermutlich sogar aus Ebenholz gefertigtem Hintergrund zu lesen. Auch der Rahmen des Schildes war vergoldet.

Sie betraten ein mit glänzenden Mahagonimöbeln mit Messingbeschlägen und Ebenholzintarsien eingerichtetes Büro in dem frisch renovierten Gebäude. Mit einer stolzen Handbewegung deutete Mohamadali auf eine Sitzecke mit großen arabischen, grün und golden bestickten Sitzpolstern. In der Mitte stand ein Tisch mit einer Platte aus getriebenem Silber. Oscar war beeindruckt und konnte fast nicht glauben, dass ihm selbst der größte Teil dieser Pracht gehörte.

»Ich habe mir, wie du siehst, gewisse Freiheiten erlaubt«, sagte Mohamadali und klatschte dreimal rasch in die Hände. Ein Diener in weißem *Kanzu* und mit rotem Fez erschien blitzschnell durch einen klappernden Perlenvorhang am anderen Ende des Büros.

»Tee, vermute ich?«, fragte Mohamadali an Oscar gewandt, und dieser nickte schweigend.

»Zucker?«

»*Mazput*, nicht zu viel und nicht zu wenig.«

»Du hast es gehört, Salim, einen Tee ohne Zucker und einen Mazput!«, befahl Mohamadali, und der Diener verbeugte sich und verschwand.

Oscar wusste nicht, was er sagen sollte, und er hatte vergessen, wonach er fragen wollte. Er saß sprachlos in Daressalams vermutlich elegantestem Büro, und das vollkommen unverdient. Er war nur ein einfacher Fischerjunge aus Westnorwegen, dem das Schicksal ein Ingenieurexamen beschert hatte; all der Reichtum um ihn herum war Mohamadali Karimjee Jiwanjees Verdienst. Dieser saß gelassen zurückgelehnt in seiner orientalisch-westlichen Kleidung vor ihm – schwarzer Gehrock mit Rockschößen aus Wolle, weite Pluderhosen aus Seidenbrokat – und wartete mit einem amüsierten Lächeln darauf, dass er etwas sagte. Gerade als Oscar die Stimme erheben wollte, erschien der Diener Salim mit den Teegläsern, stellte sie auf das silberne Tischchen und verschwand wieder. Der Tee war stark und gut.

»Aus Tanganjika?«, fragte Oscar und stellte das Teeglas vorsichtig zurück.

»Ja. Unser eigenes Erzeugnis, aus dem Hochland bei Mufindi. Wir müssen an die Zukunft denken. Die Eisenbahn fährt bald bis Kigoma, und damit wird es ja wohl mit den Lieferungen kostenlosen Mahagonis ein Ende haben.

Schließlich wissen wir nicht, wie es an der nächsten Eisenbahnstrecke, die gebaut wird, aussieht. Wir sollten über Kopra und Sisal nachdenken.«

»Das ist nicht gerecht!«, platzte Oscar heraus. »Das ist eigentlich dein Unternehmen. Du hast mit deiner Arbeit all das hier aufgebaut. Du solltest der Haupteigentümer sein und dich nicht mit dreißig Prozent begnügen!«

»Willst du verkaufen?«, fragte Mohamadali erstaunt. »Das erscheint mir zu früh. Es wäre kein sonderlich gutes Geschäft.«

»Ich verstehe nicht, wie du denkst«, murmelte Oscar resigniert, auf Geschäfte verstand er sich einfach nicht.

Mohamadali kannte sich umso besser aus und begann ebenso ruhig wie belustigt zu erklären, wie alles zusammenhing. Die Familie Karimjee Jiwanjee betrieb ihre Geschäfte auf Sansibar schon seit über hundert Jahren und besaß mittlerweile Handelspartner auf der ganzen Welt, auch in abgelegenen Häfen wie Hamburg und Bergen. Einige Erfahrungen waren teuer erkauft, aber wertvoll. Die wichtigste Voraussetzung für stabile Geschäfte war ein gutes Verhältnis zur Macht, sei es der Sultan von Sansibar oder wie jetzt, da die Macht des Sultans an die Engländer übergegangen war, die Kolonialverwaltung in London. Und hier in Tanganjika, dem Land, das vor nicht allzu langer Zeit noch dem Sultan gehörte, aber durch unergründliche Beschlüsse, die Tausende von Kilometern entfernt gefasst worden waren, deutsch geworden sei, gelte es, ein gutes Verhältnis zu den Deutschen zu pflegen, und vermutlich auch, Deutsch zu lernen.

Man durfte nicht vergessen, wie alles begonnen hat. Er selbst, Mohamadali, war als jüngster von drei Brüdern von

Sansibar nach Daressalam geschickt worden, aus englischem in deutsches Herrschaftsgebiet, um eine Filiale des Handelshauses Karimjee & Jiwanjee einzurichten. Das war kein leichter Auftrag und habe es auch nicht sein sollen. Innerhalb der Familie war es Tradition, der nächsten Generation schon früh schwierige Aufgaben zu übertragen, damit sich keiner in dem Reichtum bequem einrichte, den frühere Generationen geschaffen hatten.

Er hatte anfänglich nicht viel Glück in Dar gehabt. Am ersten Tag hatte man ihn aus dem Büro der Kolonialverwaltung geworfen. Die Beamten hatten über seinen Antrag nur gelacht. Möglicherweise, weil er auf Englisch und Swahili geschrieben war, möglicherweise und schlimmstenfalls aber auch, weil man indische Geschäftsleute nicht sehr schätze. Später hatte man ihn schmählicherweise auch aus dem Restaurant des Deutschen Clubs geworfen, das er im optimistischen Glauben aufgesucht hatte, dort Kontakte knüpfen zu können.

Als er sich mit der Absicht, aufzugeben und am folgenden Tag abzureisen, aufgerichtet hatte, um sich den Staub von den Kleidern zu klopfen, war ein norwegischer Löwenjäger, der damals bei allen Deutschen als Held gefeiert wurde, aufgetaucht und hatte ihn eingeladen! Kein anderer Kontakt hätte ihm nützlicher sein können.

Das eine führte zum anderen. Jene ungeheuer großzügige Genehmigung, die Oscar erhalten hatte, sämtliches Mahagoni, das entlang der Eisenbahnstrecke abgeholzt wurde, behalten zu dürfen, wäre nicht lange gültig gewesen, wenn es sich um eine spontane und mündliche Erlaubnis des Generaldirektors der Eisenbahngesellschaft gehandelt hätte.

Und an dieser Stelle kam Mohamadali ins Spiel, indem er eine Firma gründete, die der Eisenbahngesellschaft eine Beteiligung von zehn Prozent und dem norwegischen Helden von sechzig Prozent anbot. Diese Regelung hatte die Kolonialverwaltung weder infrage stellen können noch wollen.

Nüchtern betrachtet war es für alle Beteiligten ein glänzendes Geschäft gewesen. Die Eisenbahngesellschaft hatte zehn Prozent des Gewinns abgeschöpft, ohne auch nur einen Finger rühren zu müssen. Obwohl die Eisenbahnarbeiter natürlich mehr als einen Finger rührten, wenn sie die Baumstämme auf die Güterwagen luden, die sonst leer nach Dar zurückgefahren wären. Die dadurch entstandenen Kosten für die Eisenbahngesellschaft tauchten in den Büchern nicht auf, und kein Buchhalter würde das Arrangement infrage stellen.

Für das Unternehmen Karimjee & Jiwanjee war es ebenfalls ein vorteilhaftes Arrangement. Mit geringem Kostenaufwand war eine Filiale eingerichtet worden, die sofort Gewinne mit Mahagoni und später auch mit Elfenbein erzielte. Das wäre ohne Oscar als Mehrheitsaktionär nicht möglich gewesen. Denn den Bürokraten in der Verwaltung würde es im Traum nicht einfallen, nach Gesetzen oder Verordnungen zu suchen, anhand derer man Oscar sein Unternehmen hätte abnehmen können. Irgendwann würde die Firma in Dar so etabliert sein, dass Veränderungen der Besitzverhältnisse ihre Stellung nicht mehr gefährden würden. Dann wäre es für Oscar möglicherweise ein gutes Geschäft, vierzig Prozent der gesamten Aktien zu verkaufen, zwanzig Prozent zu behalten, nach außen weiterhin formell als Besitzer zu gelten und eine gute jährliche Dividende abzuschöpfen, ohne sich um die Geschäfte kümmern zu müssen.

Oscar erfüllte die logische Argumentation seines Freundes Mohamadali mit Bewunderung. Sie waren gleich alt und verfügten beide über eine gute Bildung, aber Mohamadali war ihm unendlich überlegen, wenn es um Geschäfte und Politik ging.

»Wenn die Zeit reif ist, werde ich dir meine Aktien billig überlassen«, versuchte er zu scherzen. Aber Mohamadali machte nur eine abwehrende Handbewegung und lachte. Er klatschte erneut in die Hände, und als Salim vor dem Perlenvorhang erschien, bat er ihn, die Rechnungsbücher zu bringen.

Wenig später hatte Mohamadali seinen Rechenschaftsbericht beendet. Vier Jahre hintereinander hatte die Firma jährlich ihren Umsatz verdoppelt. Beim nächsten Abschluss wäre die Eisenbahnstrecke nach Kigoma fertiggestellt, damit würde das Einkommen aus dem Mahagoniverkauf versiegen. Bis dahin würde sich jedoch der Gesamtgewinn zwischen einhundertneunzig- und zweihunderttausend Pfund Sterling bewegen. Unter der Voraussetzung, dass weiterhin Mahagoni und Elfenbein in ungefähr gleicher Menge geliefert wurden. Anschließend würde man sich Sisal und Kopra zuwenden, eventuell auch Tee. Soweit sich beim Bau der nächsten Eisenbahnstrecke nicht ähnliche Möglichkeiten boten, es waren ja noch mehrere Strecken geplant. Trotzdem sei es klug, beizeiten umzudenken und in andere Waren zu investieren als jene, die bisher wie Manna vom Himmel gefallen seien.

Die Zahlen begannen vor Oscars Augen zu tanzen und wurden von Aisha Nakondis lächelndem Gesicht überlagert. Wenn er Mohamadalis Auslegung des Rechenschaftsberichts richtig verstanden hatte, würde sich sein Gesamtgewinn in Kürze auf einhundertzwanzigtausend Pfund belaufen. Das entsprach ziemlich genau dreihundert Jahresgehältern, und dabei war er ein gut verdienender Erster Ingenieur der Eisenbahngesellschaft. Es war unbegreiflich.

»Und wie soll ich über mein Geld verfügen?«, fragte er und unternahm dabei einen schwachen Versuch, geschäftsmäßig zu klingen.

»Du solltest Aktien der Eisenbahngesellschaft kaufen, das knüpft die Bande noch enger, das wäre politisch klug und gleichzeitig, soweit ich es sehe, eine sehr sichere Investition. Dann solltest du dir ein schönes Haus kaufen oder dir eins bauen lassen, mit Aussicht auf den Hafen, das ist auch eine gute Investition«, antwortete Mohamadali mit solcher Selbstverständlichkeit, dass Oscar vermutete, dass er schon lange mit dieser Frage gerechnet hatte.

Oscar hatte, was die schwindelerregende Welt der Wirtschaft betraf, keine weiteren Fragen. Er wollte Mohamadali gern zum Abendessen einladen, obwohl er nicht sicher war, ob das Etablissement seiner Wahl Indern Einlass gewährte. Das würde sich an diesem Abend erweisen.

Der frisch renovierte Kaiserhof unten am Hafen lag zwischen der lutheranischen und der katholischen Missionskirche. Sie verzichteten auf eine Rikscha und gingen zu Fuß, Arm in Arm wie zwei spazierende deutsche Junggesellen. Sie waren glänzender Laune.

Falls es tatsächlich eine unausgesprochene Regel gab, die Indern den Zutritt in den Kaiserhof verwehrte, war davon jetzt nichts zu merken. Oscar war seit Jahren ein bekannter Mann in der Stadt. Sie erhielten den besten Tisch, der eigentlich für sechs Personen gedacht war, mit Blick auf den Hafen.

Oscar bestellte Fisch und Lamm, sorgsam darauf bedacht, die Gerichte mit Schweinefleisch, die den Speisezettel dominierten, zu ignorieren, Eiswasser für Mohamadali und ein kaltes Bier für sich. Der Kellner empfahl ein Frankfurter Weißbier, das gerade geliefert worden war.

Das Fischgericht bestand aus kleinen gebratenen Makrelen und einem weißen Fisch, der ihn an Seeteufel erinnerte.

Sie aßen schweigend, bis Oscar beschloss, das heikelste aller Themen anzuschneiden. Er musste mit jemandem sprechen, und Mohamadali war neben Kadimba sein bester Freund in diesem Land.

»Vor einiger Zeit war ich anlässlich einer geschäftlichen Verhandlung bei der Königin der Barundi zu Gast«, begann er vorsichtig. Mohamadali reagierte amüsiert und hätte sich beinahe verschluckt.

»Aha!«, rief er. »Ein erotisches Abenteuer?«

»Ja. So kann man es wohl nennen. Aber woher weißt du das?«

»Die Barundi waren lange, vor allen Dingen in der Sklavenzeit, die führenden Händler im Inneren des vom Sultan regierten Tanganjika. Obwohl wir uns bei Karimjee & Jiwanjee nie mit dem Sklavenhandel befasst haben, haben wir trotzdem Geschäfte mit den Barundi gemacht. Wir lieferten indische Waren, hauptsächlich Seide und Dolche, im Austausch gegen Elfenbein. Aber die Barundi sind für mehr als ihre Handelswaren berühmt. Und? Wie hat dir das Erlebnis gefallen? Ich bin in der Tat recht neugierig!«

Mohamadalis unbekümmerte Art, sich dem für Oscar so heiklen Thema zu nähern, brachte ihn in Verlegenheit. Aber jetzt konnte er nicht mehr zurück, schließlich hatte er selbst das Thema angeschnitten. Er berichtete, so gut es ging, von der Wirkung des Getränks und dem grünen Gewürz und dem darauf folgenden Erregungszustand. Zu guter Letzt gelang es Oscar, sich in die richtige Stimmung zu reden, um seine alles andere überlagernde Frage loszuwerden.

»Du musst entschuldigen, falls ich zu privat werde, aber du bist mein guter Freund und einer der ganz wenigen, denen ich mich überhaupt anvertrauen kann«, begann er zögernd.

»Es erfüllt mich mit großer Freude, dein Freund zu sein, Oscar. Frag mich, was du willst, und ich werde als Freund antworten.«

»Es fällt mir schwer, die Frage zu formulieren, ich weiß nicht …«

Oscar zögerte. Mohamadali sah ihn ruhig und ernst an und wartete.

»Also …«, zwang sich Oscar weiterzusprechen. »Wir sind uns also offenbar darin einig, dass die Barundi die Fähigkeit besitzen, eine starke Lust auf körperliche Liebe hervorzurufen. Wäre das nicht eine hervorragende Geschäftsidee?«

»Doch, aber darüber können wir später reden. Sprich weiter!«

»Meine Frage wird dir vielleicht etwas seltsam erscheinen. Es ist folgendermaßen. Ich sehe die Frau, die … Ich sehe sie die ganze Zeit vor mir, egal, was ich tue, ob ich mit dir über Geschäfte spreche oder ob ich einen Leoparden jage.«

»Die Frau also, mit der du dich bei den Barundi vergnügt hast?«

»Vergnügen erfasst es nicht wirklich. Ich habe so etwas noch nie erlebt. Es war ein Wachtraum.«

»Der sich auf die besonderen chemischen Kenntnisse der Barundi zurückführen lässt.«

»Nein. Ganz und gar nicht. Oder vielleicht doch. Aber Chemie kann nicht das Ausmaß erklären, das sie in meinem Bewusstsein eingenommen hat. Und damit komme ich zu meiner Frage. Können die Barundi Menschen verhexen? Ich … na ja, du verstehst, dass ich zögerte. Ich glaube nicht an Hexerei, im Gegenteil habe ich in diesem Bereich fatale Fehlschläge erlebt. Aber …«

»Aber jetzt bist du verunsichert?«

»Ja. Offen gesagt, ja. Obwohl ich mich dafür schäme, muss ich diese Frage mit Ja beantworten.«

Mohamadali beugte sich vor, stützte sich auf die Ellbogen und betrachtete ihn ernst. Oscar errötete. Mohamadali schien intensiv nachzudenken.

»Wenn ich es richtig verstanden habe, bist du mehr oder minder aus einem Impuls heraus nach Afrika gereist«, sagte er nach langer Bedenkzeit. »Hatte dieser hastige Beschluss mit einer Frau zu tun?«

»Ja.«

»Die du über alles liebtest, mit der du den Rest deines Lebens verbringen wolltest und die dich verraten hat? Oder ist sie gestorben?«

»Sie hat mich verraten.«

»Und du hast geschworen, nie mehr eine andere Frau zu lieben?«

»Ja.«

»Und jetzt fragst du dich, ob du verhext bist? Übrigens, wie heißt sie eigentlich, die Neue?«

»Aisha Nakondi. Aber was meinst du mit *die Neue?*«

»Immer mit der Ruhe. Lass mich fortfahren. Du hast dieses Versprechen gehalten. Mehr als vier Jahre in Afrika, nein, fünf Jahre, hast du keine Frau mehr berührt. Weil du es dir geschworen hast?«

»Ja, das stimmt. Aber wie in aller Welt kannst du wissen …?«

Mohamadali überlegte lange. Und er bemühte sich, mit keiner Miene zu verraten, was er dachte. Das hat er sich als Geschäftsmann angewöhnt, dachte Oscar.

»Ja, du bist wahrhaftig verhext«, begann Mohamadali langsam. »Das ist vermutlich die älteste Form der Verzauberung, die die Menschheit kennt. Dich hat eine wilde Leidenschaft erfasst, vielleicht sogar tiefe Liebe. Und das weiß ich aus dem einfachen Grund, weil ich mich in dir wiedererkenne. Ich habe auf Sansibar vor sieben Jahren etwas Ähnliches erlebt. Das ist eine lange Geschichte. Wir liebten uns fast bis zum Wahnsinn, ihre Familie gehörte den Schiiten an, unsere den Sunniten. Um eine lange Geschichte kurz zu machen: Ich schwor, nie eine andere zu lieben, und lebte in Enthaltsamkeit. Jetzt bin ich seit einem Jahr sehr glücklich mit einer anderen Frau verheiratet. Wir erwarten unser erstes Kind.«

»Ich gratuliere!«, rief Oscar verblüfft. »Das wusste ich nicht.«

»Nein, wir haben uns nie über solche Dinge unterhalten. Ich hatte den Eindruck, dass du ungern über Privates sprichst. Wirst du sie wiedersehen?«

»Ich hoffe es. In einer Woche fahre ich dorthin, um Elfenbeingeschäfte mit Königin Mukawanga zu tätigen. Übrigens sollten wir darüber sprechen. Ich glaube, die Königin verfügt über ungeahnte Ressourcen …«

Sehr viel weiter kamen die Freunde nicht in ihrer Unterhaltung, weil die Kapelle zu spielen begann, ein elegantes Streichquartett in Frack mit einem Pianisten, der mit der Erfolgsnummer schlechthin, der »Kleinen Nachtmusik«, einleitete. Kurz darauf erschien der sichtlich angetrunkene Direktor des neuen Elektrizitätswerks der Stadt, Herr Schlickeisen. Er klopfte Oscar auf die Schulter, zog sich einen Stuhl heran, nahm unaufgefordert Platz und bestellte sich eine Maß Bier. Er begann das Gespräch mit einer Klage über seinen Spitznamen »Kurzschluss-Paul«, den er äußerst ungerecht fand. Alle technischen Einrichtungen litten an Kinderkrankheiten, jedes System benötigte etwas Zeit, bis es angepasst sei, nicht wahr? Das müsse doch gerade Herr Lauritzen wissen?

Der steigende Geräuschpegel erlaubte keine eingehende Unterhaltung über die Schwierigkeiten der Technik. Und wenig später nahm Hans Christian Witzenhausen, den Oscar flüchtig kannte, mit derselben Selbstverständlichkeit wie Schlickeisen an ihrem Tisch Platz.

Witzenhausen und Oscar waren auf demselben Dampfer aus Genua angereist, hatten sich in der Hitze auf dem Roten Meer einen Rausch angetrunken und waren dann beide zum ersten Mal in Dar an Land gegangen. Hans Christian Witzenhausen, der direkt von der Deutschen Kolonialschule gekommen war, hatte tropische Landwirtschaft studiert und wollte in Afrika mit einer Kokosplantage bei Bagamoyo sein Glück versuchen. Die Arbeit war während dieser Jahre teils gut, teils schlecht gelaufen, und er erwog, sich auf die Großwildjagd zu verlegen. Er hatte gerade einen Elefanten geschossen, der die Maisfelder der Kokosplantage verwüstet hatte, einen schönen Bullen mit sechzig Pfund schweren

Stoßzähnen. Leider hatte der Plantagenbesitzer diese Extra-
einnahme für sich vereinnahmt. Trotzdem hatte ihn das auf
eine Idee gebracht. Möglicherweise noch berauscht von seiner Heldentat, fragte er den Herrn Eisenbahner, ob dieser
schon mal einen Elefanten geschossen hätte.

»Ja, etwa hundert«, antwortete Oscar gelassen und gab
dem Kellner ein Zeichen, die Rechnung zu bringen. Er
schämte sich vor Mohamadali wegen dieser forschen Deutschen. Es herrschte die nicht unsympathische Sitte in den
Kolonien, dass sie alle gewissermaßen gleichberechtigte
Pioniere waren, was zur Folge hatte, dass im Laufe eines
Abends jeder bei jedem Platz nehmen konnte. Aber jetzt
sehnte sich Oscar nach Abgeschiedenheit und Ruhe und
wünschte seinen geehrten deutschen Pionierkollegen einen
guten Abend. Mohamadali kam ihm zuvor, wünschte allen
eine gute Nacht und ging, noch ehe Oscar die Rechnung
beglichen hatte.

Daraufhin schlugen die anderen am Tisch wie aus einem
Munde vor, man solle noch mehr Bier bestellen, bevor man
den Abend beendete. Witzenhausen erbot sich zuvorkommend, die erste Runde zu übernehmen. Oscar sah ein, dass
er so schnell nicht wegkommen würde.

Die nächsten Runden übernahm er, und es wurde nicht
nur zu viel Bier konsumiert, sondern es wurden auch zu
viele Jagdgeschichten zum Besten gegeben. Die meisten
erzählte, mit verblüffender Sachkenntnis, der Landwirt-
schaftsaspirant Witzenhausen.

Oscar hatte einen Kater, als er am nächsten Morgen mit
dem Zug zurückfuhr. Außerdem bereute er es, Witzenhausen Geld geliehen zu haben, damit sich dieser als Jäger
etablieren konnte.

XIII

LAURITZ

Kieler Woche, Sommer 1905

Der Gebirgswind kühlte sein überhitztes Gemüt. Während der Rückreise von Kiel hatten sich seine Gedanken wie ein Karussell im Kreis gedreht. Bei jedem Ruckeln des Zuges auf seinem Weg durch Jütland war es ihm vorgekommen, als hüpfte eine Grammofonnadel eine Rille weiter auf der Platte und verwandelte alles in Gejaule. Vieles war unangenehm und unerquicklich gewesen, die Begegnung mit Ingeborg allerdings himmlisch, die eigentliche Regatta geradezu komisch, und sein Kopf war außerstande gewesen, all die Eindrücke zu verarbeiten.

Bis jetzt, hinter Voss, in seinen Arbeitskleidern und den verschlissenen Wanderstiefeln auf dem Weg zurück. Er spürte den kühlen Sommerwind auf der Stirn und begann wieder klarer zu denken. Es war, wie wenn ein Rausch verflog.

Er hatte noch acht Stunden Fußmarsch vor sich und beschloss, sich seine Gedanken an Ingeborg bis zum Schluss aufzuheben, damit er erschöpft nur mit ihr ins Bett sinken konnte. Unterwegs wollte er erst einmal all die anderen Dinge überdenken, eins nach dem anderen, um sich von dem Ballast zu befreien, der seine Gedanken behinderte.

Er beschloss, mit dem Segeln zu beginnen.

Am meisten hatte ihn bei seiner Ankunft die Größe der Kieler Woche beeindruckt. Über achthundert Boote waren in über zehn Klassen gegeneinander angetreten.

Am wenigsten Eindruck hatte die größte Bootsklasse der Luxusjachten zwischen zwanzig und dreißig Tonnen auf ihn gemacht, mit denen man ohne Weiteres über den Atlantik segeln konnte. Sie waren im Schnitt fünfundzwanzig Meter lang und verfügten über Segelflächen von bis zu hundertachtzig Quadratmetern. In dieser Klasse, die als die absolut vornehmste galt, waren nur fünfzehn Boote gegeneinander angetreten, unter ihnen der Kaiser mit seinem Boot *Meteor* und seine Gemahlin, die Kaiserin, mit ihrer *Iduna*. Das Boot des Kronprinzen Friedrich Wilhelm hieß *Angela*. Prinz Adalbert hatte sein Boot *Samoa III* getauft, während Prinz Eitel Friedrich den pompöseren Namen *Friedrich der Große* gewählt hatte.

Ein Drittel der Regattasegler, die den höchsten Preis der Kieler Woche, den Pokal des Kaisers, erringen wollten, waren also Mitglieder der kaiserlichen Familie gewesen.

Der Baron hatte sein Boot als begeisterter Leser der Frithjofssaga *Ellida* getauft. Das entschied die Sache für die sehr zweifelhafte Zukunft, in der Lauritz ein eigenes Boot besitzen und Ingeborg neben ihm im Cockpit sitzen würde. Der Name Ellida kam damit nicht mehr infrage.

Die vier Segler an Bord der *Ellida* trugen weiße Uniformen mit Seemannskragen, eine Schiffermütze mit dem von-freitalschen Wappen und die Initialen der Familie auf der linken Brusttasche. Alle Segler auf den Booten der Millionärsklasse hatten ähnliche Uniformen getragen.

Lauritz war die Aufgabe des Vorschoters zugewiesen worden, die anspruchsloseste Arbeit an Bord, insbesondere da es galt, sich strikt an die Weisungen des Steuermanns, also des Barons, zu halten. Zwei Männer, entfernte Verwandte des Barons, hatten die kompliziertere Aufgabe, je nach Windverhältnissen die Vorsegel zu wechseln. Zwei weitere Männer kümmerten sich um die Großschot.

Lauritz hatte das Ganze mehr an Frachtsegeln auf den Fjorden als an eine Regatta erinnert. Sämtliche Boote in der Kaiserklasse waren viel zu schwer gewesen – eigentlich waren es Lustjachten mit komplett eingerichteten Salons, einer Küche mit Porzellan und Gläsern und einem Kühlschrank für die Weinflaschen.

Den uniformierten Mitseglern auf den Booten der Kaiserklasse war es gestattet, die Pier zu betreten, an der alle Jachten zwischen Boje und Steg vertäut lagen.

Nur eines der großen Boote, ein englisches mit dem großartigen Namen *The Golden Eagle*, hatte ihm gefallen. Es war schlanker als die anderen gewesen, bescheidener, und die Segelfläche war größer gewesen. Lauritz war davon ausgegangen, dass es alle vier Regatten gewinnen würde.

Beim ersten Start lagen die fünf kaiserlichen Boote nebeneinander direkt hinter der Startlinie. Niemand versuchte, ihnen diese Plätze streitig zu machen. Die anderen zehn Teilnehmer hielten sich im Hintergrund.

Es hatte den Anschein, als wäre alles bereits im Voraus entschieden. Das einzige Boot, das es mit den fünf kaiserlichen bereits auf der ersten Distanz bei raumem Wind aufnahm, war wie erwartet das englische. Neun wohlhabende Deutsche von und zu hielten sich höflich im Kielwasser.

Nach Umrundung der ersten Boje musste auf der nächsten Strecke gekreuzt werden. Dass der Baron dabei in Schwierigkeiten geriet, war nicht direkt unerwartet, denn er besaß kein Gespür, wann die Wende fällig war, verlor bei jedem Schlag Höhe und segelte nie hart genug am Wind.

Interessanterweise segelten die kaiserlichen Boote irgendwann den anderen davon, allein gefolgt vom englischen Mitstreiter. Die Deutschen mit den langen Nachnamen blieben weiter zurück, als es die Höflichkeit erforderte.

Prinz Eitel Friedrich gewann an diesem Tag mit seiner Jacht *Friedrich der Große*, der Kaiser belegte mit nur einer Schiffslänge Vorsprung vor der englischen Jacht den zweiten Platz.

Wer kreuzen kann, kann segeln. Die kaiserlichen Jachten hatten diese Aufgabe entschieden besser bewältigt als ihre adligen Untertanen, so viel war klar.

Dafür gab es eine Erklärung. Als er sich am Nachmittag mit einigen der Mitsegler der Jacht der Kaiserin unterhielt, zeigte sich, dass sie allesamt Offiziere der deutschen Marine und Mitglieder des Marine-Regatta-Vereins waren, bei dem keine Zivilisten, ob sie adlig waren oder nicht, zugelassen wurden.

Die Kaiserfamilie hatte schlicht und ergreifend die besten oder zumindest leidenschaftlichsten Segler Deutschlands engagiert. Ihre Kaiserlichen Hoheiten fuhren als Passagiere mit.

Tag zwei verlief ähnlich, mit dem Unterschied, dass jetzt der Engländer gewann und Prinz Eitel Friedrich Zweiter wurde. Die *Ellida* hatte am Vortag den neunten Platz belegt und jetzt den achten.

War es taktisch unklug gewesen, den Baron beiseitezunehmen, als sie an jenem zweiten Tag, an dem sie eine Platzierung vorwärtsgestolpert waren, wie es der Baron ausdrückte, an Land gingen?

Vermutlich nicht. Ihr abschließendes Gespräch am letzten Tag wäre vermutlich anders verlaufen, wenn er einfach nur stumm im Boot gesessen, die Schot zu steif gesetzt und danach Tempo verloren hätte.

Ehrlichkeit währte nicht immer am längsten, dessen war er sich bewusst. Ehrlichkeit bescherte einem ebenso arge Feinde wie Unverschämtheit, und manch einer konnte das eine nicht vom anderen unterscheiden. Dass der Baron eigentlich alle Menschen außer dem Kaiser als seine Untergebenen betrachtete, war seit Langem bekannt. Und dann kam ausgerechnet dieser aufdringliche Norweger, der darauf beharrte, seiner Tochter den Hof zu machen, ohne eine Öre in der Tasche, mit Kritik und Verbesserungsvorschlägen!

Aber kein Außenstehender bekam ihren Wortwechsel mit. Sie standen etwas abseits am Ende des Stegs und unterhielten sich ohne große Gesten.

Der Baron war blass geworden und sprach leise und verbissen.

»Sie tauschen morgen den Platz mit meinem Nebenmann und unterbreiten mir Manövervorschläge, natürlich diskret. Wenn wir dann schneller segeln, haben Sie etwas gut bei mir. Wenn wir langsamer werden, waren Sie zum letzten Mal in Kiel.«

Das war eine klare Ansage und nicht sonderlich beunruhigend. Der Baron war ein lausiger Segler. In der härteren Klasse für kleinere und schnellere Boote hätte er keine Chance gehabt. Schlechter konnte es also nicht laufen, wenn sie nicht aus irgendeinem Grund extremes Pech hatten.

Am nächsten Tag belegten sie den fünften Platz vor der *Iduna* der Kaiserin. Am letzten Tag, nach dem Ruhetag, belegten sie den vierten Platz und schlugen damit nicht nur die Kaiserin, sondern auch Prinz Adalbert. Der Baron war euphorisch und erntete Lobesworte von allen Seiten. Er hatte sozusagen im nichtkaiserlichen Zweig der Klasse gewonnen, wenn man einmal von dem Engländer absah, der ärgerlicherweise Zweiter geworden war.

Nachdem der Baron eine Weile auf der großen Kreuzerpier Glückwünsche entgegengenommen hatte, gab er Anweisung, den Norweger von den Nacharbeiten zu entbinden: Segel zum Trocknen aufhängen, das Mahagonideck mit Süßwasser schrubben, abfendern und all jene Verrichtungen, die nötig waren, um die *Ellida* nach seemännischer Praxis herzurichten. Dann lud der Baron Lauritz in den Salon ein. Er holte zwei Cognacschwenker aus dem Schrank und goss ihnen deutschen Branntwein der besten Sorte ein.

Schweigend stießen sie miteinander an.

Die folgende Unterhaltung war ihm noch Wort für Wort im Gedächtnis.

Er war wie in Trance über das Fjell gelaufen und hatte sich noch einmal alle Situationen vor Augen geführt. Seine Füße fanden im Geröll von allein ihren Weg.

Er setzte sich auf einen Stein, als könne er sich dann besser erinnern. Und er erinnerte sich an den Duft von

Brandy, Lack, Holz, Teer und feuchten Segeln unten im Salon. Und an das Gesicht des Barons, erst glücklich, dann zornig.

»Die Ehre wird mir zuteil, aber Sie und ich wissen, dass sie Ihnen gebührt«, sagte der Baron und hob sein Glas.

So hatte es begonnen, was in Lauritz' Ohren vielversprechend geklungen hatte.

»Sie haben das Segeln wirklich im Blut«, fuhr der Baron fort. »Ich bin ein Amateur, ich segle zum Vergnügen und weil ich die Kieler Woche schätze. Sie sind ein echter Wikinger. Sie haben mir eine große Freude bereitet. Ich würde mich gerne erkenntlich zeigen. Bitten Sie mich um einen Gefallen, außer um jenen, den ich Ihnen bereits abgeschlagen habe.«

Das war der entscheidende Augenblick. Wenn ihm nicht dieser verdammte Lackaffe von Bergens Privatbank in die Quere gekommen wäre, hätte er jetzt trotz des ausdrücklichen Verbots noch einmal um Ingeborgs Hand angehalten.

Eine andere Bitte fiel ihm nicht ein. Er lauschte eine Weile dem Glucksen des Wassers an den Planken, das schönste und angenehmste Geräusch, das er kannte, und dachte nach.

Dann bat er um einen Kredit von zweitausendfünfhundert Mark zu zehn Prozent Zinsen auf fünf Jahre. Für den Baron war das eine Bagatellsumme. Das Boot, in dem sie sich befanden, war einige Hunderttausend Mark wert.

Die Bitte erzürnte den Baron, er verlor regelrecht die Beherrschung.

»Jetzt bitten Sie mich, obwohl ich es mir ausdrücklich verboten hatte, genau um das, worum Sie mich nicht bitten sollten!«, brüllte der Baron. Dann fasste er sich rasch wieder. Er lehnte sich zurück und hob erneut sein Glas.

Jetzt galt es, einen kühlen Kopf zu bewahren.

»Ich habe nur um einen kleineren Kredit gebeten, der mir im Augenblick sehr gelegen käme.«

Hatte er sich besonnen genug und wohlartikuliert ausgedrückt? Ja, das hatte er.

Der Baron verlor erneut die Beherrschung und ließ sich zu einer unbedachten Äußerung hinreißen: »Sie begehren also kurz und gut fünfzehntausend norwegische Kronen! Das kann ich sehr gut verstehen im Hinblick darauf, dass Ihr Saldo bei Bergens Privatbank nur achthundert Kronen beträgt, also gerade einmal hundert Mark! So viel haben Sie also in Ihren ersten Jahren als Diplomingenieur erreicht, trotz der glänzenden Angebote. Angebote, die ich, das muss ich zu meiner Schande gestehen, selbst angeregt habe. Das ist, gelinde gesagt, ziemlich dreist!«

»Das ist eine Frage der Ehre.«

»Das kann ich respektieren. Aber ein Ehrenmann zu sein kann einen teuer zu stehen kommen. Manchmal zu teuer. Sie haben etwas bei mir gut, bitten Sie mich um etwas anderes als Ingeborg!«

Lauritz erhob sich und setzte seinen Weg fort.

Wenn er weiter so trödelte und ständig Pausen einlegte, würde er vermutlich erst gegen Mitternacht zu Hause eintreffen. Die Sommernächte wurden bereits dunkler, aber dafür war das Wetter klar, und der Mond schien. Der neue Stern im Perseus verblich mit jedem Jahr mehr und würde vielleicht bald nicht mehr zu sehen sein.

So hatte er also die zweite Gelegenheit vergeben, sich bei Horneman & Haugen einzukaufen. Aber worum hätte er sonst bitten sollen? Um die Ehre, noch einmal neben dem Mann am Ruder sitzen zu dürfen, um diesem zu erklären, wann gewendet oder aufgefiert werden musste? Nein, darum musste eher der Baron ihn bitten.

»Dann möchte ich Sie etwas anderes fragen«, hatte er entschuldigend, möglicherweise vorgetäuscht unterwürfig, vorgebracht. »Wie können Sie wissen, Herr Baron, dass ich achthundert Kronen auf meinem Konto bei Bergens Privatbank habe?«

Die Frage traf den Baron wie eine Ohrfeige. Es war ihm deutlich anzusehen, dass ihm bewusst wurde, dass er sich verplappert hatte.

»Noch einmal, mein junger Herr Meistersegler«, begann er langsam und nicht mehr ganz so verkniffen. »Niemand hört uns zu, wir unterhalten uns unter vier Augen, nicht wahr? Ich tätige große Geschäfte mit Bergens Privatbank. Wie Sie wissen, stehe ich dem Kaiser recht nahe und … tja, ich habe ihn sehr ermuntert, eine große, über zwanzig Meter hohe Frithjof-Statue bei Vangsnes am Sognefjord errichten zu lassen. Das ist eine große Sache, sowohl politisch als auch finanziell. Ich verlasse mich also auf Ihre Diskretion. Daher verfüge ich über gute Kontakte zu Bergens Privatbank. Der Kaiser hat mir nämlich die Durchführung dieses wunderbaren Projekts anvertraut. Meine Absichten waren ganz simpel. Sie sollten den Besitz Ihrer Mutter beleihen, ich hätte diese Schuld erworben. Damit wäre das Problem Ihrer Hinterherrennerei hinter Ingeborg gelöst. Wir hätten uns hier und jetzt einigen können. Das ist die einfache, wenn auch nicht sonderlich charmante Wahrheit.«

Lauritz zweifelte nicht an der Aufrichtigkeit des Barons.

Dann hatte seine Frisur bei der Verhandlung mit dem widerwärtigen kleinen Chefprokuristen Mathiesen von Bergens Privatbank also keine Rolle gespielt, da dieser sowohl vom Kaiser als auch vom Baron gekauft gewesen war.

Dem hatte Lauritz nichts hinzuzufügen, die übrigen Fragen hatten sich erübrigt, er hatte sich nur noch darum bemühen können, das Thema zu wechseln.

»Warum in aller Welt wollen Sie eine Frithjof-Statue bei Vangsnes errichten?«, fragte er, um dem Baron und sich weitere Peinlichkeiten zu ersparen.

»Herrschaftszeiten, das müssten Sie als Norweger doch wissen! Dort hatte Frithjof seinen Hof. Genau dort. Außerdem liebt der Kaiser das Hotel auf der anderen Fjordseite, wie heißt es noch gleich? Richtig! Kviknes.«

Der Fjellwind blies Lauritz kalt ins Gesicht. Mit zunehmender Dunkelheit fiel die Temperatur. Er blieb stehen, um den Anorak aus seinem Rucksack zu nehmen, denn es sah nach Regen aus.

Es war so unglaublich dumm, dass es fast allen Vorstellungen spottete. Weil dort der Hof des Frithjof gewesen ist, hatte dieser beschränkte Wikingerfantast gesagt. Aber Frithjof war, verdammt noch mal, eine Fantasiefigur aus einem langatmigen Versepos, noch dazu eines schwedischen Autors! Eine Fantasiefigur, die weder in Vangsnes, im Kviknes-Hotel noch sonst wo gelebt hatte. Und wie würde die zwanzig Meter hohe Statue wohl aussehen? Vermutlich trug sie einen Helm mit Gänseflügeln oder Kuhhörnern.

Er selbst war noch nie am Sognefjord gewesen, der Kaiser aber offenbar schon. In mancherlei Hinsicht waren die Deutschen schon verrückt, es war eine Schande, das sagen zu müssen, denn was Kultur und Wissenschaft betraf, waren sie weltweit tonangebend.

»Dann hätte ich nur noch einen letzten Wunsch«, hatte er erneut angehoben, nachdem er verworfen hatte, über Wikingerromantik zu polemisieren. »Beim nächsten Seglerdiner wäre es mir eine Ehre, Ingeborg zu Tisch führen zu dürfen.«

Er hatte einen weiteren Wutausbruch erwartet, stattdessen lächelte ihn der Baron amüsiert an.

»Genehmigt!«, erwiderte der Baron. »Aber heute Abend findet das kaiserliche Bankett statt, bei dem aus naheliegenden Gründen keine Mitsegler zugelassen sind, außer denen der kaiserlichen Jachten. Morgen fahren schon alle nach Hause. Aber wenn Sie mir die Gunst erweisen wollen, mir während der nächsten Kieler Woche beizustehen, werde ich bei dem ersten familiäreren Diner dafür sorgen.«

Dazu gab es nichts weiter zu sagen. Lauritz erhob sich, verbeugte sich und verließ die *Ellida*.

Bald würde er wieder in Hallingskeid sein. Er sah bereits das Ingenieurshaus. Während der letzten Stunde war er rascher vorwärtsgekommen. Wahrscheinlich, weil seine Gedanken an seinen Todfeind, den Baron, seinen Adrenalinspiegel erhöht hatten. Todfeind? Nein, das war eine Übertreibung, Todfeinde hatte er keine.

Im Haus vor ihm brannte kein Licht. Entweder waren Berner und Guttormsen bereits zu Bett gegangen, oder sie übernachteten auf den Baustellen. Gleich würde er eine Daunendecke über sich und Ingeborg ziehen. Erst würde er frieren, aber bald würde es ihm warm werden. Insbesondere wenn er von ihr träumte.

Ingeborg …

Nein, noch etwas Geduld, bis er im Bett war. In seinen Gedanken war sie ohnehin stets bei ihm. Als ein besonderer Duft oder eine hübsche Melodie im Hintergrund. Bald würden sie eng umschlungen einschlafen. Aber zuerst zu Oscar.

In der Messe der Mitsegler, zu der nur Segler in Uniform Zutritt hatten, hatten die meisten großen deutschen Zeitungen ausgelegen. Dort hatte er zufällig ein Foto auf der Titelseite einer Zeitung entdeckt, die ein Mitsegler der Kaiserfamilie, der ihm gegenübersaß, in Händen gehalten hatte. Er hatte ungeduldig, aber höflich abgewartet, bis sein Kollege seine Lektüre beendet hatte. Er konnte sich natürlich geirrt haben, da er nur einen recht kurzen Blick auf das Foto erhascht hatte. Aber ein Bruder erkannte doch wohl seinen eigenen Bruder?

Als er die Zeitung endlich in den Händen hielt, sah er die Bildunterschrift: *Oscar Lauritzen.*

Das war ein unerhörter Augenblick gewesen. Noch jetzt, verschwitzt hoch oben im Fjell, überlief ihn derselbe Schauder wie in jenem Moment.

Der lange Artikel hatte von bedeutenden Männern in Deutsch-Ostafrika gehandelt, und ein Absatz war dem Großwildjäger und Eisenbahningenieur Oscar Lauritzen gewidmet, einem Helden, der das neue, afrikanische Deutschland mit aufbaute. Auf einem Foto war er mit einem breitkrempigen Hut und einem Gewehr in der Armbeuge zu sehen, mit einem Patronengurt schräg über der Brust und einer Pfeife im Mund. Hatte er angefangen zu rauchen? Eine ungesunde Angewohnheit, wenn man nicht nur hin und wieder eine einzelne Zigarre nach einem besseren Essen rauchte. Oscar schien jedoch in guter Form zu sein, er war breitschultrig und schlank. Das Foto ließ ihn an den Wilden Westen und Karl May denken.

In dem ausführlichen Artikel wurde dramatisch beschrieben, wie Oscar menschenfressende Löwen getötet und die Bauarbeiter vor zornigen Nashörnern und Elefanten beschützt hatte. Er wurde als der führende Experte für Brückenbauten der Eisenbahngesellschaft bezeichnet. Lauritz traten Tränen in die Augen, als er das las.

Auf einem weiteren Foto war er vor einigen aneinandergeketteten Negern zu sehen, Kannibalen, die die Eisenbahnbaustelle überfallen hatten. Den ganzen Angriff hatte Oscar mehr oder weniger allein abgewehrt.

Trotzdem wurde deutlich, dass Oscars hauptsächliche Arbeit im Brückenbau für die Eisenbahn bestand. Er lebte. Offenbar lebte er ein hartes, aber gesundes Leben in Afrika.

Oscar hatte sich seiner Pflicht entzogen, das war nicht zu leugnen. Aber diese Flucht hatte nichts mit Habgier zu tun, denn auch in Afrika wurde man nicht reich vom Eisenbahnbau. Wer die Zivilisation nach Afrika brachte, war nicht zu tadeln, sondern vollbrachte eine gute Tat.

Aber wieso hatte er nie von sich hören lassen? Nicht einmal Mutter hatte er mitgeteilt, wo er sich aufhielt und dass er keine Not litt. Dass sich Sverre über sein Tun und Lassen in London ausschwieg, war gut zu verstehen. Aber Oscar?

Sollte er Oscar schreiben? Die Adresse lag auf der Hand: die Eisenbahngesellschaft in Daressalam. Natürlich würde er schreiben. Nur was?

Den letzten Kilometer zum Ingenieurshaus dachte er eingehend darüber nach, wie er seinen Brief an Oscar formulieren sollte, ohne ihm allzu viele Vorwürfe zu machen.

Es war kalt im Haus, da einige Tage lang nicht geheizt worden war. In der Speisekammer hing eine geräucherte Hammelkeule, die man sofort sah, wenn man die Tür öffnete. Während er im Erd- und Obergeschoss einheizte, begann er über die Unterschiede zwischen den Brüdern nachzugrübeln.

Hatte die Wahl ihrer Freizeitbeschäftigungen in Dresden etwas Schicksalhaftes gehabt? Oscar hatte sich jene Fähigkeiten angeeignet, die ihm in Afrika wahrscheinlich am meisten nützten, er hatte sich den Scharfschützen angeschlossen. Ihm selbst hatte das Velodrom zu Beinmuskeln und einer beachtlichen Lungenkapazität verholfen, die auf der Hardangervidda sehr wichtig waren.

Nein, Sverre passte nicht in dieses Schema. Oder hegten alle Päderasten eine besondere Vorliebe für die Oper? Solches Gerede hatte er immer als Verleumdung der Opernkunst abgetan.

Er hängte die Daunendecke vor den offenen Kamin im Obergeschoss, um sie anzuwärmen. Es war ein fast feierliches Gefühl, sie zum Bett zu tragen, sich nackt auszuziehen und hineinzuschlüpfen.

Jetzt!

Jetzt endlich war es so weit, jetzt gab es nur noch Ingeborg. Sollte er sich sofort den verbotenen, göttlichen und himmelstürmenden Gedanken hingeben? Nein, er wollte es lieber in die Länge ziehen, sich erst noch einmal die fantastische, um nicht zu sagen dreiste Intrige in Erinnerung rufen, die sie in Kiel gesponnen hatte.

Er hatte in der Mitseglermesse gesessen und Zeitung gelesen, betrübt über die vielen Hindernisse, die sich auftürmten, sobald er nur ein paar Worte mit ihr wechseln wollte. Der Baron bewachte sie wie ein Drache seinen Goldschatz.

Da erschien ein Dienstmädchen und überreichte ihm auf einem silbernen Tablett einen kleinen Umschlag.

»Ein Billett für Herrn Diplomingenieur Lauritzen«, sagte sie mit einem Knicks und verschwand ebenso rasch wieder mit gelangweilter Miene. Das Ganze wirkte völlig selbstverständlich, niemand verzog eine Miene oder schaute von seiner Zeitung auf.

Er hielt einen kleinen Umschlag aus Leinenpapier mit Ingeborgs Monogramm in diskretem Prägedruck auf der Rückseite in der Hand. Sein Puls beschleunigte sich, als er mit gespielter Gleichgültigkeit den Umschlag öffnete.

Kurz und bündig hatte Ingeborg ihren Plan skizziert und schloss mit der ironischen Bemerkung: »Die List der Frau übertrifft den Verstand des Barons.«

Der Plan war in der Tat listig. Aber es war die Liebe und sonst nichts, die den Verstand des Barons überwand.

Lauritz war unerträglich nervös, als er auf seinem Bett in seinem winzigen Hotelzimmer lag und wartete. Die Zeit kroch voran. Immer wieder stand er auf und überprüfte alles von Neuem, was wahrhaftig nicht viel war. Eine Karaffe Sherry, zwei Gläser, eine Vase mit roten Rosen.

Pünktlich, eine Viertelstunde nach Beginn des kaiserlichen Abschlussbanketts, klopfte es wie angekündigt dreimal kurz und einmal lang.

Ihm wurde schwindelig, als er aus dem Bett aufstand, er glaubte fast, ohnmächtig zu werden, und schwankte leicht, als er auf die Tür zutrat, um zu öffnen.

Ingeborg war nicht allein. Neben ihr standen ihre Freundin Christa und Christas Kammerzofe Bärbel, die so talentiert die Komödie mit dem Brief auf dem Silbertablett gespielt hatte. Alle drei waren wie Dienstmädchen in Schwarz und Weiß gekleidet. Die Freundinnen schoben Ingeborg kichernd ins Zimmer und verschwanden.

Nachdem er die Tür geschlossen hatte, riss sich Ingeborg resolut das weiße Spitzenhäubchen vom Kopf und schüttelte ihr langes rotblondes Haar. Er wollte etwas sagen, aber sie trat rasch auf ihn zu und küsste ihn wild und leidenschaftlich, während sie seine Kleider aufzuknöpfen begann. Kurz darauf machte er sich an ihren zu schaffen.

Als sie beide nackt waren, schnappten sie erst einmal nach Luft und keuchten, als sie sich an ihn drückte. Sie schob seine Hand in ihren Schoß, und dann küssten sie sich erneut, bis die Lust für sie beide fast unerträglich wurde.

»Mach mir ein Kind, sofort!«, flüsterte sie, stieß ihn aufs Bett, folgte ihm geschmeidig, setzte sich rittlings auf ihn und half ihm, in sie einzudringen.

Sie ritt ihn mit einer Kraft und Schamlosigkeit, die er sich in seinen heimlichsten Fantasien nicht hätte vorstellen können. Sie legte seine Hände auf ihre Brüste und biss sich hart in die Unterlippe, um nicht zu schreien.

Lauritz' Erregung mischte sich mit Erstaunen, dass sie es war, die mit ihm schlief, und nicht umgekehrt. Sonst wäre er vermutlich auch sofort in ihr explodiert, aber jetzt konnte er warten, bis sie so weit war. Kurz vorm Höhepunkt öffnete sie die Augen und flüsterte, sie wolle ihm in die Augen schauen, wenn er in ihr komme. Da explodierte er.

Sie liebten sich noch zwei weitere Male, ohne viel zu sagen. Sie kamen rasch wieder zu Kräften, und die Glut in ihnen entflammte genauso schnell. Das zweite Mal schliefen sie in gewohnter Manier miteinander, beim dritten Mal bat sie ihn verspielt, sie von hinten zu nehmen, ja, sie bat ihn in der Tat, sie sagte, sie wolle es wissen.

Anschließend lagen sie nackt, verschwitzt und umschlungen in dem schmalen Hotelbett. Das Licht sickerte durch die dünnen weißen Tüllgardinen. Ab und zu versetzte sie ihm einen leichten Nasenstüber, um ihn zu necken. Er lag reglos da, überwältigt und außerstande, etwas zu sagen oder sie ebenfalls zu necken.

Als sie nicht mehr so erhitzt waren und der Schweiß zu trocknen begann, drehte sie sich auf den Bauch, stützte sich auf den Ellbogen auf und sagte, sie hätten jetzt nur noch zwei Stunden Zeit. Ihr Vater könne das Bankett des Kaisers unmöglich verlassen, selbst wenn er ihre Intrige ahnen würde. Trotzdem müsse sie vor elf Uhr wieder in ihrem Zimmer sein. Aber vorher wollte sie noch wissen, wie es ihm ergangen war.

Er begann mit der unangenehm peinlichen Unterredung bei der Bank in Bergen, für die er eine logische Erklärung bekommen hatte, als der Baron sich bei ihrem Gespräch unter vier Augen im Achtersalon verplappert hatte.

Es trennten sie nur ein paar Tausend Mark davon, den Rest ihres gemeinsamen Lebens vorbereiten zu können.

Sie sagte, dass sie nicht zögern würde, zu ihm durchzubrennen, sobald er ein Zuhause habe. Ihr Vater würde sie zwar zur Strafe enterben, aber das habe keine Bedeutung, solange sie nur ein Dach über dem Kopf und zu essen hätten.

Voller Zuversicht erwog er, das Geld irgendwo anders zu leihen, bei einer anderen Bank oder vielleicht sogar bei der *Guten Absicht*, obwohl das in der Tat ziemlich dreist wäre.

Ingeborg erzählte mit Feuereifer von einer vermögenden Tante mütterlicherseits, einer Witwe, die in Leipzig wohne. Ihr Vater würde ihr kaum verbieten können, diese Tante Bertha zu besuchen. Ein paar Tausend Mark seien eine Bagatelle und die Sache schließlich so unendlich wichtig. Tante Bertha sei zwar übertrieben streng und spreche beunruhigend oft vom moralischen Verfall der Jugend, aber schließlich sei sie auch einmal jung gewesen. Vielleicht hatte sie ja auch eine Liebe mit Hindernissen erlebt? Jedenfalls sei es einen Versuch wert. Wenn sie das Geld bekam, würde sie es umgehend über die Deutsche Bank auf sein Konto in Bergen telegrafieren. Aber dazu brauchte sie seine Kontonummer, die durften sie nicht vergessen.

Am Ende ihres Gesprächs legte er seine Hand auf ihren Po, und sie zog ihn an seinem Schnurrbart an sich. Ihre Leidenschaft flammte blitzschnell wieder auf, und sie begannen in derselben Reihenfolge noch einmal von vorn.

Anschließend, als sie vor dem Spiegel stand und sich mit ihrer Dienstmädchen-Verkleidung abmühte, begann sie über Politik zu sprechen, was ihn verletzte. Auf dem Weg vom Kaiserhof zu dem kleineren Seglerhotel hätten zig Leute sie wiedererkennen müssen, trotz Verkleidung. Aber Dienstmädchen wurden von niemandem wahrgenommen, sie galten nicht als Menschen, sie hätten genauso gut drei vorbeisegelnde Möwen sein können. Diese alte, unmenschliche Welt müsse weg.

Bärbel hatte ihnen den Tipp gegeben. Christa und sie waren anfangs nicht sehr überzeugt gewesen, als sie den Kaiserhof verließen. Aber nach nur wenigen Sekunden war ihnen klar, dass Bärbel erschreckend recht gehabt habe.

Pünktlich zur vereinbarten Zeit klopfte es an der Tür. Draußen standen bester Laune Christa und Bärbel. Als Bärbel energisch begann, Ingeborgs Spitzenhäubchen zurechtzurücken, mussten sie die Türe schließen.

Was für eine brutale Antiklimax. Ihr unromantisches letztes Gesprächsthema, dann der merkwürdig jähe Abschied. Er blieb mit hängendem Kopf wie versteinert im Zimmer zurück.

Da klopfte es an der Tür. Er öffnete vorsichtig. Ingeborg hielt ihm ihren Mund für einen raschen Abschiedskuss hin.

»Wenn ich jetzt nicht schwanger bin, werde ich es wohl nie«, flüsterte sie und verschwand.

Das lag nun drei Tage zurück. Eine andere Welt. Jetzt lag er unter seiner Daunendecke in Hallingskeid und ließ die erotischen Erinnerungen vor seinem inneren Auge Revue passieren. Es war unfassbar, dass sie sich jetzt fast ein Jahr lang nicht sehen würden. Falls sie nicht tatsächlich schwanger geworden war. Was würde in diesem Fall geschehen?

Keiner der Ingenieure im Fjell hatte eine Frau, alle waren Junggesellen. Es hätte zwar gegen keine Vorschriften verstoßen, aber die Welt, in der sie lebten, eignete sich nur schlecht für Frauen und noch schlechter für Kinder.

Als er drei Wochen später einen Brief von ihr erhielt, in dem stand, dass ihr Plan nicht geglückt sei, stieß er spontan einen Seufzer der Erleichterung aus und schämte sich ein wenig, weil das illoyal Ingeborg gegenüber war.

Aber der wenig romantische Abschied, als sie sich mit ihrer Verkleidung abgemüht hatte, hatte ihm zu denken gegeben. Sie vertrat politisch radikale Ansichten, sie war eine Freidenkerin, die mit derselben Sicherheit wie ein Mann diskutierte, oft sogar vernünftiger. Kein Gesprächsthema war ihr fremd, und vermutlich hatte er sich deswegen bereits nach sehr kurzer Bekanntschaft bis über beide Ohren in sie verliebt. Aber manchmal machte ihre politische Radikalität sie blind für die Wirklichkeit. Es stimmte nicht, dass sie nur ein Dach über dem Kopf, Essen auf dem Tisch und seine unverbrüchliche Liebe brauchte. Sie wusste nicht einmal, wie man das Haar unter einem Spitzenhäubchen hochsteckte, da sie ihr ganzes Leben von Dienstboten umgeben gewesen war.

XIV

OSCAR

Deutsch-Ostafrika, September 1905

Die Dusche bestand aus einer Tonne auf einem Holzgestell hinter seinem Zelt, die von Schilfmatten umgeben war. Von der Tonne führte ein Schlauch zu einem Duschkopf aus einer perforierten Konservendose. Die Schwerkraft erledigte den Rest. Die Dusche funktionierte ausgezeichnet, und das in der Dämmerung kühle Wasser stellte in der heißen Zeit einen schwer zu übertreffenden Genuss dar.

Zum Abendessen gab es ein Gericht aus Perlhühnern, jedoch ohne Wein in der Soße. Hassan Heinrichs Kochkünste hatten sich zusehends verbessert. Nachdem Oscar frisch rasiert, satt und abgekühlt mit Hassan Heinrich Platz genommen hatte, um Konversation zu üben, schlug er eine Änderung vor. Er sprach Deutsch, und Hassan Heinrich antwortete auf Swahili, dann entgegnete er selbst etwas auf Swahili und wurde korrigiert, wenn er Fehler machte, und probierte es noch einmal. In Zukunft wollten sie nur noch konversieren, er auf Deutsch und Hassan Heinrich auf Swahili. Inhaltlich waren ihre seit mehreren Jahren andauernden Konversationsstunden recht dürftig gewesen, da es sich mehr um Sprachunterricht als um wirkliche Gespräche gehandelt hatte. Jetzt wollte er mehr über Hassan Heinrich erfahren, es war an der Zeit. Er hatte fast ein schlechtes Gewissen wegen seines bisher mangelnden Interesses. Seine Freundschaft mit Kadimba war eine Ausnahme, weil sie sich oft in Situationen befanden, in denen ihr Leben davon abhing, dass sie einander gut kannten. Sie mussten in jedem Augenblick wissen, was der andere zu tun gedachte. Außerdem hatte ihm Kadimba das Leben gerettet.

Anfänglich war Hassan Heinrich scheu und zögerlich, als sie diese neue Gesprächsform ausprobieren wollten. Aber angesichts von Oscars regem Interesse floss die Unterhaltung immer freier dahin.

Hassan Heinrich hatte drei Brüder und vier Schwestern. Alle waren in der lutherischen Missionsschule unweit des Hotels Kaiserhof getauft worden. Die Familie wohnte etwas weiter im Norden in zwei Fachwerkhäusern am Strand. Die Zwischenräume waren mit Lehm ausgefüllt und die Dächer mit *Viungo*, geflochtenen Palmblättern, gedeckt. Oscar konnte es vor sich sehen.

Oscar lernte, dass das Fachwerk grundsätzlich aus Mangrovenbäumen bestand. Erst dachte er, das sei der Nähe zum Mangrovensumpf geschuldet, dass man einfach das Baumaterial nahm, das am leichtesten zu beschaffen war. Aber auf Nachfrage gab Hassan Heinrich einen anderen Grund an. Mangrovenbäume wurden nicht wie Miombo und Akazien von den »weißen Ameisen« befallen. Ganz nebenbei erhielt Oscar auf diese Weise eine äußerst wertvolle Information: Termiten waren die Geißel des Eisenbahnbaus. Obwohl die Schwellen und Brückenkonstruktionen mit Kreosot behandelt wurden, wusste niemand, wie lange sie den Termiten widerstehen würden. Gegen Termiten resistente Mangrovenbäume könnten diesem Problem abhelfen. Im Augenblick diskutierte man, Schwellen aus Beton zu gießen, aber das war zeitaufwendig und teurer. Es war fast ein wenig peinlich, dass Oscar ganz nebenbei im Verlauf seiner ersten richtigen Unterhaltung mit Hassan Heinrich von dieser in Afrika allgemein bekannten, besonderen und ausgesprochen wertvollen Eigenschaft der Mangrovenbäume erfahren hatte.

Und die Unterhaltung wartete noch mit weiteren Überraschungen auf. Hassan Heinrich war verheiratet. Seine Frau erwartete ihr erstes Kind. Sie war ebenfalls getauft, hieß Mouna Maria und wohnte im Augenblick bei Hassan Heinrichs Eltern.

Oscar versprach, umgehend ein neues Haus für die junge Familie bauen zu lassen. Im nächsten Atemzug sprach er davon, in der Nähe des Hafens ein eigenes größeres Haus am Strand im Zentrum von Dar zu bauen, wo er jemanden bräuchte, der ihm den Haushalt führte. Wenn Hassan Heinrich bereit sei, diese Arbeit zu übernehmen, würde er in der Nähe seiner Familie sein. Über den Lohn brauche er sich auch keine Sorgen zu machen, er würde besser verdienen als auf der Eisenbahnbaustelle.

Man nähere sich ohnehin, so Oscar, dem Ende des großen Projekts. Eisenbahnbaustellen wären zwar eigentlich nie wirklich abgeschlossen, aber der große Sprung war die Strecke von Daressalam zum Tanganjikasee. Es würden sicher weitere Strecken gebaut werden, vermutlich von Tabora nach Mwanza am Südufer des Victoriasees und von der Hafenstadt Tanga nach Arusha, aber früher oder später wäre Schluss mit dem Eisenbahnbau. Würde er dann den Busch verlassen und wie ein normaler Mensch in einem Haus leben? Es war nur eine Frage der Zeit, bis man sich auf diese Umstellung vorbereiten müsse. Ein großes Haus am Meer konnte nicht unbeaufsichtigt bleiben, schon gar nicht, wenn der Besitzer ab und zu im Busch arbeiten musste. Im Laufe des nächsten Jahres würde die Strecke, an der sie gerade arbeiteten, Ujiji oder Kigoma erreicht haben. Vielleicht war das der Zeitpunkt, an etwas Neues zu denken.

Hassan Heinrich sah aus, als wisse er nicht recht, was er von den vielen und großartigen Neuigkeiten halten sollte. Oscar hingegen hatten die spontanen Ideen richtiggehend entflammt.

Ihm war natürlich bewusst, was diese Überlegungen in Gang gesetzt hatte. Es war der Umstand, dass Hassan Heinrich eine junge Frau hatte, die ein Kind erwartete. Die beiden brauchten ein eigenes Zuhause, vielleicht ja sogar ein Haus am Meer. Als er versuchte, sich Hassan Heinrichs Frau vorzustellen, sah er Aisha Nakondi am Strand vor einem großen weißen Haus im maurischen Stil, den Indischen Ozean im Hintergrund. Angesichts dieser Fantasien hätte er sich dazu hinreißen lassen, alles zu versprechen.

Seine Fantasien über Aisha Nakondi verblassten auch nicht während der Arbeiten der folgenden Tage an dem befestigten Bahndamm, für den man sich anstelle einer niedrigen, aber langen Brückenkonstruktion über den Sumpf vor dem Lager entschieden hatte. Mindestens alle fünf Minuten warf er einen Blick über die Schulter, um zu sehen, ob sich die Kanus der Barundi näherten, um ihn abzuholen.

Zu guter Letzt saß er dann endlich in einem schwer beladenen Kanu mit sechs Barundi-Kriegern. Sie suchten ihren Weg zwischen den hohen Bäumen im ufernahen

Teil des Sumpfes. Als Oscar nach oben schaute, glaubte er sich in einer funkelnden Kathedrale zu befinden. Als sie sich weiter draußen im Sumpf zwischen den Papyrusinselchen hindurchschlängelten, empfand Oscar ein fast schreckerfülltes Entzücken der Vorfreude. Er wusste überhaupt nicht, was ihn erwartete. Und diese Ungewissheit war schwer zu ertragen.

Vielleicht würde alles anders sein als beim letzten Mal. Möglicherweise gab es zu dieser Jahreszeit ganz andere Rituale. Die Geister der Ahnen waren vielleicht ganz anders gestimmt, oder die Rituale zum Ende der Regenzeit waren während der Wachstumsperiode strengstens tabu. Er versuchte sich innerlich darauf vorzubereiten, dass er sie dieses Mal nicht einmal zu Gesicht bekam.

Vor allen Dingen musste er Ruhe bewahren. Einen kühlen Kopf behalten. Mit Würde auftreten. Alle geschäftlichen Verhandlungen mit Königin Mukawanga abschließen, ohne sich auch nur im Geringsten anmerken zu lassen, dass es etwas anderes an diesem Ort geben könnte, das ihn tausendmal mehr interessierte. Er musste seinen ganzen Willen aufbieten, um sich zusammenzureißen, und sich auf Ordnung und Disziplin verlassen.

Allen guten Vorsätzen zum Trotz beschleunigte sich sein Puls so sehr, dass er fast in Atemnot geriet, als sich die Tore des Barundi-Hafens lautlos vor dem Kanu öffneten. Die sechs Männer holten noch zweimal kräftig mit den Paddeln aus, dann lief das Kanu auf dem Sandstrand auf.

Sie befand sich nicht in der Schar Neugieriger, die im Hafen warteten.

Sein Gepäck wurde ausgeladen und zu dem großen Gebäude, der Residenz der Königin, getragen, dieses Mal allerdings zur Rückseite. Niemand machte Anstalten, ihn auf den Schultern zu tragen, niemand sang, und es bestand kein Zweifel daran, dass dieser Besuch weniger formell war als der letzte. Nirgends war festliche Kleidung zu sehen. Es schien sich eher um einen routinemäßigen Geschäftsbesuch zu handeln, wie ihn die Barundi seit Hunderten von Jahren gewohnt waren.

Man führte ihn durch eine kleine Hintertür des königlichen Gebäudes, und er betrat einen Raum, der eher wie ein Büro als ein Festsaal wirkte. Königin Mukawanga saß an einem großen Tisch aus schwarzbraunem Holz. Sie trug einen langen blauen Kanzu, der am Hals mit weißen Seidenstickereien geschmückt war und einen tief geschlitzten Ausschnitt bis zu den Brüsten hatte. Neben dem großen Tisch standen drei ältere Männer mit ausdruckslosen Gesichtern.

Die Königin erhob sich, als er eintrat, ging mit ausgestreckten Händen auf ihn zu und begrüßte ihn herzlich. Dann deutete sie auf einen großen klobigen Stuhl, der vor dem Tisch stand. Aus dem Hintergrund tauchte jemand auf und servierte Oscar eine große Kokosnuss mit abgeschlagener Spitze. Er ging davon aus, dass es sich um *Madafu*, frische Kokosmilch, handelte, aber als er trank, schmeckte er ganz deutlich Alkohol. Man hatte ihm *Ulanzi* serviert, Bambuswein, der nicht mithilfe der Spucke der alten Frauen vergoren war. Er hob die Kokosschale erst in Richtung der Königin, dann in Richtung der drei älteren Männer und trank. Damit war die Begrüßungszeremonie für dieses Mal abgeschlossen.

»Es freut mich, Sie wieder als meinen Gast zu begrüßen, Bwana Deutsch. Sie kommen, um das Geschäft, auf das wir uns geeinigt haben, abzuschließen. Sie haben die Waren dabei, auf die wir uns geeinigt haben?«, begann die Königin ohne Umschweife oder Höflichkeitsfloskeln.

»Ja, Königin Mukawanga, auch ich freue mich, wieder bei Ihnen zu sein und unseren Vereinbarungen nachzukommen«, erwiderte Oscar ihren Gruß und bemühte sich, wie die Königin direkt zur Sache zu kommen. »Ich habe eine Landkarte dabei, um Ihnen zu zeigen, wo der Bahnhof geplant ist, von dem aus die Barundi reisen können«, fuhr er fort, beugte sich zu seinem Gepäck hinunter und zog die Karte heraus.

Der Ort, an dem der Bahnhof stehen sollte, ergab sich von selbst. Es war der Punkt der Strecke, der Barundi-Stadt am nächsten lag. Königin Mukawanga hatte nichts einzuwenden.

Anschließend wurden die acht Stoßzähne hereingetragen, die Oscar bestellt hatte. Er hatte nicht mit solcher Größe gerechnet. Jeder Stoßzahn schien über hundert Pfund schwer zu sein, also bedeutend schwerer als ein Gegenstand, den ein Mann weit tragen konnte, wie die Bestellung gelautet hatte. Er erbot sich daher, mehr als zuvor vereinbart zu bezahlen, und sah, dass die Königin diese Geste offensichtlich zu schätzen wusste. Er schlug eine zusätzliche Bezahlung in Messerklingen vor und holte diese sofort aus seinen Kisten hervor. Er persönlich fand, dass sie sich besser für den Tauschhandel eigneten als Glasperlen, die ihn immer ein wenig beschämten. Laut Mohamadali war das Geschäft das schlechteste, bei dem beide Seiten das Gefühl hatten, betrogen worden zu sein; ein gutes Geschäft war jenes, bei dem alle Beteiligten langfristig zufrieden waren. Und Oscar bezweifelte, dass jemand, der Elfenbein im Wert von Tausenden von Pfund gegen eine Kiste blauer Glasperlen im Wert von drei Pfund eingetauscht hatte, auf Dauer zufrieden sein würde.

Königin Mukawanga war von der ergänzenden Zahlung mit Messerklingen nur mäßig beeindruckt, wurde jedoch beim Anblick der Glasperlenkisten, die er nacheinander öffnete, sichtlich munterer. Wenig später planten Oscar und sie bereits eifrig neue Geschäfte mit Häuten von *Chui* und *Mamba*, Leopard und Krokodil, gegen Messerklingen und Kochgefäße aus Gusseisen. Das Geschäft mit Schusswaffen war Oscar verwehrt, da derartiger Handel in Deutsch-Ostafrika verboten war. Er konnte jedoch Blei liefern, das sich als ebenso wertvolle Währung erwies wie der Messerstahl aus Solingen.

Auf ein Zeichen der Königin waren die Geschäfte beendet, und es wurde Essen aufgetragen. Die drei stummen Ratgeber der Königin setzten sich an den stabilen Tisch. Oscar war überrascht, dass nur ein sehr einfaches Mahl serviert wurde. Gegrillter Fisch und Bambuswein. Eine Weile aßen sie schweigend, bis einer der älteren Männer begann, mit der Königin über etwas in ihrer Sprache zu diskutieren, die Oscar gänzlich unverständlich war.

Die Königin dachte eine Weile nach, dann nickte sie nachdrücklich und wandte sich an Oscar mit einer Frage, die ebenso direkt wie überraschend war:

»Aisha Nakondi will zu Ihnen kommen. Wollen Sie, Bwana Os-Kar ...«, sie lächelte rätselhaft, als sie seinen Namen aussprach, vermutlich wegen der Bedeutung, die dieser Name in ihrer Sprache hatte, »... wollen Sie zu ihr kommen?«

»Ja, das will ich«, antwortete Oscar, ohne zu zögern,

obwohl ihm die Bedeutung dieser Frage nicht ganz klar war. Aber für ihn gab es in Bezug auf sie keine andere Antwort als Ja.

»Na dann!«, sagte die Königin, erhob sich abrupt und warf das Stück Fisch beiseite, das sie gerade zum Mund geführt hatte. »Dann gehen wir zum Volk.«

Die Königin bedeutete Oscar, neben ihr herzugehen, ehe sie das große Haus verließen und dann von ihrer Residenz nach links abbogen.

Die Sonne war im Begriff unterzugehen, bald würde es dunkel sein. Die königliche Prozession, die von der Königin und Oscar angeführt wurde, auf die die drei älteren Männer folgten, schritt langsam durch das Dorf, das viel größer war, als Oscar geglaubt hatte. Erst folgten sie einer Straße an der massiven Palisade entlang, die das gesamte Dorf zu umgeben schien. Einige Kinder schlossen sich der Prozession an, wurden aber weggescheucht oder von ihren Müttern oder großen Schwestern unter Gelächter und Gekicher weggezerrt. Die Männer, die ihnen von der Jagd und vom Fischfang entgegenkamen, sahen sie fröhlich an, einige vollführten obszöne Bewegungen mit den Lenden und applaudierten. Oscar wurde verlegen und lenkte sich ab, indem er der Königin Fragen stellte.

Ob die Palisade dazu diente, Feinde oder Krokodile und Flusspferde abzuhalten?

Mit Feinden habe man weniger Probleme, die würden von den Moskitos in Schach gehalten, erklärte die Königin. Die Flusspferde jedoch richteten nachts manchmal großen Schaden an.

Aber die Moskitos würden doch sicher alle Menschen gleichermaßen quälen, wandte Oscar ein.

Nicht die Barundi, erwiderte die Königin achselzuckend. Andere Menschen bekämen Malaria, die Barundi nicht.

Ganz nebenbei registrierte er, dass diese Information von großem wissenschaftlichen Interesse sein musste. Verfügten die Barundi über ein wirksames Mittel gegen Malaria? Und wenn ja, welches? Es war ihm leider nicht möglich, diesen praktischen Gedanken weiterzuverfolgen, jetzt wo er endlich auf dem Weg zu ihr war.

Sie machten einen großen Umweg. Ihrer Prozession schlossen sich Krieger mit Speeren in den Händen an, und sie schienen einmal um das gesamte Dorf herumzugehen. Der Weg führte sie an einer Schmiede vorbei. Dort hielt die Königin an, führte dem Schmied den Messerstahl vor, der diesen kritisch und sachkundig untersuchte, um dann mit froher Miene seine Wertschätzung kundzutun. Sie begegneten einer großen Gruppe Jäger auf dem Heimweg, die ein Dutzend Antilopen, die wie Impalas aussahen, jedoch kräftiger waren und in Sumpfgebieten lebten, erlegt hatten. Fischer trugen Körbe mit Fischen vorbei, die an Karpfen und Barsche erinnerten. Alle Männer trugen einen Lendenschurz aus Wildleder. Vor den Hütten, wo sich die Frauen versammelt hatten und mit gellenden Schreien und klatschend ihren Beifall kundtaten, sah er Kleider aus Baumwolle. Hinter dem Palisadentor am anderen Ende des Dorfes lag kein Hafen, dort führte ein Weg zu einigen gerodeten Inselchen, auf denen Gemüse und vermutlich Reis angebaut wurde.

Überall liefen Schweine, Hühner und Ziegen herum, aber die Gassen zwischen den Hütten waren sorgfältig gefegt, und man lief nicht Gefahr, in irgendeinen Schmutz zu treten. Oscar schätzte, dass das Dorf oder der Ort bis zu tausend Einwohner hatte, was eine ausgefeilte Organisation erforderte, um Versorgung und Krankenpflege zu gewährleisten. Es fiel ihm auf, dass keine kranken, gebrechlichen, ausgezehrten oder schwachen Menschen zu sehen waren. Und das mitten in einem für Malaria berüchtigten Sumpfgebiet!

Die Prozession war um etwa hundert Männer mit Speeren und Schilden angewachsen, als sie endlich an dem von Oscar ersehnten Ziel eintrafen, auf dem Platz, wo am Ende der Regenzeit das große Fest stattgefunden hatte mit dem göttlichen Essen und dem magischen Wein, von dem sie ihn in eine der Hütten ganz in der Nähe geführt hatte.

Die Prozession stellte sich in einem Halbkreis mit der Königin und Oscar in ihrer Mitte vor der Hütte auf, in der Oscar und Aisha Nakondi sich geliebt hatten.

Die Tür der Hütte öffnete sich, und da stand sie. Oscar vermutete zumindest, dass sie es war. Sie trug ein langes schwarzes Gewand mit einem Besatz aus Silberbrokat. Ihr Gesicht war verschleiert.

Es wurde schlagartig still. Die Gestalt, die Aisha Nakondi sein musste, streckte ihm ihre Hände entgegen. Sein Herz schlug so schnell, dass es in seinen Schläfen pochte.

»Nimm ihre Hände. Tritt ein und komm erst wieder ins Freie«, wenn es vollbracht ist«, befahl die Königin. Als Oscar den ersten Schritt tun wollte, gab die Königin eine letzte Anweisung.

»Mama Ramuka soll euch mit allem helfen.«

Die Königin versetzte Oscar einen leichten Stoß in die Seite und nickte der Frau mit den ausgestreckten Armen zu. Oscar holte tief Luft und geriet in Panik, weil seine Beine unter ihm nachzugeben drohten. Aber dann machte er einen ersten unsicheren Schritt nach vorn und ergriff wenig später ihre ausgestreckten Hände. Doch, es waren zweifellos ihre Hände. Vorsichtig zog sie ihn in die Hütte und schloss die Tür hinter ihnen.

Draußen hoben Jubel und Gesang an. Es klang, als würde einer der Tänze beginnen, die Oscar bei dem großen Fest gesehen hatte.

Als sich seine Augen an die Dunkelheit gewöhnt hatten, sah er, dass Aisha Nakondi auf einer großen geflochtenen Schilfmatte Platz genommen hatte, auf der Körbe mit Deckeln in unterschiedlicher Größe standen. Sie bedeutete ihm, ihr gegenüber Platz zu nehmen. Erst jetzt bemerkte er die beiden anderen Gestalten in der Hütte, die gerade Pechfackeln in Eisenhalterungen über dem großen Bett und an der Wand befestigten. Die beiden ihm unbekannten Frauen waren ebenfalls ganz in Schwarz gekleidet. Sie trugen jedoch keine Schleier, sondern Masken, die ihn an Löwinnen erinnerten.

Die beiden dämonischen Frauen stimmten einen monotonen Gesang an und begannen im Takt um Aisha Nakondi und Oscar herumzugehen.

Die eine schwang einen Stoffbeutel hin und her, der einen starken Geruch verbreitete, der an die speziellen Kräuter der Barundi erinnerte.

Das Ritual dauerte eine Weile an, dann trat eine der beiden Frauen auf Aisha Nakondi zu und nahm ihr den schwarzen Schleier ab. Sie sah Oscar mit einem strahlenden Lächeln an, ihre weißen Zähne leuchteten im Dunkel. Oscar empfand ein berauschendes Glück, vielleicht auch Erleichterung darüber, dass es wirklich sie war, da er sich unerbittlich auf dem Weg in eine Art Wahn befand, in dem sich Traum und Wirklichkeit nicht mehr unterscheiden ließen.

Der Gesang draußen war heller und rhythmischer geworden. Es schienen sich Frauen dem Fest angeschlossen zu haben, falls es sich um ein Fest handelte und nicht um ein magisches Ritual.

Die beiden Frauen setzten sich auf die gedeckte Schilfmatte und nahmen jeweils einen der geflochtenen Körbe mit Deckel. Sie nahmen etwas heraus, das wie Dörrfleisch aussah, von dem eine Kräutermischung herabtropfte. Wie auf Kommando steckten sie das Fleisch erst ihm in den Mund, dann Aisha Nakondi. Er wusste nicht, was er eigentlich aß, vermutlich Schlange oder Krokodil. Den Geschmack der Kräuter erkannte er von seinem vorhergehenden Besuch wieder.

Nachdem sie gekaut und geschluckt hatten, traten beide Frauen auf Aisha Nakondi zu, halfen ihr langsam auf die Beine und zogen ihr mit noch langsameren Bewegungen, fast raffiniert, das schwarze Gewand aus. Jetzt stand sie nackt vor ihm, einzig mit einer Kette kleiner weißer Flussmuscheln um den Bauch, und lächelte ihn glücklich an. Sie streckte die Arme nach ihm aus, aber da griffen die beiden Hexen ein, traten resolut zwischen sie und gaben mit deutlich erzürnten Gesten zu verstehen, dass sie sich nicht berühren durften. Anschließend wandten sie sich Oscar zu, um ihn ebenfalls zu entkleiden, gerieten dabei aber rasch in Schwierigkeiten. Sein Hemd konnten sie ihm mühelos ausziehen, aber die hohen Lederstiefel waren sehr eng. Diese Prozedur ließ sich nicht mit stiller Würde durchführen. Er setzte sich hin, zog sich seinen einen Stiefel aus und ließ sich von zwei murrenden, maskierten Frauen bei dem anderen helfen. Wäre sein Begehren nicht so groß gewesen, hätte er die Szene richtiggehend komisch gefunden.

Schließlich stand er ebenso nackt wie Aisha Nakondi am Rand der Matte mit den Körben und streckte ihr die Hände auf dieselbe Art entgegen, wie sie es getan hatte. Das war offenbar richtig. Er erschauerte, als fröre er, was um diese Jahres- und Tageszeit vollkommen unmöglich war. Trotzdem stellten sich die Härchen auf seinen Armen auf.

Erneut mussten sie sich setzen und wurden ein weiteres Mal wie zu Anfang gefüttert. Dieses Mal war sich Oscar recht sicher, dass er Schlange aß. Der scharfe Kräutergeschmack der wunderwirkenden grünen Paste war derselbe wie vorher. Anschließend wurde aus Kalebassen Wein gereicht, ein Wein, den Oscar nie zuvor getrunken hatte, der weder wie der dickflüssige Palmwein noch wie der leichtere und süßere Bambuswein schmeckte.

Nachdem sie getrunken hatten, hob eine der schwarz gekleideten Frauen den Deckel von dem größten Korb, langte blitzschnell hinein und zog eine Schlange heraus, die sie ganz fest hinter dem zischenden Kopf hielt. Oscar erstarrte vor Schreck. Eine Puffotter. Ihr Biss war nicht immer tödlich, hatte aber schreckliche Wunden und Missbildungen zur Folge. Die Schlange wand sich wütend um den starken Arm der Hexe. Die andere Frau legte Aisha die Hände auf die Schultern, drückte sie auf die Matte und legte sie mit leicht gespreizten Beinen, die Arme an den Seiten zurecht. Oscar musste sich ebenfalls auf den Rücken legen, und zwar so, dass seine Füße die Aisha Nakondis berührten. Bei dieser Berührung durchfuhr ihn erneut ein eisiger Schauer. Die Schlange zischte wütend.

Dann machten die Frauen etwas mit Aisha Nakondi, Oscar konnte es nicht unterlassen, den Kopf zu heben, bereute es aber sofort, als er sah, wie sich die befreite Schlange zwischen ihren Beinen aufwärtsschlängelte, über ihren Schoß und zwischen ihre Brüste glitt, ehe sie erneut mit einem kräftigen Griff im Nacken eingefangen wurde.

Er schloss die Augen, wartete und wollte lieber nicht darüber nachdenken, wie es weiterging. Er versuchte seine Fantasie zu bändigen, indem er an ihr Gesicht dachte. Trotzdem sah er nur einen riesigen, dreieckigen Schlangenkopf mit großen seitlichen Giftdrüsen vor sich. Als sich die trockene, kühle Schlange über seine Lenden schlängelte, stellte er mit Entsetzen fest, dass sich sein Geschlecht erhob. Das war so verblüffend unerwartet, dass er nach einigen Sekunden seine Furcht überwand. Er kniff die Augen noch fester zu und konzentrierte sich darauf, sich nicht abrupt zu bewegen, egal, was geschah. Seine Hoden zogen sich zusammen, und dem Zischen und Schlagen der Schlange entnahm er, dass sie das Gift der Schlange über ihm ausdrückten.

Ihnen wurden weitere Stücke des Liebesmahls in den Mund geschoben, und nochmals wurde Wein eingeschenkt. Seine Erektion ließ nicht nach. Aisha Nakondi sah dies und nickte ihm fröhlich aufmunternd zu. In diesem Augenblick war er dankbar dafür, dass die beiden Hexen schwarze Masken trugen, das gab ihm das Gefühl, dass Aisha Nakondi und er in dem Raum mit dem immer schwächer werdenden Licht in gewisser Weise doch allein waren.

Eine Weile lang lagen sie still und reglos auf der Schilfmatte, während um sie herum alles weggeräumt wurde und weitere Fackeln um das Bett herum entzündet wurden.

Sein Begehren war unerträglich, und in seinem Geschlecht pochte es fast schmerzhaft.

Eine der Frauen nahm jetzt ruhig Aisha Nakondis Hände und drehte sie so um, dass sie, an beiden Armen gehalten, mit der Stirn auf der Erde kniete. Sie wiegte ihr schönes Hinterteil langsam hin und her, als wollte sie ihn noch mehr erregen. Das wäre gar nicht nötig gewesen, er empfand ohnehin bereits ein unbezwingbares Begehren nach ihr und sah bereits vor sich, wie er in sie eindrang und sich ihr hingab.

Er glaubte, dass das jetzt von ihm erwartet wurde, und machte Anstalten, sich Aisha zu nähern, wurde aber sofort von der zweiten Hexe aufgehalten. Ein neues Ritual begann. Einem der Körbe wurde weiße und ockergelbe Farbe entnommen, die die Hexe auf Aisha Nakondis schweißglänzendem Hintern verrieb, dann auf Oscars Gesicht und schließlich um sein steifes Glied herum. Dann signalisierte sie ihm, sich so hinzuknien, dass er Aisha Nakondi ganz nahe kam. Aisha keuchte vor Wollust, als er sie beinahe berührte.

Jetzt durfte er ihre Taille umfassen, wurde aber daran gehindert, in sie einzudringen, was unerträglich war. Dann spürte er, wie die eine Hexe sein Glied fest packte, und er war weder schockiert noch erstaunt. Sie zog ihn nach vorn und führte ihn ein. Er hatte das Gefühl, ohnmächtig zu werden. Aisha Nakondi stieß einen jubelnden Schrei aus, bewegte sich heftig von einer Seite zur anderen und drückte sich an ihn. Als die Hexe von hinten seine Hoden packte und zudrückte, explodierte er länger und ekstatischer, als er es jemals erlebt hatte. Vor der Hütte schwoll der Gesang der tanzenden Frauen zu einem jubelnden Crescendo an, als hätten sie alles gesehen und wüssten, dass es jetzt vollbracht war.

Aisha Nakondi durfte ihn endlich küssen, und sie konnten miteinander sprechen, fanden jedoch anfänglich nicht sonderlich viele Worte. Sie drückte sich wie ein junges, verspieltes Leopardenweibchen an ihn. Seine Hände, die sich so sehr gesehnt hatten, liebkosten sie, wie er es sich so lange in seiner Fantasie vorgestellt hatte. Er hatte gehofft, dass sie jetzt ungestört waren, nachdem die Hexen unbemerkt ihre Siebensachen zusammengepackt und die Hütte verlassen hatten. Aber Aisha Nakondi und er hatten noch Pflichten, die vor dem privaten Genuss kamen. Sie zog ein sittsames blaues Gewand über, jenem sehr ähnlich, in dem die Königin ihn empfangen hatte, und reichte ihm ein ebensolches.

Als sie die Hütte verließen, wurden sie von Jubel, Gelächter und stürmischem Applaus empfangen. Das folgende Fest glich sehr dem ersten, wie auch die darauffolgende Nacht.

*

Erschöpft und glücklich kehrte er mit acht großen Elefantenstoßzähnen, die der Eisenbahngesellschaft eine eintägige Verspätung eintrugen, ins Eisenbahnerlager zurück. Die Arbeit schritt immer etwas langsamer voran, wenn er nicht vor Ort war und alles überwachte. Ein schlechtes Gewissen hatte er dennoch nicht, er würde die Verzögerung in den nächsten Tagen wettmachen. In den folgenden Wochen sogar mehr als das. Er würde einen Monat lang nicht zu den Barundi zurückkehren, was nicht nur mit seinen Geschäften mit Königin Mukawanga zusammenhing, sondern vor allen Dingen mit Aisha Nakondi. Sie war jetzt in einem gesegneten Zustand, eine bessere Übersetzung fand er nicht, und musste einen Monat lang in absoluter Reinheit zubringen, damit das Kind in ihr im ersten und empfindlichsten Teil seines Lebens nicht gestört wurde. Diese Mitteilung hatte man ihm unterbreitet, als wäre es das Selbstverständlichste von der Welt.

Nachdem er seine Stoßzähne verstaut hatte, widmete er sich sofort der Leitung der Arbeit und rackerte sich bis in die heißeste Tageszeit hinein ab, wenn normalerweise alle ein Nickerchen hielten.

Er duschte, aber das Wasser im Tank war zu warm, um zu erfrischen. Er war es gewohnt, verschwitzt zu schlafen.

Gerade als er sich hinlegen wollte, entdeckte er, dass Post aus Dar eingetroffen war. Es war der übliche Brief mit neuen Plänen und Verhaltensmaßregeln der Direktion, um die er sich nicht weiter zu kümmern pflegte. Es war eine Sache, an einem Schreibtisch in Dar unter einem Deckenventilator zu sitzen und Pläne zu zeichnen, aber eine ganz andere, diese im Busch umzusetzen.

Er warf den Brief müde beiseite und entdeckte dabei einen weiteren. Er erstarrte, als hätte er einen elektrischen Schlag bekommen. Auf dem Brief klebten norwegische Briefmarken. Die Schrift war ihm so vertraut wie seine eigene.

Er setzte sich auf sein Bett und wog den Brief in der Hand, als wage er nicht recht, ihn zu öffnen. Der Brief war wie ein lauter Ruf aus einem anderen Leben, einer anderen Zeit und einem vollkommen anderen Land. Er zog sein Jagdmesser hervor und öffnete den Umschlag.

Der Brief war sechs Wochen zuvor datiert.

Teurer, schmerzlich vermisster und lieber Bruder,
ich schreibe diese Zeilen unter Qualen, zurückgekehrt auf
meinen Posten nach einem äußerst angenehmen, aber zu-
gleich äußerst schmerzlichen Besuch der Regatten der Kieler
Woche. Du hast sicher schon einmal von dieser Veranstal-
tung gehört. Ich hatte die teilweise zweifelhafte Ehre, als
Mitsegler auf der Jacht des Barons von Freital mitsegeln zu
dürfen.
Die Wettkämpfe verliefen den Umständen nach gut, wir er-
rangen ehrenvolle Platzierungen, d. h. nach den ersten fünf
Plätzen, die offensichtlich der Familie des Kaisers vorbehalten
sind.
Während meines Aufenthalts in Kiel stieß ich auf einen lan-
gen Artikel im Hamburger Abendblatt. *Dein Bild auf der*
ersten Seite vor dem Hintergrund gefangen genommener Ne-
ger. Ein paar Seiten weiter fand sich ein zweites Foto von Dir
und ein Bericht über Deine Erfolge als Löwenjäger. Demzu-
folge weiß ich endlich, wo Du bist und was Du tust. So sind
wir also beide Eisenbahn- und Brückenbauer geworden.
Ich bin nach unserem Dresdner Examen nach Norwegen zu-
rückgekehrt, um an dem größten Bauprojekt unserer jungen,
selbstständigen Nation mitzuwirken. Du weißt natürlich,
wovon ich spreche, von der großartigen Eisenbahnstrecke zwi-
schen Kristiania und Bergen, die eine einzigartige Bedeutung
erlangen wird, weil sie die Verbindung zwischen Sankt Pe-
tersburg und England schaffen wird.
Es ist eine harte, mühevolle, entbehrungsreiche Arbeit, aber
ich will Dich nicht mit Details langweilen. Kurz gesagt: end-
lose Schneestürme, Eis und Dunkelheit.

Dem Artikel im Hamburger Abendblatt *entnehme ich, dass Deine Bahnstrecke ebenfalls nicht unkompliziert ist, obwohl die Schwierigkeiten genau entgegengesetzten geologischen und meteorologischen Gegebenheiten geschuldet zu sein scheinen. Wir werden viel zu erzählen haben, wenn uns das Schicksal wieder zusammenführt.*

Die Einladung auf die Jacht des Barons hat mein Herz mit gewissen Hoffnungen erfüllt, da Ingeborg und ich einander geschworen haben, niemals jemand anders zu heiraten. Ich hatte so darauf gehofft, dass sich der hartherzige Sachse endlich erweichen lassen würde. Aber nein! Ihn interessierte bloß, ob ich endlich ein Vermögen angespart hätte. Als ich ihn davon unterrichtete, dass meine Arbeit beim entbehrungsreichsten Bahnbau der Welt wenig einträglich und eine Frage der Ehre, der Pflicht und der nationalen Gesinnung sei, war er nicht weiter beeindruckt.

Die Dinge wurden auch dadurch nicht besser, dass ich mich in meiner Verzweiflung so weit erniedrigte, Geld von ihm leihen zu wollen. Ich hielt mich für besonders listig, ihn während des Abschlussumtrunks – der Baron hatte mit seiner Jacht einen besseren Platz belegt als je zuvor (was an meinen Ratschlägen lag, da der Mann nicht kreuzen kann und selbst bei normalem achterlichen Wind überfordert ist) – um einen Kredit von 2500 Reichsmark zu bitten.

Dazu die Vorgeschichte: Das renommierte Ingenieurbauunternehmen Horneman & Haugen aus Bergen hat mir eine Anstellung sowie die Teilhaberschaft nach Ende des Eisenbahnprojekts angeboten. Ich kann zwanzig Prozent der Aktien für die, wie ich annehme, fast symbolische Summe von 15 000 norwegischen Kronen, also für etwa 2500 Reichsmark erwerben.

Ich bin mir sicher, dass bereits eine geringfügige Modernisierung der Firma die Gewinne sofort verbessern würde. Aber aus dieser Teilhaberschaft, die unsere Heirat ermöglicht hätte, wurde also nichts.

Unter anderem, weil Bergens Privatbank mir diesen Kredit verweigerte. Dahinter steckte übrigens auch der Baron, der im Auftrag des Kaisers gewisse Geschäfte zwischen Norwegen und Deutschland betreut.

Entschuldige, lieber Oscar! Ich will Dich wirklich nicht mit trivialen Ausführungen über meine finanzielle Lage ermüden. Doch wes das Herz voll ist, des geht der Mund über, und im Grunde geht es dabei einzig und allein um Ingeborg.

Ich leiste hier oben in den Bergen die Arbeit von drei Männern, und ich gebe zu, dass es Momente gab, in denen ich darüber recht verbittert war. Die Stadt Bergen hat uns dreien unsere Ausbildung finanziert, aber nur ich zahle die Schuld zurück. Was Sverre betrifft, so will ich seinen Namen nicht mehr hören, auch wenn ich ihn eben selbst geschrieben habe. Sverres Engländer haben ihn zu schrecklichen Dingen verführt, ganz abscheulichen Dingen. Diese Dinge mögen in London vorstellbar sein, aber für mich existiert er nicht mehr. Manch einer mag finden, das seien harte Worte. Aber ich kann nicht anders, er hat mich zweifach verraten. Für Deine verzweifelte Flucht kann ich größeres Verständnis aufbringen, auch wenn es mir schwerfällt, sie zu verzeihen. Weil ich glaube, dass Deine Gefühle ebenso groß waren, wie es meine für Ingeborg waren und sind. Ich weiß aus eigener Erfahrung, dass die Liebe selbst den stärksten Mann in die Verzweiflung treiben kann. Dich, indem Du schändlich betrogen wurdest, und mich durch die Hartnäckigkeit des Barons.

Einen entscheidenden Unterschied gibt es jedoch. Für mich gab es Hoffnung, aber für Dich nur die große Enttäuschung. Ich weiß nicht, was ich selbst in Deiner Situation getan hätte. Hätte das Schicksal es anders gewollt, wäre ich vielleicht jetzt in Afrika und Du auf der Hardangervidda. Nein, ehrlich gesagt glaube ich nicht, dass ich so gut nach Afrika gepasst hätte wie Du.

Meine Finger werden allmählich starr, draußen tobt ein ungewöhnlich früher Schneesturm, und alle Arbeit musste eingestellt werden. Deswegen will ich mich abschließend kurzfassen.

Meine Pflichten bei der Bergenbahn sind bald ein abgeschlossenes Kapitel, unsere Schuld abbezahlt. Wenn ich es recht verstehe, bist Du ebenfalls bald am Ende der Reise angekommen, bei dem großen See, dessen Name mir im Augenblick entfallen ist. Wir haben beide nützliche Erfahrungen gesammelt, und zwar unter so unterschiedlichen Bedingungen, wie sie die Welt nur zu bieten hat. Sollten wir uns nicht zusammentun, um neue Brücken zu bauen?

Diese Frage stellt Dir Dein Dich liebender Bruder mitten in einem Schneesturm.

Lauritz

Oscar las den Brief zweimal langsam durch. Er weinte, dagegen war nichts zu machen. Zwischendurch hatte er sich ein Glas Schnaps eingegossen, das jetzt leer war.

Als ersten Impuls empfand er eine lähmende Ohnmacht und Scham. Natürlich war er ein Verräter oder war es zumindest gewesen. Das war schlimm genug und schmerzte ihn bei der Lektüre von Lauritz' Brief am meisten.

Lauritz kämpfte also allein dort oben auf der Hardangervidda, weil Sverre offenbar nach London geflohen war. Das war eine Neuigkeit für ihn. Hatten Sverres englische Freunde ihn derart verwirrt, dass es seinen weiteren Lebensweg bestimmte? Das war nicht normal, wenngleich auch nicht die Katastrophe, von der Lauritz unheilvoll sprach. Was vermutlich mit seinem eigentümlichen Glauben zusammenhing. Ein Mann, der mit einem Mann schläft, gehört gesteinigt. Eine merkwürdig primitive und unerwartete Ansicht eines ansonsten so moralischen und modernen Menschen wie Lauritz.

Ob es sich bei der englischen Lebensweise um kindische Spiele oder eine Krankheit handelte, war schwer zu sagen. Notfalls müsste er Sverre zu Königin Mukawanga zum Fest am Ende der Regenzeit einladen. Was einem dort widerfuhr, würde selbst den verstocktesten englischen Päderasten heilen.

Im Zelt war es sicher über vierzig Grad warm, darum ging Oscar hinaus und duschte nochmals rasch, bevor er sich wieder dem Brief widmete.

Baron von Freital war so gnädig gewesen, Lauritz als Handlanger auf seiner Jacht mitsegeln zu lassen. Entweder handelte es sich dabei um eine Geste der Verachtung, um Lauritz in seine Schranken zu weisen, oder um schadenfrohe Bösartigkeit, Ingeborgs und Lauritz' Hoffnungen ein weiteres Mal zu zerschlagen.

Er saß nackt auf dem Stuhl vor seinem kleinen Schreibtisch und merkte, wie ihn Rachefantasien übermannten, als hätte man ihn ebenso gekränkt wie Lauritz.

Und wenn man jetzt ein Segelboot baute, das in der Größe der kaiserlichen Klasse in Kiel entsprach? Es gab in Bergen schließlich eine Reihe Schiffbauer wie jene, die den

Versuch der jungen Seilerlehrlinge entdeckt hatten, ein maßstabgetreues Modell des Gokstadschiffes zu bauen.

Wenn man den Rumpf aus glattem, lackiertem Mahagoni fertigte statt in Klinkerbauweise aus Eichenplanken oder wie auch immer die großen Spielzeuge für unfassbar reiche Männer aussahen ... Dadurch ließe sich der Wasserwiderstand wahrscheinlich um dreißig Prozent verringern. Ein technisches Problem bestand vermutlich darin, den Rumpf komplett abzudichten, aber das musste sich lösen lassen. Der Rest war eine Frage der Naturgesetze, der Mathematik, der Segelfläche im Verhältnis zur Länge und zum Gewicht des Rumpfes und natürlich der Form. Die hydrodynamischen Aspekte waren vermutlich hochinteressant.

Die letzte Ladung Mahagoni, die er an die eigene Firma geliefert hatte, bestand aus ungewöhnlich langen und geraden Stämmen. Er würde seine Idee mit Mohamadali besprechen. Falls Karimjee & Jiwanjee bereits Geschäftsverbindungen mit Bergen und Hamburg unterhielten, würde das Mahagoni für den Bootsbau problemlos von Sansibar geliefert werden können.

Mit einem Segelboot, wie man es in Deutschland noch nie zuvor gesehen hatte, würde Lauritz einen Doppelsieg von der Kieler Woche heimbringen: den Siegespokal und Ingeborg. Das wäre die angemessene Rache, aber auch so einfach eine schöne und aufmunternde Fantasie.

So würde er es machen. Damit konnte er sich der unangenehmsten Frage, der Frage des Geldes, nicht länger entziehen.

Lauritz glaubte, sein Glück hinge von den 2500 Reichsmark ab, mit denen er sich in das Bergener Bauunternehmen einkaufen wollte. Das war schon absurd. Auf

einem der Güterwagen lagen acht festgezurrte Elefantenstoßzähne, die er von Königin Mukawanga erworben hatte, von denen jeder Einzelne mehr als 2500 Reichsmark
wert war.

Dabei war er gar nicht nach Afrika gekommen, um Geschäfte zu machen. Er war in erster Linie einer erniedri-
genden Situation entflohen und hatte erst später darüber
nachgedacht, wie er woanders als in Norwegen sinnvolle
Arbeit leisten konnte. Und schon gar nicht hatte er es darauf angelegt, reich zu werden. Während Lauritz auf der
Hardangervidda vermutlich genauso hart wie er gekämpft
hatte und von der Idee besessen war, so viel Reichtum an-
zuhäufen, dass er nach dem eigentümlichen Maßstab des
Barons Ingeborgs würdig war. Daneben versuchte er noch,
seine vermeintlich moralische Pflicht über die Summe von
vermutlich dreitausend norwegischen Kronen im Jahr zu
erfüllen. Wie viel war das? Fünfhundert Mark ungefähr.

Oscar wippte zurückgelehnt auf seinem Klappstuhl und
legte sich einen Plan zurecht. Wären Aisha Nakondi und
das Kind, das sie erwarteten, nicht gewesen und das große
weiße Haus, das er am Meer bauen wollte, wäre er nach
Norwegen zurückgekehrt, um mit Lauritz zusammen
»neue Brücken« zu bauen. Das verstand sich fast von selbst.
Genau wie das, was er jetzt tun würde.

Er öffnete seine Schreibschatulle und nahm einen Bogen Leinenpapier heraus, das so feucht war, dass die Tinte
darauf verlaufen wäre. Er zündete eine seiner Petroleumlampen an und hängte das Papier darüber zum Trocknen
auf.

Dann schrieb er der Deutschen Bank eine Disposition
bezüglich vorzunehmender Überweisungen von der Han-

delsgesellschaft Lauritzen & Jiwanjee zugunsten des Herrn Diplomingenieur Lauritzen mit Konto bei Bergens Privatbank, Bergen, Norwegen.

Anschließend formulierte er ein Telegramm:

Las Deinen Brief. Stopp. Sehr gerührt. Stopp. Mahagoni wird geliefert. Stopp. Bau neues Boot und sieg in Kiel. Stopp. Kauf das ganze Bauunternehmen in Deinem und meinem Namen. Stopp. Halt um Ingeborgs Hand an. Stopp. Freue mich auf ein Wiedersehen. Stopp.

Er hielt inne, da das Ende der Mitteilung unklar war. Wann würden sie sich wiedersehen? Darauf wusste er keine Antwort. Er konnte Afrika nicht mehr verlassen.

XV

LAURITZ

Finse/Bergen, September 1905

Daniel Ellefsen rief aus Finse an und fragte, ob sie auf dem Hallingskarvet angeln gehen wollten. Sie hatten schließlich den ganzen Sommer darüber gesprochen, aber wegen des mäßigen Wetters sei nie etwas daraus geworden. Es war ein kalter, verregneter und allgemein scheußlicher Sommer gewesen. Aber jetzt, wo eigentlich der Winter hätte einbrechen müssen, gab es dafür den wärmsten Herbst seit Menschengedenken. Entweder jetzt oder erst wieder im nächsten Jahr, meinte Daniel.

Lauritz war seiner Meinung. Es war wirklich ein miserabler Sommer gewesen. Bereits im August hatte es den ersten Schneesturm gegeben, was ihn nicht weiter gestört hatte, da er ohnehin nichts anderes als seine Brücke im Kopf gehabt hatte, die langsam, aber sicher Stein um Stein gewachsen war. Der untere Brückenbogen über den Abgrund war geschlossen worden und die mit unendlicher Sorgfalt behauenen und abgeschliffenen Schlusssteine, die zentralen Steine, von denen buchstäblich alles abhing, waren endlich auch an ihrem Platz. Es war ein günstiger Zeitpunkt, um die Baustelle für ein paar Tage zu verlassen. Jetzt würde von unten mit dem nächsten Bogen begonnen werden. Außerdem war es sicher eine gute Idee, wenn Johan Svenske und er für einige Tage getrennte Wege gingen. Johan schätzte es nämlich nicht sonderlich, wenn ihm ständig jemand über die Schulter schaute oder in seinen Augen unnötige Kontrollmessungen durchführte. Johan sah auf einen Blick, ob ein Stein passte oder nicht, und bislang hatte das auch immer funktioniert, von einigen kleinen und kleinlichen Korrekturen Lauritz' einmal abgesehen, dessen Philosophie lautete, dass man nie vorsichtig genug sein konnte.

Auf dem Weg nach Finse trug Lauritz nur ein dünnes Hemd unter seinem Anorak. Das war wirklich ein merkwürdiger Herbst. Ohne Skier dauerte es bedeutend länger, aber es lag noch zu wenig Schnee, was ihm ganz recht war, er brauchte auch einmal etwas Zeit für sich. In der Arbeiterbaracke konnte er sich nie so richtig entspannen, in der Gesellschaft der anderen konnte er nicht in Ruhe über ihren letzten Brief nachdenken.

Die freie Liebe war für sie und ihre von den Frauenrechten besessenen Freundinnen ein Gedanke von zentraler Bedeutung. Die freie Liebe setzte auch in sexuellen Belangen die Gleichheit zwischen Mann und Frau voraus. In ihren Augen war es eine überholte Vorstellung, dass Genuss nur dem Mann vorbehalten und der Liebesakt somit etwas war, was eine Frau über sich ergehen ließ, dem sie sich zu unterwerfen habe. Dabei hatte bereits Martin Luther darauf hingewiesen, dass diese sogenannte viktorianische und in gleichem Maße kaiserliche Anschauungsweise überholt und antihumanistisch sei. Und das bereits im 16. Jahrhundert.

Soweit es um allgemeine philosophische und politische Fragen ging, falls da überhaupt ein großer Unterschied bestand, konnte er ihr folgen. Aber in Verlegenheit geriet er, wenn sie ihre persönlichen Erfahrungen zur Grundlage ihrer Diskussionen machte. Sie hatte ihre Schlüsse aus den jüngsten Ereignissen gezogen. Wenn ein Mann eine Frau von hinten nahm, war er die Obrigkeit. Wenn eine Frau einen Mann ritt, beherrschte wiederum sie ihn. Die ausschließliche Anwendung einer der beiden Positionen sei folglich unakzeptabel. Die Schlussfolgerung war daher ganz einfach: Gleichheit durch Abwechslung. Sie hatte viel zu diesem Thema gelesen und referierte ausführlich in ihren Briefen darüber, nach Lauritz' Geschmack ein wenig zu ausführlich.

Dabei pflichtete er ihr bei, vermutlich im Unterschied zu vielen anderen Männern, dass es keine Themen gab, die ausschließlich von Männern diskutiert werden sollten.

Solche Themen waren ihm peinlich, über gewisse Dinge sprach er lieber nicht. Man konnte doch die Freuden der Liebe nicht diskutieren wie die Strategie für ein Radrennen.

Andererseits war ihre intellektuell-neugierige und ständig hinterfragende Art wahrscheinlich mehr als alles andere ein Grund dafür, dass er sich über beide Ohren in sie verliebt hatte. Ingeborg war nicht wie andere Frauen. Sie war die Frau des neuen Jahrhunderts, in gewissem Sinne eine Pionierin, die immer auf moderne Autoren verwies, die er nie gelesen und von denen er in den meisten Fällen nicht einmal gehört hatte.

Im Gegensatz zu ihrem Scharfsinn schien sein Bruder Oscar Fieberhalluzinationen zum Opfer gefallen zu sein. Er hatte ihm ein Telegramm geschickt mit der Anweisung,

Horneman & Haugen zu kaufen, ein Segelboot zu bauen, und weiteren Hirngespinsten. Das war wirklich sehr betrüblich. Vermutlich die Folge von Malaria oder einer ähnlichen Fiebererkrankung. Es blieb nur zu hoffen, dass er wieder gesundete.

Lauritz hatte seine finanziellen Probleme erfolgreich verdrängt. Jetzt türmten sie sich wie schwarze Dämonen hinter dem nächsten Berggrat auf. Sosehr er das Problem auch hin und her gewälzt hatte, hatte er keine Lösung gefunden. Sein Dienst bei der Bergenbahn, zu dem er sich moralisch verpflichtet fühlte, nahm ihn noch mindestens zwei Jahre in Anspruch. Daran ließ sich nichts ändern. Das Einzige, was diesen kategorischen Imperativ hätte aufheben können, wäre eine Schwangerschaft Ingeborgs gewesen. Daraus hätte sich ein moralischer Ausnahmezustand ergeben.

Sollte er im nächsten Sommer wirklich wieder die weite Reise nach Kiel auf sich nehmen, um bei diesem lausigen Skipper, ihrem Vater, mitzusegeln? Ja, das würde er. Die Gründe lagen auf der Hand. Teils das versprochene Diner am ersten Regattatag, bei dem ihm der Baron Ingeborg als Tischdame versprochen hatte, teils die Möglichkeit, dass sie sich zu einem Schäferstündchen davonstehlen konnten.

Zur Mittagszeit traf er in Finse ein. Daniel und er wollten abends auf dem Hallingskarvet sein, weil sich dann am besten angeln ließ. Daniel hatte zwei Traggestelle mit Rentierschlafsäcken bepackt – eine schwere Last, insbesondere wenn der Fang gut war, aber notwendig, wenn man den Nachtfrost überstehen wollte.

Sie wanderten schweigend hintereinander her, in Gedanken versunken, und legten eine ziemliche Strecke zurück.

Sie fanden eine halb verfallene Rentierhüterhütte und breiteten darin Wacholder- und Birkenzweige auf dem Boden aus, bevor sie ihre schweren Schlafsäcke ausrollten. Dann eilten sie zum nächsten Bach. Wie immer bissen die Fische wie wild an, kurz bevor die Bäche zufroren. Als die Dämmerung einsetzte, hörten sie auf, um nicht so viel zu fangen, dass sie auf das Morgenangeln verzichten mussten.

Sie nahmen den Fang mit klammen Fingern aus und packten ihn zwischen Birkenzweige in ihre Rucksäcke. In der Koje brieten sie sich dann zwei mittelgroße Forellen und tranken einen großen Schnaps, um besser einschlafen zu können. Sie wollten beide rechtzeitig aufstehen, um sich den Sonnenaufgang anzusehen, der auf dem Hallingskarvet etwas ganz Besonderes war.

Gegen sechs standen sie auf und tranken schweigend ihren Morgenkaffee. Dann traten sie ihren Weg den Hang hinauf an, wo die Sicht noch besser war. Im Osten verfärbte sich der Horizont bereits dunkelrot.

Das gesamte Hochplateau ruhte noch im Dämmerlicht, lila über den Sümpfen, weiß über den Gewässern, die spiegelblank und ruhig der ersten Sonnenbrise harrten. Plötzlich stieg der obere Rand der rot glühenden Scheibe über dem fernen Fjell auf, und kurz darauf explodierten die Landschaft in allen Farben und die Gipfel in gleißendem Rot. Wenig später war die Sonnenscheibe so hoch gestiegen, dass es aussah, als ruhe sie direkt auf dem Berg in östlicher Richtung. Das Licht breitete sich wie ein Fächer aus, die Aussicht über die leuchtenden Herbstfarben reichte unendlich weit bis hin zu den funkelnden Gipfeln des Jotunheimen in hundertzwanzig Kilometer Entfernung.

Es war ein ergreifender Gedanke, dass sie vielleicht die

einzigen Menschen waren, die diesem überwältigenden Schauspiel in diesem Augenblick beiwohnten, und dass es vor tausend Jahren vermutlich genauso ausgesehen hatte und in tausend Jahren vermutlich immer noch so aussehen würde.

Für Lauritz war dieser Moment eine kurze Auszeit von allen Belangen seines Lebens, dem Brückenbau, seiner Geldknappheit und den bevorstehenden Anstrengungen der kommenden Jahre bis zu der ersehnten Freiheit.

Sie fischten noch ein paar Stunden, bis sie so viele Forellen beisammenhatten, wie sie tragen konnten.

Den größten Teil ihres Fanges überließen sie Joseph Klem, dem Händler, den Rest trugen sie in die Küche seiner Frau Alice, die gerade von Myrdal heraufgezogen war, um in Finse ein Hotel zu eröffnen. Einstweilen handelte es sich noch um ein sehr kleines Hotel, aber die Klems rechneten mit mehr Touristen, sobald die Eisenbahnstrecke fertiggestellt war. Das würde nicht mehr lange dauern.

Sie ließen sich den Fisch nicht bezahlen, da man sie abends ohnehin zu Essen, Getränken und Unterhaltung einladen würde. Nach dem Abendessen versammelten sich alle Gäste im Salon des Hotels, und Joseph Klem spielte Gitarre oder gab Vorführungen in modernem Tanz. Er war ein großer Bewunderer der Amerikanerin Isadora Duncan, die nicht nach irgendwelchen Regeln tanzte, sondern »frei«, wie Joseph das nannte. Eigentlich sah es aus, als würde er planlos herumhopsen. Lauritz war unsicher, was er von diesem neuen Tanzstil halten sollte, aber er vermutete, dass er Ingeborg sehr gut gefallen hätte.

*

Der Frühherbst war die Zeit, in der sich der Gletscher jenseits des Finsevand mit einem ganz besonderen Glanz im Wasser spiegelte. Wer sich auskannte, erklärte das ungewöhnliche Licht damit, dass so viel Sand von den Bergen in den See gespült wurde, dass das Wasser stärker reflektierte. Worauf auch immer es beruhen mochte, es war ein sich ständig veränderndes Schauspiel, insbesondere gegen Abend, wenn sich das schräg einfallende, rote Licht in den eisblauen Tunneln, Höhlen und aufragenden Säulen des Gletschers brach.

Lauritz hatte auf Skiern einen Ausflug auf den Gletscher unternommen. Nach seiner Rückkehr erzählte ihm die Köchin in Finse, aus Bergen habe jemand für den Ingenieur Lauritzen angerufen. Es sei um Bankpapiere und den Kauf von Aktien gegangen.

Genaueres konnte sie nicht sagen, und den Namen des Anrufers hatte sie auch vergessen. In dieser Nacht schlief Lauritz unruhig.

Wie gewöhnlich stand er am nächsten Morgen um sechs Uhr auf und setzte sich im Salon des Hotels neben das Telefon, um zu warten. Er wagte es kaum, seinen Platz zu verlassen, um zu frühstücken, aber es dauerte bis gegen neun Uhr vormittags, bis das Telefon endlich klingelte. Joseph Klem ging feierlich auf den Apparat zu, hob den Hörer ab, drückte die Sprechmuschel an den Mund und sagte dumpf: »Finse, Handelsmann Klem.«

Das Gespräch war wie erwartet für Lauritz. Die Stimme am anderen Ende der Leitung stellte sich als Bankdirektor Sievertsen von Bergens Privatbank vor. Lauritz war erleichtert, dass es nicht der kleine Giftzwerg war.

Was ihm der Bankdirektor mitzuteilen hatte, klang

recht konfus. Er wirkte nervös und sprach mit seltsam gepresster Stimme. Offenbar wünschte er eine Unterredung, sobald Lauritz das nächste Mal in der Stadt war, um die Disposition vorhandener Mittel zu besprechen sowie den Erwerb des Horneman-&-Haugen-Aktienpostens abzuschließen.

Lauritz wusste nicht, wie er die Mitteilung einordnen sollte. War es Ingeborg wirklich gelungen, Geld von ihrer Tante in Leipzig zu bekommen? Ja, so musste es sein!

Lauritz vereinbarte einen Termin in drei Tagen um drei Uhr nachmittags. Einige Stunden später begab er sich mit raschen Schritten das Kleivegjelet hinauf zur Baustelle. Johan Svenskes Wiedersehensfreude hielt sich in Grenzen, weil er sich am wohlsten fühlte, wenn ihm Lauritz nicht über die Schulter schaute und alles kontrollierte. Er war sichtlich erleichtert, als Lauritz ihm mitteilte, dass er nur einen Tag bleiben würde, weil er nach Bergen müsse.

An der Ausführung der Arbeiten gab es nichts auszusetzen. Die Brückenkonstruktion war stabil und im absoluten Gleichgewicht, außerdem hatte man viel weniger Zement verwendet als berechnet. Die Steinblöcke waren exakt behauen, und an keinem anderen Ort der Erde hätte man Zement in den Fugen benötigt. Hier ging es jedoch weniger darum, die Konstruktion zusammenzuhalten, als die Fugen abzudichten, durch die Feuchtigkeit eindringen konnte. Unten im Tiefland lief das Wasser einfach zwischen den Werksteinen hindurch, ohne Schaden anzurichten, aber hier verwandelte sich dieses Wasser die Hälfte des Jahres über blitzschnell in Eis, und Eis besaß eine unglaubliche Sprengkraft.

Zur Debatte stand jetzt nur noch, wie lange man in

Erwartung des ersten Schnees noch weiterarbeiten konnte. Es war bereits September, eigentlich hätte es längst schneien müssen, und niemand wusste, wie lange das schneefreie Wetter anhalten würde. Johan fand, man solle vorerst weitermachen. Sie hatten bereits eine neue Schicht Planen angebracht, mit der sie schnell die empfindlichsten Teile der Konstruktion, beispielsweise den Schlussstein, abdecken konnten, wenn der Schnee kam.

Lauritz fielen keine weiteren Einwände ein. Johan verabschiedete sich mürrisch und kletterte eine Leiter hinunter. Er wollte das Einpassen von zwei Blöcken unten am Sockel beaufsichtigen. Lauritz blieb noch eine Weile stehen, die Ellbogen auf ein massives Holzgeländer gestützt, und betrachtete die wunderbare Aussicht über die Täler, das Gebirge und die Wasserfälle. Er musste gegen sein Schwindelgefühl ankämpfen. Da kam ihm plötzlich eine Idee. Er zog seinen Rechenschieber aus der Tasche und rechnete aus, dass der Zug bei einer Geschwindigkeit von 50 Kilometern in der Stunde die Brücke in 11,8 Sekunden passieren würde. Verrückt. Aus dem einen Tunnel ins grelle Licht, meilenweite Aussicht, und schwups in den nächsten Tunnel hinein. Keiner der Reisenden würde einen Gedanken auf die Leute verschwenden, die die Brücke erbaut hatten. Wenn er Ingeborg auf die erste Reise mitnahm, musste er ihr rechtzeitig Bescheid sagen, damit sie nicht gerade in ein Buch schaute, wenn sie über die Brücke fuhren.

Würden sie sich in Bergen niederlassen? Ja, schließlich wäre er ja Teilhaber einer dort ansässigen Baugesellschaft, von dort aus würden sie weitere Brückenprojekte in Angriff nehmen und vielleicht sogar ein kleines Vermögen anhäufen, das zumindest seinen und hoffentlich auch Ingeborgs

Ansprüchen genügen und ihnen ein »anständiges Leben«
garantieren würde.

Plötzlich befürchtete er, zu voreilig zu sein. Sein erster Besuch bei Bergens Privatbank war eine riesige Enttäuschung gewesen, eine schreckliche Demütigung. Auf Bankleute war kein Verlass. Aber wenn dieses Mal auf der Bank
alles gut ging, sagte er sich wie eine Beschwörungsformel
vor, wollte er anschließend die Gelegenheit nutzen, seine
Mutter und die Cousinen zu besuchen. Nach den freien
Tagen für die Kieler Woche hätte er ein schlechtes Gewissen gehabt, aus privaten Gründen noch mehr Urlaub zu
nehmen, und war sofort zur Baustelle zurückgekehrt. Anschließend hatte ihn ein schlechtes Gewissen geplagt, weil
er seine Mutter nicht besucht hatte. Schließlich war er der
einzige Sohn, der sich noch halbwegs in der Nähe befand.

*

Das Bankgebäude war aus grauem und rötlichem Granit
gebaut, drei Stockwerke hoch und hatte ein Dach aus
schwarz glasierten Dachpfannen. Es war eckig und unein-
nehmbar wie eine Festung. Bei seinem ersten Besuch hatte
es nicht so abweisend gewirkt, aber jetzt erschien es ihm wie
eine einzige große Machtdemonstration. Dass vor dem
Haupteingang norwegische Fahnen wehten, tat dem macht-
vollkommenen, offiziellen Eindruck keinen Abbruch. Vom
schwedischen Blau-Gelb war nichts mehr zu sehen.

Lauritz' Unbehagen nahm zu. Ihm war körperlich un-
wohl, als er Punkt drei Uhr wie vereinbart durch die schwere Eingangstür trat. Er ging davon aus, dass man ihn wie
beim letzten Mal in einem Vorzimmer warten lassen würde,

aber eine junge Dame mit einem etwas zu engen, langen schwarzen Kleid eilte auf ihn zu und teilte mit, Bankdirektor Sievertsen erwarte ihn bereits, wenn er ihr bitte nach oben folgen würde.

Das Büro, das er betrat, war doppelt so groß wie das beim letzten Mal. An der Wand hingen keine Seestücke, sondern norwegische Landschaften und an der Decke drei Kronleuchter. Die Marmorsäulen, die die Türen flankierten, schienen echt zu sein und nicht aus bemaltem Holz. Das Büro wurde von einem riesigen, blank polierten Tisch dominiert. An der Schmalseite erhob sich ein älterer, etwas korpulenter Herr und ging mit ausgestreckter Hand und einem übertriebenen Lächeln, das eher nervös als herzlich wirkte, auf Lauritz zu.

»Ingenieur Lauritzen! Ausgezeichnet, dass Sie so umgehend kommen konnten«, begrüßte ihn der Bankdirektor und deutete auf einen Stuhl am Ende des gigantischen Konferenztisches, an dem er zusammen mit einem jüngeren Mitarbeiter gewartet hatte. Er stellte den Mitarbeiter als Oberbuchhalter Bjørgnes vor.

Der Oberbuchhalter hatte einen trockenen und kalten Händedruck, die Hand des Bankdirektors war warm und feucht.

Sie nahmen Platz. Lauritz musste sich sehr zusammennehmen, um nicht zu zeigen, wie nervös er war. Der Bankdirektor räusperte sich und betrachtete den Papierstapel, der vor ihm auf dem Tisch lag. Der Oberbuchhalter schob ihm servil einige Papiere zu. Der Bankdirektor nickte und räusperte sich erneut.

Lauritz hatte beschlossen, abzuwarten, bis sein Gegenüber etwas sagte. Dieses Mal würde er sich nicht so weit erniedrigen, eine Bitte zu äußern, die ihm abgeschlagen werden konnte. Sie wiederum schienen zu erwarten, dass er das Gespräch eröffnete, und sahen ihn gespannt an. Aber er blieb hart und schaute demonstrativ an die himmelblaue Decke, an der kleine Cherubim zwischen den Kronleuchtern herumzuschwimmen schienen, statt zu fliegen.

»Ich hatte bereits telefonisch das Vergnügen, Ihnen mitteilen zu können«, begann der Bankdirektor, dem Lauritz' Schweigen keine andere Wahl ließ, »dass wir uns erlaubt haben, den Kauf des Horneman-&-Haugen-Aktienpostens für fünfzehntausend Kronen zu tätigen. Die Aktien sind jetzt sowohl im Aktienbuch der Firma als auch hier bei uns in der Bank als Ihr Besitz eingetragen, Ingenieur Lauritzen.«

Diese Sprache ist wie die Koloratur in der Oper, dachte Lauritz, eine gekünstelte Sprache für einen eigenartigen Geschmack. Offenbar besaß er jetzt also diese verdammten Aktien, die ihm solche Qualen bereitet und derentwegen er sich so erniedrigt hatte. Er hätte aufstehen und mit erhobenen Armen und geballten Fäusten jubeln mögen, aber die beiden Bankleute hatten immer noch etwas Nervös-Abwartendes, das ihn verunsicherte. Wo war der Haken? Die beiden wirkten sehr bedeckt, eingeschüchtert geradezu.

»Ich nehme an, dass das Geld von einem Konto der Deutschen Bank überwiesen wurde?«, fragte er mehr aus Höflichkeit, um das unangenehme Schweigen zu überbrücken. Die beiden anderen nickten mehrmals hintereinander, was unbeabsichtigt komisch aussah. Lauritz fiel es schwer, sich ein Lächeln zu verkneifen.

»Nun denn«, meinte er und breitete die Hände aus. »War es das, oder gibt es noch weitere gute Neuigkeiten?«

»Es böte sich ein ganzes Spektrum von Möglichkeiten

an«, erwiderte der Bankdirektor leise. »Ich weiß zufällig, dass ein bedeutender Aktienposten der Familie Horneman zum Verkauf steht, also jenes Familienzweiges, der sich aus der Firma zurückziehen will. Sie wollen das Geld lieber in einige Hotels im Fjell und an den Fjorden investieren. Vielleicht sind Sie ja an weiteren Horneman-&-Haugen-Anteilen interessiert, Herr Ingenieur Lauritzen?«

»Ja, natürlich«, antwortete Lauritz erstaunt. »Aber … darf ich fragen … Über die fünfzehntausend Kronen hinaus, die ich aus Deutschland erwartet habe … Wie viel Geld ist darüber hinaus noch für Investitionen übrig?«

Jetzt waren die Bankleute an der Reihe, erstaunt zu gucken. Der ältere Kollege fing sich als Erster wieder.

»In diesem Punkt kann ich Sie beruhigen«, sagte er mühsam beherrscht. »Ihr Guthaben übersteigt das gesamte Aktienkapital von Horneman & Haugen bei Weitem.«

Die Bedeutung der Worte war nicht misszuverstehen. Trotzdem begriff Lauritz im ersten Augenblick gar nichts.

»Entschuldigen Sie«, meinte er, »aber da ist etwas, das ich ehrlich gesagt nicht recht verstehe. Wären Sie so freundlich, mich über die genaue Summe, über die ich verfüge, in Kenntnis zu setzen?«

»In deutschen Mark oder norwegischen Kronen?«, fragte der junge Oberbuchhalter und zog rasch einige Blätter aus dem Papierstapel.

»Vorzugsweise in norwegischen Kronen«, antwortete Lauritz.

Der junge Bankmann rechnete rasch unter Zuhilfenahme eines Bleistifts nach. Dann sah er Lauritz an. Er hatte Schweißperlen auf der Stirn.

»In norwegischen Kronen beträgt der Kontostand«, sagte er und holte tief Luft, »drei Millionen achthundertfünfundsiebzigtausend und fünfzig Öre. Abzüglich der Fünfzehntausend für den Aktienkauf.«

Lauritz saß vollkommen reglos, wie vom Blitz getroffen da. 3 875 000 Kronen? Und 50 Öre? Tausend Jahresgehälter bei der Bergenbahn. Das konnte nicht wahr sein, das war irgendein grausames Missverständnis. Jetzt galt es, die Angelegenheit halbwegs elegant und in Würde hinter sich zu bringen.

»Ich fürchte, hier liegt ein Missverständnis vor«, sagte er. »Ich warte zwar auf Geld, das von der Deutschen Bank überwiesen werden soll, aber auf einen bedeutend kleineren Betrag, vermutlich von der Filiale in Dresden von einer Ingeborg Freiherrin von Freital. Stimmt das?«

»Deutsche Bank stimmt durchaus«, erwiderte der Oberbuchhalter eifrig. »Aber das Geld kommt nicht von der Deutschen Bank in Dresden, sondern aus Daressalam in Deutsch-Ostafrika, der Absender ist Oscar Lauritzen. Wir sind davon ausgegangen, dass es sich um einen nahen Verwandten von Ihnen handelt. Stimmt das etwa nicht?«

»Doch, das stimmt durchaus«, erwiderte Lauritz matt. »Mein Bruder scheint mit seinen Geschäften in Afrika mehr Erfolg gehabt zu haben, als ich gedacht habe. Sagen Sie, könnte ich vielleicht etwas zu trinken bekommen?«

»Champagner?«, schlug der Bankdirektor eifrig vor. »Wir haben noch ein paar Flaschen von der Unabhängigkeitsfeier übrig.«

»Das klingt nach einem ausgezeichneten Vorschlag«, erwiderte Lauritz und wunderte sich über sich selbst. »Anschließend, denke ich, haben wir ein paar erfreuliche Geschäfte zu besprechen.«

Der Champagner wurde so rasch serviert, dass Lauritz vermutete, dass man sich bei der Bank bereits auf diese Situation vorbereitet hatte. Als sie miteinander anstießen, war die angestrengte Stimmung wie weggeblasen. Lauritz hatte weitere Demütigungen wie beim vorigen Mal befürchtet. Weshalb die beiden Bankleute so verunsichert gewesen waren, begriff er eigentlich nicht, aber danach wollte er sie jetzt auch nicht fragen.

Er bat um Papier und Schreibzeug, beides wurde ihm sofort auf einem Silbertablett gebracht. Er schrieb eine kurze Nachricht an seine Mutter, bat um einen Umschlag, klebte ihn zu und bat darum, diese Nachricht an seine Mutter mit der *Ole Bull* am Nachmittag nach Osterøya zu schicken und bei dem Mädchen abgeben zu lassen, das Wollpullover und Wolljacken am Anleger verkaufte.

Eine weitere Flasche Champagner wurde gebracht. Junge Frauen mit weißen Schürzen reichten kleine belegte Brote.

»Zurück zu unseren Geschäften!«, rief Lauritz, als hätte er sich bereits daran gewöhnt, Millionär und einer der wichtigsten Kunden der Bank zu sein. »Hiermit gebe ich Ihnen die Vollmacht, alle Horneman-&-Haugen-Aktien zu kaufen, die Sie kriegen können. Des Weiteren möchte ich ein Stiftungsdokument aufsetzen lassen, ich vermute, dass das so zugeht, und hundertfünfzigtausend Kronen an die Wohltätigkeitsloge *Die gute Absicht* überweisen.«

Der Oberbuchhalter schrieb mit kratzendem Bleistift mit. Aber der Bankdirektor fasste sich nachdenklich ans Kinn. Ihm schien der Vorschlag nicht zu gefallen.

»Wenn Sie tatsächlich den gesamten Aktienbesitz der Familie Horneman kaufen wollen, Herr Ingenieur Lauritzen«, sagte er, »muss ich Sie darauf hinweisen, dass der Preis nicht feststeht, sondern Verhandlungssache ist. Mit sämtlichen Aktien der Familie Horneman in Ihrer Hand, zusätzlich zu dem Posten, den Sie bereits besitzen, ergeben sich dramatische Konsequenzen. Darauf kommen wir später noch zurück. Was die Stiftung von hundertfünfzigtausend Kronen an *Die gute Absicht* betrifft, das ist natürlich einzigartig großzügig. Wenn ich mir die Bemerkung erlauben darf, übertrieben großzügig. Entschuldigen Sie, wenn ich gleich als Ihr finanzieller Berater agiere, ich will nicht vorgreifen. Aber *Die gute Absicht* leidet keine Not, das weiß ich, weil ich selbst dem Vorstand angehöre.«

Es hatte den Anschein, als hätte Lauritz damit die Antwort auf die Frage erhalten, warum die beiden Bankleute so bedeckt, fast verängstigt gewirkt hatten.

»Würden Sie mir die Freude machen, mein finanzieller Ratgeber zu werden, Direktor Sievertsen?«, fragte Lauritz und hob sein Glas. Die erleichterte Miene des Bankmannes reichte als Antwort. In der feierlichen Stille, die nur von ein paar kreischenden Möwen vor dem Fenster gestört wurde, tranken sie sich zu.

Vielleicht wussten sie ja, wie Lauritz bei seinem ersten Besuch in der Bank behandelt worden war. Wenn er in diesem Moment darum bitten würde, den unangenehmen Kollegen mit der Zigarettenspitze zu entlassen und mit einem Anker um den Hals im Fjord zu versenken, hätten sie sicher alle freudig zugestimmt.

Aber das würde er natürlich nicht tun. Rache war eine ebenso große Sünde wie Habgier.

»Und?«, fragte er mit einem ehrlich-offenen Lächeln. »Wie lautet der erste Ratschlag, den Sie mir in unserer hoffentlich langen und fruchtbaren Zusammenarbeit erteilen wollen?«

Zum einen ging es um die übertriebene Gabe an *Die gute Absicht*. Das ließ sich am einfachsten klären. Lauritz erläuterte seinen Standpunkt. *Die gute Absicht* hatte seinen Brüdern und ihm die gesamte Ausbildung finanziert. Darüber hinaus hatten sie seiner Mutter eine zwar bescheidene, aber lebenslange Witwenrente ausgesetzt. Zu ihrem Examen in Dresden hätten sie außerdem noch eine Gratifikation erhalten. Aber nur einer der Brüder hatte das Examen zu dem vorgesehenen Zweck verwendet: zurückzukehren und die Bergenbahn zu bauen. Sein Bruder Oscar hatte ganz offensichtlich sein Glück in Afrika gemacht. Sein anderer Bruder war in London.

Die moralische Schuld der *Guten Absicht* gegenüber sei beträchtlich. Daher falle die Stiftung so groß aus.

Der junge Oberbuchhalter begann sofort zu rechnen und konnte wenig später mitteilen, dass hundertfünfzigtausend Kronen die Auslagen, die der *Guten Absicht* entstanden sein dürften, um etwa siebzig Prozent überstiegen.

Darauf antwortete Lauritz, dass es ihm nicht um ein Geschäft gehe, sondern darum, Großzügigkeit zu vergelten. Daher diese Großzügigkeit von seiner Seite, da er nun einmal wie durch eine göttliche Laune über so umfangreiche Mittel verfügte.

Diese nonchalante Formulierung gefiel ihm selbst nicht so ganz. Er empfand sein Verhältnis zu Gott als etwas höchst Privates. Natürlich war es Gott, der ihm diesen Wendepunkt im Leben beschert hatte. Und nun galt es, diese Gabe auf eine anständige Art und Weise zu verwalten. Gott griff nicht einfach aus einer Laune heraus ein.

Er hatte ganz einfach die Prüfung bestanden.

Die nächste Frage erwies sich als komplizierter. Es ging um den Kauf des gesamten Horneman'schen Aktienbesitzes an der Baufirma. Im Hinblick auf die lange Zusammenarbeit der Familien Horneman und Haugen wäre es unethisch, eine solche Transaktion heimlich durchzuführen. Aus diesem Grund müsse man die Aktien erst den Haugens zum Kauf anbieten, obwohl die Firma gegründet wurde, ehe es Regeln für ein Vorkaufsrecht gab.

Lauritz verstand das Problem nicht, unterließ es aber, sich nach Vorkaufsrecht und Ethik zu erkundigen, um die Unterhaltung nicht unnötig zu komplizieren. Er bat also nur kurz um einen Rat.

Dieser lautete, Familie Haugen die Aktien zum Kauf anzubieten, um sie dann zu überbieten. Daher könnte das Geschäft teurer als ursprünglich berechnet werden.

Wie teuer?

Etwa anderthalb Millionen.

Lauritz rechnete rasch nach. Offenbar konnte er es sich leisten. Er nickte zustimmend.

Trotzdem schien es so einfach dann doch nicht zu sein.

Mit solch überragender Liquidität sei es selbstverständlich nicht schwer, den Wettkampf zu gewinnen, meinte Bankdirektor Sievertsen jetzt außerordentlich gut gelaunt. Er lehnte sich in seinem Sessel zurück und rief, man solle noch eine Flasche Champagner bringen.

Es stelle sich nun allerdings die Frage, ob es sich dabei wirklich um eine gute Investition handelte. Es sei allgemein bekannt, dass Horneman & Haugen, das älteste und angesehenste Ingenieurbauunternehmen in Westnorwegen, in den letzten Jahren eine Krise durchgemacht habe, aus der es nur die lukrativen Aufträge bei der Bergenbahn gerettet hätten.

Die Frage sei also, ob ein so altmodisch geführtes Unternehmen eine derartige Investition wert sei. Es gebe andere, modernere Alternativen für die Zukunft, etwa die Pläne der Familie Horneman, in Hotels im Fjell und an den Fjorden zu investieren.

Lauritz musste nachdenken. Betriebswirtschaft war eine beschwerliche Disziplin, weil es sich eben nicht um eine Wissenschaft handelte. Betriebswirtschaft war Vernunft, Brutalität, Glück, Astrologie und alles mögliche andere, was er nicht beherrschte. Außer möglicherweise Vernunft.

»Hören Sie sich meine Überlegungen an, und sagen Sie mir, ob es sich um eine kluge Investition handelt«, sagte er und ließ sich Champagner nachschenken. »Das zwanzigste Jahrhundert wird das Jahrhundert der großen technischen Fortschritte sein. Menschen, die in hundert Jahren leben, werden auf unsere Zeit zurückblicken, wie wir heute die Steinzeit betrachten. Die Wirtschaft funktioniert dann vielleicht noch genauso wie heute, entweder ist Plus oder Minus in der Kasse. Mit der Technologie wird es aber ganz anders aussehen. In unserem Jahrhundert, und ich zögere nicht, das zu sagen, werden wir nicht nur Eisenbahnen erleben, die Kontinente überqueren, sondern auch zwischen den Kontinenten verkehren, wir werden Flugverkehr mit Passagieren erleben, zwischen den Ländern, aber auch zwischen den Kontinenten. In einigen Jahren wird es in Bergen Tausende von Automobilen geben, was einen gewaltigen Bedarf an neuen Straßen und Brücken schafft. Dem technischen Fortschritt, wie wir ihn im zwanzigsten Jahrhundert erleben werden, sind keine Grenzen gesetzt, und wir, meine Herren, befinden uns erst am Anfang. Ich besitze die beste technische Ausbildung, die die Welt zu bieten hat, mein Bruder Oscar ebenfalls. Er wird bald aus Afrika zurückkehren. Wir werden diese Firma gemeinsam führen. Im neuen, freien Norwegen wird viel und überall gebaut werden. Das sind meine Argumente für den Kauf der Aktienmehrheit. Muss ich noch mehr sagen?«

Das brauchte er nicht.

Bankdirektor Sievertsen bat darum, ihn zum Diner einladen zu dürfen.

*

Sein erster Gedanke, als er am nächsten Morgen die Augen aufschlug, war, dass es Wirklichkeit war, er hatte nicht geträumt. Nach dem etwas zu üppigen Abendessen auf Kosten der Bank fühlte er sich noch etwas mitgenommen. So gesehen war die Wirklichkeit sehr spürbar. Er lag in einem zu schmalen Bett im Dachgeschoss des Missionshotels, das 3 Kronen und 25 Öre die Nacht kostete, einschließlich Frühstück. Sein Mund war trocken, und er hatte leichte Kopfschmerzen.

Aber dass dies der erste Morgen seines neuen Lebens war, kam ihm unwirklich vor. Gestern, als ihm der Oberbuchhalter mit dem Bleistift mitgeteilt hatte, sein Guthaben belaufe sich auf 3 875 000 Kronen und 50 Öre, war er aus reinem Selbsterhaltungstrieb in eine Rolle geschlüpft. Er hatte die Bankleute nicht in Verlegenheit bringen wollen und daher den reichen Mann gespielt, aus Höflichkeit gewissermaßen.

Jetzt, im einsamen Kämmerlein, musste er sich erst einmal an den Gedanken gewöhnen, er musste lernen, reich zu sein und sich ab jetzt alles leisten zu können. Das war ein Umstand, über den er nie nachgedacht hatte. Seine Träume waren nie über ein »anständiges Leben«, das er sich für Ingeborg und sich in näherer Zukunft ausgemalt hatte, hinausgegangen.

Er musste ihr schreiben und den Brief einwerfen, bevor er das Schiff nach Osterøya bestieg. Er grübelte, wie er den Brief formulieren sollte, damit sie nicht genauso reagierte wie er, als er Oscars wirres Telegramm erhalten hatte. Vielleicht teilte er ihr am klügsten einfach mit, dass sie den ebenso umständlichen wie peinlichen Plan, ihre Tante um ein Darlehen von zweitausend Mark zu bitten, nicht mehr durchführen musste.

Zweitausend Mark? Wieder überkam ihn ein Gefühl der Unwirklichkeit, und die Härchen auf seinen Armen richteten sich auf. Vor weniger als vierundzwanzig Stunden hatten zweitausend Mark für ihn noch den Unterschied zwischen Glück und Unglück bedeutet. Jetzt war diese Summe vollkommen bedeutungslos. Es war unfassbar.

Wie konnte er Ingeborg begreiflich machen, was er selbst kaum verstand? Sollte er ihr vorsichtig erklären, dass er aufgrund einer unerwarteten Schicksalswende endlich die Forderung des Barons, seiner Tochter ein »anständiges Leben« zu bieten, erfüllen konnte?

Sie brauchten einen Plan, und sie hatten viel Zeit. Denn es stand trotz allem nicht zur Debatte, dass er die Bergenbahn vor Abschluss der Arbeiten, vor Fertigstellung der Brücke und bevor die Züge rollten, verlassen würde. Und bis dahin würden noch zwei weitere Jahre verstreichen.

Seine Morgenrasur fiel nach den Monaten im Fjell etwas ungeschickt aus, er schnitt sich in die Wange.

Nach dem reichhaltigen Frühstück im Missionshotel, das aus Sauerrahmbrei, Eiern mit Speck, Roggenbrot und Ziegenkäse bestand, promenierte er in die Stadt.

Er erinnerte sich, wie lustig seinen Brüdern und ihm dieses Wort vorgekommen war, als ihr Onkel Hans es ihnen erläutert hatte.

Ohne es recht zu merken, ging er Richtung Nordnes und wiederholte gewissermaßen den ersten Spaziergang seiner Kindheit durch Bergen, um den Lille Lungegårdsvann herum mit den prächtigen Patrizierhäusern an der Kaigaten. Jetzt könnte er jedes dieser Häuser kaufen. Bei diesem Gedanken schwindelte ihn erneut. Es würde eine Weile dauern, bis er sich daran gewöhnt hatte, dass er jetzt reich war.

Auf der Domkirkegaten fiel ihm auf, dass er auf dem Weg zu Cambell Andersens Seilerei war. Jetzt konnte er endlich ohne schlechtes Gewissen ihren Wohltäter Christian Cambell Andersen aufsuchen, dem die Seilerei vermutlich inzwischen gehörte. Ob er noch immer im Vorstand der *Guten Absicht* war? In jedem Fall war er ein wichtiger Kontakt. Und gute Kontakte in Bergen konnte er von nun an gebrauchen, angefangen mit der *Guten Absicht*, deren Mitglied er bald sein würde. Nachdem er hundertfünfzigtausend Kronen gestiftet hatte, sollte seinem Beitritt wohl nichts mehr im Wege stehen.

Er konnte sich nur vage an Christian Cambell Andersens Aussehen erinnern, umso intensiver aber an die entscheidende erste Begegnung. Die Mutter und ihre drei kleinen Söhne in tiefster Verzweiflung. Alle drei hatten Mutter Maren Kristine grausam enttäuscht. Statt als Seilerlehrlinge zum Lebensunterhalt der Familie beizutragen, waren sie als gefräßige Möwenjunge nach Hause zurückgekehrt, die nur schwer satt zu bekommen waren. Und dann war der hohe Herr aus der Stadt gekommen, um sie noch mehr zu strafen.

Sie saßen aufgereiht auf einer Bank in den einzigen guten Kleidern, die sie für den Kirchgang besaßen, schämten sich und wagten es nicht, den fremden Herrn anzusehen, und bekamen vor lauter Aufregung anfänglich nicht mit, was eigentlich vor sich ging. Gott hatte ihnen einen Engel zu ihrer Rettung geschickt.

Dieser Engel hatte ihnen den kerzengeraden Weg in eine helle Zukunft gewiesen. Das war eine ebenso dramatische Wende gewesen wie die Bankbesprechung am Vortag. Seine Mutter hatte ihn erst abgewiesen, einen grauenvollen Augenblick lang schien ihr Leben verloren.

Oscar, der Mutigste oder möglicherweise auch nur Dreisteste von ihnen, hatte die Sache schließlich zu ihren Gunsten entschieden, indem es ihm gelang, ihre Mutter zu erweichen. Lauritz konnte sich an seine genauen Worte nicht mehr erinnern, etwas im Sinne von, dass sie sich nichts sehnlicher im Leben wünschten. Und das war die Wahrheit gewesen.

Aber Oscar hatte auch gesagt, dass sie alle drei hoch und heilig schworen, sich immer um die Mutter zu kümmern. Das war nicht die Wahrheit gewesen, zumindest nicht in Oscars Fall, was angesichts der enormen Summen, die ihm zur Verfügung standen, umso unbegreiflicher war.

Die Seilerei hatte sich nicht sehr verändert, da würde er das Büro mühelos finden.

Im Obergeschoss angelangt, erschien eine mürrische Sekretärin und fragte, ob man ihn erwarte. Hier waren ganz offenbar moderne Zeiten angebrochen. Lauritz gab seinem

Bedauern Ausdruck, möglicherweise ungelegen zu kommen, er sei aber überzeugt, dass Direktor Cambell Andersen den Diplomingenieur Lauritzen gerne treffen wollte.

Mit dieser Vermutung lag er nicht falsch. Nachdem die Sekretärin mit säuerlicher Miene davongetrippelt war, vergingen nur wenige Sekunden, bis Christian Cambell Andersen aus seinem Büro gestürzt kam, mit ausgebreiteten Armen, als wollte er Lauritz umarmen. Dann überlegte er es sich doch rasch anders und reichte ihm die Hand.

»Diplomingenieur Lauritzen, das nenne ich eine Überraschung! Treten Sie ein, ich habe tausend Fragen!«

Wenig später saßen sie sich in englischen Ledersesseln gegenüber und musterten einander.

Lauritz hatte einen Mann um die vierzig vor sich mit rotblondem Vollbart und elegant hochgezwirbeltem Oberlippenbart. Die Haare waren möglicherweise ein wenig zu lang. Er war schlank, mit natürlicher Autorität, das Befehlen gewohnt.

Christian Cambell Andersen sah einen sonnengebräunten Sportsmann vor sich mit militärisch kurz geschnittenem Haar, wie es im Ausland üblich war, tadellos gekleidet, mit glatt rasierten Wangen, aber mit einem Schnurrbart in genau derselben Farbe wie sein eigener.

»Du musst mir von der Eisenbahn erzählen«, ergriff Christian Cambell Andersen schließlich das Wort. »Oberingenieur Skavlan hat beim Eisenbahnverein einen Vortrag gehalten und uns versichert, alles laufe sehr gut. Was dich betrifft, war er im Übrigen voll des Lobes. Aber es gibt immer noch viele böse Zungen in dieser Stadt. Also, was ist wahr? Es ist doch in Ordnung, dass wir uns duzen?«

Natürlich sei es das, versicherte Lauritz. Dann erläuterte

er kurz die Lage. Die Strecke würde in zwei Jahren fertig sein, aber es sei nicht sicher, ob der reguläre Verkehr dann sofort in Gang käme. Es würde vermutlich ein weiteres Jahr kosten, um herauszufinden, wo hohe Schneewehen die Errichtung von Holzdächern und anderen Schutzvorkehrungen vor dem Schnee erforderlich machten. Aber sie erwarteten keinerlei Schwierigkeiten, die sich nicht lösen ließen. Die Eisenbahn über die Hardangervidda würde garantiert Wirklichkeit werden.

Christian Cambell Andersen lehnte sich zufrieden in seinem knarrenden Sessel zurück und ahmte geschickt eine Dampflokomotive nach.

»Solche Laute geben wir von uns, wenn wir im Eisenbahnverein miteinander anstoßen«, erklärte er amüsiert, als er Lauritz' verblüffte Miene bemerkte. »Ich wusste es! Ich habe nie daran gezweifelt. Wir werden ein fantastisches Einweihungsfest veranstalten. Was hast du eigentlich anschließend für Pläne?«

»Ich habe mich bei Horneman & Haugen eingekauft und will in Bergen arbeiten.«

»Das ist ja ganz ausgezeichnet! Dann werden wir oft die Gelegenheit haben, uns zu sehen, hoffe ich.«

»Das hoffe ich auch. Beispielsweise bei der *Guten Absicht*, der ich gerne beitreten würde.«

Die Miene von Christian Cambell Andersen verfinsterte sich.

»Nun …«, meinte er zögernd. »Man tritt der Organisation nicht einfach bei, man wird auf Empfehlung von zwei vertrauenswürdigen Mitgliedern gewählt. Aber das ließe sich vielleicht arrangieren.«

»Davon bin ich überzeugt«, erwiderte Lauritz.

»Was ist eigentlich nach dem Examen aus deinen beiden Brüdern geworden? Ich habe nie wieder von ihnen gehört«, fragte Christian, eifrig bemüht, das Thema zu wechseln.

»Sie sind in die Welt gezogen«, antwortete Lauritz, sah aber sofort ein, dass diese Antwort etwas dürftig war. »Sie hatten beide fürchterlichen Liebeskummer, ich glaube, das war das Ausschlaggebende. Oscar hat es nach Afrika verschlagen, aber ich hoffe, dass er bald nach Bergen zurückkehren wird. Sverre ist nach London gegangen, und dort wird er wohl auch bleiben. Aber sag mir … gibt es das Wikingerschiff noch?«

»Ja!«, rief Christian Cambell Andersen und sprang auf. »Komm, ich zeige es dir!«

Das Bootsmodell stand noch immer in demselben Schuppen, genau so, wie sie es zurückgelassen hatten. Lauritz war ergriffen, es wiederzusehen. Es war ein plötzlicher Sprung in die Vergangenheit, in eine andere Welt mit ganz anderen und viel begrenzteren Möglichkeiten.

»Einer meiner engsten Freunde, Halfdan Michelsen, ein Schiffbauer, liegt mir schon seit Jahren damit in den Ohren, dass ich ihm das Modell überlasse«, erzählte Christian Cambell Andersen. »Aber ich dachte mir, dass ihr drei vielleicht eines Tages die Arbeit beenden wollt.«

»Nur zu gerne. Schließlich hat mit diesem Modell alles angefangen. Sagtest du Schiffbauer? Du musst mich ihm vorstellen, ich habe eine Idee, die unter anderem darauf hinausläuft, dass der Herr Schiffbauer schließlich ein fertiges Modell des Gokstadschiffes erhält.«

*

Das Wetter war weder gut noch schlecht. Zwischendurch nieselte es, und der Erste-Klasse-Salon der *Ole Bull* war nur etwa zur Hälfte mit Touristen belegt. Dieses Mal schienen alle bis auf das Paar neben Lauritz Engländer zu sein. Seine Nachbarn sprachen ausgeprägten Hamburger Dialekt, und er konnte nicht umhin, ihre Unterhaltung zu belauschen.

Die beiden jungen Leute redeten meist aneinander vorbei. Er hielt einen Vortrag über die Wikinger, während sie überlegte, welche Freunde sie zu ihrem Heimkehrfest einladen sollten und was sie anziehen sollte, falls es nicht auf der Terrasse mit Blick auf die Alster stattfinden konnte. Er kam stur immer wieder auf seine Wikinger zu sprechen.

Ungefähr auf halbem Weg nach Osterøya begann sie, in einer Broschüre zu blättern. Bei einem Blick über ihre Schulter sah Lauritz, dass sie den Absatz mit der Überschrift *Osterøya* angestrichen hatte.

»Entschuldigen Sie, mein Herr«, sagte sie plötzlich und wandte sich an Lauritz, »verstehen Sie Deutsch?«

»Ja, das könnte man durchaus behaupten«, erwiderte er mit einer ironischen Verbeugung.

»Wie peinlich!«, sagte sie errötend. »Ich konnte ja nicht ahnen, dass ich mit einem Landsmann spreche. Da Sie allein unterwegs waren, dachte ich …«

»Keine Ursache, gnädige Frau«, antwortete Lauritz, den das Missverständnis amüsierte. »Es ist keine Schande, für einen Norweger gehalten zu werden. Womit kann ich Ihnen dienen?«

»Die Frage wirkt vielleicht … Sie wissen nicht zufällig, wann wir dort ankommen?«

Sie reichte Lauritz ihre kleine Broschüre und deutete auf

die Überschrift *Osterøya*. Lauritz hatte das Vergnügen, seine gerade erst erstandene goldene Taschenuhr aus der Westentasche zu ziehen, und ließ sie etwas unroutiniert aufschnappen.

»In einunddreißig Minuten«, teilte er ihr mit. »Sagen Sie, dürfte ich vielleicht einen Blick in Ihre Broschüre werfen?«

Dort wurden die Sehenswürdigkeiten in Bergen und Umgebung beschrieben. Der Text unter der Überschrift *Osterøya* war kurz, aber sehr informativ. Man erfuhr, wo und zu welchen Zeiten das Dampfschiff *Ole Bull* ablegte. Über die Insel stand dort nur: »*Hier kann man sehr bequem und zu Schleuderpreisen an einem Stand auf dem Landungssteg die sagenhaften Osterøya-Pullover kaufen!*«

»Sehr interessant«, sagte er und gab die Broschüre zurück. »Ich vermute, dass Sie auf dem Landungssteg günstig einkaufen wollen?«

»O ja!«, bestätigte die junge Frau eifrig. »Zwei meiner Freundinnen haben letztes Jahr die große Fjordkreuzfahrt gemacht. Als sie zurückkamen, haben wir alle ihre Wolljacken, diese *Lusekofter*, sehr bewundert. Werden sie immer noch dort verkauft? Entschuldigen Sie, aber es ist vielleicht etwas viel verlangt, dass Sie das wissen.«

»Tja«, meinte Lauritz, »diese Information kann ich Ihnen durchaus geben. Es gibt immer ein ziemliches Gedränge, wenn jeder als Erster am Stand sein will. Und die Waren sind immer recht rasch vergriffen. Ich gebe Ihnen aber gern zwei Minuten vor Ankunft ein diskretes Zeichen, dann können Sie sich unauffällig als Erste zur Gangway begeben.«

»Sie sind zu freundlich, mein Herr! Darf ich so indiskret

sein, Sie zu fragen, was Sie hierher in die Fjordlandschaft verschlagen hat?«

»Ich will meine Mutter und meine Cousinen besuchen, das tue ich um diese Jahreszeit immer«, antwortete Lauritz.

Seine Antwort brachte die deutsche Touristin so aus der Fassung, dass ihr keine spontane Antwort einfiel.

Lauritz war nicht böse über das Schweigen seiner deutschen Reisegesellschaft. Er musste über etwas nachdenken, das seine Ingenieurskompetenz überstieg.

Mutters Pullover und Lusekofter hatten also Berühmtheit erlangt. Sie hießen nach der Insel Osterøya und wurden zu Schleuderpreisen veräußert. Die Touristen fanden, dass sie einen Extra-Ausflug wert waren. Das waren die Fakten der Gleichung.

Aber Betriebswirtschaft war keine Mathematik. Er war etwas auf der Spur, hatte aber keine Ahnung, wie er die Gleichung anpacken sollte.

Aber sein neuer Kompagnon Kjetil Haugen, der künftige Minderheitsaktionär von Lauritzen & Haugen, wusste bestimmt einen Rat.

War es ratsam, den Firmennamen zu ändern? Wenn Oscar und er die Aktienmehrheit besaßen, nachdem die Hornemans alle Anteile verkauft hatten, dann war das doch nur recht und billig. Aber konnte man einen so angesehenen Firmennamen einfach ändern?

Andererseits würden Oscar und er die Firma in solchem Maße modernisieren, dass etwas ganz Neues entstand. Dann wäre eine Namensänderung doch wohl taktisch klug?

All das musste er mit Kjetil besprechen, wenn die Zeit dafür reif war. Dann könnte er auch die berühmten Pullover ins Gespräch bringen.

Eine Sache war ihm jedoch auch ohne betriebswirtschaftliche Nachhilfe klar. »Schleuderpreise« bevorteilten den Käufer und benachteiligten seine Mutter.

Zwei Minuten vor Ankunft am Steg von Osterøya – Lauritz hatte jetzt einige Male geübt, seine goldene Taschenuhr aufschnappen zu lassen – gab er dem deutschen Paar ein diskretes Zeichen, indem er zwei Finger in die Höhe hielt. Mit gleichgültiger Miene und ohne Eile, was bei den Engländern womöglich Misstrauen erregt hätte, schlenderten sie Richtung Gangway. Als sie draußen Stellung bezogen, erwachte das Interesse der Engländer und führte zu raschem Aufbruch und schließlich zur Bildung einer wohlgeordneten Schlange.

Lauritz hatte es nicht eilig. Er würde ohnehin auf dem Steg warten, bis Solveig mit dem Verkauf fertig war. Wieso war er sich eigentlich so sicher, dass Solveig dort stehen würde?

Weil sie mit Abstand die hübscheste seiner Cousinen war. Ob seine Mutter wirklich zu solch kapitalistischen Hintergedanken, wie Ingeborg es ausgedrückt hätte, fähig war?

Das war ein weiteres Faktum, das sein Kompagnon, der Betriebswirtschaftler Kjetil, in seiner Gleichung unterbringen musste. Falls Betriebswirtschaftler überhaupt mit Gleichungen arbeiteten.

Das Kaufverhalten an Solveigs Stand hatte sich verändert. Mittlerweile rechnete sie mit zwei verkauften Kleidungsstücken pro Tourist. Aber als ihr der letzte Pullover aus den Händen gerissen wurde, ließ sich erahnen, dass sie durchaus noch mehr hätte verkaufen können.

Lauritz sprach diesen Umstand auf dem Heimweg an, nachdem sie den zusammenklappbaren Stand in dem Schuppen beim Steg verstaut hatten. Und sie erzählte, dass es häufig zu Streit, manchmal sogar fast zu Schlägereien kam, wenn sie zu wenige Sachen zum Verkaufen dabeihatte. Die Touristen kauften mit der gleichen Begeisterung, mit der sie früher einen Pullover gekauft hatten, inzwischen zwei.

Mutter Maren Kristine wartete zu Hause mit Kaffee und Kuchen. Sie trug ihre alte Nordhordlandtracht mit der grünen Weste.

Lauritz erzählte ihr, dass Oscar es in Afrika zu großem Reichtum gebracht hatte und bald nach Norwegen zurückkehren wollte.

Bei Letzterem war er nicht sicher, ob es der Wahrheit entsprach oder ob er sich das Ganze nur selbst wünschte und schönredete.

Danach sprach er vorsichtig das Thema Schleuderpreis an. Davon wollte seine Mutter aber nichts hören. Habgier sei die schlimmste Sünde, meinte sie. Ihre Strickarbeiten sicherten sie finanziell auf eine Art und Weise ab, von der die meisten Fischer auf Osterøya nur träumen könnten. Das sei mehr als genug. Gott habe sie mit einer Gabe gesegnet. Sich dieser maßlos zu bedienen, wäre undankbar Gott gegenüber.

Er wechselte das Thema. Es schien sie nicht zu überraschen, dass Oscar lebte, und noch dazu gut. Mehr wollte sie darüber gar nicht wissen. Aber sie sah glücklich aus, und ihre Augen strahlten auf eine Art, die er nicht an ihr kannte.

Wie immer gab es ein großes Essen, sogar ein größeres

als sonst, bei dem sowohl Lachs als auch Lamm serviert wurden.

Bis zum Essen sollte er sich mit Hammer und Nägeln nützlich machen, meinte seine Mutter, als sie das Kaffeegeschirr abräumte. Gehorsam zog er sich seine Arbeitskleidung an. Er hatte nicht den Mut gehabt, ihr zu erzählen, dass er jetzt Millionär war.

XVI

LAURITZ

Finse, Januar bis Juni 1907

Am Ende waren sie gezwungen, sich in den Schnee einzugraben. Sie waren erschöpft, und es wäre lebensgefährlich gewesen, die Suche fortzusetzen, die sie fünfzehn Stunden zuvor begonnen hatten. Alle wollten gerne graben, denn die Temperatur betrug zwanzig Grad minus, und es wehte ein starker Wind. Still dazustehen und zu warten war unerträglich. Aber sie hatten nur zwei Spaten auf ihrem Pulka dabei und mussten losen.

Aufseher Hakestad hatte eine Schneewehe gefunden, die ausreichend tief für einen provisorischen Schlafplatz war. Lauritz, einer der glücklichen Gewinner, legte sofort los. Er wusste, wie vorzugehen war, obgleich er auf dem Fjell bislang nur zweimal in einer Schneehöhle übernachten musste.

Er grub wie besessen zusammen mit einem der Aufseher, und die Höhle nahm bald Gestalt an. Nach einer Weile konnten die wartenden Männer hineinkriechen und sich dort auf ihre Rucksäcke kauern, während Lauritz und der zweite Gräber die Schneeblöcke formten, mit denen sie die Öffnung zumauern wollten. Bald saßen sie dicht aneinandergedrängt und hörten kaum noch den Sturm tosen.

Aufseher Hakestad bohrte einen Skistock durch die Decke und bewegte ihn hin und her, um ein ausreichend großes Luftloch zu schaffen. Dann suchte er einen Kerzenstummel hervor und zündete ihn an. Solange die Kerze brannte, bestand keine Gefahr, denn dann war genügend Sauerstoff vorhanden.

Die Stimmung war gedrückt, und alle schwiegen. Die Männer bangten nicht um ihr eigenes Leben, eine Nacht wie diese würden sie alle überleben. Sie hatten nach einem Vermissten gesucht und die Suche schließlich aufgeben müssen, und nun gab es keine Hoffnung mehr. Hakestad und die anderen Aufseher, die sich im Fjell auskannten, hatten erklärt, dass es um den Vermissten geschehen sei, wenn er nicht binnen vierundzwanzig Stunden gefunden wurde. Und die waren jetzt vorbei.

Der Bezirkslohnbuchhalter Juel-Hansen war gegen ein Uhr mittags auf Skiern von Haugestøl nach Finse gekommen. Der Sturm war zwar noch nicht richtig losgebrochen, aber es wäre riskant gewesen, die Wanderung so spät am Tag nach Hallingskeid fortzusetzen. Aber Juel-Hansen hatte alle Warnungen in den Wind geschlagen und erklärt, man schätze es sehr, wenn er pünktlich mit den Lohntüten erscheine, und hasse es umso mehr, wenn er sich mit dem Geld verspäte. Das war sicher eine redliche Einstellung, die ihn jetzt aber offenbar das Leben gekostet hatte.

Der Suchtrupp hatte fast die gesamte Strecke bis nach Hallingskeid gründlichst abgesucht, ohne auch nur die geringste Spur des verschwundenen Bezirkslohnbuchhalters zu finden. Es gab keinen Grund, sich Vorwürfe zu machen, und außerdem wussten sie nicht mehr sicher, wo

genau sie sich befanden. Es wäre Wahnsinn gewesen, wei-
terzusuchen.

Lauritz fiel bald in eine Art Halbschlummer. Die Temperatur in der Schneehöhle war rasch bis auf fast null Grad
gestiegen, und dort würde sie verharren.

Er hatte ein Haus in Nordnes in Bergen erworben, in der
Allégaten, so wie er es sich erträumt hatte: Laut seiner Bank
hatte er es zu einem Schnäppchenpreis bekommen, was
daran lag, dass umfassende Renovierungsarbeiten nötig waren. Die würde das Bauunternehmen Lauritzen & Haugen
übernehmen. Er hatte persönlich die Pläne angefertigt und
ging jetzt in Gedanken von Zimmer zu Zimmer und stellte
sich vor, wie sich jedes einzelne mit Möbeln ausnahm.

Danach dachte er über die hydrodynamischen Probleme
nach, die er mit Schiffbauer Halfdan Michelsen besprochen
hatte. Ziel war es, den Schwerpunkt des Bootes nach hinten
zu verschieben, den Winkel des Kielansatzes zu verändern
und das Vorschiff leichter und schmaler zu gestalten. Diese
Veränderungen würden sicherlich höhere Geschwindigkei-
ten ermöglichen.

Er formulierte einen Brief an Ingeborg, wobei er sich
nicht zu lange mit der Hydrodynamik und der Gestaltung
moderner Vorsegel wie der Spinnaker aufhielt, sondern
lieber davon berichtete, wie es mit der Diskussion über das
Frauenwahlrecht in Norwegen aussah.

Er träumte, dass Johan Svenske und er die Arbeiter an-
wiesen, das Gerüst der Kleivebrücke abzureißen, sah es
ganz deutlich vor sich. Der Sturm war nur als leises Flüstern hinter der Mauer aus Schnee zu hören.

Dann schlief er ein.

Sie froren wie die Hunde, als sie sich am nächsten Morgen aus der Höhle zwängten. Der Sturm hatte sich gelegt, und es herrschte klare Sicht. Sie stellten fest, dass sie nur dreihundert Meter von der Baracke in Hallingskeid entfernt waren, aus deren Schornstein es einladend-gemütlich rauchte. Dort hätten sie eine bedeutend wärmere Nacht verbringen können.

Jetzt gab es immerhin etwas zu essen, denn sie froren nicht nur wie die Hunde, sondern waren hungrig wie Wölfe. Am Vortag hatten sie fünfzehn Stunden auf Skiern verbracht und wegen ihres eiligen Aufbruchs kaum Proviant dabeigehabt.

Schweigend aßen sie ihren Speck und tranken geschmolzenen Schnee in der Baracke. Es tat gut, den gewaltigen Hunger zu stillen, aber sie hatten einen Mann verloren. Der Bezirkslohnbuchhalter war zweifellos tot und würde vielleicht nie gefunden werden. Selbst ein erfahrener Mann wie er konnte sich in einem Schneesturm, der einem jede Sicht raubte, auf dem Fjell verirren. Er konnte in einen Abgrund oder in eine Felsspalte gestürzt sein, wo höchstens die Raben seine Leiche finden würden. Wenn der Sommer anbrach, würden sie nach kreisenden Raben Ausschau halten. Aber jetzt konnten sie nichts mehr tun.

Nach der stärkenden Mahlzeit trennten sich ihre Wege. Hakestad und die anderen Aufseher mussten zur Direktion in Voss, Lauritz und Daniel Ellefsen kehrten zu ihrer Tunnelbaustelle in Finse zurück.

Das Wetter war wieder sehr unbeständig, als sie sich auf den Weg machten. Sicherheitshalber nahmen sie eine Schneeschaufel und zusätzlichen Proviant mit. Es war ein gewisses Risiko, aber bei Tageslicht war die Wanderung nach Finse nicht so beschwerlich, und sie wollten die nächste Nacht gern in ihren eigenen Betten und den Abend vor dem Kamin bei den Eheleuten Klem in dem kleinen Hotel neben dem Bahnhofsgebäude verbringen.

Sie kamen mit dem Schrecken davon. Der Schneesturm, der über das Fjell heranzog, glücklicherweise erst, als sie Finse bereits sehen konnten, war der schlimmste des Jahres und toste ununterbrochen neun Tage lang.

Es war Donnerstag, und sie hatten also ein paar Tage frei, bis sie zwischen den Schichten am Sonntagmorgen Kontrollmessungen im Torbjørnstunnel durchführen mussten. Dorthin zu gelangen war mittlerweile ein sehr viel einfacheres Unterfangen als am Anfang, als sie auf dem Heimweg beinahe umgekommen wären. Der Schneetunnel konnte nicht mehr einstürzen, da er inzwischen mit Steinwänden und einer gegossenen Gewölbedecke verstärkt worden war. Von ihrem Haus bis zur Mündung des Tunnels hatten sie ein Seil gespannt, an dem sie sich bei Sturm festhalten konnten und das ihnen den Weg wies.

Lauritz legte sich auf sein Bett, während der Wind draußen immer lauter pfiff. Er hatte eine Petroleumlampe auf den Nachttisch gestellt und die neueste Nummer der deutschen ingenieurwissenschaftlichen Zeitschrift aufgeschlagen, die er abonniert hatte. Darin fand sich ein langer Artikel, der sehr interessant wirkte. Die Amerikaner hatten vor dreißig Jahren einen noch längeren und schwierigeren Streckenabschnitt bei Schnee und Eis durchgeführt als den, mit dem sie selbst gerade beschäftigt waren. Es handelte sich um die transkontinentale Eisenbahn über die Rocky Mountains. Offenbar hatten die Amerikaner die längere Strecke in kürzerer Zeit gebaut, als man es sich auf der Hardangervidda auch nur erträumen konnte.

Was ihn erstaunte. Und das zu Recht. Wenn auch nicht aus ingenieurwissenschaftlicher Perspektive, sondern menschlicher. Oder, wie Johan Svenske gesagt hätte, aus politischer.

In den Vereinigten Staaten gab es keine Ingenieure, die besser waren als die deutschen. Das schnelle Voranschreiten des Bauprojekts ließ sich nicht mit überlegener Technik, sondern mit unmenschlicher Brutalität erklären.

Um schneller mit den Sprengungen voranzukommen, und zwar bis zu zehn Meter am Tag, verwendeten die Amerikaner nicht Dynamit, sondern Nitroglyzerin. Das war für Lauritz eine erschütternde Neuigkeit.

Die Sprengkraft von Nitroglyzerin war viel größer als die von Dynamit, aber es handelte sich dabei um eine äußerst instabile Substanz, die im Grunde genommen vor Ort hergestellt werden musste. Wer dabei auch nur im Mindesten mit der Hand zitterte, riskierte sein Leben, was mehrfach passiert war. Die Arbeiter waren wie die Fliegen gestorben. Darum hatten die Amerikaner besondere Arbeitssklaven importiert: Chinesen.

Man schätzte, dass die amerikanische transkontinentale Eisenbahn mehr als dreißigtausend Chinesen das Leben gekostet hatte, die meisten waren bei Unfällen mit Nitroglyzerin zu Tode gekommen. Die gesamte Bahnstrecke war ein einziger lang gestreckter Friedhof. Die vielen Toten waren für die Unternehmer sogar noch profitabel gewesen, da die Arbeiter erst nach Erfüllung ihres zweijährigen Vertrags entlohnt wurden. Da die wenigsten Chinesen zwei Jahre überlebten, fielen für die Bauunternehmen praktisch keine Lohnkosten an. Chinesische Sklaven hatten die auf der Welt meistbewunderte Eisenbahn also praktisch gratis gebaut. Statt Lohn zu bekommen, hatten sie mit ihrem Leben bezahlt.

Lauritz holte seinen Rechenschieber. Mit derselben Methode in Norwegen wäre die Bahnstrecke bereits vor vier Jahren fertig gewesen, hätte aber ungefähr fünftausend Menschen das Leben gekostet.

Das waren unfassbare Zahlen. Im Augenblick arbeiteten ungefähr neunhundert Arbeiter gleichzeitig an der Bergenbahn. Mit ordentlicher Entlohnung. Die amerikanischen Ingenieure hatten ohne Zögern mehr als dreißigmal so viele Männer geopfert. Ohne Entlohnung.

Unfälle waren nicht zu vermeiden, auch Todesfälle nicht. Gerölllawinen waren nicht ungewöhnlich. Die Bergenbahn hatte bislang etwa ein Dutzend Menschenleben gekostet.

Zwang man die Arbeiter jedoch, mit Nitroglyzerin zu arbeiten, wusste man zweifellos vorher, welche Opfer das zur Folge haben würde. Und trotzdem hatte man Jahr um Jahr so weitergemacht.

Er war in seinem Leben noch nicht vielen Amerikanern begegnet. Es hatte einige amerikanische Studenten, allerdings deutscher Abstammung, an der Technischen Hochschule in Dresden gegeben. Sie hatten sich, soweit er sich erinnern konnte, nicht nennenswert von anderen Studenten unterschieden. Möglicherweise studierten ja nur bestimmte Amerikaner an europäischen Hochschulen, die gesitteteren. Außer dass sie lauter gesprochen und sich im Theater und in der Oper rückwärts durch die Bankreihen bewegt hatten, war ihm nichts aufgefallen.

Später beim Abendessen im Speisesaal des Hotels fragte er Alice Klem. Sie war Engländerin aus aristokratischer

Familie, die auf unergründlichen Wegen auf einen norwegischen Eisenbahningenieur getroffen war, ihn geheiratet und sich wenig später auf einem der wildesten und unzugänglichsten Hochplateaus Europas wiedergefunden hatte.

Auch darüber wollte er gerne mit ihr sprechen. Dame aus aristokratischem Haus und norwegischer Eisenbahningenieur. Bislang hatte er sich jedoch gescheut, dieses private Thema anzuschneiden.

Was die Amerikaner betraf, hatte Alice Klem eine ebenso schockierende wie einfache Erklärung. Sie waren nun einmal das brutalste Volk der Welt, abgehärtet von den ungeheuren Entbehrungen während der Kolonialzeit und des grausamsten und blutigsten Bürgerkriegs der Geschichte. Ohne zu zögern, hatten sie den größten Teil der indianischen Bevölkerung ausgerottet und die wenigen Überlebenden interniert. Sie waren ein Volk von Rohlingen. Hätten sie die Gelegenheit, und davor möge Gott uns beschützen, würden sie jeden, der ihnen in die Quere kam, genauso behandeln, Weiße, Gelbe oder Schwarze, das spielte keine Rolle. Oder doch, die Hautfarbe spielte eine gewisse Rolle. Englische Sklaven hätten die Amerikaner niemals auf dieselbe Weise wie chinesische Sklaven importieren können. Die Amerikaner selbst seien ein Mischvolk, das von armen Emigranten aus Europa abstammte – von Verbrechern und religiösen Fanatikern. Sie respektierten Weiße mehr als Schwarze und Gelbe. Für die Zukunft der Menschheit sei es sicher entscheidend, dass sich Kulturnationen wie England und Deutschland der Bedrohung, die von diesem brutalen Volk ausging, entgegenstellten.

Lauritz widersprach der Behauptung, dass von Amerika

eine militärische Gefahr für die Welt ausginge. Ein Krieg in Europa sei in einer Zeit explosionsartiger technischer Fortschritte kaum mehr vorstellbar. Erst kürzlich hatten die Schweden auf einen Krieg verzichtet, während man früher mit Pauken und Trompeten und wehenden Fahnen sofort angegriffen hätte. Ein kulturell vereintes Europa sei viel zu stark, als dass die Amerikaner auf den Gedanken kommen könnten, es anzugreifen.

Das Gespräch verlief sachte im Sand, als sei es etwas peinlich. Im Salon des Hotels Finse sprach man nach dem Essen nur ungern über Politik, und während des Essens schon gar nicht.

Wie auf ein Zeichen hin erschienen die Hermeline und brachten augenblicklich alle Anwesenden auf andere Gedanken als Krieg und amerikanische Barbarei.

Anfang des Winters hatte der Wind eine große Schneewehe gegen das große Fenster des Salons getrieben. Ein paar Hermeline, die im Winter unter dem Schnee lebten, hatten am Fenster einen Gang gegraben. Anfänglich waren sie recht scheu gewesen, man hatte sie nur gelegentlich vorbeihuschen sehen. Aber mit der Zeit hatten sie sich an die menschliche Gesellschaft gewöhnt und sich darauf verlegt, die Leute im Salon neugierig zu beäugen. Sie schienen begriffen zu haben, dass sie auf ihrer Seite der Fensterscheibe sicher waren.

Nach einer Weile verschwanden die Hermeline in einem anderen Gang, nachdem sie erst noch blitzschnell etwas unternommen hatten, das zum beschämten Amüsement der Zuschauer nach der Zeugung weiterer Hermeline ausgesehen hatte. Joseph Klem murmelte mit gespielter Entrüstung etwas von moderner Freizügigkeit. Daniel Ellefsen versuchte abzulenken, indem er sich darüber ausließ, dass sich die Hermeline frecherweise an einem Fleischvorrat im Schnee zu schaffen gemacht und Gänge sowohl durch Bratenfleisch als auch Koteletts gegraben hätten, sodass man jetzt alles wegwerfen müsse.

Nach dieser putzigen Ablenkung wünschte Daniel allen eine gute Nacht und zog sich zurück. Auch Joseph Klem erhob sich und reckte sich zum Zeichen, dass es auch für ihn an der Zeit sei.

»Noch eine letzte Nachtmütze vor dem Zubettgehen?«, fragte Alice Klem Lauritz. Alice Klem sprach eine lustige Mischung aus Englisch und Norwegisch, und *Nachtmütze* war eine direkte Übersetzung von *nightcap* und bedeutete Schlummertrunk. Das Wort war Teil des internen Jargons in Finse.

»Ja, gerne ein Glas Wein«, erwiderte Lauritz und staunte über sich selbst.

Alice Klem oder, wie er sie im Augenblick sah: Lady Alice erhob sich mit einem freundlichen Lächeln und ging in die Küche, um Wein zu holen. Die Herren wünschten sich eine gute Nacht.

Früher oder später musste er mit ihr darüber reden, wenn jemand ihm Auskunft geben konnte, dann sie. Er beschloss, dass jetzt der richtige Augenblick gekommen war.

Sie kehrte mit einer Flasche des gängigen Eisenbahnerrotweins zurück und schenkte zwei Gläser ein.

»Sie wollen mich etwas fragen?«, sagte sie, als sei das eine Selbstverständlichkeit, als sie beide ihre Gläser hoben.

»In der Tat«, erwiderte Lauritz, obwohl er seinen Vorstoß bereits bereute. »Es ist vielleicht indiskret, aber ich habe den Eindruck, dass Sie eine Person sind, mit der ich über solche Dinge sprechen kann.«

»Welche Dinge?«

Also begann er zu erzählen. Eine junge, adelige Dame aus einem kultivierten europäischen Land verliebt sich in einen armen norwegischen Eisenbahningenieur. Der Vater der Dame ist aus verständlichen Gründen gegen diese Mesalliance. Er stellt finanzielle Forderungen, die der junge Mann vermutlich nie wird erfüllen können. Aber wenn er dann doch wider Erwarten …

»Danke, das genügt!«, sagte Alice Klem und hob die Hand, um zu signalisieren, dass eine Grenze erreicht war. »Ich kenne meine eigene Geschichte. Warum wollen Sie darin herumgraben?«

Sie sah alles andere als amüsiert aus, um dieses englische Understatement zu verwenden, dachte Lauritz. Aber es gab kein Zurück.

»Weil es meine Geschichte ist«, sagte er. »Es geht nicht um Lady Alice, sondern um eine gewisse hochwohlgeborene Ingeborg von Freital. Die ich über alles in der Welt liebe.«

»Erzählen Sie! Erzählen Sie mehr!«, forderte ihn Lady Alice auf.

Sie war eine energische Frau, die alles andere als aristokratisch wirkte. Ihr dunkles Haar war in einem festen Knoten hochgesteckt, ihr Oberkörper hatte etwas Quadratisches, und ihr großes Gesicht hatte grobe Züge und breite, schwarze Brauen. Wenn etwas sie empörte, konnte sie herrisch und fast ein wenig bösartig schauen, wenn sie jedoch über einen Scherz lächelte, wirkte sie herzlich und schelmisch. Jetzt sah sie sehr interessiert aus.

Lauritz hatte noch nie einem anderen Menschen ausführlich von Ingeborg erzählt, nicht einmal seiner eigenen Mutter, und jetzt erwies es sich als schwerer, als er erwartet hatte.

Als Erstes strich er ihre intellektuellen Qualitäten heraus, ihre radikalen Ansichten zur Stellung der Frau in der Gesellschaft, dem Frauenwahlrecht und der zukünftigen Eroberung der Wissenschaften durch die Frauen. Das Thema Sexualität mied er. Die finanziellen Möglichkeiten, die sich ihm erst unlängst eröffnet hatten, umriss er sehr knapp und vielleicht etwas zu bescheiden. Alice Klem hörte mit einem freundlichen und ironischen Lächeln aufmerksam zu.

»Haben Sie heimlich miteinander geschlafen?«, fragte sie mit erschütternder Direktheit, als Lauritz ins Stocken kam.

»Ja, das haben wir«, antwortete Lauritz heftig errötend.

»Ausgezeichnet! Alles wird gut. Interessanter Gedanke, dass es bald zwei Ladys in Finse geben könnte. Wenn bloß die Klassenkämpfer da draußen nichts davon erfahren. Egal. Die Lösung des Problems ist ganz einfach. Sie soll dem tyrannischen Vater entfliehen, sobald sie die Volljährigkeit erlangt hat, und heiraten. Das kann teuer werden, also muss man zwischen Liebe und Enterbung abwägen. Aber diese Möglichkeit haben Sie vermutlich in Betracht gezogen?«

»Durchaus. Und Ingeborg ist bereits mündig«, antwortete Lauritz.

»Warum haben Sie dann noch nicht geheiratet?«

»Weil ich bei der Bergenbahn bleiben muss, bis sie fertig ist. Das ist eine Ehrensache.«

»Unsinn! Alles, was die Männer über Ehre faseln, ist

Unsinn. Findet sich denn Ingeborg etwa mit solchem Gerede ab?«

»Ja, das tut sie. Sobald ich nach Beendigung der Arbeiten das Fjell verlasse, kann ich ihr ein anderes Leben in Bergen bieten. Ich bin bereits dabei, uns ein Haus einzurichten. Dieses Jahr werde ich zum zweiten Mal um ihre Hand anhalten, wenn ich ihren Vater bei der Regatta in Kiel treffe. Entschuldigen Sie, eine Regatta ist …«

»Ja, ja. Ich weiß natürlich, was eine Regatta ist. Bei Seglerbällen und ähnlichen Veranstaltungen werden Frauen wie Ihre Ingeborg und ich mit passenden Männern verkuppelt. Je hässlicher man ist, so wie ich, desto älter ist der entsprechende Mann. Jetzt wollen Sie sich also *humiliieren* … Entschuldigung, sagt man so?«

»Ja, ich werde mich zum zweiten Mal erniedrigen.«

»Und wenn der Alte Nein sagt?«

»Dann heiraten wir trotzdem.«

»*Excellent!* Aber was wollten Sie eigentlich wissen?«

Lauritz war sich plötzlich unsicher. Die Frage war höchst berechtigt. Was wollte er eigentlich wissen?

Der Schneesturm draußen pfiff immer lauter, überall, wo sich der Wind im Haus verfangen konnte, heulte es.

»Es ist mir ein wenig unangenehm«, sagte er. »Andererseits kann mir diese Frage hier in Finse niemand außer Ihnen beantworten. Kann eine Adelige wie Ingeborg auf Dauer mit einem Bürgerlichen wie mir zusammenleben?«

Erst sah sie ihn verblüfft an. Dann brach sie in ein anhaltendes Gelächter aus, das ihn umso verlegener machte, je länger es währte. Sie lachte so sehr, dass sie die Hand nach einer liegen gebliebenen Serviette ausstrecken musste, um sich die Augen zu trocknen.

»Wissen Sie, mein lieber Lauritz«, sagte sie schließlich. »Falls Ingeborg die Frau ist, die Sie mir beschrieben haben, ist das die kleinste Ihrer Sorgen!«

*

Ein Junge starb im Torbjørnstunnel. Er hatte den bei Tunnelarbeiten fatalsten Fehler begangen und war zu früh nach einer Sprengung zurückgekehrt, um mit dem Beseitigen der Geröllmassen zu beginnen. Ein Felsbrocken hatte sich von der Tunneldecke gelöst und war ihm auf den Kopf gefallen. Es war immer tragisch, wenn ein junger Mensch sein Leben verlor, darin waren sich alle in Finse einig. Und besonders tragisch war es, weil der Unfall so unnötig gewesen war. Beim Sprengen entstand starke Hitze, wenn das Gestein abkühlte, schrumpfte es, und dann kam es zu Steinschlägen, das war hinlänglich bekannt.

Es war Januar, und man konnte sich nur auf Skiern von und nach Finse bewegen. Zu jeder anderen Jahreszeit hätte man den Arbeitern aus Vormann Emund Hamres Gruppe freigegeben. Lauritz empfand eine gewisse beschämende Erleichterung, dass der Unfall nicht in Johan Svenskes Gruppe passiert war. Svenske und er hatten während der bislang drei Jahre dauernden Arbeit an der Kleivebrücke keinen einzigen Mann verloren. Der eine oder andere hatte an dem Sicherheitsseil über dem Abgrund gebaumelt, aber schlimmere Verletzungen als Quetschungen und blaue Flecken hatte es nie gegeben. Auf dem schwierigen Transportweg das Kleivegjelet hinauf war das eine oder andere Fuhrwerk den Abhang hinuntergestürzt, aber auch dabei war niemand zu Tode gekommen oder hatte sich ernsthaft verletzt. Nur der Verlust einiger Pferde war zu beklagen gewesen.

Die Stimmung in der Torbjørnsbaracke war verständlicherweise düster, als Lauritz dort eintraf. Das lag nicht nur an der Trauer über den verunglückten Arbeitskameraden, sondern auch an der allgemeinen Scham. Sie hätten den Jungen aufhalten müssen, als er sich voller Eifer in den Tunnel begeben hatte. Insbesondere der Vormann hätte diese Verantwortung übernehmen müssen. Dabei hatte es wenig Sinn, sich mit Schuldgefühlen zu quälen. Das Unglück war geschehen, und daran ließ sich nichts ändern.

Da bei den herrschenden Schneeverhältnissen nicht an Beurlaubung zu denken war, blieb ihnen nichts anderes übrig, als weiterzuarbeiten.

Es gab auch ein psychologisches Problem, auch wenn Vormann Hamre es nicht so ausdrückte. Die Frage war, wie mit der Leiche verfahren werden sollte. Der Junge konnte nicht im Tunnel liegen bleiben, bis im Frühjahr wieder Transporte möglich waren, weil es dort zu warm war. Den toten Arbeitskollegen in der Baracke aufzubewahren kam noch weniger infrage. Und wer sollte die Eltern des Toten benachrichtigen? Keiner in der Baracke war ein sonderlich guter Briefeschreiber.

Lauritz war alles andere als erpicht auf diese Aufgabe, ließ sich das aber nicht anmerken. Den Brief an die Eltern des Toten wollte er noch am selben Abend schreiben, damit er ihn am nächsten Tag dem Postboten mitgeben konnte, falls dieser nicht wegen des Schneesturms ausblieb. Die Leiche sollte in eine Persenning eingerollt und mit Seilen festgezurrt an den Eingang des Schneetunnels gebracht werden. Als die Leiche des Kollegen auf den Schlitten gelegt wurde, hielt Hamre eine kurze, tränenreiche Rede, während alle ihren Hut in der Hand und den Kopf gesenkt hielten. Danach kehrten sie wortlos in den Tunnel zurück.

Lauritz und Daniel spannten sich wie zwei Pferde vor den Schlitten und zogen ihn zu den großen Ställen bei Finse hinunter, wo es Werkzeug und Holz gab. Sie zimmerten einen Sarg, damit die Hermeline sich nicht an dem Toten zu schaffen machten.

Sie begruben ihn einige Meter tief im Schnee, so wie sie es auch mit Rentierfleisch und Fisch machten.

In den Büchern schlug Lauritz den Namen und Heimatort des Toten nach. Er hieß Elling Ellingsen und stammte aus Eidfjord.

Lange saß Lauritz mit gezückter Feder im Arbeitszimmer der Ingenieure und starrte auf ein leeres Blatt Papier. Schließlich biss er die Zähne zusammen, tauchte die Feder in das Tintenfass und begann zu schreiben. Es sei seine traurige Pflicht, mitzuteilen, dass der junge Elling bei einem Steinschlag während der Arbeiten am Torbjørnstunnel bei Finse ums Leben gekommen sei.

Worte des Trostes fielen ihm keine ein, die, egal, ob sie von einem Geistlichen oder einem Ingenieur kamen, ohnehin wirkungslos waren. Das wusste er aus eigener Erfahrung.

Dennoch unternahm er einen Versuch, indem er schrieb, ihr Sohn Elling habe dem größten und schwierigsten Bauprojekt Norwegens sein Leben geopfert. Wer in naher Zukunft den Zug über die Hardangervidda nahm, würde sicher verstehen, welch große und wichtige Errungenschaft zu Nutz und Frommen Norwegens der Bau dieser Bahnlinie darstellte.

An dieser Stelle hielt er inne, weil ihm einfiel, dass er die aktuellen Versicherungsbedingungen gar nicht kannte. Würde Familie Ellingsen eine Auszahlung erhalten? Es war zu spät, um bei der Direktion anzurufen, aber er wollte den Brief fertigstellen und schrieb daher, dass Bergens Privatbank eine Summe von 1000 Kronen auszahlen würde. Die Direktion der Bergenbahn in Voss werde weitere Informationen liefern. Er schloss damit, ein weiteres Mal sein Beileid auszusprechen, und versiegelte dann den Umschlag.

Daraufhin wies er Bankdirektor Sievertsen an, von seinem privaten Konto 1000 Kronen an die Familie Ellingsen in Eidfjord auszuzahlen.

Nachdem er das erledigt hatte, seufzte er erleichtert und öffnete erwartungsvoll den dicken Umschlag seines Kompagnons Kjetil Haugen. Kjetil hatte im vergangenen Jahr etliche große Projekte für die Firma an Land gezogen. Die Geschäfte gingen inzwischen wieder besser, nachdem die Bergener erkannt hatten, dass das Eisenbahnprojekt bald von Erfolg gekrönt sein würde und alles andere nur bösartige Gerüchte gewesen waren. Für Horneman & Haugen war es noch eine Belastung gewesen, so sehr in den Bau der Bergenbahn involviert zu sein, für Lauritzen & Haugen stellte es inzwischen einen Vorteil dar. Was die Errichtung neuer Brücken und Landungsstege in Bergen und Umgebung betraf, war die Auftragslage erstklassig.

Ansonsten war es jedoch eine enttäuschende Lektüre. Die Stadtverwaltung Bergen hatte ihren Vorschlag für einen neuen Bahnhof abgelehnt.

Das war unbegreiflich. Ihr neuer Partner, der Architekt Jens Kielland, war wie Lauritz in Deutschland ausgebildet worden. Sie hatten sich auf Anhieb gut verstanden und die

Idee für den neuen Bahnhof an einem sehr fröhlichen Abend in angeregtem Gespräch, zuletzt sogar auf Deutsch, entwickelt.

Kjetil schlug vor umzudenken. Vielleicht schwebte den Bergener Stadtvätern etwas Nordischeres vor. Der verworfene Vorschlag erinnere vielleicht zu sehr an eine mittelalterliche deutsche Festung. Jens arbeitete bereits neue Pläne aus.

Außerdem hatte Kjetil Richtlinien ausgearbeitet, um die Geschäfte Mutter Maren Kristines anzukurbeln, ohne dass es ihr als Geldgier ausgelegt werden könnte, da dies bei seiner Mutter ein heikler Punkt war, wie er verstanden hatte. Aber Hindernisse waren schließlich dazu da, überwunden zu werden.

Kjetil hatte als ersten Schritt ein Warenzeichen mit Text und Bild eintragen lassen. Die Marke hieß *Frøynes* in Silber auf schwarzem Grund, und darunter war das Bild eines Hauses im Wikingerstil auf einer Landzunge an einem Fjord. Den Touristen sollte klargemacht werden, dass *Frøynes* und keine andere Marke à la mode war.

In einem zweiten Schritt sollten die vornehmsten Läden der Stadt *Frøynes*-Produkte in Kommission nehmen und so teuer wie möglich verkaufen, wobei sie mit fünfundzwanzig Prozent Provision beteiligt werden sollten. Davon würden alle profitieren. Lauritz' Mutter musste sich dann nicht mehr um den gesamten Absatz kümmern und würde trotzdem mehr verkaufen. Noch dazu zu einem höheren Preis.

Als dritter Schritt sollte ein Langhaus im Wikingerstil auf dem Frøynes Gård errichtet werden, äußerlich altertümlich, vorzugsweise mit Drachenköpfen und ähnlichen Ornamenten, aber innen modern isoliert und mit großen Fenstern, Beleuchtung und zwei großen offenen Kaminen.

Dort konnte seine Mutter die Arbeit den ganzen Winter über organisieren. Und im Sommer konnte der in der Stadt wohnende, größer werdende Teil der Familie das Langhaus als Sommerhaus nutzen. Jeder Bergener wünschte sich mittlerweile ein Haus auf einer der Inseln, um den Kindern einen gesunden Sommeraufenthalt zu ermöglichen. Auf diese Weise ließen sich laut Kjetil Nutzen und Vergnügen bestens miteinander verbinden.

Es war recht wahrscheinlich, dass sich der Umsatz von *Frøynes*-Produkten dank dieser Maßnahmen und Investitionen versieben- bis verachtfachen ließ. Aber ebenso wahrscheinlich sei es, räsonierte Kjetil erstaunlich einsichtig, dass all diese Argumente die gottesfürchtige Maren Kristine nur wenig beeindrucken würden. Daher sei es von äußerster Wichtigkeit, und das sei wohl eher Aufgabe des Sohnes als des Kompagnons, ihr folgenden Vorschlag zu machen: Sie sollte alle Nachbarn und Verwandten in die Arbeit einspannen und sie auf diese Weise auch an Gottes Gaben teilhaben lassen. Osterøya war eine sehr arme Insel. Aber bald schon würde es vielen Menschen dort draußen besser gehen. Diesem Umstand konnte sich seine Mutter ja wohl kaum verschließen?

Wohl wahr, das musste Lauritz zugeben. Aber Kjetils materialistische Denkweise, so logisch sie Lauritz auch erschien, lag seiner Mutter sehr fern. Sie sah die Armut als einen zentralen Teil des geistigen Lebens, als handele es sich dabei um eine Segnung Gottes, die nur jenen Menschen zuteilwurde, die er am meisten liebte. »Es ist leichter, dass ein Kamel durch ein Nadelöhr gehe, als dass ein Reicher ins Reich Gottes komme.«

Es sei schwer vorherzusagen, wie sie auf diese revolutionierenden Vorschläge reagieren würde, teilte er Kjetil in seinem Antwortbrief mit. Aber das Bedürfnis, anderen zu helfen, sei auch tief in ihrem streng christlichen Glauben verankert. Er wollte sie daran erinnern, wie ihnen *Die gute Absicht* in ihrer schwersten Stunde geholfen hatte. Und Gott, der seine Mutter mit dieser künstlerischen Gabe gesegnet habe, konnte nicht missbilligen, dass sie den Cousinen und ihrer Schwägerin Aagot beigestanden hatte. Warum also nicht auch noch anderen Notleidenden in ihrer näheren Umgebung auf der Insel helfen?

Das musste sie überzeugen. Weil er selbst davon überzeugt war.

Nachdem er den Brief an Kjetil beendet hatte, schrieb er noch kurz an seinen Architektenfreund Jens, einen niedrigeren, kompakteren und nordischeren Bahnhof zu entwerfen, allerdings immer noch mit zwei Türmen. In der Haupthalle sollten Reliefs mit nordischen Symbolen angebracht werden, ein Löwe mit einer Axt, ein Rad mit zwei Flügeln – das Wappen der norwegischen Eisenbahn –, und warum nicht gar ein Wikingerschiff oder zwei?

Der nächste Brief ging an die Bank. Danach schrieb er einen weiteren an seinen neuen Freund, den Schiffsbauer Halfdan Michelsen, und abschließend einen an den Seilermeister Christian Cambell Andersen.

Diesen letzten Winter in Finse hatte er hauptsächlich am Schreibtisch verbracht. Es gab keinen Grund, deswegen ein schlechtes Gewissen zu haben. In dieser Jahreszeit gab es für ihn nichts anderes zu tun, als die Messungen im schwierigen Torbjørnstunnel durchzuführen. Und die Schreibtischtätigkeit trug erste Früchte. Lauritzen & Haugen hatten ihren Umsatz im vergangenen Jahr um 117 Prozent erhöht, und obwohl das hauptsächlich Kjetils Verdienst war, hatte Lauritz doch aus der Ferne einiges dazu beigetragen.

Jetzt musste er noch ein paar Zeilen an die Segelmacher verfassen, ehe er zu Bett ging. Mittwochs kam der Briefträger immer früh.

*

Sobald die Schneekruste im Februar hart wurde und auf den Bauernhöfen die Zeit der Futterknappheit anbrach, zog Vormann Hamre jeden Sonntag mit seinen Arbeitern los, um die Leiche von Juel-Hansen zu suchen. Nicht nur aus Pietät und christlicher Nächstenliebe suchte er erst systematisch die Strecke nach Hallingskeid und anschließend in immer weiteren Kreisen alle anderen Richtungen ab.

Die Eisenbahngesellschaft hatte dem Finder der Leiche eine Belohnung von 1000 Kronen versprochen, und das auch nicht nur aus Pietät und christlicher Nächstenliebe. Juel-Hansen hatte etwa 25 000 Kronen in einer speziellen, für diesen Zweck gefertigten Geldkassette dabeigehabt, die er an Riemen auf dem Rücken getragen hatte.

Nach einigen Monaten hatten sie ihn noch immer nicht gefunden, aber Hamre gab nicht auf.

Anfang Juni, als die Eiskruste nicht mehr trug und man nur noch mit Skiern vorwärtskam, erschien Hamre eines Sonntagnachmittags unten in Finse und wurde mit feierlicher Miene bei Lauritz vorstellig.

»Ich habe ihn gefunden«, teilte er knapp mit. »Oder zumindest die Geldkassette und seine Skier.«

»Weit weg?«, fragte Lauritz.

»Nein, aber in der falschen Richtung, auf den Finsevand zu. Könnten Sie, Herr Ingenieur, mich mit einem Pulka begleiten, damit wir ihn holen können? Er muss ja wohl irgendwo in der Nähe liegen.«

»Das haben Sie nicht untersucht?«, fragte Lauritz. »Warum nicht?«

»Weil es heißt, dass in der Geldkassette fünfundzwanzigtausend Kronen liegen sollen.«

Anfänglich verstand Lauritz nicht, was er damit sagen wollte, es wurde ihm aber umso klarer, als er den Fundort zusammen mit Hamre, Daniel Ellefsen und zwei Pulkas erreichte. Ein Paar Skier ragte aus dem Schnee, und davor lag eine schwarze Geldkassette, die die Sonne aus dem Schnee geschmolzen hatte.

»Da!«, sagte Hamre und deutete auf seine eigenen Skispuren auf dem Boden. »Da habe ich angehalten, wie ihr sehen könnt, und bin nach Finse zurückgekehrt. Aber jetzt, unter Zeugen, können wir weitergehen.«

Die Geldkassette schien unberührt zu sein, aber sie war nicht verschlossen. Als Lauritz den quietschenden und vereisten Deckel öffnete, sah er, dass sie mit Geldscheinen gefüllt war. Vermutlich die gesamte Summe, denn warum sollte ein Dieb sich nur mit einem Teil begnügen? Lauritz schien es unpassend, das Geld zu zählen, bevor sie Juel-Hansen gefunden hatten. Er oder das, was von ihm noch übrig war, musste irgendwo in der Nähe liegen.

Sie brauchten nicht lange zu suchen. Er lag fünfzig Meter entfernt unterhalb eines großen Felsens, wo er Schutz gesucht hatte. Neben ihm lagen eine halb volle Bierflasche und ein paar Butterbrote. Seltsam war, dass sich Füchse und Raben nicht bedient hatten.

Sie brachten die Leiche und die Geldkassette nach Finse. Im Kontor zählten Lauritz und Daniel der Ordnung halber das Geld. Die Summe stimmte. Es waren 26 403 Kronen. Lauritz schrieb eine Quittung, die er Hamre unterschreiben ließ, und reichte diesem dann 1000 Kronen. Hamre nahm das Geld eher ernst als triumphierend entgegen.

»Was haben Sie mit dem Geld vor, Sie wollen es doch wohl nicht vertrinken?«, versuchte Daniel zu scherzen.

»Nein, ganz sicher nicht, Herr Ingenieur. Die Hälfte wird gespart, die andere Hälfte schicke ich den Eltern des armen Jungen Elling«, antwortete Hamre ernst, zog den Hut und ging.

In der Tür überlegte er es sich noch einmal anders und drehte sich um.

»In die Kneipe gehe ich verdammt noch mal erst nach dem Tunneldurchbruch«, sagte er. »Wir sind zwar die Letzten, aber Mitte Juli sind wir durch, das verspreche ich, und dann wird gefeiert.«

Dann war er weg.

»Wir haben jetzt eine zweite Leiche«, erinnerte Daniel. »Sollen wir sie nach Voss oder nach Haugastøl bringen lassen?«

»Ich weiß nicht«, gab Lauritz zu. »Wir müssen anrufen und nachfragen.«

*

Es war ein hinreißender Anlick, ein Anblick, den Lauritz Tausende von Malen in seinen Träumen und Wachträumen während der letzten vier Jahre gesehen hatte. Die letzten Gerüste der Kleivebrücke wurden abgebaut. Erst jetzt sah man, wie schön sie war. Der Himmel war hellblau, fast wolkenlos, und unter der Brücke schäumte der von der Schneeschmelze angeschwollene Wasserfall. Es war ein Wunder, obwohl er immer gewusst hatte, dass es so aussehen würde, und jeden einzelnen Stein im Kopf hatte. Aber Pläne und Wirklichkeit waren nicht dasselbe, und das galt nicht nur für Brücken.

Die Pferdetransporte mit dem Holz der Baugerüste bildeten eine endlose Karawane von der Baustelle hinunter ins Tal. Er wollte bleiben, bis alles abgebaut und nur noch die Brücke zu sehen war. Sie schien zehn Züge aufeinander und vermutlich noch mehr tragen zu können. Trotz ihrer Massivität war sie schön.

Er fragte sich, ob das der größte Augenblick seiner Ingenieurslaufbahn sein würde. Der größte Augenblick seines Lebens war ein anderer und lag in greifbarer Nähe, falls Ingeborgs und seine Pläne Wirklichkeit würden. Aber der größte Moment als Ingenieur?

Ja, zweifellos. Der blaue Himmel, der weiß schäumende Wasserfall, der graue Granitbogen über dem Abgrund.

In der Ebene hätten er und jeder andere Ingenieur eine solche Brücke in einem Jahr gebaut. Hier oben herrschten ganz andere Bedingungen. Acht Monate Winter, Schneestürme mit Windgeschwindigkeiten von 40 Metern in der Sekunde. Wasser, das im Mauerwerk zu Eis gefror und alles zum Einsturz bringen konnte.

Soweit er wusste, gab es weltweit nichts Vergleichbares. Die Amerikaner hätten diese Brücke mit ihren chinesischen Sklaven nicht erbauen können. Der Bau der Kleivebrücke hatte kein Menschenleben gekostet. In vier Jahren kein einziges.

Er versuchte sich diesen Augenblick einzuprägen, ihn als

bewegtes Bild im Kopf zu behalten, das er später im Leben jederzeit würde abrufen können.

Jemand klopfte ihm so fest auf die Schulter, dass er unwillkürlich einen Schritt nach vorn taumelte.

»Das haben wir verdammt gut gemacht, nicht wahr, du Grünschnabel!«, brüllte Johan Svenske.

»Jawohl, du Bahnarbeiterkanaille, das haben wir wirklich verdammt gut gemacht«, antwortete Lauritz. »Ich habe vier Flaschen Whisky in meinem Rucksack für heute Abend.«

»Vier Flaschen? Doppelte Ration, und noch dazu an einem Mittwoch. Aber die Arbeit muss erst fertig werden, vorher keinen Tropfen. Oder?«

»Ja. Das klingt weise. Setz dich, ich habe einen Vorschlag.«

Sie setzten sich auf einen flachen Felsen, der einige Meter über den wilden Fluss ragte, und sahen nochmals verzückt zur Brücke hinauf.

»Was hast du für Pläne, Johan, jetzt, wo die Bergenbahn bald ihren Verkehr aufnehmen wird?«, fragte Lauritz.

»Weiß der Teufel«, antwortete Johan und kratzte sich seinen schwarzen Vollbart. »Ich bin und bleibe eine reinrassige Bahnarbeiterkanaille, weißt du. Ich ziehe weiter, und damit hat es sich dann. Das Leben geht weiter, bis es zu Ende ist.«

»Ich würde dich gerne in Bergen fest anstellen«, sagte Lauritz, sehr gespannt, welche Reaktion ihn erwartete. Alles Mögliche war denkbar.

Johan starrte ihn verblüfft an, antwortete jedoch nicht. Stattdessen spuckte er seinen Snustabak aus und suchte nach seiner Dose, um sich eine neue Prise unter die Oberlippe zu schieben, während er Lauritz durchdringend anschaute, als wolle er herausbekommen, ob das Angebot ein Scherz war.

Dass er sich eine weitere Prise genehmigte, war ein sicheres Zeichen dafür, dass er nachdenken musste.

»Festanstellung? Pfui Teufel! Mir ist Akkord lieber, wie du weißt«, antwortete er schließlich und spie tabakbraune Spucke in den weiß schäumenden Fluss.

Lauritz deutete dies als Eröffnung der Verhandlung.

»Was verdienst du in einem Monat hier oben?«, fragte er.

»Bei angemessenem Akkord und nachgiebigem Granit bringe ich es auf siebenhundert Kronen. Das ist nicht schlecht, das schafft man nicht mit einem festen Blutsaugerlohn.«

»Doch, das könnte man«, wandte Lauritz vorsichtig ein. Er bewegte sich auf unbekanntem Terrain. »Ich biete dir als Vormann eines Bauunternehmens einen Monatslohn von neunhundert Kronen, und das zwölf Monate im Jahr. Das heißt, auch wenn es stürmt und so stark regnet, dass man in der Baracke bleiben muss. Die Sache hat nur einen Haken.«

»Und der wäre?«, fragte Johan misstrauisch.

»Du müsstest in Bergen wohnen. Die Firma kümmert sich um eine Wohnung.«

»Dann werde ich doch noch ein richtiger Norweger!«

»Tja, sieht so aus. Ich sehe eigentlich keine Nachteile darin, Norweger zu sein.«

Johan lachte und schüttelte den Kopf.

»Nein, aber mir bleibt ja verdammt noch mal keine Wahl«, murmelte er, immer noch gehörig skeptisch.

»Hast du nicht Frau und Kinder?«, fragte Lauritz, obwohl er die Antwort kannte.

»Ja, und ich versorge sie gut, obwohl ich sie viel zu selten sehe. Ich habe eine Frau und zwei Kinder, die fünf und sechs Jahre alt sind.«

»Dann werden die beiden in Bergen eingeschult und schneller Norweger, als du dich's versiehst. Und nach Feierabend kannst du in der Regel nach Hause zu deiner Familie, zumindest wenn wir in der Bergener Gegend beschäftigt sind. Und dort gibt es viel zu tun«, fuhr Lauritz mit seinem Überredungsversuch fort.

»Und wie sieht die Arbeit aus?«

»Ungefähr wie jetzt. Brücken und Tunnel. Zeichnen und messen, du entscheidest als Vorarbeiter wie bislang, wer in deinem Trupp arbeiten soll.«

»Das klingt nicht schlecht«, meinte Johan nach reiflicher Überlegung. »Bekomme ich auch, was man Urlaub nennt?«

»Zehn Tage bezahlten Urlaub im Jahr und Weihnachten und Ostern.«

»Aber wie zum Teufel ist das möglich? Wie kannst du mir so ein großzügiges Angebot machen?«

»Du kennst doch Horneman & Haugen, die Ingenieurbaufirma, die den Gravehalstunnel und einiges andere gebaut hat? Diese Firma heißt jetzt Lauritzen & Haugen, weil mir ein großer Teil von ihr gehört. Ich brauche Leute wie dich. Die Bahnarbeiter von der Bergenbahn sind die besten, und von denen bist du einer der besten. Deswegen guter Lohn, Wohnung und Urlaub, so kann deine Zukunft aussehen.«

»Du bist also Kapitalist geworden?«

»Ja, so könnte man sagen, Johan. Aber ich bin ein Kapitalist des neuen Jahrhunderts. Ich bin nicht nur für das allgemeine Stimmrecht und das Stimmrecht der Frauen und …«

»Was? Die Weiber sollen wählen?«

»Ja, das finde ich. Aber immer mit der Ruhe, Johan. Denk über mein Angebot nach, denk daran, dass wir auf immer Freunde sind, weil wir diese Brücke zusammen gebaut haben, wie sie noch niemand vor uns gebaut hat. Aber ich will, dass wir noch weitere Brücken bauen. Und bedenke, was das für deine Familie bedeutet und dass ich dir genauso nützen kann, wie du mir nützt.«

Johan legte den Kopf auf die Knie und dachte angestrengt nach. Er überlegte vielleicht eine halbe Minute, die Lauritz unerträglich lang erschien, dann richtete er sich auf und streckte seine Riesenpranke aus.

»Hier hast du meine Hand drauf, verdammter Kapitalist!«, sagte er breit lächelnd mit tabakbraunen Zähnen. Und wie immer versuchte er, Lauritz beim Händedruck die Hand zu zerquetschen.

XVII

INGEBORG

Kiel, Sommer 1907

Die zwei Freundinnen saßen auf dem Vordeck der *Hohenzollern*, der Privatjacht des Kaisers, und sprachen unbeschwert über Dinge, die ihre nähere Umgebung zutiefst schockiert hätten. Jede von ihnen plante einen Skandal.

Beide gehörten zur feinen Gesellschaft bei der Kieler Woche und verfügten daher über eine ständige Einladung auf die *Hohenzollern*, auf der es die allerbesten Aussichtsplätze gab. Man saß erhöht und konnte den gesamten Seglerhafen überblicken bis zu der Reihe mit den grauen Kriegsschiffen, die mit bunten Signalflaggen geschmückt vor Anker lagen, und weiter die Pier entlang, an der die größten Rennjachten vertäut waren – die fünf kaiserlichen ganz außen. Sie hatten soeben mit angesehen, wie die amerikanische Jacht, die in diesem Jahr zum ersten Mal teilnahm, zu schnell durch die Hafeneinfahrt gesegelt war und beim Anlegen Mühe gehabt hatte. Je später man eintraf, desto enger wurde es. Die Engländer, die eine Stunde früher eingetroffen waren, hatten schon Schwierigkeiten gehabt. Jetzt war nur noch ein für die Teilnehmer der Jachtklasse reservierter Platz unbesetzt. Ingeborg übte sich in

Selbstbeherrschung und ließ mit keiner Miene ihre Nervosität erkennen. Sie versuchte stattdessen, sich auf ihren Skandal zu konzentrieren. Vielleicht war es für lange Zeit das letzte Mal, dass sie sich sahen.

Christa wollte am nächsten Tag türmen, und zwar während der Regatta, wenn sich ihr Vater mit seiner *Walküre* auf See befand und nicht eingreifen konnte. Aber nicht nur deswegen war der Zeitpunkt gut gewählt. Genau wie ihre Schwestern hatte Christa sehr viel Gepäck dabei. Kleider würde sie in Zukunft brauchen können, allerdings eher, um sie zu versilbern, wenn sie zu ihrem avantgardistischen Künstler nach Berlin zog. Dasselbe galt auch für den Schmuck, den sie nach Kiel mitgenommen hatte, da von ihr erwartet wurde, dass sie bei jedem Souper andere Kleider und anderen Schmuck trug und strahlend aussah.

Dass ein Automobil mit Fahrer vor dem Hotel Kaiserhof hielt und eine junge Dame mit Schleier und großem Gepäck einstieg und verschwand, würde in dem allgemeinen Gedränge vor dem Entree keine Aufmerksamkeit wecken. In Hamburg würde sie dann den Zug nach Berlin nehmen, wo Franz sie vom Bahnhof abholte.

Sie waren den Plan hundertmal durchgegangen, zumindest kam es ihnen so vor, ohne etwas zu entdecken, das schiefgehen könnte. Falls sie durch einen unglücklichen Zufall auf irgendwelche Verwandten oder Bekannten traf, würde sie einfach einen Schwächeanfall vortäuschen und den Chauffeur bitten, den Wagenschlag zu schließen. Anschließend spielte es dann keine Rolle mehr, wie sich die allgemeine Entrüstung am Abend gestaltete, wenn der Skandal eine Tatsache war. Ihre Spur würde sich in Hamburg verlieren. Nein, nichts konnte schiefgehen.

Ingeborg bedauerte, sie nicht begleiten und sich ein letztes Mal von ihr verabschieden zu können. Aber das ging nicht, da sie vollkommen unwissend und ebenso »schockiert« spielen musste wie alle anderen. Sie würde genau dort sitzen, wo sie jetzt saß, die Regatta verfolgen und besorgt sein, weil ihre beste Freundin nicht erschienen war.

Ihr konspiratives Gespräch fand ein Ende, als sich in der Hafeneinfahrt etwas ereignete und sich alle um sie herum erhoben und an die Reling traten, um besser sehen zu können. Ingeborg und Christa beeilten sich, es ihnen gleichzutun. Sie erblickten eine große Segeljacht, die keiner der Jachten der größten Klasse glich. Sie führte die norwegische Flagge. Ingeborgs Puls beschleunigte sich, und in ihrer Brust pochte es so heftig, dass ihr fast der Atem stockte. Mit einem kurzen Nicken bestätigte sie Christa, dass dies Lauritz war.

Die Erregung unter den Zuschauern auf der *Hohenzollern* stieg, man deutete und gestikulierte, eine Frau hielt sich entsetzt die Hand vor den Mund. Das norwegische Boot hatte viel zu hohes Tempo, und es sah so aus, als würde es die Pier und die vertäuten Konkurrenten mit voller Kraft rammen.

Aber im letzten Augenblick, direkt neben der *Hohenzollern*, vollführten die Norweger ein beeindruckendes Manöver. Sie wendeten das Boot zügig mit engem Radius und so starker Krängung, dass ein Teil des Kiel- und Unterwasseranstrichs, tiefblau mit weißem statt rotem Rand, zu sehen war. Als sich die Jacht wieder aufgerichtet hatte, stand sie, den Bug im Wind und mit flatternden Segeln, vollkommen still. Während die Crew das Großsegel barg und provisorisch am Baum festzurrte, drehte sich das Boot mithilfe der Fock majestätisch langsam. Das Namensschild am Heck wurde sichtbar: *RAN* in großen goldenen Buchstaben, darunter stand *Bergen*.

»Ran ist die Frau des Meeresgottes Ægir«, flüsterte Ingeborg Christa ins Ohr. Beide waren wie alle anderen von dem waghalsigen Manöver beeindruckt.

Die Nachmittagssonne funkelte in dem braunen, glänzenden Mahagonirumpf, als die *Ran* langsam und würdevoll an ihnen vorbei auf den reservierten Platz zuglitt, während die Crew die Fender anbrachte und ein Mann mit einem Bootshaken seine Position auf dem Vordeck einnahm. Mit perfekter Geschwindigkeit, um weder die Nachbarboote zu berühren oder zu fest auf die Pier aufzutreffen, glitt die große Segeljacht an ihren Platz.

Die Norweger, die alle blaue, gemusterte Pullover und weiße Hosen trugen, wurden mit stürmischem Applaus von den Zuschauern auf den Stegen und von dem adligen Publikum auf der *Hohenzollern* empfangen. Ein Mann neben Ingeborg und Christa erklärte aufgeregt, das sei das perfekteste Anlegemanöver gewesen, das er je gesehen habe. Es sei doch sehr erstaunlich, dass sich eine Fünfundzwanzigmeterjacht mit einem Gewicht von sicher über zwanzig Tonnen leicht wie eine Jolle manövrieren lasse. Diese norwegischen Wikinger würden der siegesgewohnten Kaiserfamilie sicherlich die Stirn bieten.

»Komm«, flüsterte Ingeborg, »wir begrüßen sie. Das dürfte nun wirklich nicht unpassend sein, schließlich sind wir miteinander bekannt.«

Sie waren nicht die Einzigen, die sich die *Ran* näher ansehen wollten, an der Gangway hatte sich bereits eine Schlange gebildet, und auf der Pier der Kaiserklasse wurde das Gedränge noch größer. Es dauerte unerträglich lange, bis sie sich zur *Ran* vorgearbeitet hatten, auf der die Besatzung damit beschäftigt war, die Segel zu verstauen und die Jacht achtern an einer Boje und an Klampen auf der Pier zu vertäuen.

Ingeborg sah Lauritz ganz hinten im Cockpit stehen und mit routinierten Bewegungen eine dünne Leine, vermutlich eine Schot, zwischen Ellbogen und Daumen aufschießen. Sie rief seinen Namen und winkte, und er erblickte sie und war mit einem Satz aus dem Cockpit. Im ersten Moment sah es so aus, als wollte er über das Deck auf die Pier rennen. Aber glücklicherweise fing er sich wieder, verlangsamte sein Tempo und gab sich den Anschein, als wollte er alte Bekannte begrüßen. Am Bug angelangt, erkannte er, dass es keine gute Idee war, auf die Pier zu springen, weil die Menschen dort viel zu dicht gedrängt standen.

Stattdessen zog er an einem Festmacher, damit erst Christa und dann Ingeborg an Bord kommen konnten. Er küsste ihnen beiden die Hand und führte sie unter Deck, um sie seiner Besatzung vorzustellen.

Diese formelle Prozedur zog sich unerträglich in die Länge, aber war natürlich unvermeidlich, da Hunderte Neugieriger auf der Pier standen. Alles musste überaus korrekt vonstattengehen.

»Darf ich vorstellen, mein Freund und Kompagnon Kjetil Haugen von der *Bergens Segelselskap*. Und meine deutsche Freundin Ingeborg von Freital und ihre beste Freundin Christa Freiherrin von Moltke.«

Handküsse und Verbeugungen.

Danach stellte Lauritz nacheinander Halfdan Michelsen, Jens Kielland und Christian Cambell Andersen vor.

Weitere Handküsse und Verbeugungen.

Als die Begrüßungszeremonie endlich vorüber war, deutete Lauritz mit theatralischer Geste in Richtung der Kajüte. Mit lauter Stimme bat er die Damen, sich jetzt die Salons anzusehen.

Als sie den Achtersalon betraten, entschuldigte sich Lauritz kurz bei Christa und zog Ingeborg an sich. Er küsste sie, und sie küsste ihn, viel zu lange, wenn man bedachte, dass das geschwätzige Publikum auf der Pier vermutlich die Sekunden zählte.

Schließlich zwang sich Ingeborg, Lauritz von sich zu schieben.

»Komm, wir müssen uns rasch wieder oben zeigen!«, mahnte sie und begann eine fröhliche Unterhaltung über irgendwelche Nichtigkeiten mit Christa. Im Cockpit deutete Lauritz vielsagend auf die hübsch verzierte Ruderpinne. Der Traum, über den er so oft geschrieben hatte, war jetzt wahr geworden.

»Habt ihr auf der Heimfahrt noch Platz für eine Dame?«, fragte Ingeborg mit harmloser Miene, als handelte es sich nur um höfliche Konversation.

»Ja, wir haben in der Vorpiek noch einen Winkel frei«, antwortete er im selben Theaterstil.

»Gut«, antwortete sie und tat so, als würde sie etwas Interessantes im Cockpit betrachten. »Denn dieses Mal werde ich mit dir nach Hause fahren. Du musst dich übrigens von Christa verabschieden, denn sie wird morgen zu ihrem Geliebten türmen.«

Lauritz verbeugte sich feierlich vor Christa, wünschte ihr viel Glück auf der Reise und küsste ihr erneut die Hand.

Alle drei sahen ein, dass damit für die unverheirateten

Frauen der Zeitpunkt des Aufbruchs gekommen war. Lauritz eskortierte sie auf Deck und ließ sich von Kjetil dabei helfen, den Bug wieder an die Pier zu ziehen.

»Dieses Mal wohne ich auch im Kaiserhof«, flüsterte er.

»Ich weiß, aber erwarte heute Nacht keinen Besuch«, erwiderte sie flüsternd mit einem höflichen Lächeln. »Wir dürfen das Galadiner morgen nicht gefährden. Vater hat sich noch nicht entschieden.«

»Wovon hängt seine Entscheidung ab?«

»Ich glaube, von der ersten Regatta morgen.«

»Sollen wir gewinnen oder hinter der Kaiserfamilie ins Ziel kommen?«

»Vorzugsweise gewinnen!«

Lauritz sprang auf die Pier und half den beiden Frauen an Land. Diese ergriffen seine Hand und hielten sich mit der anderen am Vorstag fest. Damit war die Visite beendet, ohne auch nur im Ansatz skandalös gewesen zu sein.

Das Gedränge auf der Pier hatte etwas abgenommen, aber weitere Schaulustige strömten herbei, und selbsterklärte Fachleute diskutierten die ungewöhnliche Form der norwegischen Jacht. Ingeborg und Christa spazierten Arm in Arm davon. Sie achteten darauf, nicht miteinander zu sprechen, solange jemand in Hörweite war.

»Als ihr euch geküsst habt, wurde es so heiß, dass ich dachte, ich würde mich verbrennen«, kicherte Christa, als sie sich endlich in Sicherheit wähnten.

»Das ist alles so unwirklich, wie im Traum. Ich frage mich manchmal, ob die Wirklichkeit genauso stark sein wird, wie es die Fantasie ist. Wie lange wir dieses Theater wohl noch spielen und an Deck eilen müssen, damit uns alle anständigen Leute sehen können?«

»Aber gib zu, dass auch das Theater wahnsinnig spannend ist.«

Vor dem Hotel verabschiedeten sie sich. Ihnen blieben noch anderthalb Stunden zum Umziehen. Ihre Väter luden am ersten Abend vor Beginn der Regatten immer ihre engsten Freunde zu einem kleinen Büfett ein. Derartige Veranstaltungen durften junge, unverheiratete Frauen auf keinen Fall schwänzen. Graf von Moltke hatte drei unverheiratete Töchter, einschließlich der starrköpfigen Christa. Was Letztere betraf, hatte er seine Hoffnungen fast schon aufgegeben. Die Jugend der neuen Zeit wurde in erschreckendem Maße von aufrührerischen Ideen geprägt, die wie eine Seuche um sich griffen. Sie konnten wie die Pest jeden ereilen, einfache Leute und Adlige. Schade nur, dass seine älteste Tochter zu denen gehörte, die sich angesteckt hatten.

Als Christa am nächsten Morgen nicht auf ihrem reservierten Platz auf dem Vordeck der *Hohenzollern* erschien, tat Ingeborg aufrichtig erstaunt. Sie klagte einem Leutnant der Besatzung ihr Leid und bat darum, doch noch ein wenig zu warten, weil sich ihre Freundin, die Freiherrin von Moltke, offenbar verspätet habe. Der Leutnant verbeugte sich steif und erklärte höflich, dass das Schiff zur vom Kaiser festgelegten Zeit ablegen würde, da der Start der Regatta um exakt zehn Uhr stattfinden würde.

Die Dampfpfeife der *Hohenzollern* ertönte, und der Anker wurde gelichtet. Das erste Ziel war der Startpunkt zwischen einem Inselchen mit einer Kanone und einer etwa hundert Meter entfernten großen roten Boje im Meer, hinter der sich die großen Jachten drängten. Die *Meteor* des Kaisers und die *Iduna* seiner Gattin hatten zufälligerweise wieder einmal die besten Startpositionen inne. Die *Ran* lag ganz hinten, und ihr wunderbar funkelnder Rumpf reflektierte die Sonne. Es war ein sonniger Sommertag mit mäßiger Brise, laut Anschlagbrett herrschte Windstärke vier.

Nach dem Startschuss sah es aus wie immer. Die *Meteor* und die *Iduna* gingen gleichzeitig über die Startlinie, gefolgt von Prinz Eitel Friedrich und seiner *Friedrich der Große*, seinem Bruder Adalbert mit der *Samoa III* und von Prinz Friedrich Wilhelm mit der *Angela*. So begann jede Regatta.

Danach begann ein Gerangel um die Positionen. Die amerikanische Jacht mit dem seltsamen Namen *Spokane* kollidierte beinahe mit der englischen *Golden Eagle*, musste eine zusätzliche Wende vollführen und verlor dadurch Zeit. Heinrich von Moltkes *Walküre*, die *Ellida* von Ingeborgs Vater und Krupp von Bohlen und Halbachs *Bertha* lagen vorn, aber die *Ran* war weit abgeschlagen.

Die *Ran* segelte als Letzte und, wie es schien, langsamer als die anderen über die Startlinie. Aus unerfindlichem Grund hatte sie keine Fock gesetzt, sondern nur das Großsegel. Außerdem wählten die Norweger einen anderen Kurs als die übrigen Jachten, die höflich hinter der kaiserlichen Familie hersegelten. Durch ihr Opernglas sah Ingeborg, wie Lauritz und seine Besatzung jetzt auch die Fock setzten, aber immer weiter in der Ferne verschwanden. Ingeborg wusste nicht, was sie davon halten sollte. In seinen Briefen hatte Lauritz so zuversichtlich geklungen.

Der junge Leutnant, der ihr die vom Kaiser festgelegte Zeit zum Ablegen so barsch mitgeteilt hatte, war wie beiläufig ganz in ihrer Nähe an die Reling getreten. Er hielt ein großes Militärfernglas in der Hand. Ab und zu schien er etwas zu überprüfen und nickte dann. Ingeborg war überzeugt, dass er ihr imponieren wollte. Sie beschloss, auf das Spiel einzugehen. Sie war neugierig und besorgt. Was hatte Lauritz vor?

Sie erhob sich und ging auf den Leutnant zu, der ihr Kommen nicht zu bemerken schien.

»Entschuldigen Sie die Störung, Herr Leutnant«, begann sie.

Er drehte sich rasch um und sah fast aufrichtig erstaunt aus.

»Natürlich stören Sie nicht, mein Fräulein, womit kann ich dienen?«

»Wären Sie wohl so freundlich, mir zu verraten, was sich in der Ferne eigentlich abspielt? Sie haben eindeutig das größere Fernglas.«

»Selbstverständlich, mein Fräulein! Haben Sie Bekannte bei der Regatta?«

»Ja. Mein Vater segelt die *Ellida*, und ich wüsste gerne, auf welchem Platz er ist.«

Nachdem sie einige bedeutungslose Informationen darüber erhalten hatte, erkundigte sie sich, was von dem neuen Norweger zu halten sei. Der Leutnant begann sofort, eifrig zu berichten.

Er war überzeugt, dass die Norweger anfangs absichtlich die Endposition eingenommen hätten, um die Mitstreiter mit einer ganz anderen Route zu überraschen. Die Norweger segelten härter am Wind und mussten somit eine längere Strecke zurücklegen, würden aber mit etwas Glück, oder vielleicht sei es auch Verstand, eine höhere Geschwindigkeit erzielen.

Er warf einen kontrollierenden Blick durch sein Fernglas und nickte, reichte es dann Ingeborg und erklärte, sie könne sehen, dass die *Ran* wirklich viel schneller segele als alle anderen. Sie kränge so stark, dass man ihren blauen Unterwasseranstrich sehen könne. Bei so schwachem Wind sei das eine Leistung. Mit den Norwegern war definitiv nicht zu spaßen. Im Übrigen sei das ein sehr interessantes Boot.

»Ja, das klingt zweifellos sehr interessant«, antwortete Ingeborg. »Wären Sie vielleicht so freundlich, mir Gesellschaft zu leisten, Herr Leutnant? Ich habe hier noch einen freien reservierten Stuhl.«

Mit dieser Aufforderung brachte Ingeborg ihn in Verlegenheit, was sie amüsierte. Da sie ihm erzählt hatte, dass ihr Vater der Eigner der *Ellida* war, wusste er, wer sie war, obwohl er sich nichts anmerken ließ.

Ein einfacher Leutnant konnte nicht einfach mit Passagieren der *Hohenzollern* plaudern. Andererseits hatte sie ihn dazu aufgefordert. Die Höflichkeit forderte, dass er ihrem Wunsche nachkam.

Wie immer er sich verhielt, würde er etwas falsch machen. Ingeborg war gespannt, wie er sich entscheiden würde.

»Darf ich Ihnen eine Erfrischung holen, gnädiges Fräulein?«, versuchte er sich aus der Verlegenheit zu retten.

»Ja, Herr Leutnant, sehr gerne. Wollen Sie vielleicht mit mir ein Glas Rheinwein trinken? Dabei könnten Sie mir dann gleich den Verlauf der Regatta genauer erklären. Das würde mich sehr freuen.«

Sie zog die Schraube fester. Er litt Qualen.

»Ich werde dafür sorgen, dass man Ihnen sofort ein Glas Rheinwein serviert«, erwiderte er und schickte sich an, zu gehen. So leicht würde er jedoch nicht davonkommen.

»Das wäre außerordentlich freundlich, Herr Leutnant«, sagte sie mit ihrem mildesten Lächeln. »Aber versprechen

Sie mir, dass Sie wiederkehren und mir alles über die Regatta erzählen!«

Der Leutnant salutierte und verschwand.

So bin ich erzogen worden, dachte sie. Seit ihrer Geburt war sie auf dieses Leben, auf Spiel und Falschheit vorbereitet worden. Sie beherrschte es bis in die Fingerspitzen. Bald schon würde sie ein anderes Leben leben, im fernen Norwegen, in einer Stadt, die Bergen hieß, in einem kleinen Haus in der Alleestraße, die auf den Fotos aussah, als läge sie in einer deutschen Kleinstadt. Gab es in Bergen eine Universität? Natürlich, Bergen war Norwegens zweitgrößte Stadt. Aber gab es auch eine medizinische Fakultät? Vermutlich.

Lustig, dass der Leutnant sie auch noch mit »gnädiges Fräulein« ansprach, nachdem er erfahren hatte, wer sie war.

Sie war gespannt, wie er vorgehen würde, wenn er gleich, wie zufällig, einsah, dass er seine Anrede ändern und sich für seinen Fauxpas entschuldigen musste.

Empfanden Männer dieses Gefängnis der Konventionen als ebenso beengend wie Frauen? Der Gerechtigkeit halber konnte man sich diese Frage durchaus stellen. Aber die Antwort lautete Nein. Männer besaßen nach wie vor sämtliche Privilegien, und es würde hundert Jahre dauern, bis sich daran etwas änderte.

Der Leutnant kehrte mit einem Kellner im Gefolge zurück, der ein Glas Rheinwein und ein Tischchen brachte.

»Ich finde mich gemäß Befehl wieder bei Ihnen ein, gnädiges Fräulein«, sagte der Leutnant unter Aufbietung seines gesamten Charmes und salutierte. »Ich bitte darum, Platz nehmen zu dürfen!«

»Sie sind mir sehr willkommen, Herr Leutnant«, zwitscherte Ingeborg. »Und jetzt erzählen Sie mir bitte, was sich da auf See eigentlich zuträgt!«

Er war gerade im Begriff gewesen, auf Christas Stuhl Platz zu nehmen – Herrgott, in diesem Augenblick veränderte sich Christas gesamtes Leben! –, trat nun aber mit zwei raschen Schritten an die Reling und hob seinen Feldstecher.

Hoffentlich gelang ihr die Flucht! Hoffentlich blieb die Autodroschke nicht liegen, und hoffentlich lief sie nicht ihrer Mutter in die Arme oder Ähnliches!

»Die erste Bahnmarke nähert sich, und es ist zu dramatischen Veränderungen gekommen«, berichtete der Leutnant, als er zurückkehrte.

»Nehmen Sie doch bitte wieder Platz, Herr Leutnant«, sagte sie. »Was für Veränderungen?«

Die Jachten näherten sich der ersten Bahnmarke, die umrundet werden musste. Der Kaiser lag noch in Führung, jedoch dicht gefolgt von den Amerikanern, Norwegern und möglicherweise *Friedrich dem Großen*. Die Perspektive und die große Entfernung erschwerten die Beurteilung der exakten Position des Kaisers im Verhältnis zu den Ausländern. Aber noch gebe es Hoffnung, denn auf der nächsten Strecke werde gekreuzt, die schwierigste Disziplin, bei der die Zusammenarbeit der Besatzung von wesentlicher Bedeutung sei, und die besten Segler Deutschlands befänden sich schließlich auf den kaiserlichen Jachten.

»Was halten Sie von der norwegischen Jacht? Die Norweger sind ja zum ersten Mal dabei?«, fragte Ingeborg.

»Nun«, erwiderte der Leutnant und schüttelte resigniert den Kopf. »Schwer zu sagen. Das ist ja eine ganz neue Konstruktion und in vieler Hinsicht das pure Gegenteil von dem, was wir gewohnt sind. Poliertes Mahagoni mit lackierter Bordwand, dazu nur ein Vorsegel. Das Deck hingegen, das bei uns aus glattem Mahagoni besteht, ist mit weißer, rauer Farbe bemalt. Nicht schön, aber praktisch.«

»Wieso das?«, fragte sie jetzt ganz aufrichtig.

»Das ist praktisch für die Besatzung. Nasses lackiertes Mahagoni ist, entschuldigen Sie den Ausdruck, teuflisch glatt. Wenn man eilig die Vorsegel wechseln muss, renne ich jedenfalls lieber auf einer rauen Fläche als auf einer schönen.«

»Ich verstehe. Fällt Ihnen sonst noch etwas Besonderes an dieser norwegischen Jacht auf?«

»Ja, die Form! Sie ist viel schmaler, außerdem ragt der Bug weiter aus dem Wasser. Vermutlich wiegt sie weniger als die anderen teilnehmenden Jachten. Ich würde sie mir gerne mal im Trockendock anschauen, bin mir verflucht sicher, verzeihen Sie den Ausdruck, dass auch der Kiel eine andere Form hat. Sehr interessant!«

Sie wurden unterbrochen. Matrosen gingen herum und hielten Tafeln mit dem Zwischenstand nach der Umrundung der ersten Bahnmarke in der Hand:

1. Meteor
2. Ran
3. Spokane
4. Friedrich der Große
5. The Golden Eagle
6. Iduna
7. Angela
8. Ellida
9. Samoa III
10. Walküre
11. Bertha

»Mein Vater liegt auf Platz acht«, stellte Ingeborg fest. »Seine übliche Platzierung. Und Kruppie mit seiner *Bertha* ist sowieso immer der Letzte. Aber die Norweger sind also jetzt vom letzten auf den zweiten Platz aufgerückt?«

»Ja, sie wussten vermutlich genau, was sie taten, als sie als Letzte über die Startlinie gegangen sind und einen anderen Kurs gewählt haben. Aber nun wird also gekreuzt, da werden sich sämtliche Positionen verändern. Da holt die kaiserliche Familie immer auf. Aber jetzt muss ich wirklich um Entschuldigung bitten, gnädigste Baronin.«

»Wieso? Sie haben doch wirklich keinen Grund, sich zu entschuldigen, Herr Leutnant«, erwiderte Ingeborg aufrichtig erstaunt, da sie nicht erwartet hatte, dass er sein Missgeschick so rasch eingestehen würde.

Wahrscheinlich lag es daran, dass sie den Spitznamen Kruppie gebraucht hatte, den niemand verwenden würde, der nicht familiären Umgang mit der Familie Krupp pflegte.

»Ich muss noch einmal um Entschuldigung bitten, gnädige Baronin, dass ich erst jetzt schalte, dass Sie Baron von Freitals Tochter sind. Sehr angenehm, mein Name ist Ernst Wolf.«

»Ich freue mich, Ihre Bekanntschaft zu machen, Leutnant Wolf. Aber sagen Sie mir, was passiert jetzt?«, fragte sie, als wüsste sie es nicht.

»Jetzt steht die lange Strecke gegen den Wind an, da trennt sich sozusagen die Spreu vom Weizen. Die *Hohenzollern* dreht nun langsam Richtung Kiel bei, damit wir aus perfekter Perspektive mit ansehen können, wie die Jachten bei achterlichem Wind zurückkehren. Die Ballonsegel bieten einen wunderbaren Anblick.«

»Ich vermute, dass es bald Zeit für das Mittagessen ist. Ich habe einen reservierten Platz. Würden Sie mir die Freude machen, Leutnant Wolf, an der Tafel den Platz meiner Freundin Christa von Moltke einzunehmen?«

Das war ein teuflischer Streich, das wusste sie. Allen würden die Augen aus dem Kopf fallen, wenn sie neben einem Besatzungsmitglied Platz nahm.

»Diese freundliche Einladung ehrt mich natürlich außerordentlich, gnädige Baronin, aber mein Dienst macht es mir leider unmöglich. Nach dem Mittagessen kehre ich gerne wieder hierher zurück. Auf der letzten Strecke werden die Jachten einen wunderbaren Anblick bieten, das kann ich Ihnen versichern.«

Er erhob sich, salutierte und ging seines Weges.

Der Unterschied ist, dachte Ingeborg, dass es in Norwegen keine Klassenunterschiede gibt. Es gab weder niederen Adel, von Prinzen, Herzögen, Grafen und Baronen ganz zu schweigen. Das war ihr sehr sympathisch. So sollte die Zukunft aussehen. In dem neuen großen Jahrhundert würde nicht nur die Frau von dieser Hackordnung befreit werden, sondern auch der Mann.

Lauritz war der erste Mann, dem sie je begegnet war, der mit ihr wie mit einer Gleichberechtigten gesprochen hatte, wie mit einem Mann, als wären ihre Worte und Gedanken von Bedeutung. Und er befürwortete, dass Frauen den Arztberuf ergreifen konnten, allein so etwas.

Ja, allein so etwas. Als sie sich an der medizinischen Fakultät in Dresden beworben hatte, hatte man eine Delegation nach Hause zu ihrem Vater geschickt, um in aller Diskretion dieser Dummheit, dieser weiblichen Laune, wie es einer von ihnen ausgedrückt hatte, einen Riegel vorzuschieben. Ihr Vater war zornig gewesen, und zwar nicht auf die Fakultät, sondern auf sie.

Zwischendurch hatte sie befürchtet, Lauritz mehr aus prinzipiellen oder politischen Gründen als von Herzen zu lieben, eben weil er ein so moderner Mensch war, ein armer Fischerjunge aus einem entlegenen Winkel Europas, der durch glückliche Umstände eine erstklassige Ausbildung erhalten hatte und der gesamten Oberklasse, die ohne Mühen studieren konnte, überlegen gewesen war. Er war der neue Mensch des neuen Jahrhunderts, ein Vorbild, und es stellte sich die Frage, ob sie nicht vielleicht nur dieses Bild liebte.

Als sie sich im Achtersalon der *Ran* geküsst hatten, hatte sie sich diese Frage erneut gestellt, als sich ihre Lippen berührt hatten. Im selben Augenblick hatte sie die Antwort gewusst.

Nach dieser Regatta würden sie ihr Leben zusammen weiterführen. Irgendwie. Mit dem Segen ihres Vaters und der beim Abschlussbankett feierlich bekannt gegebenen Verlobung. Oder als Flüchtlinge in der Vorpiek einer ungewöhnlich schönen Jacht auf stürmischer See auf dem Weg nach Norwegen. Skandal, mit anderen Worten.

Das war also jetzt entschieden. In welcher Form auch immer.

Sie stocherte gleichgültig in ihrem Essen und trank vorsichtshalber nur zwei Gläser Rheinwein zum Mittagessen. Es wurde Lachs in Aspik mit Radieschen und Mayonnaise serviert. Dass ihnen auch nie etwas Neues einfiel. Als ob sich für Frauen nur leichte Gerichte wie gekochter Fisch eigneten. Am Mittagessen nahmen überwiegend Frauen teil, da die meisten Männer segelten.

Zwei unendlich langweilige Stunden später, nach einem öden Mittagessen und dem normalen Geschwätz zum Kaffee im Salon, frischte der Wind auf, und es fiel ihr schwer, ihren interessanten Hut mit Obstdekoration festzuhalten. Dazu trug sie ein hautenges schwarz-weißes Kleid aus gekreppter Seide, passend zu den Farben der *Ellida*. Die neuen Schuhe waren etwas zu eng und machten Blasen.

Dass sie sich mit solchen Nichtigkeiten beschäftigte, wo sich die Entscheidung näherte! Die *Hohenzollern* lag unweit der Ziellinie vor Anker, und die Jachten mussten jetzt noch ein letztes Mal die Bahnmarke umrunden, die in der Ferne zu erkennen war, bevor es mit achterlichem Wind auf die Ziellinie zuging.

Leutnant Wolf fand sich pünktlich wieder ein, salutierte und bat darum, Platz nehmen zu dürfen. Ingeborg klatschte in gespielter Begeisterung in die Hände, vielleicht war es aber auch Nervosität.

»Als Erstes«, begann Leutnant Wolf sein Referat, »werden wir die Ballonsegel auftauchen sehen. Werden sie alle mit dem schwarzen Adler, dem kaiserlichen Familienwappen, dekoriert sein, oder sind sie ganz weiß? Bald werden wir es erfahren. Kann ich Ihnen eine Erfrischung holen, gnädige Baronin?«

»Danke nein, aber vielen Dank für die Fürsorge, Leutnant Wolf. Sie haben wirklich ein sehr starkes Fernglas.«

»Das stimmt, aber dennoch sieht man die Boote anfangs nur als kleine weiße Punkte, und der kaiserliche Adler lässt sich kaum ausmachen.«

»Wann ist denn mit den Jachten zu rechnen?«

»In etwa zehn Minuten. Nein, warten Sie!«

Er hob das Fernglas an die Augen und schaute konzentriert hindurch.

»Das sieht wie ein rotes Segel aus!«, teilte er aufgeregt mit.

Ingeborg kniff die Augen fest zusammen, um nicht in Tränen auszubrechen. Sie schärfte sich ein, dass sie eine feine Dame war, die sich immer zu beherrschen wusste. Eine Weile lang schwieg sie.

Ab und an hob der Leutnant sein Fernglas an die Augen. Er wirkte immer entrüsteter.

»Sehen Sie noch weitere Segel?«

»Nein, noch nicht. Nur das rote.«

Die Minuten vergingen.

Die Matrosen erschienen erneut mit ihren Tafeln, die über die Platzierungen informierten:

1. Ran
2. The Golden Eagle
3. Friedrich der Große
4. Meteor
5. Iduna
6. Ellida
7. Spokane
8. Angela
9. Samoa III
10. Walküre
11. Bertha

»Gratulation, Baronin, Ihr Herr Vater ist auf den sechsten Platz vorgerückt«, sagte Leutnant Wolf.

»Vielen Dank«, entgegnete sie. »Das ist seine bislang

beste Platzierung. Aber sagen Sie mir, hat das norwegische Boot nicht einen gewaltigen Vorsprung?«

Der Leutnant hob sein Glas sofort wieder an die Augen.

»Meine Güte!«, rief er. »Das Ballonsegel ist eine einzige große norwegische Fahne! Welch eine Arroganz, welch ein Skandal!«

»Und worin besteht der Skandal?«, fragte Ingeborg besorgt. »Gibt es eine Vorschrift gegen norwegische Fahnen?«

»Nein, natürlich nicht, aber …«

»Was?«

»So etwas gehört sich einfach nicht.«

»Aber der Kaiser und seine Familie haben doch den schwarzen Adler auf ihrem Spinnaker?«

»Das ist etwas ganz anderes. Ich korrigiere Sie nur ungern, Baronin, aber es heißt Ballonsegel.«

Die *Ran* segelte zwanzig Minuten vor den anderen Jachten über die Ziellinie und wurde mit einem Kanonensalut begrüßt. Als die *Ran* die *Hohenzollern* passierte, senkte sie zum Gruß die Achterflagge. Die *Hohenzollern* antwortete sensationellerweise, weil es sich um den Sieger handelte, ebenfalls mit dem Niederholen und erneuten Hissen der kaiserlichen Fahne. Die *Ran* antwortete auf die gleiche Weise, ging dann durch den Wind, wechselte das Vorsegel und segelte in den Hafen.

Die Spannung hielt an, aber an den Platzierungen änderte sich nichts mehr. Kaiser Wilhelm II. hatte noch nie so schlecht abgeschnitten und Baron von Freital noch nie so gut.

Auch in Kiel waren neue Zeiten angebrochen.

*

Der Skandal erschütterte die feine Gesellschaft in Kiel wie ein plötzliches Unwetter, das helle Licht des Sommers wurde rasch von Gewitterdunkel abgelöst. Es war unerhört, dass die älteste Tochter einer der Seglerfamilien von zu Hause ausgerissen war. Entführt worden war sie nicht, wie es sich aus den Zeugenaussagen ergab.

Der Chauffeur wurde vernommen und getadelt, was natürlich niemandem weiterhalf. Keiner konnte ihm einen Vorwurf machen, dass er sich als einfacher Chauffeur nichts dabei gedacht hatte, dass die Tochter des Grafen Moltke mit großem Gepäck mitten am Tag abgereist war.

Aus Zartgefühl den von Moltkes gegenüber stellten alle »Seglerfamilien« die Feste an diesem Abend ein. Baron von Freital nahm seine Tochter ins Verhör.

Ingeborg spielte wie verabredet die Unschuldige. Sie behauptete, nicht die geringste Ahnung von Christas Plänen gehabt zu haben. Ihre Flucht sei eine vollkommene Überraschung für sie.

Ihr Vater nahm ihr das jedoch nicht ab. Christa und Ingeborg waren beste Freundinnen, und jeder wisse, dass so enge Freundinnen keine Geheimnisse voreinander hätten. Frauen, junge wie alte, liebten es, über alles und jeden zu sprechen.

Ingeborg wandte ein, dass Christa zwei gute Gründe gehabt hätte, Ingeborg gegenüber kein Wort über ihre Pläne verlauten zu lassen. Zum einen konnte sie es nicht riskieren, dass Ingeborg sich womöglich verplapperte. Was zwei wussten, war ein Geheimnis, was drei wussten, wisse bald die ganze Welt. Noch wesentlicher aber sei, dass Christa ihre Pläne geheim gehalten habe, um Ingeborg nicht moralisch mitschuldig zu machen.

Dagegen hatte ihr Vater nichts zu erwidern gewusst.

Daraufhin kam Ingeborg eine Idee, wie sie ihren Vater unter Druck setzen konnte.

»Es stimmt natürlich, dass Christa und ich normalerweise keine Geheimnisse voreinander haben. Ich wusste zwar nicht, dass sie einen Skandal plante, aber ich weiß, warum sie es tat.«

Ihr Vater schluckte den Köder sofort.

Seine Tochter erklärte, dass es sich um eine unglückliche Liebe handelte. Eine seit vielen Jahren erwiderte Liebe, über die gewisse Väter der Seglerfamilien in Kiel aber die Nase rümpften, weil sie sie für unpassend hielten. Wahrscheinlich hatte Christa am Ende nur noch diesen letzten, verzweifelten Ausweg gesehen.

Die versteckte Drohung blieb nicht unbemerkt. Ihr Vater erbleichte sichtlich und wechselte das Thema.

»Das Diner heute Abend wird also abgesagt. Ich weiß natürlich, dass du enttäuscht bist, aber ich bitte dich, dich zusammenzunehmen. Auch die morgigen Pläne werden geändert, wir sagen das Diner mit den von Moltkes ab, weil das unter den gegenwärtigen tragischen Umständen unpassend wäre.«

Er machte eine Pause und lächelte sie freundlich und liebevoll an und fuhr dann fort:

»Stattdessen improvisieren wir morgen und laden die norwegische Besatzung der *Ran* ein. Dann bekommst du Lauritz als Tischherrn, wie ich es dir versprochen hatte.«

»Mit der Einladung solltest du dich beeilen, Vater, denn wenn die *Ran* morgen wieder gewinnt, werden sich Lauritz und seine Besatzung vor Einladungen nicht mehr retten können.«

Der Baron sah seine Tochter eine Weile nachdenklich an und nickte.

»Ich gehe sofort ins Büro, schreibe die Einladung und gebe sie am Empfang ab. Ich habe mir sagen lassen, dass der Herr Diplomingenieur in einer der oberen Etagen im Hotel wohnt. Also mach jetzt keine Dummheiten.«

Er erhob sich aus seinem Sessel und begab sich in den Teil der Suite, in dem sein Schreibtisch stand.

Ingeborg blieb sitzen und rekapitulierte die Unterhaltung. Ihr Vater hatte ihre Drohung, dass auch sie einen Skandal heraufbeschwören könnte, sehr wohl verstanden. Aber statt aufzubrausen, hatte er sie wie beiläufig beiseite-geschoben. Das war ein gutes Zeichen.

Als sie rechthaberisch von einem erneuten Sieg der *Ran* ausgegangen war, hatte er auch nicht protestiert. Vermutlich war auch das ein gutes Zeichen.

Die Norweger auf der *Ran* siegten am zweiten Tag noch überwältigender, ganze sechsundzwanzig Minuten vor dem Zweitplatzierten glitten sie über die Ziellinie. Vor dem Start war man gemeinhin davon ausgegangen, dass es an diesem Tag einen kaiserlichen Sieg geben würde, da die Bahn am zweiten Tag länger war und zwei Gegenwindstre-cken aufwies. Beim Kreuzen gegen den Wind kam es allein auf Geschicklichkeit an, und die Besatzungen der kaiserli-chen Familie setzten sich aus den besten Seglern Deutsch-lands zusammen. Es war natürlich eine große Ehre, auf einer kaiserlichen Jacht segeln zu dürfen. Viele hätten ih-ren rechten Arm für ein solches Angebot gegeben, das vie-le Türen in die bessere Gesellschaft öffnete.

Die Norweger segelten mit ihrem überdimensionierten

und ostentativen Spinnaker jedoch beim Kreuzen noch schneller als bei achterlichem Wind.

Lauritz und seine Besatzung fanden sich, tadellos gekleidet in weißen Hosen, Seglerschuhen und kobaltblauen Jacketts, weißen Hemden mit schmalen Krägen und schwarzen Schlipsen, zum von-freitalschen Diner ein. Erleichtert stellte Ingeborg fest, dass sie nicht in Frack erschienen waren. Aber Lauritz war ja inzwischen mit den Sitten und Gebräuchen der Seglerfamilien vertraut.

Außerdem waren die Norweger ungezwungen und nett und sprachen hervorragend Deutsch, der Architekt namens Jens mit Berliner Akzent. Bereits beim Willkommenstrunk hatte Ingeborg das Gefühl, dass es ein gelungener Abend werden würde. Für gewöhnlich waren die Gäste bei den Seglerdiners angespannt und nervös, aber bei den Norwegern war keine Spur dieser Unruhe festzustellen.

Ingeborg vermutete, dass dies daran lag, dass die Norweger im Umgang viel offener und entspannter waren als die Deutschen. Die meisten Norweger duzten einander brüderlich. In Norwegen wusste keiner, was ein Baron war. Vielleicht waren die Norweger geradezu ein leuchtendes Vorbild für das neue, bald demokratische Europa.

Ihr Vater hielt eine lange und beinahe panegyrische Willkommensrede. Er betonte einleitend, es sei eine Ehre, mit den besten Seglern, denen er je auf dem Meer begegnet sei, zu Tisch zu sitzen.

Ein so uneingeschränktes Lob hatte sie von ihrem Vater noch nie gehört, nicht einmal gegenüber den kaiserlichen Jachten.

Nach weiteren Lobesworten wandte sich ihr Vater mit einem Weinglas in der Hand an Lauritz, ein Zeichen dafür, dass die Rede ihrem Ende entgegenging und dass Lauritz ein besonders wichtiger Gast war. Leider wurde seine Rede jetzt etwas kryptisch.

»Dem Steuermann der *Ran* will ich nur sagen, dass dies ein unerwartetes Wiedersehen ist, auch wenn Sie hier im Haus als ein nicht immer willkommener Gast aus und ein gegangen sind.«

Darauf prostete ihr Vater zuerst Lauritz, dann den übrigen Gästen und schließlich mit einer leichten Verneigung Ingeborg und ihrer Mutter zu.

»Wie ist das zu verstehen?«, fragte Lauritz flüsternd seine Tischdame Ingeborg.

»›Unerwartetes Wiedersehen‹ bedeutet dramatische Veränderung, ›nicht immer willkommen‹ ist eine versteckte Entschuldigung«, erwiderte Ingeborg rasch, ebenfalls flüsternd.

Für ein einfaches Essen im Familienkreise war das Mahl, insbesondere aus norwegischer Sicht, sehr üppig. Nach den ersten drei Gängen, Hummer, Lachs und Seezunge mit Weinen vom Rhein, von der Mosel und aus Franken, ging es zum ernsthaften Teil des Mahles mit Hirsch und Wildschwein und zwei verschiedenen Burgundern über, abschließend gab es Käse und Dessert und dazu einen Eiswein. Zusammengenommen dauerte das Mahl mehrere Stunden.

Jens Kielland, der die Gastgeberin, eine sehr schöne Frau, die nur selten etwas sagte, zu Tisch geführt hatte, dankte zum Abschluss der Mahlzeit für die Einladung und erläuterte, dass die Norweger nach einem so üppigen Festmahl mindestens zwei Wochen lang nicht segeln könnten, jetzt seien sie also unschädlich gemacht worden.

Für Ingeborg war es eines der wunderbarsten Diners, die sie je erlebt hatte, selbst das konventionelle Essen, das von den livrierten Kellnern des Hotels aufgetragen wurde, mundete ihr wunderbar. Sie hatte ihr linkes Bein unter dem weit herabreichenden Tischtuch über Lauritz' rechtes gelegt.

Ihr einziges und im Verlauf des Essens zunehmendes Unbehagen war, dass sich nach Ende der Mahlzeit Männer und Frauen trennen würden. Von den Frauen, jungen wie alten, wurde erwartet, dass sie sich zurückzogen und sich Handarbeiten oder einer anderen einfältigen Verrichtung widmeten, während sich die Männer über Dinge unterhielten, von denen Frauen nichts verstanden. Sie spielten Karten oder Billard, aber auf Billard mussten sie jetzt wohl verzichten, da es in der Suite kein Billardzimmer gab.

»Ich kann heute Nacht nicht in dein Zimmer kommen, so sehnlich ich mir das auch wünsche ...«, flüsterte Ingeborg Lauritz nach beendeter Mahlzeit ins Ohr.

Sie musste kurz warten, weil ein weiteres Glas des Dessertweins serviert wurde.

»Ich werde mit Argusaugen bewacht«, fuhr sie rasch fort. »Aber Vater ist sehr wohlwollend, lade ihn morgen zum Segeln ein.«

Lauritz hatte keine Möglichkeit, etwas zu erwidern. Im Gegensatz zu seinen norwegischen Freunden überraschte es ihn nicht, dass Männer und Frauen jetzt getrennter Wege gingen wie in einem Herrenclub. Die schöne und langweilige Baronin segelte mit ihrer Tochter Ingeborg im Schlepptau davon.

Der Baron führte seine norwegischen Gäste in einen Salon, in dem Cognac und Whisky serviert wurden.

Am darauffolgenden, also dritten Tag der Kieler Woche wurde immer ein Ruhetag eingelegt, damit an Bord eventuelle Schäden repariert werden konnten, ehe am vierten und letzten Tag das entscheidende Wettsegeln stattfand.

Der Baron hatte strahlende Laune. Ingeborg war kühn in weite Seglerhosen, Seemannsbluse und mit Seglermütze gekleidet. Praktische Erwägungen hatten vor dem Anstand die Oberhand gewonnen, und ihr Vater hatte erstaunlicherweise keine Einwände erhoben. Sich so jungenhaft zu kleiden kam vermutlich nur in Kiel infrage.

Die *Ran* glitt nur mit der Fock langsam aus dem Hafen. Die Brise war frisch, knapp Windstärke fünf, also weder zu starker noch zu schwacher Wind.

Ingeborg fiel auf, dass die Augen ihres Vaters wie die eines Kindes glänzten, als er den Norwegern bei ihren Tätigkeiten an Bord zusah.

Die Jacht war in etwa so groß wie seine eigene. Für gewöhnlich wurde im engen Hafen fieberhaft mit Bootshaken und Paddeln hantiert, bis man endlich offenes Wasser erreicht hatte. Die Norweger jedoch segelten einfach mit einem Vorsegel aus dem Hafen, als sei es die einfachste Sache der Welt.

Sie saß wie in ihrem gemeinsamen Traum neben Lauritz am Ruder, aber er konnte ihre Hand nicht halten, da ihnen gegenüber im Cockpit ihr Vater saß.

Sobald sie das Gedränge im Hafen verlassen hatten, wurde das Großsegel gehisst, und die *Ran* nahm Fahrt auf.

Ingeborg sah ihren Vater nach Luft schnappen. Auch sie spürte den Unterschied. Wenn Jachten Pferde wären, dachte sie, wäre die *Ran* ein arabisches Vollblut und die anderen Jachten derselben Klasse Ardenner Kaltblüter.

»Warum ist die *Ran* so viel schneller als die *Ellida*?«, fragte ihr Vater.

Jetzt würde eine längere Erklärung folgen, von der Männer im Allgemeinen und ihr Vater im Besonderen annahmen, dass sie sie nicht verstand.

Dabei hatte Lauritz ihr in den Briefen der vergangenen beiden Jahre ausführlich, manchmal fast zu ausführlich, von seinen Studien, den Diskussionen mit Segelmachern, Bootsbauern und Bootskonstrukteuren berichtet. Sie hatte jedoch nichts dagegen, sich alles noch einmal anzuhören, insbesondere jetzt, wo sie ihren Vater und seine Reaktionen beobachten konnte. Falls er überhaupt etwas begriff. Hoffentlich macht Lauritz es nicht zu kompliziert!, dachte sie. Aber egal. Für sie würde es sein, als befände sie sich im Theater.

»Wir schießen auf, Herr Baron, und halten uns hart am Wind, dann lässt es sich leichter beschreiben«, begann Lauritz. »Aber vorweg ganz grundsätzlich, die *Ran* hat im Vergleich mit der *Ellida* und den anderen Jachten einen zum Vordersteven rasch abflachenden Rumpf. Das bedeutet, dass ihr Bug höher im Wasser liegt als ihr Heck. Die *Ran* bietet dem Wasser also einen geringeren Widerstand als die *Ellida*.«

Das hatte Leutnant Wolf auf der *Hohenzollern* sofort gesehen.

»Unser Rumpf«, fuhr Lauritz langsam und freundlich fort, ohne überlegen zu klingen, was Ingeborg sehr sympathisch fand, »besteht aus afrikanischem Mahagoni. Die Spanten sind aus galvanisiertem Stahl. Das bedeutet, dass die *Ran* mindestens fünf Tonnen leichter ist als die *Ellida*. Das polierte Mahagoni ist lackiert und nicht mit dicker weißer Farbe angestrichen, das reduziert den Wasserwiderstand ebenfalls.«

Ausgezeichnet, dachte Ingeborg. Er erklärt ohne hydrodynamische Formeln, er hat verstanden, wo's langgeht.

»Dafür haben wir größeren Vortrieb, wir verwenden drei Vorsegel und Sie, Herr Diplomingenieur, nur eines. Als ich das sah, dachte ich, Sie hätten keine Chance, und in meiner Einfalt glaubte ich, es sei eine Frage des Geldes. Aber das ist nicht der Grund?«

»Ganz und gar nicht«, erwiderte Lauritz aufgeräumt. »Die *Ran* ist nicht nur das modernste, sondern auch das teuerste Schiff, das je in Skandinavien gebaut wurde.«

Ingeborg zuckte zusammen, als sie diese Prahlerei übers Geld hörte, und zwar nicht nur, weil es ordinär war, sondern auch, weil es überhaupt nicht Lauritz' Art war. Schließlich hielt er Überheblichkeit geradezu für eine Sünde.

Sie dachte eine Weile nach, dann begriff sie. Ihr geliebter Lauritz wollte ihrem Vater damit mitteilen, sicher mit einer gewissen Selbstüberwindung, dass er seiner Tochter mittlerweile ein »anständiges Leben« bieten konnte.

»Aber ist es wirklich sinnvoll, die Zahl der Vorsegel zu verringern, das verringert doch nur den Vortrieb, nicht wahr?«, beharrte ihr Vater.

»Nein, Herr Baron, wir haben es mit zwei gleichzeitig wirkenden physikalischen Gesetzen zu tun, die sich gegenseitig aufheben. Wir kreuzen jetzt gegen den Wind, dann kann ich es besser erklären.«

Lauritz rief ein paar Kommandos auf Norwegisch, worauf die Besatzung routiniert die Köpfe einzog, als der große Mastbaum auf die andere Seite schwang und die Jacht anluvte.

»Wollen Sie jetzt so freundlich sein und das Ruder übernehmen, Herr Baron?«, fragte Lauritz und tauschte mit Ingeborgs eifrigem Vater, dessen Wangen glühten, was natürlich auch an dem frischen Wind liegen konnte, den Platz.

»Dann machen wir es jetzt wie beim letzten Mal, Herr Baron«, setzte Lauritz seine Anweisungen fort. »Etwas mehr nach Steuerbord. So ist es gut! Spüren Sie etwas Ungewohntes, Herr Baron?«

»Ja, unglaublich, das Ruder!«, rief Vater. »Der Widerstand ist ganz gering. Wie kommt das?«

»Das sind die gegeneinander wirkenden Kräfte, von denen ich sprach«, fuhr Lauritz fort, ohne sich in irgendwelche Fachausdrücke zu verlieren. »Wenn wir jetzt wie die *Ellida* und alle anderen deutschen Jachten ein Bugspriet hätten, um eine Fock und ein zweites und drittes Vorsegel zu setzen, was würde dann passieren?«

»Der Vortrieb nimmt zu?«

Oje, behandle ihn bloß nicht wie ein Kind, dachte Ingeborg.

»Ja, der Vortrieb nimmt dort vorne zu«, räumte Lauritz ein. »Aber dadurch wird der Bug ins Wasser gedrückt, was das Schiff luvgieriger macht. Also muss man mit dem Ruder fest dagegenhalten. Ein quer gestelltes Ruder trainiert zwar den rechten Oberarm, aber die Geschwindigkeit sinkt um einen Knoten, vielleicht sogar mehr. Und das macht einen ziemlichen Unterschied, wenn man beim Kreuzen zehn- oder fünfzehnmal wenden muss.«

»Zehn- bis fünfzehnmal? Fünfmal reicht doch in der Regel?«

»Ist Ihnen nicht aufgefallen, Herr Baron, dass die *Ran* viel öfter durch den Wind gegangen ist als alle anderen? Mit anderen Worten, wir haben eine kürzere Strecke zurückgelegt.«

Gut! Einfach und ohne Ausschmückungen erklärt, dachte Ingeborg.

»Dann habe ich noch eine letzte Frage«, meinte ihr Vater. »Sie treten gegen die geübtesten Besatzungen Europas an. Wie sind Sie diese Herausforderung angegangen, bewältigt haben Sie sie ja ganz offensichtlich?«

Lauritz lächelte erstmals in diesem Gespräch.

»Ich war mir dieses Problems bewusst«, antwortete er immer noch lächelnd. »Meine Freunde von der gerade gegründeten Bergener Segelgesellschaft und ich haben deswegen drei Wochen auf der Nordsee verbracht, bevor wir nach Kiel gesegelt sind. Wir haben die ganze Zeit geübt. Wir sind also eine sehr eingespielte Besatzung. Und wir kommen aus einer neuen, freien Nation und wollten hier in Kiel der führenden Nation der Welt die norwegische Flagge im Großformat vorführen.«

»Das ist Ihnen wahrlich gelungen, in zweifacher Hinsicht«, pflichtete der Baron ihm bei und brach in herzliches Lachen aus. Ingeborg konnte sich nicht erinnern, wann sie ihren gestrengen Vater, der sonst immer um ein würdevolles Verhalten bemüht war, je so munter gesehen hatte.

»Seien Sie doch so freundlich und übernehmen Sie wieder das Ruder, Herr Kapitän!«, rief Ingeborgs Vater gut gelaunt. »Diese einzigartige Lektion erfüllt mich mit Bewunderung, das gebe ich unumwunden zu. Und nun zu etwas ganz anderem!«

Ingeborg und Lauritz zuckten zusammen. Jetzt musste es kommen.

Ingeborgs Vater ließ sich Zeit. Sicher nicht aus böser Absicht, er legt sich seine Formulierungen zurecht, dachte Ingeborg, denn seine hellblauen Augen blickten freundlich, und das nicht nur, weil das blaue Meer sich in ihnen spiegelte.

»Du musst mich kein drittes Mal fragen, Lauritz. In Zukunft gedenke ich, dich mit Lauritz anzusprechen.«

Ingeborgs Vater legte eine weitere Pause ein. Ingeborg jubelte innerlich, da sie wusste, was diese kleine Formalität bedeutete. Aber ihr geliebter, zukünftiger Mann schien es nicht zu verstehen. Er sah völlig überrumpelt aus, weil er sich als Dank für seinen Vortrag nun nicht einmal mehr als Herr Diplomingenieur anreden lassen durfte.

»Ich gebe dir von Stolz und Freude erfüllt Ingeborgs Hand«, fuhr der Baron langsam und ernst fort. »Vielleicht habe ich ungebührlich harte Bedingungen gestellt, aber das geschah aus reiner Fürsorge um meine älteste Tochter. Du hast diese Bedingungen erfüllt. Du hast gesiegt. Im Übrigen habt ihr beide gesiegt. Mit Ingeborg war es nicht immer leicht. Jetzt stelle ich allerdings noch eine Bedingung, und in diesem Punkt lasse ich nicht mit mir reden!«

Er sah plötzlich streng und unerbittlich aus.

»Was für eine Bedingung?«, riefen Lauritz und Ingeborg wie aus einem Munde. Es war das erste Mal bei diesem Ausflug, dass Ingeborg etwas gesagt hatte.

»Dass die Verlobung beim Abschlussbankett des Kaisers bekannt gegeben wird. Lauritz wird unter allen Umständen an der Ehrentafel sitzen. Und du auch, meine liebe Ingeborg, du wirst deinen Verlobten also ein weiteres Mal als Tischherrn haben.«

Ingeborg umarmte ihn und küsste ihn auf beide Wangen.

Die *Ran* fiel ab, und die Bergener bargen rasch die Fock und setzten den Spinnaker.

»Sag mir, könnte man diese Jacht jetzt nicht billig kaufen?«, scherzte der Baron.

Vermutlich scherzt er, dachte Lauritz.

»Tja«, erwiderte er und zog nachdenklich an seiner einen Schnurrbartspitze. »Über den Preis müsste man dann wirklich eingehender sprechen. Aber dann müssten Sie ja den Spinnaker austauschen, Herr Baron. Ich kenne da einen guten Segelmacher.«

Lauritz deutete an den Himmel, vor dem sich eine riesige norwegische Flagge entfaltete.

*

Der Kaiser hielt beim Bankett eine kurze, aber sehr sportliche Rede, ehe er Lauritz den vornehmsten Siegerpokal der Kieler Woche überreichte. Anschließend gratulierte er dem Sieger zu dem noch größeren Gewinn, dass er sich an diesem Tag mit der hochwohlgeborenen und entzückenden Ingeborg Freiherrin von Freital verlobt hatte. Dann brachte er einen Toast auf das junge Paar aus.

Der Siegerpokal, eine vergoldete Silberschale auf vier hohen Beinen, Empire, stand vor den Frischverlobten auf dem Tisch.

»Ist das der glücklichste Tag unseres Lebens?«, fragte Ingeborg und musste jetzt nicht mehr flüstern.

»Ja, zweifellos«, antwortete Lauritz.

»Was macht dich glücklicher, der berühmteste Seglerpokal der Welt oder ich?«, wollte Ingeborg wissen.

Lauritz wusste, dass das ein Scherz war, und dachte eine Weile über eine halbwegs witzige Antwort nach.

»Ohne diesen Pokal hätte ich dich nie bekommen. Ohne dich hätte ich nur den Pokal«, antwortete er, beugte sich zu ihr hinüber und küsste sie ganz offen, wie es Frischverlobten sogar an der Tafel des Kaisers gestattet war. Alles applaudierte.

XVIII

OSCAR

Belgisch-Kongo, 1909

Die Belgier waren der Abschaum der Welt, das feigste, grausamste und gemeinste Volk, das Gott geschaffen hatte. Leopold II. war der furchtbarste und blutrünstigste König, der je auf einem europäischen Thron gesessen hatte. Ein solches Staatsoberhaupt wäre in Deutschland schlicht und ergreifend undenkbar gewesen.

Dies zumindest war Hans Christian Witzenhausens feste und oft lautstark proklamierte Überzeugung. Einen solchen Massenmörder würde es in Europa nie mehr geben, und falls es so etwas wie christliche Gerechtigkeit überhaupt gab, rotierte Leopold jetzt an einem Grillspieß im schlimmsten Kreis der Hölle.

Oscar hatte dagegen keine Einwände. Während ihrer zweiten Safari im Kongo hatten sie einiges zu hören bekommen. Sie waren durch zerstörte Dörfer gekommen, in denen Miombobäume und Büsche die Felder überwucherten. Wind und Regen hatten die Hütten zum Einsturz gebracht, und von menschlichem Leben gab es keine Spur mehr. Einem Drittel der etwa hundert Träger, die sie am Eduardsee, von dem aus es zu Fuß weiterging, angeheuert hatten, fehlte eine Hand. Bei ihrer Bewerbung hatten sie ihr Möglichstes getan, diese Behinderung zu verbergen, denn anfänglich hatte Kadimba ohne Umschweife alle verstümmelten Bewerber abgewiesen. Dann hatte Oscar ihn angewiesen, auch einhändige Träger anzustellen, wenn sie im Übrigen kräftig und gesund wirkten. Sie trugen ihre Lasten ohnehin auf dem Kopf, und dafür genügte ein guter Gleichgewichtssinn und eine Hand, um die Traglast ab und zu zurechtzurücken. Davon abgesehen sei es die Aufgabe aller weißen Männer in Afrika, die schwere Schuld, die die verdammten Belgier auf sich geladen hatten, abzugelten.

Es war eine belgische Spezialität, den versklavten Kongolesen die Hände abzuhacken, wenn sie den Soldaten nicht einmal im Monat die gewünschte Menge des immer wertvolleren Rohstoffes aushändigen konnten.

Im Jahr 1902 war der Gummipreis in Europa stark gestiegen. Diese unerwartete Entwicklung war auf die neuen Automobile zurückzuführen. Da der Kongo Privatbesitz König Leopolds war, häufte dieser auf einfache und überaus brutale Weise rasch ein riesiges Vermögen an. Der Gummibaum wuchs in den Wäldern des Kongo wild. Jedes Dorf musste jeden Monat so viel Kautschuk liefern, dass fast alle Männer unentwegt damit beschäftigt waren, im Wald nach vorzugsweise großen Bäumen zu suchen, ihnen den Pflanzensaft abzuzapfen, ihn zu Bällen zu kneten und diese in Körben zu sammeln. Wenn die Soldaten kamen und mit der Lieferung nicht zufrieden waren, und das waren sie grundsätzlich nicht, schnitten sie den Leuten die Ohren ab. Bestenfalls. Sonst Hände und Füße und schlimmstenfalls den Kopf. Die abgehauenen Körperteile nagelten sie zur Warnung mitten im Dorf an Bäume oder

Hauswände. Die Dorfbewohner durften sie nicht entfernen, gleichgültig, wie übel sie stanken.

Es gab drei Gründe für die Anwesenheit der Europäer in Afrika: Christentum, Kultur und Kommerz. Damit sollte Afrika aus der Armut, dem Aberglauben, den Stammeskriegen, den Krankheiten und anderem Elend geführt und auf das Niveau der weißen Welt gehoben werden. So war es gedacht, und diese Auffassung teilte auch Oscar, insbesondere wenn man auch noch den Faktor Kommunikation hinzufügte. Und mit Kultur die Vermittlung moderner Technik meinte.

Hätten die Kongolesen den Kautschuk in ihrem eigenen Tempo geerntet und wären sie dafür bezahlt worden, hätte Oscar keine Einwände gehabt. Aber statt entlohnt zu werden, wurden sie verstümmelt und ermordet und mussten zusehen, wie ein Dorf nach dem anderen entvölkert wurde.

Viele Dörfer im östlichen Kongo hatten von der Elefantenjagd gelebt. Man hatte die Tiere mit Giftpfeilen gejagt, hatte sich angeschlichen und die Pfeile auf die weichere Bauchhaut der Elefanten abgeschossen, die Tiere verfolgt, bis sie starben, und sowohl ihr Fleisch als auch ihre Stoßzähne verwertet. Die Belgier hatten alle Elefantenjäger, derer sie habhaft wurden, ermordet, da sie sich nicht bei der Kautschukernte nützlich machten.

Die wenigen Elefantenjäger, die die Belgier überlebt hatten, waren besonders gefragt. Sie wurden als Spurensucher in den Basislagern eingesetzt. Und bei hundertfünfzig zu stopfenden Mündern war es wichtig, dass jemand Elefantenfleisch zubereiten konnte. Die Kongolesen aßen es mit Begeisterung. Oscar mochte es nicht besonders, es schmeckte fade und ein wenig nach Heu. Aber Kadimba und ihm würde es auf dieser zweiten, größeren Safari sicherlich nicht schwerfallen, anderes Fleisch zu beschaffen.

Beim belgischen Zoll am Eduardsee vollzog sich das gleiche Katz-und-Maus-Spiel wie beim vorherigen Mal. Sie wiesen sich als Handelssafari auf dem Weg in den Nordosten des Landes, der an den Sudan grenzte, aus. Zufällig war es auch König Leopolds privater Park, der jetzt nach seinem Tod keinen Eigentümer mehr hatte. Den belgischen Zollbeamten war natürlich klar, worauf es die weißen Abenteurer von nah und fern abgesehen hatten – auf das Elfenbein. Im Jahr 1909 erlebte Afrika seinen letzten großen Elfenbeinboom.

Aber eine gewisse Ordnung herrschte sogar bei den Belgiern. Handel war in Afrika nicht nur erlaubt, er galt darüber hinaus als eine der offiziellen Segnungen, die der weiße Mann dem Kontinent gebracht hatte. Die Pässe der Reisenden wurden also gestempelt, und es wurde salutiert. Die Zöllner zählten darauf, die Elfenbeindiebe auf dem Heimweg zu schnappen, wenn sie auf dem Weg nach Uganda den Nil überquerten.

Im Jahr zuvor war Hans Christian ein ganz phänomenaler Betrug geglückt. Das war auch der einzige Grund, warum er an dieser Reise teilnahm, denn er war kein sonderlich guter Elefantenjäger.

Sie hatten die Zollstation recht spät am Tag erreicht, und die Verhandlungen zogen sich in die Länge. Es erschien also ratsam, zu übernachten und erst am nächsten Morgen weiterzumarschieren. Hans Christian lud einen der belgischen Zöllner in sein Zelt ein und begann ausführlich von seinem Handelsprojekt zu berichten. Gleichzeitig goss er immer wieder von dem Whisky nach, den sie im

Gepäck mitführten und der im Grenzland zwischen dem Kongo und Uganda eine Rarität darstellte. Nach einigen Gläsern, zu denen man die Grenzbeamten nicht lange überreden musste, bekannte Hans Christian beschämt, dass er vor Elefanten eine wahnsinnige Angst habe. Nun habe er gehört, dass es in König Leopolds ehemaligem Privatpark, den man unglücklicherweise durchqueren müsse, beunruhigend viele Elefanten gebe. Wenn der Herr Zöllner jedoch so freundlich wäre, ihm zu erzählen, wo sich diese Bestien aufhielten, könnte er ihnen vielleicht auf seiner Reise in den Norden ausweichen.

Er erhielt eine detaillierte Karte, auf der jede größere Elefantenherde genau eingezeichnet war. Sie machten einen Gewinn von über dreißigtausend Pfund, obwohl sie den habgierigen Engländern bei der Einreise nach Uganda alles verzollt hatten.

Mit etwas Glück würde es dieses Mal noch besser laufen. Im Vorjahr waren sie zu spät aufgebrochen, waren am Ende der Safari in die Regenzeit geraten und hatten nicht viel ausrichten können. Jetzt lagen vier trockene Monate vor ihnen. Es würde heiß werden. Aber Hitze ließ sich leichter ertragen als Kälte, das war zumindest Oscars Erfahrung. Und es würde sich sicher lohnen.

Die Führer gingen voraus, gefolgt von Oscar, Kadimba und Hans Christian, die nur Waffen trugen. Danach kamen die Träger, die auf dem Weg zur Jagd kaum Lasten trugen. Auf dem Heimweg würde ihre Last um ein Vielfaches schwerer sein.

Die ersten Marschtage fand Oscar immer am schwersten. Aber nach einiger Zeit hatte man sich wieder daran gewöhnt, und niemand war so dumm, Stiefel zu verwenden, die nicht eingelaufen waren (außer Hans Christian bei seiner ersten Reise), denn dann musste man sich von vier Männern, die sich jede halbe Stunde abwechselten, tragen lassen. Das hielt auf und war schmachvoll.

Dieses Mal hatten sie die Route geändert und befanden sich in einer Gegend, in der Wolken von Tsetsefliegen angriffen, die einem beinahe die Sicht raubten. Wie die kongolesischen Träger mit ihren nackten Körpern das ertragen konnten, war Oscar schleierhaft, er hatte alle Hände voll zu tun, allein nur sein Gesicht zu schützen. Die teuflischen kleinen Insekten glichen den norwegischen Pferdefliegen, aber ihr Biss war doppelt so schmerzhaft. Schlug man nach den norwegischen Verwandten, fielen diese brav zu Boden und starben. Doch einige Millionen Jahre natürlicher Selektion durch peitschende afrikanische Tierschwänze hatten die Tsetsefliegen in eine unverwüstliche Sippe verwandelt. Es zeigte keinerlei Wirkung, wenn man nach ihnen schlug, sie griffen einfach immer wieder an. Man musste sich anpirschen, sie mit bedächtiger Bewegung zwischen die Finger nehmen und einige Male hin und her reiben. Das erforderte viel Übung und Disziplin, denn der plötzliche Schmerz verleitete zu reflexmäßigen, schnellen Bewegungen.

Oscar hatte das im Verlauf der Jahre gelernt. Aber er rieb sich die Tsetsefliegen mehr als Zeitvertreib von den Wangen. Manchmal zählte er die getöteten Plagegeister. Sein Rekord lag bei mehr als vierhundert an einem Tag, was vielleicht einem Zehntel der Angreifer entsprach.

Am ersten Abend schlugen sie ihr Lager an einem kleinen Nebenfluss des Nil auf, der noch Wasser führte. Die Afrikaner tranken aus dem Fluss, als seien sie Zebras. Für die beiden Weißen wurde das Wasser abgekocht. Zehn Stunden am Tag mit einer üblen afrikanischen Diarrhö zu Fuß zu gehen war nicht erstrebenswert.

In dieser Gegend schien es keine Malaria zu geben, zumindest gab es keine Moskitos, wie Oscar feststellte, nachdem man das große Viermannzelt, in dem er als Leiter der Safari mit Kadimba und Hans Christian wohnen würde, aufgestellt hatte.

Sie waren in Streit geraten, weil Hans Christian sein Zelt nicht mit einem Neger teilen wollte. Oscar hatte sich sehr beherrschen müssen und kurz und nachdrücklich gesagt, Kadimba sei kein »Neger«, sondern Jäger und stellvertretender Chef der Safari. Anschließend war darüber kein Wort mehr verloren worden.

Hassan Heinrich hätte eigentlich auch in diesem Zelt wohnen sollen, aber er war für das Frühstück zuständig, das einstweilen noch aus Eiern und Speck bestand, und musste daher viel früher aufstehen. Außerdem musste er die Verpflegung der hundertfünfzig Träger organisieren.

Zum Abendessen gab es Gnufilet, gegrillten Flussbarsch und belgischen Rotwein.

Es war ein schöner Abend, sternenklar, kühl und moskitofrei. In solchen Momenten spürte man, dass man wirklich unterwegs war. Das Paddeln über die Seen, die langwierigen Verhandlungen, das Schachern um die Kosten für den Kanutransport und Ähnliches hatten nicht das richtige Gefühl aufkommen lassen. Aber jetzt saßen sie am zweiten Abend in ihrem Lager und waren wirklich unterwegs, entweder zu Reichtum oder in den Tod.

Sie waren nicht allein unterwegs. Elefantenjäger aus ganz Afrika, Engländer, Deutsche, Franzosen und ein paar wenige Amerikaner, schlimmstenfalls sogar Belgier, befanden sich wahrscheinlich ganz in ihrer Nähe. Viele von ihnen würden den Tod finden, statt mit einem Vermögen zurückzukehren. Diese Sorge hatte Oscar jedoch nicht. Ihn würde kein Elefant töten, denn er war wie alle jungen Männer unsterblich.

»Streng genommen sind wir Diebe«, scherzte er und nippte genussvoll an seinem Cognac. »Wenn auch unklar ist, wen wir eigentlich bestehlen«, fuhr er fort, als er die erstaunten Mienen der anderen sah. »Den Nachlass des unmenschlichen Königs Leopold kann man schwerlich bestehlen, die Enklave wird zumindest nicht seinen Erben zufallen. Das widerwärtige kleine Land Belgien bestehlen wir auch nicht, auch wenn die Enklave früher oder später wohl Belgien zufallen wird. Im Augenblick jedenfalls bestehlen wir niemanden. Recht interessant.«

»Dann sind wir keine Diebe!«, wandte Kadimba auf Swahili ein. Er hatte die deutsche Unterhaltung offenbar verstanden.

»Belgien hat ohnehin seine Rechte im Kongo verwirkt«, meinte Hans Christian. »Das hier ist das Zentrum, das Herz Afrikas, das sie zerschnitten haben. Sie sind Menschenschinder, Barbaren, eine Schande für uns Weiße. Sag das deinem Freund Kadimba, eine Schande für den weißen Mann, für die wir uns alle entschuldigen!«

»Das habe ich verstanden«, antwortete Kadimba auf Swahili. »Der weiße Mann hat es nicht leicht, viele hassen ihn ohne Grund.«

»Was hat er gesagt?«, fragte Hans Christian, der kein Wort Swahili verstand.

Oscar dolmetschte, und alle drei nickten nachdenklich.

»Das erinnert mich an eine Sache, die ich nicht verstehe«, fuhr Oscar fort. »Die Kongolesen hätten zig Gründe gehabt, sich aufzulehnen. Sie sind viel zahlreicher als die widerwärtigen belgischen Sadisten. Trotzdem lassen sie sich wie die Lämmer zur Schlachtbank führen. Wenn jemand eine Panga erheben würde, um mir die Hand abzuhauen, würde ich sie nicht still hinhalten. Ich würde Widerstand leisten und sterben.«

Er übersetzte die letzten Sätze in Swahili. Der mittlerweile an den Schläfen ergraute Kadimba schüttelte den Kopf und sagte, manche Menschen seien verrückt, manche nicht. Die Deutschen seien viel bessere Menschen als die Belgier, das wüssten alle. Deutsche könnten solche Grausamkeiten niemals begehen. Und trotzdem mussten die Deutschen einen Aufstand nach dem anderen niederschlagen.

Oscar übersetzte ins Deutsche. Eine Weile war es still.

»Wie war es mit dem letzten Aufruhr neunzehnhundertfünf?«, fragte Oscar. »Ich war zu diesem Zeitpunkt auf der Baustelle und kam erst wieder nach Dar, als alles schon vorbei war. Was ist damals eigentlich passiert?«

Hans Christians und Kadimbas Versionen stimmten erstaunlicherweise fast überein, woraus Oscar den Schluss zog, die Wahrheit zu hören.

In dem Dorf Ngrambe im Nordosten gab es einen Medizinmann namens Kinjikitile, der behauptete, den Geist einer Schlange zu besitzen, der Hongo hieß. Er baute zu dessen Anbetung einen kleinen Tempel, in dem einige Hundert Menschen Platz fanden. Diesen Tempel konnte aufsuchen, wer die Stimme des Geistes hören wollte, in Wahrheit die Stimme Kinjikitiles, der sich unter einer Schilfmatte versteckt hatte. Immer mehr Menschen strömten herbei, und Kinjikitile schlug aus seinem Erfolg bare Münze. Er verkaufte ein Elixier aus Rizinusöl und Hirse und sagte, dass jeder, der davon trank, nicht verwundet würde. Die ersten Käufer gehörten den Stämmen Matumbi, Kichi und Ngindo an und waren alles andere als Krieger. Sie waren Bauern, nichts anderes. Sie hassten die kriegerischen Ngoni im Süden, was wenig verwunderte, denn die Ngoni waren zu allen Zeiten Sklavenjäger gewesen. Weiterhin hassten sie die arabischen Sklavenjäger und erst an dritter Stelle den weißen Mann.

Diese drei Stämme waren also friedliche Bauern und keine Krieger, aber der Geist der Schlange, Hongo, machte sie offenbar verrückt. Irgendwann hatten einige Ngindo-Männer so viel von Kinjikitiles Elixier und dazu noch Bier getrunken, dass sie mit ihren Pangas einen katholischen Bischof, zwei Benediktinermönche und zwei Nonnen, die sich auf Safari befunden hatten, in Stücke hackten. Damit nahm das Übel seinen Anfang. Der Gouverneur, Graf Adolf von Götzen, forderte zweihundert Marineinfanteristen als Verstärkung an.

Es fand alles ein rasches Ende. Beunruhigend war nur, dass sich die Ngoni-Krieger aus dem Süden dem Aufruhr anschlossen. Die Ngoni waren mit den Zulu verwandt und militärisch genauso organisiert wie diese. Die Abschaffung des Sklavenhandels war ihnen schon lange ein Dorn im Auge.

Sie waren seit Jahrhunderten Krieger, und deswegen schien es überflüssig, dass sie das magische Elixier aus Rizinusöl und Hirse überhaupt probierten. Sie testeten es genau genommen nur einmal und rannten dann in offenem

Gelände gegen zwei Maschinengewehre an. Damit war der Aufruhr praktisch beendet. Es mussten nur noch ein paar Anführer eingefangen und gehängt werden, Kinjikitile als Erster.

Sehr viel mehr gab es über diesen Aufruhr nicht zu sagen, außer dass er unglücklich verlaufen und völlig unnötig gewesen war und zu viele Unschuldige mit in den Tod gerissen hatte.

Das Gesprächsthema hatte allen die Laune verdorben. Jetzt konnte man nicht einfach dazu übergehen, optimistische Spekulationen über den ersten Platz anzustellen, den ihnen der entgegenkommende belgische Zöllner als elefantenreich beschrieben hatte. In diese Gegend waren sie im Vorjahr aufgrund des Regens nicht vorgedrungen.

Nach einem knappen Gute Nacht legten sie sich schlafen. Wie immer zu Anfang einer Safari schmerzten alle Knochen.

Sie wanderten eine Woche lang, ohne mehr als einzelne Elefanten in der Ferne zu sehen, noch dazu überwiegend Kühe und Kälber, für die es sich nicht lohnte, anzuhalten.

Aber als sie die Gegend erreichten, die der belgische Zöllner als besonders elefantenreich auf der Landkarte eingezeichnet hatte, zeigte sich, dass sie sich am rechten Ort befanden. Dies war eine Landschaft, in der sich Elefanten wohlfühlten, hohes Gras in den Ebenen und in regelmäßigen Abständen dichte Wälder. Von einem hohen Termitenhügel aus sahen sie Hunderte, vielleicht sogar tausend Elefanten auf einmal. Der Anblick war umso aufbauender, da er nicht von am Himmel kreisenden Geiern gestört wurde. Das bedeutete, dass ihnen keine anderen Elefantenjäger zuvorgekommen waren und dass sie den ganzen Schatz allein heben konnten.

Sie hatten es nicht eilig und bereiteten sich eingehend auf ihren Angriff vor. Es war wichtig, das Ganze mit Ruhe anzugehen. In dem hohen Gras Stellung zu beziehen und den erstbesten Elefanten abzuschießen wäre unklug, weil die Tiere dann in alle Richtungen fliehen würden und die Herde sich zerstreuen würde. Es galt, sich seitwärts durch ein Wäldchen anzuschleichen, eine Gruppe Bullen zu überraschen und gleich vier oder fünf von ihnen zu erlegen, ehe sie begriffen, aus welcher Richtung die Gefahr kam. Die überlebenden Elefanten würden auf die Savanne fliehen. Dann würde man weitersehen. Entweder beruhigten die aufgescheuchten Elefanten sich wieder, wenn sie die anderen friedlich grasenden Elefanten sahen, oder sie verbreiteten Panik, und die ganze Herde suchte das Weite, hoffentlich in gemeinsamer Richtung, sodass man sie nach einigen Tagen wieder aufspüren konnte.

Der Wind wehte stetig aus Nordost, eine Diskussion über die einleitende Taktik erübrigte sich also. Man würde sich erst Richtung Osten bewegen und dann gen Norden auf ein größeres Waldgebiet zu. Danach war alles nur noch eine Frage der Zeit.

Oscar ließ zwei der kongolesischen Elefantenjäger herbeirufen. Nicht weil man Hilfe beim Deuten der Elefantenfährten benötigt hätte, sondern weil diese Männer die fast übernatürliche Gabe besaßen, Elefanten in dichtem Unterholz zu entdecken.

In Dar wurde darüber gescherzt, dass manche Leute zu dämlich waren, einen Elefanten auf zehn Meter Entfernung zu erkennen. So scherzten nur die Ahnungslosen.

Oscar und Kadimba hatten es oft genug selbst erlebt. Einmal waren sie im Glauben, einen großen Bullen etwa hundert Meter vor sich zu haben, durch dichtes Gestrüpp geschlichen. Glücklicherweise hatten sie innegehalten, aber nichts anderes als Vogelgezwitscher gehört. Plötzlich hatte der Magen eines großen Bullen zu rumoren begonnen, der nur zehn Meter von ihnen entfernt im Stehen ein Nickerchen hielt und sein Essen verdaute. Hätte er sie entdeckt, dann hätte er sie vermutlich getötet. Alte Bullen brachen schneller durch alle Bäume und Gebüsch, als ein Mensch laufen konnte.

Damals war es gut gegangen. Sie hatten sich leise ein Stück zurückgezogen und sich dann im Halbkreis wieder auf ihn zubewegt, bis sie seinen Kopf im Blick hatten. Die Stoßzähne waren jedoch nicht sonderlich bemerkenswert gewesen und hatten nur knapp sechzig Pfund gewogen.

Oscar dachte an die neue Instruktion, die er erlassen hatte. Elefantenbullen mit Stoßzähnen, die mehr als siebzig Pfund wogen, sollten nicht erlegt werden, weil solche großen Zähne sich nur mühsam tragen ließen. Ein Zahn von hundert Pfund oder mehr musste an einer stabilen, langen Stange zwischen zwei Trägern transportiert werden. Das war nicht nur ein unbequemes und sperriges Unterfangen, sondern erhöhte das Gewicht noch zusätzlich. Das war simple Mathematik. Wenn jeder Träger eine Last von siebzig Pfund oder weniger trug, kam unterm Strich ein besseres Resultat heraus, als wenn jeder zweite Stoßzahn von zwei Trägern getragen werden musste.

Eine Ausnahme hatte er Hans Christian zugebilligt, aber nur diese eine. Hans Christian brauchte ein paar riesige Stoßzähne für die Eingangstür seines Jagdunternehmens, das er zu eröffnen gedachte. Wenn ein potenzieller Kunde derartige Stoßzähne sah, wie nur Oscar sie aus dem Busch mitbrachte, würde er sofort seine Geldbörse zücken.

Oscar hatte kein sonderliches Verständnis für Hans Christians kindischen Traum, professioneller Großwildjäger zu werden, denn er bezweifelte, dass sich damit ein großes Geschäft machen ließ. Die reichen Kunden wollten vermutlich nur das gefährliche Wild jagen, Nashörner, Elefanten, Löwen und Büffelbullen. Wer sich auf diese Art von Jagd spezialisierte, würde mit statistischer Sicherheit früher oder später getötet werden. Ein sehr schlechtes Geschäft.

Sie bewegten sich rasch durch das hohe Gras auf ein Wäldchen zu, in dem sie mit der Jagd beginnen wollten. Sie hatten es nicht eilig, denn wenn sie es geschickt anstellten, konnten sie diese große Herde vierzehn Tage lang jagen. Es war ein unbehagliches Gefühl, sich durch das hohe Gras zu bewegen, das die Sicht nach vorn auf einen Meter beschränkte. Man musste immer damit rechnen, Auge in Auge einem Nashorn gegenüberzustehen oder, noch schlimmer, einem wütenden *Mbogo*, einem Büffelbullen, der den richtigen Augenblick zum Angriff abgewartet hatte.

Deswegen waren alle erleichtert, als das Gras spärlicher und die Halme kürzer wurden und sie den Waldrand ausmachen konnten. Dort blieben sie stehen und sahen sich um. Oscar benutzte sein neues Zeiss-Fernglas, die kongolesischen Fährtensucher brauchten keine Hilfsmittel. Am Waldrand grasten etliche Zebras, was nicht so günstig war. Sie würden auf die offene Savanne fliehen, sobald sie die Menschen bemerkten, was die Elefanten aufschrecken konnte. Kadimba, dem dieses Problem natürlich bewusst war, gab ein Zeichen, dass sie es ignorieren konnten. Wenn die Zebras flohen, glaubte *Tembo*, der Elefant, dass sie von Löwen verfolgt wurden, eine Gefahr, die nur die Zebras betraf.

Das leuchtete ein. Oscar gab das Zeichen, vorzurücken. Die Zebras hoben die Köpfe, betrachteten sie einige Sekunden lang misstrauisch, und dann verschwand die älteste Stute, gefolgt von ihrem Fohlen, Richtung Savanne. Nach kurzem Zögern folgte ihnen die übrige Herde. Besser als in den Wald, dachten Oscar und Kadimba und tauschten einen kurzen Blick des Einverständnisses aus.

Der Wald bestand überwiegend aus Miombobäumen und war zu Anfang angenehm licht. Sie konnten über hundert Meter weit sehen, und es gab kein raschelndes Laub. Elefanten verfügten über einen fast übernatürlichen Geruchssinn. Die Männer bewegten sich gegen den Wind, was den Elefanten nicht nur die Witterung erschwerte, sondern auch die Geräusche, die sie verursachten, von ihnen wegtrug. Die nackten Füße der Afrikaner bewegten sich fast lautlos voran, was man von den Stiefeln der Europäer, wie sie auch Kadimba trug, nicht behaupten konnte. Ein Weißer wäre barfuß jedoch nicht sonderlich weit gekommen. In seinen Indianerbüchern hatte Karl May von »Zartfüßern« gesprochen, was Oscar als Gymnasiast in Kristiania nicht so recht verstanden hatte. Diese Lektion hatte er in Afrika umso gründlicher gelernt.

Verglichen mit seinem Geruchssinn besaß Tembo eine miserable Sehkraft. Auch bei hellstem Tageslicht war er fast blind. Davon profitierten die Männer. Sie würden die Elefanten hören, noch ehe sie selbst bemerkt wurden. Es war früher Morgen, was bedeutete, dass die Elefanten grasten. Was in einem Wald ein alles andere als lautloses Unterfangen war. Und sehr richtig brauchten sie nur ungefähr eine Stunde lang zu gehen, als sie einen Baum zu Boden krachen hörten. Elefanten.

Sie schlichen sich vorsichtig an, um aus größerer Nähe zu entscheiden, ob sie schießen sollten. Die erste Salve würde die Elefantenherde auf der Savanne noch nicht vertreiben, erst recht nicht, wenn diese Elefanten noch nie gejagt worden waren, was wahrscheinlich war. Aber mit jedem weiteren Schuss rückte die Massenflucht näher. Wenn sie Pech hatten, verließ die Herde die Gegend komplett, was bedeutete, dass sie sich in einer einzigen Nacht möglicherweise drei oder vier Tagesmärsche entfernte.

Als sie weniger als fünfzig Meter von den Elefanten entfernt waren, teilte einer der Kongolesen Kadimba aufgeregt mit, dass sie es mit sechs Bullen zu tun hatten. Einem sehr alten Bullen mit Stoßzähnen über hundertzwanzig Pfund, der sich mit fünf Leibwächtern umgab. Das seien ungewöhnlich viele, der Alte wurde also von den Jüngeren sehr geachtet.

Das Arrangement zwischen den Bullen war einfach. Die Jüngeren schützten das Leben des Alten und griffen ohne Zögern alles in der Nähe an, was gefährlich wirkte. Dafür durften die Jüngeren einige Jahre lang an den Erfahrungen des Alten teilhaben, der wusste, wo in der Trockenzeit Wasser zu finden war, wo man sich an überreifen Amarullafrüchten berauschen konnte, wo sich Pflanzungen der Menschen plündern ließen und wie man den Menschen auswich oder sie tötete, eben alles, was man wissen musste.

Sie befanden sich also in einer ebenso günstigen wie gefährlichen Situation. Der Wind brauchte nur ein wenig zu drehen, und fünf Elefantenbullen würden auf sie zustürzen. Andererseits bot sich hier die Gelegenheit, fünf oder sechs Elefanten auf einmal zu schießen, noch dazu in zufriedenstellendem Abstand von der übrigen Herde.

Es stellte sich die Frage, wie sie mit dem Alten verfahren sollten. Er hatte Hans Christian eine große Trophäe versprochen, und diese hier war zwar sehr schön, aber vielleicht auch nicht die größte, auf die sie stoßen würden. Die Entscheidung lag bei Hans Christian.

Taktisch war es von Vorteil, den Alten zuerst zu erschießen. Seine Leibwächter würden verunsichert bei ihm verharren, und mehr war nicht nötig. Aber das sollte Hans Christians Beschluss nicht beeinflussen. Oscar gab ihm ein Zeichen, sich näher anzuschleichen.

»Und, Bruder?«, flüsterte er. »Ist das die Trophäe für deine Türpfosten?«

»Wie viel Pfund?«, erwiderte Hans Christian flüsternd. »An welchen von ihnen denkst du?«

»An den, der sich gegen den großen Baum lehnt. Mindestens hundertzwanzig Pfund. Zwischen seinen bogenförmigen Stoßzähnen kannst du mit ausgestreckten Händen stehen. Sie sind mehr als zwei Meter lang.«

»Welchen Baum meinst du?«

»Den gelbgrünen mit dem glatten Stamm, der höchste da hinten. In zehn Meter Höhe gabelt sich der Stamm.«

Hans Christian machte sich eine Weile an seinem Fernglas zu schaffen, bis er endlich den Alten im Blick hatte. »Meine Güte!«, flüsterte er. »Darf ich den schießen?«

Oscar gab Kadimba ein Zeichen, näher zu kommen. Er flüsterte ihm ein paar Anweisungen ins Ohr. Dann erläuterte er Hans Christian seinen Plan. Sie mussten sich aufteilen, denn drei Bullen standen rechts von dem Alten. Hans Christian sollte als Erster schießen. Sobald der Alte zusammensackte, sollte Kadimba den nächsten schießen, anschließend Hans Christian einen weiteren und zum Schluss Kadimba den letzten von seiner Seite. Währenddessen wollte sich Oscar den beiden übrigen widmen. So sah der einfache Plan aus.

»Denk dran«, sagte Oscar, als sie sich trennten, zu Hans Christian, »niemand schießt vor dir, du kannst dir also Zeit lassen. Ziel zwischen die Augen, wenn er in deine Richtung schaut.«

»Ich weiß, das hast du mir schon tausendmal erklärt«, erwiderte Hans Christian mit einem selbstsicheren Lächeln.

Hans Christian und Kadimba machten sich auf den Weg, um ihre Positionen einzunehmen. Die beiden kongolesischen Fährtensucher blieben bei einem großen Baobab zurück, weil sie mit dem weiteren Geschehen nichts zu tun hatten, und der Baobab war ausreichend dick, um sie vor einem angreifenden Elefanten zu schützen.

Oscar entsicherte sein Gewehr und lehnte es an einen schmalen Baum vor sich. Er hoffte, dass Hans Christian die Geduld aufbrachte, den richtigen Moment abzuwarten. Einen Elefanten zu schießen war so leicht wie schwer zugleich. Insbesondere wenn er auf der Stelle sterben sollte.

Im Schatten des Waldes war es vergleichsweise kühl, Oscar schwitzte nur wenig. Vermutlich lag es auch an der Höhe, in der sie sich befanden. Dass es keine Tsetsefliegen gab, war ein Segen.

Ein Honigvogel begann, aufgeregt zu pfeifen. Das war nicht gut. Vielleicht wusste der Alte ja, dass der Honigvogel die Menschen zu den wilden Bienen lockte, um sich seinen Anteil am Honig zu holen, den man ihm wohlweislich übrig lassen sollte. Wusste der Alte das? Und wusste er auch, wie es weiterging, wenn ein Mensch den ganzen Honig mitnahm? Dann führte der Honigvogel den nächsten Menschen zu einer Giftschlange.

Irgendetwas hatte der Alte ganz offenbar gemerkt, denn Oscar sah, wie er den Kopf hob, die Ohren aufstellte und den Rüssel hob, als wolle er Witterung aufnehmen. Seine Leibwächter taten es ihm gleich. Sie konnten jederzeit das Weite suchen.

Da fiel ein Schuss. Oscar griff rasch nach seinem Mausergewehr. Die Hinterbeine des Alten gaben langsam nach. Er hob den Rüssel in die Luft und sackte zur Seite. Er war tot, Hans Christian hatte ihn an der richtigen Stelle getroffen.

Einen Augenblick später folgte der nächste Schuss. Vermutlich Kadimbas.

Oscar versuchte, zwischen den Ästen vor sich einen geeigneten Schusswinkel zu finden. Seine beiden Bullen standen mit aufgestellten Ohren da. Da der Alte keine Anweisungen mehr gab, wussten sie nicht, wen und in welcher Richtung sie angreifen sollten. Jetzt sah Oscar beide Augen des einen vor sich und wollte gerade schießen, als die beiden anderen erneut schossen. Eine kostbare Sekunde lang kam er aus dem Konzept, bis er sein Ziel wieder im Blick hatte und abdrückte. Es war sofort zu sehen, dass er getroffen hatte. Da wurde es dem letzten Leibwächter des Alten zu viel. Er drehte sich um, um zu flüchten. Sein Kopf wurde von einer dichten Baumkrone verdeckt, aber der Lungen- und Herzbereich war ungeschützt. Oscar schoss automatisch und unverzüglich, als er diese Blöße entdeckte. Der Elefant bahnte sich mit Getöse seinen Weg durch den Wald, glücklicherweise weg von ihnen. Da hörte er einen Schuss von den anderen und noch einen.

Das konnte Gutes oder Schlechtes bedeuten. Er lauschte intensiv, aber das Einzige, was er hörte, war das immer leiser werdende Getöse flüchtender Elefanten.

Dann war es still. Oscar schwitzte heftig und leckte sich über die Oberlippe. Immer noch war alles still. Seltsam.

»Ist bei euch alles in Ordnung?«, rief er in Kadimbas und Hans Christians Richtung, und sie antworteten ihm jubelnd, lachend und lautstark, dass alles gut gegangen sei.

Ganz richtig lagen bei ihnen vier tote Elefanten. Kadimba und Hans Christian erzählten durcheinander, der eine auf Swahili, der andere auf Deutsch, was geschehen war.

Hans Christian berichtete, wie er eiskalt, zuversichtlich und geduldig den richtigen Augenblick abgewartet hatte.

Kadimba erzählte, Hans Christians Gewehrlauf hätte mal hierhin, mal dorthin gezeigt, bis er schließlich verzweifelt abgedrückt und den Alten perfekt in den Kopf getroffen habe.

Anschließend hatte Kadimba den zweiten Elefanten getroffen, hierin wichen der deutsche Bericht und der Bericht auf Swahili nicht voneinander ab.

Dann hatte Hans Christian den dritten mit einem perfekten Schuss erlegt. Laut der deutschen Version.

Auf Swahili hieß es, Hans Christian habe zu hoch gezielt, und zwar in das große Fettpolster, das Tembo auf dem Kopf trage. Dieser Treffer habe ihn nur etwas benommen gemacht, ihn aber nicht wirklich verletzt.

Sowohl auf Deutsch als auch Swahili wurde dann übereinstimmend berichtet, dass Kadimba auf den vierten Elefanten geschossen habe. Laut der deutschen Version hatte er ihn aber nur verletzt.

Übereinstimmend erzählten die beiden dann, dass sich einer der tot geglaubten Elefanten plötzlich auf die Vorderbeine aufgerichtet habe, woraufhin Hans Christian auf ihn schoss und ihn endgültig erlegte. Kadimba habe dann vollkommen unnötigerweise noch einen Schuss abgegeben. Laut deutscher Version.

Auf Swahili hörte es sich, nicht unerwartet, genau umgekehrt an. Hans Christian hatte erneut auf das Fettpolster auf dem Kopf geschossen, und Kadimba hatte anschließend den entscheidenden Schuss abgegeben.

Oscar hörte sich den Wortschwall der beiden an, ohne mit einer Miene zu erkennen zu geben, wem er glaubte oder dass er zwei unvereinbare Versionen zu hören bekommen hatte.

»Gratuliere«, sagte er und gab beiden die Hand. »Ihr habt beide mehr Talent als ich bewiesen, ich habe nur einen zur Strecke gebracht. Aber der andere hat zumindest eine Blutspur hinterlassen, den erwischen wir hoffentlich später noch.«

Sie untersuchten die toten Elefanten. Oscar schickte einen der kongolesischen Fährtenleser ins Lager zurück, um Träger zu holen. Der eine Stoßzahn von Hans Christians Trophäe wog hundertdreißig Pfund, der andere etwas weniger. Oscar versicherte Hans Christian, dass es keinesfalls sicher wäre, dass sie im Laufe des folgenden Monats auf einen noch größeren Elefanten stoßen würden, und dieser hier sei ja nun erlegt und die Sache somit geregelt.

Die Stoßzähne der jüngeren Elefanten hatten das perfekte Gewicht für die Träger. Und selbst wenn sie den Elefanten, der in den Wald entkommen und nicht zur Herde gelaufen war, um dort zu verenden und für Panik zu sorgen, nicht fanden, war es alles in allem ein hervorragender erster Jagdtag gewesen.

Sie hatten viel Zeit und konnten sich mit der Verfolgung des verletzten Elefanten Zeit lassen. Sie fanden ihn in nur dreihundert Meter Entfernung. Oscar hatte ihn ins Herz getroffen.

Natürlich wurde gefeiert, als sie wieder im Lager waren. Die Kongolesen hatten sich mit Proviant eingedeckt und waren an den Platz, an dem die Elefanten erlegt worden waren, zurückgekehrt, da sie die ganze Nacht damit zubringen würden, einen der Elefanten zu zerlegen. Im Schein von Fackeln waren die ganze Nacht Fleischträger zwischen dem Lager und dem Schlachtplatz unterwegs.

Oscar lud an diesem Abend Hassan Heinrich zu ihrem Festmahl ein. Frisch geduscht und sauber gekleidet, leerten sie einen großen Teil ihres Vorrats an belgischem Wein. Das schadete nichts, denn am nächsten Tag wollten sie nicht jagen. Das Wichtigste war jetzt, die große Herde nicht zu verscheuchen. Vermutlich würden sich die Tiere bald wieder beruhigen. Sie hatten ein paar Schüsse gehört, aber keine toten oder, was schlimmer gewesen wäre, sterbenden Artgenossen gesehen. Nach ein paar Tagen würde alles wieder wie immer sein.

Eine Flasche Wein nach der anderen wurde entkorkt, und sie scherzten, wie rücksichtsvoll sie doch waren, die Last der Träger auf diese Weise zu verringern. Die Jagdgeschichten, insbesondere die von Hans Christian, wurden immer fantastischer. Oscar hörte sich ganz ohne ironische

Zwischenbemerkungen Kadimbas und Hans Christians immer kühnere Heldentaten an. Hassan Heinrich, dem die Unterschiede der deutschen und der afrikanischen Version der Jagd dieses Tages natürlich auffielen, wirkte immer ratloser. Oscar flüsterte ihm zu, das sei bei der Jagd und vor allem bei Jagdbeschreibungen nun einmal so. Beim weißen gleichermaßen wie beim schwarzen Mann.

XIX

OSCAR

Daressalam, 1912

Der Ruf des Honigvogels war so beharrlich, dass er es nicht übers Herz brachte, ihm nicht über Stock und Stein zu folgen. Er redete freundlich auf ihn ein und versicherte ihm, er habe immer ehrlich versucht, allen in Afrika nur Gutes zu tun. Aber das Mahnen des Vogels wurde immer drängender, und in seinem tiefsten Innern verstand er, dass nicht alles so idyllisch war, wie es wirkte, und dass er folglich offenen Auges direkt in den Tod lief.

Die schwarze Mamba, die sich vor ihm aufrichtete, überragte ihn mindestens um einen Meter. Sie sah sehr zufrieden aus. Der Vogel lachte höhnisch. Es gefiel ihm nicht, beim Sterben höhnisch ausgelacht zu werden, aber Weglaufen hatte keinen Sinn, denn einer schwarzen Mamba entkam man nicht.

Das war die erste wichtige Regel, die er im afrikanischen Busch gelernt hatte. Was auch immer du tust, lauf nicht weg. Alle Lebewesen in Afrika rennen, springen und kriechen schneller, als du rennen kannst. Also: Bleib stehen und sieh zu, dass dein Schuss trifft.

Das Sterben tat nicht weh. Die Fangzähne der Mamba

waren klein und weich wie Gummi. Sie duftete wie die kleine Holzente, mit der ihre Mutter seine Brüder und ihn immer in den Waschzuber gelockt hatte.

Er ruderte auf dem Fjord, und es war Sommer. Lauritz saß achtern und Sverre im Bug. Die anderen fischten Dorsche, aber er musste rudern. Lauritz erzählte die Geschichte, wie der Donnergott Thor die Midgardschlange aus dem Meer gefischt hat.

Der Wind vom Indischen Ozean strich zärtlich über Aisha Nakondis glänzende Haut. Sie liebte den Anblick des Meeres. Er leckte ihren warmen Rücken, der nach Salz und Vanille schmeckte, sie lachte, es kitzelte und erregte sie, was sich nicht schickte, da sie nicht allein waren, aber er konnte in dem großen weißen Haus im maurischen Stil keine Menschenseele in der Nähe entdecken und drängte sie, sich vornüberzubeugen. Als er in sie eindrang, sah er ihren kleinen Sohn Mkal auf die Veranda treten. Er entdeckte Vater und Mutter in einer für Deutsche äußerst privaten Situation und brach in Tränen aus und betete schreiend alle Präpositionen mit dem Dativ herunter: aus, bei, mit, nach, seit, von, zu und gegenüber.

»Aus, bei, mit, nach …«, murmelte er und sah ein, dass er nicht mehr träumte. Das Fieber erzeugte einen unendlichen Strom von Träumen, einige davon unheimlich wirklich, andere völlig haarsträubende Fantastereien. Hatte er wieder von dem Elefanten geträumt, der Hans Christian tötete? Nein, dieses Mal nicht.

Das war für gewöhnlich sein am häufigsten wiederkehrender wahrer Traum. Kadimba und er standen in dem mannshohen Gras und sahen die vier angreifenden Elefantenbullen direkt auf sich zustürmen. Als Erstem gelang ihm, dann Kadimba ein frontaler Treffer. Kadimbas Elefant ging so dicht vor ihm zu Boden, dass er beiseitespringen musste, um dem letzten wütenden Versuch des Tieres auszuweichen, ihn mit dem Rüssel zu packen. Aber die beiden Bullen rechts von ihm hatten es auf Hans Christian abgesehen, der sich hinter einen Baum geflüchtet, aber durch Bewegungen zu erkennen gegeben hatte. Kadimba und Oscar beschossen den hinteren der beiden. Sie zielten auf das hoch liegende Hüftgelenk und den sichtbaren Abschnitt des Rückgrats oberhalb des Schwanzes. Schließlich brach er zusammen.

Aber da war es zu spät. Der letzte Bulle, der, geschützt durch jenen, den Kadimba und Oscar unschädlich gemacht hatten, auf Hans Christian zugestürzt war, packte diesen mit dem Rüssel, warf ihn zu Boden und trampelte mit den Vorderfüßen auf ihm herum. Binnen eines Augenblicks hatte ihm das wütende Tier zwei, drei tödliche Tritte versetzt, ließ aber nicht von ihm ab. Die sterblichen Überreste Hans Christians hatten nichts Menschliches mehr, eine mit Kleidern umwickelte blutige Masse.

Die Traumversion war nicht so kalt-sachlich wie die Erinnerung. Wenn er von der Katastrophe träumte, wie er es bereits über hundertmal getan hatte, war der Schrecken unfassbar viel größer, manchmal, weil er selbst das Opfer war, manchmal, weil er Hans Christian beizustehen versuchte, seine Beine ihm aber nicht gehorchten, manchmal, weil er schießen wollte, sein Gewehr aber nicht funktionierte.

Er merkte, dass das Fieber nachließ. Das konnte Gutes, aber auch Schlechtes bedeuten. Dr. Pilz hatte gesagt, kurz vor dem Tod könnte es noch einmal einen lichten Moment geben. Dr. Pilz hatte ihn aufgegeben und war mit gesenktem Blick zu Frauen und Kindern weitergeeilt.

Man wusste nicht recht, um was für eine Krankheit es sich handelte. Erst war er davon ausgegangen, dass ihn die Malaria endlich doch eingeholt hatte, obgleich er von Anfang an von Dr. Ernsts geglückten medizinischen Experimenten profitiert und das aus der Rinde des Chinarindenbaums hergestellte Präparat eingenommen hatte.

Anfangs hatte er die typischen Malariasymptome gehabt, Kopfschmerzen, Schwindel und Fieber. Aber dann waren Durchfall und Erbrechen hinzugekommen. Er trocknete rasch aus, weil er keine Flüssigkeit, ganz gleichgültig, ob abgekochtes Wasser oder Bier, bei sich behalten konnte. Wachträume gingen in Bewusstlosigkeit über. Alles hatte sich in eine Traumwelt verschoben, und er konnte sich kaum daran erinnern, was während der kurzen wachen Momente geschehen war, weil es ihm schwerfiel, zwischen Traumbildern und wirklichen Erinnerungen zu unterscheiden. Er griff zu der Glocke, die auf seinem Nachttisch stand, und ein freudestrahlender Hassan Heinrich trat so rasch ins Zimmer, dass er auf einem Stuhl vor der Schlafzimmertür gewartet haben musste.

»Bwana Oscar, Sie sind wach! Dann werden Sie leben, Gott und Mbene sei Dank!«

Oscar richtete sich mühsam in den durchgeschwitzten Kissen und zerwühlten Laken auf und nahm das Wasserglas, das ihm Hassan Heinrich mit zitternder Hand hinhielt, dankbar entgegen. Er trank durstig und hatte das Gefühl, literweise Wasser trinken zu können.

»Wer ist Mbene?«, fragte er atemlos, als er das Glas geleert hatte und es Hassan Heinrich zurückgab.

Hassan Heinrich wirkte trotz seiner aufrichtigen Freude merkwürdig verlegen.

»Ich war bei den Barundi und habe Hilfe geholt. Sie dürfen nicht mehr als einen Liter in der Stunde trinken, Bwana Oscar, sonst kommt das Wasser wieder hoch«, antwortete er ausweichend.

»Du warst bei den Barundi?«

»Ja. Ich habe Bwana Oscars Bahnkarte verwendet, musste aber trotzdem vorne in der Lok sitzen, weil so viele wegwollten aus der Stadt, weg von der Pest.«

»Der Pest?!«

»Tja, vielleicht nicht das richtige Wort, aber eine schwere Krankheit. Viele Tote. Als Dr. Pilz meinte, er könnte nichts mehr machen, bin ich mit der Bahn zu den Barundi gefahren. Aisha Nakondi hat sich um den Rest gekümmert.«

Oscar versuchte, die Botschaft einzuordnen, und hatte immer noch Mühe, zwischen Traum und Wirklichkeit zu unterscheiden. Er drehte sich um und betrachtete den Steinfußboden vor den Glastüren, die auf die Terrasse führten. Dort waren Ruß- und Feuerspuren, obwohl Hassan Heinrich sicher sein Bestes getan hatte, sie mit einem Scheuerlappen zu beseitigen.

Sie hatten etwas verbrannt und ihn gezwungen, den widerlich beißenden Rauch einzuatmen. Sie hatten ihn auch gezwungen, etwas zu essen, das seltsam geschmeckt, aber zumindest keinen Würgereiz ausgelöst hatte. War das wirklich geschehen? Waren die Gesänge, die Masken, die Tänze Wirklichkeit und nicht nur Fieberhalluzinationen gewesen?

»Waren Magierinnen hier, oder habe ich das nur geträumt?«, fragte er so gleichmütig wie möglich.

»Sie waren hier, Bwana Oscar«, antwortete Hassan Heinrich besorgt. »Ich bin zu den Barundi gefahren und wurde sofort zu Aisha Nakondi gebracht. Ich erzählte von der schlimmen Krankheit, von der alle, entschuldigen Sie meine Sprache, scheißen und sich übergeben mussten, bis sie starben. Sie hat den Jungen und die beiden He… die beiden heilkundigen Frauen mitgenommen. Vielleicht sind wir ja wirklich im letzten Augenblick gekommen.«

Hassan Heinrich schien nicht weitererzählen zu wollen. Oscar dachte nach.

»Sie haben gesagt, dass Bwana Oscar in drei Tagen erwachen würde, und jetzt sind genau drei Tage vergangen«, fuhr Hassan Heinrich mit gepresster Stimme fort, als drücke ihn etwas, das er nicht sagen wollte oder konnte.

»Sind Aisha Nakondi und Mkal noch da?«, fragte Oscar.

»Ja. Sie wollten den dritten Tag abwarten. Ich habe sie im großen Schlafzimmer im Obergeschoss einquartiert«, antwortete Hassan Heinrich und strahlte.

»Ausgezeichnet. Und die beiden Magierinnen?«

»Denen habe ich Fahrkarten organisiert. Sie sind heimgekehrt.«

»Und wie hast du ihnen ihre Fahrkarten organisiert?«, fragte Oscar mit strenger Miene. »Ich hoffe doch, dass sie keine schwarzen Masken trugen, als sie zum Bahnhof kamen?«

»O nein, Bwana Oscar, da sahen sie ganz normal aus mit anständigen Kleidern. Ich habe mir allerdings die Freiheit genommen, die Fahrkarten über die Eigentümerquote der Eisenbahngesellschaft zu bestellen, damit hat man Vorrang …«

Er verstummte, sichtlich verlegen.

Oscar lachte leise. Ein Zeichen der Genesung, dachte er. Aber die Szene, die er sich vorstellte, war auch wirklich zu komisch. Hassan Heinrich hatte also zwei Erste-Klasse-Fahrkarten über sein Eigentümerdeputat bestellt, das vor den weißesten und deutschesten Bürgern und ihren Frauen ein Anrecht auf die ohnehin viel zu spärlichen Plätze gewährte. Das bedeutete, dass ein sicher überaus verlegener Schaffner die erste Klasse betreten haben musste, um höflich, aber mit Nachdruck jenen zwei Fahrgästen mit den zuletzt gekauften Fahrkarten ihre Plätze zu verwehren. Unter welchem Vorwand wohl? Hatte er medizinische Gründe, militärische Angelegenheiten oder das Interesse des Staates als Grund für dieses Opfer angeführt?

Wenn man sich dazu noch einen Herrn mit lächerlichem Tropenhelm, gewichsten Stiefeln, Gamaschen und weißem Rock mit gestärktem Kragen und Schlips zusammen mit seiner sittsamen Gattin mit Sonnenschirm und zu langen Röcken und viel zu eng geschnürtem Korsett vorstellte, die den Waggon verließen, garantiert außer sich vor Wut und alle möglichen Drohungen ausstoßend, konnte man nur hoffen, dass die beiden nie erfahren würden, welche Passagiere ihre Plätze übernommen hatten, weil sie zufällig jemanden kannten, der sieben Prozent der Eisenbahn besaß.

Oscars langes, nachdenkliches Schweigen schien Hassan Heinrich zu beunruhigen.

»Habe ich etwas falsch gemacht, Bwana Oscar?«, fragte er.

»Nein, Hassan Heinrich, ganz und gar nicht! Nur eine kurze Frage. Mussten Fahrgäste den Zug verlassen, nachdem du die Erste-Klasse-Fahrkarten besorgt hast?«

»Ja, Bwana Oscar. Sie waren sehr wütend, aber ich habe

mich mit den beiden Heilerinnen unbemerkt an ihnen vorbeigeschlichen und sie zu den zwei freien Plätzen gebracht. Die Fahrgäste, die aussteigen mussten, haben uns nicht gesehen.«

»Hervorragend organisiert, Hassan Heinrich«, nickte Oscar und stellte sich dabei das Erstaunen der anderen Erste-Klasse-Passagiere vor, die zugesehen hatten, wie zwei anständige Bürger aus dem Zug geworfen wurden, damit zwei schwarze Frauen mit seltsamem Gepäck zusteigen konnten. Zweifellos ein Ereignis, über das in Dar geredet werden würde.

»Und jetzt zu dem, was du nicht erzählen willst«, fuhr Oscar mit Nachdruck fort. »Lass mich dir erst einmal sagen, dass du alles richtig und sehr gut gemacht hast, keine Frage. Denk daran, dass du seit vielen Jahren mein Freund bist, Hassan Heinrich, und nicht nur mein Hausverwalter. Ich bin wirklich sehr neugierig und will es wissen. Verstehen wir uns?«

»Ja, natürlich, Bwana Oscar.«

»Wie genau wurde ich aus den Klauen des Todes befreit?«

Hassan Heinrich ließ den Kopf hängen, und sein Blick flackerte unsicher, was gar nicht seine Art war, schließlich kannten sie sich schon sehr lange.

Anfänglich musste ihm Oscar jedes Wort aus der Nase ziehen und immer wieder nachfragen. Erst als Hassan Heinrich klar wurde, dass es seinem Dienstherrn nicht darum zu tun war, Fehler oder Misslichkeiten aufzudecken, begann er, flüssiger zu erzählen.

Die drei Frauen, also die zwei Heilkundigen und Aisha Nakondi, hatten sich in das Krankenzimmer begeben und

Hassan Heinrich aufgefordert, den Knaben Mkal in ein Zimmer im Obergeschoss zu bringen und ihn dort mit Spielsachen oder anderen Dingen zu versorgen. Er hatte ihm ein indisches Schachspiel mit Figuren aus Silber und Gold gegeben.

Danach hatte er im Krankenzimmer assistiert. Als Erstes hatten sie die gesamte Bettwäsche entfernt und ihn angewiesen, diese zu verbrennen. Dann hatten sie sämtliche Fenster im Untergeschoss geöffnet und für Durchzug gesorgt, wovon der deutsche Arzt strengstens abgeraten hatte. Sie hatten sich heißes Wasser bringen lassen und den bewusstlosen Oscar auf seiner Kapokmatratze, die nur von dem durchgeschwitzten Baumwollüberzug bedeckt war, gewaschen, wofür sie nicht nur Wasser und Schwämme, sondern auch ein weißes Pulver und Öle ungewöhnlicher Früchte verwendet hatten.

Dann hatten sie Hassan Heinrich um frische Bettwäsche gebeten. Während er das Bett bezog, legten sie den Kranken auf den kalten Steinfußboden, wovor der deutsche Arzt ausdrücklich gewarnt hatte. Oscar hatte wie eine Leiche ausgesehen. Die Brise vom Meer war die ganze Zeit durch das Zimmer gestrichen.

Dann hatten die Frauen aus fein gespaltenem, mitgebrachtem Holz neben den beiden französischen Türen, wo es am meisten zog, ein Feuer entfacht und absonderliche Dinge, auf die sich Hassan Heinrich keinen Reim machen konnte, verbrannt beziehungsweise gebraten und dem bewusstlosen Oscar den einen oder anderen Bissen mit sanfter Gewalt und in kleinen Mengen in den Mund geschoben.

Sie hatten ihn, nachdem seine Haut von der Meeresbrise

fast getrocknet worden war, ein weiteres Mal mit ihrem magischen Wasser gewaschen. Dann hatten sie ein bestimmtes Körperteil eingecremt …

Hassan Heinrich behauptete, diesen Teil der Behandlung nicht so genau gesehen zu haben, was sehr unglaubwürdig war. Die Frauen hatten ihre Masken angezogen und einen langsam wiegenden Tanz vollführt, wobei sie das Feuer an der Patiotür unterhalten und Funken sprühende und knisternde Kräuter darin verbrannt hatten. Aisha Nakondi war nackt und hatte sich mit gespreizten Beinen auf Bwana Oscar gesetzt, dessen Männlichkeit stolz aufragte, was in Anbetracht der Umstände als ein göttliches Wunder gelten musste oder irgendeine andere Art von Wunder, aber jedenfalls ein Wunder.

Der Liebesakt war sehr langsam und zärtlich vonstattengegangen.

Von diesen Dingen erzählte Hassan Heinrich sehr zögerlich. Oscar musste ihn geradezu einem Verhör unterziehen, um die Einzelheiten zu erfahren.

Nach dem Liebesakt hatten ihn die drei Frauen hochgehoben wie eine Feder und hatten ihn auf ein frisches Laken gelegt. Dann waren sie erneut um sein Bett herumgetanzt, Aisha Nakondi auch. Anschließend hatten sie ihn liebevoll zugedeckt.

Das war's. Die zwei heilkundigen Frauen hatten ihre Masken ausgezogen und sich den Schweiß von der Stirn gewischt, und Aisha Nakondi hatte sich ihre Stadtkleider angezogen. Sie hatten Hassan Heinrich mitgeteilt, dass es drei Tage dauern würde, dass die zwei Gäste von den Barundi nach Hause fahren und Aisha Nakondi und Mkal drei Tage bleiben würden.

Jetzt waren diese drei Tage also um.

Oscar war sprachlos. Er hatte sich von seinem Fieber noch nicht ganz erholt und fühlte sich immer noch schwach. Aber ganz offensichtlich war die Krankheit überwunden.

An Zauberei glaubte er nicht, zumindest wollte er sich das nicht eingestehen. Seine Wissenschaften waren die Physik und die Mathematik, und dieses Wissen hatte er nach Afrika bringen wollen. Medizin war ein ganz anderes Gebiet des menschlichen Wissensschatzes.

Rein logisch betrachtet, konnten schwarze Masken und Tänze keine medizinische Wirkung haben. Oder doch? Jedenfalls hatten sie sein Fieber gesenkt, indem sie ihn rasch abgekühlt und seine Haut mit irgendwelchen Mitteln eingerieben hatten. Diese Mittel waren von seiner Haut wie bestimmte Pflanzengifte resorbiert worden. Nachweislich hatte das sein Fieber, das im Begriff gewesen war, ihn zu töten, vertrieben.

Aber das war nur der erste Schritt. Dieser Meinung wäre sicher auch Dr. Ernst gewesen. Danach war es ihnen gelungen, den Widerstand seines Körpers gegen Nahrungs- und Flüssigkeitsaufnahme zu überwinden und ihn auf diese Weise vor dem Austrocknen zu bewahren. Auch das war eine Tatsache.

Die erotische Komponente – welch ein fantastischer Gedanke, dass er bewusstlos und dem Tode nah mit Aisha Nakondi geschlafen hatte – konnte keinesfalls die chemischen Prozesse in seinem Körper beeinflusst haben. Die Idee von der heilenden Kraft der Liebe war doch vermutlich eher literarisch als naturwissenschaftlich begründet?

Eine weitere Tatsache, von der sich nicht absehen ließ, war, dass die Barundi die Malaria besiegt hatten, sei es durch Tanz, erotische Rituale oder Chemie. Sie hatten die Malaria ohne die Hilfe des weißen Mannes besiegt. Das Wissen darüber, wie die Barundi der Malaria Herr geworden waren und wie sie ihm das tödliche Fieber, das im Augenblick in der Hauptstadt vielen Menschen den Tod brachte, ausgetrieben hatten, könnte der Zivilisation von großem Nutzen sein.

»Jetzt tun wir Folgendes, Hassan Heinrich«, sagte Oscar in seinem normalen Befehlston. »Du lässt mir ein Bad ein. Ich will mich waschen und brauche frische Kleider. Die Bettwäsche wird verbrannt. Dann will ich mich rasieren. In drei Stunden, wenn die Sonne untergeht, will ich meine Frau und meinen Sohn sehen.«

Hassan Heinrich zeigte mit einer Verbeugung, dass er verstanden hatte. Als Oscar versuchte, beide Beine über die Bettkante zu schwingen, um wie immer mit einem Satz aufzustehen, gaben seine Beine unter ihm nach. Lachend richtete er sich auf, ohne sich von Hassan Heinrich helfen zu lassen.

»Kein Problem«, sagte er. »Ich dachte, ich wäre wieder ganz gesund. Aber ich muss vermutlich erst noch mehr trinken. Ich hätte gerne gegrillten Fisch für uns drei. Gegessen wird auf der Terrasse. Das kannst du ihnen ausrichten!«

Er stand lange unter der lauwarmen Dusche. Die überschäumende Energie, die er ob seiner Rückkehr ins Leben verspürt hatte, war verflogen, und er musste sich eingestehen, dass er sich ziemlich schwach fühlte. Afrika hätte ihn fast das Leben gekostet, wie die treuherzigen Missionare oder Hans Christian mit seiner unerwiderten Liebe zur Jagd.

Erneut schob er die Erinnerungen an Hans Christians einem fatalen Fehler geschuldeten Tod beiseite. Afrika kannte kein Erbarmen mit den Schwachen. Oder mit edlen Absichten. Vielleicht war es ratsam, das letzte Erlebnis als Warnung aufzufassen. Er war im finsteren Tal des Todes gewandert, ohne sich darüber bewusst zu sein und ohne die schützende Hand irgendeines Gottes über sich. Hassan Heinrich und Aisha Nakondi hatten ihn gerettet, so wie ihn vorher schon einmal Kadimba gerettet hatte. Sie waren Afrikaner. Dr. Pilz war machtlos gewesen.

Er hatte seinen Beitrag für Afrika geleistet. Die Eisenbahnlinien waren seit Langem fertiggestellt, und die Züge fuhren wie in Deutschland fahrplanmäßig. Dazu hatte er sein Teil beigetragen, und zwar mehr als die meisten anderen. Und es gab noch etwas, das er nur mit Mühe vor sich selbst eingestehen konnte. Im Unterschied zu fast allen Europäern, die nach Deutsch-Ostafrika gekommen waren, war er reich geworden. Das war nie seine Absicht gewesen, noch hätte er es je zu hoffen gewagt, er war einfach nur vor der Schmach aus Dresden geflohen, statt sich zu ertränken.

Aber so war es nun einmal. Sosehr er den Gedanken auch zu verdrängen suchte: Er war einer der reichsten Männer in Daressalam.

Die Hälfte des verfügbaren Vermögens hatte er in das Ingenieurbauunternehmen Lauritzen & Haugen investiert. Laut Berichten seines Bruders und dessen Teilhabers zählte es zu den erfolgreichen Firmen Bergens. Damit hatte er seiner Pflicht wahrhaftig Genüge getan und seine Schuld mit Zins und Zinseszins abgezahlt.

Das Wasser war zu Ende. Als er aus der Dusche trat, lag sein Rasierzeug bereit, auf weißen Baumwollhandtüchern

von der etwas raueren afrikanischen Art, mit zarten Aka-
zienblättern und roten Blüten bestickt. Im Badezimmer
roch es nach Gewürznelken und Vanille.

Seine Hand zitterte leicht, und er schnitt sich zweimal.
Trotzdem war es ein wunderbares Gefühl, als wäre er aus
einem über zehn Jahre währenden Schlaf erwacht. Den
Idioten von einst, der sich von einer verschlagenen Betrügerin hatte düpieren lassen, gab es nur noch in Form einer
vernarbten Demütigung, einer peinlichen Erinnerung an
seine jungen Jahre. Wenn Aisha Nakondi und ihr Sohn
Mkal nicht wären, würde er mit dem nächsten Dampfer
nach Hause fahren. Aber die beiden waren zu sehr Afrikaner, als dass sie in Europa, geschweige denn Bergen hätten
leben können. Und er war zu sehr Europäer, um in Afrika
leben zu können. Diese Rechnung konnte nicht aufgehen,
weil sie sich nicht mit Logik lösen ließ, denn was die Logik
sagte, war klar.

Aber er war von Aisha Nakondi besessen; sein Begehren,
das Mohamadali als gewöhnliche Liebe abgetan hatte, war
nie abgeflaut. Vielleicht lag das an den Kräutern mit den
chemisch aktiven Substanzen, an afrikanischer Magie, an
der Ekstase körperlicher Liebe oder einfach nur an einem
völligen Zufall, dass irgendein Gott sie aus einer spontanen
Laune heraus füreinander geschaffen hatte.

Frisch rasiert, barfuß, in abgetragenen Khakihosen und
einem afrikanischen Baumwollhemd mit einem grün-silb-
rigen Muster trat er auf die Terrasse. Das war ein unbe-
schreiblicher Genuss. Die Brise war mild, die Kräuselung
über dem Riff schwach, und das Wasser im Hafenbecken
schimmerte smaragdgrün. Es war Flut. Er blieb an der Balustrade stehen und nickte den Hausmädchen zu, die auf

der Terrasse für ein afrikanisches Abendessen deckten. Er war wie ein Afrikaner gekleidet und stand mit nackten Füßen auf geschliffenen, lauwarmen Korallensteinen.

Deutsche Gäste hätte er in Wollstrümpfen und schwarzen Stiefeln erwartet und jüngeren und weniger formellen Besuch vielleicht im Leinenanzug, andernfalls im schwarzen Gehrock und einem Hemd mit hohem, steifem Kragen sowie einer Krawatte. In Kleidung jedenfalls, die sich besser für das kalte Bergen als für den Strand in Daressalam eignete.

War er wirklich im Begriff, Afrika zu verlassen?

Die Logik und sein Selbsterhaltungstrieb sprachen dafür.

Aisha Nakondi und ihr Sohn Mkal sprachen dagegen, aber diese Gefühle verloren in allen Punkten gegen die Vernunft. Aber am Ende hatte die Vernunft noch nie gesiegt.

Sie hatte sich in den Anblick des Meeres verliebt, als sie es zum ersten Mal sah, und ihm nicht geglaubt, dass man wochenlang segeln müsse, um das nächste Land, Indien, zu erreichen. Er war mit den beiden zum Fischen gefahren und hatte erstaunt festgestellt, dass der kleine Mkal die Beute so geschickt zu packen wusste, dass er sich nicht an den scharfen Flossen und Stacheln der Fische verletzte. Die Barundi waren unter anderem auch ein Volk von Fischern, und Mkal wuchs in den Sümpfen als Fischer auf.

Und als Krieger, sicher auch als Jäger. Die Barundi unterschieden sich in vielerlei Hinsicht von anderen Völkern. Die Frauen besaßen die Macht, sie kommunizierten mit den Geistern, und sie kümmerten sich um den Handel und den Kontakt mit anderen Völkern. Die Männer erzogen die Jungen gemeinsam, wie alle anderen Barundi zu werden. Mkal hatte so gar nichts von einem Jungen aus Bergen.

Es bestand kein Zweifel daran, dass seine norwegischen Erbanlagen viel schwächer ausgeprägt waren als seine afrikanischen.

Oscar hatte sich Illusionen gemacht. Unbewusst war er ganz selbstverständlich davon ausgegangen, dass sich die Kultur der Zivilisation auf seine afrikanische Familie übertragen würde. Er hatte das große weiße Haus am Meer gebaut, die schönste Villa in Dar. Er war davon ausgegangen, dass Aisha Nakondi über das Angebot, so viel komfortabler als in ihrer zwar stabilen, solide gebauten, aber eben doch nur kleinen Hütte in den Sümpfen bei Kilimatinde zu leben, außer sich vor Freude und unendlich dankbar sein würde.

Er hatte sie in die beste oder zumindest teuerste Damenschneiderei der Stadt mitgenommen und ihr dort ein paar Kleider und Kostüme nähen lassen, in denen sie aussah wie eine Göttin. Dagegen hatte sie nichts einzuwenden, die Kleidung amüsierte sie, aber die westlichen Schuhe mochte sie nicht.

Wie naiv er doch gewesen war. Er hatte sich ausgemalt, dass sie in einer Kirche heiraten würden, damit niemand ihr Zusammenleben beanstanden konnte, dass Aisha Nakondi Frau Lauritzen werden und dass Mkal in die protestantische Schule gehen würde, um später an einer deutschen Universität zu studieren. Er hatte sich sogar eingebildet, dass sie ihm für diesen Aufstieg dankbar sein würde.

In den Läden hatte sie warten müssen, bis alle Weißen, auch die ärmeren bedient worden waren. Das war die eine Sache gewesen.

Die andere war, dass ihr die Vorteile und Freuden, die es mit sich brachte, in einem der reichsten Haushalte der Stadt die Frau des Hauses zu sein, nicht eingeleuchtet hatten. Die Putzfrauen und das übrige Personal herumkommandieren konnte sie durchaus, aber das genügte ihr nicht.

Aisha Nakondi war Aristokratin. Das klang vielleicht paradox. Oscar stellte sich vor, was der hochnäsige Baron von Freital, der Lauritz' Abstammung für zu gering erachtet hatte, um seine Tochter zu ehelichen, wohl bei dieser Aussage für ein Gesicht gemacht hätte. Trotzdem war sie wahr. Es war fast peinlich, dass er so lange gebraucht hatte, um das zu begreifen.

Sie war die Nichte Königin Mukawangas und durch ihre Geburt dazu prädestiniert, einmal an der Regierung des Barundivolkes beteiligt zu sein.

All das lag außerhalb seines Vorstellungsvermögens. Als ihm aufgegangen war, dass sie keinen Wert darauf legte, einen Platz in der feinen deutschen Gesellschaft Dars einzunehmen, hatte er begonnen, Fragen zu stellen. Ihre Erklärungen hatten ihn erschüttert, insbesondere das, was sie über die Geburt ihres Sohnes Mkal sagte.

»Wir haben den Beschluss gefasst, dass ich ein Kind mit dir bekommen sollte«, hatte sie ihm nüchtern und sachlich berichtet. »Der Rat war sich einig, dass dein Blut frisch ist und Freude bringen würde. Außerdem gefiel es mir, dich anzusehen, es gefiel mir, als wir es das erste Mal probierten, und es gefiel mir noch mehr, als wir das Kind gezeugt haben, einen Sohn, so wie es vorher entschieden worden war. Aber du besitzt ihn nicht. Ich besitze ihn.«

Die Hausmädchen hatten das Zeltdach über die Terrasse gespannt und stellten Wände aus Schilfgeflecht auf. Sie breiteten Schilfmatten, Felle, Palmblätter und arabische

Kissen auf dem Boden aus und stellten einen niedrigen Tisch für das Essen sowie schmiedeeiserne Leuchter auf.

Oscar verlangte sein Schreibpult, Schreibzeug und einen Liegestuhl. Alles wurde ihm sofort gebracht, dazu eine große beschlagene Silberkanne mit Wasser.

»Bwana Hassan Heinrich sagt, es ist Zeit für die nächste Kanne Wasser«, sagte das Mädchen, wobei sie ihm die Wasserkanne und ein kleines Weinglas aus Kristall reichte. Er wollte sie nicht in Verlegenheit bringen, indem er ein passenderes Glas bestellte. Stattdessen machte er sich einen Spaß daraus, das Glas rasch immer wieder zu füllen und erst auf das Wohl des Kaisers, dann auf Norwegen, Norwegens Unabhängigkeit, auf seine Brüder, auf die strahlende Zukunft Afrikas und auf alles, was ihm gerade einfiel, zu trinken, während sich die Kanne rasch leerte. Sein Körper war der reinste Schwamm. Er war immer noch ganz ausgetrocknet von der Cholera, um die es sich vermutlich gehandelt hatte.

Das viele Trinken ermüdete ihn angenehm. Er nahm auf dem Liegestuhl Platz, um Atem zu schöpfen, und schloss die Augen. Aus der Stadt klangen der Lärm von Pferdedroschken, das Klingeln der Rikschas und vereinzelte Hupsignale herüber. Er hatte sich bislang noch kein Automobil zugelegt, weil dieses ihn nur an den abscheulichen König Leopold II. und daran erinnerte, wie die Reifen hergestellt wurden.

Er kam über den Tod Hans Christians einfach nicht hinweg. Nicht nur weil er immer wieder die fürchterlichen Bilder vor Augen hatte, sondern auch weil er wusste, dass es seine Schuld war, weil er die Gefahr unterschätzt hatte. Schließlich hatte er gewusst, dass viele Abenteurer, die sich nach 1909 in den gesetzlosen Kongo begeben hatten, von Elefanten getötet worden waren. Manche hielten den Büffel für das gefährlichste Tier Afrikas, und da war sicher etwas dran. Aber wer auszog, um hundert Elefanten zu schießen, eigentlich der pure Wahnsinn, wenn auch durchaus reizvoll, riskierte hundertmal sein Leben. Aus mathematischer Perspektive war das absurd. Für keinen Büffel hätte ein Mensch hundertmal das Schicksal herausgefordert.

Er hätte die Gefahr also voraussehen müssen. Es war kindisch gewesen, Hans Christians Unzulänglichkeiten als Jäger zu tolerieren. Sie waren so offenbar gewesen. Er war kein guter Schütze, hatte viel zu wenig Jagderfahrung und blieb ungern stehen, um die Probleme mit dem Gewehr zu lösen, wenn ein passender Baum in der Nähe war, auf den er hinaufklettern konnte. Er hätte begreifen müssen, dass Hans Christians Leben in großer Gefahr war.

Ein Mann konnte jedoch einem anderen Mann nicht sagen, dass er ein schlechter Jäger war. Zumindest nicht in Afrika. Das war eine Beleidigung, die gleichbedeutend damit war, die Männlichkeit des anderen in Zweifel zu ziehen. So etwas war undenkbar.

Aber das war alles keine Entschuldigung. Er hätte Kadimba nicht die Position neben Hans Christian zuweisen dürfen, als sie eine Linie gegen die vier angreifenden Bullen bildeten. Kadimba hatte das einzig Vernünftige getan, was er tun konnte. Er hatte den Bullen erschossen, der geradewegs auf ihn zugestürmt war. Als dieser jedoch direkt neben ihm in die Knie gegangen war, hatte er Kadimba die Sicht geraubt, sodass er nicht mehr schießen konnte.

Auch das war keine Entschuldigung. Er selbst hätte dort stehen müssen, wo Kadimba gestanden hatte.

Die anderen waren davon ausgegangen, dass man umkehren und Hans Christians sterbliche Überreste zurücklassen würde. Todesfälle durch Elefanten waren bei großen Safaris nichts Ungewöhnliches, und die Toten bekamen ein Vogelbegräbnis. Weiße Männer pflegten allerdings ihre Kameraden sechs Fuß tief zu begraben, damit die Hyänen die Leichen nicht ausgraben konnten.

Da es unmöglich gewesen wäre, eine verwesende Leiche bei vierzig Grad Hitze die verbleibenden zwei Monate der Safari mitzuführen, blieben ihnen nur die sechs Fuß, egal, was die Afrikaner von dieser unnötigen Mühe hielten.

Als er Kadimba von seinen Gewissensqualen erzählt und ihm erklärt hatte, wie wichtig Hans Christians Eltern der christliche Gott war und dass es deswegen schwer sei, den Freund in einem anonymen Grab in Afrika, das man nie mehr wiederfinden würde, zurückzulassen, begriff dieser sofort den Ernst der Lage. Sein Volk verehrte ebenfalls die Vorväter. Er bot sich an, Hans Christians sterbliche Überreste zu kochen, die Gebeine sauber zu schaben und zu trocknen und mitsamt dem zertrümmerten Schädel sorgfältig zu verpacken. Auf diese Weise ließ sich Hans Christian handlich verpackt in einem Sack mit etwas Gift gegen die Insekten transportieren. Zurück in Dar, konnte man die Gebeine in einen Sarg legen und auf die übliche christliche Weise begraben.

Er hatte in der protestantischen Kirche in Dar eine lausige Ansprache gehalten, albtraumhaft schlecht, wenn er näher darüber nachdachte, denn er hatte versucht, humoristisch zu sein.

Ihn hätte nachdenklich stimmen müssen, dass die schwarz gekleidete Trauergemeinde mit gesenkten Häuptern in der Kirche weder gelächelt noch gelacht hatte, als er von Hans Christians Fähigkeiten zu erzählen begann, belgische Zöllner zu düpieren. Trotzdem hatte er von seinem idiotischen Unterfangen nicht abgelassen, der reinste Albtraum, weil er zu Ende bringen musste, was er begonnen hatte. Und so hatte er dort vorn gestanden, mit seiner unpassend lächerlichen Geschichte darüber, welch listige Methoden Hans Christian ersonnen hatte, um belgische und englische Zöllner übers Ohr zu hauen. Nirgendwo ein Lächeln. Alle Schwarzgekleideten starrten zu Boden. Der Auszug aus der Kirche war peinlich schweigsam verlaufen. Niemand hatte mit ihm gesprochen.

Er schwitzte und döste in seinem Liegestuhl ein.

Es war noch eine Stunde bis zum Essen, der Himmel hatte sich bereits rot verfärbt, aber die Sonnenuntergänge in Dar weit hinter der Stadt waren nie sonderlich schön, denn die Hügel verdeckten das letzte Rot der Sonne.

Er streckte die Hand nach einem der gekühlten weißen Baumwolltücher aus, die man neben seinen Liegestuhl gelegt hatte, und wischte sich den Schweiß aus dem Gesicht. War er wirklich entschlossen? Ja. Aber dann musste er alles zu Papier bringen, bevor Aisha Nakondi kam und ihn erneut verzauberte. Beim Anblick ihres Lächelns, ihres Rückens, ihrer Augen, ihrer hingebungsvollen Gestalt fielen alle prinzipiellen Erwägungen und Beschlüsse in sich zusammen. Sie war buchstäblich unwiderstehlich, obwohl ihre Liebe rätselhaft blieb.

Das Wort Liebe gehörte nicht zu ihrem Wortschatz und vielleicht auch nicht zu ihrer Vorstellungswelt. Die Barundi unterschieden sich von allen anderen afrikanischen Völkern, die er kannte. Allein die Tatsache, dass die Frauen die wirtschaftliche und politische Macht ausübten und dass man nicht in Familienverbänden mit Mutter, Vater und Kindern lebte. Unter diesen Voraussetzungen war es selbstredend, dass sie sich niemals mit einem Dasein als Hausfrau begnügen würde, deren einzige, mehr oder weniger erfundene Aufgabe darin bestand, die Dienstboten herumzukommandieren und Wohltätigkeitsveranstaltungen, kirchliche Nähkränzchen und Gala-Diners zu besuchen. Aber eben so ein Leben hatte er ihr in dem naiven Glauben, dass sie für diesen Übergang vom Stammesleben zum zivilisierten Leben dankbar sein würde, angeboten.

Für sie war ein solches Leben genauso sinnlos wie für ihn das Leben, das sie ihm hätte bieten können, nämlich Mitbürger bei den Barundi zu werden und sich der Jagd und Fischerei zu widmen.

Er würde ihr Leben genauso wenig leben können, wie sie sich für seines eignete. Was er für Zivilisation hielt, war für sie nur Unsinn und Faulheit.

Im Lichte dieser sachlich einwandfreien Argumente waren seine Beschlüsse ebenso logisch wie unvermeidlich.

Daher musste er diese nun der Formalität halber zu Papier bringen und abschicken, bevor sie kam, ihn anlächelte, ihre Wange an seine legte und ihm unanständige Komplimente ins Ohr flüsterte.

Er schob eine neue Stahlfeder in den Halter, tauchte sie in das Tintenfass, strich das mit seinem Monogramm versehene Leinenpapier glatt und holte tief Luft.

Seine erste Verfügung an die Bank galt Mohamadali Karimjee Jiwanjees Option, weitere Anteile der Firma zu erwerben. Oscar zögerte und entschloss sich, fünfzig Prozent des Unternehmens an Mohamadali zu verkaufen. Damit würden ihm noch zehn Prozent gehören, ebenso viel oder wenig wie dem dritten Teilhaber, der Eisenbahngesellschaft.

Anschließend verfügte er den Kauf dreier weiterer Prozent der Aktien der Eisenbahngesellschaft, womit er die erforderlichen zehn Prozent für einen Platz im Aufsichtsrat besitzen würde. Mohamadali hatte immer wieder darauf hingewiesen, wie wichtig das sei.

Er grübelte eine Weile, wie er mit seinem Haus verfahren sollte. Das Einfachste wäre gewesen, es Hassan Heinrich zu schenken, nach all den Jahren in seinem Dienst hatte er es redlich verdient, und er könnte es für seine wachsende Familie gut gebrauchen.

Aber andererseits erschien es ihm taktlos. Es würde keinen guten Eindruck machen, dass ein Mann wie Hassan Heinrich luxuriöser wohnte als Generalgouverneur Schnee oder der Generaldirektor der Eisenbahn, Dorffnagel. Damit würde er wahrscheinlich einen Skandal heraufbeschwören, der nur zu Unglück, Klatsch und Neid geführt hätte.

Sollte er Hassan Heinrich Bargeld geben? Das Haus verkaufen? Nein. Aisha Nakondi besaß das Wohnrecht auf Lebenszeit. Das hatte er ihr versprochen.

Die Lösung musste sein, die Hälfte des Besitzes ihr zu übertragen, mit der Bedingung, dass Hassan Heinrich über das Haus verfügte und es unterhielt, aber seinen normalen Dienst versah, wenn sich einer der Besitzer dort einfand. Die Bank sollte ihm denselben Lohn auszahlen, den er auch jetzt erhielt.

Er hielt das für eine recht elegante Lösung. Hassan Heinrich würde in dem Haus wohnen, als sei es sein eigenes, aber nach außen als Hausverwalter des abwesenden

Eigentümers auftreten. Das könnte die deutsche Kolonie problemlos akzeptieren.

Kadimba hatte bei ihren zwei Elefantenjagden im Kongo 10 000 Pfund in Gold verdient. Das machte ihn zum reichsten Mann seines Volkes, seine finanzielle Zukunft war also gesichert.

Dann war da noch die Schule der Barundi. Aisha Nakondi hatte ihm mündlich zugesichert, was einer Genehmigung der Stadtverwaltung gleichkam, dort eine Schule einzurichten. Die protestantische Mission würde 3000 Pfund erhalten, um in der Hauptstadt der Barundi für das Volk dieses Namens eine Missionsschule einzurichten, in der auf Deutsch und Swahili unterrichtet wurde.

Dadurch bekam Mkal die Möglichkeit, sich anders zu orientieren, falls er doch nicht Fischer, Jäger oder Krieger werden wollte. Deutschsprachig und getauft (zumindest pro forma), würde er ohne Weiteres eine der beiden höheren Knabenschulen in Dar besuchen können. Während der Schulzeit könnte er in dem Haus wohnen.

Weiter brauchte er in Afrika nichts zu planen. Blieben nur noch seine Verfügungen für Europa, genauer gesagt für Norwegen. Sein Barvermögen bei der Filiale der Deutschen Bank in Dar schien unfassbar groß, bis er es in Pfund umrechnete, was er sich durch den Umgang mit Mohamadali angewöhnt hatte, der mit seinen Brüdern die Direktion auf britischem Territorium unterhielt.

Ihm standen, nach dem Verkauf seiner Aktien an Mohamadali, knapp 130 000 Pfund zur Verfügung. Die eine Hälfte dieses Geldes sollte auf sein eigenes Konto bei Bergens Privatbank, die andere Hälfte auf das Konto von Lauritzen & Haugen überwiesen werden.

Er las seine Anweisungen noch einmal durch, unterschrieb, klebte den Umschlag aus dickem Leinenpapier zu und adressierte diesen an Bankdirektor Würzelstein.

Vollbracht, dachte er, wurde unruhig und griff zu seiner Taschenuhr. Bald würde Aisha Nakondi kommen und seine logisch fundierte Entschlossenheit umnebeln. Das durfte dieses Mal nicht geschehen.

Er klingelte mit der Messingglocke, und Hassan Heinrich eilte sofort herbei. Er hielt eine weitere beschlagene Silberkaraffe mit Wasser in der Hand, dieses Mal mit dem passenden Glas.

»Der Brief eilt, er muss Direktor Würzelstein erreichen, bevor die Bank schließt«, befahl Oscar und streckte die Hand nach dem Wasserglas aus. Er war erneut unerträglich durstig geworden und bemerkte kaum, wie Hassan Heinrich davoneilte.

Es dämmerte. Die Dienstmädchen hatten im Zelt Licht angezündet und Essen und Wein aufgetragen. Bald würde sie da sein.

Oscar starrte in die Dunkelheit und überdachte noch einmal seine Verfügungen. Mahagoni würde nicht mehr so mühelos zu bekommen sein. Auch mit der Elefantenjagd ging es bergab, mittlerweile durfte man nur noch vier Elefanten pro Jahr schießen. Somit war es mehr als ein Freizeitvergnügen für Touristen denn als Geschäft zu betrachten. Diese Einnahmen fielen also weg.

Er besaß knapp 10 000 Pfund in bar sowie je zehn Prozent der Eisenbahn und des Handelshauses Lauritzen & Jiwanjee. Dazu das Haus. Das war für Afrika mehr als ausreichend. Er war geflohen, konnte aber trotzdem bleiben. Oder war er geblieben und hatte seine Flucht nur

vorbereitet? Oder hatte er gerade eben seine Flucht abgeschlossen? Jener verzweifelte Frühsommertag, als er auf
den Zug nach Hamburg aufgesprungen und von dort nach
Genua weitergereist war, erschien ihm jetzt so fern, als
hätte er sich in grauer Vorzeit zugetragen. Wie die pani-
sche Überreaktion eines entfernten Verwandten, der ihm
sehr ähnlich war, aber jünger und kindischer, ganz von
Sturm und Drang erfüllt. Seine Liebe zu der Betrügerin
kam ihm vor, als hätte er allein in einem Rettungsboot auf
einem stürmischen Meer gesessen. Dieses Bild gab am
besten seine damalige Gemütsverfassung wieder. Seine
Liebe zu Aisha Nakondi war, wie zwischen Schirmakazien
über die Savanne in die flirrende Hitze zu blicken, die die
Hälfte von allem, was man sah, in Trugbilder verwandelte,
in denen die Wirklichkeit in einer Mischung aus Zweifel
und Wunschdenken zerfloss. Eben glaubte man noch, den
Menschen in Afrika Gutes zu tun, dann plötzlich tötete
man rücksichtslos das Tier, das einen Mann reich machen
konnte, den Elefanten. Auf nichts war in Afrika Verlass.
Bilder zogen durch seinen Kopf. Er hatte die Savanne in
großer Hitze vor sich liegen sehen und Hunderte toter
und sterbender Elefanten, deren Stoßzähne von Haut und
Fleisch gereinigt wurden, und beobachtet, wie die kongolesischen Elefantenjäger geschickt ihre Hand in die Zähne
steckten und mit wenigen drehenden Bewegungen die rosa Pulpa herauszogen und fortwarfen. Zwischen all diesen
Bildern tauchte immer wieder Aisha Nakondi auf.

Jetzt trat sie aus dem Haus, ihr weißes Lächeln leuchtete
im Abenddunkel. An der Hand hielt sie Mkal. Sie trug ein
weißes europäisches Kleid, das ihr ein Stück über die Knie
reichte. Sie hatte es am Hals nicht zugeknöpft und trug

auch keine europäische Unterwäsche, sodass ihr schöner Körper sich unter dem weißen Stoff abzeichnete. Sie breitete die Arme aus, und als sie ihre Wangen aneinanderrieben, flüsterte sie genau die Worte, auf die er gehofft hatte.

Er nahm seinen widerstrebenden, mürrischen Sohn auf den Arm und lud sie mit einer ausholenden Geste ein, das afrikanische Speisezelt zu betreten, in dem Petroleumlampen ein warmes Licht verströmten, das in den blauen und grünen Gläsern funkelte. Aisha Nakondi trank gerne Riesling, Spätlese, vermutlich, weil er ähnlich süß war wie der Bambuswein der Barundi.

»Wer ist Mbene?«, fragte er, nachdem sie sich um den gedeckten Tisch gelegt hatten.

Aisha Nakondi warf ihr langes, offenes Haar demonstrativ zurück. Vielleicht hatte sie sich ja spaßeshalber die Locken ausgekämmt oder war gar zu einem Damenfriseur gegangen, um die Haartracht der weißen Frauen nachzuahmen.

»Mbene«, sagte sie, erhob sich, stellte sich dicht neben ihn und zog langsam ihr europäisches Kleid aus, »ist ein Geheimnis. Warum willst du es wissen?«

Unter dem Kleid trug sie nur den dünnen ledernen Lendenschurz der Barundi. Seltsam, dass ihm das nicht aufgefallen war, aber sein Blick hatte sich in ihren Augen verloren.

»Hassan Heinrich wollte es mir nicht erzählen«, erwiderte er und hob sein Glas. Sie stießen auf europäische Art miteinander an. »Du hast mein Leben gerettet. Hassan Heinrich hat mir das meiste erzählt. Aber über Mbene war kein Wort aus ihm herauszukriegen. War er hier?«

»Ja«, sagte sie, nahm ein Stück Fisch und entfernte ganz nebenbei mit dem Zeigefinger die Gräten, bevor sie es Mkal in den Mund steckte. »Der Geist war hier, aber es ist weder ein Er noch eine Sie.«

Jetzt nahm sie sich selbst etwas zu essen, als sei die Frage damit geklärt. Er wartete gelassen ab, dieses Spiel beherrschten sie beide.

»Du warst krank, und der Tod hatte bereits dein Herz in der Hand«, fuhr sie nach einer Weile fort. »Du hattest die Krankheit des weißen Mannes, die wir *Aranui* nennen und die auch für uns gefährlich werden kann. Dein Fieber konnten wir besiegen, denn das war wie jedes andere Fieber, es gelang uns auch, dafür zu sorgen, dass du etwas Wasser bei dir behältst. Aber dann mussten wir Mbene anrufen, und das tun wir nicht oft, denn Mbene soll man nicht unnötigerweise bitten.«

Wieder tat sie so, als sei das Thema damit erschöpft, lächelte ihn an und aß. Sie schien sehr hungrig zu sein. Oscar probierte vorsichtig ein paar Stücke Fisch, verzichtete aber auf die Gewürze. Dann erhob er sich, ging zur Zeltöffnung und holte ein Paket herein.

»Zu Hause in meinem Land«, erklärte er, als er Mkal das große Paket überreichte, »geben wir unseren Kindern um diese Jahreszeit Geschenke. Ein roter, fliegender Geist kommt und gibt den Kindern etwas, was sie sich gewünscht haben, oder zumindest etwas, was ihnen gefällt. Das hier ist das Geschenk des roten Geistes für dich, mein Sohn.«

Der Junge beäugte skeptisch das Paket, und Oscar half ihm dabei, das Papier aufzureißen.

Es war ein Spielzeugzug aus Holz, eine Lokomotive, Waggons, Schienen und kleine Brücken. Oscar war nervös, weil er nicht wusste, wie der Junge reagieren würde. Er zeigte ihm, wie man die Schienen zusammenfügte. Wenig später machte Mkal eifrig allein weiter und war ganz in sein Spiel versunken.

»Die schwarze Schlange kommt und verschlingt unser Land, der böse Geist der Mzungi«, stellte Aisha Nakondi fest, nur halb im Scherz.

»Also, wer ist Mbene, und warum war Mbene hier?«, fragte Oscar.

Sie streckte ihre Hand nach einem Stück Fisch aus und kaute nachdenklich. Sie trank einen Schluck Rheinwein. Oscar wartete ab.

»Os-Kar«, sagte sie schließlich, und ihr Lächeln, das er wie einen Traum in sich trug, erstrahlte. »Mbene muss nur manchmal zu uns kommen, wenn sonst keine Hoffnung mehr besteht. Du warst tot. Ich rief daraufhin mithilfe meiner Frauen Mbene an, den Geist, der über Mann und Frau herrscht, die Kraft, die stärker ist als alles andere. Und Mbene hat dich wieder zum Leben erweckt, aber nur unter einer Bedingung.«

Mehr sagte sie nicht, beugte sich nur vor, streichelte und küsste ihn. Und er ließ sich in ihren Brunnen fallen, von Lust erfüllt, und musste alle seine Kräfte aufbieten, während er schon vor Wollust stöhnte, um die unumgängliche Frage zu stellen.

»Was für eine Bedingung?«

»Dass wir Mbene eine Tochter schenken, und das tun wir jetzt«, flüsterte sie ihm ins Ohr, während sie sich mit gespreizten Beinen rittlings über ihn setzte.

Mkal spielte unbekümmert mit seinem Zug, er war kein deutsches Kind, das von schockierten Dienerinnen schreiend davongetragen wurde, weil er Zeuge des Liebesaktes seiner Eltern war.

»Unsere Tochter wird eines Tages Königin werden«, flüsterte Aisha Nakondi und umfasste mit ihren starken Händen seine Schultern, um sich immer schneller und erregter vor und zurück bewegen zu können.

»Für mich wirst du immer Afrika sein«, flüsterte er, ohne richtig zu verstehen, was er damit meinte.

XX

INGEBORG

Bergen/Sognefjord, Juli 1913

Sie hatte sich nie mit Ustaoset, dem Wort an sich, anfreunden können. Sechs Jahre lang hatte sie fast täglich Norwegisch gelernt, zu Hause mit einem Privatlehrer und in der kleinen Wohnung in der Rosenkrantz Gate in Kristiania, was sich auszahlte. Inzwischen konnte sie auf Norwegisch fast an allen Unterhaltungen teilnehmen, ob es nun um Ziegenkäse, die Sozialdemokratie oder das Stimmrecht der Frauen ging. Vor allen Dingen Letzteres.

Aber ihre Fremdheit dem Namen Ustaoset gegenüber hatte sie nie überwunden. Davon abgesehen war es einer der schönsten Orte, die sie kannte.

Sie hatte im Übrigen die Schwierigkeiten, Norwegisch zu lernen, sehr unterschätzt. Die Grammatik war zwar einfacher als die des Deutschen und Englischen, aber die Aussprache sehr viel schwerer, als sie gedacht hatte, insbesondere, da sie den Ehrgeiz hatte, Norwegisch genauso gut zu sprechen, wie Lauritz Deutsch sprach. Aber man hörte ihr noch immer an, dass sie Ausländerin war, und allmählich begann sie, die Hoffnung, was diese Sache anging, aufzugeben.

Zum Glück war ihre deutsche Herkunft in Norwegen, insbesondere in Bergen, nichts Nachteiliges.

Ustaoset. Sie sprach es sich noch einmal vor, sicherlich zum vierhundertsten Mal. Vermutlich war kein Norweger so oft mit der Bergenbahn gefahren wie sie. Fast fünf Jahre, bei Sonne, Regen und Schneesturm, hin und zurück. Es war schon eine Ironie des Schicksals, dass ausgerechnet sie so oft mit der Eisenbahn unterwegs war. Was ihr Lauritz in den ersten Jahren in seinen Briefen nicht alles über die Bahn berichtet hatte, als das Leben ihnen nicht nur zugelächelt hatte!

Nachdem sie nach der Hochzeit in Dresden in Norwegen eingetroffen und ihre Schwiegermutter Maren Kristine, Aagot und die drei Cousinen glücklich wieder auf Osterøya gelandet waren und nachdem sie endlich ihr Haus in der Allégaten bezogen hatten, hatten sie ihre erste Reise nach Finse unternommen.

Damals hatte sie nur wenige norwegische Sätze, Höflichkeitsfloskeln vor allem, beherrscht, aber in Finse sprachen alle, das Wirtspaar und die Gäste, ausgezeichnet Deutsch. Alice Klem und sie hatten sich sofort angefreundet. Manchmal, wenn sie den ersten Zug von Kristiania nehmen konnte, machte sie einige Stunden in Finse Station, um Alice auf der Glasveranda Gesellschaft zu leisten. Sie unterhielten sich über Suffragetten und über norwegische Männer, die, darin waren sie sich vollkommen einig, gewisse Vorzüge vor Deutschen und Engländern hatten.

Ustaoset. Wenn der Zug Ustaoset passierte, das war ein Ritual, legte sie immer die Bücher beiseite und widmete sich ganz der Aussicht, die sie auch nach so vielen Jahren nicht langweilte. Das Wetter und der Wechsel der Jahreszeiten trugen dazu bei, dass die Landschaft sich ständig veränderte. Aus *Liebessolidarität* mit Lauritz – das Wort stammte aus einem von Christas Briefen aus Berlin – schaute sie immer auf die Hardangervidda hinaus. Jetzt kam die lange, angenehme Strecke an dem in der Sonne glitzernden Ustavand entlang. Es hieß, dass der Sommer 1913 der heißeste, schönste und trockenste Sommer sei, an den man sich in Westnorwegen erinnern konnte.

Das strahlende Licht über dem Ustavand passte zu ihrer Stimmung. Unter Intellektuellen galt es als kleinbürgerlich-spießig, sich selbst als glücklich zu bezeichnen. Das scherte sie einen Teufel. Genau das. Geradezu genüsslich ließ sie sich die grobe Ausdrucksweise auf der Zunge zergehen, aus Protest gegen ihr kleinbürgerliches, unintellektuelles Glücksgefühl.

Beim Abendessen würde sie einen der wichtigsten Momente ihres Lebens erleben. Wie damals auf der *Ran*, als ihr Vater Lauritz plötzlich das Du anbot und Lauritz nicht gleich begriff, was das zu bedeuten hatte, nämlich die endgültige Kapitulation ihres Vaters.

Das war der große Augenblick gewesen. Alles Weitere war dann nur eine Folge der Kapitulation. Die Hochzeit in der Kapelle von Schloss Freital, die Gäste, die Reden und der Champagner waren im Vergleich dazu unspektakulär gewesen, mit Ausnahme vielleicht ihrer Schwiegermutter Maren Kristine und der Cousinen in ihren exotischen Trachten. Lauritz' Mutter war eine echte Schönheit. Und würdevoll wie eine Königin, was nur schwer mit ihrem einfachen Hintergrund in Einklang zu bringen war.

Zum ersten Mal hatten sie sich im Frühjahr 1900 auf dem Speicher von Christas Sommerresidenz geliebt.

1907 hatte ihr Vater nach Lauritz' zweitem Sieg bei der Kieler Woche kapituliert.

Heute, am 7. Juli 1913, würde beim Abendessen in der Allégatan in Bergen ein weiterer Höhepunkt verkündet werden.

Die drei Höhepunkte ihres Lebens.

Die Kinder waren eine ganz andere Sache. Harald war jetzt drei Jahre alt und Johanne zwei.

Sie waren mehr oder minder eine zwangsläufige Folge der Kapitulation ihres Vaters gewesen. In jenem Moment stand für sie und Lauritz fest, dass es Harald und Johanne eines Tages geben würde.

Der Zug fuhr in Haugastøl ein. Der Gedanke daran, wie viele Stunden Lauritz für diese kurze Strecke auf seinen Skiern hatte kämpfen müssen, war schon verrückt. Jetzt war die Bahn so selbstverständlich, als hätte es sie immer schon gegeben, weil es hier einfach eine Zugverbindung geben musste. Wie hätte man sonst nach Kristiania gelangen sollen?

Sie war davon ausgegangen, dass es in Bergen, der zweitgrößten Stadt Norwegens, die mehr als neunhundert Jahre alt war und wie Kiel und Hamburg der Hanse angehört hatte, eine Universität geben würde.

Bergen hatte aber keine Universität! Zuerst hatte sie ihren Ohren nicht getraut. Und dann die Konsequenzen gezogen. Keine Universität und noch viel weniger eine medizinische Fakultät, also kein Medizinstudium. Die nächste Universität lag in Kristiania.

Ein deutscher Ehemann hätte, so stellte sie es sich vor, in dieser Lage praktische Argumente angeführt. Zu weit weg, unmöglich für eine junge, verheiratete, anständige Frau, allein so oft mit dem Zug zu reisen, zu teuer, jedes Mal eine Anstandsdame zu organisieren. Keine Unterkunft in Kristiania. Ganz zu schweigen von dem Ärger, bis sie überhaupt erst von der medizinischen Fakultät in Kristiania angenommen wurde. Unüberwindliche praktische Schwierigkeiten, wie ein verständnisvoller Ehemann ihr ruhig, klug und rational erklären könnte.

Das war aber nicht Lauritz' Art. Deswegen liebte sie ihn vielleicht immer noch leidenschaftlich und nicht nur mit dem beruhigenden Gefühl, einen Lebenspartner gefunden zu haben, den richtigen Mann, mit dem sich das tägliche Leben organisieren ließ. Die Damen der feineren Bergener Gesellschaft, die sie recht rasch kennengelernt hatte, hatten erstaunlich offenherzig über solche Dinge gesprochen. Ob das etwas speziell Norwegisches war und sich von den deutschen Sitten unterschied, konnte sie nicht wissen, da sie in Deutschland nie als verheiratete Frau Umgang mit anderen verheirateten Frauen gepflegt hatte. Fast alle waren sich einig gewesen, dass Leidenschaft ein zwar notwendiges, aber trotzdem nur ein erstes Stadium der Ehe war. Nach dem ersten Kind, wenn das Interesse an der Sexualität erlosch, glitt man sachte in das nächste Stadium hinüber, offenbar eine ganz natürliche Entwicklung. Es nützte nichts, von einer neuen Leidenschaft zu träumen, abgesehen von dem Skandal, den diese verursachen würde, würde es sich doch genauso wiederholen.

Das hatte sich aus ihren Mündern fast wie ein Naturgesetz angehört.

Mit Lauritz war es anders. Als sie von ihrem innigen Wunsch gesprochen hatte, Ärztin zu werden, hatte er zu Papier und Stift gegriffen und die Probleme aufgelistet, alle eventuellen Komplikationen aufgezeigt, fast wie mit einem Rechenschieber.

Sie erinnerte sich noch überdeutlich an diesen Moment, aber erst jetzt, viele Jahre später, sah sie ein, dass dies vielleicht ein entscheidender Augenblick für sie beide gewesen war.

Lauritz hatte den Berg der sich auftürmenden Schwierigkeiten in verschiedene Kategorien eingeteilt, dann hatte er sich zusammen mit ihr systematisch, als sei er immer noch zwischen Brücken und Tunneln auf der Hardangervidda, der Aufgabe angenommen, diesen Berg zu sprengen.

Als Allererstes benötigte sie eine Wohnung in Kristiania. Die Firma hatte gerade im Zentrum, in der Rosenkrantz Gate, ein Gebäude für eine Filiale gekauft. Dort wollte er ihr eine Wohnung in passender Größe einrichten lassen.

Damit war das erste Problem gelöst.

Weiterhin musste sie besser Norwegisch lernen, um an einer Universität studieren zu können. Lauritz organisierte täglich vier Unterrichtsstunden mit einem Privatlehrer.

Damit war auch dieses Problem gelöst.

Als Drittes waren Intrigen und politische Einflussnahme nötig, damit eine Frau die Zulassung zur medizinischen Fakultät erhielt.

Dieses Problem ließ sich nicht so ohne Weiteres lösen, erwies sich aber in Kristiania als nicht so schwer lösbar, wie es das in Dresden gewesen wäre, da bereits 1893 die erste Frau das Arztexamen abgelegt hatte. Marie Spångberg war inzwischen eine gute Freundin und Mentorin Ingeborgs.

Es stellte sich weiter die Frage, in welchem Grad Ingeborg für ein Universitätsstudium in Norwegen qualifiziert war. Sie besaß Examina der Universität Dresden in den Fächern Pädagogik, Französisch und Englisch. Außerdem hatte sie einen Abschluss der Dresdner Krankenpflegeschule.

Dem ungeübten, weiblichen Auge mochten diese Qualifikationen als ausreichend erscheinen, aber nicht der männlichen Obrigkeit an der medizinischen Fakultät in Kristiania. Die erste Abstimmung der Fakultätsleitung fiel neun zu sieben gegen Ingeborg aus.

Daraufhin begab sich Lauritz, nachdem er auf der Bank eine nicht unbedeutende Summe Bargelds abgehoben hatte, überraschend geschäftlich nach Kristiania. Er behauptete, es seien noch einige wichtige Fragen hinsichtlich der neuen Filiale in der Hauptstadt zu klären. Zufällig traf er dann auch unter angenehmen Umständen einige Mitglieder der medizinischen Fakultät. Als über den Antrag ein zweites Mal abgestimmt wurde, fiel die Abstimmung zehn zu sechs aus. Zu Ingeborgs Gunsten.

Damit war auch dieses Problem gelöst.

Die Sprache stellte ein bedeutend kleineres Hindernis dar als erwartet. Wenig überraschend waren die medizinischen Standardwerke nicht in norwegischer Sprache verfasst, sondern auf Deutsch, einige auch auf Englisch. Dass Ingeborg Deutsch sprach, war für sie in diesem Fall also sogar ein Vorteil.

Der Schaffner klopfte ans Fenster, sah sie an und öffnete die Tür des Erste-Klasse-Abteils. Sie kannten sich gut.

»Ich wollte nur mitteilen, dass der Anschlusszug aus Voss Verspätung hat. Wir stehen also mindestens achtzehn Minuten in Finse«, sagte er.

»Wunderbar, Jon«, antwortete Ingeborg. »Wenn Sie dann so nett wären, den Lokführer zu bitten, einige Minuten vor Abfahrt die Dampfpfeife zu betätigen?«

»Selbstverständlich, Frau Lauritzen«, antwortete er mit einer Verbeugung und schloss behutsam die Abteiltür.

Wenn sie sich vorbeugte, konnte sie bereits den Finsevand sehen. Sie hoffte inständig, dass ihre gute Freundin Alice hinausschaute, wenn der Samstagszug aus Kristiania eintraf, insbesondere jetzt, wo sie achtzehn Minuten Zeit füreinander hatten.

Alice Klem hielt in der Tat vom Eingang des Hotels aus, das nur einen Steinwurf vom Bahnhof entfernt war, nach ihr Ausschau, als der Zug ächzend und schnaufend in den Finser Bahnhof einfuhr und schließlich zum Stehen kam.

Ingeborg stand schon an der Tür des Erste-Klasse-Waggons und sprang auf den Bahnsteig, noch ehe der Zug ganz zum Stillstand gekommen war. Die beiden Freundinnen eilten aufeinander zu. Ingeborg lief leichtfüßig, wobei sie ihren Rock mit einer Hand hochhalten musste, um nicht zu stolpern, die andere Hand am Hut, damit dieser nicht davongeweht wurde.

»Du scheinst ja heute strahlender Laune zu sein, meine Liebe!«, meinte Alice Klem, als sie sich die Wangen küssten.

Ingeborg trat gespielt beleidigt einen Schritt zurück und musterte Alice Klem, die Hotelbesitzerin, streng von oben bis unten.

»My dear Lady Alice!«, sagte sie und gab sich Mühe, einen englischen Upper-Class-Akzent zu imitieren, was sicher alle außer Alice Klem überzeugt hätte. »Would you be so kind as to from now on address me Doctor Lauritzen, if you don't mind!«

»My God, Ingeborg, you bloody did it!«

Sie umarmten einander lachend.

»Wirklich Untschuldigung, meine gnädige Freiherrin und Frau Doktor«, lachte Alice. »How was that German, you think?«

»Recht gut, nur ein kleiner Fehler.«

»Wir sollten ein Glas Champagner trinken. Komm! Was hat Lauritz dazu gesagt?«

»Er weiß es noch nicht, und ich habe es auch erst heute Morgen erfahren. Du bist die Erste, der ich es erzähle!«

Sie hatten den größten Teil der Flasche ausgetrunken, als die Dampfpfeife vom Bahnsteig ertönte. Sie nahmen Abschied und versprachen einander ein baldiges Wiedersehen.

Bei Alice in Finse war Hochsaison, weshalb sie keine Möglichkeit hatte, zu dem großen Ereignis am Sognefjord zu kommen. Ingeborg beugte sich lange aus dem Fenster und winkte mit ihrem blauen Halstuch.

Und schon verschwand sie im Torbjørnstunnel, über den es unzählige Geschichten gab. Von jahrelanger harter Arbeit, teilweise lebensgefährlich.

Und schon befand sie sich wieder im Tageslicht, als wäre weiter nichts dabei gewesen, diesen Tunnel zu bauen.

Jetzt blieben nur noch zwei Orte, an denen sie aus Solidarität mit Lauritz und seinen Arbeitskollegen besonders aufmerksam sein musste. Zuerst am Hallingskeider Bahnhof, weil er dort recht lange gewohnt hatte.

Sie sann wieder über die Frage nach, die sie schon jahrelang beschäftigte und die sie ihm zu guter Letzt in einer schwachen Stunde gestellt hatte, als ihre Neugier stärker als ihr Urteilsvermögen war.

Eine unvermeidliche Konsequenz seiner vorbehaltlosen Unterstützung ihrer Pläne, die die meisten Herren in Bergen nicht einmal in Erwägung gezogen hätten, war gewesen, dass sie den größten Teil der letzten Jahre nicht in ihrem Zuhause verbracht hatte.

War er nie eifersüchtig?

Zwischendurch beleidigte es sie fast ein wenig, dass er keine Anzeichen dieses normalen männlichen Verhaltens an den Tag legte. Sie war sich im Klaren darüber, dass sie die Männer in ihrer Umgebung nicht unbeeindruckt ließ. Selbst in Norwegen, wo ihr gesellschaftlicher Rang keine so große Rolle spielte und sie keine gute Partie wie bei den Regatten in Kiel darstellte. Als Frau Lauritzen war sie niemand. Trotzdem begehrten die Männer sie, und das kam einem wissenschaftlichen Faktum so nahe, wie man diesem nur kommen konnte. Das konnte Lauritz nicht verborgen geblieben sein. Aber ohne zu zögern, hatte er ihr vier Tage in der Woche ihre Freiheit in einer eigenen Wohnung in Kristiania jenseits der Hardangervidda gelassen.

Warum war er nicht eifersüchtig? Liebte er sie nicht mehr?

Sie würde sich bis in alle Ewigkeit Vorwürfe dafür machen, dass sie ihm die Frage gestellt hatte. Sie hatte an diesem Tage zu viel getrunken.

»Ich bin wahnsinnig eifersüchtig«, hatte er knapp und spontan und ohne nachzudenken geantwortet. Er war genauso überrascht über ihre Frage gewesen wie sie darüber, sie gestellt zu haben. »Aber … nein, ich muss erst eine Weile nachdenken und meine Gedanken ordnen.«

Es war ein lauer Augustabend gewesen. Sie saßen im Garten hinter dem Haus in der Fliederlaube. Der Flieder war schon lange verblüht. Es war einer der Samstage, an denen sie aus Kristiania zurückgekehrt war, alles war wie immer gewesen. Die Schwestern Tøllnes von Osterøya hatten die Kinder angekleidet und gekämmt, und man hatte mit ihnen gespielt. Lauritz hatte im Kies gekniet und das Pfeifen einer Dampflokomotive nachgeahmt. Dann hatten sie den Abend in Zweisamkeit genossen, während es langsam immer dunkler geworden und der Mond aufgegangen war. Eine Weile hatten sie darüber nachgedacht, welche Rosen sie pflanzen sollten. Dann hatte sie die fürchterliche Frage gestellt.

»In meinen schlimmsten Albträumen«, hatte er nach langem Schweigen gesagt, »bist du … nein, ich schäme mich meiner Albträume. Wie diszipliniert du dein Ziel, Ärztin zu werden, verfolgst und dafür unendliche Reisen über die Hardangervidda in Kauf nimmst, nachdem du in einer Stadt ohne Universität gestrandet bist, dafür bewundere ich dich maßlos. Ich bin ein glücklicher Mann, denn ich bewundere meine Ehefrau aufrichtig. Meine Freunde betrachten ihre Frauen ein wenig wie Kinder. Ich nicht. Was ich auf der Hardangervidda vollbracht habe, vollbringst jetzt du. Das hat alles einen tieferen Sinn, da bin ich mir sicher. Dass wir hier zusammensitzen, ist ein Wunder. Das muss auch einen Sinn haben.«

»Ja, Geliebter, so ist es natürlich. Verzeih mir, dass ich diese Frage überhaupt angeschnitten habe.«

So hatte sie damals geantwortet und aufrichtig daran geglaubt.

Und glaubte es immer noch, gefühlsmäßig. In dieser

Hinsicht war sie »kleinbürgerlich beschränkt«. Zumindest nach allen modernen Theorien, dass kein Mensch einen anderen besaß und dass die Liebe frei und unbeständig war.

Aber auch diese »reaktionäre« Einstellung war ihr im Augenblick vollkommen gleichgültig.

Sie wusste genau, wann der Zug die Kleivebrücke erreichen würde. Einen Moment lang betrachtete sie die traumhafte Aussicht, als der Zug über die Brücke raste, die Lauritz gebaut hatte. Das tat sie nicht nur aus Solidarität, sie fand sie jedes Mal gleichermaßen atemberaubend.

Für gewöhnlich griff sie nach diesem Abschnitt wieder zu ihren Büchern, dieses Mal jedoch nicht. Sie ignorierte die Bücher, die sie in alter Gewohnheit bereitgelegt hatte, und schaute aus dem Fenster. Sie dachte daran, dass sie, wenn man von den Kindern, die doch etwas ganz Besonderes waren, einmal absah, auf dem Weg zu dem dritten großen Ereignis in ihrem Leben war.

Die Momente, in denen die Kinder, die nun alt genug waren, begriffen hatten, dass ihre Mutter sie schon wieder verlassen würde, waren die schwierigsten des vergangenen Jahres gewesen. Es war leichter gewesen, wenn sie sonntagabends den Nachtzug genommen hatte, denn dann hatten sie schon längst geschlafen. War sie erst montagmorgens abgereist, wenn sie bereits wach waren, hatten sie herzerweichend geweint, bis sie sie nicht mehr hatte trösten können, weil sie sonst den Zug verpasst hätte. Die Kindermädchen hatten sie aus ihrer Umarmung reißen und die strampelnden und schreienden Kinder aus dem Zimmer tragen müssen. Wie hatte sie nur so hart sein können?

Diese Zeiten waren jetzt vorbei. Von nun an würde sie

jeden Tag etwas Zeit für die Kinder haben, bis sie das Alter erreichten, in dem andere Dinge interessant wurden. Soweit sie sich erinnern konnte, war sie etwa acht Jahre alt gewesen, als sie lieber ihre Spielkameradinnen als ihre Mutter getroffen hatte, vermutlich zur Erleichterung ihrer Mutter.

Wann mussten die Kinder eigene Zimmer bekommen? Vielleicht in zwei Jahren, wenn es ohnehin an der Zeit war, den Abstand zum Schlafzimmer ihrer Eltern zu vergrößern. Kinder sollten nachts nicht von der Liebe ihrer Eltern gestört werden.

Lauritz und sie schliefen nackt. Sie hätte nie gewagt, dies ihren Bergener Freundinnen gegenüber zu erwähnen, denn soweit sie sie verstanden hatte, hatten alle anständigen Menschen getrennte Schlafzimmer, und die Männer trugen gestreifte Baumwollschlafanzüge und manchmal sogar weiße Nachtmützen, die Frauen aufwendige Nachthemden in mehreren Schichten übereinander.

Es ärgerte sie, dass es geradezu einen Skandal hervorrufen würde, wenn die Bergener Bürgerschaft wüsste, wie Lauritz und sie ihre Nächte verbrachten.

Ihr hauptsächlicher Umgangskreis bestand aus überaus konservativen Protestanten, faden und affektierten Menschen. Unter den Frauen gab es verblüffenderweise einige, die gegen das Frauenwahlrecht waren. Sie brachten ungefähr dieselben Argumente vor wie ihre Männer, die meinten, das Gehirn der Frau sei nicht für logische Beschlüsse geschaffen.

Dieser Umgang war der Preis für Lauritz' wohldurchdachte Diplomatie und für seinen Erfolg. Er saß im Vorstand der Theatergesellschaft, der Wohltätigkeitsloge *Die gute Absicht*, der Verschönerungskommission der Stadt Bergen und Umgebung, der Finanzgruppe *Die nützliche Gesellschaft* und einiger weiterer Vereinigungen.

Das war ganz offenbar gut fürs Geschäft. Wenn die Verschönerungskommission den Bau einer neuen Straße in Auftrag gab, deren erste Etappe zwischen Fløyen und Møllendal verlaufen sollte, finanzierte rein zufällig *Die nützliche Gesellschaft* das große Geschäft. Der Auftrag ging dann, vielleicht nicht ganz so zufällig, an Lauritzen & Haugen.

Der Gewinn überstieg bei Weitem den Preis für dieses Arrangement, das darin bestand, hin und wieder einen Mann zum Tischherrn zu haben, der die Gottlosigkeit der Zeit und den moralischen Verfall der Jugend beklagte. Lauritz musste sich dafür vermutlich mit Damen unterhalten, die nicht für ihr eigenes Wahlrecht waren.

Die Sache war nun jedenfalls entschieden! In diesem Jahr, 1913, führte Norwegen, peinlicherweise noch vor Deutschland, das Frauenwahlrecht ein.

Manchmal saßen sie nach diesen fürchterlich langweiligen Diners eine Weile unter der Palme auf dem s-förmigen Ledersofa und hielten sich an den Händen, ohne viele Worte zu verlieren. Sie hatten nicht das Bedürfnis, sich zu beklagen, und sie ließen sich erstaunlich selten über die Gäste des Abends aus. Lauritz war ein toleranter Mann und sie, was Dummheit und Bigotterie betraf, eine weniger tolerante Frau. Aber sie sah ein, dass es taktisch klug war, diese Art anstrengenden Umgangs zu pflegen.

Ab und zu erholten sie sich mit ihren richtigen Freunden, veranstalteten »Seglerdiners« mit der Besatzung der *Ran* oder ein »Theaterdiner« mit Leuten vom Theater. Bei solchen erfreulichen Gelegenheiten waren Themen und Ton dergestalt, dass die feineren Damen der Verschönerungskommission sofort nach dem Riechsalz gegriffen hätten und vermutlich trotzdem in Ohnmacht gefallen wären.

Manchmal hatte sie den Eindruck, dass sie teilweise, aber natürlich nur teilweise mit Theatermasken vor dem Gesicht lebten. Außer wenn sie mit Theaterleuten feierten.

Aber Verstellung war wichtig für das Geschäft. Lauritzen & Haugen hatte in den letzten zwei Jahren den Umsatz vervierfacht.

Es war ein herrliches Gefühl, den Bahnsteig unter dem hohen gewölbten Glasdach zu betreten. Sie hatte sich noch nicht recht daran gewöhnt, die feierliche Einweihung des neuen Bahnhofs lag noch keine zwei Monate zurück. Jetzt hatte sie endlich das Gefühl, heimzukommen, wenn sie aus Kristiania zurückkehrte, in eine richtige europäische Stadt. Es war das einzige Mal gewesen, dass sie Lauritz rechtschaffen betrunken erlebt hatte. Kielland und er hatten spätabends frivole Lieder gesungen und lallend von neuen Bauprojekten gesprochen.

Kutscher und Gepäckträger warteten wie immer auf dem Bahnsteig, aber dieses Mal bat sie darum, ihr Gepäck nach Hause zu bringen und mitzuteilen, sie würde später kommen. Sie habe die Absicht, zu Fuß zu gehen.

In Finse, wo es sommerlich warm gewesen war, hatte sie nicht bedacht, dass sie in Bergen dann voraussichtlich südeuropäische Hitze erwarten würde.

In der großen Bahnhofshalle roch es immer noch nach Farbe und Putz. Die braun lackierten Türen glänzten, das Messing und die Glasscheiben des Restaurants funkelten.

Kellner eilten hin und her. An Samstagnachmittagen herrschte hier Hochbetrieb, und an einem heißen Tag wie diesem bot das große Steingebäude Kühle, wie sie die Bergener normalerweise nicht nötig hatten. Auf dem Weg zum Haupteingang betrachtete Ingeborg lächelnd das Relief des Wikingerschiffes. Sie hatte schon so oft gedacht, dass die entzückende Geschichte von den drei kleinen Brüdern und dem Wikingerschiff eigentlich aufgeschrieben werden müsste.

In der Strømgaten schlug ihr die Hitze, ja in der Tat Hitze entgegen. Sie bereute ihren Entschluss, zu Fuß nach Hause zu gehen, obwohl der Weg nicht weit war. Sie musste nur am Lille Lungegårdsvann vorbei, dann nach rechts auf die Fredrik Meltzers Gate, und dann war sie schon so gut wie zu Hause in dem großen weißen Haus in der Allégaten.

Sie brauchte etwas Zeit für sich, um sich zu sammeln und zu überlegen, wie sie Lauritz die großartige Neuigkeit überbringen sollte. Jene Neuigkeit, die sie bislang nur Alice erzählt hatte.

»Geliebter Lauritz, es ist vorbei. Endlich ist es vorbei. Du hältst Frau Dr. Lauritzen in deinen Armen.«

Das war eine Möglichkeit. Eine andere war, eine sehr peinliche Situation aus dem Velodrom zu wiederholen, als sie in eher unfemininer Pose mit über den Kopf erhobenen Armen laut gebrüllt hatte, nachdem er das entscheidende Rennen gewonnen hatte. Bei der Variante würde es vermutlich ein paar Sekunden dauern, bis er verstand.

Nein, das war nicht lustig. Sie musste sich etwas Besseres einfallen lassen.

Während sie die Straße entlangging, fiel ihr auf, dass ihr

Hut vielleicht etwas zu mädchenhaft war. Es war ein flacher Strohhut mit Rosen aus Papier und einem schwarzen Band, der fast französisch anmutete. Schließlich war sie Frau Lauritzen und hatte bereits drei oder vier Bekannte begrüßt. Aber musste sie als Frau Dr. Lauritzen einen großen schwarzen Hut mit Flor tragen? Doch wohl nicht im 20. Jahrhundert und nicht in Norwegen, wo die Frauen endlich das Wahlrecht erhalten hatten?

In der Strømgaten kam sie an mindestens drei Baustellen vorbei, an denen Lauritzen & Haugen mitarbeitete. Die Stadt befand sich im Wandel. Angeblich gab es mittlerweile um die vierzig Automobile in Bergen.

Lauritz hatte erwogen, ein Automobil zu kaufen, aber sie hatte Nein gesagt. Er hatte mehr aus sentimentalen denn aus geschäftlichen Gründen ein Haus in der Kaigate erworben und dort die neue Hauptniederlassung von Lauritzen & Haugen untergebracht und nicht im Zentrum, wo die meisten angesehenen Firmen ihre Büros unterhielten. Er hatte ihr, und, wie sie annahm, vermutlich niemand anders anvertraut, dass diese Entscheidung einer Kindheitserinnerung geschuldet war. Als er und seine Brüder, damals um die zehn Jahre alt, zum ersten Mal mit ihrem Onkel einen Spaziergang unternahmen, hätten die Häuser an der Kaigaten einen unbeschreiblichen Eindruck auf sie drei gemacht. Und jetzt besaßen sie, oder zumindest zwei von ihnen, das größte und schönste dieser Häuser. Zu Fuß war es von zu Hause dorthin nicht weit, also brauchten sie kein Auto.

Eine Kindheitserinnerung ist ein durchaus plausibler Grund für den Erwerb eines Hauses, hätte ihr Vater vermutlich gesagt. Aber dieser verstand weder von Geschäften noch von Architektur etwas, er war einfach nur »natürlich reich«, mit diesem Ausdruck grenzte er sich von den Leuten ab, die auf vulgäre Art, durch Arbeit, reich geworden waren. Wie Lauritz.

Lauritz' wiederholte Siege während der Kieler Wochen hatten jedoch in den Augen ihres Vaters den Makel des »neuen« Geldes aufgewogen. Wer die Kieler Woche beherrschte, beherrschte in den Augen ihres Vaters alles.

Sie hatte ihrem Vater jedoch verziehen. An jenem Nachmittag auf der *Ran*, an dem er Lauritz das Du angeboten hatte, hatte sie ihm alles verziehen.

Und jetzt erwartete sie wieder so ein Moment. Sie hatte noch nichts entschieden und musste improvisieren.

Eines der Dienstmädchen hielt hinter der angelehnten blauen Haustür Ausschau nach ihr und schloss sie behutsam, damit Ingeborg nicht mitbekam, dass sie dort gestanden hatte. Offenbar war zu Hause etwas im Gange. Ingeborg lachte leise in sich hinein. Ein ungewöhnlich liebevoller Empfang schien sich anzubahnen, da sie mit ungewöhnlich guten Neuigkeiten erschien.

Auf dem kurzen Kiesweg zur Haustür hatte sie immer noch keinen Entschluss gefasst, erwog aber, die Neuigkeit direkt und ohne Umschweife zu verkünden.

Als sie die Hand an die Klingel hob, flog die Tür überraschend auf, und Lauritz stand mit den Kindern an der Hand vor ihr. Sie küsste ihn und kniete sich hin, um die Kinder zu umarmen. Harald trug einen Matrosenanzug und Johanne ein in Anbetracht ihres Alters etwas zu elegantes, kobaltblaues Kleid.

»Geliebte Frau! Willkommen zu Hause, willkommen in einem neuen Leben, es sind wunderbare Dinge geschehen!«, begrüßte Lauritz sie.

»Was für Dinge?«, fragte Ingeborg mit der wie besessen küssenden Johanne auf dem Arm.

»Beim Abendessen! Beim Abendessen werde ich dir alles erzählen, meine Liebe!«, rief er, drehte sich um und ging ins Herrenzimmer.

Es war nichts Ungewöhnliches, dass er, wenn sie samstagnachmittags nach Hause kam, mit der Arbeit nicht ganz fertig war, und während er sie beendete, beschäftigte sie sich mit den Kindern, bis es Zeit zum Abendessen, schlimmstenfalls mit Gästen, war.

Einen Anlass, enttäuscht zu sein, gab es also eigentlich nicht. Eines der Kindermädchen begleitete sie ins Obergeschoss. Ingeborg trug Johanne auf dem Arm, und Harald, der groß genug war, um selbst die Treppe hinaufzugehen, und sich keinesfalls von dem Kindermädchen tragen lassen wollte, folgte ihnen und versuchte verzweifelt, sich an einer Unterhaltung mit seiner Mutter zu beteiligen.

Diese erste Stunde war immer von Verwirrung geprägt. Die Kinder sprachen ein Gemisch aus Deutsch und Norwegisch, das nur sie verstand. Eigentlich war ausgemacht, dass beide Eltern mit den Kindern deutsch sprachen, das Personal natürlich immer norwegisch.

Lauritz schummelte, deswegen die Verwirrung nach ihrer Heimkehr. Sie zog sich rasch ihre Reisekleider aus, während das Kindermädchen im Kinderzimmer neue Spielsachen heraussuchte. Dieses Mal war es ein großes weißes Schaukelpferd mit schwarzen Flecken und einer echten Rosshaarmähne, auf dem jedes der Kinder zuerst reiten wollte. Ingeborg tat so, als würde sie das Los entscheiden lassen, und hob dann Johanne als Erste auf das Schaukelpferd.

Als die Kinder ihr Abendessen bekamen, lag sie in einem angenehm temperierten Schaumbad in dem nach ihrem Geschmack etwas zu großen Raum, den sie als »römisches Bad« bezeichnete. Das Wasser liebkoste ihren Körper, die Temperatur war perfekt. Sie dachte erneut darüber nach, wie sie die große Neuigkeit, dass sie einen neuen Hausarzt bekommen hätten, am besten vorbringen konnte.

Während eines der Hausmädchen ausgiebig ihr Haar bürstete, das sie nicht gewaschen hatte, weil es bis zum Abendessen nicht trocken geworden wäre, erinnerte sie sich wieder an ihr Hochgefühl im Zug.

Sie war einfach nur glücklich, obwohl das der Aufgabe einer Intellektuellen im Leben zuwiderlief. Sie lebte in einem wunderbaren, friedlichen Land ohne Kaiser, in dem die Frauen wählen durften, in einem wunderbaren, schönen Haus, sie hatte zwei reizende Kinder und einen wunderbaren modernen Mann, obwohl er an Gott glaubte, und sie würde bald eine Arztpraxis für die Frauen Bergens eröffnen. Und sie liebte. Obwohl sie seit sechs Jahren verheiratet war, liebte sie nach wie vor ihren Mann, auch wenn das allen modernen Theorien zuwiderlief.

Sie überlegte, dass dies der Wendepunkt sein könnte. Sie lag in einem funkelnden, blau gefliesten und mit klassizistischen Säulen dekorierten Bad, die Temperatur des Wassers war perfekt, und sie hörte die Kinder im Nachbarzimmer spielen, ohne miteinander zu streiten. In der Küche herrschte Hochbetrieb, und so, wie das Wetter war, würde man vermutlich für Lauritz und sie in der Laube decken, was ohnehin nur an wenigen Tagen im Jahr möglich war. Lauritz hatte gesagt, er hätte etwas Wunderbares zu erzählen, genau wie sie auch.

War genau dieser Augenblick der Höhepunkt ihres Lebens?

Und morgen spülte eine gewaltige Flutwelle über Bergen hinweg, die englische Flotte griff an, und die Pest suchte wie schon 1350 die Stadt heim. Heute die Freude, morgen der Pesttod?

Nein, einen Krieg würde es nie mehr geben, schließlich hatte die Menschheit das Jahr 1913 erreicht. In diesem Punkt hatte Lauritz sie überzeugt.

Die Pest wäre an sich ein interessantes medizinisches Problem gewesen, das man mit den medizinischen Erkenntnissen des 20. Jahrhunderts hätte angehen können.

Und wenn nun plötzlich ein gigantischer Meteorit aus einer unbekannten Bahn auf die Erde stürzte und ausgerechnet Bergen traf?

Theoretisch möglich, mathematisch unwahrscheinlich.

Das Haar noch etwas bürsten, das neue hellblaue Abendkleid anziehen, das etwas enger geschnitten und etwas kürzer war. Größere Sorgen gab es nicht. Das war alles.

Zum Abendessen war in der Laube gedeckt worden. Es brannten Kerzen, obwohl die Sonne gerade rot glühend über dem Meer unterging.

Lauritz war strahlender Laune, er war frisch rasiert, duftete gut und trug einen Frack, was er sonst nie tat, wenn sie ausnahmsweise einmal allein aßen.

Mit einer ausholenden Geste deutete er auf die Vorspeise: russischer Kaviar wie beim Abschlussdiner der Kieler Woche.

»Wo hast du den Kaviar her?«, fragte sie ohne böse Hintergedanken.

»Aus Kiel«, erwiderte er triumphierend. »Nach der Kieler Woche bleibt immer einiges übrig, und mittlerweile erfreuen wir uns ja bester Verbindungen zum Restaurantchef des Kaiserhofs.«

Kaiserhof. Sie sehnte sich wirklich nicht dorthin zurück. Das war ein anderes Leben gewesen. Gegen Kaviar hatte sie natürlich nichts einzuwenden, gegen den salzigen, metallischen Geschmack, der mit nichts anderem vergleichbar war. Trotzdem war es nur Kaviar. Hochzeitskaviar. Seglerkaviar. Geburtstagskaviar. Siegerkaviar aus irgendeinem Grund. Offenbar auch jetzt.

»Jetzt musst du mir aber wirklich erzählen, was geschehen ist!«, sagte sie, nachdem sie mit Rheinwein angestoßen hatten. Sie hatte immer gefunden, dass Rheinwein nicht zu Kaviar passte, aber das war nun einmal der vulgäre Geschmack des Kaisers. Sie konnte es Lauritz von Osterøya nicht anlasten, aber gut war es deswegen trotzdem nicht.

»Große Dinge sind geschehen«, verkündete Lauritz feierlich, nachdem er sein Glas abgestellt hatte. »Mein Bruder Oscar befindet sich auf dem Weg nach Norwegen. Er ist dabei, seine Geschäfte in Afrika abzuschließen, und wird noch dieses Jahr als Teilhaber in die Firma eintreten. Er hat mir heute, genauer gesagt gestern eine größere Geldsumme geschickt, die eine Hälfte an die Firma, für die andere Hälfte sollte ich lustigerweise Gold kaufen. Du hättest die Gesichter der Angestellten der Norske Bank sehen sollen, als ich gestern dort war, um das in die Wege zu leiten.«

»Dein Bruder hat also sehr viel Gold bei der Norske Bank liegen, das Kapital der Firma wurde aufgestockt, und bald können wir deinen Bruder Oscar in die Arme schließen?«, fasste Ingeborg mit einem etwas enttäuschten Ton zusammen, der ihrem Mann entging.

»Ja, aber das ist noch nicht alles! Lauritzen & Haugen hat heute die Aktienmehrheit von Henckel & Dornier, einer der angesehensten Ingenieurbaufirmen Deutschlands, erworben. Diese Berliner Firma hat auch eine Filiale in Stockholm. Ein Kredit bei Bergens Privatbank und Oscars unerwartet großer Beitrag haben dies ermöglicht. Geliebte, wir sind jetzt eine der führenden Ingenieurbaufirmen des neuen großen Jahrhunderts!«

Es gab nichts gegen seinen Triumph einzuwenden, sie sah sehr wohl ein, was es für eine kleine Firma aus Bergen bedeutete, plötzlich im großen Deutschland Fuß zu fassen. Henckel & Dornier war eine renommierte Firma, die sie sehr gut kannte. Trotzdem konnte sie nicht vor Glück jubeln und nicht voll und ganz an Lauritz' Triumph teilhaben, aus dem einfachen Grund, dass sie sich in dem Augenblick, der einer der größten ihres Lebens hätte sein sollen, unendlich klein vorkam. So viele Jahre hatte sie die Hardangervidda überquert, und jetzt war es vollbracht!

Er sah es, zwar nicht sofort, aber er sah es.

»Geliebte Ingeborg, ist etwas passiert? Verzeih, dass ich mich so brüste, ich bin einfach nur so glücklich. Was ist passiert?«

»Ich habe heute meine Urkunde bekommen. Ich bin Ärztin«, erwiderte sie kurz mit Tränen in den Augen.

So hatte sie sich das Ganze nicht vorgestellt. Aber jetzt war es zumindest gesagt.

Lauritz schwieg und schien einen Augenblick nachzudenken. Dann sprang er auf und ging rasch um den Tisch herum. Er fiel vor ihr auf die Knie und nahm ihre Hände.

»Verzeih«, sagte er. »Ich hatte keine Ahnung, ich dachte, die Prüfung sei erst im Herbst … Aber das spielt ja auch keine Rolle, alles andere ist unbedeutend, vergiss alles, worüber ich geredet habe, vergiss das Gold, vergiss auch Oscar, vergiss Henckel & Dornier, aber vergiss nie, dass du der Mensch bist, den ich am meisten bewundere. Ich bin unglaublich stolz auf dich!«

*

Sie segelten mit der *Ran* den Sognefjord hinauf. Nicht nur, weil das eine traumhaft schöne Fahrt war. Jedes Hotel in der Gegend von Vangsnes war seit Langem ausgebucht. Zehntausende Gäste waren gekommen, um dem großen Ereignis beizuwohnen. Lauritz hatte sich sagen lassen, dass die Lebensmittel in der gesamten Region zur Neige gingen und dass es sogar im Kviknes-Hotel bald nur noch die trockenen Plätzchen geben würde, die bislang niemand haben wollte. Also hatte man an Bord der *Ran* ausreichend Lebensmittel und Getränke für sechs Personen für drei Tage gebunkert. Sie würden jedenfalls keine Not leiden.

Ingeborg war skeptisch gewesen, als ihr Mann ihr versicherte, sechs Personen könnten problemlos an Bord unterkommen. Es gab zwei Salons, ein Schlafzimmer und die Vorpiek, in der man ein Bett machen konnte. Außerdem waren sie immer zu sechst, wenn sie zur Kieler Woche segelten. Noch dazu hatten sie nur sehr wenige Segel dabei, die Damen würden also ausreichend Platz für ihre Garderobe haben. Lauritz hatte den Umstand, dass es für drei Damen nur einen Waschraum gab, der so winzig war, dass man ihn nur rückwärts betreten konnte, für unproblematisch befunden. Er war schlecht beleuchtet und der Spiegel nur wenig größer als zwei Handflächen. Wie sie selbst und die Damen Cambell Andersen und Halfdan Michelsen, Alberte und Marianne, sich unter solchen Verhältnissen für das große Bankett vorbereiten sollten, war ein Problem, das Lauritz offenbar nicht einmal in den Sinn gekommen war.

Jetzt ließ es sich aber nicht mehr ändern, und da es in der ganzen Gegend kein einziges Hotelzimmer mehr gab, ging es ihnen an Bord der *Ran* trotz allem besser als den meisten anderen an Land. Es war unglaublich, wie viele Menschen gekommen waren.

Ingeborg saß neben Lauritz im Cockpit. Mit einer Hand hielt er das Ruder, mit der anderen zärtlich die ihre. Die Gäste fanden diesen Anblick möglicherweise etwas merkwürdig, aber das war ein Geheimnis zwischen Ingeborg und Lauritz, ein Traum, den er schon gehabt hatte, lange bevor es die geringste Aussicht auf seine Verwirklichung gab. Deswegen war es ihm auch vollkommen egal, was seine Freunde eventuell denken könnten.

Jens Kielland und Kjetil Haugen hatten die Einladung zum Festakt und zum Bankett ausschlagen müssen, da sie wie immer um diese Zeit des Jahres mit ihren Familien auf Reisen waren. Jens war in Deutschland und Kjetil in Italien.

Das sensationelle Sommerwetter, das beste des Jahrhunderts und der letzten hundert Jahre, hielt Ende Juli immer noch an. Die südwestliche Brise war lau, selbst auf dem offenen Meer vor der Sognefjordmündung.

Ingeborg lehnte sich mit geschlossenen Augen und der Sonne zugewandtem Gesicht zurück.

Sie genoss ihr Leben. Die Wochen auf *Frøynes* waren

wunderschön gewesen. Die Kinder waren sonnengebräunt und hatten fast die ganze Zeit an dem kleinen Strand mit dem Steg, den Lauritz gebaut hatte, verbracht. Die Abendessen mit Großmutter Maren Kristine waren inzwischen weniger anstrengend, und das war hauptsächlich ein Verdienst der Kinder. Die Großmutter liebte sie und verwöhnte sie auf eine Art, die verblüffend von ihrer sonst so strengen Art abwich. Nach dem Tischgebet durften sie lärmen und reden, so viel sie wollten, und es beeinflusste natürlich die Stimmung beträchtlich, dass nicht mehr verlangt wurde, nur zu beten, zu schweigen und zu essen und erneut zu beten.

Sie hatte noch nicht entschieden, was sie von dem neuen »Langhaus« im Wikingerstil halten sollte, ob es Kitsch war oder nicht. Die Drachenköpfe am Dachfirst, die schweren Balken, das Grasdach, alles war dem *Frøynes*-Warenzeichen nachgebildet. Ingeborg begegnete aller Nationalromantik mit Misstrauen, die sie zu Hause in Deutschland schon zur Genüge genossen hatte. Blut und Boden, die Einheit der Germanen, fürchterliche Plastiken, am allerschlimmsten die, die den germanischen Urhelden Hermann zeigten, wie er die Römer besiegte. Von der Walhalla bei Regensburg ganz zu schweigen.

Die Norweger waren vielleicht toleranter, ihr Staat war so neu, in der Tat noch keine zehn Jahre alt.

Trotzdem stand sie diesem Haus mit großer Skepsis gegenüber, obwohl sie zugeben musste, dass es sich um ein äußerst praktisches, vernünftiges Bauwerk handelte, eine Art Werkstatthalle, in der im Winter bis zu zwanzig Frauen sitzen konnten, junge und alte, um bei gutem Licht und angenehmer Wärme zu stricken. Die Wände waren mit einer ganz neuen Methode isoliert, zwischen den Balken der Außenwand und den Brettern der Innenverkleidung gab es Luft und Wolle. Zwei große offene Kamine und einige Petroleumöfen sorgten für Wärme.

Bereits weit draußen auf dem Fjord konnte man sehen, dass sich etwas verändert hatte, wenn sich der Dampfer Tyssebotn näherte. Alle Häuser waren frisch gestrichen und strahlten weiß. Viele hatten Dächer aus schwarzen Ziegeln bekommen. *Frøynes* war eine Segnung für die Insel, das war das Entscheidende. Im Übrigen liebten die Kinder das Haus, und das Hochzeitsfest von Cousine Solveig war sehr schön gewesen.

Gegen Nachmittag waren sie so weit den Fjord hinaufgesegelt, dass es nun an der Zeit für Lauritz war, einen nordöstlichen Kurs zu setzen, wobei sie platt achterlichen Wind erhielten.

Vor der Kvamsøy kamen Lauritz Bedenken, aber schließlich erteilte er Christian und Halfdan den Befehl, auf den diese offenbar gewartet hatten, denn sie eilten auf Deck und auf das Vorschiff, als handele es sich um eine Regatta. Ingeborg war klar, was jetzt geschehen würde und warum Lauritz gezögert hatte. In Gesellschaft des Kaisers als auch König Haakons war es vielleicht nicht angesagt, forsch aufzutreten. Trotzdem hatten sie genau das vor. Im Norden war bereits die deutsche Armada von riesigen grauen Kriegsschiffen zu sehen.

Der Spinnaker der *Ran* in den norwegischen Farben entfaltete sich wie eine riesige Blume über dem Bug und war meilenweit zu sehen. Niemandem in Vangsnes konnte entgehen, welches Boot sich näherte.

Wenig später segelten sie zwischen den deutschen

Kriegsschiffen hindurch, die mit Signalflaggen geschmückt vor Anker lagen, und dann dicht und sehr schnell an der kaiserlichen Jacht *Hohenzollern* vorbei. Die Passagiere auf dem Promenadendeck jubelten und schwenkten ihre Hüte bei dem ihnen so vertrauten Anblick.

Für die Deutschen, die sich mit Segeln auskannten, und man durfte annehmen, dass das bei den meisten Gästen auf der *Hohenzollern* der Fall war, war die *Ran* mit ihrem, gelinde gesagt, auffallenden Spinnaker mittlerweile bekannter als die Boote der Kaiserfamilie, möglicherweise mit Ausnahme der *Meteor* des Kaisers.

Plötzlich wurde von der *Hohenzollern* Salut geschossen. Eine solche Ehre konnte ihnen nur auf Befehl des Kaisers persönlich zuteilgeworden sein.

Lauritz antwortete sofort, indem er die norwegische Fahne im Heck einholte und den Gegengruß oben von der *Hohenzollern* abwartete, der bald erfolgte. Dann hisste er seine Fahne wieder.

Anfangs schien es den Gästen auf der *Ran* die Sprache verschlagen zu haben, aber dann begannen sie, eifrig durcheinanderzureden. Alberte ließ verlauten, nun sei ihr klar, weshalb man so gute Plätze beim privaten Bankett des Kaisers erhalten habe. Marianne schien mehr zu beschäftigen, wie neidisch die bessere Bergener Gesellschaft nun sein würde.

Lauritz versuchte, offensichtlich verlegen, zu erklären, dass der Kaiser ein anerkannt guter Segler sei. Das Ganze sei eher als ein kleiner Scherz zu verstehen. Bisher habe er den roten Spinnaker ja immer von hinten betrachten müssen.

Keiner in der aufgeregten Menge schien zu verstehen,

dass er versuchte, einen Witz zu machen. Bald lagen sie auf ihrem reservierten Platz an einem der provisorischen Stege unterhalb von Vangsnes.

*

Der Fjord war von kleinen Booten übersät, die Ufer wurden von unzähligen Zuschauern gesäumt. In Vangsnes, wo der Kaiser persönlich die Statue enthüllen wollte, schließlich handelte es sich um sein Geschenk an die Norweger, kam es in dem Gedränge zu Panik, und mehrere Zuschauer fielen ins Wasser.

Der Bereich um die Statue war mit kräftigen Seilen abgesperrt, und Offiziere der deutschen Marine vergewisserten sich, dass nur Personen mit entsprechenden Gästekarten dorthin vorgelassen wurden, wo sich die Ehrengäste versammelt hatten, um sich die Reden des Kaisers und König Haakons VII. anzuhören. Außerhalb des abgesperrten Bereichs würde natürlich kein Wort zu verstehen sein, aber die Reden würden in allen norwegischen und vermutlich auch allen deutschen Zeitungen nachzulesen sein. Keinem Germanen würden die Weisheiten entgehen.

Der Kaiser – König Haakon zu seiner Rechten, beide in prächtigen Admiralsuniformen – erschien pünktlich. Das Orchester der deutschen Marine spielte die Nationalhymnen. Anschließend zog der Kaiser an einem Seil. Nichts geschah. Er zog ein weiteres Mal fester, und jetzt stürzte die enorme Abdeckung herab, und ein glänzender Bronzegott, der sich auf ein Schwert stützte und einen Arm fast nachlässig in die Hüfte stemmte, kam zum Vorschein. Vom Schlachtschiff *Vaterland* auf dem Fjord wurde Salut geschossen, und einheiliger Jubel stieg in den hellen Sommerhimmel.

Der Kaiser war für seine bombastischen Reden bekannt. Lauritz und Ingeborg wussten also in etwa, was sie erwartete, als der Kaiser an ein Rednerpult trat, das mit den Kriegsflaggen Norwegens und Deutschlands geschmückt war.

»Ich bitte dich, nicht zu lachen, solange wir hier stehen«, flüsterte Lauritz Ingeborg zu.

Der Kaiser stand reglos am Rednerpult und wartete, bis es in seiner Nähe ganz still geworden war. Dann holte er tief Luft, als nähme er Anlauf, und sprach seinen ersten bombastischen Satz:

»Diese Statue, dieser Frithjof, ist nicht nur ein Ausdruck meiner Dankbarkeit Norwegen gegenüber, sondern sie ist noch mehr ein Symbol dafür, dass alle germanischen Stämme zusammengehören.«

Bereits hier musste er eine kleine Pause einlegen, weil spontaner Beifall ausbrach. Und als das Publikum außer Hörweite mitbekam, dass die, die etwas hören konnten, applaudierten, klatschte es ebenfalls. Hurrarufe verzögerten den Fortgang um ein Weiteres.

»Frithjof …«, hob er an, musste aber erneut innehalten, bis es wieder still war. »Frithjof, der hier auf sein Schwert, die edelste und liebste Waffe der Germanen, gestützt steht, möge die Germanen, Skandinavier und Angelsachsen daran erinnern, dass sie alle von einem Stamm und Blut sind. Gott stellt uns ständig vor neue Aufgaben, denen wir uns geeint stellen, zu Nutz und Frommen der Menschheit. Daran sollen sich alle, das wünsche ich mir, die meinen Frithjof sehen, erinnern!«

Neuer stürmischer Applaus und Hurrarufe.

So ging es eine ganze Weile weiter.

»Wie hoch, glaubst du, ist diese Statue?«, flüsterte Ingeborg.

»Zwischen fünfundzwanzig und sechsundzwanzig Meter«, flüsterte Lauritz zurück. »Man muss schon dankbar sein, dass sie keine Gänseflügel am Helm hat wie euer Hermann.«

»Aber Hermann ist doppelt so hoch.«

»Mehr als das. Ich glaube, dreiundfünfzig Meter. Aber er hat immerhin die Römer besiegt, deswegen bleibt es uns erspart, italienisch zu sprechen. Frithjof ist trotz allem nur eine Fantasiefigur, die von einem schwedischen Dichter im Delirium erschaffen wurde.«

Die Leute vor ihnen legten die Finger an die Lippen, und sie gaben sofort vor, den Ausführungen des Kaisers über germanisches Blut mit Interesse zu folgen, bis Ingeborg erneut die Geduld verlor und eine weitere Frage flüsterte.

»Was haben die Engländer, die Angelsachsen, mit unseren Germanen zu tun?«

»Meine geliebte Ingeborg, das solltest doch gerade du wissen. Königin Victoria ist seine Großmutter, also sind die Angelsachsen ebenfalls Germanen mit ebenso gutem Blut wie wir.«

»Da wäre es doch wunderbar, wenn wir zusammenhielten, sodass die Kriegsschiffe nur bei Gelegenheiten wie diesen verwendet würden. Ich habe nichts dagegen, dass man sich mit den Engländern einig ist.«

»So hat der Kaiser das vermutlich nicht gemeint. Das war eher eine Höflichkeitsfloskel. Denk daran, was unter der Hermann-Statue steht. Erinnerst du dich?«

»Nein. Vermutlich was mit Einigkeit?«

»Ja. Deutsche Einigkeit, meine Stärke. Meine Stärke, Deutschlands Macht. Von Angelsachsen ist da nicht die Rede.«

Ihre verärgerten Nachbarn ermahnten sie erneut, dass sie leise sein sollten, und sie sahen beide ein, dass dies nicht die passende Gelegenheit war, Kritik zu üben oder, noch schlimmer, Witze über Vorstellungen von rein germanischem Blut, Einigkeit und Stärke zu machen.

Der Kaiser setzte seine donnernde Rede noch eine Weile fort. Sie wurde mit stürmischem Jubel aufgenommen. König Haakon hielt anschließend, soweit man das nach seiner nicht immer mühelos zu verstehenden Mischung aus Dänisch und Norwegisch beurteilen konnte, eine wesentlich gemäßigtere Rede, in der er sich für das Geschenk bedankte und seiner Hoffnung Ausdruck verlieh, dass die Freundschaftsbande zwischen Norwegen und Deutschland auch in Zukunft stark sein würden.

Anschließend wurden den Ehrengästen Erfrischungen serviert.

Die Gäste innerhalb der Absperrung wurden von deutschen Adjutanten einzeln oder in Gruppen dem Kaiser und dem König vorgestellt. Lauritz, Christian und Halfdan trugen die Seglerkleidung, die sie auch bei der Kieler Woche getragen hatten. Das war vollkommen korrekt, obwohl einige Norweger, die im Frack erschienen waren, ihre einfache Aufmachung mit fragender Miene oder geradezu verächtlich betrachteten.

Als sie alle sechs zum Kaiser gerufen wurden, schickte der Kaiser den Offizier, der mit der Namensliste bereitstand, um die Gäste zu präsentieren, sofort weg.

»Danke! Wir wissen Bescheid«, sagte er. »Herr Meister-segler Lauritzen, es ist mir eine Freude, Ihnen zu begegnen, ohne Ihnen meinen eigenen Siegerpokal überreichen zu müssen. Ich hoffe, dass wir uns bei der Kieler Woche neunzehnhundertvierzehn wiedersehen!«

»Mit Sicherheit, Eure Kaiserliche Hoheit«, antwortete Lauritz mit einer Verbeugung.

»Gut, sehr gut! Ich stand übrigens auf der Pier und hatte das Vergnügen, den Spinnaker der *Ran* eine Weile von vorne betrachten zu können. Ausnahmsweise, sozusagen. Und das hier ist Ihre Besatzung, sehe ich!« Er kannte in der Tat die Namen Christians und Halfdans, begrüßte sie herzlich und scherzte über eine Revanche bei der nächsten Regatta. Anschließend stellten die beiden ihre Frauen Alberte und Marianne vor.

Als Letzte begrüßte er Ingeborg, die einen tiefen, sittsamen Knicks machte. Der Kaiser nannte sie weiterhin Freiherrin, als hätte sie seinerzeit nicht unter ihrem Stand geheiratet.

Während dieser ungewöhnlich langen Audienz, die Schlange hinter ihnen war immer länger geworden, verharrte König Haakon reglos wie eine Statue und wartete darauf, an die Reihe zu kommen. Er hatte die Unterhaltung natürlich mit angehört und musste jetzt alle nur noch kurz begrüßen. Außer Lauritz.

»Ich habe mir sagen lassen, dass Sie ein ausgezeichneter Segler sind, Herr Lauritzen«, sagte er. »Im Übrigen ist das ein schönes Vorsegel. Mein Sohn Olav interessiert sich sehr für das Segeln, dürfte ich Sie ihm vielleicht vorstellen?«

»Natürlich. Das wäre eine große Ehre, Königliche Hoheit«, antwortete Lauritz und verbeugte sich tief.

Aufgrund des Gedränges kam die Menschenschlange Richtung Hafen nur langsam voran. Lauritz und Ingeborg und ihre Gäste hatten es nicht eilig, zumindest nicht die Herren. Es waren noch drei Stunden, bis sie zur *Hohenzollern* abgeholt werden würden.

Die Verärgerung der Frauen in der sich nur langsam bewegenden Schlange nahm zu, obwohl es sie mit fröhlicher Aufgeregtheit erfüllt hatte, sowohl den Kaiser als auch den König begrüßen zu dürfen. Alberte erklärte sich überwältigt davon, der kleinen, auserwählten Schar norwegischer Bürger anzugehören, die Deutschland sozusagen besonders nahestünden. Wieder erwähnte sie, dass ihre Bergener Bekannten sicherlich vor Neid erblassen würden. Ihr Mann Christian stimmte ihr zu, nicht was den Neid betraf, sondern dass es gut sei, Deutschland so nahezustehen.

Erst an Bord verstanden die drei Männer, warum die Frauen so echauffiert waren. Sie verschwanden nämlich sofort unter Deck, während die Männer in aller Ruhe einen ungewöhnlich guten Moselwein tranken.

Aus dem Salon waren gedämpfte, aber drastische Flüche der Frauen zu hören, die sich vor einem Spiegel, der gerade mal zum Rasieren ausreichte, für ein Galadiner fertig machen wollten.

Die Sonne schien, und die Wellen glucksten am Rumpf der *Ran*. Am 31. Juli 1913 herrschte Frieden auf Erden. Am Horizont war kein einziges Wölkchen zu entdecken, weder am Sognefjord noch in der Politik.

XXI

OSCAR

Daressalam, August 1914

Es war, wie wenn man im Frühling von einer schmelzenden Eisscholle auf die nächste sprang. Am Ende ging nichts mehr, egal, wie geschickt man war. Das war in der klebrigen, sich immer noch steigernden Augusthitze Dars vielleicht ein etwas gesuchter Vergleich. Aber innerlich befand sich Oscar seit mehreren Jahren auf der Heimreise, und immer häufiger suchte er in der Erinnerung nach Bildern von dem Fjord und dem Zuhause auf Osterøya.

Immer war ihm etwas dazwischengekommen und hatte ihn stets von Neuem für Monate aufgehalten. Als Mohamadali beschloss, in Sisal- und Kokosplantagen zu investieren, musste die Firma eine Menge Genehmigungen zum Landerwerb beschaffen. Natürlich war es einfacher, wenn Oscar statt des eigentlichen Firmenchefs Mohamadali diese Verhandlungen führte. Ein Geschäft war auf das andere gefolgt, und so war die Zeit verronnen.

Jetzt war er jedoch bei der letzten Ausrede angekommen. Er wollte noch das große fünfundzwanzigjährige Jubiläum der Schutztruppe und des Eisenbahnbaus erleben. Die tausend deutschen Einwohner der Stadt hatten wochenlang gearbeitet, damit alles bis zum 30. August fertig wurde. Es würde eine Regatta und Bierabende geben, und mit dem Dampfer war ein Flugzeug aus Deutsch-Südwestafrika gekommen. Faszinierende Vorführungen waren in Aussicht gestellt worden. Kronprinz Friedrich Wilhelm würde das Jubiläum höchstpersönlich mit seiner Anwesenheit beehren. Das Dampfschiff *Feldmarschall* war bereits mit einer großen Ladung Lebensmittel, Bier und Wein aus Deutschland eingetroffen.

Als handelte es sich um einen Sprung von der letzten kleinen Eisscholle an Land, suchte er den Kapitän des Dampfschiffs *Feldmarschall* auf und reservierte eine Erste-Klasse-Kabine mit Salon für die Rückfahrt kurz nach Ende der Feierlichkeiten. Er bezahlte im Voraus. Damit war es unwiderruflich, keine weiteren Ausflüchte, keine Verzögerungen mehr.

Nun blieb ihm nur noch, Lebewohl zu sagen. Er hängte das Gewehr über die Schulter, nahm die Bahn nach Kilimatinde und ging die 67 Kilometer zu Kadimbas Heimatdorf zu Fuß. Kadimba lebte ein angenehmes Leben. Er hatte drei Frauen und war der reichste Mann des Dorfes. Sie tranken die beiden Flaschen Bier, die Oscar in seinem Rucksack mitgebracht hatte, als seien sie heilig. Ein letztes deutsches Bier unter Freunden, denn sie würden sich nie mehr wiedersehen, aber nichts könnte sie entzweien, wie man in Kadimbas Sprache sagte.

Er kehrte am 5. August nach Dar zurück. In der Stadt gingen Kriegsgerüchte um. Laut den Zeitungen, die sich dank der sensationellen Schlagzeilen rasend schnell verkauften, hing der drohende Krieg mit einem Anarchisten zusammen, der eine Bombe geworfen und den österreichischen Thronfolger Franz Ferdinand und seine Gemahlin in der serbischen Stadt Sarajevo getötet hatte. Daraufhin hatte Österreich Serbien den Krieg erklärt, was ja durchaus begreifbar war, zumindest war die Wut der Österreicher zu verstehen. Aber anschließend hatte Russland Deutschland den Krieg erklärt. Vielleicht war es auch umgekehrt. Daraufhin hatte Deutschland Frankreich den Krieg erklärt, weil Frankreich mit Russland verbündet war. Ein Krieg gegen Frankreich und Russland konnte nicht allzu lange dauern, behaupteten die Zeitungen.

Nachdem er alle verwirrenden Erklärungen gelesen hatte, wie und warum der Krieg ausgebrochen war, duschte er, zog sich um und begab sich in den Deutschen Club, um dort mehr über die Vorfälle zu erfahren. Es herrschte ungewöhnlich reger Betrieb, unter anderem waren fünf deutsche Ärzte anwesend, die sich einige Jahre im Landesinneren aufgehalten hatten, um dort die Schlafkrankheit auszurotten, und die jetzt nach Dar zurückgekehrt waren. Auch sie hatten vor, nach dem Jubiläum mit der *Feldmarschall* zurückzufahren. Jetzt diskutierten sie aufgebracht darüber, dass das Schiff nicht wie vorgesehen Richtung Heimat in See stechen würde, da die englische Flotte in den Gewässern zwischen Sansibar und Dar lauerte.

Oscar fragte einen der Ärzte, was deutsche Handelsschiffe die englische Flotte kümmere. Der Mann sah ihn an, als sei er ein Idiot. Übertrieben ironisch erklärte er, dass solche Dinge in Kriegszeiten durchaus von Bedeutung seien. England habe Deutschland den Krieg erklärt, und auf See laure wie gesagt die englische Marine.

Oscar konnte keinen klaren Gedanken fassen. Es dauerte eine ganze Weile, bis er die Informationen verarbeitet hatte. Deutschland und England im Krieg? Weil ein Anarchist irgendeinen österreichischen Großherzog in Sarajevo ermordet hatte? War die Welt verrückt geworden?

Das Gepäck für die Heimreise stand in seinem Haus bereit. Vier Schiffskoffer mit Dingen, von denen er sich nicht trennen wollte, Masken der Barundi, Jagdkleidung und Fotografien, einige Leopardenfelle, die zu schönen Pelzen werden konnten, afrikanischer Goldschmuck, Ebenholzschnitzereien und Ähnliches, was man in Bergen nicht für Geld kaufen konnte. Er überlegte, ob es vielleicht eilte, die Sachen an Bord zu bringen. Er begab sich also rasch zum Hafen und durfte nach einer kurzen Auseinandersetzung die Gangway der *Feldmarschall* betreten, um mit dem Kapitän zu sprechen.

Anlass zur Eile gebe es keinen, erfuhr er. Das Schiff lag bis auf Weiteres in Daressalam fest. Es sei höchst unsicher, wann man in See stechen könne. England habe mindestens drei Kreuzer vor der Küste, Deutschland habe nur einen, die *Königsberg*, die gerade den Hafen verlassen habe, vermutlich, um auf dem Meer zu kämpfen, statt von der englischen Flotte eingekesselt zu werden. Es sei wirklich lästig, dass die Engländer dort draußen eine so überlegene Flotte zusammengezogen hätten.

Oscar eilte zum Deutschen Club zurück, um in Erfahrung zu bringen, ob es vielleicht noch eine andere Reisemöglichkeit gab. Er hatte sich innerlich bereits von Afrika verabschiedet, nur noch das Abschlussfest stand aus. Und das war abgeblasen worden.

Befand sich Belgien ebenfalls im Krieg? Es stellte sich heraus, dass dem so war. Der Weg nach Westen durch den Kongo war also versperrt. Im Norden lagen Uganda und

Britisch-Ostafrika. Dieser Weg kam also auch nicht infrage, ebenso wenig die Wege nach Südwesten ins englische Nyassaland und nach Rhodesien. Beteiligte sich Portugal an dem Krieg? Nein. Soweit er wusste, nicht, jedenfalls noch nicht, aber das war vielleicht nur eine Frage der Zeit.

Es gab also eine geringe Chance, nach Süden zu entkommen, durch das heißeste und fürchterlichste Gebiet in ganz Tanganjika, und dann durch ähnliches Terrain bis zur portugiesischen Hauptstadt Lourenço Marques. Eine Reise oder Fußwanderung von tausendfünfhundert Kilometern. Wenn man es lebend durch die Malariasümpfe und über alle Flüsse geschafft hatte, riskierte man, ein Portugal zu erreichen, das sich möglicherweise mit England verbündet hatte. Langsam ging es Oscar auf, dass er nun nach all den Jahren und ironischerweise zu einem Zeitpunkt, an dem er endlich eine Fahrkarte nach Hause gekauft hatte, in Afrika gefangen war.

Im Gewimmel des Clubs entdeckte er zwei Offiziere, den Kommandeur der Schutztruppe, Paul von Lettow-Vorbeck, dem er bei einem Mittagessen zehn Jahre zuvor kurz begegnet war, und den Chef des Militärs in Dar, Major Kempner. Die beiden Männer standen mit auf dem Rücken verschränkten Armen da und beantworteten in knappen Worten alle auf sie einstürmenden Fragen. Oscar hatte Mühe, sich einen Weg zu bahnen, stand eine Weile jedoch nahe genug, um hören zu können, worum es ging.

Die Hauptfrage lautete natürlich, welche Konsequenzen der Krieg für die Bewohner von Dar hatte. Der Kommandeur antwortete, möglicherweise gar keine. Deutschland würde Frankreich rasch besiegen, und dann gäbe es für die englischen Truppen keine Veranlassung mehr, weiterzukämpfen. Alles würde auf den Schlachtfeldern Europas entschieden, und in Tanganjika müsse man nur den deutschen Sieg abwarten.

Oscar war erleichtert. Wenn er noch einige Wochen oder gar Monate in Dar bleiben musste, dann war das auch nicht weiter schlimm. Seine Unentschlossenheit der vergangenen Jahre hatte ihn bedeutend länger hier festgehalten. Er ging an die Bar und bestellte Whisky und Bier.

Als er am nächsten Morgen von der Festnahme Mohamadalis erfuhr, konnte er das erst einmal nicht so recht glauben. Dass man die wenigen Engländer in Dar internierte, war nicht weiter verwunderlich, da auch die Deutschen in Britisch-Ostafrika interniert worden waren. Schlimmer war die Nachricht, dass die Engländer angeblich damit begonnen hatten, farbige Personen auf Sansibar unter dem Vorwand zu erschießen, sie seien Spione, weil sie als deutschfreundlich galten.

Das verhieß nichts Gutes. Womöglich kam die Schutztruppe auf die Idee, es den Engländern mit gleicher Münze heimzuzahlen, auch was die Erschießungen anging. Trotz der Mittagshitze rannte er den ganzen Weg zum Kontor des Militärs in der Kaiserallee und verlangte, sofort bei Major Kempner vorgelassen zu werden.

Er kam in einen Warteraum, der von Männern überfüllt war, die sich freiwillig melden wollten. Generalgouverneur Schnee hatte eine Erklärung veröffentlicht. »Von uns wird erwartet, dass wir Deutsch-Ostafrika, das Land, das man uns anvertraut hat, mit unserem Leben verteidigen.« Es hatte den Anschein, dass alle Männer, die nicht lahm, gebrechlich oder sehr alt waren, diesem Aufruf Folge leisteten. Merkwürdigerweise herrschte eine fast ausgelassene

Stimmung, als sei Krieg etwas, worauf alle nur gewartet hatten.

Im Warteraum kursierten unzählige Gerüchte. Der Kreuzer *Königsberg* habe nördlich von Sansibar einen englischen Frachter aufgebracht, die *City of Winchester*, und sei so in den Besitz von Kohle und erstklassigem Proviant gekommen. Den ersten Sieg zur See hatte also Deutschland errungen, was den hochnäsigen Offizieren der englischen Marine sicherlich zu denken gab.

Jetzt war trotzdem Eile geboten, alle Truppen aus Dar abzuziehen. Oscar fand das unbegreiflich. Die Erklärungen, die er aufschnappte, halfen ihm nicht sonderlich weiter. Dann aber erklärte Generalgouverneur Schnee, Dar sei ein »offener Hafen«, was laut internationalem Abkommen bedeutete, dass der Hafen »neutral« war und daher nicht angegriffen werden durfte. Unter der Bedingung, dass sich keine deutschen Truppen in der Stadt befanden.

Ein Mann nach dem anderen wurde zu Major Kempner vorgelassen. Als sie das Büro verließen, schwenkten sie fröhlich ihre Papiere und begaben sich zum Bahnhof. Vom Hof war eine Gewehrsalve zu hören. Oscar fürchtete schon, dass ein Hinrichtungskommando seine Arbeit aufgenommen hatte. Er kam sich vollkommen machtlos vor. Falls er jetzt aus Verzweiflung an der Schlange vorbei in das Büro eilte, würde sein offenbarer Mangel an Disziplin seine Chancen, etwas für Mohamadali zu erwirken, nur verschlechtern. Die Frage der Ordnung war nach der deutschen Logik wichtiger als die Entscheidung, ob Mohamadali am Leben bleiben durfte. Eine neue Gewehrsalve war vom Hof zu hören.

Es dauerte über eine Stunde, bis er an die Reihe kam. Ein

Leutnant mit starren Handbewegungen wies ihn ins Büro und deutete auf einen Stuhl vor dem Major, der vornübergebeugt an seinem Schreibtisch saß und sich Notizen machte. Oscar wartete eine Weile in der Stille, die nur vom Quietschen des Deckenventilators gestört wurde.

»Ach! Herr Oberingenieur Lauritzen. Es freut mich, Sie hier zu sehen«, begrüßte ihn der Major, als er von seinen Papieren aufschaute, die er mit einem Löschpapier traktierte.

»Ich bin leider aus einem ganz anderen Grund hier, als Sie wahrscheinlich vermuten, Herr Major. Leider ist diese Angelegenheit von größter Wichtigkeit, schlimmstenfalls geht es um Leben und Tod«, erwiderte Oscar so gefasst wie möglich.

Der Major sah erst betrübt aus, dann zog er demonstrativ eine Augenbraue hoch.

»Leben und Tod, was Sie nicht sagen, Herr Oberingenieur. Wir befinden uns bekanntlich im Krieg mit Russland, Frankreich, England und Belgien, und da geht es zweifellos um Leben und Tod. Aber Ihr Anliegen ist also offenbar ganz anderer Art?«

»Allerdings, Herr Major, aber nichtsdestoweniger äußerst dringlich.«

»Lassen Sie hören, aber fassen Sie sich kurz!«

Oscar sammelte sich, holte tief Luft und brachte sein Anliegen vor.

»Einer meiner Freunde und außerdem mein Geschäftspartner, Mohamadali Karimjee Jiwanjee, ist offenbar als Feind interniert worden. Das ist ein Fehler. Unsere Geschäfte gedeihen schon lange. Wir besitzen Plantagen in der Nähe von Dar, in Bagamoyo und in Tanga, für Sisal,

Kokos und Gummi. Wir haben wesentlich zum Wohlstand des Landes beigetragen, und das werden wir natürlich auch weiterhin tun, wenn dieser Krieg erst einmal gewonnen ist. Ich habe mir sagen lassen, dass es nicht allzu lange dauern wird. Es wäre unpassend, eine Stütze des Gemeinwesens in dieser Zeit als Feind zu internieren. Ich bitte Sie daher, meinen Freund und Kompagnon freizulassen. Ich übernehme persönlich die Verantwortung für seine Loyalität der Gesellschaft gegenüber.«

Jedenfalls habe ich mich kurz und knapp ausgedrückt, dachte Oscar, als er die reglose Miene des Majors betrachtete und sich überlegte, wie sein Gesuch wohl aufgenommen wurde.

Die Miene des Majors verriet nichts. Er öffnete eine Schreibtischschublade, holte ein paar Akten heraus und blätterte darin.

»Stimmt!«, stellte er dann fest. »Der Sansibarer Mohamadali und so weiter, Kategorie unzuverlässiges Element, wurde bis auf Weiteres interniert. Sie finden also, dass das ein Missverständnis war?«

»Ja, Herr Major. Das ist ein Missverständnis.«

»Gut! Sie sind hier in Dar ein geachteter Mann, Herr Oberingenieur. Sonst würde ich an ein solches Gesuch keinen Gedanken verschwenden. Wenn ich den besagten Sansibarer jetzt an Sie übergebe, was haben Sie dann mit ihm vor?«

Auf diese Frage war Oscar vollkommen unvorbereitet. Was sollte er mit Mohamadali anstellen? Zusehen, dass er so schnell wie möglich nach Sansibar zurückkehrte, wäre vermutlich die wahrheitsgemäße Antwort gewesen. Aber Sansibar war seit einigen Tagen Feindesland, englisches

Territorium, also war die aufrichtige Antwort vermutlich ebenso dumm wie gefährlich.

»Ich werde mich gut um meinen Freund und Kompagnon kümmern, das garantiere ich Ihnen«, antwortete er knapp.

Der Major dachte eine Weile nach und schien zu weiteren Fragen ansetzen zu wollen, überlegte es sich dann aber plötzlich anders, nahm einen Vordruck, schrieb rasch ein paar Zeilen und unterschrieb.

»Hier!«, sagte er, als die Tinte getrocknet war, und reichte Oscar das Formular. »Ihr Freund sitzt in der Arrestzelle. Gehen Sie hinunter, zeigen Sie die Anweisung vor, nehmen Sie Ihren Freund mit und … wie gesagt, kümmern Sie sich um ihn.«

Erleichtert nahm Oscar den Freilassungsbeschluss entgegen, verbeugte sich, dankte und ging zur Tür.

»Noch etwas, Herr Oberingenieur!«, kommandierte der Major, und Oscar hielt inne und drehte sich langsam um. Ihm schwante nichts Gutes.

»Ja, Herr Major?«

»Ich gehe davon aus, dass Sie die Sache Deutschlands unterstützen, obwohl Sie formell gesehen norwegischer Staatsbürger sind. Habe ich recht?«

»Ja, selbstverständlich, Herr Major. Ich wünsche mir von ganzem Herzen einen raschen und schonenden deutschen Sieg!«

»Gut! Dann erwarte ich Sie später in einer anderen Angelegenheit wieder in meinem Büro. Wir benötigen viele Freiwillige.«

Oscar antwortete nicht, nahm aber Haltung an, salutierte, verließ das Zimmer und schloss die Tür hinter sich.

Das Wartezimmer war immer noch von Freiwilligen überfüllt.

Mohamadali wies Zeichen leichter Misshandlungen auf, war aber im Übrigen wohlauf. Er fiel Oscar um den Hals und küsste ihn zum Entsetzen der deutschen Wachen auf beide Wangen.

Zwei Stunden später ritten sie Richtung Bagamoyo, weil sie dort mindestens zwei Schiffe liegen hatten, die nach Sansibar ablegen sollten, sobald sie fertig beladen waren. Wahrscheinlich waren das für geraume Zeit die letzten Transporte.

Bagamoyo lag zu weit entfernt, als dass sie dort noch vor dem Abend eingetroffen wären. Sie mussten unterwegs ein Lager aufschlagen, und Mohamadali machte sich wegen Räubern und wilden Tieren Sorgen. Oscar versuchte, ihn zu beruhigen, und versicherte, das Lagerfeuer würde die wilden Tiere abhalten. Er hätte in Afrika Tausende von Nächten unter freiem Himmel verbracht. Außerdem sei er gut bewaffnet und sie hätten genug Decken und Proviant.

Wie zu erwarten war, wurden sie etwas sentimental, nachdem sie gegessen hatten und satt und zufrieden ins Lagerfeuer starrten. Sie hatten viele entscheidende Jahre in Afrika verbracht. Sie hatten Plantagen angelegt und sehr gute Geschäfte gemacht, weil sie sich perfekt ergänzende Kompagnons gewesen waren. Oscars Stellung in Dar als germanischer Pionierheld hatte es ihnen erleichtert, die koloniale Bürokratie zu meistern. Mohamadalis Geschäftssinn hatte ein Übriges getan. Als Kompagnons waren sie allerdings nicht unzertrennlich, Oscar hatte den größten Teil des Unternehmens an Mohamadali verkauft und befand sich schon seit geraumer Zeit auf dem Absprung.

Trotzdem waren sie Freunde fürs Leben, obwohl sie in Zukunft in verschiedenen Teilen der Welt leben würden.

Was daraus werden würde, konnte in diesem Moment niemand vorhersehen. Dieser idiotische Krieg, dessen Ursache keiner recht verstand und der eigentlich die Menschen in Afrika nichts anging, hatte alles über den Haufen geworfen.

Mohamadali schlug Oscar vor, ihn auf der Dhau zu begleiten, wenn sie bei der nächsten Flut von Bagamoyo lossegelten. Die Überfahrt nach Sansibar würde sie selbst bei voll beladenem Schiff weniger als zwölf Stunden kosten. Von Sansibar aus sei es sicher nicht schwer, einen Dampfer nach Europa zu finden. Bargeld für die Reise sei ebenfalls kein Problem.

Das war ein verlockender Vorschlag. Aber Sansibar war englisches Territorium, und obwohl Norwegen nicht am Krieg teilzunehmen schien, zumindest noch nicht, so konnte man nicht wissen, was morgen oder übermorgen sein würde. Dass Norwegen auf Deutschlands Seite stand, hielt Oscar für selbstverständlich. Falls Norwegen also in den Krieg eintrat, dann aufseiten Deutschlands. Befand er sich zu diesem Zeitpunkt auf Sansibar, kam er dort nicht mehr weg.

Nein, das war zu riskant. Außerdem sagten alle, der Krieg würde nicht lange dauern und wäre spätestens Weihnachten vorbei. Mohamadali pflichtete ihm schließlich bei. Nach dem Krieg würde Sansibar vielleicht in deutschen Besitz übergehen, dann könne Oscar trotzdem auf diesem Weg nach Hause reisen, sodass sie ein weiteres Abschiedsfest feiern könnten.

Am nächsten Morgen verabschiedeten sie sich am Hafen von Bagamoyo am letzten Schiff der Firma voneinander, das nach Sansibar segeln würde. Sie umarmten sich lange. In Bagamoyo, der alten Hafenstadt, von der aus früher die Sklaven verschifft worden waren, gab es keine Deutschen, die daran hätten Anstoß nehmen können, dass sich zwei Männer umarmten und unter Tränen Abschied nahmen.

In dieser Nacht war Vollmond, und Oscar zog es vor, mit den Pferden nach Dar zurückzureiten, ohne ein weiteres Nachtlager aufzuschlagen. Der Sternenhimmel wölbte sich riesig und funkelnd über ihm, und es war fast vollkommen still. Unvorstellbar, dass sich die Welt im Krieg befand. Wenn er in Dar eintraf, würde der Morgen des dritten Kriegstages anbrechen. Er würde sich überlegen müssen, was er jetzt tun sollte. Sich auf die Terrasse seines Hauses setzen, aufs Meer schauen und auf das Ende des Krieges warten? Dann mit einigen Monaten Verspätung nach Hause reisen? Wahrscheinlich. Sich als Freiwilliger zu melden kam nicht infrage. Wenn der Krieg Norwegen nichts anging, dann ging er auch ihn nichts an.

Kurz nachdem die Sonne rot aus dem Meer aufgestiegen war, näherte er sich der Stadt, die wie jedes Mal einen atemberaubenden Anblick bot. Eine leichte, kühlende Brise wehte von Südost. Am Horizont waren die Silhouetten von zwei Schiffen zu erkennen, die wie Kriegsschiffe aussahen, niedriger als Frachter und mit hohen Aufbauten mittschiffs. Er grübelte nicht weiter darüber nach, was das bedeuten könnte. Dort draußen herrschte die englische Flotte, das gab sogar die deutsche Militärführung zu. Aber zwei klägliche Kriegsschiffe konnten doch wohl kaum eine große Stadt wie Dar einnehmen? Er vermutete, dass es mehr darum ging, sich zu zeigen, vorbeizufahren und zu drohen, um an die englische Vormacht auf den Weltmeeren zu erinnern.

Als er an Kokosplantagen vorbei von Norden auf die Stadt zuritt, näherten sich die Kriegsschiffe der Stadt und bezogen mit der Breitseite vor ihr Stellung. So konnte er auch die weiße englische Kriegsflagge deutlich am Heck erkennen.

Er war so ahnungslos und unvorbereitet, dass er nicht einmal, als er das Mündungsfeuer und die weißen Rauchwölkchen sah, verstand, was eigentlich geschah. Erst Sekunden später, als ihn die Druckwelle und der Lärm erreichten, begriff er. Nach einigen weiteren Sekunden bebte die ganze Stadt von Explosionen.

Er hielt seine verschreckten Pferde an und spürte gleichzeitig die Druckwellen weiterer Salven. Es war wie ein Kurzschluss in seinem Kopf, das Schauspiel war viel zu grauenvoll, als dass sein Gehirn akzeptieren wollte, was die Augen meldeten. Das war nicht wahr, das durfte nicht wahr sein.

Weiter oben in der Stadt, beim Radiosender, sah er Flammen und heftige Explosionen. Als die drei Sendemasten zusammengebrochen waren und das Feuer sich ausbreitete, fingen die Engländer an, auf ein anderes Ziel zu schießen, das er nicht sehen konnte, vermutlich den Bahnhof oder das Deutsche Haus. Bald brachen neue heftige Brände aus, und schwarzer Rauch legte sich über die Stadt. Die Engländer feuerten eine Salve nach der anderen ab und suchten sich das nächste Ziel. Jetzt beschossen sie den Hafen. Das schonungslose Feuer ging immer weiter. Er hörte ferne Schreie von Menschen in Panik, während die Flammen an drei verschiedenen Plätzen immer höher in den hellen Morgenhimmel züngelten.

Er saß mit angezogenen Zügeln wie gelähmt da und versuchte durch mechanisches Tätscheln sein Pferd zu beruhigen, solange das Artilleriefeuer andauerte. Etwas anderes blieb ihm nicht übrig. Oder vielleicht doch? Aber er war wie paralysiert. Er sah das Schauspiel wie in einem Traum, ohne zu begreifen, dass das der Krieg war. Die englische Flotte überfiel eine Stadt, die sich nicht verteidigen konnte. Warum, war unbegreiflich. Dort draußen arbeiteten Menschen im Schweiße ihres Angesichts, um andere Menschen zu töten, die sie nicht kannten und die ihnen nichts getan hatten.

Als die beiden englischen Kreuzer ihr Tagewerk verrichtet hatten, drehten sie Richtung Meer ab und dampften ohne Eile Richtung Horizont davon. Erst jetzt ließ Oscars Lähmung nach. In der Stadt gab es sicher jede Menge zu tun. Er schämte sich, dass ihm das nicht eher eingefallen war, und trieb seine Pferde an, die scheuten, weil ihnen der Rauch, das Dröhnen der Feuer und die schreienden Menschen nicht geheuer waren. Die größten Flammen stiegen aus dem Hafen auf. Er versuchte zu galoppieren, aber das Pferd, das er am Zügel führte, gehorchte nicht. Beinahe hätte er ein paar Männer von der freiwilligen Feuerwehr umgeritten, die mit Schläuchen und Pumpen in dieselbe Richtung wie er unterwegs waren.

Sein Haus war in Trümmer zerschossen und brannte lichterloh. Die Flammen stiegen zwanzig Meter und mehr in den hellen Morgenhimmel. Wegen der Hitze konnte man sich dem Feuer nur auf fünfzig Meter nähern. Alle Löschversuche waren sinnlos. Die Feuerwehrleute machten rasch wieder kehrt und eilten zu anderen Bränden, bei denen vielleicht noch etwas zu retten war. Das große weiße Haus, die schöne Landmarke, die schon von Weitem zu sehen gewesen war, wenn man sich Dar mit dem Schiff näherte, war rettungslos verloren. Ein paar Männer und Frauen standen wie gelähmt und hypnotisiert da, während das Feuer ohne Erbarmen alles verschlang.

Oscar rannte an der Reihe der Schaulustigen vorbei und fragte nach Hassan Heinrich und seiner Familie, aber alle schüttelten nur verwirrt den Kopf. Es gab nirgendwo Verletzte, niemand war dem Feuer entkommen. Die verdammten Engländer hatten die ganze Familie ermordet.

In den nächsten Stunden geschah etwas in Oscars Kopf, das er später nicht erklären konnte. Teile der Wirklichkeit verschwanden.

Er saß in einigem Abstand von der rauchenden Ruine seines Hauses allein am Strand, als er wieder in die Wirklichkeit zurückkehrte. Er konnte sich jedoch nicht erinnern, wie er dorthin gekommen oder wo er vorher gewesen war. Anscheinend hatte er die Pferde, die Satteltaschen und die übrige Ausrüstung im Stall zurückgegeben. So jedenfalls reimte er es sich zusammen. Auf seinen Knien lag sein Mausergewehr im Futteral. Offenbar war er mit dem Gewehr über der Schulter an den Strand gegangen, aber er konnte sich nicht daran erinnern.

Jemand hatte ihm erzählt, dass die englische Artillerie zwei Typen von Granaten verwendete, solche, die sprengten, und andere, die Brände verursachten. Wer ihm das gesagt hatte und wann, wusste er nicht mehr. Man war dabei, die Ruine seines Hauses zu löschen, vermutlich schon seit Stunden, aber erst jetzt wurde er sich dessen bewusst.

Hassan Heinrich hatte fünf Kinder gehabt. In der verkohlten, wassergetränkten Brandruine fand man ganz richtig fünf bis zur Unkenntlichkeit verbrannte Kinderleichen mit angezogenen Beinen sowie die Leichen zweier Erwachsener. Sieben Personen, das stimmte.

Hätten die Engländer nur einige Stunden später angegriffen, wären alle Bewohner des Hauses bereits auf den Beinen gewesen und ihren Beschäftigungen nachgegangen, drei der Kinder auf dem Weg zur Schule, und die im Haus Verbliebenen wären wenigstens wach und angekleidet gewesen. Da hätten sie nach dem Einschlagen der ersten Granate noch eine Fluchtchance gehabt. So aber waren sie von dem feigen Angriff der englischen Mörder im Schlaf überrascht worden.

Die trauernde Verwandtschaft Hassan Heinrichs, seine Eltern, seine Cousins und Cousinen und etliche Onkel, bargen die verkohlten Leichen und legten sie auf Palmblätter. Oscars Gedanken waren nicht mehr gelähmt. Er konnte sehen und hören, aber er konnte sich nicht dazu durchringen, mitzuhelfen. Eine ältere Frau stürzte auf ihn zu und beschimpfte ihn, dass alles seine Schuld wäre. Hassan Heinrichs Vater nahm sie in den Arm und führte sie schweigend weg.

Eine Stunde lang blieb er reglos sitzen. Langsam verstummte der Lärm der Löscharbeiten in der Stadt. Eine Karre mit sieben aufeinandergestapelten Särgen kam aus dem Eingeborenenviertel im Norden der Stadt. Vor Oscars Augen flimmerten Bilder von Hassan Heinrich vorbei, von seiner scheuen Frau Madima und den drei ältesten Kindern, die die Schule besuchten und bereits etwas Deutsch sprachen. Wie glücklich sie gewesen waren, in so einem prächtigen Haus zu wohnen, das noch dazu für alle Zeit ihnen gehören sollte. Jetzt hatte es ihnen den Tod gebracht.

Schließlich sah er ein, dass er etwas unternehmen musste, egal was, solange er nur etwas tat. Da er jetzt kein Zuhause mehr hatte, musste er wahrscheinlich in seinem Büro übernachten. Oder im Deutschen Haus, falls dort noch Platz war. Außer den zehn Prozent an der Eisenbahn, die im Augenblick keinen Nutzen brachten, besaß er in Afrika nur noch die Kleider, die er am Leibe trug, sein Mausergewehr, einen Patronengürtel und, immerhin etwas, einen Gürtel mit eingenähten Goldmünzen, den er schon seit Jahren für Notfälle immer an sich trug. Dazu kam noch sein Hut.

Dieser Krieg war jetzt auch sein Krieg geworden.

Dieser Gedanke war wie eine eiskalte Dusche, schmerzlich ernüchternd. Die Härchen seiner Unterarme stellten sich auf. Mit energischen Schritten begab er sich zum Militärkommando in der Kaiserallee.

Dort herrschte Chaos. Dokumente, Waffen und Soldaten wurden mit Wagen zum Bahnhof geschafft. Rußverschmierte Offiziere und Askaris ruhten sich nach harter Arbeit unter zwei Platanen und einem Baobab aus, von dem behauptet wurde, er sei tausend Jahre alt. Oscar bahnte sich mühsam zwischen entgegenkommenden Soldaten einen Weg die Treppe hinauf zum Büro Major Kempners. Es herrschte Aufbruchstimmung. In den fast leer geräumten Büros herrschte ein einziges großes Durcheinander. Er erwartete kaum noch, den Major oder einen anderen Offizier anzutreffen, der sein Gesuch, sich als Freiwilliger zu melden, hätte entgegennehmen können. Daher trat er, ohne anzuklopfen, bei Major Kempner ein, um sich zu vergewissern, dass niemand anwesend war. Zu seinem Erstaunen standen dort jedoch zwei Offiziere über einen Tisch mit Landkarten gebeugt. Der eine war Kempner, der andere Oberst Paul von Lettow-Vorbeck, der Oberbefehlshaber aller militärischen Verbände in Deutsch-Ostafrika.

»Ich bitte vielmals um Entschuldigung … Ich war sicher, niemanden mehr hier anzutreffen«, stotterte Oscar. So etwas war ihm in seinem ganzen Leben noch nicht passiert.

»Keine Ursache, Herr Oberingenieur!«, rief der Oberst. »Sie sind uns immer willkommen. Ich möchte Ihnen aber erst mein Bedauern für Ihre Verluste aussprechen. Falls Sie eine Erklärung wünschen, sofern Ihnen damit überhaupt gedient sein kann, so ist anzunehmen, dass die Engländer Ihr Haus mit der Residenz des Gouverneurs verwechselt haben. Wie können wir Ihnen in dieser schweren Stunde beistehen?«

»Ich möchte mich als Freiwilliger melden. Aber ich bin kein Soldat und will auch keiner werden.«

»Warum nicht?«, fragte der Oberst und deutete auf einen Stuhl. Oscar sollte Platz nehmen.

Die beiden Offiziere nahmen ebenfalls Platz und sahen Oscar neugierig an.

»Ich bin kein Soldat, weil ich mich dafür nicht eigne«, antwortete Oscar. »Ich kann Elefanten, Büffel und Löwen erschießen, aber keine Menschen, nicht einmal Engländer.«

Die Offiziere tauschten einen raschen Blick aus, den Oscar nicht deuten konnte.

»Sie erinnern sich vielleicht an unsere letzte Begegnung, Herr Oberingenieur?«, fuhr der Oberst fort. »Vermutlich ist es zehn Jahre her, dass ich Sie für die Schutztruppe zwangsrekrutieren wollte. Wir haben sehr nett mit diesem

Eisenbahndirektor im Deutschen Haus zu Mittag gegessen. Wie hieß er noch gleich?«

»Dorffnagel.«

»Richtig, Dorffnagel. An ihn erinnere ich mich kaum noch, aber an Sie erinnere ich mich sehr gut. Sie hatten ein ausgezeichnetes Abwehrmanöver durchgeführt und eine Eingeborenentruppe von beachtlicher Größe vernichtend geschlagen.«

»Das ist eine der unangenehmsten Erinnerungen meines Lebens, die nur davon übertroffen wurde, als ich heute die Leichen meiner Freunde in meinem niedergebrannten Haus sah. Ich wollte Ihnen anbieten, meine Ingenieurskenntnisse in Ihre Dienste zu stellen. Ich weiß alles über unsere Eisenbahnen, ich kann bauen und reparieren. Wenn wir uns auf einem Marsch befinden, kann ich zur Versorgung mit Wild beitragen. Das habe ich anzubieten, aber auf Menschen schießen kann ich nicht.«

Sie starrten ihn an, als ob er verrückt geworden wäre. Verlegen musste er sich insgeheim eingestehen, dass dies vielleicht zutraf. Er hatte gerade angeboten, an einem Krieg teilzunehmen, aber nur unter dem Vorbehalt, keine Feinde zu töten. Man konnte sich vorstellen, was zwei Berufsoffiziere von seiner paradoxen Einstellung hielten.

Sie betrachteten ihn nachdenklich, ohne etwas zu sagen. An der Decke knarrte der Ventilator. Dann erhob sich von Lettow-Vorbeck und deutete irgendwo auf der Landkarte auf das nordöstliche Hoheitsgebiet.

»Leutnant Lauritzen«, sagte er freundlich und überhaupt nicht im Befehlston. »Ja, von jetzt an sind Sie Leutnant der Pionierkompanie B der Schutztruppe. Ich befehle Ihnen hiermit, sich nach Handemi zu begeben. Von dort aus müssen wir eine Eisenbahnverbindung nach Mombo bauen, um unser am dichtesten besiedeltes Gebiet im Nordosten zu schützen und die Truppenbewegungen im Grenzgebiet zu den Engländern zu erleichtern. Kennen Sie diese Gegend und die Gegend um den Kilimandscharo?«

»Ja, Herr Oberst. Ich habe dort viel gejagt. Auch östlich davon im Massai-Land. Außerdem habe ich dort oben an vielen Eisenbahnstrecken mitgebaut.«

»Sehr gut. Dann kann ich Ihnen erklären, dass dieses Projekt bereits beschlossene Sache ist. Zwei Freiwillige haben die Leitung übernommen, Generalpostmeister Wilhelm Rothe und Regierungsrat Franz Krüger. Kennen Sie die beiden?«

»Ja, Herr Oberst, allerdings nur oberflächlich.«

»Gut. Die beiden sind Ihre Vorgesetzten bei dem Projekt. Haben Sie das verstanden?«

»Ja, Herr Oberst, das habe ich verstanden, aber …«

»Nein! Ich weiß sehr wohl, was Sie sagen wollen, Herr Oberingenieur. Was verstehen ein Generalpostmeister und ein Regierungsrat von Eisenbahnen? Vermutlich nicht das Geringste, aufrichtig gesagt. Aber sie haben sich als Freiwillige gemeldet, und das ehrt sie. Ihre gesellschaftliche Stellung macht es erforderlich, dass sie in der Schutztruppe mindestens den Rang eines Hauptmanns bekleiden. Daher sind die beiden auch Ihre Vorgesetzten. Aber ich bin mir sicher, dass sie über einen Leutnant, der alles kann, was sie nicht können, und der außerdem einer der besten Schützen des Landes sein soll, sehr froh sein werden. Haben wir uns verstanden?«

»Vollkommen, Herr Oberst. Aber …«

»Nein! Wir verstehen uns also. Lassen Sie mich noch

hinzufügen, dass Major Kempner und ich Ihren Beitrag sehr zu schätzen wissen. Wir haben es mit sehr großen Gebieten und enormen Distanzen zu tun. Wenn wir die Engländer besiegen wollen, und das werden wir, dann sind der Einsatz der Pioniere und die Transporte entscheidend.«

Sie rüsteten ihn militärisch aus, mit einem Rucksack, Proviant und einem Mausergewehr kleineren Kalibers als sein eigenes, für den Fall, dass er die zwanzig Patronen, die er für sein Jagdgewehr besaß, aufbrauchte.

Damit hatte Oscars Krieg begonnen. Es war August 1914, und alle schienen sich einig zu sein, dass der Krieg vor Weihnachten vorüber sein würde.

*

Für Oscar gestaltete sich der Krieg unerwartet angenehm. Er tat etwas, was er gut konnte, er leitete erneut einen Eisenbahnbau, außerdem im Nordosten in einer Höhe, in der das Klima erträglich war und weder Moskitos noch Tsetsefliegen die Arbeiter quälten. Wie Oberbefehlshaber Paul von Lettow-Vorbeck vorhergesehen hatte, hatten seine beiden Vorgesetzten, Generalpostmeister Wilhelm Rothe und Regierungsrat Franz Krüger, Oscar mit offenen Armen empfangen. Beide hatten in ihrem ganzen Leben noch keinen Meter Gleise verlegt. Ihre Fähigkeiten, die mehr auf der Verwaltungsebene lagen, waren jedoch ebenfalls sehr nützlich. Sie sorgten meisterhaft dafür, dass der Strom von Ochsenkarren mit Schienen, Schwellen, Proviant und Bier aus Dar nie abriss.

Das Terrain stieg von Handemi, wo die Strecke begann,

nach Mombo, wo der Anschluss an die große nördliche Bahnstrecke erfolgen sollte, leicht an. Die Arbeiten würden in einigen Monaten zu schaffen sein. Vielleicht würden sie nicht einmal vor Ende des Krieges fertig werden.

Die sporadischen Neuigkeiten waren immer gut. Bereits am 15. August hatten deutsche Truppen eine Festung bei Taveta, fünfundzwanzig Kilometer im englischen Territorium, erobert. Von dieser aus konnte man die eigene Bahnlinie verteidigen und die Engländer in Kenia bedrohen. Alle Berichte waren von einer herablassenden Haltung den Engländern gegenüber geprägt, dass sie leicht zu besiegen wären und schnell die Flucht ergriffen. So überlegen sie zur See waren, so unterlegen waren sie zu Land, schien es.

Umso erfreulicher war daher die Nachricht, dass der Kreuzer *Königsberg* im Morgengrauen des 17. September einen kühnen Angriff auf Sansibar unternommen und den Kreuzer *HMS Pegasus* versenkt hatte, eines der beiden Schiffe, die Dar am 8. August so schändlich angegriffen hatten.

Die albtraumhaften Bilder des abgebrannten Hauses und der verkohlten Leichen Hassan Heinrichs und seiner Familie hatten Oscar jede Nacht gequält, nachdem er sein Moskitonetz über sein Bett gezogen und den Schlaf gesucht hatte. In dieser Nacht stellte er sich stattdessen von Rachegefühlen erfüllt vor, wie die Mörder, die englischen Marineoffiziere, selbst im Höllenfeuer verbrannt waren.

Am nächsten Tag traf eine typische Burenochsenkarrenkarawane auf der Baustelle ein. Sie wurde von Christian Beyers angeführt, den Oscar flüchtig kannte. Christian war Bure, was von seinem Aussehen und Auftreten unterstrichen wurde. Er war groß und laut. Sie hatten 1909 ein paar

Nächte im Kongo zusammen verbracht und auf die passende Gelegenheit gewartet, ihr Elfenbein über den Nil zu schmuggeln. Beyers war ein bekannter Großwildjäger, er hatte aber auch versucht, eine Kaffeeplantage an den Hängen des Kilimandscharo anzulegen. Er gehörte zu den Buren, die Südafrika nach dem Sieg der Engländer im zweiten Burenkrieg verlassen hatten. Oscar würde die Engländer bis in alle Ewigkeit verabscheuen, aber verglichen mit dem glühenden Hass Christian Beyers' waren seine Gefühle regelrecht gemäßigt.

Christian, der wusste, dass Oscar sich auf dieser Baustelle befand, hatte sechs Flaschen Bier mitgebracht, die er Oscar jetzt feierlich als Geschenk überreichte. Er bedauerte, dass das Bier nicht die richtige Temperatur hatte, aber Eis war in dem Lager natürlich nicht zu bekommen.

»Kein Problem«, versicherte Oscar. »Eine Stunde nach Sonnenuntergang werde ich das Bier kalt servieren.«

Er nahm die Flaschen, tauchte drei Paar Wollsocken ins Wasser, schob die Flaschen hinein und band sie an einen Ast, sodass sie von der Abendsonne beschienen wurden.

Sie aßen an diesem Abend gemeinsam und erzählten sich Jagdgeschichten, als wollten sie beide das Thema Krieg meiden. Wie versprochen servierte Oscar zwar kein eiskaltes, aber ein angenehm kühles Bier. Christian staunte. Die Gesetze der Physik, erklärte Oscar. Wasserverdunstung entzieht Wärme, dadurch entstehe ein Kühleffekt.

Sie tranken feierlich ihr Bier. In der andächtigen Stimmung hatten sie plötzlich keine Lust mehr, von Treffern aus großer Distanz, von verletzten Büffeln, die aus dichtem Gebüsch angriffen, oder von angreifenden Nashörnern, die von vorn kaum mit einem Schuss zu erlegen waren, zu sprechen. Der Burenjäger wechselte das Thema, indem er sich vorsichtig erkundigte, wie es Oscar hierher verschlagen habe. Und so hob Oscars hasserfüllter Bericht über die englischen Mörder an. Wenn der Krieg einmal vorüber sei, würde sich kaum feststellen lassen, ob die Engländer oder die Belgier verachtenswerter seien. Vieles sprach natürlich für die Belgier, die in den Zeiten des abscheulichen Leopold II. über sechs Millionen Menschen im Kongo ermordet haben sollen. Sechs Millionen Ermordete! Dieses Verbrechen würde die Menschheit nie vergessen. In keinem europäischen Land wäre so eine Barbarei denkbar, am allerwenigsten in Deutschland und den skandinavischen Ländern.

Andererseits konnte man nicht wissen, wie viele Morde und Grausamkeiten die englischen Imperialisten in Indien und Afghanistan begangen hatten, das behielten sie wohlweislich für sich.

Nach Christian Beyers' Meinung waren die Engländer das verabscheuungswürdigste Volk der Welt, *verdomte rooineks*, wie er sie nannte. Das wusste er aus eigener Erfahrung, die ihm unter die Haut gefahren und bis tief in seine Seele vorgedrungen war. Auf dem Schlachtfeld zeichneten sie sich nicht sonderlich aus, versicherte er. Solange der Burenkrieg ein richtiger Krieg war, seien die Engländer unterlegen gewesen. Vor allen Dingen, wenn man es vermied, nach ihren Regeln aus dem 19. Jahrhundert Krieg zu führen, gemäß welchen zwei einander gegenüberstehende Einheiten erst in geraden Reihen aufeinander zumarschierten, dann innehielten und gleichzeitig aus nächster Nähe aufeinander feuerten. Im Transvaal hatten die Buren jedoch die Guerillataktik verwendet und auf diese

Weise die Rotnacken ziemlich dezimiert, ohne nennenswerte eigene Verluste zu erleiden.

Dann hatten die Engländer ihre Strategie geändert und waren zur feigsten Kriegsführung übergegangen, die der Mensch je ersonnen hatte. Da sie der Buren nie habhaft werden konnten, hatten sie sich in die landwirtschaftlichen Gebiete begeben und dort alle Höfe und Felder niedergebrannt und die Frauen und Kinder in Konzentrationslager gesteckt, wo sie langsam verhungert waren. Über zwanzigtausend Frauen und sechstausend Kinder waren gestorben. Die Botschaft der Engländer war eindeutig gewesen. Wenn ihr euch nicht ergebt, dann sterben alle eure Frauen und Kinder langsam, aber sicher.

Kein halbwegs normaler Mann wäre fähig gewesen, sich dieser Art von Erpressung auf Dauer zu widersetzen. Daher hatten die Buren aufgegeben und waren nicht auf dem Schlachtfeld, sondern durch den Massenmord an ihren Frauen und Kindern besiegt worden.

Christian Beyers' Frau und seine drei Kinder gehörten zu den Opfern, den Ermordeten. Und das nur, weil die verabscheuungswürdigen Rotnacken sich das Gold im Transvaal unter den Nagel reißen wollten. Aus diesem Grunde waren er und viele seiner Kameraden nach Deutsch-Ostafrika oder Deutsch-Südwestafrika geflohen, als die Kapitulation ausgesprochen war und man den Transvaal der Südafrikanischen Union unter der englischen Krone einverleibt hatte.

Man konnte natürlich der Meinung sein, dass sich die haarsträubende Zahl von sechs Millionen von den Belgiern ermordeten Menschen bei diesem Rechenspiel der Grausamkeiten nicht übertreffen ließ, aber es bestand ein entscheidender Unterschied zwischen Belgiern und Engländern. Jedenfalls war Beyers dieser Meinung. Die Belgier hatten Eingeborene ermordet, die Engländer weiße Frauen und Kinder.

Die Geschichte der englischen Barbarei, derer er sich nicht bewusst gewesen war, aber vor allen Dingen der Hass, der aus Christian Beyers' Augen leuchtete, verschlug Oscar die Sprache. Die Unterhaltung ließ sich nicht fortsetzen.

Es vergingen über zwei Monate, bis Oscar den Krieg aus der Nähe erlebte. Da hatte er schon längst die zusätzliche Eisenbahnverbindung von Handemi nach Mombo fertiggestellt. Seine Einheit war weiter nach Norden nach Moshi am Fuß des Kilimandscharo verlegt worden, wo von Lettow-Vorbeck sein Hauptquartier eingerichtet hatte. Die Strategie war, dem Gegner zuvorzukommen, sich auf britischem Territorium festzusetzen, damit die Engländer anderes zu tun hatten, als die deutsche Hafenstadt Tanga von Mombasa aus über die Küste einzunehmen. Daher hatte Oscar den Auftrag erhalten, eine Eisenbahnlinie aus dem eigenen Territorium zur besetzten und befestigten Stadt Taveta zu bauen. So waren sie den Engländern gegenüber immer im Vorteil, deren Transporte zum Beistand oder zur Zurückeroberung Tavetas aus der anderen Richtung durch wegloses Land ohne Wasser führten.

Während eines Offiziersdiners in Moshi, zu dem Oscar, jedenfalls hegte er den Verdacht, nur eingeladen worden war, weil er das Hauptgericht beigetragen hatte, drei Duiker-Böcke, die auf einem rotierenden Spieß gebraten wurden, hörte er von Lettow-Vorbeck davon erzählen, was als

Nächstes geschehen würde. Er war ebenso fasziniert wie beeindruckt von dem ruhigen, siegessicheren Vortrag des Oberbefehlshabers.

Da der Grenzkrieg zu Lande die Engländer nicht voranbrachte, würden sie als Nächstes eine Invasion vom Meer aus versuchen. Aber sie würden nicht Dar angreifen, sondern Tanga. Die Wahl des Angriffsziels liege auf der Hand. Dar als Brückenkopf müsse ständig von See aus versorgt werden. Aber mit der Einnahme Tangas würden die Engländer gleich mehrere Fliegen mit einer Klappe schlagen. Sie hätten damit den Anfang der nördlichen Bahnstrecke zum Kilimandscharo in ihrer Gewalt und könnten von Mombasa aus Verstärkung die Küste entlang zu ihrem Brückenkopf schicken. Anschließend würde als selbstverständliche Konsequenz der große Vorstoß auf Daressalam erfolgen. Man müsse kein Hannibal sein, um dies vorauszusehen. Oscar hatte sich sagen lassen, dass Hannibal und Alexander der Große von Lettow-Vorbecks militärische Vorbilder waren.

Folglich verstärkte man jetzt die Garnison in Tanga und bereitete Eiltransporte mit der Eisenbahn vor, für den Fall, dass die Engländer angriffen. Das war in seinen Augen nur eine Frage der Zeit.

Oscar kam sich wie ein ausgeprägter Zivilist vor, als er sich die Unterhaltungen der Offiziere anhörte. Er konnte ihren Erwägungen nicht ganz folgen und verstand vor allen Dingen nicht, wie sich der höchste Chef hinsichtlich der zukünftigen Ereignisse so sicher sein konnte.

Einige Wochen später, am 3. November, traf ein Telegramm aus Tanga ein, in dem zu lesen stand, dass die englischen Truppen an Land gingen. Vierzehn Landungsboote unter dem Schutz des Kreuzers *HMS Fox* waren eingetroffen, und die englischen Truppen, nach Berechnungen zehntausend Mann, strömten an Land. In Tanga hatte Deutschland nur achthundert Mann, also eilte es, Verstärkung heranzuschaffen.

Oscar hatte die folgende Operation bis ins kleinste Detail vorbereitet. Er sollte für die fachmännische Verladung der Geschütze und Munition auf die bereitstehenden Waggons sorgen. Für den Fall einer Entgleisung würde er den Zug nach Tanga zusammen mit fünfundzwanzig seiner Gleisbauer und mit Wagenhebern und Kränen ausgerüstet persönlich begleiten. Das Eintreffen der Artillerie in Tanga konnte von entscheidender Bedeutung sein, deswegen durfte beim Transport nichts schiefgehen.

Der Zug konnte aufgrund des hohen Unfallrisikos nicht sehr schnell fahren. Die Reise gestaltete sich nervenaufreibend. Jedes Mal, wenn sie das Tempo erhöhten, riskierten sie, zu entgleisen. Oscar, der wie immer in der Lokomotive mitfuhr, musste dem nervösen Lokführer immer wieder vorrechnen, weswegen langsamer zu fahren sei, sobald dieser die Geschwindigkeit zu sehr erhöhte.

Als sie den Stadtrand Tangas erreicht hatten, hielten sie an, um abzuladen. Ihnen war mitgeteilt worden, sich nicht bis zum Bahnhof vorzuwagen, da sie dort Gefahr liefen, von dem englischen Kreuzer auf der Reede beschossen zu werden.

Es stellte zwar ein zusätzliches Problem dar, die Geschütze mit Fuhrwerken bis an die Front schaffen zu müssen, aber das hatte keine so große Bedeutung. Eigentlich war die Schlacht bereits gewonnen. Die größte englische Niederlage moderner Zeit würde bald eine Tatsache sein.

Ein paar kleinere Aufräumaktionen standen noch aus, mehr oder weniger eine Formalität. Einige Stunden später, als die deutsche Artillerie einsatzbereit war, entschied sich die Sache. Am 5. November hissten die Engländer die weiße Fahne und schickten eine Delegation, um über die Rückgabe Verwundeter zu verhandeln. Die deutsche Seite erbot sich großzügig, fast tausend tote englische Soldaten zu begraben.

Im Laufe des Tages begab sich Oscar zur Offiziersmesse im Kaiserhof, wo man bereits den Sieg feierte und mehrere Offizierskollegen ihm mit Begeisterung die Details erzählten. Aus Verhören von Gefangenen hatte man ein gutes Bild des Verlaufs erhalten. Zum einen bestanden die »englischen« Truppen ausschließlich aus Indern, der *Indian Expeditionary Force B*, die bereits am 16. Oktober von Bombay bei schwerem Seegang in See gestochen war. Die zehntausend indischen Soldaten waren wie Vieh auf die Schiffe verladen worden. Die sanitären Verhältnisse waren, wie man es sich vorstellen konnte, unerträglich, und sie waren unter anderem von einer Choleraepidemie heimgesucht worden.

Der englische Wahnsinn war unbegreiflich. Nach einer derart aufreibenden Seereise hätten sich die Truppen erst einmal einige Tage in Mombasa ausruhen müssen. Aber die englischen Generäle hatten die indischen Soldaten, die *63rd Palamcottah Light Infantry*, umgehend nach Tanga verfrachtet. Dort hatte man sie direkt in die Landungsboote umgeladen.

Die deutsche Garnison traute ihren Augen kaum. Die nonchalanten Engländer waren sich so sicher gewesen, dass die Stadt ungeschützt war und dass sie den Überraschungs-

effekt auf ihrer Seite hatten, dass sie keine Erkundungs-
trupps an Land geschickt hatten, um sich zu vergewissern,
dass kein deutscher Widerstand zu erwarten war.

Laut telegrafischem Befehl von von Lettow-Vorbeck,
der mit weiteren tausend Soldaten in einem Expresszug
von Moshi unterwegs war, sollte die Garnison damit warten, sich zu erkennen zu geben, bis etwa die Hälfte der
Landungstruppen das Ufer Tangas erreicht hätte. Man
wollte die Engländer so lange wie möglich in Sicherheit
wiegen, damit möglichst viele von ihnen in die Falle gingen. Als man dann das Feuer gleichzeitig aus verschiedenen
getarnten Positionen eröffnete, brach bei den Landungstruppen natürlich Panik aus. Obendrein hatten sie auch
noch die Natur und nicht nur ihre eigenen Generäle gegen sich. Im Zuge des verzweifelten Versuchs eines Gegen-
angriffs drangen sie durch die Gummiplantagen Richtung
Stadt vor. Hier standen etliche Bienenstöcke. Einige der
deutschen Askari-Soldaten hatten den glänzenden Einfall,
auf diese Bienenstöcke zu schießen. Die armen indischen
Soldaten mussten sich daraufhin, mehr oder minder blind
in Wolken wütender Bienen gehüllt, zurückziehen.

Der deutsche Sieg war überwältigend. Am Ufer lagen
Unmengen militärischer Ausrüstung, die die Truppen zurückgelassen hatten. Gewehre und Munition, Maschinengewehre, leichte Artilleriegeschütze, Telefonausrüstungen,
Decken, Waffenröcke, Uniformen, Medizin und Ausrüstung für ein Feldlazarett, aber auch eine halbe Tonne Chut-
ney. Das wies darauf hin, dass die Engländer vorgehabt
hatten, zu bleiben. Trotzdem war es einigermaßen erstaunlich, dass die eingelegte Mango mit das Erste gewesen war,
was sie an Land gebracht hatten.

Aus den wohlgefüllten Kellern des Kaiserhofs wurde sämtliches Bier an die deutschen Askari-Soldaten ausgegeben, die die ganze Nacht ums Feuer tanzten und Lieder über indische Soldaten sangen, die sie mit Ziegen verglichen.

Nachdem die englischen Unterhändler die Kapitulation unterzeichnet hatten, konnte man beginnen, sich über die praktischen Fragen zu einigen. Die Engländer sollten tausend verwundete, aber dennoch transportfähige Soldaten zurückerhalten. Die neunundvierzig Verwundeten, die man nicht für transportfähig hielt, sollten von den Deutschen im nächsten Feldlazarett versorgt werden. Man hatte sich gleichzeitig, vielleicht etwas zu großzügig, erboten, die etwa tausend Gefallenen der Expeditionstruppe zu begraben, die am Stadtrand von Tanga und am Ufer verstreut lagen.

Anschließend nahm ein »Kapitulationsdiner« im Kaiserhof seinen Anfang, bei dem die englischen Offiziere ihrer Wertschätzung für deutsches Bier Ausdruck gaben. Im Übrigen waren sie guter Dinge und diskutierten die Schlacht mit derselben Unbekümmertheit, als handele es sich um ein beliebiges Kricketmatch.

Oscar nahm zwar an dem Diner teil, aber wegen seines niedrigen Ranges saß er weit unten an der Tafel und hörte nichts von der Unterhaltung zwischen von Lettow-Vorbeck, Hauptmann Baumstark, Major Tom of Prince und den elegant gekleideten englischen Marineoffizieren. Oscar konnte nur ihre Gesten und ihre Mienen sehen. Offenbar hielten die englischen Gentlemen zweitausend gefallene Inder für vernachlässigbar, da das Leben eines Inders ohnehin nichts wert war. Allmählich begann Oscar, die oft gehörten Geschichten über die Grausamkeit der Engländer beim Bau der Eisenbahn zwischen Mombasa und Nairobi zu glauben. Sie hatten unzählige indische Kulis nach Mombasa verschifft, ohne Medikamente gegen Malaria oder andere Krankheiten, da diese nur für Gentlemen waren. Folglich starben bei dem Bau dieser Eisenbahn Zehntausende Inder. Das bekümmerte die Engländer aber nicht im Mindesten, sie verschifften dann einfach weitere Sklavenladungen nach Mombasa.

Diese Geschichten waren also wahr, das sah er nach der Schlacht bei Tanga ein. Sie hatten sich so unwahrscheinlich, so unsinnig, auch so unwirtschaftlich angehört, dass er sie immer für vorurteilshafte Verleumdungen gehalten hatte. Aber alles war wahr, sie hatten es dieses Mal wieder getan.

Die Engländer würden vermutlich immer neue Frachter mit Kanonenfutter füllen und nach Afrika verschiffen, schlimmstenfalls, bis sie siegten und alle weißen Obersten und Generäle mit Orden behängen konnten. Sie waren wahrhaftig eine unmenschliche Brut. Vielleicht hatte Christian Beyers trotz allem recht, wenn er behauptete, die Engländer seien der Abschaum der Erde.

Die Massengräber auszuheben fiel leider der Pioniertruppe zu. Außer Oscar befand sich jedoch kein Pionieroffizier in Tanga. Am Tag nach dem Fest musste er daher acht Züge Totengräber aus äußerst unwilligen und sehr verkaterten Askari-Soldaten zusammenstellen, eine scheinbar unmögliche Aufgabe. Als Arbeitsleiter beim Eisenbahnbau hatte er nie Schwierigkeiten mit dem Gehorsam gehabt, nicht einmal während der schlimmsten Löwenpanik. Aber in diesem Fall war es anders.

Totengräber war eine der niedrigsten Arbeiten, die man

normalerweise Leuten überließ, die nicht als Soldaten taugten. Es schien unmöglich zu sein, die Askaris dazu zu bewegen, mit der Arbeit zu beginnen. Oscar dachte scharf nach. Er sah ein, dass er mit Drohungen nichts erreichen würde. Nicht einmal wenn er, rein theoretisch, einen der Männer wegen Befehlsverweigerung erschießen ließ.

Gefallene Feinde würdig zu begraben war Ehrensache. Davon zumindest ging Oscar aus, obwohl ihm die Vorschriften für das deutsche Militär gänzlich unbekannt waren. Das bedeutete, dass jeder Feind in seiner Uniform, vollständig angekleidet mit Stiefeln und allen Orden, begraben werden musste.

England hatte über Deutsch-Ostafrika jedoch eine Blockade verhängt, um sämtliche Importe zu unterbinden, damit der deutsche Feind schließlich buchstäblich barfuß kämpfen musste.

Das brachte ihn auf die Lösung seines Problems. Er ging zum Zeltlager der Askari-Soldaten, zitierte einen Trompeter herbei und ließ zum Aufmarsch blasen. Die unwillige Versammlung ließ sich extra viel Zeit und sah ihn finster an. Allen war klar, worum es ging.

Er wartete, dass es still wurde, aber das missmutige Gemurmel nahm kein Ende. Schließlich hob er zu sprechen an, und sofort verstummten auch die letzten Unzufriedenen. Er teilte ihnen nämlich mit, dass es erlaubt sei, Habseligkeiten und die Stiefel der Toten zu konfiszieren. Er brauche zweihundert Freiwillige.

Es meldeten sich bedeutend mehr Freiwillige, und schließlich musste er die Zahl der hoffnungsfrohen Plünderer begrenzen. Er bedachte nicht, dass er gerade die Todesstrafe für Plünderung im deutschen Heer in Afrika aufgehoben hatte. Er wusste nicht einmal, ob er diese Befugnis besaß, und noch viel weniger, welche Konsequenzen diese Entscheidung für ihn selbst haben könnte. Tausend verwesende Inder mussten unter die Erde gebracht werden, darum kamen sie nicht herum.

Die Hälfte der Männer wurde dazu eingeteilt, einen langen, zwei Meter breiten und zwei Meter tiefen Graben auszuheben, die andere Hälfte schickte er in Zweiergruppen mit je einer Trage los, um die Gegend abzusuchen und die Toten einzusammeln.

Bald zeigte sich ein entscheidender Schwachpunkt in seinem Plan. Die Männer, die die Toten zusammentragen sollten, waren rasch mit Stiefeln und Kleiderbündeln überladen und konnten ihrer eigentlichen Aufgabe kaum noch nachkommen. Und diejenigen, die die Grube ausheben mussten, waren äußerst ungehalten über die Ungerechtigkeit. Die Anweisungen mussten geändert werden.

Alles, was den gefallenen Indern abgenommen wurde, sollte neben dem Massengrab auf einen Haufen gelegt werden. Die Verteilung würde dann nach Abschluss der Arbeit erfolgen.

Bald erkannte Oscar jedoch, dass auch damit nicht viel erreicht war. Die indischen Soldaten waren in der Regel arm. Aber der eine oder andere hatte doch irgendwelche Reserven besessen, die er in Form von in den Gürtel eingenähten Goldmünzen bei sich getragen hatte. Große Gegenstände wie Stiefel, Waffen und Uniformröcke stapelten die Askari-Soldaten ordentlich neben dem Massengrab auf. Kleinere Gegenstände steckten sie ein, wie Oscar bei einem Kontrollrundgang auffiel.

Im ersten Moment erwog er, nach Beendigung der

Arbeit alle Männer durchsuchen zu lassen, aber diesen Gedanken verwarf er rasch, denn was sollte er mit den Dieben tun? Sie erschießen lassen?

Das Problem ließ sich nur auf eine Art lösen. Er fand es fast peinlich, dass ihm das nicht schon eher eingefallen war. Zum einen tat er so, als bekäme er nichts mit, zum anderen bestand er darauf, dass sich die Arbeiter nach der halben Zeit abwechselten. So hätten alle die gleiche Chance, die indischen Leichen zu plündern.

Es war erbärmlich, traurig, herzzerreißend, ein Ausdruck menschlicher Erniedrigung, wie er ihn noch vor wenigen Monaten in Deutsch-Ostafrika für unmöglich gehalten hätte.

Aber tausend verwesende Leichen stellten eine ernsthafte Seuchengefahr dar, die die Engländer selbst nicht heimsuchen würde. Die Arbeit musste unbedingt erledigt werden. So gesehen konnte man schon mal Zugeständnisse machen und Plünderung zulassen. Den Leichen die Stiefel von den Füßen zu reißen war eine Sache, aber ihnen die Taschen zu durchwühlen oder jedem Offizier auf der Suche nach Gold gewaltsam den Mund zu öffnen war etwas ganz anderes. Aber schließlich war Krieg.

Die Garnison in Tanga wurde verstärkt, da man damit rechnete, dass die Engländer einen weiteren Versuch machen würden, die Stadt einzunehmen. Die nächste Schiffsladung seekranker Inder würde früher oder später eintreffen. Die deutsche Haupttruppe kehrte mit der Bahn nach Moshi zurück, um den Regen abzuwarten, der jeden Krieg zum Erliegen bringen würde.

Als sie in der Offiziersmesse in Moshi Weihnachten feierten, war die Stimmung ausgelassen. Die Brauerei Schultze in Dar hatte ihre Produktion nicht verringert. Es gab ausreichend Bier und Proviant. Die Verluste hielten sich bislang in Grenzen, und sie hatten den Krieg im ersten Jahr gewonnen.

In der Silvesternacht, die das Jahr 1915 einleitete, wurde die neue Hymne, die Oscar bisher noch nie gehört hatte, gesungen:

Deutschland, Deutschland über alles, über alles in der Welt …

XXII

OSCAR

Deutsch-Ostafrika, 1915 bis 1917

Oscars Zeit als Brückenbauer war definitiv vorbei. Der Generalstab hatte ihn Werner Schönfeldts Sabotagetruppe zugeteilt, die den Auftrag hatte, Brücken und Eisenbahnlinien zu sprengen. Als er begriffen hatte, was von ihm verlangt wurde, war er anfangs empört gewesen. Er sollte genauso viel zerstören, wie er aufgebaut hatte. Die Vernunft versuchte, sich seiner Empörung zu widersetzen. Schließlich handelte es sich um englische Brücken und Bahnverbindungen.

Es war schlimm genug, dass ihm die Aufgabe anfänglich unmoralisch vorgekommen war. Dass der Befehlshaber der Truppe Werner Schönfeldt und seine zwei wichtigsten Leute, Fritz Neumann und Günther Ernbach, seine Fähigkeiten offen anzweifelten, als er sich in ihrem Lager einfand, machte die Sache nicht besser. Sie hielten sich für eine kleine, extrem harte Elitetruppe, in der einander alle, Schwarze wie Weiße, blind vertrauen können mussten. Eine Eisenbahnbrücke zu sprengen war eine Sache, lebend und zu Fuß zu entkommen etwas ganz anderes. Solche Verbände waren nichts für Zivilisten und Snobs von der Universität.

Das wollte man Oscar anhand einer Reihe abschreckender Informationen klarmachen. Beispielsweise, dass bei Einsätzen alle gleich viel Gepäck tragen müssten, ganz gleichgültig, ob es sich um einen Träger oder einen Leutnant der Pioniere handele, ob man weiß oder schwarz sei.

Oscar hatte gegen die implizite Unterstellung, dass er zu nichts tauge, nichts vorzubringen. Er fand es sinnlos, sich mit potenziellen Fähigkeiten, wie beispielsweise seiner Ausdauer bei der Verfolgung eines verletzten Elefanten, zu brüsten. Er hatte auch keine Lust, sich dafür zu entschuldigen, dass er so »vornehm« sprach, was insbesondere Günther Ernbach zu provozieren schien, der im Ruhrgebiet im Stahlwerk gearbeitet hatte und nicht damit hinterm Berg hielt, dass er hochnäsige Ingenieure und Direktoren hasste.

Ob er tauglich war oder nicht, musste sich in der Praxis zeigen. Mit Worten ließ sich hier jedenfalls nichts erreichen.

Nicht ganz unerwartet versuchten sie ihn kleinzukriegen, als sie sich, vier Weiße und acht schwarze Träger, zwei Tage später auf den Weg zum nächsten Angriff machten. Jeder trug fünfundzwanzig Kilo, die Afrikaner auf dem Kopf, die Europäer in großen Armeerucksäcken. Man brach kurz vor der Morgendämmerung auf, und zwar von Taveta aus in Richtung Norden, um irgendwo zwischen Tsavo und Kibwezi auf die englische Bahnlinie zu stoßen. Die ausgetrocknete Landschaft war überwiegend mit dichtem Gebüsch bewachsen. Es gab ärgerlich viele Tsetsefliegen, die in schwarzen Wolken angriffen. Am Himmel war hingegen kein einziges Wölkchen zu sehen. Im Laufe des Tages würde es sicher über vierzig Grad warm werden.

Gegen zehn, nach vierstündigem Marsch und nur einer

kurzen Pause, hätte Oscar es für angezeigt gehalten, sich in den Schatten zu begeben, um einige Stunden zu schlafen und etwas zu essen. Ihr Ziel lag ohnehin drei Tagesmärsche nördlich, tief im britischen Territorium. Werner Schönfeldt, der mit Karte und Kompass vorausging, schien jedoch keine Pause einlegen zu wollen. So gingen sie in der zunehmenden Mittagshitze unverdrossen weiter. Anfangs nahm Oscar an, es habe geografische Gründe, dass die kleine Expedition erst einmal die dichten Büsche hinter sich bringen wollte, um am Rand der sich anschließenden Steppe ein Lager aufzuschlagen und später im Schutz der Dunkelheit über die offene Ebene zu marschieren.

Aber die Landschaft veränderte sich nicht, und mit zunehmender Hitze wurden auch die Angriffe der Tsetsefliegen aggressiver. Langsam ging Oscar auf, dass sich diese uneffektive Kräfteverschwendung gegen ihn richtete, den unerwünschten Ingenieur, der auf höchsten Befehl in die verschworene Kameradschaft eingedrungen war. Ihm begannen die Träger leidzutun, es war in jedem Fall einfacher, eine Last in einem Rucksack zu tragen und die Hände frei zu haben, als sie auf dem Kopf balancieren zu müssen.

Der erste Träger fiel um ein Uhr nachmittags um, die heißeste Stunde des Tages, in der sich kein afrikanisches Lebewesen, weder Mensch noch Elefant, bewegte. Fritz Neumann schien ebenfalls dem Zusammenbruch nahe zu sein, als er auf den einzigen Baum in Sichtweite, einen Leberwurstbaum, zuwankte. Als er den Rucksack absetzte, fiel er um. Unwirsch erklärte er, er sei über eine Wurzel gestolpert.

Die Wasserrationen wurden ausgeteilt. Die deutschen

Kameraden mussten sich zurückhalten, beim Trinken nicht zu gierig zu wirken. Sie breiteten Zeltplanen aus, um darauf zu liegen, und bedienten sich von den Konserven. Feuer machen kam nicht infrage, weil man sie sonst entdeckt hätte, auf Kaffee mussten sie also verzichten.

Schweigend saßen die vier Offiziere da und aßen geräucherte Sprotten aus der Dose. Eine ganze Weile sagte keiner etwas. Die Afrikaner hatten sich auf den Zeltplanen ausgestreckt und schliefen bereits. Die Deutschen schielten ab und zu forschend zu Oscar hinüber. Dieser tat, als merke er nichts.

»Sie sind eigentlich Norweger«, murmelte der Anführer Werner schließlich.

»Ja. Aber aus verschiedenen Gründen sind Deutschlands Angelegenheiten auch meine. Unter anderem, weil ich die Gelegenheit erhielt, mich in Dresden zum Ingenieur ausbilden zu lassen«, erwiderte Oscar so ungerührt wie möglich. »Deshalb spreche ich auch so, wie man es an der Universität lernt«, fuhr er etwas kühner fort. »Was dem Kameraden Günther offenbar missfällt. Aber ich kann versichern, dass mein norwegischer Dialekt, meine Muttersprache, ausgesprochen proletarisch ist.«

Mit Erstaunen sah er Günther aus vollem Hals lachen. Die anderen stimmten ein.

Oscar verstand nicht, was so lustig an dem war, was er gesagt hatte, und sah die erschöpften, verschwitzten Männer fragend an. Harte Kerle, kein Zweifel, alle vollbärtig, breitschultrig und muskulös wie er selbst. Werner Schönfeldt war germanisch blond, auch sein Vollbart. Fritz hatte leicht rötliche Haare und der Ingenieurhasser Günther kohlrabenschwarze. Sie schienen sich immer noch sehr über das, was Oscar gesagt hatte, zu amüsieren, sahen sich vielsagend an und lachten erneut.

»Bester Herr Oberingenieur«, sagte Werner schließlich, »wir sind alle einem bedauerlichen Missverständnis zum Opfer gefallen. Ich bitte vielmals um Entschuldigung. Ich selbst habe geglaubt, man hätte unserem Verband einen verdammten Tintenpisser aufgehalst. Sie wissen schon. Die Militärbürokratie ist manchmal unergründlich. Mein Freund hier, Kamerad Günther, glaubte, er habe es mit einem Klassenfeind zu tun. Seine Worte. Und dann zeigt es sich, dass Sie gar nicht die Sprache der Oberklasse sprechen, sondern die des Proletariats. Auch das ein Ausdruck Kamerad Günthers. Was die Politik betrifft, bin ich mir mit Günther uneinig, aber wir haben uns darauf geeinigt, den Klassenkampf für die Dauer des Krieges ruhen zu lassen. Sind Sie damit einverstanden, Kamerad Oberingenieur?«

Oscar konnte nur zustimmend nicken. Er versuchte zu lächeln. Er hatte keine Ahnung, wieso ihm plötzlich das Wort »proletarisch« eingefallen war, aber offenbar hatte es das Eis gebrochen.

Das Eis gebrochen. Es war Januar. Eigentlich hätte er jetzt zu Hause sein sollen. Außerdem hätte der Krieg vorüber sein sollen.

»Noch etwas. Ich habe nachgedacht«, fuhr Werner fort. »Ich glaube, ich weiß jetzt, wer du bist, verzeih, aber von jetzt an duzen wir uns in diesem Kreis. Du bist der Löwenjäger von Msuri, nicht wahr?«

»Ja. Aber ich habe hauptsächlich Elefanten gejagt. Und dabei legt man bedeutend längere Strecken zurück als die heutige.«

Die drei Deutschen lachten erneut und zogen sich gegenseitig mit der Wette auf, bei der es offenbar darum gegangen war, wann der Grünschnabel zusammenbrechen würde. Damit war das Kriegsbeil endgültig zwischen ihnen begraben.

Anfänglich stellten die Sabotageaktionen keine Schwierigkeiten dar, von den langen, anstrengenden Anmärschen einmal abgesehen. Sie verwendeten Dynamit, das mittels einer Zündschnur gezündet wurde. Sie wählten einen Platz, schätzten die Zeit, die es dauern würde, bis der Zug den ausgewählten Platz erreichte, und berechneten danach die Länge der Lunte. Sie vergruben den Sprengsatz und zogen sich bis auf denjenigen, der die Lunte anzünden musste, zurück. Und wieder war ein englischer Zug entgleist, und sie mussten auf dem Rückweg weniger schleppen.

Nachdem die Engländer auf diese Weise drei Lokomotiven verloren hatten, versahen sie ihre Züge mit einem letzten Waggon voller hinter Sandsäcken verschanzter Askari-Krieger, die unter englischem Befehl standen. Das erschwerte die Lage. Die englischen Askari-Soldaten waren genauso gut wie die, die auf deutscher Seite kämpften. Sie konnten weite Strecken im Dauerlauf zurücklegen, konnten auch bei größter Hitze marschieren und waren unbarmherzige Verfolger. Die englischen Offiziere konnten bei Hitze allerdings nicht mit ihnen Schritt halten.

Werners Sabotagetrupp änderte die Taktik. Entweder schlugen sie mittags zu, wenn sich die englischen Offiziere von der Hitze erholten, oder in der Nacht, wenn die afrikanischen Soldaten nur ungern die Verfolgung aufnahmen. Obwohl sie ihren Verfolgern immer wieder entkamen, die hinter ihren Barrikaden im letzten Waggon hervorstürzten, wurde es zunehmend schwieriger.

Einmal hätte Oscar beinahe einen Verfolger erschossen. Es war Nacht. Auf der trockenen Erde hatten sie keine verwertbaren Spuren hinterlassen. Der Verfolger war barfuß, wie die englischen Askaris oft, und bewegte sich wie Chui und Simba fast lautlos in der Dunkelheit. Oscar stand reglos und ganz still da. Das einzige Licht, das ihm zur Verfügung stand, waren eine Mondsichel und die Sterne. Er zielte mit seinem Jagdgewehr mehr auf Geräusche als auf Sichtbares. Der Mann kam bis auf drei Meter an ihn heran. Noch einen Schritt weiter, dann hätte Oscar ihn erschießen müssen. Werner und die anderen Kameraden waren über hundert Meter entfernt, im Busch ein großer Abstand bei Dunkelheit. Ein Schuss hätte bei den Verfolgern nur für Verwirrung und Entsetzen gesorgt. Aber wie durch eine göttliche Vorsehung überlegte es sich der Verfolger im letzten Augenblick anders. Er machte kehrt und schlug eine andere Richtung ein. Oscar, der noch keinen Menschen im Krieg getötet hatte, atmete auf. Gleichzeitig stellte er resigniert fest, dass es vermutlich nur eine Frage der Zeit war. Krieg war Krieg. Aber je länger er seinen Krieg unter humanitären Formen betreiben konnte, desto besser.

Mit der *Kronborg* änderte sich alles. Sie hatte Wilhelmshaven unter dänischer Flagge mit jütländischer Besatzung verlassen. Der Kapitän hieß Karl Christiansen. Sie hatte die Shetlandinseln nördlich und die Färöer südlich umfahren und einen Monat später, ohne von der englischen Flotte behelligt worden zu sein, die Kapverdischen Inseln erreicht. Von dort war sie, ohne Benutzung des Funkgeräts, bis zur deutschen Hafenstadt Tanga weitergefahren. Das

Schiff war ein Blockadebrecher, dem beinahe Erfolg beschieden gewesen wäre. Aber am 14. April entdeckte die *HMS Hyacinth*, was sich anbahnte. Sie ließ sich von der dänischen Fahne nicht täuschen und nahm die Verfolgung auf.

Kurz vor Tanga ließ Kapitän Christiansen, die *HMS Hyacinth* in Sichtweite, seine Besatzung an Land bringen, übergoss das Deck mit Öl, öffnete die Ventile im Rumpf, setzte die *Kronborg* auf Grund und entzündete das Öl, als der englische Kreuzer das Feuer auf die *Kronborg* eröffnete. Dichter Rauch stieg auf. Die Engländer fuhren noch eine Weile mit dem Beschuss des Schiffes fort, dann drehten sie bei.

Oscar hörte von der Geschichte, als er nach Tanga abkommandiert wurde, um an der Bergungsarbeit teilzunehmen. Alle Pioniere hatten diesen Befehl erhalten, was eigentlich gar nicht notwendig gewesen wäre, da die Afrikaner mit der Bergung schon recht weit gekommen waren. Oscars Beitrag beschränkte sich dann darauf, eine Straße am Ufer zu bauen, um die Transporte vom Schiff zu erleichtern. Die Bergung dauerte zwei Monate. Oscar hatte nach dem Bau der Straße vom Strand bis zur Stadt nicht mehr viel zu tun. Im Kaiserhof lernte er ein Mitglied der dänischen Besatzung kennen, Nils Kock, der ein unverständliches Jütländisch sprach, was aber immer noch leichter zu verstehen war als sein Deutsch. Nils Kock erzählte ihm, dass die Engländer nicht genug Verstand besessen hätten, die *Kronborg* vollständig zu zerstören.

Aus dem Schiff wurden zweitausend Mausergewehre, fünf Millionen Patronen, Sprengstoff, elektrische Detonatoren, Fernsprechausrüstungen, Lebensmittel, Medizin und tausend Granaten für den Kreuzer *Königsberg* geborgen, den die Engländer immer noch nicht aufgebracht hatten. Es hieß, die *Königsberg* verstecke sich irgendwo weiter südlich, könne aber die Fahrt nicht fortsetzen, da der Kohlevorrat zur Neige gegangen sei. Die *Kronborg* hatte tausendsechshundert Tonnen Kohle geladen, die für die Heimreise der *Königsberg* bestimmt gewesen waren. Die Schlacht im Indischen Ozean ließ sich also nicht gewinnen. Der Sieg gegen die Engländer musste zu Land errungen werden.

Es war eine angenehme Zeit, falls sich ein Krieg überhaupt als angenehm beschreiben ließ. Deutschland schien in jeder Hinsicht erfolgreich zu sein. Anfang des Jahres hatte Paul von Lettow-Vorbeck eine Truppe angeführt, die die Grenzstadt Jasin eingenommen hatte. Damit hatte er den Engländern die letzte Möglichkeit verbaut, auf dem Landweg von Mombasa nach Daressalam zu gelangen.

Die Engländer setzten nun alles daran, Mbyuni in ihrem eigenen Territorium zu erreichen, um von dort aus Taveta zurückzuerobern. Sie wurden jedoch vernichtend geschlagen und verloren etliche Tausend Mann. Bei den etwa tausendfünfhundert Gefangenen schien es sich um eine Art Fremdenlegion zu handeln, bestehend aus den *Loyal North Lancs*, *130th Baluchis*, *29th Punjabis*, *2nd Rhodesians* und den *King's African Rifles*, die wie immer die Kerntruppe bildeten.

Englische Truppen schienen erstaunlich leicht zu besiegen zu sein. Es war ein Rätsel, warum der Krieg in Europa immer noch nicht entschieden war.

Während die Schlacht von Mbyuni tobte, war Werner Schönfeldts Sabotagegruppe gerade auf dem Rückweg von einem erfolgreichen Anschlag in der Nähe von Tsavo. Es

gelang ihnen nicht, an den englischen Truppen vorbeizu-
kommen, die sich zu diesem Zeitpunkt in der Offensive
befanden, sondern sie mussten an einem Hang ein Lager
aufschlagen und abwarten. Der Proviant ging zur Neige,
aber Oscar übernahm die Aufgabe, sich um Nachschub zu
kümmern; vereinzelte Schüsse in der Kriegszone fielen
kaum auf.

Mit der neuen technischen Ausrüstung hatten sie ihre
Taktik verbessern können. Ein entscheidender Unterschied
war, dass sich die Sprengladung aus der Ferne elektrisch
zünden ließ. Auf Oscars Vorschlag hin griffen sie jetzt mit
zwei Sprengladungen gleichzeitig an, eine für die Lokomotive und eine für den letzten Wagen mit der bewaffneten
Eskorte. Einige Male hatte das perfekt funktioniert, gelegentlich war das Ergebnis nicht sonderlich zufriedenstellend
gewesen. Sie waren aber immer davongekommen.

Die Engländer hatten zwar ein weiteres Mal ihre Taktik
gewechselt und einen Waggon mit Pferden und Kavallerie
mitten im Zug platziert. Aber im Busch mit Kavallerie
anzugreifen war nicht leicht, und im Wald geradezu unmöglich.

In solchen Situationen war Oscar stets hinter seinen Kameraden zurückgeblieben und hatte sich einen passenden,
wie er es nannte, Ansitz gesucht, um von dort aus auf die
Pferde zu schießen, nicht auf die Engländer. Es war, wie auf
angreifende Büffel zu schießen, nur schneller und weniger
gefährlich. Pferde ließen sich viel leichter schießen.

Ein Pferd, das mitten in der Brust getroffen wurde, fiel
vornüber, wenn die Vorderbeine wegknickten, und der Reiter wurde dabei zehn oder fünfzehn Meter nach vorn ge-
schleudert und traf äußerst unsanft auf der Erde auf. Die

Pferde dahinter und daneben gerieten in Panik und warfen ihre Reiter ab. Nach ein oder zwei Schüssen herrschte bei den Kavalleristen, die die Verfolgung aufgenommen hatten, vollkommenes Chaos.

Die Kameraden lobten Oscar für diese brillante Taktik. Verletzte Feinde waren besser als tote Feinde, da sie Kosten verursachten. Aber für Oscar ging es nicht um Taktik, er wollte einfach keine Menschen töten, weder schwarze noch weiße. Aber natürlich wollte er den Krieg gewinnen.

Als sie im Biwak lagen und darauf warteten, dass die Engländer nach Mbyuni vorrückten, um nach Taveta zu gelangen, hatten sie nichts anderes zu tun, als mit dem Fernglas Ausschau zu halten und das Wild zu braten, das Oscar geschossen hatte. Er hatte seinen Kameraden eine Holzsorte gezeigt, die mit fast unsichtbarem Rauch verbrannte. Wasser hatten sie ebenfalls gefunden, eine Quelle am Hang. Sie litten also keine Not. In aller Ruhe warteten sie ab, bis die Engländer angriffen. Dann beobachteten sie ihren panischen Rückzug nach der Niederlage. Sie diskutierten, was die Engländer doch für lausige Soldaten waren. Sogar Oscar hielt das für offenkundig. Warum verloren sie immerzu? Wie war es ihnen gelungen, ein Weltreich zu schaffen, in dem die Sonne nie unterging? Das war sehr rätselhaft.

Noch etwas glaubten sie zu verstehen, nachdem der englische Rückzug stattgefunden hatte. Mithilfe des Kompasses hielten sie auf den eigenen Stützpunkt in Taveta zu. Das erwies sich als nicht so ungefährlich, wie sie angenommen hatten, denn überall gab es noch versprengte englische Truppen, die sich verirrt hatten und ohne Wasser und Proviant panisch auf der Flucht waren.

Sie änderten ihren Kurs und schlichen durch den Busch, wobei sie plötzlich in ein englisches Feldlazarett gerieten, das von Hyänen und wartenden Geiern umgeben war. Hier fanden sie eine Antwort auf die Frage, wie es unfähigen Soldaten gelingen konnte, ein Weltreich zu errichten.

Das Lazarett bestand aus kaum mehr als einem fünfzehn Meter langen Sonnenschutz aus Palmwedeln auf in die Erde gerammten Pfosten, der von einer Kompanie Askaris vermutlich in einer Stunde errichtet worden war. Aus der Entfernung sah die Konstruktion fast einladend aus. Aus Neugier und ohne militärische Veranlassung beschloss die Sabotagegruppe, das Feldlazarett in Augenschein zu nehmen. Es war, als stiege man in die Hölle hinab.

Lange Reihen von Verletzten, Sterbenden und Toten waren von schwarzen Wolken aus Stechfliegen, Tsetsefliegen, Fleischfliegen und Schmeißfliegen bedeckt. Die Männer, die mit Fliegen im Mund und in den offenen Augen vollkommen reglos dalagen, waren offenbar tot. Andere versuchten noch, sich gegen die Angreifer zu verteidigen, die das Werk beendeten, das deutsche Kugeln begonnen hatten. Der Gestank von Fäkalien, Urin, Blut und offen schwärenden Wunden war unerträglich. Nur ein Teil der wenigen Überlebenden nahm die Besucher apathisch zur Kenntnis. Sie murmelten Unverständliches oder gaben mit den Händen zu erkennen, dass sie sich ergaben und sich liebend gern in Kriegsgefangenschaft begeben würden. Die Männer mit sichtbaren Verletzungen waren nur sparsam verbunden worden. Alle Verbände waren mit Blut getränkt. Einige Männer lagen mit ganz offenen Wunden da, in die die Fliegen bereits ihre Eier gelegt hatten, aus denen weiße Larven krochen.

Die deutsche Patrouille durchquerte voller Entsetzen die Station und trat wieder ins Freie. Sie konnten nichts unternehmen, denn sie befanden sich noch anderthalb Tagesmärsche von Taveta entfernt. Es blieb ihnen nichts anderes übrig, als dem Elend den Rücken zuzukehren und weiterzumarschieren.

Aber Msuru, einer der Träger, den Oscar in Sprengtechnik ausgebildet hatte, bat um ein Gespräch unter vier Augen mit Werner Schönfeldt, das ihm bewilligt wurde. Die beiden Männer standen in einigem Abstand voreinander und schienen sich zu streiten. Msuru gestikulierte theatralisch. Werner stand reglos da, nickte ab und zu, zuckte mit den Achseln und breitete dann resigniert die Arme aus. Dann gesellte er sich zu den anderen, die schweigend warteten. Worum es auch gehen mochte, es schien etwas Unbehagliches zu sein.

Sie hätten ein Problem, konstatierte Werner. Msuru habe im Lazarett einen seiner Verwandten mit einer nicht allzu schweren Verletzung, einem Beinschuss, entdeckt. Er hatte sich erboten, ihn nach Taveta zu tragen, vorausgesetzt natürlich, dass die anderen sein Gepäck transportierten.

So weit noch kein Problem. Werners Gruppe hatte schon früher Verwundete transportiert. Msuru war einer der Kameraden, also sollte ihm beigestanden werden.

Es stellte sich nur die Frage, wie man am besten vorging, um diesen Avande aus dem Lazarett zu schaffen, ohne dass Chaos ausbrach und ihnen eine ganze Schar von Verletzten hinterherhumpelte.

Sie setzten sich unter einen Baum und beratschlagten. Fritz Neumanns Vorschlag wurde nach einer Weile angenommen. Msuru nahm zwei schwarze Kameraden mit und begab sich zu den Verletzten. Wenig später waren Schreie und Streitereien zu hören. Unter lautem Gezeter und »Verrat«-Rufen wurde der verwundete Verwandte aus dem Lazarett geschleppt. Nachdem sie sich etwas vom Lager entfernt hatten, brach das Gezeter jäh ab, als Werner in die Luft schoss und allen zu verstehen gab, dass sie schweigen sollten. Sie legten den Verletzten an einen geschützten Ort und reinigten und verbanden seine Schussverletzung sorgfältig.

Währenddessen hörten sie die Geschichte, wie die beiden Cousins, die beide dem Volk der Umba angehörten, im Krieg auf verschiedene Seiten geraten waren. Der Umbafluss verlief im nördlichen Teil der Usambaraberge auf deutschem Territorium. Dann überquerte er eine Grenze, die die Europäer geschaffen hatten, und setzte seinen Weg ins Meer auf englischem Territorium fort. Die meisten Umba kämpften auf deutscher Seite, aber einige waren wie der verwundete Avande von den Engländern zwangsrekrutiert worden.

Avande erzählte weiter, dass sich auch drei weiße Engländer unter den Verwundeten befunden hätten. Während des chaotischen englischen Rückzugs sei eine Sanitäterpatrouille erschienen und hätte die drei Weißen gerettet. Afrikaner, Belutschistaner und Inder seien zurückgeblieben, das Kanonenfutter, von dem es offenbar unendlich viel gab. Vermutlich war es nach unmenschlicher englischer Logik wirtschaftlich sinnvoller, neue, gesunde Soldaten heranzuschaffen, als sich um die Verwundeten zu kümmern.

Sie verfertigten eine Trage aus dünnen Baumstämmen und Zelttuch, verteilten die übrigen Traglasten neu und wechselten sich auf dem Heimweg damit ab, die schwierigste Last, den Verwandten Msurus, zu tragen.

Sie waren ein bedrückter Trupp, obwohl sie sich auf dem Heimweg von einem sehr erfolgreichen Einsatz befanden. Stundenlang sprach niemand, alle hingen ihren eigenen Gedanken nach.

Oscar vermutete, dass sie sich nicht groß voneinander unterschieden. Wie sollte man auf Dauer einen Feind besiegen, dem Verluste nichts auszumachen schienen? Jetzt, 1915, standen Paul von Lettow-Vorbeck ungefähr zehntausend Mann zur Verfügung, dreitausendfünfhundert Deutsche und sechstausendfünfhundert Askaris. Es hieß jedoch, dass die Truppenstärke der Engländer bereits fünfzigtausend Mann überstieg. Weitere fünfzigtausend Mann wurden erwartet. Jedes Mal, wenn ein deutsches Heer ein englisches besiegte, kam es unausweichlich zu Verlusten, bisher zwar nur geringen, verglichen mit den Verlusten des Feindes, aber doch Verlusten, die nicht auszugleichen waren. Oscar versuchte diese unbehagliche Rechnung von sich zu schieben, was ihm nicht sonderlich gut gelang. Er vermutete, dass er nicht als Einziger solch defätistischen Gedanken nachhing. Der Anblick, der sich ihnen in dem aufgegebenen englischen Krankenlager geboten hatte, hatte die Frage beantwortet, wie England sein Imperium hatte errichten können.

In Taveta wurde der verwundete Avande sofort ins Feldlazarett gebracht, wo ihm mehrere Granatsplitter aus dem rechten Bein operiert wurden. Dr. Seitz, der die Operation durchführte, versicherte, dass der Patient in zehn Tagen wieder einsatzfähig sein würde, und so war es dann auch. Werner Schönfeldt nahm ihn in die Sabotagetruppe auf, und Oscar erhielt den Auftrag, ihn in der neuen elektrischen Sprengtechnik auszubilden. Oscar war zwar kein Elektroingenieur, aber die ausführlichen deutschen Bedienungsanleitungen, die neuer Ausrüstung immer beilagen, verstand er mühelos.

*

In den Fieberträumen flossen seine Erinnerungen und Halluzinationen in schriller Disharmonie ineinander wie die Kakofonie aus dem Orchestergraben kurz vor Beginn einer Oper. Er schleppte die Kanonen von der *Königsberg*, nachdem die Engländer sie versenkt hatten. Vom schwülen Rufijidelta, wo das Wrack lag, waren es sechzig Kilometer bis zur Eisenbahn in Morogoro, ein scheinbar unmögliches Unterfangen. Deutsch-Südwestafrika kapitulierte, und er sah, wie sich die südafrikanischen Offiziere in einer Reihe aufstellten, um das begehrte englische Kriegskreuz in Empfang zu nehmen, das genauso viel wert war wie ein Eisernes Kreuz Erster Klasse. Sie hatten zusammengenommen dreizehn Deutsche in diesem Krieg getötet und verliehen zwölf dieser Orden. Nein, das sah er nicht. Das war ein Traum, etwas, das er gehört hatte. Die Südafrikaner hatten sich jedenfalls auf die Seite der Engländer geschlagen. Die *1st South African Mounted Brigade*, vier Regimenter, war in Mombasa eingetroffen, er sah die homogene weiße Truppe die Gangway hinuntergehen und triumphierend die breitkrempigen Hüte schwingen. Nein, auch dies konnte er nicht mit eigenen Augen gesehen haben, auch dies wusste er nur aus Berichten.

Er versuchte, sich darauf zu besinnen, wo er sich befand, aber es gelang ihm nicht. Im Nachbarbett lag ein dänischer

Seemann, offenbar in tiefem Fieberschlaf. Auf der anderen Seite lag ein Askari-Soldat mit einer Schussverletzung. Aber statt nach Blut und Exkrementen roch es nur schwach nach Karbol. Eine sanfte Brise strich durch das Gebäude, da man die geflochtenen Seitenwände zum Durchlüften aufgerollt hatte.

Er sprengte Eisenbahnen und Brücken in die Luft. Zuletzt hatten sie auch eine Maschinengewehrtruppe mitgenommen. Zum Transport eines auseinandermontierten Maschinengewehrs waren drei Träger nötig. Als die englischen Soldaten aus ihren umgestürzten Waggons krochen, kümmerten sich die Maschinengewehrschützen um sie. Er selbst schoss wie gewöhnlich nur auf die Pferde, wenn die Kavalleristen angriffen. Er sah alles vor sich, träumte es, als geschähe es in diesem Augenblick, obwohl ihm seine Vernunft sagte, dass es schon lange her sein musste. Das war oben im Norden gewesen, auf englischem Territorium, jetzt befand er sich im Süden in der Nähe des Meeres, weil er sich an das Schiff *Marie* erinnerte, als sei es erst kürzlich gewesen, was vielleicht auch zutraf. Er sah ihre Ladung in einem einzigen Durcheinander am Strand – er hatte den Karrenweg vom Strand ins Dorf gebaut, so war es –, Kanonen verschiedener Art, fünfzigtausend fertig gepackte Trägerlasten mit Proviant und Medizin und zweihundert Kilo Chinin gegen Malaria. Jetzt hatte ihn diese Krankheit offenbar doch eingeholt. Unausweichlich.

»Nein, Sie haben auch dieses Mal keine Malaria«, sagte Dr. Ernst.

Er war gerade aus einem Fiebertraum erwacht. Vielleicht hatte ihn Dr. Ernst geweckt, indem er seine Stirn mit einem nassen Tuch gekühlt hatte. Es dauerte eine Weile, bis er einsah, dass er sich nicht im Delirium befand und auch nicht träumte, dass es wirklich Dr. Ernst war, der in weißem Kittel und mit dem einem Major entsprechenden Dienstrang neben ihm stand.

»Das ist wirklich lange her. Ich freue mich, Sie zu sehen, Dr. Ernst«, sagte Oscar heiser. Sein Mund war trocken.

Statt einer Antwort reichte Dr. Ernst ihm eine kalte Feldflasche mit Wasser, die er erst mit einem weißen Lappen abwischte.

»Sie müssen viel Wasser trinken, mein Freund«, meinte er in einem für ihn untypischen freundlichen Tonfall. »Im Übrigen bin ich inzwischen mit Herr Oberstabsarzt anzureden.«

»In diesem Fall bin ich Herr Oberingenieur«, stöhnte Oscar atemlos vom Wassertrinken, setzte die Feldflasche erneut an die Lippen und trank sie ganz leer.

»Dann schlage ich vor, dass wir uns in Zukunft duzen«, verkündete Dr. Ernst, als handele es sich um eine sehr ernste Angelegenheit.

»Gute Idee«, flüsterte Oscar keuchend. »Zumindest, solange wir Kameraden auf derselben Seite des Krieges sind. Bist du auch nicht mehr weggekommen?«

»Nun, ich hatte ja mein Forschungsprojekt. Für meine fünfzig Kollegen, die bei Kriegsausbruch aus Dar nicht wegkamen, als sie ihre Heimreise antreten wollten, war es schlimmer. Für uns ist es aber gut. Wir haben dreiundzwanzig funktionierende Feldlazarette im Land, mehr als im übrigen Afrika zusammengenommen. Von unseren Patienten können sechsundfünfzig Prozent in den Dienst zurückkehren. Aber besuche mich heute Abend in meinem Zelt, dann können wir uns ausführlicher unterhalten.«

»Heute Abend? Ich dachte, es dauert wochenlang, bis man so ein Fieber loswird?«

»Vielleicht wirst du es ja dein ganzes Leben lang nicht mehr los. Es kommt und geht. Wir glauben, dass es sich um einen Parasiten handelt. Das Labor in den Usambarabergen hat einige interessante Forschungsergebnisse geliefert. Aber wie gesagt. Heute Abend um sieben!«

Dr. Ernst nahm Haltung an und vollführte eine Art militärisch-zivilen Gruß. Dann setzte er seinen Weg zum nächsten Patienten fort, wobei er einer der schwarzen Krankenschwestern mit einem knappen Zeichen zu verstehen gab, dass sie Oscar mehr Wasser bringen solle.

Oscar hatte das Gefühl von Ernüchterung nach einem Rausch. Vielleicht hatten Dr. Ernsts Worte diese Wirkung. Plötzlich fühlte er sich viel gesünder. Er lag eine Weile mit geschlossenen Augen da und ließ sich von der milden Meeresbrise streicheln. Die Bildersequenz, die hinter seinen Lidern vorbeizog, war so klar, als hätten sich seine Fieberfantasien gänzlich verflüchtigt. Hier lagen alle Patienten in sauberen Kleidern mit frischen Verbänden und besiegten Infektionen in ihren Betten. Davon konnten Belutschistaner, Inder, Afrikaner und alle anderen, mit denen die Engländer die wilden Tiere fütterten, nur träumen. Vielleicht war der Krieg doch noch zu gewinnen.

Als er sich geduscht in seiner frisch gewaschenen Uniform Punkt sieben Uhr bei Dr. Ernst einfand, kam es ihm so vor, als wären die Krankheit und das Fieber gänzlich überwunden. Er fühlte sich nur etwas schwach.

Dr. Ernst war abgemagert und hatte inzwischen eine Halbglatze. Bei näherem Nachdenken lag ihre letzte Begegnung über zehn Jahre zurück. Die Jahre oder vielleicht auch der Krieg hatte ihm seine steife Förmlichkeit genommen. Jetzt konnte er sogar scherzen, ohne dass es allzu angestrengt wirkte. Er bot Oscar als Willkommensdrink einen Gin Tonic an, von dem es hieß, dass er Chinin enthalte, um, wie er sagte, auch einmal von einer guten englischen Idee zu profitieren.

Diese Extravaganz war der Tatsache zu verdanken, dass es ihnen gelungen war, die gesamte Ladung eines Blockadebrechers, der *Marie*, zu bergen, der unter dem Befehl Leutnant Conrad Sørensens den Weg von Hamburg bis in die Sudibucht ganz in der Nähe zurückgelegt hatte.

Vom Krieg in der übrigen Welt wusste auch Dr. Ernst nicht viel zu berichten. Die Lage war unklar. Irgendwo in Flandern schien sich alles festgefahren zu haben. Aber hier lief es besser. Die frisch eingetroffenen südafrikanischen Truppen waren ein weiteres Mal in Salaita im Norden geschlagen worden.

Aber Spaß beiseite, räusperte sich Dr. Ernst, insgesamt sei die Lage nicht sonderlich rosig. Oberbefehlshaber von Lettow-Vorbeck hatte alle Pioniere angefordert, und zu ihnen zähle ja auch Oscar, um das Labor in Amani in den Usambarabergen zu evakuieren. Die gesamte Anlage sollte in den Süden verlegt werden. Das deutete darauf hin, dass der Oberbefehlshaber mit einem Zusammenbruch der nördlichen Front rechnete. Das verhieß natürlich nichts Gutes.

Vielleicht handelte es sich aber auch nur um eine reine Vorsichtsmaßnahme. Das Labor war unersetzlich. Hier wurden eine Menge Dinge hergestellt, die sonst nicht zu bekommen waren. Seife, Kerzen, Zucker, Verbände aus Rinde. Man habe dort sogar herausgefunden, dass das beliebte Gericht *Kifefe*, eine salzige Rindfleischsuppe, aus unerfindlichem Grund ein wirksames Mittel gegen die Sandläuse darstelle, die unter den Zehennägeln der Männer ihre Eier legten. Am wichtigsten sei natürlich, dass dort beträchtliche Mengen der Medizin hergestellt würden, die inzwischen ungerechterweise »Lettow-Schnaps« genannt werde, die Erfindung Dr. Ernsts, ein Aufguss der Chinabaumrinde, der Chinin ersetze.

Oscar stimmte Dr. Ernst zu, dass dies ungerecht sei, und versprach, bei jeder Gelegenheit darauf hinzuweisen, dass es eigentlich »Ernst-Schnaps« heißen müsse. Er versprach auch, sein Möglichstes zu tun, um das Labor in Amani sicher zu evakuieren, falls dies nun wirklich sein nächster Auftrag sei.

Und so kam es dann auch.

Er war nach seiner Fieberkrankheit immer noch etwas schwach, als er sich einer der vielen Trägerkarawanen anschloss, die von der *Marie* ins Innere der Schutzzone unterwegs waren. Es hieß, man habe hunderttausend Träger für diese Aufgabe requiriert. Damit waren die nötigen Voraussetzungen geschaffen, um den Krieg gegen die Horden der Engländer fortzusetzen.

Aus unerfindlichen Gründen hatte sich unter der Ladung der *Marie* auch ein kleinerer Posten Munition befunden, der sich für Oscars Jagdgewehr eignete. Also schleppte er sich auf dem Weg nach Dar mit mehr als dreihundert Patronen ab. Sie wogen einiges, aber sein Rucksack war stabil, außerdem trugen die Afrikaner bedeutend schwerere Lasten.

Als Oscar in Dar eintraf, erfuhr er, dass das Labor in Amani bereits evakuiert worden war und dass beim Rückzug ebenjene Eisenbahn gesprengt worden war, die er zu Beginn des Krieges gebaut hatte. Und die Sprengung hatten keine x-beliebigen Leute durchgeführt, sondern Werner Schönfeldt und seine Sabotagetruppe, die anschließend nach Dar verlegt worden war. Es ergab sich ein herzliches Wiedersehen mit Werner, Fritz, Günther, Msuru und seinem Verwandten Avande, der vollkommen von seiner Schussverletzung im Bein genesen war. Sie begaben sich in den Kaiserhof, um sich mit Bier zu betrinken. Die Brauerei Schultze produzierte weiterhin und unaufhörlich.

Nach allzu vielen Gläsern Bier wurde Oscar sentimental und verlieh seiner Bestürzung darüber Ausdruck, dass seine Kameraden ausgerechnet jene Bahnlinie gesprengt hatten, die er so unter Zeitdruck und solchen Anstrengungen gebaut habe. Die anderen klopften ihm tröstend auf die Schulter, bestellten noch mehr Bier und versicherten ihm, dass er es nicht persönlich nehmen solle und dass vermutlich noch Schlimmeres zu erwarten sei.

Und in der Tat.

Am 18. Mai 1916 durchbrachen die englischen Horden zusammen mit den Südafrikanern die Nordfront an der Küste und nahmen die Hafenstadt Tanga ein, in der sie zu Beginn des Krieges so beschämend schnell besiegt worden waren. Damit kontrollierten sie einen Brückenkopf auf deutschem Territorium, den die englische Flotte ständig verstärken konnte.

Die beschäftigungslosen Kameraden der Sabotagetruppe saßen in Dar herum, warteten und bemühten sich, die Biervorräte der Stadt auszutrinken, bevor sie von den Engländern eingenommen wurde. Oder sie widmeten sich strategischen Spitzfindigkeiten.

Die deutschen Eroberungen auf englischem Gebiet im

Nordwesten seien inzwischen vollkommen bedeutungslos, hieß es. Nun gab es zwei Möglichkeiten, entweder die Truppen zu einem entscheidenden Vorstoß nach Britisch-Ostafrika zusammenzuziehen und zu versuchen, Nairobi einzunehmen, oder sich nach Süden zurückzuziehen, um Daressalam zu verteidigen.

Plötzlich waren sie alle Stammtischstrategen. Sie nahmen an einem Krieg teil, den sie nicht verstanden. Der Stab gab den Befehl, dieses oder jenes in die Luft zu sprengen, und sie führten es aus. Bislang waren sie damit erfolgreich gewesen und hatten immer gesiegt.

Zwei Wochen verbrachten sie ohne einen vernünftigen Auftrag in Dar. Trotzdem gelang es ihnen nicht, den Kaiserhof trockenzulegen.

Im August, mit zunehmender Hitze, kam der Oberbefehlshaber von Lettow-Vorbeck höchstpersönlich in die Stadt und rief alle Offiziere im Deutschen Haus zusammen. Andächtig gruppierten sie sich um ihn. Oscar fiel zum ersten Mal auf, wie klein der Mann war. Vielleicht wirkte es aber auch nur so, weil er auffallend abgemagert war. Seine Uniform und seine Stiefel waren einfach und abgenutzt. Inzwischen prangte jedoch das Eiserne Kreuz erster Klasse auf seiner Brust.

Sie waren dreißig Mann in dem verqualmten Saal, in dem eben noch so viel Lärm wie in einem deutschen Bierkeller geherrscht hatte. Als von Lettow-Vorbeck eintrat, wurde es schlagartig still. Alle erhoben sich und salutierten. Von Lettow-Vorbeck bat die Männer, Platz zu nehmen, und hielt eine kurze Rede.

»Meine Herren Offiziere, ich habe bedeutungsvolle Neuigkeiten«, begann er und hielt kurz inne, was die Spannung natürlich noch erhöhte. »Die Lage in Europa ist immer noch diffus. Hier in Afrika können wir nicht mehr mit einem Endsieg rechnen. Unsere Aufgabe ist es nicht mehr, zu siegen, sondern uns nicht besiegen zu lassen. Dafür gibt es gute Gründe. Wir halten im Augenblick über hunderttausend britische Soldaten in Afrika in Schach, die damit der Front in Europa nicht zur Verfügung stehen. Das ist unsere Aufgabe. Wir dürfen uns also nicht besiegen lassen!«

Er machte eine demonstrative Pause und nahm den tosenden Applaus entgegen.

»Was ich Ihnen zu bieten habe, ist ein noch härteres Leben«, fuhr er fort. »Wir werden uns von jetzt an nicht mehr mit größeren Schlachten aufhalten, sondern ganz zur sogenannten Guerillataktik übergehen. Das hat für uns Vorteile, da wir so Zeitpunkt und Ort eines Gefechtes selbst bestimmen können. Uns erwartet kein leichtes Leben, und doch werden wir siegen, indem wir uns nicht besiegen lassen!«

Erneuter Beifall.

»Ein Letztes«, fuhr er mit leiserer Stimme fort. »Unser letzter Blockadebrecher, die *Marie*, die der englischen Flotte so geschickt entkommen ist, hatte nicht nur Waffen und Nachschub geladen, sondern auch Eiserne Kreuze zweiter Klasse für alle Kameraden, die sich besonders verdient gemacht haben. Das gilt für alle hier im Saal. Ich befehle, eine Schlange zu bilden!«

Nach kurzem Zögern wurde sein Befehl befolgt. Dann standen alle, einige etwas schwankend, aber alle mit großer Entschlossenheit, sich dem feierlichen Augenblick gemäß zu verhalten, in einer Reihe vor Paul von Lettow-Vorbeck.

Er schien jeden einzelnen Namen zu kennen und hatte

für jeden ein paar persönliche Worte. Nachdem ihnen der Orden verliehen worden war, traten alle mit glasigem Blick beiseite und begaben sich steifen Schrittes an ihren Platz, ohne ihre Bierkrüge anzurühren.

Als Oscar an der Reihe war und von Lettow-Vorbeck die Hand nach einem weiteren Eisernen Kreuz ausstreckte, die ihm sein Adjutant in einem schwarzen, mit rotem Samt ausgeschlagenen Kasten hinhielt, äußerte er sich scherzhaft darüber, dass Norwegen zwar unglücklicherweise noch nicht aufseiten Deutschlands in den Krieg eingetreten sei, dass Oscar jedoch ein Vorbild germanischer Solidarität sei, und obendrein noch ein begnadet guter Schütze. Dann steckte er ohne weitere Umschweife den Orden über Oscars linker Brust an, salutierte und wandte sich dem nächsten Mann zu, dem er ebenfalls etwas Persönliches zu sagen hatte.

Nach der Verleihung der Orden war auch das Fest rasch zu Ende. Alle sollten sich am nächsten Morgen um sechs Uhr für weitere Befehle bei der Militärkommandantur einfinden.

Werner Schönfeldts Sabotagetruppe, der Oscar jetzt wieder angehörte, erschien in geschlossenem Trupp. Die neue Aufgabe, die ihrer harrte, widerstrebte Oscar zutiefst. Nach erledigtem Rückzug mit allen Transporten aus Daressalam sollten sie einen letzten Zug mit Sprengstoff beladen und die gesamte Eisenbahnstrecke und alle Brücken bis nach Dodoma zerstören. Oscar war sofort klar, dass er viele Brücken sprengen musste, die er selbst gebaut hatte.

*

Im März 1917 setzten die heftigsten Regenfälle ein, derer sich überhaupt jemand erinnern konnte, Oscar hatte so etwas in seinen sechzehn Jahren in Afrika zumindest noch nie erlebt. Anfang des Monats war noch alles wie immer gewesen, es regnete ab und zu, und die Erde hatte sich noch nicht in Morast verwandelt, der jegliches Vorankommen unmöglich machte, außer für die englischen Kraftwagen. Die englische Kavallerie war bereits von den Tsetsefliegen geschlagen worden.

Hauptmann Werner Schönfeldts Sabotagetruppe war in eine Spezialtruppe für Aufklärung umgewandelt worden, deren Aufgabe nicht darin bestand, an Gefechten teilzunehmen, da sie eine kleine Mannschaft waren und hinter den feindlichen Linien operierten. Ihre Spezialität war es, Vorräte und Basislager zu sprengen oder in Brand zu setzen, wenn die Haupttruppe einen Auftrag ausführte, und dann rasch zu verschwinden.

Auf dem Rückweg nach einem solchen Auftrag gerieten sie zwischen die eigenen Truppen auf dem Mahengeplateau und ein Regiment Askari-Soldaten von der Goldküste unter englischem Kommando.

Beabsichtigt war, dass eine deutsche Einheit von dreitausend Mann die Stellung auf dem Plateau halten sollte, bis die Regenzeit endgültig begonnen hatte und jegliche Kriegsführung unmöglich wurde. Von Lettow-Vorbecks Hauptarmee befand sich weiter östlich in der Nähe des Meeres.

Sie konnten die Kämpfe am Rande des Plateaus aus der Ferne beobachten. Sie besaßen Übung darin, die Geräusche der verschiedenen Waffen zu deuten, und kamen zu dem Schluss, dass die englische Truppe im Begriff war, eine ordentliche Niederlage zu erleiden. Es war nur eine Frage der Zeit, bis sie die ersten Fliehenden die bewaldeten Hänge herunterkommen sehen würden.

Sie beschlossen, das Gefecht abzuwarten, statt den Versuch zu unternehmen, die englischen Truppen seitlich zu passieren, weil sonst ihre eigenen Leute sie womöglich für einen feindlichen Aufklärungsverband hielten und das Feuer eröffneten.

Sie hielten sich in einem dichten Wald auf, und als sie in dem überall oben vom Plateau herabströmenden Wasser Platz nahmen, stellten sie fest, dass die Vegetation mehr einem Dschungel als einem Wald glich.

Sie plauderten ein wenig und fühlten sich vollkommen sicher. Ihre Spuren waren längst von den heftigen Regenfällen weggespült worden. Verfolger brauchten sie also keine zu fürchten. Der Feind vor ihnen wurde gerade von ihren Leuten, die befestigte Maschinengewehrstellungen hatten, über den Haufen geschossen.

Sie hatten jedoch nicht damit gerechnet, dass der englische Rückzug direkt in ihre Richtung führen und nur wenige Hundert Meter vor ihnen haltmachen würde, um sich zu sammeln. Werner ging davon aus, dass der Feind trotz scheinbar großer Verluste immer noch über mindestens fünfmal so viele Leute verfügte wie sie selbst. Also war Vorsicht angezeigt. Oscar erhielt den Befehl, mit einem Mann zu den Leuten von der Goldküste vorzurücken, um zu rekognoszieren.

Oscar nickte und nahm Avande mit. Avande war sein ganzes Leben lang Jäger gewesen und bewegte sich ebenso leise und unsichtbar in der Natur wie Oscar.

Sie kamen mühelos vorwärts. Der Regen verschluckte

alle Geräusche und dämpfte das Licht, sodass selbst Oscars weißes Gesicht nicht plötzlich im Waldesdunkel aufleuchtete, wie das manchmal bei greller Sonne der Fall war. Sie näherten sich dem Feind bis auf vierzig Meter und kamen zu dem Ergebnis, dass es sich um über hundert Mann handelte, also zu viele, als dass man sie hätte angreifen können.

Die englischen Offiziere marschierten steifen Schrittes hin und her und brüllten Befehle. Die schwarzen Soldaten stellten sich zugweise auf, damit man sie zählen konnte. Gleichzeitig wurden verwundete Träger und Soldaten weggeschleift und ganz in Oscars und Avandes Nähe in einer Reihe auf die Erde gelegt. Erst begriffen die beiden nicht, was die Engländer damit bezweckten. Warum legten sie die Verwundeten in den Regen, statt sie vor dem Regen zu schützen?

Nicht einmal als einer der beiden englischen Offiziere, der die Verletzten bewachte, seinen Revolver zog und die Reihe seiner augenscheinlich apathischen Gefechtskameraden abschritt, ahnten Oscar und Avande, was geschehen würde. Dann bezogen die Engländer an den entgegengesetzten Enden der Reihe Stellung und erschossen ganz gelassen die eigenen Leute, einen nach dem anderen.

Oscar holte sein Fernglas hervor und wischte verzweifelt die Linsen ab, um besser sehen zu können, da er inmitten der Männer, die gerade hingerichtet wurden, ein bekanntes Gesicht zu erkennen geglaubt hatte. Er hatte Narben von Löwenkrallen auf einer Wange gesehen, obwohl der Mann bärtig war. Das Bild verwischte, da der Regen das Fernglas überspülte.

Langsam und ohne zu merken, wie sein Puls sich beschleunigte, hob er sein Gewehr und schoss dem einen

Offizier in den Kopf. Dank des schweren Geschosses explodierte der Tropenhelm wie eine blutgefüllte Kugel. Der Mann fiel steif mit herabhängenden Armen um, während Oscar nachlud und den anderen Offizier auf gleiche Weise erschoss.

Avande sah ihn entsetzt an. Selbst Engländer konnten sicherlich den Knall eines Revolvers von dem eines großkalibrigen Mausergewehrs unterscheiden.

Aber nichts geschah, keine Truppen mit gezogenen Waffen kamen angerannt.

»Avande!«, befahl Oscar verbissen. »Lauf dorthin und bring den Mann mit dem Bart und den Narben von den Löwenkrallen hierher. Ich gebe dir Deckung! Grüße ihn von Bwana Oscar!«

Avande zögerte eine Sekunde mit aufgerissenen Augen, aber dann eilte er mit hochgezogenen Schultern los, während Oscar zwei neue Patronen in sein Gewehr schob und das englische Lager ins Visier nahm.

Avande war gerade mit seinem Fang zurückgekehrt, als ein weiterer englischer Offizier im Hintergrund auftauchte. Er hob eine Trillerpfeife an die Lippen, da explodierte auch schon sein Kopf unterm Tropenhelm.

Oscar beugte sich rasch zu Kadimba vor, umarmte ihn wortlos und bedeutete Avande, seinen stark hinkenden Freund Richtung Lager mitzunehmen, während er stehen blieb und den Rückzug deckte. Er schob eine weitere Patrone in sein Gewehr und suchte unter einem Busch mit großen, glänzenden Blättern Schutz, auf die der Regen wie fernes Maschinenpistolenfeuer prasselte. Die schwarzen Soldaten, die den weißen Offizier begleitet hatten, waren zu ihren Leuten zurückgekehrt, wo es, wenn Oscar richtig gezählt hatte, nur noch einen Offizier mit Tropenhelm gab. Nichts geschah, was Oscar unbegreiflich war. Sie hätten angreifen müssen. Andererseits wussten sie nicht, dass sie es nur mit einem Mann zu tun hatten und nicht mit einer ganzen deutschen Kompanie. Außerdem waren Engländer von Natur aus feige. Vielleicht waren sie in die andere Richtung geflüchtet. Nein, intelligenter war es, sich im Kreis zu bewegen, um den Feind von der Seite oder von hinten zu erwischen.

Während er sich langsam rückwärts bewegte, verwischte er seine Fußspuren im schwarzen, lehmigen Morast. Nachdem er auf diese Weise ein gutes Stück zwischen sich und die Engländer gelegt hatte, richtete er sich auf und spähte in den dichten Regen. Nirgendwo eine Bewegung. Er machte ein paar Schritte in die falsche Richtung und ließ deutliche Abdrücke zurück, die mindestens eine halbe Stunde lang zu sehen sein würden. Dann ging er in die entgegengesetzte Richtung und trat nur auf Zweige und große Blätter, um keine Spuren zu hinterlassen. Danach kehrte er noch einmal zurück und suchte nach den Spuren Avandes und Kadimbas, verwischte sie auf einigen Metern, ging zurück, sorgte für frische, in die Irre führende Spuren, erhob sich und schaute sich aufmerksam um, sah und hörte aber nichts anderes als den Regen.

Er brachte sein Gewehr hinter einem Baumstamm in Schussposition und wartete. Wenn sich der Feind inzwischen auf die Suche gemacht hatte, so musste er sich ihm nun nähern oder ganz in der Nähe an ihm vorbeiziehen. Die klassischen Grundregeln der Jagd galten auch hier. Wer still stand, war im Vorteil, wer sich bewegte, verriet sich, das galt für Tier sowie für Mensch.

Nach zwanzig Minuten fand er, die Gefahr sei vorüber, und kehrte zu den anderen zurück. Werner Schönfeldt war außer sich. Die Truppe saß zusammengedrängt unter ein paar Zeltplanen, alle durchnässt, aber unter der Plane spielte es zumindest keine Rolle, dass der Wolkenbruch jegliche Sicht raubte. Unterhaltungen waren nur schreiend möglich, da es galt, das Donnern der Wassermassen zu übertönen, aber der Feind würde ohnehin nichts hören. Oscar bekam kaum etwas von der Gardinenpredigt mit, das Einzige, was er schreiend zu seiner Verteidigung vorbrachte, war, dass dies Kadimba sei, sein bester Freund in Afrika, egal, ob schwarz oder weiß, und dass er mehr erzählen würde, wenn sie wieder ihren Stützpunkt auf dem Plateau erreicht hätten. Mit Genugtuung stellte er fest, dass man Kadimbas Fuß nach allen Regeln der Kunst verbunden hatte. Ihr Trupp ließ keine Verwundeten zurück.

Sie warteten einige Stunden, bis der Regen kurz aufhörte, und machten sicherheitshalber einen langen Umweg die Hänge des Mahengeplateaus hinauf. Dort stießen sie auf einen eigenen Verband, der ihnen eine Trage für Kadimba überließ. Zwei Stunden später marschierten sie in das Hauptlager auf dem Mahengeplateau, in der Gewissheit, dass sie hier einige Wochen lang sicher sein würden. Von jetzt an war jeder Krieg unmöglich.

Das Feldlazarett in Mahenge war im Augenblick vermutlich das am besten ausgerüstete der deutschen Streitkräfte. Dies war teilweise das Verdienst des Sonderkommandos Werner, das den letzten und schwierigsten Teil der Verlegung aller Feldlabors und des gesamten Krankenhauspersonals aus dem Nordosten gesichert und organisiert hatte. Regierungsoberarzt Meixner war der Chef des Feldlazaretts – vermutlich war das der einzige Ort, der trotz des Wetters immer trocken und sauber war.

Die erste vorläufige Diagnose Dr. Meixners hinsichtlich Kadimba ließ hoffen. Er war durch seine Unterernährung geschwächt. Sein verstauchter Fuß wies üble Schwellungen und eine vereiterte Schnittwunde auf. Wahrscheinlich würde er wieder kämpfen können, wenn die Regenzeit vorüber war.

Als er diesen Bescheid erhalten hatte, trat Oscar in den strömenden Regen hinaus und begab sich geradewegs zum Zelt des örtlichen Oberbefehlshabers Major Kempner. Er schlug das Zelttuch beiseite und klopfte gleichzeitig demonstrativ darauf. Die beiden in eine Schachpartie vertieften Männer im Zelt sahen ihn erstaunt an. Der zweite Mann war der Maler von Ruckteschell, der 1914 nach Daressalam gekommen war, um eine Serie afrikanischer Gemälde anzufertigen. Der Krieg hatte ihn festgehalten, woraufhin er den Beruf gewechselt hatte und inzwischen bereits zum Hauptmann befördert worden war. Es hieß, dass er sich viel besser zum Soldaten als zum Maler eignete.

»Wir missbilligen es außerordentlich, während einer Schachpartie gestört zu werden. Ich hoffe, Ihnen ist das klar, Lauritzen«, knurrte der Major. »Ich habe gehört, dass Sie heute drei englische Offiziere erschossen haben. Ausgezeichnet, aber verantwortungslos. Sie erwarten doch wohl keine Belobigung?«

»Nein, Herr Major«, räumte Oscar ein. »Aber ich habe eine gute Neuigkeit und einen Wunsch.«

»Gut. Lassen Sie hören!«, sagte der Major und drehte seinen Stuhl demonstrativ in Oscars Richtung. Von Ruckteschell tat dasselbe.

»Ich habe einen Gefangenen befreit, der ein besserer Schütze ist als alle hier anwesenden Leute. Er heißt Kadimba. Er ist mein engster Freund hier in Afrika. Wir haben oft zusammen gejagt«, betete Oscar rasch und auf die deutsche Art herunter, die er sich inzwischen angeeignet hatte.

Die beiden anderen wirkten unerwartet belustigt.

»Ein besserer Schütze als alle anderen?«, meinte von Ruckteschell erstaunt. »Schließt das etwa Sie selbst mit ein?«

»Ja und nein, Herr Hauptmann«, antwortete Oscar. »Wenn ich das Ziel auf dem Korn habe, schieße ich besser. Aber es gilt, erst einmal so weit zu kommen, und da ist Kadimba definitiv besser als ich. Alles in allem ist er also der beste Schütze.«

»Das klingt logisch«, sagte der Major. »Und was haben Sie für einen Wunsch?«

»Dass mein Freund Kadimba, wenn Dr. Meixner ihn kuriert hat, als Soldat unserem Sonderkommando zugeteilt wird, und zwar im Dienstrang eines Feldwebels, Herr Major.«

Die anderen beiden tauschten einen raschen Blick aus.

»Genehmigt! Aber stören Sie uns nie mehr, wenn wir Schach spielen!«, sagte der Major und wandte sich wieder dem Brett zu.

Oscar nahm Haltung an, salutierte und trat wieder in den strömenden Regen hinaus.

Er teilte sich ein Zelt mit den Offizieren des Sonderkommandos Werner, Werner persönlich und dem Klassenkämpfer Günther Ernbach. Ihr Kamerad Fritz Neumann war gefallen, ein Querschläger, niemand wusste, woher, hatte ihn am Kopf getroffen.

Die Kameraden erwarteten ihn mit Whisky, als gebe es etwas zu feiern.

»Wir hatten ja das Glück«, lächelte Werner, als er einschenkte, »eines unserer Feldlabore hierherzuschaffen. Dieser Whisky, nicht gerade White Horse, aber immerhin, besteht angeblich aus destilliertem, mit Essenzen gewürztem Bananenwein. Auf die deutsche Wissenschaft, die beste der Welt.«

Sie stießen schweigend miteinander an. Das Getränk schmeckte in der Tat nach Whisky und war recht hochprozentig, allerdings etwas zu süß.

»Sag mir, Kamerad«, meinte Werner, »du hattest dir doch vorgenommen, nie einen Menschen, sondern nur Pferde zu erschießen. Daran ist weiter nichts zu bemängeln, vermutlich hast du ja inzwischen mindestens fünfzig Kavalleristen außer Gefecht gesetzt. Aber jetzt hast du drei englische Offiziere erschossen. Überdies in den Kopf. Wie erklärt sich dieser Sinneswandel?«

Oscar musste nachdenken. Die einfache Erklärung, die ihm auch am plausibelsten erschien, war natürlich, dass er gesehen hatte, wie so ein verdammter englischer Offizier mit seinem lächerlichen weißen Helm, der schon aus weiter Ferne zu erkennen war, sich seinem besten Freund mit einem Revolver genähert hatte.

Aber da war noch etwas anderes mit im Spiel gewesen, was sich nicht erklären ließ. Oder vielleicht doch. Ein Sinneswandel. Hass. Er hasste es, Brücken in die Luft sprengen zu müssen, die er selbst gebaut hatte, weshalb er fachkundig zu beurteilen wusste, wo die Sprengladungen angebracht werden mussten, um maximale Sprengkraft zu entfalten. Alles, was er errichtet hatte, hatte er auch wieder zerstört.

Und an alledem waren diese verdammten, unmenschlich arroganten Engländer schuld.

Werner fragte ihn, warum er in den Kopf, sozusagen mitten in den Tropenhelm geschossen habe, ob das auch mit seinem soeben erwachten oder genauer gesagt explodierten Hass zu tun habe.

Oscar verneinte. Ein Kopfschuss machte ein Tier sofort bewegungsunfähig. Es fiel zu Boden, ohne vorher seine Umgebung alarmieren zu können. Einzig die Bewegung des langen Grases, in dem die Hinterläufe zuckten, war zu erkennen. Das waren also rein praktische Erwägungen gewesen.

Sie tranken ihre Whiskyration auf. Das konnten sie sich erlauben, da der Krieg mindestens einen Monat lang innehalten würde.

Am nächsten Tag besuchte er den inzwischen sauberen und frisch rasierten Kadimba. Sie umarmten einander wortlos. Oscar zog sich einen Stuhl heran und setzte sich neben das Bett.

Kadimba erzählte langsam und leise, er war erschöpft und, wie Dr. Meixner festgestellt hatte, unterernährt.

Als sich die deutschen Truppen nach Süden zurückgezogen hatten, waren die Engländer in die nördlichen Teile des Landes eingefallen und hatten Träger zwangsrekrutiert. Alles musste in diesem Krieg von schwarzen Sklaven getragen werden. Er hatte nicht gesagt, dass er lieber den Askaris zugeteilt worden wäre, wenn er schon Sklave werden musste, denn dann hätte er enthüllt, dass er schießen konnte. Das hätte sie sicher zu der Frage veranlasst, wo er das gelernt hätte, also im Dienste der Deutschen. Es war ihm unklug erschienen, dies preiszugeben. Also hatte er Maschinengewehre und den Schnaps für die englischen Offiziere, Lebensmittel und Decken durch das ganze Land getragen.

Von Sold war nie die Rede gewesen. Träger, die in Deutsch-Ostafrika eingesammelt worden waren, galten als Kriegsgefangene. Wer nicht weiterkonnte, den überließ man den Hyänen oder der erhielt, wie jetzt zuletzt, den Fangschuss von jungen englischen Offizieren, die sich sonst immer versteckten, wenn es knallte.

Kadimba hatte bereits aufgegeben und war in Gedanken zu den Geistern seiner Vorväter gereist, als der junge Mann mit dem Revolver auf ihn zugekommen war. Aber als er das Schwein hatte sterben sehen und den Knall eines 10,2-Millimeter-Mausergewehrs gehört hatte, war ihm sofort klar, dass es sich nur um Bwana Oscar handeln konnte. Und so war es dann auch gewesen.

Obwohl es ihn mit großer Freude erfüllte, dass er jetzt gemeinsam mit Bwana Oscar Engländer töten konnte, hing eine große Trauer wie eine schwarze Wolke über ihm, die alles andere überdeckte. Es fiel ihm nicht leicht, zu erklären, warum. Aber es war unumgänglich.

Als sich die Deutschen in den Süden zurückgezogen hatten, waren die verdammten Belgier von Westen aus Urundi und Ruanda vorgerückt. Die englische Einheit, der Kadimba angehört hatte, hatte sich mit der belgischen Truppe vor der Stadt der Barundi vereinigt. Die Belgier hatten die Stadt niedergebrannt, alle überlebenden Männer als Träger gefangen genommen und alle Frauen und Kinder ermordet. Einige Frauen hatten sie natürlich vorher noch vergewaltigt, wegen des besonderen Rufes der Barundi, was ihre

Liebeskünste betraf. Aber zuletzt hatten sie alle getötet und das ganze Volk der Barundi ausgerottet. Die Tage der gefangenen Träger waren auch gezählt gewesen. Die Belgier hatten kongolesische Askaris in ihren Diensten, die Kannibalen waren, und hatten gegen Ende einfach weggeschaut, wenn diese von ihren Gelüsten gepackt wurden.

Oscar kämpfte um Selbstbeherrschung, aber schließlich zerbarst sie, sein innerer Schutzschild brach zusammen. Er fiel neben Kadimbas Krankenlager zu Boden, schrie und fuchtelte wild mit den Armen, um die schrecklichen Bilder von Aisha Nakondi und den Kindern in den Händen der widerwärtigen Belgier zu vertreiben. Krankenpfleger packten ihn, und ein Arzt verabreichte ihm eine Morphiumspritze.

XXIII

INGEBORG

Bergen, 1917

Nie zuvor hatte sie Lauritz so am Boden zerstört gesehen. Natürlich hatten ihn gelegentlich Misserfolge ereilt, besonders in den letzten Jahren. Die rückläufige Auftragslage Lauritzen & Haugens, die man fast schon für einen Boykott halten konnte, hatte ihn enttäuscht und bedrückt, das war ihr aufgefallen. Das alles kannte sie, diesen Zustand jedoch nicht.

Sie war soeben von einigen Krankenbesuchen in den Baracken nach Hause gekommen, die für jene Leute errichtet worden waren, die während des großen Brandes im Vorjahr ihr Dach über dem Kopf verloren hatten. Die Ärzte der Stadt wechselten sich bei dieser freiwilligen Arbeit ab, und es hatte nie zur Diskussion gestanden, sie auszuschließen, weil sie eine Frau war. Oder eine Deutsche. Sie hatte zwar kein herzliches, aber doch ein korrektes Verhältnis zu den Arztkollegen der Stadt.

Sie war müde und wollte sich nach der feuchten Kälte in den Baracken ein heißes Bad gönnen. Auf der Treppe ins Obergeschoss hörte sie, wie Lauritz die Haustür öffnete.

Aber sie hörte auch etwas anderes, ohne es benennen zu

können. Es war Lauritz, aber auch wieder nicht. Vielleicht waren seine Schritte langsamer als sonst. Vielleicht hatte er ein seltsames Geräusch von sich gegeben. Was auch immer es gewesen sein mochte, sie ahnte etwas. Sie hatte auf der Treppe kehrtgemacht und war ihm entgegengelaufen.

Wortlos streckte er einfach nur die Arme aus und umarmte sie, aber da hatte sie bereits diesen nie zuvor erblickten Gesichtsausdruck erhascht.

»Lauritz, Geliebter, was ist geschehen?«, fragte sie und versuchte sein Gesicht mit beiden Händen zu fassen, um ihm aus der Nähe in die Augen sehen zu können.

Er wand sich aus ihrer Umarmung, kehrte ihr den Rücken zu und hängte seinen Mantel und Hut auf.

»Komm!«, sagte er, ergriff ihre Hand und führte sie in den Salon. »Ich muss dir etwas Schreckliches erzählen.«

Ein Schrecken durchfuhr sie, aber sie wusste, dass alle vier Kinder zu Hause waren. Es konnte sich also nicht um das größte Unglück handeln.

Sie nahmen auf dem geschwungenen Sofa aus hellem Leder Platz, und er nahm ihre Hand. Dann saßen sie, wie sie es zu tun pflegten, nachdem die Gäste gegangen waren. Als sie noch Gäste gehabt hatten.

»Sie haben die *Ran* angezündet. Sie ist nur noch ein Haufen Asche«, sagte er leise, schluchzte auf und bedeckte seine Augen mit der Hand. Noch nie hatte sie ihn weinen sehen.

»Wie furchtbar! Wer hat sie angezündet? Und warum?«

»Laut Zeugen ein paar kleine Jungen. Ich habe mit der Polizei gesprochen und sie gebeten, sich bei den Nachforschungen nicht allzu sehr anzustrengen.«

»Warum denn nicht? So etwas darf doch nicht ungestraft bleiben!«

Er schwieg eine Weile. Ingeborg sah sich neben ihm im Cockpit sitzen. Die Erinnerung brach wie Wellen über sie herein. Die *Ran* bedeutete ihnen beiden so viel. Ohne die *Ran* hätten sie vielleicht nie zusammenleben dürfen.

»Es ist der Krieg«, sagte er nach einer Weile. »Dieser elende Heringsvertrag mit England, du weißt schon. Ich war ja die ganze Zeit dagegen. Da Norwegen neutral ist, war es unklug, den Engländern fünfundachtzig Prozent des gesamten Heringsexportes zu überlassen, obwohl einige Leute in der Stadt natürlich glänzend daran verdienen. Dann hat Deutschland angefangen, unsere Schiffe zu torpedieren, bislang dieses Jahr schon über fünfzig, und dazu kommen über sechzig tote Seeleute.«

»Ich weiß. Das ist schrecklich, aber was hat das mit der Brandstiftung zu tun?«, fragte sie mehr verärgert als erstaunt.

»Vermutlich einiges«, sagte er, während er ihre Hand streichelte. Sein Gesicht war leichenblass, und der Schweiß stand ihm auf der Stirn. Ganz offensichtlich war sein Blutdruck gesunken. Sollte sie ihn untersuchen?

»Ehe wir die Unterhaltung fortsetzen, verschreibe ich dir einen Whisky!«, meinte sie.

»Willst du auch einen?«, fragte er, als er sich erhob und zum Barschrank ging.

»Mir wäre ein deutscher Weinbrand lieber.«

»Frau Doktor!«, sagte er mit einer Verbeugung, als er ihr das Glas reichte. Dann ließ er sich wieder auf das Ledersofa sinken, nippte an seinem Whisky und rieb sich die Schläfen, als habe er Kopfschmerzen.

»Im ersten Jahr, nachdem ich mich von dem Schock erholt hatte, dass der Krieg ausgebrochen war, obwohl niemand verstand, warum, hoffte ich zumindest auf einen raschen deutschen Sieg, damit das Elend ein Ende hat. Krieg ist eine Anomalie und gehört nicht in unsere Zeit. Krieg, das ist das neunzehnte Jahrhundert. Aber inzwischen zieht sich das Ganze so in die Länge.«

»Entschuldige, aber was hat das mit den Brandstiftern der *Ran* zu tun?«

»Alles«, erwiderte Lauritz resigniert. »Je mehr Seeleute aus Bergen und Westnorwegen im Krieg umkommen, desto feindseliger betrachten ihre Hinterbliebenen dich und mich. Schließlich haben wir unverbrüchliche Bande zu Deutschland. Dass die Freunde verschwinden, dass die Auftragsbücher leer sind, dass Leute aus unserem ehemaligen Freundeskreis inzwischen wegschauen oder die Straßenseite wechseln, wenn sie uns begegnen, ist zumindest nicht unbegreiflich. Es ist unangenehm, ungerecht und, wie wir jetzt gesehen haben, regelrecht gefährlich, gewiss. Aber nicht unbegreiflich. Und was die Brandstifter betrifft, handelt es sich offenbar um drei kleine Jungen. Ich kann mir vorstellen, dass einer von ihnen seinen Vater dort draußen verloren hat. So haben meine Brüder und ich uns auch gefühlt, vermutlich verstehe ich das besser als die meisten anderen. Oscar und ich konnten niemandem die Schuld geben. Aber diese unglücklichen Jungen haben vielleicht ihren Schuldigen. Deutschland und alle, die aufseiten Deutschlands sind, du und ich.«

»Aber diese Jungen haben eine Straftat begangen, das lässt sich doch nicht mit dir und deinen Brüdern vergleichen!«, wandte Ingeborg ein.

»Das ist wahr. Aber erwischt man sie, müssen sie einen Schadensersatz zahlen, der das, was sie in ihrem ganzen Leben verdienen können und was ihre Eltern besitzen, weit übersteigt. Und wenn sie alt genug sind, dann steckt man sie ins Gefängnis. Willst du das?«

»Nein. Du hast ja recht, Lauritz. Aber wenn sie nächstes Mal unser Haus anzünden?«

»Das ist es ja gerade«, meinte Lauritz mutlos. »Meine geliebte Ingeborg, du hast die wunderbare Gabe, immer sofort den schwächsten Punkt zu finden. Willst du, kurz gesagt, dass wir ins Exil gehen?«

»Das ist ein großes Wort.«

»Ja. Aber nicht unüberlegt. Henckel & Dorniers Filiale in Stockholm liegt brach. Die Direktion in Berlin hat vorgeschlagen, dass ich sie übernehme. In Stockholm würden wir nicht mehr als Landesverräter gelten. Die Schweden sind sehr deutschfreundlich. Was hältst du von dieser Möglichkeit?«

»Mein erster Gedanke ist, lieber auszuharren. Mein zweiter Gedanke ist, dass es eine Erleichterung wäre, eine Zeit lang von hier wegzukommen. Wenn wir diesen schrecklichen Krieg gewonnen haben, brechen vielleicht neue Zeiten an, und wir können zurückkehren. Nein, ehrlich gesagt, Lauritz, ich weiß es nicht. Aber ich muss jetzt nach den Kindern schauen, wir reden später weiter.«

»Ich möchte auch lieber ausharren«, sagte er. »Wir haben nichts falsch gemacht. Die Welt hat sich aus reinem Neid gegen Deutschland verschworen. Frankreich und England haben es auf weitere Kolonien in Afrika und dem Nahen Osten abgesehen, und deswegen müssen nun auch norwegische Seeleute sterben. Das ist furchtbar, aber irgendwann muss es ja auch ein Ende haben! Selbst ein Weltkrieg muss einmal zu Ende gehen, und wenn Deutschland endlich gesiegt hat, wird die Welt vielleicht wieder besser.«

»Und dann wirst du ein neues Boot bauen, das *Ran II* heißen soll«, schlug Ingeborg vor, als sie sich erhob, um zu den Kindern hinaufzugehen.

»Ja«, sagte er. »Darüber habe ich bereits nachgedacht. Leichter, schlanker, kleinere Salons, mehr für Regatten als für Ausflüge mit der Familie. Aber was den Namen angeht, bin ich mir nicht sicher. Für dich und mich gibt es nur eine *Ran*.«

Während sie mit den Kindern spielte, schweiften ihre Gedanken ab. Sie gab sich Mühe, das nicht zu zeigen. Harald war etwas zu groß, um mit seinen Geschwistern zu spielen, und Rosa noch etwas zu klein. Daher hatte sie ihre Zeit mit den Kindern dreigeteilt. Erst war sie zusammen mit Johanne und Karl im Spielzimmer. Die kleine Rosa durfte zuschauen. Dann war sie eine Weile allein mit Rosa, und schließlich ging sie zu Harald. Da ging es meist um Bücher und Märchen, die er sich selbst ausdachte, über Drachen und Wikinger und den Gott Thor.

Auf eine Art hatte sie an Harald am meisten Freude. Alle modernen Pädagogen warnten davor, Kinder zweisprachig zu erziehen. Aber sie hatte darauf bestanden. Sie hatte eine Verwandte, die mit einem Vicomte verheiratet war. Ihre Kinder sprachen Französisch ebenso fließend wie Deutsch und ohne den geringsten Akzent. Bei Harald war es inzwischen genauso. Er war sieben Jahre alt und sprach den ausgeprägten Dialekt von Osterøya und fehlerfreies Deutsch, vermutlich ein perfektes Sächsisch. Auf diese Weise hatte er mühelos eine Weltsprache erlernt, und es erleichterte sie, dass sie sich auf ihr Gespür statt auf die Ideen moderner Pädagogen, dass die kindlichen Gehirne noch nicht entwickelt genug seien, um zwei Sprachen gleichzeitig zu erlernen, verlassen hatte.

Lauritz hatte nicht vorgeschlagen, nach Deutschland zu ziehen. Erst jetzt, als die Spielstunde der Kinder beendet war, fiel ihr das auf.

Berlin war die wichtigste Stadt der Welt, aber er hatte von Stockholm gesprochen, einem fast ebenso unbedeutenden Kaff wie Bergen. Warum das? Glaubte er insgeheim, dass Deutschland den Krieg verlieren würde?

Nein, unmöglich. Solche Gedanken hätte er ihr nie verheimlichen können.

Er hatte ihr etwas anderes verheimlicht. Wie schwierig die Lage ihrer Familie in Bergen war.

Vor wenigen Jahren, es kam ihr wie gestern vor, war sie in dem neuen Bahnhof, den Lauritz und Jens gebaut hatten, aus dem Zug gestiegen. Damals war das Leben leicht und beschwingt gewesen. Überall in der Stadt hatte Lauritzen & Haugen Häuser, Straßen, Brücken und Hafenanlagen gebaut. Kjetil und Lauritz waren die Prinzen der Stadt.

Nun hatte Kjetil den Vorschlag unterbreitet, den Namen Lauritzen aus dem Firmennamen zu streichen und wieder den alten Namen Horneman & Haugen zu verwenden. Ein Mitglied der Familie Horneman, die inzwischen am Sognefjord ganz andere Geschäfte betrieb, sollte gratis zwei Aktien erhalten. Dieser symbolische Besitz würde die Wiederverwendung des alten Namens rechtfertigen. Der Name Lauritzen sei seit dem Beginn der Torpedierungen zu belastet.

Sie konnten sich nicht verstecken. Sie konnten die Zeitungsfotos aus dem Jahre 1913, die sie bei der Einweihung der lächerlichen Statue mit der ebenso lächerlichen Rede neben dem Kaiser zeigten, nicht rückgängig machen. Sie erinnerte sich noch gut daran, wie sehr es Alberte und Marianne damals mit Stolz erfüllt hatte, besonders gute Freunde der Deutschen zu sein.

Alberte und Marianne wie auch die meisten ihrer Freunde aus jener Zeit, die trotz allem nicht allzu weit zurücklag, waren schon lange über den Fjord gerudert, wie man in Norwegen zu sagen pflegte.

Diese Möglichkeit hatte es für Lauritz nie gegeben, selbst wenn er es gewollt hätte. Er war Vorsitzender der inzwischen ruhenden Freundschaftsvereinigung Bergen–Kiel. Seit Deutschland den unbeschränkten U-Boot-Krieg begonnen hatte, betrachteten erschreckend viele Menschen in ihrer Umgebung alle Deutschen als den Feind.

Ein befristetes Exil konnte eine Möglichkeit sein.

Aber das wäre feige gewesen. Zu verschwinden hätte dem zunehmenden Deutschenhass recht gegeben und als Schuldeingeständnis gedeutet werden können.

Da blieb sie doch lieber auf ihrem Posten. Es gab für Freiwillige in Bergen sehr viel zu tun, insbesondere für die wenigen Ärzte. Zeit hatte sie genug, da niemand mehr ihre provisorische Praxis bei ihnen zu Hause aufsuchte. Die Verwundeten und Brandverletzten, die jeden Tag mit Schiffen zum Sanitätsstützpunkt auf der Munkebryggen kamen, fragten nicht lange, ob die helfenden Hände deutsch oder norwegisch waren.

*

Es war Anfang September, und vor einer Woche hatte für Harald der Unterricht wieder begonnen. Es war ein Tag wie viele andere.

Zwei schwer beschädigte Schiffe wurden vom Byfjorden hereinbugsiert, und bald waren übervolle Rettungsboote auf dem Weg zur Munkebryggen, wo sich die Ärzte darauf vorbereiteten, Erste Hilfe zu leisten. Komplizierte Operationen wurden nicht vor Ort durchgeführt, die Verletzten wurden nur so weit versorgt, dass sie den Transport in eines der städtischen Krankenhäuser überlebten. Vor allem ging es darum, weiteren Blutverlust zu verhindern und Brandwunden zu versorgen. Die Seeleute, die zum Teil recht unsanft aus den Rettungsbooten auf den Kai getragen wurden, waren für gewöhnlich medizinisch nicht versorgt worden und hinterließen deutliche Blutspuren.

Ungewöhnlich war an diesem Tag, dass die Verwundeten von einem französischen Kriegsschiff kamen, einem Minensuchboot, das torpediert worden und in Flammen aufgegangen war. Dann war es jedoch wie durch ein Wunder nicht gesunken und hatte nach Bergen bugsiert werden können.

Die Hälfte der Besatzung war umgekommen, aber vier übel zugerichtete Seeleute wurden zu den wartenden Ärzten hinaufgeschleppt.

Ingeborg sprach als Einzige Französisch. Die anderen nahmen ihre Hilfe dankbar an, und sie übersetzte, als die Verwundeten ihre Schmerzen und Verletzungen beschrieben.

Sie teilten die Verletzten nach der Schwere ihrer Verletzungen ein, und es gelang ihnen, alle erkennbaren Blutungen zu stillen. Ein Seemann mit einem Granatsplitter im

Bauch wurde rasch ins Krankenhaus transportiert. Die anderen drei konnten vor Ort versorgt werden.

Ingeborg behandelte einen Mann, der aus einer tiefen Wunde im rechten Brustmuskel mindestens einen Liter Blut verloren hatte. Sie wusste schon lange, dass man bei großen Wunden nicht zögern durfte, Zauderer eigneten sich nicht als Sanitätsoffiziere. Sie ließ sich von einer Krankenschwester dabei helfen, die Uniform des Verletzten über der Brust aufzuschneiden, die Wunde auszuspülen und sie dann mit den Händen zusammenzudrücken, während sie darauf warteten, dass die Lokalanästhesie ihre Wirkung tat.

Der Mann war Anfang zwanzig, war bei vollem Bewusstsein und betrachtete Ingeborg beinahe belustigt, als sie sich anschickte, seine Wunde zusammenzunähen.

»Wollen Sie mich zusammenflicken, Schwester?«, fragte er, gerade als Ingeborg zum ersten Stich ansetzen wollte.

Erstickte Schreie aus dem Hintergrund unterbrachen ihre Unterhaltung. Ein Arzt und eine Krankenschwester richteten einen Armbruch.

»Was ist mit meinem Kameraden?«, fragte der Franzose.

»Ein Armbruch tut weh, ist aber nicht weiter gefährlich. Sie sind außer Gefahr. Ihr Kamerad, den wir ins Krankenhaus gebracht haben, könnte eine ernstere Bauchverletzung haben«, antwortete Ingeborg und zog energisch die Nadel nach dem ersten Stich wieder heraus. Der Patient stöhnte leise zwischen zusammengebissenen Zähnen.

»Tun Sie sich den Gefallen und schauen Sie mir nicht bei meiner Arbeit zu«, ermahnte Ingeborg den Verwundeten. »Zuzuschauen schmerzt mehr.«

»Meinen Sie etwa, dass ich mir die Schmerzen einbilde,

Schwester?«, fragte er beleidigt. »Hat denn wirklich keiner der Ärzte Zeit für mich?«

»Ich bin Ärztin«, antwortete Ingeborg und setzte die Nadel wieder an. »Bitte nicht hinschauen.«

Gehorsam lehnte er sich zurück und starrte an die Decke aus Zelttuch. Ingeborg arbeitete ruhig und zügig, nach einer halben Stunde hatte sich der zwanzig Zentimeter lange Schnitt in eine ordentliche, dichte Naht verwandelt. Nun war es an der Zeit, die kleineren Blessuren zu versorgen.

Sie stellten fest, dass der Fuß, den sie gebrochen wähnten, nur verstaucht war. Es gab ein paar Wunden von Granatsplittern, die sie reinigten und verpflasterten.

Ingeborg holte ein Unterhemd und einen Wollpullover aus dem Lager mit gestifteten Kleidern und ein Dreieckstuch. Sie kleideten den Verwundeten vorsichtig an und legten ihm den rechten Arm in eine Schlinge.

»Was geschieht jetzt, Madame?«, fragte der Verwundete, als alles fertig war und er etwas benommen versuchte, sich zu erheben und auf dem verstauchten Fuß aufzutreten.

»Meinen Sie medizinisch oder überhaupt, Herr Leutnant?«, fragte Ingeborg, die sich über einer Schüssel Hände und Unterarme mit Alkohol wusch.

»Woher wissen Sie, dass ich Leutnant bin?«, fragte er neugierig.

»Zwei Streifen an der Uniform machen Sie doch zum Leutnant, oder?«

»Wenn man es genau nehmen will, bin ich *Enseigne de Vaisseau de Première Classe*«, erwiderte er lächelnd.

»Ich bitte vielmals um Entschuldigung, Monsieur Enseigne de Vaisseau, die Hauptsache ist aber doch wohl, dass Sie jetzt zusammengeflickt sind.«

»Werde ich Schmerzen haben?«

»Ja, zweifellos. Sobald die Betäubung nachlässt, werden Sie etwa eine Woche lang ziemliche Schmerzen im beschädigten Brustmuskel haben. Sonst sieht es gut aus. Sie werden wieder ganz gesund werden.«

»Sie sprechen ausgezeichnet Französisch, Madame. Waren Sie oft in Frankreich?«

»Nein, aber ich wollte einmal Sprachlehrerin werden, dann bin ich aber glücklicherweise Ärztin geworden. Ich glaube, das passt besser zu mir.«

»Ich bin Ihnen sehr zu Dank verpflichtet, Madame. Vermutlich war es für meine Kameraden und mich ein Glück, dass wir nicht unter die Messer unserer eigenen Militärärzte geraten sind. Ich würde mich gerne revanchieren, wenn wir endlich mit diesen deutschen Ratten fertig sind.«

»Was Sie betrifft, ist dieser Krieg jedenfalls zu Ende. Ihre Kameraden und Sie werden vermutlich von den norwegischen Behörden interniert und dann demobilisiert. Sie sind wahrscheinlich bald wieder in Frankreich.«

Beinahe hätte sie seine abfällige Bemerkung über die Deutschen kommentiert und gesagt, dass er jedenfalls von einer deutschen Ärztin gut behandelt worden sei. Bis zu seinem Kommentar über die Deutschen hatte sie ihn einfach als einen Patienten betrachtet, noch dazu einen höflichen, jedenfalls nicht als einen Feind. Aber rein sachlich betrachtet, waren sie zweifellos Feinde in der irrsinnigen Welt, die der Krieg hervorgebracht hatte.

Sie wurde aus ihren Gedanken gerissen, als sich ein weiteres, offenbar mit Verwundeten beladenes Rettungsboot näherte. Sie mussten aufräumen und alles für die nächste Gruppe vorbereiten. Gleichzeitig erschien ein Feldwebel mit einigen Männern und zwei Pferdedroschken, um die französischen Soldaten ins Militärkrankenhaus zu bringen.

»Es war mir eine Freude, Ihre Bekanntschaft zu machen, Madame«, sagte der Mann mit dem zusammengenähten Brustmuskel. »Ich heiße Henri Letang, und ich hoffe, dass wir uns irgendwann einmal wiedersehen.« Er versuchte, ihre Hand mit seiner Rechten zu ergreifen, verzog dann aber das Gesicht vor Schmerzen und begnügte sich mit einer Verbeugung. »Übrigens«, sagte er, als er von zwei norwegischen Soldaten aus dem Operationszelt geführt wurde, »ist Enseigne de Vaisseau de Première Classe der Rang über Leutnant in England und Deutschland.«

»In Deutschland wäre das ein Oberleutnant zur See«, antwortete Ingeborg, ohne weiter nachzudenken und ohne den seltsamen Gesichtsausdruck zu verstehen, den ihr der Franzose zuwarf. Sie hatte ihre Aufmerksamkeit bereits den neuen Verwundeten zugewendet, die ins Ärztezelt getragen wurden.

Sie war noch etliche Stunden intensiv mit weiteren Brandverletzungen und Granatsplitterwunden beschäftigt. Das Schlimmste an diesem Nachmittag war ein Achtzehnjähriger, den sie zur Amputation eines Beines ins Krankenhaus schicken mussten. Im Zelt konnten keine Vollnarkosen durchgeführt werden, sie befassten sich nur mit Operationen mit örtlicher Betäubung. Der junge Mann war bei Bewusstsein und verstand unglücklicherweise, was die drei Ärzte beschlossen. Etwas anderes wäre auch gar nicht möglich gewesen, da seine rechte Wade unter dem Knie nur noch an ein paar Hautfetzen hing.

Er klammerte sich an der Trage fest und schrie herzerweichend, als die Sanitäter erschienen, um ihn wegzutragen, dem Unvermeidlichen entgegen.

Eigentlich war es ein guter Arbeitstag, dachte sie, als sie von der Munkebryggen nach Hause ging. Vermutlich, weil bis auf ihren ersten Patienten keiner der vor Schmerzen jammernden oder schreienden Verwundeten seinen Hass auf die Deutschen kundgetan hatte. Sie hatte nie gewagt, solche Ausbrüche zu kommentieren, nicht einmal wenn sie einem Seemann eines seiner Gliedmaße oder gar das Leben gerettet hatte. Eigentlich hätte sie ihnen sagen müssen, dass sie eine deutsche Ärztin war.

Die Uniform des norwegischen Sanitätsoffiziers schützte sie, wenn sie durch die Stadt ging. Diejenigen, die sie als Frau Lauritzen sehen wollten, den deutschen Feind, mussten unvermeidlich auch die weiße Armbinde mit dem roten Kreuz neben der norwegischen Fahne auf dem Uniformärmel zur Kenntnis nehmen. Beim Gedanken an die norwegische Flagge begann sie zu zittern und wäre beinahe in Tränen ausgebrochen. Sie dachte an den Spinnaker der *Ran*, die wahrscheinlich größte norwegische Flagge der Welt, der die *Hohenzollern* des Kaisers vor nicht allzu langer Zeit salutiert hatte.

Die *Ran* gab es nicht mehr. Sie war vom Hass verbrannt worden. Aber ihre Segel existierten noch. Diese Einsicht machte ihr zumindest etwas Hoffnung. Eines Tages würden sie diese Segel wieder hissen.

Die Tage wurden allmählich kürzer, und als sie das Haus in der Allégaten erreichte, dämmerte es bereits. Vielleicht würde sie mit den Kindern im kleinen Salon das erste Feuer des Herbstes im Kamin anzünden.

»Mama ist zu Hause! Kommt, Kinder!«, rief sie ins

Haus, als sie ihre Uniformjacke und die graue Bootsmütze in der Diele aufhängte. Aus dem Obergeschoss waren sofort helle Stimmen und eilige Kinderfüße zu hören. Die Haushälterin erschien jedoch zuerst, um ihr aus den Schuhen zu helfen. Dann legte sie plötzlich die Hand vor den Mund und wurde sichtlich bleich.

»Was ist los?«, fragte Ingeborg arglos.

»Haben Sie Harald nicht mitgebracht, gnädige Frau?«, fragte die Haushälterin überflüssigerweise. »Wollten Sie ihn nicht von der Schule abholen?«

Ingeborgs innere Welt stagnierte. Im selben Moment drängten sich drei fröhliche Kinder um sie, um sie zu umarmen. Sie erwiderte die Umarmungen halbherzig, ohne die Haushälterin aus dem Blick zu lassen. Dann schob sie die Kinder vorsichtig weg. Sie war immer noch benommen. Sie musste sich zusammenreißen, nachdenken.

»Wollen Sie damit sagen, dass Harald nach der Schule nicht nach Hause gekommen ist, Sigrid?«, fragte sie.

»Ja, gnädige Frau. Ich dachte, er ist mit Ihnen unterwegs.«

»Aber hätte er nicht schon vor mehreren Stunden hier sein müssen?«

»Ja, gnädige Frau. Aber ich dachte ...«

Die Kinder verstanden intuitiv, dass etwas Schreckliches geschehen war, und taten keinen Mucks. Ingeborg hinkte rasch, da sie noch einen Schnürstiefel am Fuß hatte, zum Telefon und rief im Büro an. Lauritz war sofort am Apparat, als hätte er neben dem Telefon gesessen und gewartet.

»Harald ist nicht aus der Schule nach Hause gekommen«, teilte sie ohne weitere Begrüßung mit. »Er ist schon drei Stunden verspätet. Du musst die Polizei verständigen.«

»Aber Ingeborg. Liebes. Man kann nicht gleich die Polizei anrufen, weil ein Schuljunge ein wenig trödelt. Die Polizei hat in diesen Zeiten Wichtigeres zu tun.«

»Nein, hat sie nicht«, widersprach sie. »Komm nach Hause. Ich rufe die Polizei an, gleichgültig, was du denkst.«

»Ich komme sofort, aber, Liebes, wir können uns wegen einer solchen Bagatelle nicht lächerlich machen. Es gibt so vieles, was einen kleinen Jungen aufhalten kann. Baumhäuser, Spiele auf den aufregenden Trümmergrundstücken in der Stadt, Spielkameraden, die sich was einfallen lassen …«

»Er hat keine Spielkameraden! Das weißt du sehr gut. Mach dich auf den Weg. Ich rufe die Polizei an.«

Sie beendete kurzerhand das Gespräch und meldete ein weiteres an. Sie verlangte Oddvar Grynning, den Polizeichef der Stadt.

Die Reaktion des Polizeichefs unterschied sich interessanterweise von der von Lauritz. Nachdem er sich Ingeborgs verzweifelten Bericht angehört hatte, wurde er sofort professionell-sachlich und effektiv. Er befragte sie eingehend über die Schule, die Klasse und den Nachhauseweg und versprach, sofort alle verfügbaren Männer loszuschicken. Bevor er das Gespräch beendete, versicherte er Ingeborg noch, dass sie den Jungen sehr bald finden würden.

Ingeborg stand unschlüssig neben dem Telefon. Was sollte sie jetzt tun? Was war geschehen? War Harald schon tot? Lag er irgendwo misshandelt und blutend herum? Hatten sie ihn ins Wasser geworfen? Er schwamm wie ein kleiner Fisch, hatte es in den warmen Sommern auf Osterøya gelernt. Aber die Kaiufer waren hoch. Nein, bei seinem Verschwinden war es noch hell gewesen, da konnte niemand unbemerkt ein Kind ins Wasser werfen.

Ihre drei Kinder starrten sie an, schweigend, verschreckt. Sie unterdrückte den Impuls, auf sie zuzulaufen und sie in die Arme zu schließen. Das ging nicht. Nicht jetzt. Sie musste einen kühlen Kopf bewahren.

»Beschäftigen Sie bitte die Kinder, Sigrid. Ich muss die Praxis vorbereiten«, befahl sie und schüttelte erst einmal verärgert den Stiefel ab.

Den Praxisraum hatte sie schon seit Monaten nicht mehr benutzt. Sie lüftete, nahm alle seit einem Jahr nicht mehr verwendeten chirurgischen Instrumente hervor und legte sie in den Dampfsterilisator. Dann begann sie, systematisch alles mit Alkohol abzuwischen. Es war wie eine Beschwörung, als würde man nicht benötigen, was sie alles für eine Operation vorbereitet hatte, und als würden die Mächte gegen sie wirken, wenn sie es unterließ.

Hufgeklapper auf dem Pflaster, Lauritz kam nach Hause.

Sie erwartete ihn in der Diele, küsste ihn flüchtig, half ihm aus dem Mantel und nahm ihm den Hut ab. Dann ging sie zu ihrem Lieblingssofa im großen Salon und goss einen Whisky und einen deutschen Weinbrand ein.

Als sie Platz nahm, sah sie, wie mitgenommen Lauritz aussah. Offenbar hatte auch er den Ernst der Lage inzwischen erkannt.

»Vielleicht hat Harald ja neue Freunde gefunden und spielt bei jemandem, der kein Telefon hat, mit der Eisenbahn«, meinte Lauritz und trank einen großen Schluck Whisky.

»Er hat keine Freunde, und du weißt auch, warum.«

»Hm. Ja. Der verdammte Krieg. Auch Kindern gegenüber unerbittlich. Was hat Oddvar gesagt? Ich vermute doch, dass du Oddvar direkt angerufen hast?«

»Er hat die Sache sehr ernst genommen. Er will sein Möglichstes tun. Verzeih, aber können wir deutsch sprechen?«

»Ich dachte, dass du jede Möglichkeit nutzen willst, dein Norwegisch zu verbessern?«

»Heute Abend nicht! Ich muss klar denken, und das kann ich nicht auf Norwegisch. In der Nähe der Schule, wenn man eine gerade Linie zwischen der Schule und unserem Haus zieht, liegt ein großes, vom Feuer zerstörtes Gebiet. Kinder dürfen dort nicht spielen, weil es gefährlich ist.«

»Und du glaubst, dass er sich dort befindet?«, fragte Lauritz erstaunt.

»Ja, das glaube ich. Entweder tot oder schwer misshandelt, sonst hätte er sich irgendwie nach Hause geschleppt. Hoffentlich nur misshandelt, aber in der Nacht könnte er zu sehr auskühlen, man muss ihn heute Abend noch finden. Wenn die Täter Kinder waren, seine lieben norwegischen Klassenkameraden zum Beispiel, dann haben wir noch die Chance, ihn zu retten.«

»Jetzt malst du aber wirklich den Teufel an die Wand. Kinder prügeln sich, aber nicht so, dass jemand liegen bleibt.«

»Irgendwo liegt er, sonst wäre er zu Hause. Es wird eine milde Nacht, ich habe gerade nachgesehen, elf Grad. Eine Abkühlung könnte von Vorteil sein. Ich habe mich vorhin geirrt. Es hängt natürlich ganz von seinen Verletzungen ab.«

»Aber, liebe Ingeborg, wie kannst du so sicher sein, dass er ernsthaft verletzt ist?«

»Ich weiß das, weil er die Schule vor vier Stunden verlassen hat und nicht aus eigener Kraft nach Hause gekommen ist!«

Lauritz sah aus, als wollte er weitere Einwände vorbringen, überlegte es sich dann aber anders. Er erhob sich und füllte ihre Gläser nach.

»Danke«, sagte Ingeborg, als er ihr ihren zweiten Weinbrand reichte. »Danach trinke ich heute Abend nichts mehr. Falls in der Praxis etwas zu tun sein sollte, wenn sie ihn nach Hause bringen.«

Ein helles Silberglöckchen schlug siebenmal. Die französische Uhr auf dem Kaminsims. Lauritz war sehr stolz gewesen, als er sie bei einer Auktion ersteigert hatte. Jetzt klang es wie Hohn. Ein Cherub mit blauem Schurz zeigte mit seinem Zeigefinger, dass vier Stunden vergangen waren, seit Harald hätte zu Hause sein müssen.

Irgendwo war er. Vielleicht verletzt, vielleicht schwer misshandelt, vielleicht rang er seit vier Stunden mit dem Tod. So war es. Lauritz versuchte nicht mehr, optimistische Szenarien zu entwerfen, an die er in seinem Innersten auch nicht glaubte. Auch er bereitete sich auf das Schlimmste vor.

Sie sah es ihm an. Er ließ die Schultern hängen und wurde blass. Lauritz war ein vernünftiger Mensch, der fast alle Probleme mit dem Rechenschieber anging. Im Augenblick handelte es sich um Wahrscheinlichkeitsrechnung.

»Wenn sie Harald getötet haben …«, hob er an, wurde aber sofort von Ingeborg zum Schweigen gebracht.

»Es ist nicht wahrscheinlich, dass er tot ist, eher schwer verletzt«, wandte sie ein.

»Woher willst du das wissen?«

»Er hat die Schule verlassen. Mitschüler haben ihn verfolgt. Es geht trotz allem um Kinder. Sie können ein anderes Kind schwer verletzen, vor allem wenn sie viele sind. Aber sie haben nicht die Kraft eines Erwachsenen. Sie können nicht töten.«

»Sofern sie keine Messer verwenden.«

»Ja, sofern sie keine Messer verwenden. Aber nicht einmal dann ist es sicher, dass es einem Kind gelingt, ein anderes Kind zu töten. Hingegen kann es zu einem gewissen Blutverlust kommen, der kritisch wird, je mehr Zeit verstreicht.«

»Herrgott, Ingeborg! Du sprichst von unserem Harald!«

»Dessen bin ich mir außerordentlich bewusst. Ich versuche nur, mich als Ärztin in äußerste Bereitschaft zu versetzen. Als wäre Harald irgendein norwegischer oder französischer Seemann.«

»Französischer?«

»Ja, aber das spielt jetzt keine Rolle. Ich habe heute einen Franzosen operiert. Bald kommt das Polizeiauto. Ich spüre das. Nicht als Ärztin, sondern als Mutter. Bald kommen sie mit ihm nach Hause, und dann musst du mir helfen, ganz gleichgültig, wie schlimm es ist.«

Es gab nichts mehr zu besprechen, und sie konnten nur noch warten. Anschließend hätten sie beide nicht mehr sagen können, wie lange sie schweigend dagesessen und gewartet hatten, zehn Minuten oder eine Stunde, bis sie den Polizeiwagen hörten und zur Haustür rannten.

Polizeichef Oddvar Grynning trug Harald höchstpersönlich den Kiesweg hinauf, oder zumindest ein schmutziges, blutiges Bündel, das Harald sein musste.

»Er lebt, soweit ich sehen kann, aber er ist übel zugerichtet. Wir haben ihn auf einem Trümmergrundstück in der Olav Kyrres Gate gefunden«, teilte der Polizeichef mit, als er keuchend durch die Haustür trat. Ingeborg eilte voraus und zeigte ihm den Weg. Sie öffnete die Tür zur Praxis und deutete schweigend auf die grüne Pritsche.

Sie nahm ein Stethoskop und hörte den Brustkorb auf Herztöne ab. Dann nickte sie Lauritz, der mit hilflos herabhängenden Armen auf der Schwelle verharrte, aufmunternd zu.

»Lauritz!«, befahl sie. »Ruf sofort Odd Eiken an und teile ihm mit, dass ich seine Hilfe brauche!«

»Lebt er?«, fragte Lauritz verzweifelt.

»Ja! Er lebt. Und er kann überleben. Tu jetzt einfach, was ich sage!«

»Wir dachten, da Sie selbst Ärztin sind, Frau Lauritzen …«, begann der Polizeichef.

»Danke, Herr Polizeidirektor. Sie haben alles richtig gemacht. Vielen Dank für Ihre Hilfe. Schließen Sie bitte die Tür hinter sich!«

Die beiden Männer zogen sich fast eingeschüchtert zurück. Ingeborg schloss die Augen und versuchte sich zu konzentrieren. Dies ist ein Patient mit tödlichen Verletzungen, dachte sie. Dies ist ein Patient, den ich wie alle anderen Patienten behandeln werde.

Sie holte eine große Schere und begann, dem Jungen die blutigen Kleider vom Körper zu schneiden. Er atmete unregelmäßig. Sowohl Blutdruck als auch Pulsfrequenz waren erhöht. Was darauf hindeutete, dass der Patient mit einer inneren Verletzung zu kämpfen hatte.

Der Patient stank nach Pferdemist. Alle offenen Stellen im Gesicht waren mit Pferdemist eingerieben worden.

Bakteriologische Kriegsführung, dachte Ingeborg. Beide Augen waren zugeschwollen. Der Patient konnte nichts sehen und war nicht bei Bewusstsein. Die Unterkühlung war stark, aber nicht kritisch. Als Erstes musste die Infektion bekämpft werden.

Sie begann mit dem völlig verschmutzten Gesicht. Nach der Misshandlung hatten sie ihn also mit Pferdeäpfeln abgerieben, wie Kinder das mit Schneebällen taten. Die Absicht war vermutlich nicht gewesen, eine tödliche Infektion hervorzurufen, sondern ihn zu demütigen.

Sie nahm das lauwarme Wasser, das sie bereits bereitgestellt hatte, einen Waschlappen und normale Seife und begann, das Gesicht des Patienten zu reinigen. Er stöhnte leise vor Schmerzen. Ein gutes Zeichen.

Nur das Gesicht hatte blutende Wunden. Der Rest des Körpers wies keine Stichverletzungen auf. Aber er war mit blauen Flecken übersät. Man hatte den Patienten, vermutlich als er bereits am Boden lag, immer wieder getreten. Sie strich mit den Händen über den zarten Knabenkörper, schloss die Augen und tastete. Keine großen Blutansammlungen in der Bauchhöhle, soweit sie erkennen konnte. Die Leber intakt. Wie es um die Milz stand, ließ sich nicht entscheiden, aber ein Riss in der Milz hätte einen dramatisch niedrigen Blutdruck zur Folge gehabt.

Ein zweiter Reinigungsdurchgang mit Alkohol, diesmal etwas fester. Die Bakterien im Pferdemist waren gefährlich.

Die Verletzung auf der einen Wange konnte von einem Messer herrühren, der Schnitt war gerade und wies gleichmäßige Wundränder auf. Der Pferdemist war regelrecht in die Wunde einmassiert worden.

Sie entfernte die letzten braunen Punkte mit einem Wattestäbchen aus der Wunde. Dann machte sie eine Pause, öffnete das Fenster und warf die zerschnittenen, blutigen und rußigen Kleider hinaus. Dann schloss sie das Fenster wieder.

Der Patient lag nackt und sauber vor ihr auf dem Operationstisch. Die gereinigte Schnittwunde auf der Wange blutete stark, aber das war gut, eine Art innere Spülung vor dem Vernähen.

Odd Eiken stürzte mit wehendem Haar in die Praxis. Er trug bereits einen weißen Arztkittel und hatte ein Stethoskop um den Hals hängen. Er nickte Ingeborg zu und beugte sich dann sofort über den Patienten und fühlte seinen Puls.

»Schnell, aber nicht kritisch«, konstatierte er. »Und der Blutdruck?«

»Dasselbe. Hoch, aber nicht kritisch«, antwortete Ingeborg mechanisch.

»Innere Blutungen?«

»Ja, vermutlich, aber nicht lokalisiert.«

»Es ist das Auge«, sagte Ingeborgs Kollege, nachdem er eine Weile den nackten Körper des Patienten abgetastet hatte. »Der Druck im Auge ist gefährlich.«

Zu dieser Erkenntnis war sie auch schon gelangt. Das linke Auge des Patienten war vollkommen zugeschwollen. Die Schwellung war so groß wie ein Tennisball. Das Blut erzeugte einen solchen Druck, dass die Sehkraft gefährdet war. Sie müssen auf das linke Auge gezielt und immer wieder dorthin getreten haben.

»Sind wir uns hinsichtlich des Auges einig?«, fragte Odd Eiken.

»Ja. Wir müssen den Druck so schnell wie möglich senken«, erwiderte Ingeborg.

»Soll ich das tun, oder willst du?«, fragte er.

»Ich erledige das«, sagte sie, ging zum Dampfsterilisator und holte ein Skalpell.

»Setz den Schnitt in die Falte, dann ist die Narbe später nicht zu sehen«, schlug Odd Eiken vor.

»In welche Falte?«, erwiderte sie und drückte die Spitze an das pralle Augenlid, holte tief Luft und schnitt.

Der Blutstrahl besaß eine überraschende Kraft und traf sie im Gesicht und auf der Brust. Wortlos legte sie das Skalpell beiseite, ging zur Waschschüssel, goss Wasser hinein und griff nach einem Waschlappen. Harald schrie herzerweichend. Das war ein gutes Zeichen, das zeigte, dass er langsam das Bewusstsein wiedererlangte.

Die Tür wurde aufgerissen, und Lauritz stürmte herein. Sein entsetzter Blick wanderte zwischen dem mit blauen Flecken übersäten Körper seines Sohnes auf dem Operationstisch und der blutbefleckten Ingeborg hin und her.

»Alles ist gut gegangen, mach dir keine Sorgen, geh bitte wieder raus!«, befahl sie in einem Ton, der ihn verstehen ließ, dass sie die Wahrheit sprach. Er zog sich rasch zurück und kehrte zu seinem Gast, dem Polizeidirektor, zurück, um ihm zu berichten.

Die Verletzung des Augenlides musste nicht genäht, aber das Auge mit verdünntem Alkohol gespült werden, um eventuelle Pferdebakterien zu beseitigen. Das würde schmerzhaft werden, das wussten beide Ärzte, denn an dieser Stelle war eine örtliche Betäubung unmöglich, und für eine Vollnarkose standen ihnen nicht die Mittel zur Verfügung.

Während dieses Eingriffs schrie der Patient erneut herzerweichend.

Die Wange konnte lokal betäubt werden. Jetzt war der Patient fast wieder bei vollem Bewusstsein. Ingeborg hielt ihm zärtlich den Kopf, während ihr Kollege die Wunde noch einmal auswusch und dann vernähte.

Sie wickelten den Patienten in zwei Decken ein. Alles war so weit getan, jetzt mussten sie nur noch dafür sorgen, dass seine Körpertemperatur stieg. Die beiden Ärzte wuschen sich und warfen ihre Kittel auf den Boden.

»Ich bin wirklich sehr froh, dass ich dir helfen konnte, das sollst du wissen, Ingeborg, meine liebe Freundin«, sagte Odd Eiken mit Betonung auf »liebe Freundin«. »Es war nicht nur das Feuer, das unsere fantastische moderne Idee einer Gemeinschaftspraxis von einem Arzt und einer Frauenärztin zerstört hat. Es war der Krieg.«

»Ich weiß«, antwortete sie. »Und ich weiß auch, dass du ein guter Freund bist und dass alle Kriege in der Geschichte der Menschheit irgendwann ein Ende genommen haben. So wird es auch mit diesem sein. Vielleicht können wir noch einmal von vorn anfangen?«

»Sehr gerne, Ingeborg. Und der Junge wird durchkommen. Nur das Auge ist kritisch.«

»Ich weiß«, erwiderte sie. »Wenn die Schwellung abgeklungen ist, bringe ich ihn in Halvorsens Augenklinik. Dann werden wir weitersehen. Aber die Schwellung am Auge hat den erhöhten Puls und Blutdruck verursacht. Wir haben sein Leben gerettet, ich bin dir unendlich dankbar.«

Odd Eiken half ihr, Harald in eines der Gästezimmer zu tragen. Dort legten sie ihn unter eine dicke Daunendecke zwischen zwei Wärmflaschen. Er war bei Bewusstsein, aber sehr schläfrig, ein außerordentlich gutes Zeichen.

Haralds gesundheitliche Krise war gebannt, aber nicht

die neue Krise, die in jenem Augenblick begann, als sich Ingeborg von ihrem Freund und ehemaligen Kompagnon Odd Eiken an der Tür verabschiedete. Ihre Klinik in der Strandgaten war den Flammen zum Opfer gefallen. Ihre Möglichkeiten, gemeinsam eine Praxis zu betreiben, hatte der Weltkrieg vernichtet.

Lauritz und der Polizeidirektor saßen wie zu erwarten im Herrenzimmer. Sie hatten sich beide etwas Hochprozentiges eingeschenkt, und dagegen war nichts einzuwenden.

»Du kannst jetzt raufgehen und Harald Gute Nacht sagen«, teilte Ingeborg Lauritz mit. »Er ist vielleicht etwas schläfrig, aber die Krise ist vorüber.«

Lauritz nickte ihr zu, verbeugte sich Richtung Polizeidirektor und verließ beinahe verlegen den Raum. Ingeborg schenkte sich ein Glas mit Wasser verdünnten Weinbrand ein, nahm dem Polizeidirektor gegenüber Platz und hob das Glas.

»Das habe ich mir redlich verdient und brauche es auch«, sagte sie.

»Ganz sicher, Frau Lauritzen, ich meine, Dr. Lauritzen. Alles ist also gut verlaufen?«

»Ja. Der Patient hat überlebt«, erwiderte sie. »Es bleibt abzuwarten, ob er die Sehkraft auf dem einen Auge verliert. Aber sagen Sie mir, Herr Polizeidirektor … Entschuldigen Sie! Als Erstes muss ich mich natürlich dafür bedanken, dass Sie meine Sorge so ernst genommen haben und dass es Ihnen so rasch gelungen ist, meinen Sohn zu finden. Sie haben ihm das Leben gerettet. Aber sagen Sie mir jetzt, obwohl Sie es vermutlich schon meinem Mann erzählt haben, was geschehen ist?«

Der Polizeidirektor referierte knapp, vielleicht weil es schon das zweite Mal an diesem Abend war, und im Stil eines Berichts, was geschehen war.

Frau Lauritzens Anruf hatte ihn sofort Schlimmes befürchten lassen, denn an diesem Tag hatte die Mitteilung, dass vierzehn Seeleute gestorben seien, Bergen erreicht. Zwei Jungen aus der Klasse über Harald an der Kathedralschule hatten ihre Väter verloren.

Das wusste er, da seine jüngere Schwester eine Tochter in derselben Klasse hatte. Die beiden Jungen hatten ihre Mitschüler aufgewiegelt. Sie wollten sich an dem deutschen Balg rächen. Diese zumindest für Kinder ungewöhnlich hasserfüllte Gewalt ließ sich möglicherweise, so unbehaglich das auch war, auf diese Art erklären.

Folglich hatte die Polizei sofort zwei Maßnahmen eingeleitet. Zum einen hatte man in unmittelbarer Nähe der Schule die Trümmergrundstücke des Stadtbrands abgesucht. Dann hatte man sämtliche Kinder aus Haralds Klasse und der Klasse der beiden vaterlosen Jungen eins nach dem anderen befragt. Das hatte zu einem raschen Ergebnis geführt.

Vier Täter waren in Gewahrsam genommen worden. Aus polizeilicher Sicht war die Sache aufgeklärt. Das Problem war, dass die Täter, die sich im Prinzip eines Mordversuchs schuldig gemacht hatten, acht Jahre alt waren. Zwei von ihnen waren noch dazu vaterlos.

»Was sagen die Gesetze?«, fragte Ingeborg.

»Wenn wir uns an die Buchstaben des Gesetzes halten wollen«, meinte der Polizeidirektor seufzend, »müssten die Täter von ihren Familien getrennt werden und eine Zeit, die nicht weniger als fünf Jahre betragen darf, in einer Erziehungsanstalt verbringen.«

»Damit sie dort erst recht zu Verbrechern werden und lernen, die Gesellschaft sozusagen von rechts zu hassen?«

»Statt von links, meinen Sie?«, fragte der Polizeidirektor plötzlich amüsiert, erstaunlich amüsiert.

»Ja, in der Tat. Ich bin der Ansicht, dass das ein großes Unglück wäre«, meinte Ingeborg nachdenklich. »Die Demonstrationen dieses Sommers waren in gewisser Hinsicht beeindruckend. Fünftausend Menschen forderten Brot, Freiheit und Frieden. Wer hätte ihnen darin nicht zustimmen wollen? Auch ich und Sie, Herr Polizeidirektor. Und diese jungen Täter, vaterlose Seemannssöhne, würde ich in Zukunft auch lieber bei solchen Demonstrationen sehen als im Polizeipräsidium auf einer Liste gesuchter Verbrecher.«

»Seltsam«, meinte der Polizeidirektor. »Ihr Gatte hatte ähnliche Gedanken. Hass nütze nichts, sagte er. Wer profitierte davon, wenn vier Achtjährige für etwas, das sie aus Verzweiflung und kindlichem Unverstand getan haben, auf die Schattenseite der Gesellschaft verwiesen würden, was? Denken Sie ebenfalls so, Frau Lauritzen?«

»Ja, so denke ich«, gab sie zu. »Es gibt nur ein Problem. Nein, warten Sie, lassen Sie mich erst eine Frage stellen. Können wir als … wie heißt das? Als von der Straftat Betroffene?«

»Kläger?«

»Nun gut, Kläger. Können wir als Kläger dazu beitragen, dass diese Kinder nicht bestraft werden?«

»Nach dem Gesetz nicht wirklich, aber laut altem Brauch in Bergen können Sie die Behörden der Rechtspflege dazu auffordern, die Sache nicht auf die Spitze zu treiben. Entschuldigen Sie, dass ich mich etwas vage ausdrücke, aber das ist beabsichtigt.«

»Ich verstehe. Ich bin mir ganz sicher, dass mein Mann und ich uns in diesem Punkt einig sind. Aber wenn ich auf die schwierige Frage zurückkommen dürfte. Wenn es sich nun erweisen sollte, dass man ungestraft den Versuch unternehmen kann, deutsche Kinder zu töten, was geschieht dann als Nächstes? Glauben Sie, dass man uns das Haus über dem Kopf anzünden wird?«

»So weit waren Ihr Mann und ich in unseren Überlegungen noch nicht gekommen, Frau Lauritzen. Aber Sie haben den Nagel auf den Kopf getroffen. Mordversuche an Kindern sind nicht erlaubt, ganz gleichgültig, ob sie eine norwegische oder eine deutsche Mutter haben. So ist das Gesetz. Und ich tue mein Bestes, dieses Gesetz aufrechtzuerhalten. Aber wenn wir diese vier Achtjährigen nun nicht verurteilen?«

»Ja?«

»Dann gedenke ich, sie ins Präsidium vorzuladen und ihnen dort eine Tracht Prügel zu verpassen. Und dann erkläre ich ihnen, dass sie nur so glimpflich davongekommen sind, weil Herr und Frau Lauritzen Gnade vor Recht haben walten lassen. Aber wenn sie weitere militärische Einsätze für das Vaterland auch nur in Erwägung ziehen, dann kommen sie wirklich hinter Gitter. Und sollte der Familie Lauritzen etwas zustoßen, so wird der Verdacht als Erstes auf sie fallen. Dann buchten wir sie ein, egal, ob sie schuldig sind oder nicht.«

»Aber Herr Polizeidirektor, ist das nicht ungesetzlich?«

»Ja, in allerhöchstem Grade, aber soweit ich sehe, ist das die einzige Lösung.«

*

Die Folgen der Gehirnerschütterung des Jungen ließen sich nicht absehen. In den ersten beiden Nächten schlief Ingeborg bei ihm im Gästezimmer, um ihm beistehen zu können, falls er sich im Schlaf übergab. Seine Kopfschmerzen ließen sich notdürftig mit Aspirin-Pulver kurieren.

Am schlimmsten war, wie sie gefürchtet hatte, die Verletzung der Hornhaut. Dr. Halvorsen aus der einzigen Bergener Augenklinik hatte keine sichere Prognose stellen können, hatte aber empfohlen, das verletzte Auge mindestens zehn Tage lang abzudecken, um es möglichst lange ruhigzustellen. Grelles Licht sei zu meiden, sowohl der Augenverletzung als auch der Gehirnerschütterung wegen.

Voller Trotz ging Ingeborg weiterhin zwanzig Minuten lang von der Allégaten zur Munkebryggen zu Fuß, wenn sie den telefonischen Bescheid erhielt, dass wieder verletzte Seeleute eintreffen würden. Sie hatte ein schlechtes Gewissen, weil sie Harald allein ließ, wollte aber allen zeigen, dass sie nicht klein beigab und sich nicht von ein paar ungewöhnlich grausamen Schulkindern unterkriegen ließ. Sie blieb auf ihrem Posten.

Das Ereignis hatte sich offenbar überall in der Stadt herumgesprochen, darauf ließen die verängstigten und scheuen Blicke schließen, die ihr die Leute zuwarfen.

Ihre Arztkollegen auf der Munkebryggen waren voller Anteilnahme und erkundigten sich jeden Tag nach dem Befinden des kleinen Patienten.

Nach einer Woche begann sie zu ahnen, dass nicht Haralds physische Verletzungen, wenn er nun nicht das Sehvermögen auf dem einen Auge verlor, das Schlimmste waren. Er sah mit seinem blauschwarz verquollenen Gesicht natürlich fürchterlich aus. Aber das würde vorübergehen, in einigen Wochen würde er wieder vorzeigbar aussehen, bei Kindern und jungen Leuten verheilte alles schnell.

Erschreckender als seine grotesken Gesichtszüge war seine Schweigsamkeit. Es dauerte eine Woche, bis Ingeborg auffiel, dass er kein einziges norwegisches Wort mehr äußerte, sondern nur noch deutsch sprach. Sie befürchtete, dass dies auf einem Zusammenwirken der Gehirnerschütterung und des Schocks aufgrund der langwierigen Quälerei beruhen konnte. Aber als sie versuchte, norwegisch mit ihm zu sprechen, verstand er ganz offensichtlich alles, antwortete aber trotzdem auf Deutsch. Die Kinder hatten ihre Zweisprachigkeit praktiziert, indem sie immer in der Sprache antworteten, in der sie angesprochen wurden. Nur die kleine Rosa beherrschte diese Kunst noch nicht, da sie erst zwei Jahre alt war.

Aber bei Harald lag es an etwas anderem. Das wurde ihr klar, als sie am achten Tag von der Arbeit nach Hause kam, sofort in sein Zimmer ging und dort mit Worten empfangen wurde, über die er offenbar lange nachgedacht hatte, denn es waren seine ersten Worte:

»Mama, ich will heim nach Deutschland.«

»Aber mein Kleiner«, antwortete sie erschreckt, »dein Zuhause ist hier in Bergen. Nach Deutschland können wir im Sommer fahren.«

»Ich will nicht in Bergen zu Hause sein, ich will nie mehr norwegisch sprechen, ich will heim nach Deutschland«, beharrte er mürrisch.

Mit weichen Knien nahm sie auf seiner Bettkante Platz. Das Sprachzentrum des Gehirns war nicht in Mitleidenschaft gezogen, sondern mental hatte sich etwas verändert, was vielleicht sogar noch schlimmer war. Sollte sie die Diskussion fortsetzen oder die Sache einfach auf sich beruhen lassen und darauf hoffen, dass der mentale Schaden verheilen würde, so wie die blauen Flecken nach und nach verschwanden?

»Ich bin Deutscher und will in Deutschland wohnen«, hob er plötzlich wieder an.

»Natürlich bist du Deutscher«, sagte sie und strich ihm vorsichtig über den Kopf. »Ich bin auch Deutsche, und ich wohne in Bergen. Aber du bist nicht nur Deutscher, sondern auch ein kleiner Norweger wie dein Vater.«

»Mama, dich nennen sie deutsche Schlampe und mich deutsches Balg«, meinte er lakonisch.

»Ich weiß«, gab Ingeborg zu. »Das ist dieser fürchterliche Krieg, der die Menschen gemein und dumm macht. Aber bald ist der Krieg vorbei, und dann wird alles wie früher.«

Daran zweifelte er offensichtlich, und ehrlich gesagt tat sie das ebenfalls. Würde nach so vielen Toten und so viel Hass wirklich alles wieder wie vorher werden? Das war in der Tat nicht sehr wahrscheinlich.

Und in naher Zukunft harrte ihrer ein akutes Problem, das Lauritz und sie bisher gemieden hatten. Harald würde bald wieder gesund sein, und damit stellte sich ihnen die ebenso offensichtliche wie schmerzliche Frage, die sich nicht länger verdrängen ließ:

Würden sie Harald wieder in dieselbe Schule schicken? Konnte man einem Siebenjährigen abverlangen, dass er sich wie ein tapferer Frontsoldat verhielt und sein Recht als gleichberechtigter norwegischer Mitbürger einforderte?

Welch eine grausame Anforderung an ein Kind wäre das! Also war es undenkbar.

Plötzlich begriff sie, worum es ihrem Sohn bei seiner sprachlichen Weigerung ging. Um die Schule. Wer kein Norwegisch sprach, konnte natürlich keine norwegische Schule besuchen. Das war schlau ausgedacht, aber eine List, die der Verzweiflung und Todesangst eines Kindes entsprungen war.

Das entschied die Sache. Er würde nicht in die Schule zurückkehren. Privatunterricht stellte finanziell kein Problem und eine vorübergehende Lösung dar. Aber wie lange? Solange der Krieg andauerte, aber vielleicht noch länger, je nachdem, welche Seite siegte.

Und sollten dann Johanne, Karl und schließlich auch Rosa ebenfalls isoliert wie Gefangene unterrichtet werden?

Sie musste nicht lange darüber nachdenken. Das Ende des Weges war erreicht. Die Kinder waren jetzt wichtiger als alles andere. Es blieb ihnen nur noch ein Ausweg, und sie war sich sicher, dass Lauritz ihrer Meinung sein würde, insbesondere wenn er erfuhr, dass sich sein Sohn weigerte, norwegisch zu sprechen.

Exil. Zu guter Letzt unwiderruflich Exil.

Mit sehr gemischten Gefühlen stieg sie zehn Tage später in die Bergenbahn. Sie, die öfter als alle anderen Fahrgäste über die Hardangervidda gereist war, würde jetzt vielleicht ihre letzte Fahrt antreten. Das war traurig.

Aber die Kinder freuten sich auf das spannende Abenteuer. Sie redeten laut und in einem wilden Gemisch deutsch mit ihrer Mutter und norwegisch mit Sigrid, dem einzigen Dienstmädchen, das sie begleiten würde. Alle anderen waren entlassen und mit einer großzügigen Abfindung auf die Inseln zurückgeschickt worden.

Selbst Harald wirkte fröhlich und aufgeregt. Einige Male hätte er fast vergessen, dass er kein Norwegisch mehr sprach. Es war geradezu komisch, wie er sich, wenn ihm Sigrid eine Frage stellte, theatralisch zu seiner Schwester Johanne umdrehte und diese bat, seine deutsche Antwort zu übersetzen.

Lauritz war vorausgefahren, um alles in dem neuen Zuhause vorzubereiten.

Ingeborg legte ihren Arm um Harald, als der Zug aus dem Bahnhof dampfte. Johanne und Karl standen am Fenster, deuteten mit den Fingern und lachten. Sigrid hatte Rosa auf dem Arm, damit auch sie etwas sah.

Dass Harald sich nicht für die Aussicht interessierte, lag entweder daran, dass er auf dem linken Auge immer noch schlecht sah und sich dessen schämte, oder daran, dass er vor seinen kleinen Geschwistern den Großen und Weltgewandten spielen wollte.

Die Prognose für das Auge war immer noch unsicher. Die Hornhaut verheilte laut Dr. Halvorsen. Die Infektion war ebenfalls geheilt. Bestenfalls würde das Auge die ursprüngliche Sehkraft wiedererlangen, schlimmstenfalls würde eine leichte Sehschwäche zurückbleiben. Die Narbe auf seiner Wange leuchtete hellrot, sie hatte vor einer Woche die Fäden gezogen. Vermutlich würde die Narbe in einigen Jahren vollkommen verschwinden. Von seinen blauen Flecken im Gesicht waren nur noch ein paar hellgrüne und gelbe Verfärbungen zu sehen. Mit Ausnahme der Seele war er fast wiederhergestellt.

»Ist es aufregend, in einer ganz neuen Schule in einem neuen Land anzufangen?«, fragte Ingeborg auf Norwegisch.

»Solange dort deutsch gesprochen wird«, antwortete er auf Deutsch.

Er ließ sich nicht überlisten, auch nur ein einziges Wort Norwegisch zu sprechen. Diese Ausdauer schrieb Ingeborg aber eher seiner Hartnäckigkeit und weniger dem Schock oder, schlimmer gar, einem Gehirnschaden zu. Denn ganz offensichtlich verstand er Norwegisch ausgezeichnet.

Die Aussicht erfüllte sie mit Trauer, es versetzte ihr einen Stich ins Herz, dass dies vielleicht die letzte Reise war und sie nun die glücklichsten Jahre ihres Lebens hinter sich ließ. Sofort verursachte dieser Gedanke ein schlechtes Gewissen. Schließlich saß sie neben ihren lärmenden, fröhlichen und aufgeregten Kindern. Johanne und Karl hopsten auf den weichen roten Plüschsitzen des Erste-Klasse-Abteils herum, das sie für sich allein hatten. Sigrid versuchte sie zur Ruhe zu bringen, Ingeborg mischte sich nicht ein.

Stattdessen überlegte sie, was Lauritz oder sie vergessen haben könnten. Die Ausweise für die Kinder, die norwegische Staatsbürger waren und die sie in ihren deutschen Pass nicht eintragen lassen konnte.

Sie hatte nie die Staatsbürgerschaft gewechselt. Das war vielleicht eine Dummheit gewesen.

Ihr gewaltiges Gepäck. Die zehn Holzkisten im Gepäckwagen enthielten wohl alles, was man bei einem Umzug benötigte. Die Kinder hielten ihr Lieblingsspielzeug in den Armen, Johanne und Rosa Puppen, Karl einen Löwen aus Stoff. Nach einigen Diskussionen hatte Harald seine Dampfmaschine mitnehmen dürfen. Unter anderen Umständen hätte sie nicht nachgegeben und einfach darauf beharrt, dass Dampfmaschinen in einem Abteil nichts verloren hatten, aber aus nachvollziehbaren Gründen hatte sie während der letzten Wochen Harald gegenüber nicht streng sein können. Schließlich hatten sie sich darauf geeinigt, dass er seine Dampfmaschine mit ins Abteil nehmen, aber keinesfalls in Gang setzen durfte.

Die Kinder nahmen es mit ihren Reisegewohnheiten sehr genau. Sie riefen Hurra, als der Zug über die Brücke fuhr, die ihr Vater gebaut hatte, winkten, als sie an dem Haus vorbeifuhren, in dem er in Hallingskeid gewohnt hatte, und jubelten, als der Zug Finse erreichte.

Weiter waren sie bei ihren sommerlichen Ausflügen nie gefahren. Sie hatten selbst während der Kriegsjahre jeden Sommer ein paar Tage in der Gebirgsluft verbracht und das Ehepaar Klem besucht.

Was Alice, Lauritz und Ingeborg betraf, so herrschte Frieden. Über den Krieg wurde nicht gesprochen. In Finse war man weder Deutscher noch Engländer oder Grieche.

Ingeborg hatte ihr Kommen telefonisch angekündigt, aber die Klems waren verreist, was nicht weiter schlimm war, da sie in Finse nur zehn Minuten Aufenthalt hatten.

Danach begann die eigentliche Reise, die Reise in ein fremdes Land, erst am Finsevand entlang nach Haugastøl und von dort am nächsten See entlang nach Ustaoset.

Sie waren alle näher ans Fenster gerückt, und Ingeborg erzählte den Kindern von dem anstrengenden Leben, das ihr Vater geführt hatte, von seinen Skifahrten durch den Schneesturm und bei Tauwetter und von den vielen Brücken, die einem kaum auffielen, wenn man über sie hinwegsauste. Ingeborg hatte Tränen in den Augen, ohne richtig zu wissen, ob es die Trauer über das Exil und den möglicherweise endgültigen Abschied oder banale Sentimentalität war.

Hinter Ustaoset ließ die Spannung nach. Die Kinder riefen, dass sie hungrig waren. Im Gepäcknetz lagen große Picknickkörbe. Vermutlich viel zu viele Brote mit Schafs- und Ziegenkäse von Osterøya, geräucherter Rentierwurst, gepökeltem Hammelfleisch und was sie sonst mitzunehmen pflegten.

Ingeborg hatte sich trotz redlicher Bemühungen nie richtig damit abfinden können, dass in Norwegen kaum zu Mittag gegessen wurde und man sich stattdessen mit raschelnden, fettigen Butterbrotpaketen abmühen musste. In dieser Beziehung war Harald vollkommen norwegisch.

Würde es mit den norwegischen Angewohnheiten der Kinder nun ein Ende haben? Nein, Lauritz würde immer norwegisch mit ihnen sprechen. Sie würden jeden Sommer nach Hause fahren können, sie würden das Dampfschiff nach Osterøya nehmen und Großmutter Maren Kristine besuchen.

Die Verwandten auf Osterøya litten keine Not. Die Geschäfte waren natürlich zum Erliegen gekommen, da keine Touristen mehr kamen. Aber Großmutter Maren Kristine hatte, wie sie das selbst beschrieb, in den sieben fetten Jahren Vorräte angelegt. Frøynes Gård produzierte außerdem inzwischen zu viel Lebensmittel.

Essen. Sie verspürte keine sonderliche Lust auf die Butterbrotpakete, über die sich die anderen, auch Sigrid, gerade hermachten. Sie überließ die Aufsicht Sigrid und begab sich in den Speisewagen. Auf dem Weg nach Kristiania hatte sie oft dort gegessen, meist ganz kurz zwischen Drammen und der Hauptstadt. Auf dem Nachhauseweg hatte sie den Speisewagen nie aufgesucht, da sie zu Hause in der Allégaten immer ein Festmahl erwartete.

Allégaten. Würde sie ihr Zuhause jemals wiedersehen?

Der Speisewagen war halb voll, und sie erhielt einen Tisch für sich. Sie erwog erst, Frikadellen oder Wurst zu nehmen, bis sie Lammbraten auf der Speisekarte entdeckte. Deutschen Wein gab es keinen mehr. Nach kurzem Zögern bestellte sie einen Burgunder.

Begünstigte sie damit den Feind? Sie hatte vor dem Krieg Burgunder getrunken und würde auch nach dem Krieg wieder Burgunder trinken, so rechtfertigte sie sich vor sich selbst.

Draußen vor dem Fenster dämmerte es, aber das spielte keine Rolle. Hinter Geilo wurde es nach ihrem Geschmack ohnehin uninteressant. Wälder und Stromschnellen, noch mehr Wald, immer weniger Schnee. Das Essen war hervorragend, die Bedienung freundlich, die Beleuchtung angenehm.

»Madame Docteur! Welch eine angenehme Überraschung, Sie hier wieder zu treffen!«

Sie hörte, dass es sich um perfektes Französisch handelte, blickte auf und erkannte ihn sofort. Er war der einzige Franzose, den sie je operiert hatte.

»Ah! Monsieur Enseigne de Vaisseau de Première Classe! Wie geht es Ihrem Brustmuskel?«

»Danke, Madame, den Umständen entsprechend gut. Vielleicht etwas steif, aber es hat sich nichts entzündet.«

»Dann befinden Sie sich auf dem Weg der vollkommenen Genesung. Und wohin sind Sie sonst auf dem Weg?«

Sie zögerte. In Norwegen galt es als unhöflich, sich mit jemandem zu unterhalten, der stehen musste, außerdem hatte sie noch eine halbe Flasche Wein, die sie ohnehin nicht leeren würde. Letzteres entschied die Sache, seltsamerweise. Ihrem Vater war es immer wichtig gewesen, dass Wein, wenn die Flasche erst einmal geöffnet war, nicht verdarb.

»Möchten Sie nicht Platz nehmen und mir bei den letzten Tropfen Burgunder helfen, Herr Oberleutnant zur See?«, fragte sie und betonte die deutsche Entsprechung seines Dienstgrads.

»Sehr gerne, Madame, Sie sind zu freundlich«, antwortete er, verbeugte sich und nahm Platz.

Sofort erschien der Kellner mit einem weiteren Glas und schenkte ihnen beiden ein.

»Stammen Sie zufälligerweise aus Deutschland, Madame?«, fragte er, nachdem sie miteinander angestoßen hatten.

»Ja, zufälligerweise bin ich Deutsche. Und Sie sind ein französischer Soldat, dem dank einer deutschen Ärztin bleibende Schäden erspart blieben. So ist das nun einmal. Aber wie haben Sie das gemerkt?«

Er dachte nach. Sie musterte ihn unruhig, ob Ressentiments zu entdecken waren, aber nichts ließ darauf schließen. Er trug norwegische Kleider, Freizeitkleidung. Der Pullover hätte sogar von *Frøynes* sein können.

»Ich kann kein Wort Deutsch«, gab er zu. »Ich weiß nur, wie Deutsch klingt und wie Norwegisch klingt. Als Sie meinen Dienstgrad ins Deutsche übersetzt haben, streifte mich der Gedanke, dass nur jemand, der diese Sprache vollendet beherrscht, diesen mit solcher Kraft und Sicherheit aussprechen kann.«

»Ich habe leider Ihren Namen vergessen«, erwiderte Ingeborg, um das Thema zu wechseln. Sie hatte es zwar selbst gewählt, fürchtete sich aber auch davor.

»Henri Letang, zu Diensten, Madame!«, antwortete er und hob sein Glas erneut. »Sie haben wirklich einen ausgezeichneten Wein gewählt.«

»Mein Name lässt sich nur schwer aussprechen, aber ich heiße Ingeborg Lauritzen«, sagte sie. »Der Wein ist ein Burgunder.«

»Ingeborg Lauritzen«, wiederholte er langsam und mit gespenstischer Perfektion. Ingeborg mit deutscher Aussprache, Lauritzen mit norwegischer. »Ich habe intensiv Norwegisch gelernt«, fuhr er fort, als er ihre erstaunte Miene bemerkte. »Ich habe eine Arbeit bei der französischen Legation in Kristiania bekommen, als Ordonnanz, was vermutlich Laufbursche bedeutet.«

»Da bleibt Ihnen der weitere Krieg erspart«, meinte Ingeborg. »Im Übrigen haben Sie auch ›Kristiania‹ perfekt ausgesprochen.«

»Ich bin viermal von Ihren U-Booten torpediert worden. Jedes Mal habe ich, wie Sie sehen, überlebt. Neun Leben besitze ich nicht, also werde ich gerne Laufbursche in einer aufregenden nordischen Stadt. Fahren Sie auch nach Kristiania?«

»Nein«, antwortete sie. »Meine Kinder und ich wollen weiter. Wir müssen Norwegen verlassen, weil das Leben durch den Krieg hier unerträglich geworden ist, für mich als Deutsche und für meine Kinder als Halbdeutsche.«

XXIV

OSCAR

Mosambik, Deutsch-Ostafrika, 1917 bis 1918

Das Sonderkommando Werner wurde mit den unterschiedlichsten Spezialaufträgen betraut, da die Gruppe im Laufe der Zeit vor allen Dingen hinter den feindlichen Linien reiche Erfahrungen gesammelt hatte. Einer der eigenartigeren Aufträge war die Flusspferdjagd.

Sie jagten sie nicht so sehr des Fleisches wegen, obwohl ein Flusspferd Fleisch für Hunderte von Grillspießen lieferte; für eine Truppe von mehreren Tausend Mann war es dennoch zu wenig.

Begehrt war das Fett des Flusspferdes. Die Ersatzabteilung, die Surrogate für alles Mögliche herstellte, angefangen vom Whisky bis hin zu Kaffee und Tabak, orderte in regelmäßigen Abständen Flusspferdfett, da es in gewissen Jahreszeiten nicht genug Erdnüsse für die Herstellung von Bratfett gab, das ständig in großen Mengen benötigt wurde.

Die Flusspferdjagd war ein nicht ganz ernst zu nehmender, lächerlicher Auftrag. Wenn die »Flusspferdmörder« zu ihrer Mission aufbrachen, wurde gemeinhin gefrotzelt.

Trotzdem war die Aufgabe nicht ganz einfach. Oscar und

Kadimba waren für die eigentliche Jagd zuständig, die übrige Gruppe für ihren Schutz und den späteren Transport, sofern ihnen Jagdglück beschieden war. Flusspferde gab es in den Gewässern, die sie auf ihrem langen Rückzug vor den südafrikanischen Truppen passierten, zuhauf, aber es hatte keinen Sinn, sie im Wasser zu töten, weil man sie dann nicht bergen konnte. Man musste sie direkt im Gehirn treffen, weil sie sonst abtauchten und verschwanden, um später als Krokodilfutter zu enden. Es war also ein beschwerlicher Auftrag, und die beiden Jäger der Gruppe machten zu Beginn etliche Fehler, ehe sie ihre Technik perfektioniert hatten.

Eines Abends kurz vor Einbruch der Dunkelheit, als sie schwer beladen von einem geglückten »Sonderauftrag« zwecks Beschaffung von Bratfettersatz zurückkehrten, es war die Zeit nach den deutschen Siegen bei Mahiva und Nyangao, trafen sie auf einen Trupp, den ihnen General Wahle angeblich als Verstärkung geschickt hatte. Die Männer taumelten durch die Hitze des Spätnachmittags. Sie konnten sich kaum noch auf den Beinen halten, stützten sich gegenseitig, fast die Hälfte der Leute hatte Fieber. Dieser in vielerlei Hinsicht ergreifende Anblick veranlasste Oscar, stehen zu bleiben, ohne seine Fünfundzwanzigkilolast Flusspferdfett abzulegen. Er ahnte, dass er etwas Bedeutungsvolles vor sich hatte, nicht nur einen Beweis für deutsche Tapferkeit und Ausdauer oder für die Kameradschaft, bei der sich Weiße auf Schwarze verlassen konnten und umgekehrt. Er sah auch etwas sehr Beunruhigendes.

Unentwegt hatten sie gegen alle möglichen Krankheiten gekämpft, die ein viel gefährlicherer Feind waren als die Engländer. Manch einer bezeichnete die Krankheiten sogar als Verbündete, da die deutsche Krankenpflege der englischen haushoch überlegen war. Man musste nur einmal einer englischen Truppe gefolgt sein, um den Unterschied zu verstehen. Überall stieß man auf Hyänen, die zwischen halb aufgefressenen Menschenkadavern herumschlichen. Die englischen Truppen erlitten immense Verluste und hatten weder die Kraft noch die Zeit, ihre Toten zu begraben.

Wenn Deutschland nur ausharrte, so würde Afrika die Engländer besiegen. Das redete man sich zumindest bei der Schutztruppe ein.

Was Oscar jedoch an diesem Abend sah, war etwas anderes. Es hatte den Anschein, als würde Afrika auch Deutschland besiegen.

Zu dieser Erkenntnis schien auch Paul von Lettow-Vorbeck zu gelangen, als sich seine Hauptarmee mit dem Regiment vereinigte, dem Oscar zu diesem Zeitpunkt angehörte. Denn am nächsten Tag musste sich die gesamte deutsche Truppe zu einer medizinischen Untersuchung einfinden. Der Oberbefehlshaber von Lettow-Vorbeck hielt eine kurze Rede. Er erklärte, dass die geplante Maßnahme für das Überleben der deutschen Verteidigung absolut notwendig sei. Jeder, Offizier wie einfacher Soldat, weißer Deutscher wie schwarzer Deutscher, musste sich einer strengen medizinischen Untersuchung in einer der acht im Lager eingerichteten Ärztestationen unterziehen. Wer die Untersuchung nicht bestand, würde, natürlich mit ausreichend Proviant versehen, zurückgelassen werden, wenn die Haupttruppe weiterzog.

Den Zurückgelassenen blieben zwei Möglichkeiten. Wer noch gehen konnte, konnte versuchen, die deutschen Orte

Sphinxhaven oder Wiedhafen am Ufer des Njassa zu erreichen, um sich dort aus dem Kriegsdienst abzumelden und
sich den Regeln zu unterwerfen, die für die Zivilbevölke-
rung in den besetzten Gebieten galten.

Wer nicht gehen konnte, hatte schlechtere Karten und
musste im Krankenlager ausharren, natürlich unter medi-
zinischer Aufsicht, bis das Lager von englischen Truppen
eingenommen wurde, und sich dann in Kriegsgefangenschaft begeben.

Andere Möglichkeiten gab es nicht. Kranke und Gesunde mussten sich trennen, sonst war der Krieg verloren.

Es war der 17. November 1917, und es würde noch einen
Monat dauern, bis ihnen die nächste Regenzeit wieder eine
Gnadenfrist gewährte. Allerdings wusste niemand, wo.

Die Pioniere begannen, an hoch gelegenen Punkten
des Lagers regensichere Krankenbaracken zu bauen, und
die Männer versammelten sich um die Listen, auf denen
stand, welche Einheiten wann und wo untersucht werden
würden.

Werner Schönfeldts Sonderkommando sollte erst in einigen Stunden die Kontrollstation aufsuchen und zog sich
daher in das eigene, kleinere Zeltlager zurück, das sie am
Rand des Hauptlagers errichtet hatten. Sie setzten sich vor
den Zelten in einen Kreis, und jeder hoffte, dass ein anderer zuerst etwas sagte. Anfänglich schwiegen alle, dann
versuchte Werner, die Versammlung damit aufzumuntern,
dass sie vermutlich alle die ärztliche Untersuchung überstehen würden, keiner der Versammelten würde aufgeben und
sich in Kriegsgefangenschaft begeben müssen.

Alle hofften, dass Major Werner recht hatte. Bei näherem Nachdenken lebten sie besser als die meisten anderen

Truppen. Sie waren oft allein in Aufklärungs- oder Sabotageaufträgen unterwegs, die in der Regel von einer Woche bis zehn Tage dauerten. Sie tranken nie verunreinigtes Wasser, sie aßen mehr frisches Fleisch als die anderen, insbesondere seit Kadimba sich ihnen angeschlossen hatte und sie über zwei Jäger verfügten. Da sie meist für sich blieben, war die Gefahr, an der Hustenkrankheit und anderen tückischen Dingen zu erkranken, bedeutend geringer.

Oscar machte sich Sorgen wegen seines gelegentlich wiederkehrenden Fiebers, von dem man nicht so recht wusste, wo es herkam. Im Augenblick war er allerdings recht gut in Form. Kadimba hatte sich seit Langem von den Folgen seiner Sklavenzeit bei den Engländern erholt, in der er gegen Ende nur noch eine Handvoll Maniokbrei am Tag zu essen bekommen hatte. Das Sonderkommando Werner würde also vermutlich vollzählig am nächsten Tag weiterziehen, denn so war offenbar der Plan. Es stellte sich allerdings die Frage, wohin sie sich dieses Mal zurückziehen sollten. Und ob der Auftrag ihrer Gruppe wieder sein würde, die Nachhut zu bilden und gezielt auf englische Offiziere zu schießen. »Melonenschüsse« nannten sie das im Scherz. Kadimba hatte ebenfalls eine Mauser mit größerem Kaliber aufgetrieben, und sie besaßen zusammen noch über hundert Patronen. Diese Munition mit der weichen Bleispitze war eigentlich für die Großwildjagd vorgesehen. Es hieß, diese Munition sei im Krieg verboten, und im Scherz wurden die beiden Scharfschützen als Kriegsverbrecher bezeichnet. Von Melonenschüssen war die Rede, weil die schwere Kugel die Köpfe unter den englischen weißen Tropenhelmen platzen ließ wie überreife Wassermelonen.

Oscar weigerte sich nicht mehr, auf Menschen zu schießen, nach seinem Geschmack konnten gar nicht genug von diesen verdammten Engländern sterben. Er war sogar unnötige Risiken eingegangen, indem er liegen geblieben war, um eine weitere Schießgelegenheit abzuwarten, wenn sich seine Kameraden bereits zurückgezogen hatten. Die Zweifel, die er noch vor zwei Jahren gehabt hatte, waren gänzlich verschwunden. Er bedauerte nur, dass ihm bislang noch kein Belgier vor die Flinte gelaufen war.

Die medizinischen Anforderungen, die von Lettow-Vorbeck stellte, waren entweder sehr streng oder die gesundheitliche Verfassung der Haupttruppe vollkommen katastrophal. Paul von Lettow-Vorbeck, der zum Generalmajor befördert worden war und ein Blaues Kreuz um den Hals trug, im Soldatenjargon einen Blauen Max, befehligte jetzt eine Truppe, die nur noch aus zweihundertachtundsiebzig Deutschen, einem Norweger, vierzehn Dänen, eintausendsiebenhundert Askaris und dreitausend Trägern bestand.

Dem Hauptfeind, im Augenblick war das der südafrikanische General Jaap van Deventer, standen laut deutschem Geheimdienst sechsundfünfzigtausend Mann zur Verfügung. Es hätte laut derselben Quelle schlimmer sein können, aber die Engländer hatten fünfzigtausend Inder abgezogen, weil sie Ärger mit einer Revolution in Afghanistan und einem Aufruhr in Indien hatten. Das war wichtiger, als den deutschen Truppen den Gnadenstoß zu versetzen.

Nach der ärztlichen Untersuchung versammelte sich das Sonderkommando Werner im eigenen, etwas abgelegenen Lager, entzündete ein Feuer und teilte ein paar Flaschen Surrogatwhisky aus, die der Sozialist Günther Ernbach irgendwie organisiert hatte. Sie waren guter Dinge, trotz der massiven medizinischen Dezimierung. Aber alle hielten den Beschluss der Führung für richtig. Es galt, die Gesunden zu neuen, einsatzfähigen Verbänden zu organisieren. Sie waren natürlich auch ein wenig stolz, dass sie allesamt die strenge Kontrolle der deutschen Ärzte bestanden hatten.

Sie tranken und erzählten sich Geschichten, und Oscar übersetzte die ganze Zeit aus Swahili ins Deutsche und umgekehrt.

Am komischsten war die Geschichte von zwei englischen Offizieren, die ihre Askaris gezwungen hatten, ein Marschlied singend an der Frontlinie herumzuschleichen, das bei den *King's African Rifles* sehr beliebt war: »Tipperari mbali sana sana!«

Sie hatten auf einem Abhang in ihrem Versteck gelegen, während ihnen unten in einem ausgetrockneten Flussbett am helllichten Tag der Feind mit einem Lied auf den Lippen entgegenmarschierte, dass es weit sei nach Tipperary. Was durchaus den Tatsachen entsprach. Aber dieser schleichende Angriff auf die deutsche Flanke hatte doch die Krönung englischer Einfalt dargestellt. Der Gesang hatte natürlich die Männer aufmuntern sollen. Oscar und Kadimba, die über Gewehre mit größerer Reichweite verfügten als die anderen ihrer Truppe, hatten auf Befehl hin als Erste das Feuer eröffnet, drei Melonenschüsse, mehr Offiziere hatten sich nicht unter den Gegnern befunden. Dann hatte sich Oscar vor die gegnerischen Soldaten gestellt und auf Swahili gebrüllt, die englischen Imperialisten hätten jetzt bekommen, was sie verdienten, den Kameraden Askaris blieben fünf Sekunden, um den Rückzug anzutreten. Das hatte funktioniert!

Werner war natürlich wütend gewesen, hatte aber auch

rasch den komischen Aspekt der Situation erkannt. Und jetzt, als die Geschichte ein weiteres Mal erzählt wurde, schüttete er sich aus vor Lachen: »Tipperari mbali sana sana!« Die schwarzen Kameraden, die den Text offenbar beherrschten, stimmten sofort in das Lied ein, und alle lachten. Danach gab es dann für lange Zeit nichts mehr zu lachen.

Am nächsten Tag marschierten sie südwärts gegen die Portugiesen. Aus logistischen Gründen. Sie brauchtes Vorräte, die sie vor der Regenzeit bunkern konnten. Die Portugiesen waren nachweislich die schlechtesten Soldaten, die Gott je erschaffen hatte, falls Gott überhaupt Soldaten erschuf.

Seit die Portugiesen aufseiten Englands in den Krieg eingetreten waren, hatte Paul von Lettow-Vorbeck erst die vorrückende portugiesische Haupttruppe und dann ihre Stützpunkte auf ihrem eigenen Territorium in Mosambik dazu verwendet, die Depots aufzufüllen. Es hieß, Max Loof, der ehemalige Kapitän des Kreuzers *Königsberg*, habe als Erster die Vorteile des Eintritts der Portugiesen in den Krieg erkannt. Am Ende des Vorjahres an einem späten Novemberabend hatte er sich der portugiesischen Festung Newala genähert. Seine Einheit bestand zwar aus ein paar Hundert Mann, aber die Festung wirkte zu solide. Also hatten sie ihr Nachtlager aufgeschlagen, statt anzugreifen, und nur ein paar Schüsse in die Luft abgegeben, um die Portugiesen darauf hinzuweisen, dass sie belagert wurden.

Am nächsten Morgen stellte sich heraus, dass die Portugiesen die Festung kampflos aufgegeben hatten. Sie hatten alles zurückgelassen: Fahrzeuge, Pferde, Maulesel, hunderttausend Patronen, Medizin und Proviant, alles, was die Engländer ihnen geliefert hatten. Der alte Kapitän hatte eine wichtige Schlacht zu Lande gewonnen, indem er ein halbes Dutzend Schüsse in die Luft hatte feuern lassen.

Es war also eine naheliegende Vermutung, dass man jetzt im Süden bei den Portugiesen die Vorräte ergänzen könnte, ehe die Regenzeit den Krieg unmöglich machte.

Der Weg gen Süden würde durch Gegenden mit Tsetsefliegen führen. Auch das stellte einen Vorteil dar, da der augenblickliche Hauptfeind, die Südafrikaner, versuchten, den Krieg wie in ihrer Heimat zu betreiben – mit der Kavallerie. Bald würden sie keine Pferde mehr haben.

Als sie zum Grenzfluss Rowuma vorrückten, bildete das Sonderkommando Werner einen Kilometer vor der Haupttruppe die Vorhut. Ihr Auftrag war einfach und klar formuliert: Sie sollten einerseits einen geeigneten Weg finden und andererseits eine deutliche Spur legen, der die Haupttruppe folgen konnte. Außerdem sollten sie versuchen, Begegnungen mit feindlichen Patrouillen zu überleben.

In der Nähe des Grenzflusses stießen sie ganz richtig auf eine Kompanie südafrikanischer Kavallerie. Sie hatten das Glück, den Feind als Erste zu entdecken, sodass sie einen Hinterhalt vorbereiten konnten. Ihnen blieb sogar genügend Zeit, um ein Maschinengewehr aufzubauen. Jetzt mussten sie nur noch abwarten.

Erst als sie die Hälfte der Südafrikaner getötet hatten, kapitulierte der gegnerische Offizier, indem er ein Hemd als weiße Fahne in die Höhe hielt. Er trug keinen Tropenhelm wie die Engländer, sondern einen breitkrempigen Hut, wie ihn auch Oscar aufhatte.

Anschließend scherzte Oscar mit Kadimba, dass es andernfalls trotz der weißen Kapitulationsfahne einen weiteren Melonenschuss gegeben hätte.

Sie nahmen den überlebenden Südafrikanern, die dem Aussehen und ihrer Sprache nach zu urteilen alle Buren waren, die Waffen ab, hoben die Sättel von ihren Pferden und banden diese fest. Die Pferde würden zwar in diesen tsetsefliegenreichen Gebieten nicht überleben, kamen ihnen aber als Proviant sehr gelegen.

Ein Läufer wurde zum Haupttrupp zurückgeschickt. Kadimba und Oscar rückten allein Richtung Fluss vor, ohne auf weitere Feinde zu stoßen. Als sie zu den eigenen Leuten zurückkehrten, schlugen sie in Erwartung des Haupttrupps ein Lager auf. Was sie mit den Gefangenen, dem Haufen zusätzlich zu stopfender Münder, anfangen sollten, wussten sie nicht. Die Entscheidung lag beim Oberbefehlshaber.

Werner veranlasste, einige der gefangen genommenen Buren, die mitten im Lager um eine Palme saßen, loszubinden, damit sie sich um ihre Verwundeten kümmern konnten, und erklärte, dass er davon ausgehe, dass die Deutschen niemals Kriegsgefangene erschießen würden. Solches Verhalten sei englische Barbarei.

Als der Haupttrupp eintraf, entschied von Lettow-Vorbeck, die Buren freizulassen, sobald sie ihre Toten begraben hatten. Man sollte ihnen jedoch die Stiefel abnehmen, damit sie sich nicht so schnell wieder mit ihren Kameraden vereinigen könnten. Außerdem hatten sie ihre eigenen Verwundeten zu schleppen.

Die südafrikanischen Offiziere durften ihre englischen Dienstrevolver behalten, um sich gegen Hyänen und andere wilde Tiere verteidigen zu können. Am Ende blieb nur noch, ihnen viel Glück zu wünschen. Da viele Buren Deutsch sprachen, verabschiedete man sich unter gegenseitigen Ehrenbezeugungen.

Wenig später überquerte der gesamte zweitausend Mann umfassende deutsche Haupttrupp den Grenzfluss Rowena an einer Stelle, an der er zwar siebenhundert Meter breit war, aber wo das Wasser in seiner Mitte einem erwachsenen Mann nicht weiter als bis zur Brust reichte. In einigen Wochen würde man ihn nicht mehr überqueren können.

Oscar und Kadimba organisierten Krokodilpatrouillen entlang der langen Kolonne deutscher Soldaten, die jetzt Deutsch-Ostafrika verließen. Einige weinten, als würden sie ihre eigene Heimat aufgeben. Fast vier Jahre lang hatten sie sich nicht besiegen lassen, aber jetzt mussten sie das Feld räumen. Die verdammten Engländer hatten auf deutschem Territorium keine Gegner mehr.

Das war der im Augenblick wichtigste Aspekt dieses Manövers. Den anderen Aspekt verkündete von Lettow-Vorbeck, als alle den Fluss überschritten hatten und sich in Portugiesisch-Ostafrika befanden. Dies war ein Raubzug zur Ergänzung notwendiger Vorräte. Die Gegner waren nachweislich die schlechtesten Soldaten der Welt, aber auch Verbündete der Engländer. Als Erstes würde man also die Vorräte auffüllen, dann die Regenzeit abwarten, anschließend nach Deutsch-Ostafrika zurückkehren. So sah der Plan aus.

Alles ließ sich gut an. Bereits am selben Abend gruppierten sie sich um die portugiesische Grenzfestung Negomano und eröffneten ein bisschen hier, ein bisschen da das Feuer, hauptsächlich, um die Verteidiger einer Nervenprobe zu unterziehen. Unterdessen wurden die beiden verbliebenen Kanonen herbeigeschleppt und in Sichtweite aufgestellt, jedoch nicht abgefeuert, da sie nur wenig Munition besaßen.

Die psychologische Kriegsführung funktionierte. Bereits am nächsten Morgen kapitulierte der Befehlshaber der Festung, ein Major Quaresma, bedingungslos. Die portugiesischen Soldaten, doppelt so viele wie die deutschen, wurden entwaffnet und durften abziehen.

Die Beute entsprach im Großen und Ganzen dem Üblichen, neue englische Maschinengewehre, zwei handliche Feldkanonen, einige Tausend Gewehre, für die sie keine Verwendung hatten, zweihundertfünfzigtausend Patronen und so weiter. Enttäuschenderweise waren die Lebensmittel- und Medizinvorräte erstaunlich dürftig. Die große Überraschung war ein riesiges Lager Champagner, Cognac, Bier und Whisky. Die Engländer hatten seltsame Prioritäten, wenn sie ihren Verbündeten Nachschub lieferten.

Später in den Abendstunden befand sich kein einziger nüchterner deutscher Soldat, weder schwarz noch weiß, in der eroberten Festung. Wäre zu diesem Zeitpunkt eine englische Truppe eingetroffen, hätte der Krieg für die deutschen Soldaten ein rasches und unbehagliches Ende genommen.

In den folgenden Wochen wurde ein portugiesischer Grenzposten nach dem anderen eingenommen, wodurch sie in den Besitz weiterer Kanonen, Maschinengewehre und etwa einer Million Gewehr- und Maschinengewehrpatronen kamen. Als der Regen kam, hatten sie sich auf dem Makondeplateau in Sicherheit gebracht und feierten eine ungewöhnlich kalte Weihnacht. Silvester wurde es besser, besonders für Werner Schönfeldts Sonderkommando, da dieser darauf bestanden hatte, aus Negomano zwei Kisten Champagner mitzuschleppen.

Über den Krieg in Europa wussten sie nichts, seit einem halben Jahr hatte sie keine Nachricht mehr von dort erreicht.

*

Die deutsche Truppe verweilte den größten Teil des Jahres 1918 auf portugiesischem Gebiet, da diese Strategie große Vorteile bot. Sie gingen stets siegreich aus den kleinen Gefechten hervor, die sie einleiteten, die portugiesischen Festungen waren leicht zu erobern, und wenn die Portugiesen Adjutanten losschickten, um Hilfe von den Engländern anzufordern, ließ man diese gelegentlich absichtlich entkommen, um anschließend die Hilfstruppen in einen Hinterhalt zu locken. Am 3. Juli vernichteten Kempner und von Ruckteschell eine solche Hilfstruppe, die aus einem portugiesischen Bataillon und zwei englischen Kompanien bestand. General Gore-Browne, der seine Truppe ins Verderben führte, gehörte zu den wenigen Überlebenden, da er sich ganz am Ende seiner Truppen versteckt hatte. Er wurde gefangen genommen, aber bald freigelassen, da man keine vernünftige Verwendung für englische Gefangene hatte, nicht einmal für Generäle. Schließlich gab es keine deutschen Kriegsgefangenen, die man gegen sie hätte austauschen können.

Es hätte ewig so weitergehen können. Das schwierige, stark kupierte Waldgebiet stellte für die zahlenmäßig überlegenen englischen Truppen eine große Behinderung dar. Sie konnten nie wissen, wo die Feinde lauerten, ihre

Motorfahrzeuge funktionierten nicht, und ihre Pferde waren tot.

Über ein halbes Jahr lang hatte das Sonderkommando Werner immer dieselbe Aufgabe. Sie bildeten die Nachhut, verschanzten sich, tarnten sich und warteten ab. Kleinere Feindestrupps auf ihren Spuren versuchten, sie zu eliminieren. War die gegnerische Streitmacht ihnen überlegen, erschossen sie möglichst viele englische Offiziere und zogen sich dann zurück. Das war eine sehr effektive Taktik. Bei jedem solcher Zusammenstöße musste der Feind haltmachen und eine Aufklärungseinheit losschicken, um herauszufinden, ob man nur auf einen kleinen Trupp Scharfschützen gestoßen oder ob man in einen Hinterhalt des gesamten deutschen Haupttrupps geraten war.

Militärisch war die Lage also gut. Aber nicht politisch. Der Krieg konnte jederzeit vorbei sein, und bei Kriegsende musste sich die Von-Lettow-Vorbeck-Truppe auf deutschem Territorium befinden. Damit begründete er dann auch, dass man zurückkehren würde, ganz gleichgültig, was ein Aufenthalt in Mosambik für Vorteile hatte.

Der Rückzug gestaltete sich schwierig, da sie von einer Pockenepidemie heimgesucht wurden und sich eine Grippe mit schwerem Husten ausbreitete. Jeden Tag mussten sie Tote begraben.

Während dieser Zeit bildete das Sonderkommando Werner die Nachhut, um durch kurze Angriffe auf die englischen und südafrikanischen Verfolger den Rückzug zu decken.

Je weiter sie in Deutsch-Ostafrika vorrückten, desto einfacher war es für die südafrikanische Kavallerie, die jetzt neue Pferde requirieren konnte. Oscar und Kadimba kehrten zu ihrer Taktik zurück, auf die Pferde statt auf die Reiter zu schießen.

Oscar wurde immer müder, nicht körperlich, sondern geistig. Er lag auf der Lauer und wartete auf den richtigen Augenblick. Dann feuerten Kadimba und er einige Schüsse ab und zogen sich zurück, tagaus, tagein, eine Woche nach der anderen.

Es kam ihm immer unwirklicher vor, mehr wie ein böser Traum als wie eine Angelegenheit, bei der es um Leben und Tod ging. Sie besaßen zusammen noch siebzehn Patronen für ihre 10,2-Millimeter-Mausergewehre. Bald würden sie die kleinkalibrigen Gewehre in Betrieb nehmen müssen, die auch alle anderen benutzten.

Seine Fußwanderung von Rufiji nach Daressalam mit einem schweren Rucksack, angefüllt mit dreihundert Patronen, schien eine Ewigkeit zurückzuliegen. Kadimba und er hatten mehr als zweihundertachtzig Schüsse abgefeuert, einen ganzen Friedhof mit Engländern und Südafrikanern gefüllt, und trotzdem nahm das Töten kein Ende. Soweit sich Oscar erinnern konnte, hatte er einen Grund gehabt, sich diesem Krieg anzuschließen, aber er konnte sich nicht mehr entsinnen, welchen.

Rache? Ja, aber wie sinnlos ihm das nach all diesen Jahren vorkam. Deutschland gegen die Barbarei? Selbst wenn das sachlich gesehen stimmte, konnte er sich nicht mehr vorstellen, dass er jemals so gedacht hatte. Überlebenswille? Töten oder getötet werden. Vermutlich, aber selbst diese Entscheidung kam ihm nicht mehr wichtig vor.

Wofür kämpfte er eigentlich?

Alles, wofür er in Afrika gelebt hatte, was er geliebt hatte, existierte nicht mehr. Aisha Nakondi war fort und mit ihr die Kinder und alles, was er aufgebaut und selbst wieder eingerissen hatte.

Natürlich ließe sich das alles nach einem Sieg wieder aufbauen. Aber auch dieser Gedanke richtete ihn nicht auf, es war, als sehnte er sich nicht einmal mehr nach einem Sieg, diesem berauschenden Glück, von dem ständig die Rede war. Eine große Müdigkeit legte sich wie eine regengetränkte graue Soldatendecke auf alle seine Gedanken.

Kadimba und er lagen schläfrig neben einem Weg zwischen zwei südafrikanischen Einheiten im Hinterhalt. Sie sollten einen der Motorradkuriere abfangen, die zwischen den beiden Regimentern hin- und hergeschickt wurden. Die eigene Truppe benötigte dringend Informationen über die Bewegungen des Feindes.

Oscar war fast enttäuscht, als ihn Kadimba aus seinem Halbschlaf weckte und auf den übersichtlichen Abschnitt des lichten Waldes deutete. In einer roten Staubwolke näherte sich ihnen, Wurzeln und Felsbrocken auf der provisorisch angelegten Straße ausweichend, ein Motorrad mit Beiwagen.

Oscar seufzte, als er das Gewehr anlegte und sich auf der roten Erde abstützte. Situationen wie diese stellten keine Herausforderung mehr dar, sondern riefen nur noch diese bleischwere Müdigkeit hervor.

Als hätte er Oscars Stimmung gespürt, schlug Kadimba vor, den Motorradfahrer einfach nur anzuhalten und sein Motorrad zu konfiszieren, um damit schneller ins eigene Lager zurückzukommen.

Oscar nickte, stellte sich auf die Knie und scherzte, dass ihre Patronen mittlerweile ohnehin zu wertvoll seien. Ein

Südafrikaner mehr oder weniger mache schließlich keinen Unterschied. Außerdem ging es ja um die Depeschen des Kuriers.

Sie hatten sich an einem Hang in den Hinterhalt gelegt, damit die Motorradfahrer ihr Tempo drosseln mussten, bevor sie erschossen wurden.

Oscar trat auf die Straße, als sich das Motorrad etwa fünfzig Meter von ihm entfernt befand, und hob die Hand zum Zeichen, dass es anhalten solle. Schräg hinter ihm stand Kadimba mit seinem Gewehr. Der Fahrer kam vor Schreck beinahe vom Weg ab, brachte dann aber sein Fahrzeug unmittelbar vor ihnen zum Stehen und hob beide Arme in die Luft. Er war klein und sehr jung.

»Hände hoch und absteigen!«, befahl Oscar.

»Warum?«, wollte der Junge wissen und nahm seine Motorradbrille ab. Zwei weiße Kreise zierten sein rotstaubiges Gesicht. Er schien verwirrt zu sein, sprach aber zumindest Deutsch.

»Weil wir die deutsche Schutztruppe sind und du ein südafrikanischer Soldat bist«, antwortete Oscar. Verärgert über die dumme Frage, hob er drohend sein Gewehr. Der Junge gehorchte sofort, stieg ab und nahm Haltung an, obwohl das mit den Händen über dem Kopf schwierig war. Das wirkte komisch oder eher noch rührend.

»Wo hast du deine Depeschen?«, fragte Oscar.

»Da!«, antwortete der Junge und deutete auf den Beiwagen, riss dann aber rasch seine Hände wieder in die Höhe. Er wirkte eher erstaunt als verängstigt.

»Aber … aber Sie können mir meine Depeschen doch nicht wegnehmen?«, wandte der Junge so naiv ein, dass Oscar sich ein Lächeln kaum verkneifen konnte.

»Doch«, erklärte Oscar. »Wir können dich sogar leben lassen, aber stell dich darauf ein, zu Fuß zu deinem Lager zurückzulaufen.«

»Aber der Krieg ist doch zu Ende«, protestierte der Junge und senkte zögernd seine Hände. »Sie wissen doch wohl, dass seit zwei Tagen Waffenstillstand herrscht?«

Plötzlich stand in Oscars Kopf alles still. Als ihn Kadimba um eine Übersetzung bat, sagte er nur mechanisch auf Swahili: »Der Krieg ist zu Ende.«

Es dauerte eine Weile, bis er sich von seiner mentalen Lähmung befreien konnte, was dem Jungen offenbar nicht entging. Er begriff, dass Oscar nicht gewusst hatte, dass der Krieg vorüber war.

»In dem Beiwagen habe ich Nachrichten und Depeschen über alle Ereignisse der letzten Woche«, meinte der Junge eifrig. »Alles. Das Nachbarregiment muss eingehend informiert werden, denn sie wissen bislang nur, dass Waffenstillstand herrscht.«

Als Oscar Kadimba die Worte übersetzte, erhielt er nur ein Lächeln und ein zweifelndes Kopfschütteln zur Antwort. Dann hängte sich Kadimba den Riemen seines Gewehrs über die Schulter und breitete die Hände aus.

»Dann müssen wir dem Jungen halt seine Papiere wegnehmen und sie so schnell wie möglich zum Stützpunkt bringen«, meinte er.

Oscar dachte nach. Kadimba hatte natürlich vollkommen recht.

»Wie heißt du, junger Mann?«, fragte er dann in normalem Gesprächston.

»Piet Jungs! Sergeant der *1st South African Mounted Brigade*, Herr Hauptmann!«, antwortete der Junge und nahm

Haltung an. Er war ganz offenbar aufgeweckt, da er Oscars neuen Dienstgrad zur Kenntnis genommen hatte.

»Sehr gut, Piet! Dann machen wir Folgendes: Wir konfiszieren jetzt deine Depeschen, weil wir sie viel dringender brauchen als deine Kollegen vom nächsten Regiment. Du kehrst zu deinen Vorgesetzten zurück und erstattest Bericht. Verstanden?«

»Verstanden, Herr Hauptmann!«

»Ausgezeichnet. Dann überlass uns die Papiere und fahr vorsichtig!«

Sie nahmen eine dicke Mappe aus braunem Leder entgegen und warfen einen Blick in den Beiwagen, um sich davon zu überzeugen, dass dort nichts mehr lag. Als der junge Mann sein Motorrad nervös wieder anließ, mit einiger Mühe wendete und in die Richtung zurückfuhr, aus der er gekommen war, salutierten sie.

»Schlimmstenfalls ist in einer Stunde eine ganze Kompanie Fußsoldaten hinter uns her«, murmelte Kadimba unwirsch.

»Nein, das glaube ich nicht«, erwiderte Oscar nachdenklich. »Ich glaube, der Junge hat die Wahrheit gesagt. Sonst hätte er ein ungewöhnlich guter Schauspieler sein müssen. Der Krieg ist zu Ende. Das glaube ich. Und deswegen werden uns die Südafrikaner nicht verfolgen.«

»In einer Stunde ist er in seinem Lager, das heißt, dass sie von da an gerechnet in noch einmal einer Stunde die Verfolgung aufnehmen können«, wandte Kadimba zweifelnd ein.

»Ja, aber dann haben wir zwei Stunden Vorsprung, und in vier Stunden wird es dunkel. Die Erde ist hart, und es bleiben fast keine Spuren zurück. Uns beide würden sie ja doch nie einholen«, meinte Oscar unbekümmert, schob die Mappe in Kadimbas Rucksack und hängte sich sein Gewehr über die Schulter.

Ohne Eile schritten sie auf offenem Gelände voran, dann begaben sie sich in einen immer dichter werdenden Wald. Hier drehten sie sicherheitshalber ein paar Runden, um eventuelle Verfolger zu verwirren, und setzten dann ihren Weg Richtung Westen fort, dem Sonnenuntergang entgegen.

Kadimba ließ sich zu guter Letzt davon überzeugen, dass es keine Falle war und dass der Junge nicht beabsichtigt hatte, mit falschen Informationen gefangen genommen zu werden. Zum einen, so erklärte Oscar, hätte es keine Garantien dafür gegeben, dass der in diesem Fall sehr begabte Schauspieler überlebt hätte. Für gewöhnlich wurden gefangen genommene Kuriere erschossen. Außerdem mussten die Besiegten darauf bedacht sein, das Kriegsrecht einzuhalten. Schließlich wollten die Rotnacken doch wohl nicht vor ein deutsches Militärgericht gestellt werden, weil sie gegen den Waffenstillstand verstoßen hatten?

Da er sich nichts anderes vorstellen konnte, ging Oscar davon aus, dass Deutschland wegen seines technischen Vorsprungs und seiner besseren Soldaten endlich gesiegt hatte.

Dieser Meinung war auch von Lettow-Vorbeck, als er am nächsten Morgen seinem Stab die Mappe mit den südafrikanischen Depeschen überreichte. Seine erste Schlussfolgerung war, dass der Haupttrupp so schnell wie möglich nach Daressalam ziehen musste, um sich dort um die kapitulierenden ausländischen Truppen zu kümmern. Sofern diese nicht mit eingekniffenem Schwanz aus dem Land flüchteten. Erst würde man aber noch die wichtigen Neuigkeiten genauer studieren müssen.

Es dauerte über zwei Stunden, bis einer der höheren Stabsoffiziere wieder zum Vorschein kam. Paul von Lettow-Vorbeck war der Erste, der das Stabszelt wieder verließ. Er rief einen Trompeter, der zum allgemeinen Appell blies. Er war kreidebleich im Gesicht.

Es dauerte eine Viertelstunde, bis die ganze Truppe auf einer Wiese vor dem Lager angetreten war, etwa tausendsiebenhundert Mann. Anfänglich machten muntere Gerüchte die Runde. Aber von Lettow-Vorbecks Miene verhieß nichts Gutes. Die Stabsoffiziere, die sich hinter ihm aufreihten, blickten ebenso zurückhaltend-finster drein wie ihr Chef.

Von Lettow-Vorbeck hielt eine sehr kurze Ansprache. Was er sagte, war kristallklar und unerbittlich.

Seit einer Woche herrschte Waffenstillstand in dem großen europäischen Krieg. Das schloss auch alle kämpfenden Einheiten in den übrigen Teilen der Welt mit ein. Deutschland hatte den Krieg verloren und war inzwischen eine Republik. Kaiser Wilhelm II. war nach Holland geflohen, wo ihm politisches Asyl gewährt wurde. Elsass-Lothringen gehörte jetzt laut Kapitulationsbedingungen zu Frankreich. Das Rheinland war von fremden Truppen besetzt.

Was die Schutztruppe betraf, gab es nur noch eine Frage. Welcher feindlichen Einheit solle man sich ergeben. Der Stab hatte beschlossen, dass, obwohl die südafrikanische Brigade am nächsten war, es unwürdig sei, sich im Hinblick auf die Zusammensetzung der deutschen Truppen den Südafrikanern auszuliefern. Bei den südafrikanischen Truppen gab es keine Askaris, da es Schwarzen in Südafrika nicht erlaubt war, Waffen zu tragen. Folglich würden sie bei ihrer

Gefangennahme auch nicht wie Kriegsgefangene, sondern wie Sklaven behandelt werden.

Der Stab wollte daher untersuchen, welcher englische Verband am nächsten lag. Dorthin würde man sich dann unverzüglich begeben. Das war alles. »Rührt euch!«

Der General machte kehrt und verschwand mit allen höheren Offizieren im Schlepptau Richtung Stabszelt.

Auf dem Feld blieb der Rest der deutschen, nie besiegten afrikanischen Armee wie gelähmt zurück.

Es dauerte zwei Tage, die Route zu planen. Sie würden in Formation unter einer weißen Fahne, der Standarte der Schutztruppe und der deutschen Fahne in Richtung Bismarckburg am Njassa marschieren. Kurz vor Bismarckburg würden sie einen Schwenk Richtung Süden machen, die nordrhodesische Grenze überqueren und sich einem englischen Verband in Abercorn ausliefern. Kuriere würden den Engländern ihre Ankunft ankündigen. Die Durchsicht der Ausrüstung vor dem Abmarsch war wichtig, Uniformen mussten wenn nötig repariert und gewaschen werden. Sie mussten nur Proviant und Medizin für die Dauer dieses Marsches mitschleppen und auch keine überschüssige Munition. Jeder Soldat sollte jedoch seine Waffe tragen, wie es sich gehörte.

So endete der Krieg für die deutsche Ostafrika-Armee. Alle nähten und flickten ihre Uniformen, um »adrett« auszusehen, wenn sie sich in Gefangenschaft begaben. Die Stimmung der Männer war seltsam, einige scherzten, ein Ausdruck von Galgenhumor, über deutsche Ordentlichkeit und Spießigkeit, beispielsweise Oscars unmittelbarer Vorgesetzter Günther Ernbach. Er war der Einzige in ihrer

Einheit, der gute Laune versprühte, denn er hatte den süd-afrikanischen Nachrichtendepeschen entnommen, dass bereits im Vorjahr in Russland die sozialistische Revolution stattgefunden hatte. Er behauptete, diese Neuigkeit bedeute, dass sich die Welt jetzt so dramatisch verändern würde, dass der Ausgang des Weltkriegs bald bedeutungslos erscheinen würde. Er machte sich seine Kameraden beinahe zu Feinden, aber zum Schluss hatte niemand mehr die Kraft, mit ihm zu streiten. Die deutsche Niederlage war ein zu schwerer Schlag gewesen.

Während der zweitägigen Vorbereitungen des Abmarsches wurden die meisten jüngeren Offiziere, zu denen auch Oscar gehörte, zu einem Gespräch unter vier Augen zu von Lettow-Vorbeck gerufen.

Oscar hatte erwartet, einem gebrochenen Mann zu begegnen, aber so war es ganz und gar nicht. Als wäre eine Kapitulation nur eine von vielen militärischen Pflichten in einem Krieg und als habe man einfach nur das Reglement zu befolgen. Der General wirkte beinahe entspannt, als sie sich im Stabszelt begegneten. Er sah tadellos aus, als käme er gerade von einer Besprechung des Generalstabs in Berlin. Seine neuen schwarzen Stiefel (von einem portugiesischen Oberst) glänzten, seine Uniform wirkte frisch gebügelt, wie immer ihm das gelungen sein mochte, und um seinen Hals hing der Blaue Max, sonst trug er keine Orden.

»Nehmen Sie doch Platz, Hauptmann Lauritzen!«, sagte er freundlich, nachdem sie salutiert hatten.

Oscar gehorchte, konnte sich aber nicht vorstellen, was es zu besprechen geben könnte.

»Sie erinnern sich doch noch an unsere erste Begegnung, Hauptmann Lauritzen?«, begann von Lettow-Vorbeck. »Ich erinnere mich jedenfalls noch, als sei es gestern gewesen. Damals hatten wir es ja mit kleineren, immer wiederkehrenden Aufständen der Eingeborenen zu tun, und diese niederzuschlagen war unsere einzige militärische Aufgabe. Sie als Zivilist hatten eine sehr kluge Verteidigung gegen eine kriegerische Eingeborenentruppe organisiert. Erinnern Sie sich?«

»Ja«, räumte Oscar ein. »Ich erinnere mich sehr deutlich daran. Die Welt war damals noch freundlich, und ich baute Eisenbahnen und Brücken, um sie noch freundlicher zu gestalten. Und Sie versuchten, mich zum Soldaten zu machen. Es war ein schöner Nachmittag im Restaurant des Deutschen Hauses. Wir saßen an einem Tisch am Fenster.«

»Und Sie behaupteten, ein ausgesprochen ziviler Mensch zu sein, wenn ich mich recht erinnere.«

»Ja. So etwas habe ich wohl gesagt.«

»Zu Anfang des Krieges haben Sie nur auf Pferde geschossen. Gab es dafür nicht irgendein humanistisches Motiv?«

»Korrekt, Herr General. Anfänglich erschoss ich nur die Pferde der englischen Kavallerie, die uns verfolgte. Das war keine Heuchelei, das möchte ich betonen.«

Der General erwiderte nichts, sah Oscar nur forschend an. Sein diskreter Schnurrbart war grau geworden, er war sehr drahtig, ohne deswegen dürr zu wirken. Und offenbar war er vollkommen gelassen und eher melancholisch als verbittert. Für Verbitterung hätte er jeden Grund gehabt.

»Was dann in Ihnen vorgegangen ist, weiß ich nicht, Hauptmann Lauritzen«, fuhr von Lettow-Vorbeck zögernd nach einer langen Pause fort. »Aber irgendetwas muss geschehen sein. Lassen Sie uns annehmen, dass es der Krieg war. Tatsache ist, dass Sie laut den mir vorliegenden Berichten hundertdreiundsechzig englische und südafrikanische Offiziere und Unteroffiziere bei vorgeschobenen Aufklärungseinsätzen des Sonderkommandos Werner getötet haben. Begreifen Sie, was das bedeutet?«

»Nein, Herr General. Wir haben selbst über sechstausend Mann verloren, die Hälfte verwundet, die andere Hälfte getötet. Die Engländer hatten zehnmal so große Verluste, wenn ich richtig informiert bin. Sie haben außerdem hunderttausend Träger verschlissen. Was bedeuten da hundertdreiundsechzig englische Offiziere mehr oder weniger?«

»Sie sind wirklich immer noch eine Art Zivilist!«, platzte der General heraus. »Vielleicht habe ich Sie gerade deswegen immer so geachtet, weil Sie trotzdem auch ein Pflichtmensch sind, und das weiß ich zu schätzen. Lassen Sie mich daher etwas über das Zivile sagen, weil ich vermute, dass Sie nicht vorhaben, in Norwegen oder Deutschland eine strahlende militärische Karriere in Angriff zu nehmen. Habe ich recht?«

»Zweifellos, Herr General.«

»Gut! Was ich sagen will, ist, dass Sie in ein ziviles Leben zurückkehren werden, in dem Sie neue Brücken bauen können. Ich habe viele Männer aus dem Krieg zurückkehren und ihr ziviles Leben fortsetzen sehen, und ich wünsche Ihnen von ganzem Herzen Glück. Ich möchte jedoch, dass Sie eines wissen, bevor ich Sie formell für Ihren beherzten heroischen Einsatz für Deutschland auszeichne.«

»Mit Verlaub, Herr General, ich glaube, ich weiß alles, was ich über das Leben des Menschen wissen muss. Ich wünsche mir nur, dass Sie mit den neuen Brücken recht behalten.«

Der General zögerte, als hätte er es sich plötzlich anders überlegt und als wollte er seinen begonnenen Gedankengang, welcher Art dieser auch immer gewesen sein mochte, nicht fortsetzen. Er gab seinem Adjutanten ein Zeichen, eine große schwarze Schatulle auf den wackligen Schreibtisch zu stellen.

»Ich habe immer noch einen kleinen Vorrat Eiserner Kreuze erster Klasse, diese verleiht man nämlich nicht leichtfertig«, hob er mit feierlicherer Stimme wieder an. »Das sind übrigens die höchsten Orden, die ich als General verleihen darf. Sie hätten einen höheren Orden verdient. Der Grund ist einfach. Ich sage es erneut. Kein anderer, wirklich keiner, ich kann es mir zumindest nicht vorstellen, aus einem kämpfenden Verband der gesamten deutschen Armee, kann eigenhändig einhundertdreiundsechzig englische Offiziere und Unteroffiziere eliminiert haben. Ich bitte Sie daher, diesen Orden mit Stolz entgegenzunehmen!«

Von Lettow-Vorbeck nahm behutsam den Orden in die Hand, der wie Oscars erster aussah und nur etwas größer war, ging steifen Schrittes um den Schreibtisch herum, salutierte und befestigte ihn unter Oscars linker Brusttasche. Oscar nahm Habtachtstellung ein und salutierte.

»Ich glaube, das war alles für heute, Hauptmann Lauritzen«, sagte der General, ging wieder um seinen Schreibtisch herum, nahm Platz und wandte sich seinen Papieren zu.

»Seien Sie so freundlich, Hauptmann Lauritzen, und schicken Sie den Nächsten herein. Abtreten!«

»Sie haben in einem wichtigen Punkt unrecht, Herr General«, erwiderte Oscar, ohne die geringsten Anstalten, abtreten zu wollen. »Mein Freund Kadimba, der Gefreite Kadimba des Sonderkommandos Werner, hat mindestens ebenso viele englische Offiziere erschossen wie ich!«

Oscar stand weiter stramm und sah den General durchdringend an. Es war ein emotionsgeladener Augenblick. Erst schien von Lettow-Vorbeck aufbrausen zu wollen, dann besann er sich, hielt einen Augenblick inne und sagte:

»Sie versetzen mich immer wieder aufs Neue in Erstaunen, Herr Oberingenieur *und* Hauptmann Lauritzen, Zivilist *und*, wie wenig Ihnen das auch gefallen mag, Kriegsheld. Sie haben mich zurechtgewiesen, und das geschieht nicht sehr häufig. Aber Sie haben vollkommen recht. Wir sind keine südafrikanischen Barbaren. Wir sind Deutsche. Weisen Sie die Wartenden an, sich zu gedulden, und lassen Sie unverzüglich Leutnant Kadimba antreten!«

»Sie meinen den Gefreiten Kadimba, Herr General?«

»Nein. Ich meine von jetzt an Leutnant Kadimba, zweiter Scharfschütze des Sonderkommandos Werner. Haben Sie den Befehl verstanden?«

»Vollkommen, Herr General!«

Sie marschierten fünf Tage, bis sie die englische Garnison in Abercorn in Nordrhodesien erreicht hatten. Eine Stunde vor dem Ziel wurde haltgemacht. Alle warfen die Lumpen weg, die sie auf dem Marsch getragen hatten, und legten ihre Uniformen an, die sie, so gut es ging, restauriert hatten.

Der 25. November, an dem sie auf das wartende englische Empfangskomitee mit Brigadegeneral W. F. S. Edwards in roter Paradeuniform an der Spitze zumarschierten, war ein windiger, regnerischer Tag.

Oscar und Kadimba bildeten mit den Kameraden vom Sonderkommando Werner das Schlusslicht der Kolonne und konnten nicht hören, was weiter vorn gesagt wurde. Sie sahen, wie von Lettow-Vorbeck mit beiden Händen sein Offiziersschwert übergab und wie sich der englische Brigadegeneral ganz offensichtlich weigerte, es entgegenzunehmen.

Anschließend wurde langsam am wartenden Empfangskomitee vorbeidefiliert, dann die deutsche Fahne gesenkt und auf die Erde gelegt. Die Soldaten legten ihre Gewehre neben die deutsche Fahne und die Regimentsfahnen auf einen Haufen, der immer höher wurde. Offizieren wurde zugerufen, sie hätten das Recht, ihre Dienstpistolen und ihre Auszeichnungen zu behalten.

Nachdem sie sich von ihren Fahnen und Gewehren getrennt hatten, mussten sie sich in drei Reihen aufstellen: Offiziere in einer, weiße Mannschaftsdienstgrade und Unteroffiziere in der zweiten und in dritter Reihe Askaris und Träger. Es waren drei Zeltlager vorbereitet worden.

Als Oscar und Kadimba die Stelle erreichten, wo die Wege der Gruppen sich trennten, entstand eine gewisse Verwirrung, da die englischen Soldaten Kadimba zu den Askaris abschieben wollten. Oscar griff recht unwirsch und in schlechtem Englisch ein. Er deutete auf Kadimbas Schulterklappen und rief: »This man is an officer.« Das Missverständnis wurde daraufhin rasch und höflich aus der Welt geschafft.

So einfach vollzog sich die Kapitulation. Die Engländer verhielten sich ausgesucht höflich und respektvoll, selbst

Kadimba gegenüber, nachdem ihnen klar geworden war, dass er nicht nur den Offiziersgrad bekleidete, sondern außerdem noch mit einem Eisernen Kreuz erster Klasse ausgezeichnet worden war. Es war überraschend, dass die Engländer den deutschen Offizieren gestatteten, ihre Orden zu behalten. Bei den Buren wäre das undenkbar gewesen, besonders im Hinblick auf Kadimba.

Während der Schiffsfahrt über den Njassa und den Tanganjikasee in der angenehmen Brise auf dem Wasser, die die Novemberhitze erträglich machte, sprachen sie viel über diese seltsamen Engländer.

Sie gingen in Kigoma von Bord und wurden dann mit der Bahn nach Tabora transportiert, dort trennten sich die Offiziere von den Askari-Soldaten. Viele Männer weinten. Es gab Askaris, die über fünfzehn Jahre lang in der deutschen Armee gekämpft hatten.

Wieder entstand eine gewisse Verwirrung, was mit Kadimba geschehen sollte. Aber auch dieses Mal endete die Diskussion damit, dass er die anderen deutschen Offiziere nach Dar begleiten durfte.

Sie glaubten, dass sie von dort in ein Kriegsgefangenenlager gebracht werden würden, aber so kam es nicht. Ein General Shepphard, ebenfalls in Paradeuniform, empfing die Gruppe der Offiziere, die weniger als hundert Mann umfasste, auf dem Bahnhof. Von dort eskortierte er die im Gleichschritt marschierenden Offiziere persönlich auf einem Schimmel, wie der auch immer nach Dar gekommen sein mochte, zum Hafen. Dort lag die *Transvaal*, die unmittelbar Richtung Europa in See stechen würde.

Zum dritten Mal gab es eine Konfusion wegen Kadimba, der sich weigerte, an Bord zu gehen. Oscar begab sich zusammen mit Günther Ernbach, der gut Englisch sprach, wieder auf den Kai, um das Problem zu erklären. Kadimba war zwar deutscher Offizier, aber nicht in Deutschland, sondern in Tanganjika beheimatet. Erneut erwiesen sich die Engländer als erstaunlich zuvorkommend. Wenn Kadimba seine deutsche Uniform und die deutschen Hoheitsabzeichen abgebe, sei er ein freier Mann. Mithilfe zweier Goldmünzen, die Oscar aus seinem Patronengürtel gerettet hatte, war die Sache schnell geregelt.

Als er Kadimba auf dem Kai umarmte, musste er sich anstrengen, um nicht in Tränen auszubrechen. Kadimba meinte, es sei wie bei ihrem letzten Abschied. Sie würden sich vielleicht nie wiedersehen, aber trotzdem für alle Zeit unzertrennlich bleiben. Dann drehte er sich um und ging, ohne sich noch einmal umzuschauen, in Sandalen und seiner weißen afrikanischen Dischdascha Richtung Bahnhof. Er hatte eine Familie, zu der er heimkehren würde, denn im Norden hatten die Belgier nicht gewütet.

Die deutschen Offiziere waren recht beengt in der zweiten Klasse untergebracht. Der Beschriftung einer Schwimmweste entnahm Oscar, dass die *Transvaal* ursprünglich die *Feldmarschall* war, auf der er vor Ewigkeiten einmal eine Fahrkarte in der ersten Klasse gelöst hatte, die er nie hatte nutzen können.

Aus lauter Jux und Tollerei ging er zum Kapitän hinauf und beklagte sich darüber in schlechtem Englisch, was ihm jedoch nicht viel einbrachte. Er meinte, den langen Erklärungen zu entnehmen, dass der gesamte deutsche Besitz in Ostafrika im Rahmen eines Gesetzes über Feindeseigentum konfisziert worden sei. Das betraf alles, Eisenbahnen, Häuser, Häfen und sogar Brauereien.

Auf dem Weg Richtung Rotes Meer und Suez tranken sie zum ersten Mal seit dem erfolgreichen Angriff auf Negomano echten englischen Whisky. Günther lag ihnen die ganze Zeit damit in den Ohren, was für ein großes Glück die Revolution sei, weil sie alle, letztendlich selbst die Engländer, Belgier und Südafrikaner, befreien würde.

Auf dem Roten Meer bekam Oscar Fieber. Die inkompetenten englischen Ärzte glaubten, es sei Malaria, aber es gelang ihm, sie davon zu überzeugen, dass er nur viel Wasser benötigte. Und möglichst auch ein Mittel gegen Ruhr, aber das gab es natürlich nicht.

XXV

BERLIN

Februar und März 1919

Die Revolution war zumindest in der Hauptstadt blutig niedergeschlagen worden. Die Sozialdemokraten und die Armee hatten ihr Möglichstes getan. Was das Aufspüren von Bolschewisten und ähnlich subversiven Elementen betraf, waren die Bürgerwehren überaus fleißig gewesen. Verdächtige, die nicht sofort erschossen worden waren, hatte man dem Militär übergeben, damit die Hinrichtungen unter geordneteren Verhältnissen stattfinden konnten, um so dem Gemetzel zumindest nach außen den Anschein von Rechtsstaatlichkeit zu verleihen.

Aber dieser Form der Rattenjagd, wie die Gardisten ihre Tätigkeit bezeichneten, bereitete die sozialdemokratische Regierung rasch ein Ende.

Als Folge davon waren die normalen Gefängnisse bald mit Verdächtigen überfüllt, die vom Militär dort angeliefert worden waren.

Für den Direktor des Gefängnisses in Moabit war die Lage betrüblich, und zwar in mehr als einer Hinsicht. Die Überbelegung machte ihm zu schaffen, denn auch die zusätzlichen Baracken auf dem Hof reichten nicht weit.

Außerdem war der rechtliche Status etlicher Inhaftierter äußerst unklar.

Walther Knobe fand die Situation in seiner Anstalt äußerst unbefriedigend. Er war ein Mann, dem die Wahrung der Form wichtig war, außerdem war er insgeheim Sozialdemokrat, was in seinem Metier ungewöhnlich war.

Insasse eines Gefängnisses sollte in jedem Fall nur sein, wer im Laufe eines rechtsstaatlichen Prozesses vor Gericht zu einer Gefängnisstrafe verurteilt worden war, aber nicht, wer von seinen politischen Gegnern auf der Straße aufgegriffen worden war.

Die Zeiten standen jedoch vollkommen kopf. Nicht genug damit, dass man den Krieg verloren hatte. Darüber hinaus hatten sie es jetzt mit Streiks, Aufständen und umstürzlerischen Aktivitäten zu tun. Die Lage war chaotisch gewesen, genauer gesagt mehr als chaotisch, denn man konnte beim besten Willen nicht behaupten, dass die Ordnung wiederhergestellt war, am allerwenigsten in Berlin.

Walther Knobe war keineswegs ein Gegner der Todesstrafe, nicht einmal was politische Straftaten betraf. Dahingegen fand er »außerrechtliche Hinrichtungen«, wie die schöne Umschreibung lautete, allerdings vollkommen ungebührlich. Als irgendein Befehlshaber der Bürgerwehr bei ihm erschienen war, um sich ihm als Freiwilliger für ein Exekutionskommando anzudienen, hatte er einen Wutanfall bekommen. Der Mann war doch völlig verwirrt, wenn er glaubte, man könnte einfach einen Trupp Gefangener auf den Hof führen und erschießen und dass nur der Mangel an schießkundigem Personal innerhalb des Gefängniswesens der Grund dafür war, weshalb das noch nicht geschehen war.

In der Stadt war es allerdings ruhiger geworden, seit das Militär die Jüdin Luxemburg und den Aufwiegler Liebknecht »außerrechtlich« hatte hinrichten lassen. Trotzdem mussten solche Sitten als einem Rechtsstaat unwürdig erachtet werden. Auch solche unerwünschten Elemente hatten einen Anspruch auf einen ordentlichen Prozess. In diesem Punkt sah sich Walther Knobe zu keinen Kompromissen bereit.

Jetzt hatte er trotzdem über hundert politische Gefangene am Hals, die ihm vom Militär und nicht von einem Gericht übergeben worden waren. Dem Militär war es nicht wichtig, dass für jeden Einzelnen der Verdacht auf eine Straftat vorliegen musste, es befand alle »Unruhestifter bösartigen Charakters« für kollektiv schuldig. Welcher Straftat war jedoch unklar, vermutlich Aufruhr und Landesverrat.

Rein rechtlich hätte er sie alle freilassen müssen, sobald der Lärm der Stiefel im Treppenhaus verklungen war. Aber in diesen unruhigen Zeiten hielt er diese juristisch korrekte Maßnahme dann doch für zu gewagt. Er musste schließlich auch an seine eigene Haut denken. Also wartete er lieber ab, bis sich die Lage noch etwas mehr beruhigte. Dann konnte er sie in kleinen Grüppchen in die Freiheit schleusen.

Er war an seinem Schreibtisch ins Grübeln geraten und hatte vollkommen vergessen, dass ein Arzt, der ihn in einer wichtigen und »delikaten« Angelegenheit sprechen wollte, auf Einlass wartete.

Delikate Angelegenheiten waren im Gefängnis Moabit selten. Vermutlich hatte er den Besucher nur aufgrund dieser Formulierung nicht abweisen lassen.

Seine Sekretärin klopfte vorsichtig an die Tür und teilte ihm mit, Dr. Lauritzen warte jetzt schon seit über zwanzig Minuten.

Knobe sah mit Erstaunen eine Frau eintreten, noch dazu eine äußerst elegant gekleidete, zweifellos eine Dame von Welt.

Er sprang auf, grüßte so höflich, wie ohne Handkuss nur möglich, und deutete dann auf die ramponierte Besucherbank, auf der im Laufe der Jahre nur Männer gesessen hatten.

»Womit kann ich Ihnen dienen?«, fragte er freundlich, nachdem er wieder an seinem Schreibtisch Platz genommen hatte. Er war neugierig geworden.

»Ich bin Dr. Ingeborg Lauritzen, geborene von Freital«, stellte sie sich vor. »Und ich komme, wie ich bereits angekündigt habe, in einer äußerst delikaten Angelegenheit zu Ihnen.«

Sie war ruhig und ihrer Sache sehr sicher, und ihr graublauer Blick wich dem seinen nicht aus.

»Eben das hat mich neugierig gemacht«, erwiderte er. »Was in aller Welt könnte in einem so düsteren Gemäuer wie dem Gefängnis Moabit delikat sein?«

»Es geht um eine Ihrer Gefangenen, eine Jugendfreundin von mir. Christa von Moltke«, fuhr sie ruhig fort, als handele es sich um einen ganz gewöhnlichen Namen.

»Von Moltke, das ist nicht möglich!«, wandte Knobe ein. »Aus dieser Familie hat garantiert noch nie jemand in Moabit eingesessen und garantiert auch jetzt nicht. Es muss sich um ein schwerwiegendes Missverständnis handeln.«

»Davon bin ich vollkommen überzeugt. Es könnte daran

liegen, dass sich die Freiherrin unter einem anderen Namen hier aufhält, nämlich Christa Künstler.«

»Aha. Aber dieser Sache können wir gleich auf den Grund gehen«, antwortete er, erhob sich und ging zu seiner Sekretärin. Er kehrte wenig später mit einem dicken, in rotes Leder gebundenen Buch zurück, legte es auf den Schreibtisch und setzte seine Lesebrille auf.

»Und warum nennt sich die Freiherrin Künstler?«, fragte er, während er mit dem Zeigefinger die Namensliste der kürzlich aufgenommenen Häftlinge durchging.

»Die Freiherrin pflegte Umgang mit der Boheme. Ich könnte mir vorstellen, dass sie ihren wirklichen Namen in diesen Kreisen etwas … unbequem fand.«

»Ja! Hier habe ich sie«, stellte Walther Knobe zufrieden fest. »Boheme, sagen Sie. Ist das eine Umschreibung für politische Aktivisten? Das würde einiges erklären.«

»Ich glaube, dass sich junge Künstler heute immer mit politischen Fragen befassen«, antwortete Ingeborg vorsichtig. Wahrscheinlich war der Gefängnisdirektor konservativ. Trotzdem ließ er keine Feindseligkeit erkennen, sondern gab sich mit dieser vagen Antwort auf die unausgesprochene Frage, ob die Inhaftierte vielleicht Anarchistin oder noch etwas Schlimmeres sei, zufrieden.

»Nun«, meinte er seltsam vergnügt. »Wir haben Ihre Freundin gefunden. Was schlagen Sie nun vor?«

»Das kommt darauf an. Welche Straftat wird ihr vorgeworfen?«

»Aufruhr und Landesverrat.«

»Das kann nicht sein.«

»Doch. Allerdings wirft man ihr nichts Konkretes vor. Sie gehört zu einer Gruppe von fast hundert Personen, die mir das Militär mit der Anweisung, sie bis auf Weiteres zu beherbergen, übergeben hat.«

Ingeborg zögerte mit ihrer Antwort. Sollte sie in die Offensive gehen oder weiblich-unterwürfig spielen? Sie entschied sich für die Offensive.

»Wir haben es hier mit einem Skandal zu tun!«, sagte sie mit etwas lauterer Stimme.

»Zweifellos. Und wie sollen wir uns aus dieser Zwickmühle befreien? Was schlagen Sie vor, Frau Doktor?«

Sie musste erneut nachdenken. Der Mann schien durchaus mit sich reden lassen zu wollen. Und er hatte in der Tat einen Skandal am Hals.

»Zum einen«, antwortete sie, »würde ich die Freiherrin gerne untersuchen, um mir eine Vorstellung von ihrem Gesundheitszustand zu machen. Weiterhin würde ich ihr gerne neue Kleider übergeben, die ihr besser anstehen als die Kleider, die sie vermutlich hier in der Anstalt trägt. Drittens schlage ich vor, dass ich mit ihr dann diskret von hier wegspaziere. Dadurch ließe sich vermeiden, dass der Umstand, dass die Freiherrin von Moltke ohne Anklage im Gefängnis Moabit eingesperrt worden ist, zu einem Skandal führt. Die Zeitungen würden diese Geschichte lieben.«

»In diesem Punkt haben Sie natürlich vollkommen recht«, meinte der Gefängnisdirektor. »Vorausgesetzt, dass Ihre Behauptungen zutreffen. In diesem Falle werden wir bereits heute, sicherlich bereits heute so vorgehen, wie Sie das vorgeschlagen haben, Frau Doktor.«

»Vorausgesetzt, dass meine Behauptungen zutreffen? Wie meinen Sie das, Herr Direktor? Wollen Sie mich nach dieser bislang so zivilisierten Unterhaltung etwa beleidigen?«

Sie war wirklich beleidigt und unternahm nichts, das zu verbergen.

»Sie müssen entschuldigen, Frau Doktor, aber die Gefängniswelt ist voller kühner und listiger Fluchtgeschichten. In meinem Beruf neigt man zu ausgeprägtem Misstrauen. Sie haben doch nichts dagegen, dass wir einen kleinen Test durchführen?«

»Nicht im Geringsten.«

»Ausgezeichnet. Ich werde die Freiherrin von Moltke beziehungsweise Fräulein Künstler jetzt rufen lassen. Wenn sie das Zimmer betritt, könnten Sie dann so freundlich sein, nicht mit der Gefangenen zu sprechen? Ich will ihr erst einige Fragen stellen.«

»Natürlich.«

Während der zehnminütigen Wartezeit unterhielten sie sich über das Wetter, die Teuerung und den Umzug der Regierung nach Weimar. Beide fanden dies gleichermaßen anstrengend.

Als Christa hereingeführt wurde, trug sie, wie Ingeborg vermutet hatte, Lumpen, wies Spuren von Misshandlungen auf und blickte trotzig und unwirsch drein. Dann entdeckte sie Ingeborg. Der sie begleitende Wärter musste sie davon abhalten, auf Ingeborg zuzustürzen und sie zu umarmen. Ingeborg versuchte ihr zu verstehen zu geben, dass sie nichts sagen durfte.

»Ich möchte Ihnen einige Fragen stellen, Gefangene zwei-zwei-eins-drei«, begann Walther Knobe streng. »Wer ist die Dame auf der Bank?«

Christa war einen Moment ratlos, als der Gefängnisdirektor und Ingeborg einen Blick wechselten. Ingeborg nickte ihr aufmunternd zu.

»Die Dame ist meine beste Freundin Ingeborg Lauritzen, geborene von Freital, aufgewachsen auf Schloss Freital und in Dresden. Seit neunzehnhundertsieben wohnt sie in Norwegen«, sagte Christa rasch. »Genügt das als Antwort?«

»Das genügt vollkommen. Und dann zur entscheidenden Frage: Wer sind Sie selbst?«

Christa zögerte und sah Ingeborg fragend an. Diese nickte so aufmunternd, wie sie es nur wagte. Christa holte tief Luft, sie schien verstanden zu haben, worum es ging.

»Ich bin Christa Freiherrin von Moltke«, sagte sie. »Aber nicht von den preußischen, sondern von den sächsischen von Moltkes. Ist das als Antwort ausreichend?«

»Das ist mehr als ausreichend«, sagte Walther Knobe.

Die beiden Freundinnen fielen sich in die Arme.

*

Wer die beiden eleganten Damen beim Sonntagsspaziergang an diesem sonnigen, aber kalten Märztag beobachtete, zweifelte keine Sekunde daran, welcher gesellschaftlichen Schicht sie angehörten. Ihre Kleidung sprach Bände. Flache, helle Hüte mit breiten Krempen. Statt langer schwarzer Mäntel trugen sie kürzere Jacken mit Pelzkrägen und Kleider in Pastellfarben. Aber niemand, wirklich niemand in ihrer Umgebung hätte auch nach tausend Versuchen ihr Gesprächsthema erraten können.

»Ich habe den Kelch der Revolution bis zum letzten Tropfen geleert. Er schmeckte nach Blut«, fasste Christa zusammen.

Sie hatten in all den Jahren Hunderte von Briefen gewechselt, und ihre Auseinandersetzungen waren so tief greifend gewesen, dass sie die innigsten Freundschaftsbande hätten sprengen können, jedoch nicht die ihren.

Ingeborg war Sozialdemokratin und hatte in der Frage, wie die Macht des Volkes etabliert werden sollte, nie nachgegeben. Für sie gab es nur eine Alternative: allgemeines Wahlrecht auch für Frauen.

Christa war in den letzten Jahren Bolschewistin geworden. Sie war der Meinung, dass die Macht des Volkes nur durch Arbeiter- und Soldatenräte etabliert und gegen den unvermeidlichen Gegenangriff der Bourgeoisie nur durch eine Volksmiliz verteidigt werden könne.

Diese Methode hatte sie nun erprobt, als die Revolution in Berlin niedergeschlagen worden war. Sie war nicht so unschuldig, wie der unterwürfige und sich viele Male verbeugende Gefängnisdirektor angenommen hatte, als sie vor einigen Tagen aus der Haftanstalt marschiert waren.

Mehrere Dinge hatten sie umdenken lassen. Erstens hatte der missglückte Spartakistenaufstand, also der Revolutionsversuch, gezeigt, dass sie eine unbedeutende Minderheit waren. Die Bürgerwehren, die sie die Straßen hinauf- und hinuntergejagt hatten, hatten keinesfalls nur aus Kapitalisten mit Zylindern und alten Landjunkern bestanden.

So gesehen war das Problem einfach. Die Mehrheit eines Volkes, das jahrhundertelang unterdrückt worden war wie in Russland, war sicher zu einer Revolution fähig.

Aber keine Minderheit wie die in Deutschland.

So sahen ihre ideologischen Schlussfolgerungen aus. Auf einer anderen, weiblichen Ebene war ihre Glut durch die Art, wie die Männer die Frauen behandelten, erloschen.

Von der Genossin Christa wurde erwartet, dass sie die Männer bediente. Die Genossen, die ihre Abstammung kannten, schienen das besonders zu genießen, und sie hatte sich ärgerlicherweise viel zu lange damit abgefunden.

Selbst wenn es darum ging, den Genossen sexuelle Dienste zu erweisen. Die »freie Liebe«, von der alle sprachen, war nur ein ideologisches Feigenblatt für die Sehnsucht der Männer nach allgemeiner Promiskuität.

»Herr Künstler«, wie sie ihn inzwischen nur noch nannte, hatte nach einiger Zeit damit begonnen, sie wie eine von der Oberklasse eroberte Trophäe zu behandeln. Mit langen ideologischen Vorträgen hatte er glaubhaft machen wollen, dass es eine Geste der Solidarität wäre, sie an andere auszuleihen.

Sie hatte zwei illegale Abtreibungen durchführen lassen, da sie nicht gewusst hatte, wer der Vater war.

Dass Herr Künstler zu den Gefallenen gehörte, betrauerte sie nicht besonders. Das mochte gefühlskalt erscheinen, so über beide Ohren verliebt, wie sie einmal gewesen war, aber als sie in dem wunderbaren Sommer vor zwölf Jahren aus Kiel ausgerissen war, war sie glücklicher als jemals zuvor gewesen. Zumindest jene Auflehnung war berechtigt gewesen. Oder? Hätte Ingeborg nicht dasselbe getan, wenn ihr Vater weiter stur geblieben wäre?

»Doch, ganz sicher«, gab Ingeborg zu. »Ganz sicher. Komm, wir setzen uns auf eine Bank. Ich habe ein paar Fragen.«

Sie nahmen auf einer grünen Gusseisenbank Platz, weit genug voneinander entfernt, um deutlich zu machen, dass für eine weitere Person kein Platz mehr war. Die Berliner konnten überraschend aufdringlich sein.

Ingeborgs Fragen betrafen nun nicht mehr die Politik. In dieser Hinsicht glaubte sie, genug zu wissen.

»Wie wurde die Abtreibung durchgeführt? Wie lange hat es anschließend geblutet?«, fragte sie direkt.

»Wir hatten viele Ärzte unter den Genossen, das war kein Problem«, antwortete Christa überrascht.

»Wie lange hast du anschließend geblutet?«

»Nicht lange und überhaupt nur wenig. Wieso?«

»Wie erfolgte der Eingriff, chirurgisch oder anders? Du weißt, dass ich dich untersuchen muss, aber erzähle mir, wie es ablief.«

»Sehr ordentlich in einer Klinik, allerdings nachts, aber in einer Praxis für Privatpatienten. Der Genosse Arzt spritzte eine Salzlösung, eigentlich normales Wasser, nur sterilisiert. Behauptete er jedenfalls.«

»Durch den Gebärmuttermund?«

»Ja, also … dort unten, und falls das der Gebärmuttermund ist, dann war es das also.«

»Hast du nach wie vor ganz normal deine Tage?«

»Meine Güte, was für ein Gesprächsthema!«

»Wir sind Freundinnen, und ich bin Ärztin. Also?«

»Ja, wie ein Uhrwerk und fast immer noch so stark wie in der Jugend!«

Ingeborg beugte sich vor und küsste Christa vorsichtig auf die Wange. Sie lächelte, sagte aber nichts.

»Ich bin der Meinung, dass die Frau das Recht hat, über ihren eigenen Körper zu verfügen, und falls du mich deswegen verurteilen willst, dann tu das! Aber werde ich noch …«

»Hör auf, geliebte Freundin!«, fiel ihr Ingeborg ins Wort. »Ich habe mir Sorgen um deine Gesundheit gemacht, nicht um deine Moral. Im Übrigen bin ich im Prinzip deiner Meinung und hätte die Eingriffe selbst durchgeführt, wenn das möglich gewesen wäre. Du bist immer noch fruchtbar, du hast keine bleibenden Schäden davongetragen, ich brauche dich nicht einmal zu untersuchen. Kochsalzlösung einzuspritzen ist im Übrigen die schonendste Methode, die es gibt, wenn man sie nicht zu spät anwendet.«

Sie verstummten. Auch dieses wichtige Thema hatten sie jetzt vorläufig geklärt. So war es, wenn sich Freundinnen nach langer Zeit wiedersahen, dann mussten sie eine Frage nach der anderen abarbeiten.

»Ich wünsche mir Kinder«, sagte Christa nach einer Weile. »Das lässt sich nicht leugnen. Dieses Glück, das du in deinen Briefen beschrieben hast, macht mich … Nein, man kann nicht neidisch auf seine engste Freundin sein. Aber so wie du es beschreibst, ist es im wahrsten Sinne des Wortes wunderbar.«

»Dann musst du dich beeilen, einen Mann zu finden. Die Menopause ist nicht mehr fern«, meinte Ingeborg und zupfte an ihrem Rock.

»Die Meno… was?«

»Der Zeitpunkt, ab dem man keine Kinder mehr bekommen kann. Du solltest möglichst noch heute einen Mann finden!«

Sie lachten und fielen sich in die Arme.

Bis zum Pariser Platz war es ein Stück zu gehen. Dort hatten sie sich mit Lauritz und den Kindern verabredet.

Ingeborg und Christa waren beide erleichtert. Nicht einmal die schwierigsten Themen hatten ihre lange Freundschaft erschüttern können. Ihre gute Laune grenzte fast an Euphorie, sie kicherten, lachten und unterhielten sich nun über Alltagsthemen: Kinder, Männer, Fragen des Haushalts.

Aber nicht nur darüber. Erstaunlicherweise befanden sie sich auf dem Weg zu einer »militaristischen« Manifestation. Ihre brieflichen Auseinandersetzungen galten hauptsächlich dem Militarismus. Die Sozialdemokraten hatten den Krieg Deutschlands mit der Begründung gutgeheißen, Deutschland sei Opfer einer internationalen Verschwörung zur Begrenzung seiner Macht geworden.

Christa und ihre politischen Freunde hatten dies als einen unverzeihlichen Verrat empfunden. Die Arbeiter der Welt durften sich nicht von den Imperialisten zu Kanonenfutter machen lassen. Wenn Deutschlands Arbeiter die Waffen auf die Bourgeoisie statt auf ihre Klassenbrüder gerichtet hätten, dann würde die Welt heute anders aussehen.

Vielleicht.

Ingeborg hatte trocken erwidert, dass Deutschland den Krieg dann schneller und mit geringeren Verlusten verloren hätte, aber im Großen und Ganzen wäre doch alles beim Alten geblieben.

Jetzt war diese Diskussion allerdings sinnlos. Sie beschleunigten ihre Schritte, weil sie sich ein wenig verspätet hatten. Zu ihrem Erstaunen erblickten sie vor dem Brandenburger Tor eine riesige Menschenmenge.

Zehntausende waren gekommen, um den einzigen deutschen Siegern des Weltkrieges zuzujubeln, den deutschen Truppen in Afrika, der tapferen Schar, die von den Hunderttausenden britischer und südafrikanischer Soldaten nie besiegt worden waren.

Lauritz und Ingeborg waren davon ausgegangen, dass es sich um eine kleine Veranstaltung mit wenigen Zuschauern handeln würde und dass sie sich daher mühelos finden würden. Jetzt in der jubelnden Menge würde es einige Zeit dauern.

Da sie so spät dran waren, sahen sie nicht viel von der Parade. Sie meinten, den berühmten General von Lettow-Vorbeck auf einem Schimmel wiederzuerkennen. Hinter ihm ritten weitere ranghohe Offiziere, dann kamen mehrere Hundert Mann in Uniform mit wehenden Regimentsfahnen.

Im Grunde entging ihnen das gesamte Geschehen. Nicht einmal Damen war es möglich, sich einen Weg durch die Menge zu bahnen. Es wurde eine Rede gehalten, von der sie kein Wort verstanden, dann wurde gejubelt, applaudiert und Hurra gerufen. Anschließend schien sich die ganze Versammlung aufzulösen.

»Mit dem Militarismus ist es nicht weit her«, meinte Christa.

»Wer weiß. Vielleicht haben sie ja eine sofortige Revanche befürwortet. Wir haben ja nichts gehört«, erwiderte Ingeborg.

Im Durcheinander der sich zerstreuenden Menge strebte Ingeborg dem Brandenburger Tor entgegen. Da sie sich mit Lauritz nicht auf einen bestimmten Treffpunkt geeinigt hatte, musste dies logischerweise der Ort sein, um einander zu suchen.

Das erwies sich als richtig. Dort stand er in der sich lichtenden Menge mit Zylinder und schwarzem Mantel wie ein Zinnsoldat in Zivil, etwas korpulent, wie es einem wohlhabenden Mann anstand. Zumindest einem ehedem vermögenden Mann, Ingeborg kannte die genauen Zahlen nicht. Um ihn herum standen die Kinder in ihren Sonntagskleidern, Harald, neun Jahre alt, ebenfalls aufrecht wie ein Zinnsoldat, Johanne, die gerade eingeschult worden war, in einem viel zu dünnen, aber natürlich sehr hübschen Sommerkleid, Karl, sechs Jahre alt, im Matrosenanzug, und Rosa, vier Jahre alt in einem weiten, aber sicher sehr praktischen Mäntelchen. Sie winkten fröhlich, als sie ihre Mutter und deren beste Freundin entdeckten.

Es wurde eine sentimentale Begegnung, schließlich kannte Christa die Kinder nur aus Ingeborgs Briefen. Jetzt traf sie sie zum ersten Mal und vergoss viele Tränen, als sie eines nach dem anderen umarmte.

Die Kinder waren ob dieser überraschenden Intimität vonseiten einer Erwachsenen, die sie nicht kannten und von der sie nur hin und wieder einmal gehört hatten, etwas verstört.

Lauritz hielt sich während dieser überraschend emotionalen Zeremonie im Hintergrund. Begrüßte man die Kinder wirklich zuerst?

Er verbeugte sich und küsste dann, möglicherweise etwas ironisch, Christa die Hand und erklärte, möglicherweise mehr im Scherz als ironisch, er sei überaus entzückt, die gnädige Freiherrin nach all den Jahren wiederzutreffen.

»Insbesondere im Hinblick darauf, in was für eine unvergleichliche Intrige du uns beide damals reingezogen hast«, sagte er, und alle lachten.

»Schließlich hat ja auch in Kiel unter den Seeleuten der kaiserlichen Flotte die Revolution begonnen«, meinte Christa.

Lauritz lächelte verunsichert, er erkannte keinen Sinn

darin, auf den Aufstand der Kieler Matrosen hinzuweisen, und fand Christas Ironie doch etwas gewagt.

Es entstand eine Pause. Niemandem fiel etwas Erwähnenswertes ein. Sie standen unter dem Brandenburger Tor und lächelten einander verlegen an.

Da näherte sich ein Mann in der Uniform eines Hauptmanns, der vermutlich an der Parade teilgenommen hatte. Er ging mit energischen Schritten auf Lauritz zu, der wie versteinert dastand und ihn anstarrte. Ingeborg konnte seinen Gesichtsausdruck nicht deuten.

Die beiden Männer fielen einander um den Hals, umarmten sich innig und klopften sich gegenseitig auf den Rücken. Keiner sprach ein Wort. Als sie voneinander abließen, bemerkten die anderen, dass sie beide weinten und sich die Tränen mit dem Handrücken abwischen mussten.

»Das hier«, sagte Lauritz mit schwacher Stimme, »ist mein Bruder Oscar, der gerade aus Afrika zurückgekehrt ist. Darf ich vorstellen, Christa Freiherrin von ...«

»Ach was!«, sagte Christa und reichte ihm ihre Hand zum Kuss. »Wir sind uns schließlich in unserer grünen Jugend schon einmal begegnet.«

Ingeborg umarmte Oscar und küsste ihn auf beide Wangen. Dann stellte sie ihm ein Kind nach dem anderen vor.

Sie konnte sich an Oscar noch schwach aus der Dresdner Zeit erinnern. Aber damals war er noch ein Junge gewesen. Jetzt stand, den Orden nach zu urteilen, ein Held vor ihr, der noch dazu wie ein Held aussah. Er hatte breite Schultern, war größer als Lauritz und außerdem bedeutend schlanker. Sein Gesicht war zerfurcht und von Narben übersät, und die Augen hatten einen fast traurigen Ausdruck. Ein Mann, der sehr viel durchgemacht hatte. Ingeborg warf einen Blick zu Christa hinüber und stellte rasch fest, dass sie denselben Eindruck gewonnen hatte oder die Situation genauso analysierte, um Christas Jargon zu benutzen, wie sie. Sie wirkte geradezu überwältigt.

»Und?«, meinte Oscar und breitete die Arme aus. »Alles, was ich noch besitze, sind die Kleider, die ich auf dem Leib trage. Die Engländer haben mir in Afrika alles weggenommen. Ich kann heute Abend also leider nicht die Zeche zahlen.«

»Du hast keinen Grund, dir Sorgen zu machen«, meinte Lauritz. »Du hast eine bedeutende Goldreserve im Tresorgewölbe der Norske Bank in Bergen liegen. Du bist Teilhaber dreier Baufirmen, unter anderem von Heckler & Dornier hier in Deutschland. Es wird neue Brücken geben, mach dir keine Gedanken, die Welt wird wieder aufgebaut werden, Ingenieure werden gebraucht. Was Dornier betrifft, so erwägen wir, mit dem Bau von Flugzeugen zu beginnen.«

»Ausgezeichnete Idee«, erwiderte Oscar sichtlich erleichtert. »Ich bin mir sicher, dass den Flugzeugen eine strahlende Zukunft beschieden ist.«

Damit endete ihre Unterhaltung, da sie es beide etwas peinlich fanden, in Damengesellschaft von Geschäften zu sprechen. Das Notwendigste war jedenfalls gesagt, und Oscars Erleichterung war deutlich spürbar. Innerhalb einer Sekunde war aus einem möglicherweise mittellosen ein erneut sehr vermögender Mann geworden.

In diesem Augenblick hätte man auf alltäglichere Dinge zu sprechen kommen können, wie das kühle Frühjahr oder welches Restaurant sie besuchen wollten. Stattdessen nahm Lauritz Oscar zur Seite und begann sich flüsternd mit ihm zu unterhalten. Die anderen sahen fragend zu ihnen hinüber. Oscar nickte nachdenklich und betrachtete dann die Kinder.

Dann trat er unvermittelt auf Harald zu und beugte sich vor, sodass sein großes, schwarzes Halskreuz mit Silberkante vor den Augen des Jungen baumelte.

»Das Großkreuz des Eisernen Kreuzes!«, rief Harald beeindruckt und deutete auf den Orden. »Und das Eiserne Kreuz erster Klasse!«, fuhr er ebenso aufgeregt fort.

Meine Güte!, dachte Ingeborg, wo lernen die kleinen Jungen das alles nur?

»Ganz richtig, mein lieber Neffe«, erwiderte Oscar auf Deutsch.

Bislang hatten sie nur deutsch gesprochen, was angesichts von Christas Anwesenheit eine Selbstverständlichkeit war. Aber jetzt wechselte Oscar plötzlich ins Norwegische, als er Harald an seinen dünnen Schultern fasste und fragte:

»Aber so ein kluger kleiner Neffe kann mit seinem Onkel Oscar doch wohl auch norwegisch sprechen?«

»Natürlich können wir norwegisch sprechen, Onkel Oscar. Ich bin nicht nur Deutscher, ich bin ebenso sehr Norweger!«, antwortete er in ausgeprägt westnorwegischem Dialekt, in dem er auch angesprochen worden war. Der Sprache, die ihm seit zwei Jahren nicht mehr über die Lippen gekommen war.

NACHBEMERKUNG

Ein besonderer Dank gebührt vier Autoren, die mir eine unschätzbare Hilfe waren. Im Jahr 1924, lange nach seinen Erlebnissen auf der Hardangervidda, veröffentlichte Oberingenieur *Sigvard Heber* seine Erinnerungen in Buchform: »Da Bergensbanen blev til – Fem aars ingeniørliv paa høifjeldet« (Als die Bergenbahn gebaut wurde – Fünf Jahre als Ingenieur im Hochgebirge; es gibt eine norwegische Faksimileausgabe, herausgegeben von der Stiftung Rallarmuseet in Finse).

Sigvard Hebers einzigartiges Buch ist eine kulturhistorische Leistung. Anschaulich und fesselnd beschrieb er die Mühen des Alltags während der letzten fünf Jahre des Eisenbahnbaus. Eine meiner Hauptpersonen, Diplomingenieur Lauritz Lauritzen, hat hundert Jahre später die Erfahrungen seines Kollegen Heber übernommen und dieselben Beobachtungen gemacht. Ich habe nicht im Geringsten versucht, diese wichtige Quelle zu kaschieren, im Gegenteil. Das halte ich für eine wohlverdiente Huldigung, eine Art, Hebers Erzählung wiederauferstehen zu lassen.

Gunnar Staalesen schrieb eine in Norwegen viel gelesene historische Romantrilogie mit Schauplatz Bergen (nicht ins Deutsche übersetzt), die auf einer sehr umfangreichen Recherche zusammen mit dem Grafiker und Lokalhistori-

ker *Jo Gjerstad* basiert. Ihr Kommentarbuch zu der Roman-
trilogie »Hundreårsboken« (Hundertjahrbuch, Gyldendal,
2000) war für mich die reinste Goldgrube. Aus dem ersten
Teil von Staalesens Trilogie »1900 – Morgenrød« (1900 –
Morgenrot) habe ich ganz unbescheiden und aus denselben
Gründen wie im Falle Sigvard Heber sowohl Namen von
Romanfiguren wie auch im Detail Vorfälle entlehnt. Ich
verbeuge mich vor meinem Kollegen Staalesen.

Das Arbeitermilieu beschreibt *Bjørn Rongen* in seiner
Trilogie »Toget over vidda« (Die Bahn über die Hochebene, Ausgabe in einem Band, Gyldendal, 2009). Hier
fand ich die Sicht der Arbeiter, die aus naheliegenden
Gründen in Sigvard Hebers Buch keinen so großen Raum
einnimmt. Ingenieure und Arbeiter wohnten nicht in denselben Baracken.

Ohne die Arbeit meiner Schriftstellerkollegen hätte ich
den in Norwegen spielenden Teil meines Romans nicht
schreiben können. Schlimmstenfalls hätte ich auch Lauritz nach Afrika schicken müssen. Afrika erschließt sich
aus den Quellen seltsamerweise besser als die Hardangervidda. Dann wäre das Buch aber schlechter geworden.

Jan Guillou

DIE
BRÜDER

Roman

ISBN 978-3-453-26840-1

Aus dem Schwedischen von Lotta Rüegger
und Holger Wolandt

Der Verrat an seinen Brüdern wiegt schwer, doch Sverre, der jüngste der drei Brückenbauer, wird ihnen nicht nach Norwegen folgen. So sehr er sich auch wünscht, am ehrgeizigsten Ingenieursprojekt des Landes mitzuwirken, die Liebe ist stärker. Sverre folgt seinem Studienkollegen Albert nach England. Hier führen die beiden das wilde Leben der Bohème. Doch ihr Glück ist nur von kurzer Dauer.

Die Brüder Lauritzen aus Bergen im Westen Norwegens kommen aus einfachen Verhältnissen, doch ein glücklicher Zufall will es, dass sie am Polytechnikum in Dresden, der renommiertesten technischen Universität jener Zeit, ein Ingenieursstudium absolvieren können. Nach Abschluss ihres Studiums wartet in Norwegen eines der größten Bauprojekte des Landes auf sie – der spektakuläre Bau einer Eisenbahnverbindung zwischen Bergen und Oslo. Doch in der Nacht vor der Abreise aus Dresden verschwindet Sverre, der jüngste der drei Brüder. Er hat sich in seinen Studienkollegen Graf Albert Manningham verliebt und folgt diesem nach London. Auf dem Familiensitz der Manninghams führen die beiden fortan ein unbeschwertes Leben. Sie widmen sich der Kunst, Musik und Literatur und nehmen an allen bahnbrechenden kulturellen Entwicklungen des beginnenden 20. Jahrhunderts teil. Doch die weltpolitischen Ereignisse werfen ihren Schatten auf das junge Glück, und plötzlich steht Sverre allein da.

EINE ANDERE WELT

Wiltshire, Juni 1901

Sverres Gelassenheit beruhte hauptsächlich darauf, dass Albie immer nur sehr vage von seinem Zuhause in Wiltshire erzählt hatte. Ab und zu hatte er eher beiläufig das »Haus« erwähnt und gelegentlich die »Felder« und die »Schafzucht«, was nach einem etwas größeren norwegischen Bauernhof geklungen hatte, insbesondere wegen der Schafe.

Im Zug nach Salisbury hätte Albie vielleicht die letzte Möglichkeit nutzen können, das eine oder andere zu klären. Stattdessen waren sie in eine ausgelassene Diskussion darüber geraten, welchen Beitrag ihre Wissenschaft zur Verbesserung des wichtigsten Verkehrsmittel Englands, der Eisenbahn, leisten konnte. Sie waren frischgebackene Diplomingenieure der Universität Dresden und besaßen damit die beste technische Ausbildung der Welt. Für die Menschheit war soeben das Jahrhundert unfassbarer Fortschritte angebrochen, die vielleicht sogar das Ende jener Barbarei, die Krieg hieß, mit sich bringen würden. Immer noch klangen ihnen diese Worte des Rektors am Examenstag in den Ohren. Die Verantwortung dafür trugen vor allem die Ingenieure. Die neue Technik würde das menschliche Dasein von Grund auf verändern. Nichts war unmöglich, warum also nicht sofort damit beginnen, sich ein paar rasche Verbesserungen für den Bahnverkehr auszudenken?

Sverre war auf Eisenbahnen spezialisiert und Albie auf Maschinenbau, das Thema lag also fast auf der Hand.

Albie breitete die Arme aus, reckte sich glücklich unbekümmert – sie hatten ein ganzes Erste-Klasse-Abteil für sich –, hob dann in einer für ihn typischen Geste den Zeigefinger und formulierte die Frage:

»Was stört uns am meisten, während wir hier sitzen? Lass uns damit beginnen. Was sollte man umgehend verbessern? Was fällt einem als Erstes auf?«

»Der Ruß«, stellte Sverre fest und deutete verdrossen auf seine Manschetten. »Ich habe ein frisch gestärktes weißes Hemd angezogen, als wir heute Morgen im Hotel Coburg aufgestanden sind. Jetzt kann ich es nicht einmal mehr zum Abendessen tragen, fürchte ich. Und dann wären da noch der Lärm und das Gerüttel, möglicherweise auch die geringe Geschwindigkeit.«

Albie dachte einen Augenblick nach und nickte dann. Das waren die unmittelbaren Probleme, die gelöst werden mussten, daran bestand kein Zweifel.

Sie begannen mit dem Ruß, der größten Unannehmlichkeit, insbesondere an einem warmen Sommertag wie diesem, an dem man gerne mit geöffnetem Fenster reiste. Die Lokomotiven wurden von mit Kohle befeuerten Dampfmaschinen angetrieben, und der Rauch war überaus unangenehm. Zwei Lösungen boten sich an: entweder die Kohleabgase mithilfe eines Filtersystems zu reinigen,

oder – eine drastische Methode – das Antriebssystem aus-
zutauschen. Die neuen Automobile wurden mit Petro-
leumprodukten angetrieben. Auch diese Art von Verbren-
nungsprozess brachte Ausstöße mit sich, verglichen mit
dem Kohlerauch eines Zuges waren sie jedoch nur unbedeutend. Theoretisch ließen sich die mit Kohle befeuerten
Dampfmaschinen durch etwas größere Verbrennungsmotoren vom Automobiltyp ersetzen. Was das kostentech-
nisch bedeuten würde, war eine andere Frage, denn Kohle
war in England praktisch gratis.

Andererseits hatte bereits Rudolf Diesel in seiner Ab-
handlung »Theorie und Konstruktion eines rationellen
Wärmemotors zum Ersatz der Dampfmaschine und der
heute bekannten Verbrennungsmotoren« festgestellt, dass
bei einer Dampfmaschine neunzig Prozent der Energie
verloren gingen. Das war eine kolossale Vergeudung und
damit auch verschwendetes Geld. Rudolf Diesels neuer
Motor, zumindest die Experimentalversion, wurde von
Erdnussöl angetrieben. Dieses ließ sich zwar nicht ohne
Weiteres in ausreichenden Mengen beschaffen, war aber
im Unterschied zur Kohle kein endlicher Rohstoff und
außerdem sauberer und weniger schädlich. Also ein Die-
selmotor?

Oder Elektrizität?, überlegte Sverre. Sauber und leise.
Die Verunreinigung durch Kohle beschränkte sich auf die
Kraftwerke, in denen man die elektrische Energie herstellte. Dort ließe sich auch der Kohlerauch auf vernünftige Art filtern.

Unverzüglich wandten sie sich dem Thema Elektromo-
toren zu. Bislang existierten keine, die genügend Kraft
entwickelten, um einen ganzen Zug anzutreiben, aber das

lag nicht unbedingt an praktischen Problemen. Vielleicht hatte bisher einfach niemand den Bedarf gesehen. Die Technik existierte schließlich, sie musste einfach nur weiterentwickelt werden. Ein größeres Problem stellte da schon der Transport der Elektrizität vom Kraftwerk zur Lok dar. Elektrische Leitungen mit Transformatorstationen gab es bereits, so weit also keine Schwierigkeiten. Wie wäre es mit einer dritten, stromführenden Eisenbahnschiene, von der die Lok ihre Kraft mithilfe eines Senkschuhs oder eines Skis an der Unterseite bezog?

Keine gute Idee. Eine bodenläufige Stromschiene, die kreuz und quer durch England verlief, würde – einmal ganz abgesehen von dem rein metallurgischen Problem raschen Verschleißes und der Lärmbelästigung – den Tod Hunderttausender Kühe und Zehntausender Kinder zur Folge haben.

Auf diesen vernichtenden Einwand kam Albie.

Sverre stellte mit einem Seufzer fest, dass man wohl eine Übertragung der elektrischen Kraft durch die Luft ersinnen müsse.

Sie ließen das Problem des Antriebs vorerst auf sich beruhen und wandten sich dem Aspekt des Lärms zu. Die Schienenstöße verursachten das unerträgliche Rattern und Dröhnen. Was könnte dagegen unternommen werden?

Auf diesem Gebiet nun kannte sich Sverre aus. In Ländern mit großen Temperaturschwankungen, erklärte er, seien großzügige Schienenlücken vonnöten, da sich Metall, insbesondere Eisen, bei Wärme ausdehne und bei Kälte zusammenziehe. Hier habe man es mit einem unumgänglichen physikalischen Gesetz zu tun, es sei denn, Eisenbahnräder ließen sich flexibler gestalten. Gold eigne sich in der Theorie, verschleiße dafür aber rasch und weise andere offensichtliche Nachteile auf. Gummiräder wie bei Automobilen würden sich noch schneller abnutzen. Aber wenn es eine Möglichkeit gäbe, dieses neue Material im Innern der Räder zu verwenden, also nicht in direktem Kontakt mit den Schienen, ließe sich das durch die Schienenstöße verursachte Rumpeln beträchtlich dämpfen. Also Gummiräder mit einem Reifen aus Stahl?

Mit dieser Überlegung gaben sie lachend auf, der Zug näherte sich Salisbury. Jetzt hatten sie ihr neues Leben fast erreicht.

*

In Antwerpen vor Betreten des Postdampfers hatte Sverre ein letztes Mal gezögert. Dort, wirklich erst dort, mit Sicht auf England jenseits der Meerenge, war es ihm vorgekommen, als würde er den Rubikon überschreiten.

Er hatte sich alle Mühe gegeben, seine Unsicherheit vor Albie zu verbergen. In Albies Nähe und wenn sie sich in die Augen sahen, fiel es ihm nicht schwer. Albies schöne, ironische, intelligente, flehende und herrische braune Augen vertrieben jegliche Zweifel. Außerdem wurde er getragen von dem berauschenden Gefühl, sich in der neuen Epoche des Friedens und der Technik zu befinden, die sie jetzt gemeinsam erobern würden und in der alles möglich war. Gemeinsam würden sie Berge versetzen, nicht nur im übertragenen Sinne, sondern notfalls sogar buchstäblich, beispielsweise beim Kanalbau.

Dies war die eine und eindeutig ausgeprägteste Seite seiner Empfindungen.

Was die andere Seite dafür nicht weniger quälend machte.

Weil sich unmöglich schönreden ließ, dass er ein Verräter war. Er hatte Norwegen verraten, genauer gesagt die Wohltätigkeitsloge *Die gute Absicht* in Bergen, die sowohl ihm als auch seinen Brüdern Lauritz und Oscar eine Ausbildung finanziert hatte, die den drei vaterlosen Fischerjungen von der Osterøya sonst verschlossen geblieben wäre. Ohne die Unterstützung der Loge hätten sie ihre Lehre in Cambell Andersens Seilerei absolviert und wären mit der Zeit Seiler geworden, weder mehr noch weniger.

Der Zufall hatte jedoch die Mitglieder des Wohltätigkeitsvereins dazu veranlasst, sie, einer Märchenfee gleich den Zauberstab schwingend, mit einer höheren Ausbildung zu segnen, was einer Erste-Klasse-Fahrkarte in die Oberschicht gleichkam. Innerhalb weniger Jahre wären sie vermögend gewesen. Die Stellen und die Gehälter, die man den drei Brüdern nach dem Examen in Dresden geboten hatte, ließen daran keinen Zweifel.

Die Ausbildung, die ihnen geschenkt worden war, brachte aber auch Verpflichtungen mit sich, denen er sich wie ein Zechpreller entzogen hatte. Seinen Teil der Verantwortung hatte er ungefragt seinen Brüdern aufgebürdet, ein unentschuldbares Verhalten.

Ein Gespräch mit den Brüdern wäre sicherlich nicht sehr fruchtbar verlaufen. Lauritz war ein großer Bruder, den man bewundern musste, seine eiserne Disziplin, sein besessenes Training, um Europas bester Velodrom-Rennfahrer zu werden, seine feste Entschlossenheit, der beste Diplomingenieur seines Jahrgangs zu werden, sein unermüdlicher Fleiß, obwohl er oft vom Training erschöpft gewesen war. Nichts vermochte Lauritz aufzuhalten.

Diese Eigenschaften konnten selbst einen Bruder ein wenig einschüchtern. Lauritz würde sich nie von so etwas Weltlichem und Trivialem wie der Liebe davon abhalten lassen, zu erledigen, was seine Ehre ihm abverlangte. Daher war nie infrage gestellt worden, dass sie alle drei nach Bergen zurückkehren und anschließend für einen Lohn, der kaum höher war als der eines Bahnarbeiters, in Schnee und Eis auf der Hochebene arbeiten würden, fünf Jahre lang, genauso lang wie die Studienzeit.

Anschließend, wenn sie alle über dreißig waren, eröffneten sich ganz sicher neue Möglichkeiten. Wie oft hatten sie nicht über die neue Ingenieursfirma Lauritzen & Lauritzen & Lauritzen in Bergen gescherzt! Mit vierzig würden sie dann mit Frau und Kindern in einer schönen Villa in Bergen ein respektables, bürgerliches Glück leben. Das war der Plan, den nichts durchkreuzen durfte. Am allerwenigsten Gefühlsduseleien. Für Lauritz waren starke Emotionen ein Ausdruck von Unmännlichkeit.

Diesem unerbittlich harten und prinzipientreuen Lauritz erklären zu wollen, dass es Gefühle gab, die alle Prinzipien über den Haufen warfen, noch dazu Gefühle, die in den Augen Gottes einen Frevel darstellten, wäre vollkommen unmöglich gewesen. Lauritz glaubte zu allem Überfluss nämlich auch noch an Gott. Er hätte sich nur angeekelt abgewandt. Es hätte einen fürchterlichen Abschied gegeben. Daher war es sinnvoll gewesen, feige und prinzipienlos die Flucht zu ergreifen.

Seltsam, wie sehr die Brüder sich ähnelten und zugleich unterschieden. Für niemanden in Dresden hatte je irgendein Zweifel bestanden. Da kommen die drei norwegischen Wikingerbrüder, hatte man gesagt. Sie waren ungefähr gleich groß, hatten dieselben breiten Schultern und dasselbe rotblonde Haar. In den ersten Jahren hatten sie sogar denselben Schnurrbart getragen, bis Sverre aus politischen Gründen dazu übergegangen war, glatt rasiert aufzutreten.

Äußerlich so gleich und innerlich doch so verschieden. Die beiden älteren Brüder interessierten sich keinen Deut für Kunst und Musik, für Sverre waren sie lebensnotwendig. Er sah die Schönheit in einer guten Skizze, einem kühnen Brückenschlag über einem Abgrund auf der Hardangervidda oder einer eleganten Gleichung. Lauritz und Oscar hingegen konnten einen Gustave Doré, obwohl ihnen das Motiv hätte vertraut sein müssen, nicht von einem Claude Monet unterscheiden, und die einzige Musik, die sie möglicherweise interessierte, war Blasmusik an einem Sonntagnachmittag im Park.

Es gab keinen Grund, die Brüder ihres Geschmackes wegen, den sie trotz allem mit den meisten anderen Menschen teilten, zu kritisieren. Sverre hatte eine besondere Gabe, seine Brüder hingegen nicht. So musste man es betrachten. Aber seltsam war es schon, dass sie sich trotz der garantiert gleichen Eltern, der gleichen Kindheit und Jugend und der symbiotischen Studienjahre so unterschiedlich entwickelt hatten. Lauritz nutzte jede freie Minute, um wie besessen Rennrad zu fahren. Oscars einziges Steckenpferd war sein Gewehr, und jeden Sonntag nahm er an Übungen der Dresdner Scharfschützenkompanie teil. Man hätte meinen können, diese Beschäftigung wäre ihm mit der Zeit vielleicht etwas eintönig geworden, aber mitnichten. Leichter nachzuvollziehen war sein diskretes Faible für das Nachtleben.

Sie hatten sich jedoch bislang immer geliebt, wie sich Brüder eben lieben. Bis vor Kurzem, bis zum Verrat des jüngsten Bruders.

Nun rackerten sich Lauritz und Oscar auf der Hardangervidda ab. Man konnte sich unschwer vorstellen, wie es ihnen dort erging, vielleicht war es ja jetzt im Juni nicht ganz so schrecklich. Einmal hatten sie während der Sommerferien nach der Heuernte zu dritt die Osterøya verlassen und waren eine Woche lang auf der Hardangervidda gewandert, um sich ein Bild davon zu machen, was sie erwartete, wenn sie den Bau des am höchsten gelegenen und schwierigsten Eisenbahnabschnitts nach Beendigung ihrer Ausbildung in Dresden in Angriff nehmen würden. Zur Sommerzeit präsentierte sich die Hardangervidda magisch schön in ungeahnter Farbenpracht. Sverre hatte vor Ort eine Reihe Bilder gemacht, sogar einige Aquarelle. Es gehörte nicht viel Fantasie dazu, eine weiße, wirbelnde Schneedecke über die ganze Landschaft zu ziehen und sich eine Temperatur von minus 35 Grad vorzustellen. Die Schönheit verwandelte sich dabei in eine Hölle.

Die Bergenbahn war zweifelsohne Norwegens größtes technisches Projekt, ein heroisches Projekt und eine gelungene Metapher des 20. Jahrhunderts als eines Jahrhunderts der Technik. Nun denn. Die Arbeit an sich war jedoch technisch nicht sonderlich anspruchsvoll und zeichnete sich vor allem durch große körperliche Anforderungen aus. Es handelte sich mehr um eine Kraftprobe als um eine technische Herausforderung. Vielleicht war das ungerecht oder auch nur die leichtfertige Ausrede eines Menschen mit einem schlechten Gewissen.

Dort oben rackerten sich jetzt Lauritz und Oscar im Kampf gegen die Elemente ab, während sich der Verräter, ihr jüngster Bruder, an den schönen Künsten in Paris erfreute – Albie und er hatten dort auf der Reise nach Antwerpen eine zweitägige Pause eingelegt – und an der üppig grünen südenglischen Landschaft mit den sanften Hügeln und der pastoralen Idylle.

Vielleicht war es ja sein Verhältnis zur Kunst, das die Voraussetzungen für die inzwischen wahrscheinlich unüberwindbare Kluft zwischen den Brüdern geschaffen hatte. Im Haus von Frau Schultze hatten sie gut, jedoch sehr bescheiden und diszipliniert gelebt. Die Universität schickte jedes Quartal einen Bericht an *Die gute Absicht* in Bergen, in dem die Studienresultate der Brüder bis auf eine Stelle hinter dem Komma aufgelistet wurden. Anschließend wurde pünktlich Geld an die Filiale der Deutschen Bank in der Altstadt überwiesen. Sie hatten wahrlich keine Not gelitten. Aber das Geld aus Bergen erlaubte ihnen keine Ausschweifungen. Ordentliche, saubere Kleidung, drei Mahlzeiten bei ihrer Vermieterin, das war alles.

Mit der Zeit brachte Lauritz Geldprämien von seinen Radrennen nach Hause, die er penibel teilte: eine Hälfte für seine Brüder und sich, die andere für *Die gute Absicht* in Bergen. Es war Geld, das ihren Wohltätern nicht fehlte und das sie nie eingefordert hatten.

Es begann damit, dass Frau Schultze ihn bat, den Türrahmen des großen Speisezimmers zu dekorieren, in dem sonntags gegessen wurde, wenn mehr als vier Gäste teilnahmen. Natürlich wünschte sie sich »Wikingerkunst«, und dagegen war nichts einzuwenden. Dieser Auftrag kostete Sverre vier Arbeitstage und ein schlechtes Ergebnis bei einer unwichtigen Prüfung, das sich schnell wieder aufholen ließ.

Die Gäste, die Frau Schultze an Sonntagen empfing, begeisterten sich wie scheinbar ganz Deutschland für die Wikinger und altnordische Ornamentik. Damit nahm alles seinen Anfang. Die ersten Gäste, die etwas in Auftrag gaben, bezahlten nicht viel. Als Sverre das zu bunt wurde, nahm er, auf seine Studien verweisend, nur noch widerstrebend Aufträge an. Prompt stieg die Nachfrage, aber auch für einfachste Arbeiten stieg der Preis dramatisch an, wobei schwarze Reliefs auf Goldgrund am teuersten waren.

Er ließ seine Brüder an dem Gewinn teilhaben, nicht aber die Wohltätigkeitsloge, ein Umstand, den Lauritz seltsamerweise nie kommentierte.

Dank dieser zusätzlichen kunsthandwerklichen Arbeit war er ab seinem dritten Jahr in Dresden niemals knapp bei Kasse, obwohl er immer mehr Geld für modische Kleidung für sich und seine Brüder ausgab, in denen sie alle Kommilitonen überglänzten.

Diese leidenschaftliche Begeisterung für Kleider führte ihn vermutlich mehr als alles andere mit Albie zusammen. Es gab eine große Gruppe englischer Studenten in Dresden, es hieß sogar, die englische Landsmannschaft sei größer als die der deutschen Provinzen, möglicherweise mit Ausnahme von Sachsen. Deutschland und die deutsche Kultur waren während der letzten Jahre in England in Mode gekommen, was den englischen Studenten deutlich anzumerken war, deren Bewunderung alles Deutschen gelegentlich geradezu übertrieben wirkte. Trotzdem kleideten sie sich eher englisch als deutsch, wobei die Unterschiede gering waren.

Besuchte man ein Konzert oder die Semperoper, warf man sich natürlich in Schale, das verstand sich von selbst und war Teil des Vergnügens. Aber ein Frack war ein Frack und ließ sich nicht groß variieren. Ein Besuch der Soireen des Kunst- und Opernvereins stellte eine größere Herausforderung dar, denn hier galt es, in einfacher Eleganz aufzutreten, was viel schwerer war. Die Engländer wählten zu diesen Anlässen normalerweise einen Smoking, ein Kleidungsstück, das Sverre eher fantasielos fand. Es handelte sich dabei um einen einfachen Frack mit schwarzer statt weißer Fliege, in dem alle gleich aussahen. Mit Ausnahme jener Engländer natürlich, die darauf bestanden, graue Hosen zu dem schwarzen oder mitternachtsblauen Jackett zu tragen, ein Stil, den sie »Oxford Grey« nannten.

In so einem Zusammenhang waren Albie und er sich erstmals begegnet. Sie trugen beide keinen Smoking, sondern hatten sich deutlich mehr ins Zeug gelegt und tauschten sich recht ausgiebig über die Schneidereien in der Stadt aus.

Eins führte zum anderen. Albie war in der Kolonie englischer Ingenieursstudenten beliebt und lud öfter als die anderen nach Veranstaltungen zu sich nach Hause ein. Das konnte er sich auch erlauben. Er wohnte in einer großen Wohnung mitten in der Stadt und hatte sowohl einen Butler als auch eine Haushälterin. Das war bei den Engländern nichts Ungewöhnliches, die ausnahmslos aus wohlhabenden Familien zu kommen schienen und erklärten, dass man seine Studien in Oxford und Cambridge ebenfalls auf diese Weise organisiere. Die Feste der englischen Studenten waren entweder rauschend und glamourös oder, wie oft bei Albie, ruhiger und philosophisch. Es wurde zwar auch gerne getrunken, aber mäßiger. Ab und zu hörte man bis spät in die Nacht Grammofonmusik oder las Gedichte vor, deutsche und englische.

Es war ein angenehmes Beisammensein, und Albie war ein ausgesprochen großzügiger Gastgeber. Außerdem bot sich für Sverre dort die Gelegenheit, seine Englischkenntnisse, die er sonst nur durch die wenigen amerikanischen Lehrbücher trainierte, kostenlos zu verbessern. Aber Englisch lesen war wesentlich einfacher als Englisch sprechen oder verstehen.

Erstaunlicherweise sprach Albie im Unterschied zu seinen Landsleuten kein Sächsisch, sondern ein schönes, perfektes Hochdeutsch. Er bestätigte, dass man ihn überall in Deutschland für einen Deutschen hielt, erläuterte aber nie, wie er diese Fähigkeit erworben hatte, und leugnete, deutsches Blut in den Adern zu haben.

Albies hervorragendes Deutsch kam noch mehr zu seinem Recht, wenn die anderen Gäste nach Hause geschwankt und sie allein waren, was immer öfter geschah. Manchmal brachen die anderen Gäste erstaunlich früh auf, als hätten sie einen kleinen Wink erhalten.

Sie blieben im Hinblick auf die Vorlesungen des folgenden Tages viel zu lange auf und unterhielten sich buchstäblich über alles zwischen Himmel und Erde, über Norwegen und England, über Bach und Mozart, über den Durchbruch des Impressionismus, Wagners Wikingerromantik im Verhältnis zur bedeutend raueren Wirklichkeit jener Zeit, über Sozialismus und Frauenwahlrecht, über Deutschlands zögerliche Teilnahme am Wettstreit um die Kolonien, die vielleicht allzu übertriebenen Bestrebungen

Englands in dieser Hinsicht und die holländische Hell-dunkelmalerei im Vergleich zu den helleren Farben der modernen französischen Malerei. Wer hätte nicht gerne einen Vermeer besitzen wollen, wenn man bedachte, wie viele moderne französische Kunstwerke plus einer Kopie des alten Meisters man dafür eintauschen konnte.

In diesen einsamen Stunden war die Welt schmerzlich schön, so schön wie gewisse Abschnitte in Tschaikowskys Sinfonie »Pathétique«. Während endloser Gespräche verglichen sie Bachs mathematische und Tschaikowskys emotionale Methode, schöne Kunst zu schaffen.

Zusammen mit Albie wurde das Leben größer und reicher. Dieses Gefühl überwältigte Sverre ganz besonders, wenn er daran dachte, wie sein Leben verlaufen wäre, wenn er als Seiler in Bergen geblieben wäre und ihm somit der Blick auf die Welt großenteils verschlossen geblieben wäre. Manchmal hatte er das Gefühl von einem starken Überdruck in seinem Inneren, wie in einem allzu fest aufgepumpten Autoreifen, der zu platzen drohte. Anfangs war es eine Art fiebriger Erregung, die er nicht in Worte fassen konnte, weder sublime noch alltägliche. Er erkannte nicht die heimliche und in den Augen vieler schändliche Bedeutung dieser überwältigenden Gefühle.

Nachdem ihn Albie zum ersten Mal zum Abschied geküsst hatte, behutsam und zärtlich, aber auf den Mund, ging er wie berauscht im roten Licht des Sonnenaufgangs am Elbufer nach Hause, ein absichtlicher Umweg. Er sang, was ihm gerade einfiel, hauptsächlich Schubert. Seine Gefühle waren stärker als jede Vernunft. Er ahnte nicht und dachte nicht, dass er an einem entscheidenden Wendepunkt im Leben angekommen war.

Lesen Sie weiter:

DIE
BRÜDER

von Jan Guillou

ISBN: 978-3-453-26840-1

Jan Guillou

Schwedens erfolgreichste historische Romanserie aller Zeiten

978-3-453-47097-2

**Der Kreuzritter –
Aufbruch**
978-3-453-47096-5

**Der Kreuzritter –
Verbannung**
978-3-453-47095-8

**Der Kreuzritter –
Rückkehr**
978-3-453-47094-1

**Der Kreuzritter –
Das Erbe**
978-3-453-47097-2

Leseproben unter: **www.heyne.de**